# Barbara Beuys

# Und wenn die Welt voll Teufel wär

Luthers Glaube und seine Erben

Rowohlt

Umschlagentwurf Werner Rebhuhn
Das Porträt auf der Vorderseite zeigt Martin Luther
im Alter von 43 Jahren, gemalt 1526 von Lucas Cranach d. Ä.
(Nationalmuseum, Stockholm)
Das Motiv auf der Rückseite ist ein Ausschnitt
aus dem rechten Seitenflügel (Hl. Antonius) zur Kreuzigungsgruppe
des Isenheimer Altars von Matthias Grünewald,
entstanden um 1511–1515; Museum Unterlinden, Colmar

1. Auflage Oktober 1982
Copyright © 1982 by Rowohlt Verlag GmbH,
Reinbek bei Hamburg
Alle Rechte vorbehalten
Gesamtherstellung Clausen & Bosse, Leck
Gesetzt aus der 10.5 Garamond (Linotron 404)
Printed in Germany
ISBN 3 498 00476 x

Für Anna

Ich fürchte mich nicht, ich bin unerschrocken und unverzagt, mir ist nicht traurig, ich bin guten Muts und sorge mich nicht. Denn es ist da wohl Trübsal und Jammer vorhanden, die mich sauer ansehen und gern wollten, daß ich mich vor ihnen fürchten und sie um Gnade bitten sollte. Aber ich weise sie ab und spreche: Lieber Butzemann, friß mich nicht, du siehst wahrlich scheußlich genug aus für den, der sich vor dir fürchten wollte. Aber ich habe einen andern Anblick, der ist desto lieblicher, der leuchtet mir, wie die liebe Sonne, bis ins ewige Leben hinein, daß ich dich kleines, zeitliches, finsteres Wölklein und zorniges Windlein nicht achte.

*«Das schöne Confitemini»*
*Martin Luther 1530 in seiner Schrift*
*über den 118. Psalm*

Wer Luther intensiv studiert und dabei nie die Versuchung verspürt hat: Hier weht die reine Luft des Evangeliums, ich muß zur lutherischen Kirche übertreten – der hat Luther nicht wirklich verstanden.

*Otto Hermann Pesch,*
*katholischer Professor am Fachbereich*
*Evangelische Theologie*
*der Universität Hamburg, im Sommer 1981*

# Inhalt

# Einleitung:
# Der unbekannte Luther

Für Goethe war die Sache ganz einfach: «Unter uns gesagt, ist an der ganzen Sache nichts interessant als Luthers Charakter, und es ist auch das Einzige, was der Menge eigentlich imponiert. Alles übrige ist ein verworrener Quark, wie er uns noch täglich zur Last fällt.» Geschrieben wurde das 1817, dreihundert Jahre nachdem der Mönch Martin Luther in Wittenberg 95 Thesen gegen den Mißbrauch des Ablaßwesens verfaßte und damit eine akademische Diskussion in Gang bringen wollte. 1981, knapp fünfhundert Jahre nach Luthers Geburtstag, zählte der Lutherische Weltbund 69 728 787 Menschen rund um den Globus, die sich zum Glauben Martin Luthers, diesem «verworrenen Quark», bekennen. Die meisten Lutheraner – 52 256 572 – leben in Europa und davon die Mehrheit – 22 506 172 – in der Bundesrepublik Deutschland. Imponierende Zahlen, aber überzeugen sie auch? Schließen sich nicht heute sehr viele Zeitgenossen Goethes abschätzigem Urteil an? Am Ende des 20. Jahrhunderts steht für sie fest: Luthers Glaube geht uns nichts mehr an.

Aber kennen wir diesen Glauben wirklich? Um das zu prüfen, gibt es nur einen Weg: Wir müssen diesen Menschen ernst nehmen. Martin Luther war Mönch mit Leib und Seele. Fünfzehn Jahre seines Lebens, im besten Mannesalter, hat er Gott auf diese Weise mit Überzeugung gedient. Er vergrub sich nicht in seiner Zelle, sondern machte schnell Karriere in seinem Orden. Außerdem war er Professor der Theologie. Sein Leben lang hat ihn das mit Stolz erfüllt. Gegenüber Kaiser und Papst und Kritikern aus den eigenen Reihen hat er sich auf seine theologische Qualifikation berufen.

Als Theologe gehörte er zur Elite der mittelalterlichen Welt. Seine Theologie war es, die die römische Kirche ins Wanken brachte. Sie ist das Fundament der evangelischen Kirchen, die sich nach seinem Tod bildeten.

Es war Luthers Theologie, die die Menschen aufhorchen ließ und sie begeisterte, so viele Mißverständnisse es auch gab. Nie zuvor hatte ein Professor seinen theologischen Elfenbeinturm verlassen und das Volk teilnehmen lassen an seiner Theologie, die aus seinem Glauben gewachsen war. Das Geheimnis von Luthers Erfolg liegt zu einem ganz großen Teil in der Offenheit und in der Glaubwürdigkeit dieses Mannes. Bei ihm gab es keine Kluft zwischen Theologie und Glaube, zwischen Leben und Lehre.

Damit stellt sich von selbst die Herausforderung des Jubiläums 1983, an dem Luthers 500. Geburtstag gefeiert wird: Dieses Leben nicht verkürzt darzustellen, sondern mit seinem wichtigsten Teil, Luthers Glauben, zu erzählen. Das ist der erste Teil. Um über eine bloß punktuelle Sicht der Geschichte hinauszukommen, bleiben zwei Aufgaben: in die mittelalterliche Vergangenheit einzutauchen, die diesen Mönch geprägt hat; und die Entwicklungslinien in die Zukunft nach ihm weiterzuziehen in die lutherischen Kirchen, die den Glauben dieses Mannes als ihr wichtigstes Erbe hüteten, durch die Jahrhunderte weitergaben und veränderten.

Die Vergangenheit: Das ist eine katholische Kirche, die ihre Schäflein nicht linientreu disziplinierte, sondern ein bunter Haufen, bei dem die Freude am Diskutieren zu den theologischen Tugenden zählte. Die Vergangenheit: Das ist eine Vielfalt theologischer Schulen und die theologische Tradition seines Ordens, die Luther vor allem beeinflußte. Die Vergangenheit: Dazu gehört die tiefe Frömmigkeit einer Zeit, für die Gott im Mittelpunkt aller Dinge stand. Und Menschen, die in jenem Jahrhundert, als Luther geboren wurde, voller Engagement versuchen, mündige Christen zu werden und nicht alles in ihrer Kirche, der sie selbstverständlich treu waren, schweigend hinzunehmen.

Die Zukunft: Das sind die Kirchen, in denen sogleich nach Luthers Tod ein unerbittlicher Kampf um das rechte Erbe ausbricht. Evangelische Christen verketzern und vertreiben sich gegenseitig. Die Zukunft: Das ist der Pietismus, der in Preußen tiefe Wurzeln schlägt und außerhalb der lutherischen Kirchen theologische Strömungen ermuntert, in der die Frau eine ungewöhnlich aktive Rolle spielt. Die Zukunft: Dazu gehört der Einfluß, den evangelische Kirchenmänner auf die deutsche Aufklärung genommen haben. Als Reaktion auf die aufgeklärte Theologie folgt im 19. Jahrhundert ein Bündnis zwischen protestantischen Kirchen und konservativem Nationalismus, das das offizielle Christentum blind macht für die Probleme und Forderungen der Arbeiterschaft. Dieser radikale Nationalismus begünstigt während der Weimarer Republik eine evangelisch-völkische Theologie. Die Mehrheit der evangelischen Christen hat den Worten Hitlers treuherzig Glauben geschenkt, und so wird die lutherische Kirche – von einzelnen und Minderheiten abgesehen – mitschuldig an einer Entwicklung, in der das Unrecht herrscht, die Opfer keine Beschützer finden und niemand die Würde des Menschen in der Öffentlichkeit verteidigt.

Wenn Martin Luther mehr ist als ein ferner Punkt im Strom der Geschichte, auf den sich aus Anlaß einer runden Gedenkzahl der Scheinwerfer richtet, dann muß zugleich mit dieser Person ihre Vergangenheit und ihre Zukunft – die unsere Vergangenheit ist – beleuchtet werden. Natürlich darf auch Luthers Gegenwart nicht fehlen, in der sich die Reformation keineswegs so schnell und revolutionierend ausbreitet, wie uns das die Geschichtsbücher erzählen. Ob Müntzer oder Zwingli, ob Calvin oder der stille Graf Schwenckfeld: sie alle kommen in diesem Buch zu Wort. Doch die Klammer, die alles zusammenhält, ist Luthers Glaube, seine Theologie. Die äußeren Stationen seines Lebens, seine Krankheiten und seine Stimmungen, werden in diesem Buch nicht unterschlagen. Wo politische Entwicklungen den Lauf der Ereignisse bestimmen, wird der Leser an ihnen teilnehmen. Das alles ist aber nicht das Entscheidende in Luthers Leben. Und es kann weder Maßstab noch Bezugspunkt für die Geschichte der evangelischen Christen sein. Der Sturm deutscher Landsknechte auf Rom oder Luthers Steinleiden helfen uns nicht weiter, wenn wir wissen wollen, ob sich jene Theologie, die den Nationalsozialismus als Erfüllung des Christentums pries, auf Luther berufen kann. Darum ist der Glaube Martin Luthers der rote Faden in diesem Buch, die Fackel, die Licht bringen soll in eine wichtige Dimension deutscher Geschichte, die die Historiker bisher allzusehr im Dunkeln gelassen haben.

Gott war bisher eine Sache der Theologen. Ein Kreis von Eingeweihten verständigt sich in einer Sprache, die für die allermeisten Menschen schon lange fremd und nichtssagend geworden ist. Wem sagen die Begriffe Rechtfertigung und Gnade, Auferstehung oder Heiliger Geist noch etwas? Es sind leere Worthülsen geworden. Dabei hat gerade der Mönch aus Wittenberg einen formelhaften, unpersönlichen Glauben bekämpft. Der Protestantismus hat sich von diesen Ursprüngen fortentwickelt. Die Einheit von lebendigem Glauben und Theologie, die Luther so entschieden und überzeugend lebte, ist in seinen Kirchen mit den Jahrhunderten immer mehr verlorengegangen. Zugleich ist die Unkenntnis über die Anfänge und über Luthers Glauben immer größer geworden. Professor Gerhard Müller, früher Kirchenhistoriker und jetzt Bischof der evangelisch-lutherischen Kirche von Braunschweig, ist nicht der einzige, der die «Luther-Vergessenheit» seiner Kirche beklagt und feststellt: «Man liest ihn nicht einmal mehr.» Nicht nur das kirchliche Fußvolk, auch viele Pfarrer sind damit gemeint. Sie haben sogar eine gute Entschuldigung.

Wer glaubt, daß in fünfhundert Jahren genug Zeit war, um sich mit dem Reformator gründlich wissenschaftlich auseinanderzusetzen, den wird ein Blick in die evangelische Lutherforschung staunen lassen. 1883 erschien der erste Band der sogenannten Weimarer Lutherausgabe, in der erstmals Luthers Werke nach modernen historisch-kritischen Gesichtspunkten und umfassend herausgegeben wurden. Dieser Band enthält auf den ersten 229 Seiten alles, was Luther vom Beginn seiner Vorlesungtätigkeit 1509 bis zu den Ablaßthesen 1517 schriftlich hinterlassen hatte – nach dem Stand der Forschung 1883. Keine einzige seiner frühen Vorlesungen war darunter. Der gleiche überarbeitete Weimar-Band von heute – die Edition ist inzwischen auf gut hundert Bände angewachsen – bietet dem Leser 2800 Seiten. Alle Aufzeichnungen Luthers über seine ersten Vorlesungen, in denen der Grund seiner Theologie gelegt wurde, sind nämlich erst im letzten Drittel des 19. Jahrhunderts wiederentdeckt und erst nach der Jahrhundertwende herausgegeben worden. Alles, was bis dahin über den Mönch aus Wittenberg geschrieben wurde und bis heute entscheidend das Lutherbild prägt – unter anderem alle wissenschaftlich fundierten Biographien –, ist ohne diese wesentlichen Kenntnisse zustande gekommen. Immanuel Kant, der vielbeschworene Philosoph des Protestantismus, hat in seinem Leben von Luther nicht viel mehr als dessen Kleinen Katechismus gelesen.

Hat die evangelische Lutherforschung in den vergangenen hundert Jahren diese Lücke geschlossen? Wissen wir heute wenigstens alles über den «jungen» Luther? Der Leipziger Theologe und Kirchenhistoriker Helmar Junghans ist pessimistisch. In der ersten Nummer der Zeitschrift «Luther» der Luther-Gesellschaft, Jahrgang 1982, schreibt er: «Trotz riesiger Anstrengungen ist das Ergebnis niederschmetternd. Es gibt zwar eine große Anzahl verdienstvoller Einzeluntersuchungen, die Entzifferung und Kommentierung dieser frühen Luthertexte hat große Fortschritte gemacht, aber es fehlt eine allgemein anerkannte Gesamtdarstellung der Entwicklung Luthers zum Reformator.» Erst langsam machen sich evangelische Kirchengeschichtler mit der Theologie des späten Mittelalters vertraut und mit der Geschichte des Humanismus, zu der Luther auch gehört, wenngleich ihn auf Grund seiner Theologie ein tiefer Graben von diesen mittelalterlichen Aufklärern trennt. Es gibt aber nicht nur wesentliche Forschungslücken. Auch das Bild, das die Fachleute zeichnen, ist höchst uneinheitlich. Fast alle wesentlichen Entwicklungen und Aspekte der lutherischen Theologie sind heute unter evangelischen Experten umstritten.

Positiver sieht es auf den ersten Blick bei der Konkurrenz aus. Nachdem die Katholiken vierhundert Jahre lang nur Haß und Polemik für den Mann übrig hatten, der in ihren Augen schuld war an der Kirchenspaltung, kam nach dem Ersten Weltkrieg eine dramatische Wende. Der Kirchenhistoriker Sebastian Merkle weigerte sich, weiterhin zu glauben, «daß nur der der beste Katholik sei, der das Höchste in Verunglimpfung Luthers leistet». So steht es 1929 in seinem Aufsatz über «Gutes an Luther und Übles an seinen Tadlern». Merkle war nicht der letzte Katholik, der wegen solcher Äußerungen bei der kirchlichen Hierarchie in Mißkredit geriet. Dasselbe passierte dem Katholiken Joseph Lortz, als er 1939/40 mit seinem zweibändigen Werk über die Reformation in Deutschland endgültig einer gerechten katholischen Sicht auf Luther und seine Zeit zum Durchbruch verhalf.

Inzwischen gibt es schon die vierte Generation katholischer Lutherforscher, die mit Faszination und ohne konfessionelle Scheuklappen den Mönch aus Wittenberg studiert und betroffen feststellt, wie katholisch er war. Ihre Anstrengungen und ihr Forscherfleiß erhielten 1966 Anerkennung von der Gegenseite, als zum erstenmal katholische Lutherforscher zu einem internationalen evangelischen Lutherkongreß nach Finnland eingeladen wurden. Doch ihr führender Vertreter, Otto Hermann Pesch, katholischer Professor für Systematische Theologie am Fachbereich Evangelische Theologie der Universität Hamburg, warnt nach zwei Seiten vor zuviel Optimismus. Professor Pesch: «Nur eine ganz dünne Oberschicht an ökumenischer Begegnung interessierter katholischer Christen weiß überhaupt von den geschilderten Entwicklungen.» Und: «Der Gesamteindruck ist, daß sich die Amtskirche in bedrückender Weise gegenüber der Feststellung eines Konsensus mit lutherischer Theologie selbst da reserviert zeigt, wo ihn in der Theologie die Spatzen von den Dächern pfeifen.»

Wie dünn die Decke ist, unter der der konfessionelle Zwist der Vergangenheit begraben liegt, zeigte sich im Herbst 1980. Mit Druckerlaubnis der katholischen Bischöfe erschien «Zum Besuch des Papstes» im Land der Reformation eine «Kleine deutsche Kirchengeschichte». Der katholische Freiburger Kirchenhistoriker Remigius Bäumler schildert darin Luther als den Mann, der geradewegs auf die Kirchenspaltung zusteuerte. Distanzlos zitiert er Luthers Gegner: Seine Hochzeit sei durch Unzucht und Gelübdebruch befleckt. Kein kritisches Wort über die römische Kirche. Es soll nicht zu gering veranschlagt werden, daß Katholiken aus den verschiedensten Lagern sich schnell und entschieden von solcher verzerrten Lutherinterpretation distanzierten. Übersehen wurde bei aller berechtigten Aufregung der größere Skandal: Daß die katholische Kirche eine deutsche Kirchengeschichte herausgab, in der die evangelischen Kirchen – nachdem das Zeitalter der Reformation geschildert ist – nicht existieren. Unter den Überschriften «Die deutsche Kirche 1803–1933» und «Die Kirche in der Weima-

16

rer Republik und im NS-Staat» ist ausschließlich von der katholischen Kirche die Rede.

Und was soll man davon halten, daß im März 1982 der Stadtkaplan der Pfarrei St. Moritz in Augsburg, ehrenamtlich im Pressedienst des Bischofs von Augsburg tätig, 95 Thesen herausgibt, in denen unter anderem steht: «Der Rom-Haß Luthers kann nur verglichen werden mit dem Juden-Haß Hitlers.» Und: «Luther war auch ein Judenhasser und Hitler ein Rom-Hasser.» Das unausgesprochene Fazit: Beide sind gleich schlimm. Der Bischof hat inzwischen seine Mißbilligung ausgesprochen, im Presseamt arbeitet der Kaplan nicht mehr, und er distanzierte sich von den Thesen, die der katholischen Glaubenslehre widersprechen. Die Hitler-Parallele gehört nicht dazu. Ansonsten ist er als Stadtkaplan unbehelligt, und der evangelische Kreisdekan nannte das Ganze «eine innerkatholische Angelegenheit».

Der Gang durch die Lutherforschung zeigt: Widersprüche und Unkenntnisse, zugleich positive Ansätze, aber ohne Rückhalt bei der Mehrheit der Kirchensteuer zahlenden Christen. Übrig bleibt: Kapitulation oder die Bereitschaft, das Risiko auf sich zu nehmen und die Theologie nicht länger allein den Theologen zu überlassen. Den Streit der Experten und die Lücken bei den Laien als Chance zu nutzen. Niemand macht zu diesem Experiment mehr Mut als Luther, der die Laien in Sachen Theologie nicht als unmündige Kinder behandelte und Mißverständnisse in Kauf nahm. Und es gibt indirekte Unterstützung von unerwarteter Seite.

Im Januar 1982 räumte die Ost-Berliner «Zeitschrift für Geschichtswissenschaft» ein, daß die theologische Sicht der Reformation in der DDR während der vergangenen drei Jahrzehnte «generell zu abwertend» gewesen sei. Schon im September 1981 hatten Wissenschaftler in der SED-Zeitschrift «Einheit» ungewöhnliche Thesen aufgestellt. Darin wird als Forschungsziel für das Lutherjahr 1983 angestrebt, sowohl «das Eigenleben und die Selbständigkeit der Theologie als auch deren Einbindung in die Traditionen» herauszuarbeiten. Ob protestantische, katholische oder marxistische Lutherforscher – für alle gilt das Urteil von Professor Bernhard Lohse, evangelischer Fachmann für die Reformationszeit: «Niemand sollte vorschnell meinen, das allein richtige Lutherbild gewonnen zu haben.» Das gilt natürlich auch für das vorliegende Buch.

Der rheinische Katholizismus, in dem die Autorin aufgewachsen ist, war frei von polemischer Verzerrung, aber gesättigt mit der Gewißheit, der richtigen Kirche zuzugehören, wenn am Sonntag triumphierend gesungen wurde: «Dank sei dem Herrn, der mich aus Gnad' zur wahren Kirch' berufen hat, nie will ich von ihr weichen.» Am Karfreitag wurde – den Protestanten zum Trotz – Hausputz gemacht und die Teppiche kräftig im Freien geklopft. Es lag auch ein bißchen Bosheit in dieser Demonstration, aber sie war eher augenzwinkernd. Es war einfach praktisch, diesen höchsten evangelischen Feiertag, der einem Katholiken damals nicht sonderlich viel bedeutete, zu nutzen.

Das waren die vierziger und fünfziger Jahre. Auch wenn die Bischöfe mit aller Macht und Disziplinierung auf einem einheitlichen Profil bestehen, die katholische Kirche ist seit dem II. Vatikanischen Konzil in den sechziger Jahren eine andere geworden. Meine erste intensive Begegnung mit der protestantischen Welt kam um diese Zeit, als ich – Laie und katholisch – mit zwei anderen Laien von der traditionsreichen Württembergischen Bibelanstalt in Stuttgart ausgewählt wurde, das Neue Testament aus dem Englischen in ein verständliches Deutsch zu übersetzen. Das «NT 68» entstand, das inzwischen – in redigierter Fassung – Auflagen in Millionenhöhe erreicht hat. Damals begann meine kritische Sympathie für die Kirche des Martin Luther.

Gekauft wird die Bibel, aber betrifft ihr Inhalt uns noch? Glaube und Aktualität: das scheint nicht mehr zusammenzupassen. Endgültig seit dem 19. Jahrhundert, als Technik und Naturwissenschaft ihren Siegeszug antraten, sind die Fronten klar: Auf der einen Seite Wissenschaft und Fortschritt, eine menschliche Zukunft und der Optimismus, auf alle Fragen eine Antwort geben zu können. Auf der anderen Seite der Glaube, der eigentlich nichts als Aberglaube ist, weltfremd, von vorgestern, menschenfeindlich. Und weil der Glaube immer mit der Kirche identifiziert wurde – sie hatte ja auch das Monopol auf Gott –, verzichtete man auf beides. Atheismus gehört seitdem zum modernen Menschen wie der Glaube zum Mittelalter.

Doch es gab einige, die erkannten schon in den zwanziger Jahren, daß die Kritiker der Religion damit einem Mißverständnis aufgesessen waren. Die «Jungsozialistischen Blätter» schrieben 1925: «Die atheistische Formel, ‹wir brauchen und mögen keinen Gott mehr›, und die Erklärung der Religion zur Privatsache, mit dem geheimen Hintersinn, jede Religion sei doch bloßer Götzenkult, haben sich all ihrem Modernitätsdünkel zum Trotz überlebt ... Heute sind diese atheistischen Gedanken nicht mehr das Vorwärtsweisende, heute sind sie ausgesprochener Konservatismus ... Das gerade Gegenteil wäre richtig. Die leer ausgegangenen Seelen der Menschen strecken heute wieder hungrige Hände aus im tosenden Lärm der modernen Zivilisation ... Wenn Sozialismus mehr sein will als bloßes Wirtschaftsprogramm ... muß er in irgendeiner noch zu findenden Form den ganzen Menschen erfassen, vor allem diesen heimlichsten und tiefsten Teil des Menschen: sein religiöses Bewußtsein und seine religiöse Sehnsucht.» Es war die Erkenntnis einer Minderheit. Religion blieb tabu. Das Thema war erledigt. Kein Mensch, der ernst genommen werden wollte, nahm außerhalb von Pfarrhäusern und Kirchen Worte wie Gnade oder Erlösung in den Mund. Gott ist tot, riefen selbst die Theologen.

Die Wende kam Ende der sechziger Jahre. Der Philosoph der Kommunistischen Partei Frankreichs, Roger Garaudy, ergriff die Initiative zu einem Dialog zwischen Kommunisten und Katholiken. Der deutsche Soziologe Max Horkheimer, an dessen Verachtung für die Religion bisher niemand gezweifelt hatte, schrieb 1971 ein Buch über «Die Sehnsucht nach dem ganz anderen». Es war nicht nur der Vietnam-Krieg, der die Studenten-Rebellion auslöste. Rudi Dutschke oder Ulrike Meinhof artikulierten das Unbehagen einer Generation, die vom Wohlstand umgeben war und erkannte, daß der Mensch nicht vom Brot allein lebt; die hungerte nach mehr Gerechtigkeit, Wärme und Solidarität. Die Jesuspeople missionierten unter der Jugend, und die Jugendsekten begannen, erste Anhänger zu gewinnen.

Der marxistische Philosoph Ernst Bloch hat die neuen alten Fragen in seinem «Prinzip Hoffnung» auf den Punkt gebracht: «Wer sind wir? Wo kommen wir her? Wohin gehen wir? Was erwarten wir? Was erwartet uns?» Immer deutlicher kamen die Grenzen der

Wissenschaft zum Vorschein. Mehr noch: Was einst als die Erlösung von allem Übel geglaubt worden war, wurde fragwürdig. Das Blatt hat sich endgültig gewendet. Der Mensch fühlt sich erdrückt von Maschinen, der Technik ausgeliefert in einer zerstörten Welt. «No future» heißt die radikalste Reaktion auf eine solche Zukunft. Dagegen steht Ernst Bloch: «Es kommt darauf an, das Hoffen zu lernen.» Nichts anderes ist der Kern von Religion.

Wir müssen uns frei machen von der Vorstellung, daß Religion etwas mit Kirche oder – ausschließlich – mit Christentum zu tun hat. Religion handelt vom Glauben, ohne den es keine Hoffnung gibt. Ein solcher Glaube ist nicht von vorgestern, ist nicht dumpfer Aberglaube, sondern ein weiter Blick über Grenzen hinweg. Ludwig Feuerbach, der Theologie studierte und dann der Philosoph des Atheismus wurde, hat das mitten im 19. Jahrhundert hellsichtig analysiert: «Der Glaube ist die frohe Aussicht, daß der heutige Tag nicht der letzte unter der Sonne ist, daß vielmehr auf Heute Morgen kommt und was daher heut nicht ist, morgen ist ... Der Unglaube schränkt den Umfang des Möglichen nur auf den engen Kreis seiner bisherigen Erfahrungen ein; aber der Glaube bindet sich nicht an die Schranken der Vergangenheit; er glaubt an die Möglichkeit des bisher Unmöglichen. ‹Dem Glaube ist nichts unmöglich.› Der Unglaube ist daher kleinmütig, klug, ja überklug ... befangen, zaghaft; der Glaube hoch gesinnt ... resolut, kühn, frei, sorglos.»

Für Martin Luther, den Menschen des Mittelalters, war der Glaube auf Gott gerichtet. Doch die Kraft, die zeitlos dahintersteckt, hat er für alle formuliert: «Und wenn die Welt voll Teufel wär / und wollt uns gar verschlingen, / so fürchten wir uns nicht so sehr, / es soll uns doch gelingen.» So heißt es in der dritten Strophe des protestantischen Kampfliedes «Ein feste Burg ist unser Gott». Der Glaube schafft etwas scheinbar Widersprüchliches: Er weist auf ein fernes Ziel und motiviert gerade dadurch, intensiv in der Gegenwart zu leben und sie auf diese Zukunft hin zu verändern.

Luthers Theologie, in deren Mittelpunkt die Gnade steht, hat mit dem Menschen zu tun. Sie ist – entgegen dem Klischee – keine Freikarte, sich aus den Händeln dieser Welt herauszuhalten. Wer als evangelischer Christ unter den Nazis schweigend litt, aber den Mund hielt über das Unrecht der anderen, konnte sich auf Martin

Luther nicht berufen. Ein Glaube ohne Konsequenzen im Leben war für ihn tot. Schon 1520 schrieb er in einer Abhandlung «Von den guten Werken», den Christen, sie müßten «allem Unrecht widerstreben, wo die Wahrheit oder Gerechtigkeit Gewalt und Not leidet».

Es war gerade Luthers Theologie, die den Theologen Dietrich Bonhoeffer, 1945 im KZ ermordet, dazu brachte, sich den politischen Verschwörern gegen Hitler anzuschließen. Er hielt seiner Kirche den Spiegel vor, weil sie die Theologie von der Gnade nicht ernst nahm: «Überall Luthers Worte und doch aus der Wahrheit in Selbstbetrug verkehrt ... Ein Volk war christlich, war lutherisch geworden, aber auf Kosten der Nachfolge, zu einem allzu billigen Preis ... Die Lehre der Schüler war also unanfechtbar von der Lehre Luthers her, und doch wurde diese Lehre das Ende und die Vernichtung der Reformation.»

Der Mensch, der über sich selbst und andere nachdenkt; der darüber verzweifelt, was ein Mensch dem andern antut und wozu der Mensch getrieben werden kann, findet im wesentlichen zwei entgegengesetzte Antworten. Erstens: Der Mensch ist gar nicht so schlecht. Schuld sind die Umstände. Ändert man sie, bekommt man einen anderen Menschen. Das glaubten Luthers humanistische Zeitgenossen ebenso wie der Aufklärer Rousseau. Dagegen setzt der Christ Martin Luther das gleiche pessimistische Menschenbild wie das jüdische Alte Testament: Der Mensch ist in Sünden empfangen und geboren. Er ist von Natur aus böse. Oder wie es der Psychoanalytiker Alexander Mitscherlich in der Sprache des 20. Jahrhunderts sagt: Der Mensch ist ein «in seinem Ursprung unfriedliches Wesen». Einen Beweis für die Richtigkeit der einen oder anderen Behauptung gibt es nicht. Die Geschichte des Menschen pendelt zwischen beiden Extremen. Sie wird eine ständige Auseinandersetzung darum bleiben. Gottfried Benn, Arzt, Dichter und Pfarrerssohn, hat sie auf die lapidare Formel gebracht: «Die Krone der Schöpfung, das Schwein – der Mensch ...»

Wir spüren heute wenig von der Krone der Schöpfung. Eher fühlen wir, wie kaputt der Mensch ist, wie leer, sich und anderen entfremdet. Religion, auch das hat Karl Marx gesagt, ist der Seufzer der bedrängten Kreatur. Man möchte ergänzen – der Seufzer nach

Erlösung. Die Erfahrung, die Martin Luther in den Augenblicken machte, als er keine Hoffnung mehr auf Erlösung hatte, ist dem Menschen unserer Zeit so fern nicht: «Da bleibt nichts anderes übrig als der nackte Schrei nach Hilfe, ein schreckliches Seufzen, das nicht weiß, wo Hilfe zu finden ist. Da ist die Seele mit dem gekreuzigten Christus weit ausgespannt, daß man alle ihre Gebeine zählen kann, kein Winkel in ihr, der nicht angefüllt wäre mit tödlicher Bitternis, mit Entsetzen, Angst und Traurigkeit – und dies alles scheint ewig zu währen.»

Vielleicht ist es heute deshalb vielen peinlich, mit Religion in Verbindung gebracht zu werden, weil immer noch der Eindruck vorherrscht, das sei eine Sache für Kinder, Alte – und Frauen. Sieht man genauer hin, so liegt in diesem verächtlichen Urteil unbewußt ein Lob. Es bescheinigt den Frauen, eine Antenne zu haben für wesentliche Fragen und entgegen allem Fortschrittsglauben festgehalten zu haben an der Erkenntnis, daß nicht alles machbar ist und der Mensch mehr, als was er sich in seinem Kopf ausdenkt. Es ist der Theologie nicht gut bekommen, daß sie über zweitausend Jahre eine Bastion der Männer blieb.

Luther war entgegen vielen Legenden kein «männlicher» Mann. Er akzeptierte seine Frau auch als geistigen Partner und informierte sie in seinen Briefen über theologische Auseinandersetzungen. Er hatte keine Hemmungen zu weinen, wenn ihm danach zumute war. Heinrich Heine, Deutscher und Jude, hat ihn besser als alle anderen gezeichnet: «Derselbe Mann, der wie ein Fischweib schimpfen konnte, er konnte auch weich sein wie eine zarte Jungfrau. Er war manchmal wild wie der Sturm, der die Eiche entwurzelt, und dann war er wieder sanft wie der Zephyr, der mit Veilchen kost.» Doch Luther hatte geradezu Angst davor, Gefühlen im Glauben Raum zu geben. In diesem Bereich mochte er keine Tränen. Das Wort sollten die Menschen in sich aufnehmen. Luthers Glaube war kopflastig. Auch das gehört zu seinem Erbe.

Religion hat mit der Zeit und dem Kulturkreis zu tun, in den jeder Mensch geboren wird. Luther war ein ungewöhnlich religiöser Mensch. Er lebte im christlichen Mittelalter. Sein Glaube war deshalb gebunden an den christlichen Gott und an eine christliche Kirche. Sein radikaler Glaube erwuchs aus radikalen Fragen an diesen Gott, der für ihn immer ein «verborgener Gott» war; kein jovialer Großvater mit weißem Bart. Der Glaube an einen solchen unbegreiflichen Gott ist kein billiger Seelentrost, keine Versicherung auf das Jenseits.

Karl Rahner, der große alte Mann der katholischen Theologie, hat die Weise, auf die ein Mensch im 20. Jahrhundert überhaupt noch an Gott glauben kann, den «wahren Agnostizismus» genannt: «Man wendet sich nicht ab, man hält stand, man nimmt die Unbegreiflichkeit seiner Existenz wirklich an, und zwar eben in einer wirklichen Annahme als sinnvolle und Hoffnung in sich bergende. Wenn man dies aber wirklich tut, dann ist im Grunde schon Gott angenommen ...» In einem solchen Glauben könnte sich Luther mit seiner Erfahrung wiederfinden. Und nicht nur er.

# Mönche streiten gern

Am Anfang war das Wort. Als Jesus, der Sohn eines Zimmermanns aus Nazareth, im Alter von dreißig Jahren durch Palästina wanderte, kam er am Galiläischen Meer vorbei und sah zwei Fischer, die ihre Netze ins Wasser warfen. Und er sagte zu ihnen: «Folget mir nach. Ich will euch zu Menschenfischern machen.» Es waren Petrus und Andreas, zwei Brüder, und auf sein Wort hin folgten sie ihm. Drei Jahre später stand Jesus in Jerusalem vor Pilatus, dem römischen Statthalter, angeklagt von hohen jüdischen Priestern. Was hatte er getan? Er sah es so: «Ich habe frei öffentlich geredet vor aller Welt. Ich habe allezeit gelehrt in der Synagoge und in dem Tempel, wo alle Juden zusammengekommen, und habe nichts im Verborgenen geredet.» Das Wort ist eine Macht. Die Mächtigen haben es stets gewußt.

Als der Mann am Kreuz gestorben war, zogen jene, die seine Worte gehört hatten, in die Welt, um sie allen mitzuteilen. Andere schrieben im letzten Drittel des ersten Jahrhunderts auf, was Jesus gesagt hatte. So wie man es ihnen erzählte. Denn mit eigenen Ohren hatte keiner der Männer gehört, was seitdem als Gottes Wort gilt: das Evangelium, die «frohe Botschaft». Doch das Wort kann immer doppeldeutig und mißverständlich sein. Auch das geschriebene schützt nicht vor hitzigen Diskussionen und Streit. Paulus, der missionierende Apostel, drohte den Galatern, einer Gemeinde in der heutigen Türkei, in einem Brief: «Wenn jemand euch das Evangelium anders predigt, als ihr es von mir empfangen habt, der sei verflucht.»

Die Geschichte der Christen kennt keinen idyllischen Urzustand, keine reine Lehre, die erst in späteren Zeiten durch Ketzereien und Anpassungen an die Welt getrübt und verzerrt worden ist. Der Glaube an Jesus als den Sohn Gottes war umstritten von Anfang an, weil das Wort, ohne das dieser Glaube nicht lebensfähig ist, keine eindeutige Botschaft weiterträgt. Ist das so wichtig? Wenn ein Mensch überzeugt ist, daß er eine Seele hat, auf die ein ewiges Leben bei Gott oder bei dem Teufel wartet, dann kann *ein* Wort entscheidend sein. Es ist ja auch nicht irgendeines, sondern kommt von dem, der als Gottes Sohn gilt. Die Worte des Evangeliums sind für den gläubigen Christen Gottes Wort. Aber wer entscheidet, wenn es zum Streit darüber kommt? Wer hat auf Erden in Sachen Gott das letzte Wort?

Die römisch-katholische Kirche entschied sich erst 1870 für eine Autorität, die in letzter Instanz bei strittigen Glaubensfragen ein Machtwort spricht. So viele Ketzer die Päpste auch verurteilen und verbrennen ließen, das Dogma ihrer Unfehlbarkeit ist nicht viel mehr als hundert Jahre alt. In den frühen Jahrhunderten, als die ersten christlichen Dogmen und Lehrsätze sich langsam in den Auseinandersetzungen bildeten, war man nicht zimperlich, sich die Meinung zu sagen. Augustinus, berühmter Kirchenvater und Bischof von Hippo, im heutigen Algerien, ließ sich im Kampf gegen solche Christen, die er für Abweichler von der reinen Lehre hielt, zu immer radikaleren Aussagen provozieren. Als er schließlich behauptete, jeder Mensch sei schon im Augenblick der Geburt von Gott für den Himmel oder die Hölle bestimmt, erhielt er Widerspruch in der Sache und im Grundsätzlichen.

Die Mönche auf der winzigen Insel Lerin vor Marseille wollten keinen Gott, der dem Menschen keine Entscheidungsfreiheit ließ. Einer von ihnen, Vincentius, ließ sich von Augustinus zu der Überlegung anregen, mit welchen Maßstäben man den wahren katholischen Glauben messen soll, da ganz offensichtlich das Evangelium unterschiedlich ausgelegt werden kann. Unter dem Pseudonym Peregrinus schrieb er 434 nach Christus, der untrügliche Beweis sei die Tradition, nämlich das, «was an allen Orten, zu allen Zeiten, von allen geglaubt wird». Dieser Tradition müssen sich alle beugen, seien sie nun Bischof von Hippo oder von Rom. (Übrigens haben die Bischöfe von Rom – die sich später Papst nannten – die Konzilien der ersten Jahrhunderte, auf denen grundsätzliche und bis heute verbindliche Lehren des Christentums aufgestellt wurden, weder einberufen, noch waren sie überhaupt anwesend.)

Die Lust am Diskutieren und Disputieren verging den Christen so schnell nicht. Im Gegenteil: Sie wurde ein fester Bestandteil des kirchlichen Lebens. Nur wer gut streiten konnte, war im christlichen Mittelalter ein guter Theologe. Wer es zur Meisterschaft darin brachte, zog die besten Geister Europas an seinen Lehrstuhl, bildete eine eigene Denkschule – lateinisch: schola – aus, und seine Schüler trugen seine Gedanken weiter. Nichts anderes bedeutet der Begriff «Scholastik», der als Etikett für die Blütezeit der mittelalterlichen Theologie benutzt wird. Es entstanden immer neue theologische Schulen, immer subtilere theologische Systeme, mit denen man bis in den Himmel reichen wollte.

An welcher Universität der Meister auch lehrte, gleichgültig welche Schule er vertrat, er gehörte stets jener Elite an, die in den mittelalterlichen Jahrhunderten Kultur, Bildung und sogar den technischen Fortschritt verkörperte. Es war die hohe Zeit der Mönche. (Auch gar nicht so wenige Nonnen – gelehrt, geistreich und tiefgläubig – haben Einfluß genommen auf ihre Umgebung und mit den Großen in Welt und Kirche korrespondiert. Die Lehrstühle allerdings blieben ihnen versagt.)

In den Bibliotheken der Klöster überlebte die Literatur der heidnischen Antike und wurde auf kostbare Pergamente gemalt. Die Mönche rodeten das Land und machten es fruchtbar. Die Zisterzienser waren nicht nur führend in der europäischen Eisenproduktion und in der Schafzucht. Europas Weinberge gehen auf ihre kundigen Hände zurück. Die Orden der Bettelmönche – Dominikaner und Franziskaner – besetzten die wichtigsten theologischen Lehrstühle der christlichen Welt in Oxford und Paris.

Dominikaner und Franziskaner – dem gleichen Armutsideal, dem gleichen Wort Gottes verpflichtet – waren sich keineswegs freundlich gesonnen. Wie zwei feindliche Armeen kämpften sie um die ewigen Wahrheiten und keineswegs nur mit intellektuellen Waffen. Mit Franziskus von Assisi, der im 13. Jahrhundert Menschen für sein ohnmächtiges Christentum begeistert hatte, glaubten seine Mitbrüder und seine Nachfolger im Orden an die Lehre von der

Unbefleckten Empfängnis Marias. Der berühmte Kirchenlehrer Thomas von Aquin, ein Dominikaner, lehnte sie ab und mit ihm sein Orden. Der Streit ging über Jahrhunderte. Es gab Päpste, die die Franziskaner, und solche, die die Dominikaner unterstützten. Keiner wollte eine endgültige Entscheidung treffen, und so war trotz allem Lärm auf den unterschiedlichen Kanzeln kein Katholik verpflichtet, an die Unbefleckte Empfängnis zu glauben.

Im Jahre 1509 schließlich inszenierten vier Dominikanermönche in Bern ein «Marienwunder», um die franziskanischen Marienverehrer zu blamieren. Der Plan ging schief. Die Dominikaner büßten auf dem Scheiterhaufen. Die Sache selbst blieb weiterhin offen und umstritten. Erst 1854 erklärte Pius IX. in seiner Bulle «Ineffabilis Deus» – «Der unaussprechliche Gott» –, daß Maria «von jedwedem Makel der Sünde allzeit frei, und ganz schön und vollendet, eine Fülle der Unschuld und Heiligkeit zur Schau trüge, wie sie größer unter Gott gar nicht vorstellbar ist, und wie sie niemand außer Gott auch nur in Gedanken erreichen kann ... Alle wissen aber auch, mit welchem Eifer diese Lehre von der Unbefleckten Empfängnis der Jungfrau-Gottesgebärerin von den angesehensten Ordensfamilien, den berühmten theologischen Hochschulen und den ausgezeichnetsten Vertretern der Gottesgelehrtheit weitergegeben, erklärt und verteidigt worden ist.» Mit dieser Bulle ist seit 1854 jeder Katholik im Gewissen verpflichtet, an eine Lehre zu glauben, die von ausgezeichneten Vertretern der Theologie über Jahrhunderte bekämpft worden ist.

Die Päpste schlugen sich im Streit der Professoren-Mönche mal auf die eine, mal auf die andere Seite. Theologische Impulse gingen von Rom nicht aus. Man ließ nur zu gern die Mönche für sich arbeiten. Die taten es willig und begeistert, fühlten sich aber gerade deshalb zu beißender Kritik an der römischen Kirche und den Stellvertretern Christi berechtigt. Mönche und Nonnen nannten die Mißstände laut beim Namen. Katharina, die Tochter eines Wollfärbers aus Siena, machte sich 1376 auf den gefährlichen Weg nach Avignon, wo die Päpste seit Jahrzehnten in luxuriöser Gefangenschaft des französischen Königs lebten. Sie drang tatsächlich bis zum Papst vor und sagte seiner Heiligkeit vor Kardinälen und Prälaten ins Gesicht, «daß die Sünden des päpstlichen Hofes bis nach Siena stinken». Es war ein Jahrhundert, in dem der Widerspruch zwischen päpstlichen Ansprüchen und christlicher Lebensweise selbst mit Dutzenden von Bannflüchen nicht mehr zuzudecken war. Feierliche Verdammungssprüche des Herrschers auf dem Stuhle Petri hinderten im 14. Jahrhundert Kaiser und König nicht mehr, der imperialen päpstlichen Politik entschiedenen Widerstand zu leisten. Kein deutscher Kaiser trat mehr den Gang nach Kanossa an. Im Gegenteil, an seinem Hofe fanden jene Mönche Schutz, die als kritische Dissidenten aus dem Machtbereich des Papstes geflohen waren. Theologen im Exil, die in Deutschland darüber nachdachten, wie die verweltlichte Kirche wieder zu ihrer wahren Aufgabe zurückfinden könnte, und mit ihren Gedanken Sprengstoff für Jahrhunderte lieferten.

Im Dunkel der Nacht vom 26. auf den 27. Mai 1328 gelang es einem halben Dutzend Franziskanermönchen, die Stadt Avignon unbemerkt zu verlassen. Sie schlugen sich bis Aigues-Mortes im Rhonetal durch und nahmen von dort mit einer Galeere Kurs auf die Toskana. Kaum hatte man an der Kurie ihre Flucht entdeckt, setzte der Kardinalbischof von Porto den Mönchen mit einem Trupp Soldaten nach. Doch er kam zu spät. Der hohe Herr hätte sich nicht solche Mühe gemacht, wären da nur ein paar einfache Mönche entlaufen. Tatsächlich handelte es sich um die Elite des Ordens. Geflohen waren unter anderem Michael von Cesena, der Generalminister, Bruder Bonagratia von Bergamo, Jurist und Theologe, und Wilhelm von Ockham, ein englischer Franziskaner. Sie alle waren am päpstlichen Hof als unbequeme Kritiker abgestempelt.

Wir brauchen dem Streit nicht in allen Verästelungen nachzugehen. Der Generalminister der Franziskaner war überzeugt, daß ein Bettelorden keinerlei Eigentum besitzen dürfe. Die Dominikaner nutzten die Gelegenheit, sich von der Konkurrenz abzusetzen, und erklärten, Christus und die Apostel hätten Eigentum besessen und also dürften es die Mönche auch. Der Papst, Johannes XXII., gab den Dominikanern recht und nannte alle, die anderer Meinung seien, Häretiker. Er beschimpfte Michael von Cesena vor Kardinälen und Prälaten und verbot ihm bei Strafe der Exkommunikation und Amtsenthebung, Avignon zu verlassen.

Michael und seine Gesinnungsgenossen waren nicht ohne Grund nach Italien geflüchtet. Als sie am 9. Juli 1328 in Pisa ankamen, wurden sie mit allen Ehren empfangen. Denn Pisa war fest in der Hand des deutschen Kaisers, und der stand seit Jahren in erbitterter Fehde mit dem Papst in Avignon. Im Jahre 1313 hatten sich die Kurfürsten im Deutschen Reich bei der Wahl eines neuen Reichsoberhauptes nicht einigen können. Es kam zu einer Doppelwahl, die schließlich Ludwig von Bayern, aus dem Hause Wittelsbach, nach siegreicher Schlacht für sich entschied. Doch Ludwig, der nicht verhehlte, daß er auch in Italien tatkräftig seine Herrschaft ausüben werde, wartete vergeblich auf die päpstliche Bestätigung seiner Wahl. Statt dessen kam aus Avignon der Befehl, die Regierung niederzulegen, vor dem päpstlichen Gericht zu erscheinen und abzuwarten, wie Johannes XXII. entscheiden werde. Ludwig forderte daraufhin ein unparteiisches Generalkonzil als Richter. Im März 1324 belegte ihn der Papst mit dem großen Kirchenbann. Der Bayer zögerte nicht, von nun an in den Kritikern des Papstes seine Freunde zu sehen. Sein Hof wurde zum Zentrum der Dissidenten. Es läßt sich nicht trennen, was Überzeugung, was politische Taktik war. Ein zeitgenössischer Chronist nennt Ludwig IV. skrupellos und «verwegen in allem, was seine Mittel nur zu erlauben schienen».

Schon 1326 hatte Marsilius von Padua Paris und seinen Lehrstuhl an der Universität verlassen und war nach München geflohen, wo er als Berater des Kaisers freundliche Aufnahme und Auskommen fand. Der geborene Italiener gehörte zu den ersten, die im christlichen Mittelalter über den Sinn des Staates nachdachten, ihm eine eigene Existenzberechtigung gaben und in der weltlichen Macht keinen Wurmfortsatz der geistlichen sahen. Marsilius hatte Medizin, Philosophie und Theologie an der hochgelehrten Pariser Universität unterrichtet, deren Rektor er ein Jahr lang war. Anonym veröffentlichte er 1324 sein Hauptwerk «Defensor Pacis». Eine Schrift zur «Verteidigung des Friedens», der seit dem erneuten Streit zwischen Papst und Kaiser in weiter Ferne lag. Die Lösung, die Marsilius anbot, war revolutionär. Kein Wunder, daß er Paris schnellstens verließ, als dort seine Autorenschaft bekannt wurde.

Der Professor trennte die geistliche Gewalt radikal und umfassend von der weltlichen Gewalt. Der Papst sollte dem Kaiser in der Politik weder hineinreden noch ihm Vorschriften machen. Die Kirche hatte nur eine Aufgabe: die Sakramente zu spenden und, wie Christus, in beispielhafter Armut zu leben: «Christus selbst ist nicht in die Welt gekommen, um über die Menschen zu herrschen ... oder sie zu richten oder zu regieren ... und folglich hat er die Bischöfe oder Priester von jeder solchen Regierung oder weltlicher Herrschaft ausgeschlossen.» Aus dem Blickwinkel des Evangeliums schmolz der Führungsanspruch des römischen Bischofs zu einem traditionellen Ehrenplatz innerhalb der Gesamtkirche: «Alle waren Priester in der gleichen Weise, und der römische Bischof oder irgendein anderer besitzt keinen umfassenderen priesterlichen Charakter als jeder sogenannte einfache Priester.» Marsilius wollte das Papsttum nicht abschaffen. Er sprach ihm auch einen gewissen Einfluß zu. Nur das letzte Wort gab er ihm nicht. Solchen Gedanken nachzugehen, hinderte Marsilius in München niemand.

Michael von Cesena und seine Begleiter blieben nicht in Pisa. Sie machten sich auf den Weg nach Norden, überquerten die Alpen. Das Barfüßerkloster in München wurde ihre neue Heimat und damit zu einem Zentrum abendländischer Gelehrsamkeit und kritischer Theologie. In Avignon hatte man sie inzwischen verurteilt. Doch die gebannten Mönche gaben auch im Exil das Nachdenken nicht auf. Am intensivsten tat es der englische Franziskaner Wilhelm von Ockham. Unter dem Einfluß des Marsilius und der aktuellen Politik beschäftigte er sich in München vor allem mit dem Verhältnis von Kirche und Staat. Ockham entdeckte im Evangelium die Freiheit als maßgeblichen Wegweiser und ging in seinen Konsequenzen noch über Marsilius hinaus.

Auch der Engländer wollte das Papsttum nicht stürzen. Der Bischof von Rom ist für ihn der Stellvertreter Christi. Aber einer, der seine Schafe behüten und nicht – wie es tatsächlich geschah – melken, scheren und schlachten soll. Die Päpste haben nach Ockham weltliche Macht an sich gerissen, statt sich auf ihren geistlichen Auftrag zu beschränken. Diesen Auftrag aber müssen sie ohne Zwang ausüben. Kein Christ soll etwas gegen sein Gewissen glauben, denn «das Gesetz des Evangeliums ist ein Gesetz der Freiheit». Ockham stützte sich auf Paulus: «Ihr aber, liebe Brüder, seid zur

Freiheit berufen.» Wenn der einzelne seine Entscheidung letztlich in eigener Verantwortung treffen muß, verliert auch ein Konzil seine umfassende Bedeutung. Ockham ist mißtrauisch gegenüber Mehrheitsentscheidungen in Glaubensdingen. Er will sich nur auf die Vernunft und die klare Lehre der Heiligen Schrift verlassen. Wird ein Papst zum Häretiker, wie Johannes XXII. nach Ockhams Meinung, muß ein Christ, der das erkannt hat, ihn öffentlich entlarven und ihm den Gehorsam verweigern.

Die Lehre des Marsilius über die Trennung von geistlicher und weltlicher Gewalt baut Ockham weiter aus. Er spricht von den zwei Reichen – dem weltlichen und dem geistlichen –, die nichts miteinander zu tun haben. Die weltlichen Reiche sind direkt von Gott eingesetzt und unterstehen nicht der päpstlichen Gewalt. Ein Priester – und wenn er der Papst ist – darf nur dienen, nicht herrschen. Ockhams Beweismittel ist die Bergpredigt. Wir dürfen uns vorstellen, daß Wilhelm und Marsilius, der Engländer und der Italiener, manche Stunde im Kloster zusammensaßen oder vor den Toren Münchens spazierengingen. Das Latein war ihre gemeinsame Sprache.

Von allen klugen Köpfen, die damals in München zusammenkamen, ist Wilhelm von Ockham als der einflußreichste in die Geschichte eingegangen. Er wurde zum Meister, dem nach seinem Tod noch über Jahrhunderte die Schüler folgten. Nicht nur wegen seiner kirchenpolitischen Schriften. Vor allem auch, weil er ein Meister der Definition war und von unerbittlicher Strenge, wenn es um die Sprache ging. Da durfte nicht gepfuscht und geschludert werden. Alles mußte klar sein und eindeutig. Diese Qualität vor allem hatte Martin Luther im Sinn, als er zwei Jahrhunderte später voller Stolz sagte, daß er aus der Schule des Ockham komme.

Damit es keine Mißverständnisse gibt: Marsilius, Ockham und die anderen kritischen Mönche wollten nichts Neues auf die Beine stellen. Sie fühlten sich keineswegs als «moderne» Geister, sondern als Verteidiger der wahren Tradition. Sie wünschten sich zurück zu den Anfängen. Zurück zur Heiligen Schrift und weg von den juristischen Vorschriften der Kurie. Zurück zu einem evangelischen Leben in Armut und Askese und weg von päpstlicher Pracht und Herrlichkeit. Die römische Kirche, nun in Avignon zu

31

Hause, war für sie zur Hure geworden, die sich an die Welt verkauft hatte.

Als die Reformer bei Nacht und Nebel Avignon verlassen hatten und in den Schutz des gebannten Kaisers flohen, meldeten die weltlichen Gesandten an der Kurie diese Sensation ihren Herren in ganz Europa. Ordensbrüder auf der Wanderschaft quer über den Kontinent brachten die Nachricht nach Monaten, vielleicht erst nach Jahren in einige Klöster. Was am Hofe Ludwig IV. geschah, wer seine Berater waren, welche Politik er trieb: kein Sprecher verkündete es dem Volk. Keine Zeitung verbreitete die Nachrichten. Es gab keine Öffentlichkeit. Eine hauchdünne adlige Elite regierte. Das war ihr Geschäft und nicht die Theologie. Doch die theologische Welt war nicht weniger elitär. Wer nicht in Oxford oder Paris studiert hatte, brauchte gar nicht erst mitzureden. Weder Ockham noch Marsilius kamen auf die Idee, ihre Botschaft unters Volk zu bringen oder Anhänger um sich zu scharen. Jene radikalen Schriften, aus denen heute die Fachleute zitieren, mußten in zeitraubender Handarbeit nachgemalt werden. Dann lagerten die wenigen kostbaren Handschriften in den Klosterbibliotheken. Kein Laie bekam sie zu Gesicht.

Bildung und Kultur, Bergbau und Schafzucht standen keineswegs am Anfang der Ordensgeschichte. Die christlichen Einsiedler, die sich in die Wüsten Ägyptens zurückzogen, und die Männer, die im 6. Jahrhundert mit dem heiligen Benedikt in Italien Europas erste Mönchsgemeinschaft bildeten, hatten sich der Welt verweigert. Sie gingen in die Einöde und wollten nur zwei Dinge tun: beten und mit ihrer Hände Arbeit das wenige, was sie für ihr asketisches Leben brauchten, pflanzen und ernten. Nur hundert Jahre später rief der Bischof von Rom sie zurück in die Welt und gab ihnen den Auftrag, den Kontinent nördlich der Alpen zu missionieren.

Die Mönche, die zu den germanischen Völkern zogen, kamen als Boten einer anderen Kultur, die nicht nur fremd, sondern sehr mächtig und eindrucksvoll schien. Die Barbaren wurden gelehrige und begierige Schüler und machten die Mönche zu einem Teil der neuen Gesellschaft, einem Grundpfeiler der politischen und wirtschaftlichen Ordnung, die Europa weit über ein Jahrtausend prägte.

Von Zeit zu Zeit gab es den Versuch auszubrechen und Ansätze, das Rad der Zeit zurückzudrehen und den Sinn des Ursprungs wiederzugewinnen. Einen der faszinierendsten machte ein reicher Bürgersohn aus Assisi. Bruder Franz wollte für sich und seine Mitschüler nichts besitzen von den Gütern dieser Welt, und sehnte sich nach einer armen Kirche. Sein Zeitgenosse, der Spanier Dominikus, hatte ähnliche Ideen. Die Bettelorden entstanden. Franziskus hatte seinen Brüdern ausdrücklich auch die geistigen Reichtümer verboten. Ein Theologiestudium und kluge Bücher waren für ihn ein Hindernis auf dem Weg zu Gott. Aber Radikalität ist keine Massentugend. Die Nachfolger sind immer eine Nummer kleiner, gehen ihre eigenen Wege. So kamen die Bettelmönche auf die berühmten theologischen Lehrstühle in Oxford und Paris. Aber nicht alle wollten sich anpassen. So stritten die Reformer mit dem Papst, wie arm ein Mönch sein müsse oder dürfe.

«Und fest laßt uns wissen, daß nichts uns zugehört als die Laster und Sünden.» So hat es Franziskus formuliert. Es ist die Überzeugung, die am Anfang des Mönchtums steht: Die Welt ist von Grund auf schlecht. Der Mensch ist schlecht. Nur wer umkehrt, sich ändert und Buße tut sein Leben lang, kann gerettet werden vor den Flammen der Hölle. Darum wurde Demut die höchste Tugend der Mönche, so oft man sie auch vergaß. Doch zugleich wuchs das Gefühl, etwas Besonderes zu sein und zu jener kleinen Schar zu gehören, die von Gott auserwählt war. Es entstand ein Sendungsbewußtsein, das seinen Auftrag direkt von Gott herleitete und deshalb jederzeit umschlagen konnte in unbarmherzigen Fanatismus, das Buße forderte, Demut predigte und doch keine Gnade kannte. Der Hochmut der Mönche stand an der Spitze aller Lasterkataloge.

Mit dieser Spannung mußte fertig werden, wer sensibel war. Einer, der der Gefahr erlag, war Savonarola; ein italienischer Dominikanermönch, der in seinen Predigten unermüdlich die Sünden der fetten Prälaten und verdorbenen Päpste anprangerte. Savonarola wollte die Kirche reformieren, seinen Orden und die Gesellschaft. Er vertrieb die Medici unter dem Jubel des Volkes aus Florenz. Eine düstere, sittenstrenge Herrschaft begann. So hatte sich das Volk seine Zukunft nicht vorgestellt. 1498 wurde der Mönch auf dem großen Platz mitten in der Stadt erdrosselt und verbrannt.

Es ist verständlich, daß viele Mönche den Widerspruch ihrer Existenz nicht aushalten konnten. Sie gingen den leichteren Weg. Sie quälten sich nicht ständig um ihr Heil oder das der Kirche. Sie lebten brav, unauffällig und unangefochten. Manch einer ging auch den Sünden des Fleisches nach. Das Ziel, das die Gründer gesteckt hatten, war zu hoch und das Verflochtensein in die Welt nicht rückgängig zu machen. Mit den Jahrhunderten nahm das Reservoir an geistlicher und geistiger Kraft in den Klöstern ab. Als Savonarola in Florenz starb, schien die große Zeit des mittelalterlichen Mönchtums vorbei. Oder würde noch einmal jemand heranwachsen, der sich und der Welt ein radikales christliches Ziel setzte?

# Die neue Frömmigkeit

Als Martin Luther, der angehende Jurist, im Sommer 1505 von einem Tag auf den anderen das Studium abbrach und ins Kloster der Augustiner zu Erfurt eintrat, entschlossen, für den Rest seines Lebens ein Mönch zu sein, war sein Vater entsetzt. Mit antikirchlichen Gefühlen und mangelnder Frömmigkeit hatte das nichts zu tun. Hans Luther war ein gläubiger Mann und fest in der einen, katholischen Kirche verwurzelt. Aber er spürte wie viele seiner Zeitgenossen, daß der Stand der Mönche keine Zukunft mehr hatte. Die Orden selbst verschlossen ja die Augen nicht vor dem Niedergang ihrer Gemeinschaften. Zwar beklagten sie die «Unfruchtbarkeit der Zeiten», die «Schädlichkeit des Fortschritts» und «daß bei vielen Menschen die Liebe erloschen ist». So die Generalversammlung der Zisterzienser 1494. Aber sie vergaßen nicht, sich an die eigene Brust zu schlagen. Sie prangerten die «Ungeheuerlichkeit des schlechten Treibens von Äbten und Mönchen» an. Wie kritische Mönche vor ihnen, sahen die Zisterzienser gegen Ende des 15. Jahrhunderts das Heil nur in der Rückkehr zu den Ursprüngen: «Es geht nicht darum, in dem in geistigen und weltlichen Dingen ruinierten Orden irgendwelche neuen Erfindungen einzuführen, sondern ihn zurückzuführen zum Leben, zu den Zeremonien und zu den Einrichtungen der heiligen Väter...»

Wir sind in jenem Jahrhundert angekommen, an dessen Ausgang im November 1483 Martin Luther geboren wurde. Es ist an der Zeit, den geistlichen Stand zu verlassen und sich dem kirchlichen Fußvolk zuzuwenden. Sein Alltag ist von Hagelschlag und Mißernten, vorteilhaften Geschäftsabschlüssen und Festen ebenso geprägt, wie von Fastentagen und Messen, feierlichen Prozessionen und inbrünstigen Gebeten vor wundertätigen Reliquien.

Nach den immer neuen Pesteinbrüchen während des 14. Jahrhunderts, den Seuchen und Hungersnöten, an denen insgesamt wohl 20 Prozent der Menschen in Europa starben, geht es wieder bergauf. Endlich, ab 1470, werden mehr Menschen geboren als zu Grabe getragen. Die Wirtschaft stabilisiert sich, gewinnt neue Dynamik. Etwas unter 90 Prozent der Bevölkerung leben auf dem Land. Doch wir dürfen nicht an die erbärmlichen Verhältnisse denken, unter denen bäuerliche Landarbeiter östlich der Elbe in der sogenannten Neuzeit ihr Leben zubringen mußten. Der mittelalterliche Bauer war kein Sklave. Obwohl an seine Scholle gebunden, war er ein persönlich freier Mann. In den meisten Landschaften war die Handarbeit, die er seinem Grundherrn schuldete, längst in Naturalien, in Abgaben von seiner Ernte, umgewandelt worden.

Im Dorf gab es – wie in der städtischen Gemeinschaft – arm und reich, unten und oben. Mus und Brei als typisch bäuerliche Nahrung hielten erst die kommenden kümmerlichen Jahrhunderte bereit. In den Haushaltsplänen das Grafen Joachim von Oettingen, der auf der Burg Hochberg bei Nördlingen residierte und 1520 starb, ist genau aufgezählt, was die Wächter, Knechte, Arbeiter und Bauern als Tagesration zu essen bekamen: Morgens eine Suppe, mittags eine Suppe und Fleisch, Kraut, eine mit Pfeffer – damals ein kostbares Gewürz –, angemachte Fleischbrühe oder eingemachtes Fleisch, Gemüse oder Milch und zum Abend wieder Suppen und Fleisch, Rüben und Fleisch, Gemüse oder Milch. Insgesamt kommt man pro Tag und Kopf auf fast zwei Drittel Kilogramm Fleisch. Auf dem Tisch des Grafen stand die doppelte Menge an Gerichten, außerdem Wildbret, Geflügel und Fisch.

Es wurde auch in diesem Jahrhundert gehungert. Aus Thüringen berichtet 1438 der Chronist, daß die Menschen in den Dörfern tot umfielen. Es gab keinen, der sie begraben konnte, und ein Stückchen Brot war nicht zu bezahlen. Doch solche Notzeiten waren kein Dauerzustand, sondern Einbrüche in einer generell positiv verlaufenden Konjunktur. Mit der nächsten guten Ernte sank der

Getreide- und damit der Brotpreis wieder. Geld wurde frei. Der Konsum stieg. Damit sind wir in den Städten angelangt, denn sie waren, über das ganze Reich verstreut, die wirtschaftlichen Magnete im Kraftfeld der Wirtschaft. Hier wurde produziert, umgesetzt und nicht wenig konsumiert. Ein dichtes Netz von Straßen und Wasserwegen durchzog den Kontinent, schaffte Alltags- und Luxuswaren in die kleinsten Nester. Die mittelalterliche Wirtschaft war offen und grenzüberschreitend. Der mittelalterliche Mensch war ausgabefreudig und allem Neuen gegenüber aufgeschlossen.

Das Modell für die soziale Struktur in der Stadt ist die Pyramide. Reiche, alteingesessene Bürger und gut verdienende bildeten eine dünne Spitze. Doch am Ende des 15. Jahrhunderts konnten auch die kleinen Handwerker und die Arbeiter nicht klagen. Im Durchschnitt lagen die Löhne über den Preisen für Nahrungsmittel und Gebrauchswaren. Das Ernährungsbudget für die fünfköpfige Familie eines Würzburger Bauarbeiters in diesen Jahren erlaubte pro Person 2240 Kalorien täglich. Sehr viel mehr, als sich eine Arbeiterfamilie am Beginn des 19. Jahrhunderts leisten konnte.

Einen ganz besonderen Boom erlebten die Städte im Sächsischen. Hier wurde Silber, Kupfer und Kohle aus den Bergen geholt, so gefragt wie nie zuvor in Europas Geschichte. Fünfzehn neue Städte wurden in dieser Region im letzten Drittel des Jahrhunderts gegründet. Allen voran das prächtige Annaberg, dessen neue gotische Kirche wie ein Weltwunder bestaunt wurde. In Nürnberg blühte die Uhrenindustrie, und bald verdrängte die Stadt an der Pegnitz das «heilige Köln», bis dahin unangefochten die reichste und größte Stadt im Reich. Augsburg wurde Finanzzentrum, und die Familien der Fugger und Welser gewannen mit ihrem Geld zusehends an Einfluß in den politischen Geschäften.

Umdenken müssen wir, was die Größe dieser Städte betrifft. Rund fünftausend gab es um 1500 im Deutschen Reich. In nur 5 Prozent von ihnen lebten mehr als dreitausend Menschen. Köln, die größte, hatte 40000 Bewohner, Lübeck rund 25000, Frankfurt 15000, Hamburg nicht mehr als fünftausend. Städtisches Leben und städtischer Reichtum waren nicht an die Qualität gebunden. Auch wo nur tausend oder dreitausend Menschen in den winkligen Gassen wohnten, kamen die Güter aus aller Welt ins Haus, produzierten Handwerker ihre Waren, die Kaufleute dann weit über das Land schafften. Kultur und Bildung waren kein Monopol der Mönche mehr, sondern auch in den Häusern der Bürger zu Hause. Handwerker und Kaufleute, Männer und Frauen überhäuften die Bildhauer und Maler mit Aufträgen. In manchen städtischen Gebieten des Deutschen Reiches konnten immerhin schon 10 Prozent der Bewohner lesen und schreiben. Das war ein revolutionärer Durchbruch in Europa.

Keine mittelalterliche Stadt ist denkbar ohne die Türme der Kirchen und Kapellen, das Geläut der Glocken, die Nonnen und Mönche in ihren schwarzen, braunen und weißen Trachten, den wehenden Hauben und spitzen Kapuzen. Die geistlichen Männer und Frauen genossen die Annehmlichkeiten der Stadt. Die Bürger spendeten reichlich. Doch die Gesetze der Stadt galten für die geistliche Schar nicht. Sie mußten keine Steuern zahlen und vor keinem weltlichen Gericht erscheinen. Ihre Häuser und Kirchen waren unangreifbare, immune Inseln innerhalb der Stadtmauern.

Den Bürgern, so fromm sie waren, bedeutete diese Sonderexistenz zunehmend ein Ärgernis. Sie versuchten, die geistlichen Bezirke voll in das städtische Leben mit allen seinen Rechten und Pflichten zu integrieren. Der größte Teil der Geistlichkeit, die Bischöfe an der Spitze, wehrten sich mit allen Mitteln. Der Konflikt zwischen Bischof und Bürgern war deshalb so erbittert, weil es keineswegs nur um geistliche Belange, sondern um hochpolitische Standesinteressen ging. Denn die Bischöfe, Nachfolger der Apostel, kamen ausnahmslos aus dem adligen Stand (so blieb es – mit Ausnahmen – bis ins vorige Jahrhundert). Wer in der Hierarchie der katholischen Kirche einen oberen Platz einnehmen wollte – als Bischof, Domherr, Abt –, mußte blaues Blut durch viele Generationen nachweisen. Ein tiefer Graben trennte die hohe Geistlichkeit vom niederen Klerus, der beim Gottesdienst oder Beichthören als einziger mit dem Kirchenvolk in Kontakt kam.

Die Bürger in der Stadt waren mit der Zeit nicht nur politisch mündiger geworden. Sie nahmen auch in kirchlichen Dingen nicht mehr alles schweigend hin. Das 15. Jahrhundert brachte die Bürger nach vielen mühsamen Anläufen ihrem Ziel einen großen Schritt näher: mündige Christen zu sein, die mitsprechen dürfen, wenn es um das Heil ihrer Seelen geht. Sie wollten bei allem nie bestrittenen Respekt die Kirche nicht mehr als ferne, bedrohliche Macht, sondern als Teil ihrer Welt erleben. Was in Augsburg geschah, ist typisch für diese Entwicklung. Wer Augsburg damals besuchte, konnte glauben, schon jenseits der Alpen zu sein. Breite Straßen durchzogen die Stadt, in schattigen Laubengängen lagen die Geschäfte. Kirchen und Bürgerhäuser zeugten vom Geschmack und Geld der Bürger. Das Geld spielte auch im Kampf der Stadt gegen ihren Bischof eine nicht unerhebliche Rolle. Die Bürger waren bereit, für ihre Freiheit zu zahlen und wirtschaftliche Verluste in Kauf zu nehmen.

Im Jahre 1413, als die Kirche gespalten war und zwei Päpste Anspruch auf den römischen Stuhl erhoben, wurden auch in Augsburg zwei Kandidaten zum Bischof gewählt. Die adligen Domherren unterstützten den einen, der Rat der Stadt hartnäckig den anderen Bewerber. Der Papst entschied schließlich zugunsten der Domherren. Doch die Bürger gaben nicht nach. Auch als sie 1418 dafür mit dem Bann belegt wurden, die Herzöge von Bayern den Handel mit der Stadt abbrachen und die meisten Geistlichen die Stadt verließen. Kranke starben ohne die Letzte Ölung, Kinder wurden nicht getauft. Eine schreckliche Vorstellung für alle, die an die Wirkungen der Sakramente glaubten. Es gab erst Frieden, als der Papst 1424 einen dritten, Peter von Schaumberg, zum Bischof ernannte.

Bischof Peter prozessierte von 1450 bis 1456 gegen die Stadt, um die alte Sonderstellung seines Standes wiederherzustellen. Sogar ein Krieg drohte, bis auf beiden Seiten die Vernunft siegte und man einen Kompromiß schloß. Zum drittenmal stand man sich in diesem Jahrhundert vor Gericht gegenüber, als Peters Nachfolger es 1474 ablehnte, den angesehenen Augsburger Bürger Bernhard Artzt in das Domkapitel aufzunehmen. Die Tradition stand auf der Seite des Bischofs. Bisher hatte es immer nur adlige Domherren gegeben. Und so sollte es bleiben. Sieben Jahre dauerte der Prozeß an der römischen Kurie. Die Stadt führte ihn für ihren Bürger – und verlor. Aber vor zu einfachen Schlußfolgerungen muß man sich zu allen Zeiten hüten. Der gleiche Bischof Peter, der so zäh um seine alten Privilegien kämpfte, verschloß sich dem Ruf nach Reformen nicht und unterstützte die Bürger, als sie – von Rom allein gelassen – zur Selbsthilfe schritten. Denn die gleichen Bürger, die gegen geistliche Bevormundung in städtischen Angelegenheiten prozessierten, waren sehr dafür, daß in den Klöstern, wo ihre Söhne und Töchter untergebracht waren, Zucht und Ordnung herrschten.

Das Dominikanerkloster St. Katharina war das Versorgungsinstitut für die unverheirateten Töchter der Patrizierfamilien. Obwohl die Ordensregeln strengste Isolierung von der Welt vorschrieb, ließen sich die Nonnen im Kloster von Familienangehörigen besuchen, verfügten über eigenes Geld und gingen sogar ungeniert in der Stadt spazieren. Ein Reformversuch im Jahre 1357 führt zu nichts. Da wandte sich der Rat der Stadt 1441 in einem Brief an den Ordensprovinzial, klagte über die ständigen Verstöße gegen die Regel und bat um gemeinsame Beratungen über die Mißstände. Schon vierzehn Tage später wurden die Schwestern von St. Katharina von ihrem geistlichen Vorgesetzten an die strenge Klausur erinnert. Man würde sie notfalls mit weltlicher Hilfe durchsetzen. Als sich nichts änderte, schritt der Rat mit gutem Gewissen zur Tat. Er bestellte Maurer, um die Klostermauern zu erhöhen und die Sprechgitter zuzumauern. Doch die Nonnen hielten nichts von christlicher Friedfertigkeit. Sie kamen mit «stangen und pratspießen und schlugen und stachen zu den maurern und zu den werkleuten und triben sie all ab mit gewalt». Dann läuteten die Gottesfrauen Sturm und unterstellten sich dem Schutz des Bischofs. Der untersagte den Nonnen schließlich alle Besuche. Eine Äußerlichkeit. Wirkliche Reformen konnte auch er nicht durchsetzen.

Auch die adligen Herren gewannen in Laufe des 15. Jahrhunderts ein immer größeres Mitspracherecht in kirchlichen Dingen. Vom Herzog von Kleve hieß es, er sei in seinem Territorium Kaiser und Papst. Ganz entsprach das nicht der Wahrheit, denn wenn zum Beispiel der Papst eine Stadt mit dem Bann belegte und kein Priester eine Messe halten durfte, war der Landesherr machtlos. Doch es wurde selbstverständlich, daß er in den Klöstern seines Gebiets nach dem Rechten sah und bei der Ab- und Einsetzung von Äbten und Bischöfen kräftig mitmischte.

Den Fürsten und Herren lag vor allem daran, daß die Klöster ertragreiche Wirtschaftsbetriebe waren. Aber nicht wenige Landesväter waren ehrlich bemüht, auch geistliche Reformen durchzusetzen, da nur allzu oft die geistliche Aufsicht versagte. Es ging ihnen ähnlich wie der städtischen Obrigkeit. Johann Neunhauser, Gesandter des Bayernherzogs in Rom, versuchte vergeblich, an der römischen Kurie für seinen Herrn das Recht zu erlangen, die arg verweltlichten Regensburger Klöster zu visitieren. Enttäuscht schrieb er nach Hause, «das zu Rom di visitacion und reformacion nit wol gefürdert sondern mer gehindert werden...»

Das Bindeglied zwischen Kloster und städtischer Verwaltung waren die Pfleger, angesehene Bürger, die vor allem bei den Klosterfinanzen im Laufe des Jahrhunderts ein immer größeres Mitspracherecht gewannen. Verständlicherweise, denn die Töchter der Reichen brachten ihre Mitgift statt in die Ehe in die Kirche ein. Die Bettelorden waren längst mit Geld und Grundbesitz gesegnet, und der Pfleger tat alles, damit das Vermögen der Mönche und Nonnen bei der Stadt angelegt wurde. Mit Kritik an der Kirche oder ihrer Lehre hatten solche Bemühungen nichts zu tun. Parallel zu den Versuchen, die Kirche in das städtische Leben einzugliedern, blühte eine Frömmigkeit auf, die keineswegs von oben verordnet war. Heilige, Reliquien und Wunder erleben in diesem 15. Jahrhundert einen Boom, wie es ihn zuvor noch nicht gegeben hatte. Die gleichen Bürger, die die Kleriker in ihre Grenzen zwingen, die auf Erden mit allen Kniffen ihre Geschäfte machen, wollen sich den Himmel mit allen Möglichkeiten sichern, die ihnen die Kirche bietet.

Zum wichtigsten Posten im Jenseits werden die Heiligen, die in den ersten christlichen Jahrhunderten keineswegs eine überragende Rolle gespielt haben. Nun erst scheint den Menschen klar zu werden, daß es im Himmel Fürsprecher von Fleisch und Blut gibt und daß man sie bitter nötig hat. Heilige sind Menschen, die sich in Krisen beispielhaft zeigten; die Verständnis für Schwächen und Fehltritte haben. Ein lebendiger Beweis dafür, daß es sich lohnt, in Krankheit geduldig, im Kampf gegen die Sünde standhaft zu bleiben. Die hohe Konjunktur der Heiligen ist abzulesen an den Vornamen, die Eltern ihren Kindern bei der Taufe geben. Waren in den vorangegangenen Jahrhunderten deutsche Namen wie Karl, Heinrich, Friedrich oder Dietrich in Mode, werden im Laufe des 15. Jahrhunderts Heiligennamen immer beliebter: Nikolaus oder Bartholomäus, Sebastian oder Ursula, Martin oder Katharina.

Auch die Verehrung der vierzehn Nothelfer beginnt in dieser Zeit. Auf einem Hügel in Franken, wo sehr viel später Balthasar Neumanns farbenfroher Barockbau entstand, sind sie angeblich einem Schäfer erschienen. Die Berufe wählen sich ihren besonderen Schutzpatron. Jeder Heilige ist ohnehin für bestimmte Krankheiten und Notlagen zuständig. Daß solche Zusammenhänge an Äußerlichkeiten festgemacht werden, die allen Vernunftgründen widersprechen, stört die Gläubigen nicht. So rufen sie den heiligen Blasius an, wenn sie unter einer Blasenkrankheit leiden. Die Metzger und Gerber machen Bartholomäus zu ihrem Patron, der so zu Tode gequält wurde, daß die Maler ihn mit der eigenen Haut in der Hand darstellen.

Untrennbar vom Heiligenkult ist die Reliquienverehrung: das Knöchelchen einer heiligen Frau, ein Holzspan vom Kreuz Christi, ein Strohhalm von dem Bündel, «darauf der Herr, als er geboren war, gelegt wurde». Nichts konnte zu ausgefallen, zu weit hergeholt sein. Den Menschen war alles glaubwürdig und ein sichtbares Unterpfand ihrer eigenen Erlösung. Jede Stadt, jede Kirche hatte ihren Heiligen samt Reliquien und versuchte alle anderen zu übertreffen. Wehe, wenn es da zum Streit kam.

Eine Heilige, zu der vorher kaum jemand gebetet hatte, läuft im 15. Jahrhundert allen anderen den Rang ab. Ein Berner Chronist berichtete, daß plötzlich jedermann schrie: «Hilf, heilige Anna, hilf!» In Württemberg wurden rund 10 Prozent aller Mädchen auf den Namen der Großmutter Christi getauft, während er hundert Jahre zuvor kaum in einem Steuerregister oder Urkundenbuch zu finden ist. Die Bergleute machen sie zu ihrer Schutzpatronin. Das neugegründete Annaberg in Sachsen wurde nach ihr genannt, und im ganzen Land feierte man ihren Namenstag als hohen Feiertag. In Wittenberg wurde ein Daumen der Heiligen verehrt. Zu heftigen Auseinandersetzungen aber kam es um ein Stückchen ihrer Schädeldecke.

Diese kostbare Reliquie war hinter dem Hochaltar des Mainzer Doms eingemauert. Ein Steinmetz aus dem Aachener Raum, der hier Ausbesserungsarbeiten ausführt und natürlich von dem Schatz weiß, bricht das Versteck auf und bringt die Reliquie nach Düren ins Kloster der Franziskaner. Als Boten aus Mainz erscheinen, sind die Mönche bereit, das Diebesgut zurückzugeben. Doch Bürgermeister und Ratsherren halten davon gar nichts. Das Schädelstück bleibt, auch wenn Mainz Kaiser und Papst anruft und über Düren der Bann verhängt wird. Schließlich entscheidet der Papst, daß die Reliquie in Düren bleiben soll, weil dort inzwischen Wunder geschehen seien, von denen in Mainz nie die Rede war. Die heilige Anna selbst hatte gesprochen, und der Strom frommer Pilger riß nicht mehr ab. Auch Albrecht Dürer ließ Düren auf seiner Reise in die Niederlande nicht aus.

Damit ist das Stichwort gegeben für ein Phänomen, das an die Heiligen und ihre irdischen Reste geknüpft ist: Wallfahrten. Nur wenige können es sich leisten, so ehrwürdige Städte wie Jerusalem, Rom oder die Kirche des heiligen Jakob zu Compostela in Spanien aufzusuchen. Aber die fromme Sehnsucht findet auch in deutschen Landen viele Ziele, die die Mühen einer langen Wanderung oder für Kranke die Fahrt in rumpelnden Wagen lohnen. Bei der Ausstellung der Aachener Heiligtümer zählen die Torhüter am Dom an einem Tag im Jahre 1496 rund 140 000 Gläubige, die singend, betend und spendenfreudig an den Reliquien vorbeiziehen. Als Richard von Greiffenklau, Bischof von Trier, am Pfingstmontag 1512 dem gläubigen Volk den ungeteilten Rock Christi zeigt, der normalerweise streng verschlossen ist, sollen 100 000 Gläubige gekommen sein. Die Schätzungen der Zeitgenossen sind wahrscheinlich übertrieben. Doch es bleiben Tausende, die zu den Heiligen und ihren Reliquien, zu wundertätigen Hostien oder Bildern wallfahrten, auf ein Wunder warten und auch ohne ein solches sich getröstet auf den Heimweg machen.

Die Kirche war ursprünglich von solcher magischen Gläubigkeit gar nicht erbaut. Das antike Christentum, wie es in den ersten Jahrhunderten entstand, war eine vernünftige städtische Religion der bürgerlichen Elite. Die Bischöfe, die verpflichtet waren, in den Städten zu leben, machten sich über die Wundersucht der bäuerlichen Landbevölkerung und ihr Vertrauen auf Zauberei und Hokuspokus lustig. Doch der Glaube ließ die steinernen Mauern hinter sich. Die Menschen wollten einen Glauben zum Anfassen, und die Kirche, flexibel und nicht ohne Sinn für Pädagogik, hinderte sie schließlich nicht daran. Klug übernahm sie auch hier die Führung, damit alles in kirchlichen Bahnen verlief und sie Übertreibungen mit ihrer Autorität zurückstutzen konnte.

Im vorpommerschen Stralsund kam eine Frau, deren Sohn als Priester an der Marienkirche angestellt war, auf die Idee, ihm durch ein Wunder höhere Einnahmen zu verschaffen. Heimlich höhlte sie ein wurmstichiges Kreuz aus, goß Hühnerblut in die Löcher und hoffte, daß die Kirchenbesucher glauben würden, dieses Kreuz schwitze heiliges Blut aus. Das «Wunder» sprach sich tatsächlich schnell herum, Kerzen wurden aufgestellt, Geld gespendet. Geistliche und Doktoren der Theologie trafen zur Beratung zusammen. In einer Nacht ließen sie schließlich das Kreuz abnehmen und untersuchen. Der Betrug wurde entdeckt und offengelegt.

Auch Augsburg hatte ein umstrittenes Wunder. In der Kirche zum Heiligen Kreuz verehrte man eine Hostie, die sich angeblich während einer Messe sichtbar in Fleisch und Blut verwandelt hatte und seitdem in diesem Zustand geblieben war. Die Kirche erkannte das Wunder an, die Menschen kamen von weither, und einmal jährlich feierte man in Augsburg das Fest der Bluthostie, wie sie nun genannt wurde.

Doch Zweifel kamen auf. 1493 erschien die Inquisition, um die Hostie und andere Reliquien auf ihre Echtheit zu überprüfen. Die Universität von Ingolstadt wurde um ein Gutachten gebeten, das positiv ausfiel. Die Inquisition gab ihren Segen. Ein Jahr darauf entschied die gesamte Fakultät der berühmten Universität Erfurt auf Anfrage des Bischofs, man brauche keine Bedenken haben. Das Hostienwunder sei echt. Das Gutachten wurde in Augsburg veröffentlicht. Beruhigt kamen die Gläubigen. Der Fall schien erledigt. Da nannte 1497 Bernhard Stuntz, ein Priester aus alter Augsburger Kaufmannsfamilie, die Verehrung der Bluthostie in einer Predigt einen Aberglauben. Er jedenfalls glaube nicht daran. Der Propst von Heilig Kreuz beschwerte sich sofort beim Bischof, weil das Volk durch solche Reden «in Zweifel und Irrung» geführt werde. Stuntz müsse sofort exkommuniziert und gebannt werden. Der Bischof blieb jedoch bei seiner vorsichtigen Haltung und erfragte weitere theologische Gutachten. Als die wiederum für das Wunder sprachen, zog der Kritiker die Konsequenz. Bernhard Stuntz verließ die Stadt, jedoch ohne von der Kirche gestraft zu werden.

Schon nach einem Jahr durfte er zurückkehren und versprach, nicht mehr über dieses Thema zu predigen. Die Zweifel, die er artikuliert hatte, breiteten sich auch ohne sein Zutun aus. Im Jahre 1507 beschlossen die Domherren, in Zukunft keinen Gottesdienst mehr zu Ehren der Bluthostie zu feiern, und der Bischof signalisierte mit seinem Schweigen Zustimmung.

Mönche und Priester waren also keineswegs damit beschäftigt, unentwegt neue Wunder zu erfinden und den Gläubigen neue Reliquien anzubieten. Sie kannten die menschliche Natur, wollten sie nicht mit radikaler Strenge ummodeln und wußten das Geld, das mit hellem Klang in die Opferstöcke fiel, zu schätzen. Auch die Fürsten und Ratsherren hatten gar nichts gegen Wallfahrten und Heiligenverehrung einzuwenden, kamen doch auf diese Weise viele Dukaten ins Land und in die Städte. Frömmigkeit hatte eine sehr weltliche Dimension bekommen. Kerzenmacher, Kaufleute, Handwerker und Gastwirte profitierten von den Pilgerströmen. Daß die Dürener so hartnäckig am Schädelstück der heiligen Anna festhielten, hatte nicht nur himmlische Gründe. Der Herzog von Jülich brachte mit der Stadt und dem zuständigen Pfarrer schließlich einen Vertrag zustande, der ihm den vierten Teil der irdischen Pilgergaben sicherte. Die Menschen damals waren nicht dümmer als wir heute. Sie hatten einen stärkeren Glauben. Mit der frommen Nachfrage stieg automatisch das Angebot an Wundern und an Reliquien. Will der Mensch betrogen sein, oder ist er mehr als nur ein Stück Materie in einer vergänglichen Welt?

Im Laufe des 15. Jahrhunderts entwickelten sich Gebetsformen, mit denen die Laien, ohne auf kirchliche Vermittlung angewiesen zu sein, in eigener Regie etwas für ihr Seelenheil tun konnten. Unsichtbare kollektive Gebetsverpflichtungen verbanden unzählige Menschen und gaben ihnen das Gefühl, durch ein solidarisches Netz der Frömmigkeit ein wenig mehr vor der ewigen Verdammnis abgesichert zu sein. Die größte dieser Gebets-Bruderschaften war die Rosenkranzbruderschaft. Rund 100000 Menschen in ganz Europa zählten sich 1480 zu ihr. Mitglied war jeder, der sich verpflichtete, pro Woche drei Rosenkränze zu beten. Das sind zehn Vaterunser und 150 Ave-Maria pro Rosenkranz. Ein Hilfmittel zur Meditation, wie es auch asiatische Religionen mit ihren Gebetswiederholungen kennen. Niemand war ausgeschlossen. Jeder Name wurde aufgeschrieben, und so wußte man, wie viele Gebete die Gemeinschaft insgesamt ansammelte. Ein unermeßlicher Schatz, der jedem Mitglied zugute kam.

Die Bergleute hatten ihre Annenbruderschaft. In Augsburg tat man sich im Namen des Bischofs Ulrich, des Patrons der Stadt, zusammen. Wieviel und was gebetet werden mußte, war unterschiedlich. Die Mitglieder der Kölner Bruderschaft vom St. Ursula-Schifflein hatten sich am Beginn des 16. Jahrhunderts laut Register 6455 Messen, 3550 Psalter, 200000 Rosenkränze, 20000 Tedeums, 63000mal 10000 Vaterunser und ebenso viele Ave-Maria erbetet. Als im holländischen Den Bosch 1456 ein Mitglied der Bruderschaft «Unserer lieben Frau» starb, gaben ihm die Gebetsbrüder einen Brief mit in den Sarg. Darin standen die guten Werke der Bruderschaft. Sie sollten dem Verstorbenen den Weg in den Himmel leichtermachen.

Rosenkränze und Reliquien, Heilige und Wunder können uns nicht mehr vermitteln, wie lebendig der Glaube war, wie tief und spontan die Frömmigkeit. Weil unsere Antennen für Religiosität eingerostet sind, weisen uns solche Zeichen sogar in die falsche Richtung. Sie scheinen uns nur sinnloses Geplapper und Aberglauben zu sein. Gibt es noch Zeugnisse, die uns einsichtiger sind? Auch einfacher, weil uns das Differenzieren so schwerfällt, wenn es um den Glauben geht? Gehen wir die Sache mit dem Kopf an: Was sind die Abbilder mittelalterlicher Frömmigkeit? Was predigte die Kirche den Menschen? Was war das für ein Gott, zu dem die Gläubigen beteten?

Für die ersten mittelalterlichen Jahrhunderte, als die Laien aller Stände nicht lesen und nicht schreiben konnten und die Kirche es nicht für ihre Aufgabe hielt, in Predigten und Seelsorge den einzelnen anzusprechen, ist die Kunst ein eindrucksvoller Wegweiser. Das Auge war das wichtigste Organ des Glaubens. In den Kirchen, die um die erste Jahrtausendwende gebaut wurden, beeindruckt Christus als Herr und Richter der Welt. Immer wieder wurde das Bild des Jüngsten Gerichts in Stein gemeißelt und über Portale gesetzt. Die Bösen taumeln in die Flammen, die Guten gehen leichten Fußes in die Seligkeit, und in der Mitte thront Christus mit strenger

Gebärde. Manchmal wurde er auch als der gute Hirte dargestellt. Als Gekreuzigten, als erbärmlich Leidenden jedoch sahen ihn die Menschen nirgendwo. Wir können daraus schließen, daß er ihnen auch so nicht gepredigt wurde. Das änderte sich bald. Die Künstler in Deutschland und anderswo schufen Kreuze, an denen überlebensgroß der gemarterte Christus hing. Parallel dazu ändert sich, was die Kirche den Menschen anbietet.

Das 12. Jahrhundert wird von einer Gestalt beherrscht. Es ist Bernhard von Clairvaux, ein Adliger aus Burgund, ein asketischer Mönch, ein Ordensreformer, der die strengen Zisterzienserklöster ins Leben rief, weil er hinter den traditionellen Klostermauern nur Bequemlichkeit und Mittelmaß fand. Bernhard war ein Eiferer für den Glauben, so wie er ihn verstand, mißtrauisch vor allem gegenüber den gelehrten Theologen. Vernunft, Rationalität hatten für ihn da nichts zu suchen, wo es um den Glauben ging: «Meine Lehrer sind die Apostel. Sie haben mich nicht gelehrt, Plato zu lesen oder die Spitzfindigkeiten des Aristoteles zu entwirren.» Und weil er die Demut für die größte Tugend hielt, predigte er auch nicht den triumphierenden, den richtenden Gott, sondern das Kind in der Krippe und den leidenden Mann: «Schau ihn an, wie schmutzig sein Gewand, wie er blau von Striemen, mit Speichel bespritzt, im Tode erblaßt.» Bernhard hämmerte in unzähligen Predigten seinen Zuhörern ein, sich dieses Leiden so intensiv und plastisch wie möglich vorzustellen, um wirklich mitzufühlen, mitzuleiden. Die Passion Christi wurde von nun an das große Thema mittelalterlicher Frömmigkeit. Franziskus, der nächste große Ordensstifter nach Bernhard, predigte ebenfalls immer wieder die Weihnachtsgeschichte und versenkte sich so in die Leiden des Gekreuzigten, daß er nach der Überzeugung seiner Zeitgenossen wie Christus an Händen und Füßen mit blutigen Wunden ausgezeichnet wurde.

Am Ende des 13. Jahrhunderts werden in Franken und Thüringen die frühesten «Vesperbilder» modelliert, Vorläufer der Pietas. Sie zeigen die trauernde Maria mit ihrem toten Sohn im Schoß. Oft trägt er noch die Dornenkrone, der Körper ist von Blutstropfen bedeckt. Vesperbilder heißen sie, weil der Gläubige an den Nachmittagen vor Sonn- und Feiertagen durch diese schonungslosen Darstellungen aufgerüttelt und eingestimmt werden sollte. Wenig später schreibt der Augustinermönch Heinrich von Friemar, gestorben 1340, eine «Passio Domini». Diese «Leidensgeschichte des Herrn» ist in keiner Abschrift mehr greifbar. Doch sie lebt weiter in der «Leidensgeschichte», die der Mönch Jordan von Quedlinburg, Heinrichs Schüler, aufs Pergament brachte. Für Jordan steht der leidende Christus im Mittelpunkt der gesamten Heiligen Schrift. Deshalb ist im Leben jedes Christen das Kreuz Mittelpunkt.

Die Passion des Jordan wurde immer wieder abgeschrieben, ein Jahrhundert später auch gedruckt. Als Johannes Gutenberg um 1450 in Mainz die Idee in die Praxis umsetzte, bewegliche Buchstaben zu installieren, mit denen sich ein Text beliebig oft vervielfältigen ließ, begann wirklich eine neue Zeit. Die deutschen Drucker blieben führend in Europa für den Rest des Jahrhunderts. In Nürnberg ließ Anton Koberger hundert Beschäftigte für sich arbeiten, Drucker, Setzer, Korrektoren, Buchbinder. In Frankreich und Ungarn hatte er Niederlassungen. Johann Froben in Basel war besonders auf die Herausgabe wissenschaftlicher Werke spezialisiert. In der gleichen Stadt lebte und arbeitete auch der berühmte Johann Amerbach, dem Koberger eines Tages schrieb: «Fast auf uns ruhet allein und steht der Buchhandel in deutschen Landen.» Sie alle waren Drucker, Verleger und Buchhändler in einem.

Ihre schönsten Werke, mit Holzschnitten reich geschmückt, waren in diesen frühen Jahren der Druckkunst Bibeln, Bibeln in deutscher Sprache. Nirgendwo sonst in Europa wurden vor Luthers umfassender Arbeit so viele Bibeln in die Landessprache – eine sehr ungelenke allerdings – übertragen und gedruckt. Zweiundzwanzig Gesamtausgaben sind erhalten. Das war der kleinere Teil. Viel mehr gekauft wurden Auszüge, entweder aus den Psalmen – 62 Drucke existieren noch – oder aus den Evangelien, 131 Ausgaben blieben erhalten. Pro Ausgabe kann man im Durchschnitt mit einer Auflage von tausend Stück rechnen. Da kommt einiges zusammen. Und gelesen wurden diese Bibeln auch: «1476 habe ich Magdalena Krefftin, der heiligen Dreifaltigkeit zu lob gar ausgelesen dies Buch von mitfasten bis auff den heiligen Osterabendt.»

Die Kirche hatte nichts dagegen, sondern unterstützte solchen frommen Eifer. Im Vorwort zum Baseler Evangelienbuch von 1514 heißt es: «Gar eine scharpffe Rechnung müssen wir geben Gott von aller unser Zeyt. Dann die gegenwertig Zeyt, die wirt genannt die Zeyt der Gnaden, ist fast kostbarlich den frummen seligen Menschen. Darumb ist zu rathen einem jeden besinten Menschen, das er allwegen gern wölle lesen die Heilig Geschrifft, damit er Gott seinen Schöpfer und Herren lerne erkennen, dann der Gnad, die der Mensch am Lesen oder Hören der Heiligen Geschrifft von Gott erholen mag, der ist kein Zal, so fern, das er auch darnach thu.» Ein Jahr zuvor hatte der anonyme Verfasser der erbaulichen Schrift «Himmelstür» seine Leser ermuntert: «Alles, was die heylige Kirche lehrt. Alles, was du in Predgen horest und in anderen Unterweysungen horest und liesest, was in geystlichen Büchern geschrieben steet, was du singest zu Gottes Lob und Ere, was du betest zu diner Sele Seligkait, und was du lidest in Widderwertikaiten und Trübsal, alles sol dich anreizen zu lesen mit Frumheit und Demütikait in den heiligen Schriften und Bibeln, als sy jetzund in dutsche Zungen gesetzt werden und getruckt und usgestreut werden in gar groszer Zahl gantz oder in Teilen, und als du sy umb wenig geld jetzund keuffen magst.»

Die «Himmelstür» gehört zu den Druckerzeugnissen, von denen der Markt gar nicht genug bekommen konnte: Trost- und Gebetbücher, Beichtspiegel, Heiligenleben, fromme Lektüre jeder Art. Schon den Zeitgenossen fiel auf, daß vor allem die Kirche Gewinn aus der neuen Erfindung zog. Adolf Occo, der Leibarzt des Augsburger Bischofs, schrieb 1487 an einen Drucker: «Wenngleich alle ihm zu Dank verpflichtet sind, so ist es doch in ganz besonderem Grade Christi Braut, die katholische Kirche, welche, in Folge dieser Kunst neu verherrlicht, nunmehr reicher geschmückt ihrem Bräutigam entgegengeht, da dieser sie mit Büchern göttlichen Wissens in Überfluß ausgestattet hat.»

Die meisten Erbauungsbücher waren von Mönchen zusammengestellt und enthielten ein buntes Gemisch: Auszüge aus Evangelien, sonntägliche Gebete des Kirchenjahres, Predigtstücke und persönliche Gedanken des Herausgebers. Im Mittelpunkt finden wir auch hier immer wieder die Leidensgeschichte des Herrn. Ein solches typisches Gebetbuch war «Der Seele Richtsteig», 1515 zu Rostock erschienen. Die Mahnungen des Herausgebers an den Leser sind eindringlich und eindeutig: «Ein jeder Mensch, der sich einem frommen und seligen Leben ergeben will, soll das Leiden und Leben unseres Herrn Jesu Christi vor Augen haben. Sowohl wenn er zu Hause sitzt, das ist, wenn er sitzt in der Beschaulichkeit Gottes, als auch wenn er wandert, um weltliche Güter zu erwerben, und sich der Ausübung eines arbeitsvollen Geschäftes hingibt. Vor Augen soll er es haben, wenn er nach seiner Arbeit des Abends sich zu Bette und zur Ruhe legt, und wenn er aufwacht zu dem Werke und dem Dienste Gottes.»

In Basel erschien eine Schrift, mit der sich der Gottesdienstbesucher zu Hause auf die Messe und die Kommunion vorbereiten sollte: «Gehe in deines Herzens Heimlichkeit. Da laß dich den gekreuzigten Jesus finden, in seine heiligen Wunden verflossen. Fern sei alles Vertrauen auf dein eigenes Verdienst. Denn all dein Heil steht allein in dem Kreuz Jesu Christi, darauf du alle deine Hoffnung fröhlich setzen sollst.» Auch das «Licht der Seele», 1484 in Lübeck zur Vorbereitung auf die Beichte gedruckt, warnt vor dem Vertrauen auf gute Werke und damit auf die Möglichkeit, sich die Seligkeit durch eigene Leistungen zu verdienen. Selbst die Gottesmutter sei machtlos, und wenn sie blutige Tränen weine und bis zum Jüngsten Tag auf den Knien läge. Wenn ein Christ tausend Klöster und Spitäler gebaut und tausend Messen gestiftet hätte: Es hilft ihm nichts. Wer stirbt, ohne seine Todsünde bereut und gebeichtet zu haben, kommt unweigerlich in die Hölle. Die Beliebtheit solcher Schriften, die Rede von der «Heimlichkeit des Herzens» und der Wunsch der Gläubigen, sich zum privaten Gebet zurückzuziehen, deutet auf einen Begriff ohne den mittelalterliche Frömmigkeit, die deutsche vor allem, nicht zu verstehen ist: die Mystik.

Genau ein Jahr nachdem Wilhelm von Ockham mit den anderen Franziskanermönchen aus Avignon flüchtete, im Jahre 1329, verurteilte Papst Johannes XXII. siebzehn Sätze des deutschen Dominikanermönches Eckehart als häretisch und elf als «übelklingend, verwegen und der Häresie verdächtig». Die Hauptsünde des Meister Eckehart – so ist er in die Geschichtsbücher eingegangen – war in den Augen des Papstes, daß er Lehren vortrug, «die den wahren Glauben in vielen Herzen vernebeln, die er hauptsächlich vor dem einfachen Volke in seinen Predigten lehrte und die er auch in Schriften niedergelegt hat».

Meister Eckehart, ein Thüringer aus adligem Haus, der die höchsten Ämter seines Ordens bekleidete, und an den Universitäten von Paris und Köln zu Hause war, hat die Antwort auf solchen Vorwurf schon vor seiner Verdammung gegeben: «Soll man nicht ungelehrte Leute lehren, so wird niemals mehr wer gelehrt.» Die deutsche Mystik ist im Kloster entstanden, vor allem bei den Frauen, den Dominikanerinnen, die mit ihrem religiösen Eifer, ihrem Wunsch nach Hingabe und Ekstase ihre männlichen Prediger und Lehrer ansteckten. Eckehart war einer von ihnen.

Doch was im Kloster begann, wurde von den Mönchen und Nonnen bewußt in die Welt und an die Laien vermittelt. Wer das Seelenleben des einzelnen mit Glut erfüllen möchte, wer zuerst das Gefühl und nicht den Verstand anspricht, verschiebt unbewußt die kirchliche Lehre aus dem Zentrum des Glaubens. Für immer mehr Menschen wurde das subjektive Erlebnis zum Maßstab der Frömmigkeit. Äußerlichkeiten, feierliche kirchliche Handlungen, ja selbst der Priester verlieren an Bedeutung, wenn es genügt, den Weg nach innen anzutreten, um Gott zu finden. Es war nur folgerichtig, daß sich um die beiden berühmtesten Schüler des Meister Eckehart, Johannes Tauler und Heinrich Seuse, ebenfalls Dominikanermönche, in Straßburg ein Kreis frommer Laien bildete, die «Gottesfreunde». Tauler und Seuse waren nicht ganz so radikal, nicht ganz so dunkel in ihren Aussagen wie der Meister. Ihre Schriften zählen zu den meistgelesenen im 14. Jahrhundert und vielen folgenden.

Der Kaufmann und seine Frau, die zu Hause im «Seelengärtlein» lasen, waren nicht mehr bloß stumme Zeugen einer unverständlichen Handlung, die in einer fremden Sprache zelebriert wurde. Aber die geistliche Emanzipation ging noch weiter. Die Menschen wollten das, was sie hörten und nun zum Teil selber lesen konnten, spielen und darstellen. Zuerst wurde die Lebensgeschichte Jesu in den Kirchen aufgeführt. Dann ging man hinaus auf Friedhöfe und Marktplätze. In Frankfurt am Main sahen 1498 unzählige Zuschauer an vier aufeinanderfolgenden Tagen bei der Kirche St. Wendelin vor Sachsenhausen die Passionsgeschichte. So erfolgreich war die Laien-Truppe, daß sie ihr Spiel noch im gleichen Jahr auf dem Römerberg wiederholte, 250 Menschen spielten mit.

Beliebt waren auch lebende Bilder, die man während einer Prozession darstellt. In Künzelsau wurde auf diese Weise 1497 die ganze Schöpfungsgeschichte in den Straßen aufgeführt. Solche Tage waren fromme Andacht und Volksfest zugleich, die Kinder und Erwachsene beeindruckten. Übrigens nutzten die Laien die Gelegenheit, um beißende Kritik an der Kirche, vor allem den Pfarrern und Mönchen, zu üben. So mancher geistliche Herr mußte bei diesen Spektakeln zur Hölle fahren.

Bei den Vorschriften, die unmittelbar ihr Seelenheil betrafen, versuchten die Gläubigen hartnäckig Lasten, die ihnen zu schwer waren, abzuschütteln. Allerdings nicht durch Aufruhr und offene Empörung, sondern mit Schmiergeldern für die päpstliche Verwaltung in Rom. Die Bürger hatten sich auf die Gepflogenheiten ihrer Kirche eingestellt. Die Augsburger verschafften sich auf diese unauffällige Weise Erleichterung an den Fastentagen. Davon gab es im Jahr 160, an denen nicht nur Fleisch, sondern auch Milchprodukte und Eierspreisen verboten waren. Statt Butter und Schmalz sollte man sich an Öl halten. Das war in Italien leicht beschafft. Nördlich der Alpen aber nicht so schnell und billig zur Hand.

Die Klagen häuften sich. Rom ließ – gegen Bezahlung – mit sich reden und stellte sogenannte «Schmalz- oder Butterbriefe» aus. Der erste für Augsburg wurde 1479 ausgehandelt. Er ließ aber noch manchen Wunsch offen und war außerdem an den Bischof gerichtet. Der Rat der Stadt jedoch wollte einen eigenen und beauftragte die Herren Dr. Koler und Dr. Artzt, in Rom neu zu verhandeln. Sie hatten Erfolg, der allerdings viel teurer als vorgesehen ausfiel. Der Papst erlaubte 1486 allen Augsburger Bürgern und Einwohnern, an den Fastentagen Butter, Käse- und Milchprodukte und Eierspeisen zu essen. Nur die Freitage in der Fastenzeit wurden ausgenommen. Daß solche Aktivitäten nichts mit Kirchenkritik zu tun hatten und keine Aufmunterung zu Respektlosigkeiten waren, bekam ein Weber zu spüren, der 1500 während der Fastenzeit für sich und seine Gäste an einem Freitag Fleisch auf den Tisch brachte. Der Rat von Augsburg ließ ihn aus der Stadt weisen.

Kirche ist für uns heute nicht denkbar ohne Pfarrei und Gemeinde, ohne Kirchenvorstand oder Presbyterium. Die Wurzeln dieser Entwicklung gehen ebenfalls ins 15. Jahrhundert zurück. Erst in diesen Jahren bildete sich ein Gemeindegefühl und damit der Wunsch, nicht nur zum Beten in die Kirche zu kommen, sondern in ihr mitzusprechen. Die Pfarrer sträubten sich anfänglich, von der Institution Kirche kräftig unterstützt. Doch schließlich gab es immer mehr Einbrüche in die Ablehnungsfront. Die Entwicklung einer aktiven Frömmigkeit ließ sich auch hier nicht mehr aufhalten. Ein neuer Friedhof mußte angelegt werden. Das alte Gestühl in der Kirche war nicht mehr tragbar: Die Bürger zahlten nicht mehr stumm. Sie prüften, machten eigene Vorschläge, setzten sich durch. Die Spitäler, ursprünglich von der Kirche gebaut und betrieben, gingen völlig in städtische Verwaltung über.

Der Prozeß der Mündigkeit machte vor dem Allerheiligsten nicht halt. Vor allem in der zweiten Hälfte des Jahrhunderts forderten die Bürger, bei der Wahl ihres Pfarrers ein Wort mitreden zu dürfen. In Augsburg kamen sie damit nicht durch. Auch in Osnabrück blieben alle Versuche erfolglos. Es gelang nur, die Finanzen der Pfarrkirchen von Laien verwalten und kontrollieren zu lassen. In Lübeck immerhin erkämpfte der Rat sich das Recht, aus dem Kreis der Domherren die Pfarrer vorzuschlagen. In Ulm und Nürnberg war es ähnlich. Im friesischen Emden wählten nach 1438 «gewisse Laien» den Pfarrer an der Großen Kirche. In diesem Fall war der weltliche Landesherr, Graf Enno I., dagegen. Aber er konnte sich nicht durchsetzen.

Da in den meisten Städten die Bürger ohne Einfluß auf die Wahl ihrer Pfarrer blieben, nahmen sie einen Umweg, auf dem ihnen die Kirche auch keine Hindernisse in den Weg legte. Wo Geistlichen an wirklicher Reform gelegen war, schlugen sie ihn sogar selber ein. Einzelne Bürger und Bürgerinnen, ganze Gemeinden, Bruderschaften oder der Bischof stifteten im Laufe des 15. Jahrhunderts immer mehr Geld für Prädikanten. Das waren Theologen, die eine gute Ausbildung hinter sich hatten, dem Gemeindepfarrer nicht unterstanden und die vor allem – das sagt der Name – zum Predigen angestellt wurde. Die Gläubigen zahlten aus freiem Entschluß dafür, daß ihnen einer ins Gewissen redete. Bald gab es in Süddeutschland kaum einen Ort ohne eine gestiftete Predigerstelle.

Zum Anstellungsbeginn erhielt der Prädikant eine Urkunde, in der sehr genau aufgezählt wurde, was diejenigen von ihm erwarteten, die für seinen Unterhalt zahlten. In der Verpflichtung für den Prädikanten an der Kapelle St. Nikolaus in Waiblingen hieß es 1468: «Der Prediger ist gehalten, in der Kapelle oder auch in der Pfarrkirche an allen Sonntagen, an den Vier-Festen, an allen Frauen- und Aposteltagen, an den Mittwochen und Freitagen in der Fasten zu predigen.» In Sulz stiftete der Landpfarrer Thomas Pflüger 1492 eine Predigerstelle, «in Erwägung, daß dem Menschen hie in Zit der Gnaden zu Verfolgung ewiger Seligkeit uß flissigem Predigen und heilsamlichen Unterweisungen des güttlichen Wortes vielfeltiger Nutz zu entspringen».

In Augsburg finanzierte der Bischof eine Prädikantenstelle am Dom. Am Straßburger Münster gaben Bischof und Domkapitel einen Zuschuß. Den Löwenanteil stiftete der Bürger Peter Schott. Die Stelle selbst nahm ab 1478 für über drei Jahrzehnte Geiler von Kaisersberg ein, der berühmteste Prediger seiner Zeit. Die Straßburger Stiftungsurkunde schrieb fest, «daß auf ewig das Amt eines Predigers bleiben soll, daß zu demselben ein Mann aufgenommen werde, der nicht allein an guten Sitten und bewährtem Wandel, sondern auch fürtrefflich sei an Kunst und Lehre. Er soll predigen an allen Hochzeiten und bei allen feierlichen Gelegenheiten. Ferner alle Sonntage nach dem Imbs [Mittagessen] und in der Fastenzeit täglich.»

Mit den Prädikanten sind wir bei jenem Stand angelangt, der bei Zeitgenossen und Nachgeborenen heftige Diskussion auslöste: der mittelalterlichen Geistlichkeit. Nur langsam verblaßt die Polemik von Jahrhunderten. Auch die Historiker haben den Klerus lange nur durch die trübe Brille ihrer jeweiligen Parteilichkeit sehen können. Heute sind sie bereit, nicht nur Vorurteile beiseite zu schieben, sondern vor allem zuzugeben, daß unser Wissensstand über Ausbildung, Alltag und den tatsächlichen Einfluß der Geistlichen auf ihre Schäflein immer noch beschämend gering ist. Für generalisierende Urteile fehlen die Grundlagen. Vor allem dürfen die mittelalterlichen Geistlichen nicht quer durch die Jahrhunderte über einen Kamm geschoren werden. Ihre Geschichte kann hier nur angerissen werden. Eins aber steht fest: Auch für ihre Entwicklung bedeutet das 15. Jahrhundert eine Wendemarke zum Besseren. Die Predigerstellen sind dafür ein überzeugendes Beispiel. Die Mißstände, die gerade von den betroffenen Zeitgenossen als unerträglich gebrandmarkt wurden, sollen deshalb nicht verschwiegen werden. Fangen wir gleich mit ihnen an.

Der Abstand, der heute den katholischen Gemeindepfarrer von seinem Bischof trennt, schmilzt fast zu einem Nichts, verglichen mit den Abgründen, die sich vor einem halben Jahrtausend innerhalb jener Gruppe von Männern auftat, die durch die Priesterweihe die Schlüssel zum Himmelreich in ihren Händen hielten. Die wichtigste Trennungslinie verlief entlang sozialen Grenzen. Bischofssitze und andere hohe Ämter innerhalb der Hierarchie waren ausschließlich dem Adel vorbehalten. Weder Frömmigkeit noch theologische Kenntnisse standen in solchen Fällen zur Debatte. Gefordert waren blaues Blut, die Fähigkeit, im Turnier zu glänzen, und vor allem finanzielle Mittel, ohne die der Papst keinen Bischofs- oder Kardinalshut vergab, und ohne die niemand Domherr werden konnte. Ob der Kandidat – wie zum Beispiel zweimal die Bischöfe von Genf aus dem Hause Savoyen – erst acht Jahre alt war, tat nichts zur Sache. «Selbst Christus», so kommentierte der Theologe und Humanist Erasmus von Rotterdam, «wäre in ein Kapitel wie das von Straßburg nicht ohne Dispens aufgenommen worden.»

Die Domherren erschienen nicht in ihrem Dom, um Gottesdienst zu halten. Man traf sich höchstens zum Plaudern im Chorraum und hatte nicht selten seine Hunde und Jagdfalken dabei. Natürlich blieb den Laien nicht verborgen, wie wenig diese Lebens- und Amtsführung den Ansprüchen des Evangeliums gerecht wurde. Sie sahen, wenn sie in den Dom gingen, wie stets Vikare, Kapläne und andere Hilfsgeistliche die Messe lasen. Die Gläubigen hatten für diese verkehrte Welt einen scharfen Blick: «Die Vikare gehen für die Domherren in die Kirche. Dafür vertreten die Domherren später ihre Kapläne in der Hölle.»

Die Macht der Domherren, die zusammen das Domkapitel bildeten, war beträchtlich. Sie wählten nicht nur den Bischof, sondern hatten auch ein gewichtiges Wort bei der Verwaltung des Bistums mitzureden und entschieden in vielen Fällen, welche Pfarrer in den

Gemeinden angestellt wurden. Die Domherren und Bischöfe vor allem meinte Geiler von Kaisersberg, als er in einer Predigt seinen Zuhörern sagte: «Nicht mehr der Heilige Geist setzt die kirchlichen Oberen ein, sondern der Teufel, und zwar um Geld und Gunst und durch Bestechung der Kardinäle.»

Daß Priester sich gegen Bezahlung am Altar vertreten ließen, war im Mittelalter nichts Ungewöhnliches, sondern die Regel. Gemeindepfarrer fühlten sich nicht verpflichtet, am Ort ihrer Kirche zu leben. Sie nahmen sich einen sogenannten Altaristen oder Meßpriester, der dafür oft nicht genug zum Leben erhielt, während ihr Herr das dicke Pfründengeld einsteckte. Die Messe zu lesen war die einzige Aufgabe dieser Geistlichen, und da die Nachfrage groß war, hatten sie viel zu tun. Die Laien, überzeugt, mit dieser heiligen Handlung etwas für ihr Heil zu tun, ließen eifrig gegen Bezahlung Gottesdienste abhalten. Sie schickten die Geistlichen für sehr profane Wünsche an den Altar, und die weigerten sich nicht, wenn Totenmessen für Lebende bestellt wurden, um dem Sensenmann etwas nachzuhelfen. Wer als Heilmittel gegen die Syphilis lieber auf eine Messe als auf den Arzt vertraute, konnte sicher sein, für sein Anliegen einen Meßpriester zu finden.

In der Kirche St. Elisabeth in Breslau waren über hundertzwanzig Altaristen an 47 Altären beschäftigt. Insgesamt war in Breslau jeder hunderste Einwohner ein Altarist. An St. Marien in Lübeck gab es außer den Pfarrern und Kaplänen siebzig Meßpriester. In Köln wurden täglich rund tausend Messen gelesen. Eine Liste, die endlos fortgeführt werden könnte. Das Knäuel aus Manipulation, Sehnsüchten, Geldschneiderei und Gläubigkeit ist nicht zu entwirren. Die Messe war eine urkatholische Angelegenheit, im Kern nicht angezweifelt, vielmehr von den Laien in immer größerer Zahl gewünscht. Wieviel Frömmigkeit, wieviel Glaube an magische Zeichen und Handlungen sich dahinter verbergen, kann niemand auseinanderhalten.

Zu den Bruchstücken, die über das Bild der Geistlichen bekannt sind, gehören die Kenntnisse, die jene vorweisen mußten, die an den Altar traten. Heute wird keiner ohne gründliche theologische Kenntnisse und seelsorgerische Vorbereitung geweiht. Nach dem Konzil von Trient, in der Mitte des Reformationsjahrhunderts, wurden die katholischen Anwärter auf das Priesteramt in Konvikten und Seminaren zusammengezogen und dort, von der Welt isoliert, auf ihren Beruf vorbereitet. Noch heute treten sie am Tag ihrer Weihe in einheitlichem weißem Gewand vor ihren Bischof. Nichts davon kannte man in der mittelalterlichen Kirche. «Rote, grüne, gelbe Gewänder, dazu weiße Schuhe, so kommen die bisweilen vor Uns, Unseren Generalvikar und Unsere Examinatoren zum Empfang der Weihe.» Eine Aussage, der man trauen darf. Kommt sie doch vom Bischof Hugo von Konstanz persönlich und ist nicht nur für das Jahr 1516 zutreffend. Die Freisinger Synode ermahnte 1475 die angehenden Geistlichen, sich während der Prüfung in der Kirche nicht mit Essen und Trinken zu vergnügen.

Es erschien damals, wer Priester werden wollte, einfach am Tag der Weihe in der Bischofskirche. Er konnte sicher sein – auf jeden Fall in den frühen Jahrhunderten –, auf milde Prüfer zu treffen. Wenn er eine Gebühr zahlte, waren es die meisten schon zufrieden. Wer außerdem noch einen Empfehlungsbrief vorzuweisen hatte, dem konnte gar nichts passieren. Es gab keine einheitlichen Richtlinien. Eine Mainzer Synode von 1423 forderte nur Lateinkenntnisse von den angehenden Priestern. Zwei Jahrhunderte zuvor hatte der hochgelehrte Theologe, Kirchenvater und Dominikanermönch Albertus Magnus erklärt, es genüge, wenn ein Priester zwischen Todsünden und läßlichen Sünden entscheiden können und über die Zehn Gebote Bescheid wisse. Eine sehr viel präzisere Amtsbeschreibung gab sein Zeitgenosse und Ordensbruder Ulrich Engelberti: «Soweit der Priester zur Feier des Gottesdienstes verpflichtet ist, muß er soviel Grammatik kennen, daß er die Worte richtig aussprechen und betonen kann und daß er wenigstens den wörtlichen Sinn von dem versteht, was er liest. Als Verwalter der Sakramente muß er wissen, was die notwendige Materie und die notwendige Form eines Sakramentes ist und die richtige Weise, es zu spenden.»

Für unsere Vorstellung fehlt das Wesentliche: Der so definierte Geistliche ist kein Seelsorger, kein Hirte, der zu seinen Schafen geht, um ihre Sorgen kennenzulernen und sie zu trösten. Er ist zuerst und vor allem Verwalter der Sakramente. Die Wirkung eines

Sakraments aber ist nach übereinstimmender Meinung der Theologen unabhängig vom Lebenswandel oder Glauben des Priesters. Es kommt ausschließlich darauf an, die vorgeschriebenen Worte und Handlungen nachzuvollziehen.

Das Bild vom ungebildeten und dummen Kleriker ist nicht ohne Grund entstanden. Im 15. Jahrhundert tritt dieses düstere Bild noch abschreckender hervor, als bei den Laien die Ansprüche an die Kirche und die Sensibilität im religiösen Bereich zugenommen hatten. Daß die Bürger sich ihre eigenen Prediger anstellen, betont die Mißstände und beweist zugleich, daß es Geistliche mit anderen, besseren Qualifikationen gab. Bei klugen und kritischen Theologen wuchs die Erkenntnis, daß heilige Handlungen nur einen Teil des geistlichen Berufs ausmachen und gleichwertig daneben eine zweite Gabe gefordert ist: die gute Predigt. Die Druckkunst half, solche Einsicht zu verbreiten und Anregungen zu geben. Johann Ulrich Surgant, Professor für Kirchenrecht und Prediger an St. Theodor in Basel, veröffentlichte 1503 ein Handbuch für Prediger. Für Surgant war die Verkündigung des Wortes Gottes genauso wichtig wie das Beichtehören: «Am meisten trägt die Predigt zur Bekehrung des Menschen bei. Sie vornehmlich bewirkt, daß der Sünder sich zur Buße wendet ... Sie unterrichtet im Glauben, befestigt die Hoffnung, entflammt die Liebe. Sie ist der Weg des Lebens und die Leiter zur Tugend, die Pforte des Paradieses.»

Auf dem Buchmarkt konnte der Geistliche unzählige Predigtsammlungen kaufen. Auslegungen über das Vaterunser und die Zehn Gebote ebenso wie Predigten zur Beerdigung. Es gab Vorlagen für die Fastenzeit und den Advent, für alle Sonn- und Festtage des Kirchenjahres, für Beerdigungen und Berufsgruppen. Nicht wenige Geistliche werden es gemacht haben wie einer aus Schwaben, der genau Buch führte: «Am 23. Sonntag 1496 habe ich gepredigt Blatt c Nr. 61 über die Würde der Seele ganz und das Evangelium desselben Sonntags nach dem Text mit einigen Hinzufügungen, nichts anderes ... Am Feste der hl. Katharina habe ich Blatt a Nr. 97 ganz gepredigt mit dem anhängenden Blatt, ausgenommen Buchstaben E, nichts anderes.» Da gab es guten Willen, jedoch keine eigene Anstrengung. Die Predigt blieb Theorie, ohne durch eigene Erfahrung zu überzeugen. So mancher Gläubige erwartete nicht viel von solchen Ablesern und wird unter der Kanzel eingeschlafen sein.

Auch das andere Extrem wurde von den Zeitgenossen übel vermerkt. Manche Pfarrer konnten nicht genug an wunderlichen Geschichten, Anekdoten oder griechischen Fabeln erzählen, um ihre Zuhörer wach zu halten. Der kluge Abt Johannes Trithemius schrieb 1486 einem Freund: «Welche Irrtümer, Fabeln und Häresien sie dem Volk in der Kirche predigen, ist unglaublich für den, der es nicht aus Erfahrung weiß.» In Dortmund wurde 1498 ein Kaplan vor die Inquisition zitiert, weil er gepredigt hatte, die heilige Katharina wäre Mutter des Gottessohnes geworden, wenn es Maria nicht gegeben hätte. Der Geistliche wollte nur seinen Zuhörern schmeicheln, die Mitglieder der Katharinenbruderschaft waren.

Geiler von Kaisersberg, der berühmte Prediger am Straßburger Münster, verstieg sich zu solchen Vergleichen nicht, ohne deshalb gleich auf alle bunten Farbtupfer zu verzichten. Er hatte eine solide theologische Bildung, schaute den Menschen aufs Maul und verstand es, sie zu packen. Er forderte keine asketischen Hochleistungen und klärte seine Zuhörer darüber auf, daß äußere Anstrengungen keinen Menschen zum Christen machen: «Die Mauern machen nicht das Kloster; inwendig im Herzen muß es sein.» Wenn in Straßburg Messe war, las der Domprediger den Kaufleuten die Leviten. Wurde in der Stadt ein Löwe bestaunt, dann tauchte dieses Tier unweigerlich in Geilers Predigt auf. Der geistliche Herr war sich nicht zu schade, Trommelwirbel und Hundegebell auf der Kanzel nachzuahmen, um die Aufmerksamkeit seiner Zuhörer zu erringen oder zu halten.

So abwegig, trocken und oft niveaulos das war, was den Laien geboten wurde, am Ende des 15. Jahrhunderts gab es keinen Sonn- und Feiertag ohne mindestens eine Predigt. Auch an jedem Werktag wurde die Woche über gepredigt. Und was die Prädikanten betraf: In Deutschland hatte eine Entwicklung begonnen, die den Laien – auf deren ausdrücklichen Wunsch – statt Banalitäten Stoff zum Nachdenken bot. Auch die theologischen Kenntnisse des Durchschnittsgeistlichen besserten sich langsam. Der Hochmut der Mönche spricht aus der bissigen Bemerkung des Dominikaners

Felix Fabri – gestorben 1502 –, in seiner Jugend habe von tausend Klerikern nicht einer eine Universität auch nur von außen gesehen. Die wenigen historischen Untersuchungen, die es gibt, lassen solche traurigen Pauschalurteile für die Jahrhundertwende nicht mehr zu. In manchen Gebieten Süddeutschlands hatte sich ein Drittel der Priester immerhin einmal in einer Universität eingetragen. In Heilbronn und des Fürstentums Ansbach waren es sogar 50 Prozent. Von 365 Weltgeistlichen im Diakonat Xanten am Niederrhein hatten siebzig in Köln studiert. In Emden hatten 1505 von den dreizehn Pfarrern an der Großen Kirche drei einen Doktorgrad und fünf den Magister gemacht.

Bleiben wir noch etwas auf der positiven Seite. Vom holländischen Niederrhein ging am Ende des 14. Jahrhunderts eine religiöse Bewegung aus, die Geistliche, Mönche und Laien zu neuer Frömmigkeit erweckte. Von der Mystik beeinflußt, war es eine Frömmigkeit, die im Trend der Zeit den einzelnen ansprach. Es ist die Devotio moderna, eine «moderne Frömmigkeit», die das Heil nicht in äußeren Dingen suchte und deshalb, bei aller Kirchentreue, den Klerikern und ihren Sakramenten mit einer gewissen Distanz gegenübertrat. Getragen wurde die Bewegung von den «Brüdern vom Gemeinsamen Leben», Männern, die – ohne feste Gelübde und ohne einheitliche Tracht – als geistliche Wohngemeinschaft zusammen lebten. Es war ihr ausdrückliches Ziel, die Laienwelt zu beeinflussen. Sie schrieben eifrig religiöse Erbauungsliteratur und druckten sie auch selbst.

Das erfolgreichste religiöse Buch überhaupt kommt aus der Devotio moderna. Es ist «Die Nachfolge Christi» von Thomas von Kempen. Die Identität des Autors ist bis heute ungeklärt. Doch zweifellos lebte er in einem der Brüderhäuser. «Die Nachfolge» ist typisch für die neue, leise Frömmigkeit. Harmonie und Seelenfrieden sind ihr Ziel: «Das Reich Gottes ist inwendig in euch, sagt der Herr. Bekehre dich also gänzlich zu Gott. Verlasse diese elende Welt, und deine Seele wird Ruhe finden.» Thomas tadelt die Wundersucht und Reliquienleidenschaft seiner Zeitgenossen. Daran durfte der Glaube nicht hängen: «Viele laufen nach verschiedenen Orten, um die Reliquien der Heiligen zu besuchen, und erstaunen bei Anhörung ihrer Werke, besichtigen ihre geräumigen Kirchen und küssen ihre in Seide und Gold gehüllten heiligen Gebeine – und doch bist Du, o Herr, selber gegenwärtig! Zur Beschauung jener Dinge bewegt oft der Vorwitz die Menschen und die Neuheit des noch nicht Gesehenen. Darum bringen sie auch wenig Frucht der Besserung zurück.» Die Bibel stand im Zentrum der Devotio moderna. Im Brüderhaus zu Herford schrieb die Hausordnung vor, daß die Bewohner jeden Morgen von vier bis sechs zum Bibelstudium mit Meditation und Gebet zusammenkamen. An den Sonn- und Feiertagen hielten die Brüder für Außenstehende ausführliche Schriftlesungen.

Vom Niederrhein kamen im 15. Jahrhundert ein paar Theologen, die über das gelehrte Mittelmaß hinauswuchsen und ihr Heil nicht nur im unreflektierten Wiederholen altbekannter Texte sahen. Sie lebten im Umkreis der Brüder vom Gemeinsamen Leben. Welchen Einfluß sie in der Bewegung hatten und wer von den Brüdern ihre Ideen kannte, ist nicht mehr nachvollziehbar.

Die beiden radikalsten von ihnen waren Wessel Gansfort, 1419 bis 1489, und Johann Ruchrath von Wesel, gestorben 1481. Johann war siebzehn Jahre Prediger in Worms. Er predigte gegen den Zehnten, den die Bauern abliefern mußten, gegen sinnlose kirchliche Rituale und die falsche Autorität der Geistlichen: «Die Kirche ist soweit von der wahren Frömmigkeit zu einem jüdischen Aberglauben abgefallen, daß man, wohin man sieht, nichts wahrnimmt als eine leere Prahlerei mit Werken bei erloschenem Glauben ... daß man nichts sieht als kalte Zeremonien und nichtigen Aberglauben, um nicht zu sagen Götzendienst. Daß man nichts bemerkt, als daß alle auf ihre Geldernte wohl bedacht sind, allein ihre eignen Interessen betreiben und dagegen die Pflichten der christlichen Frömmigkeit gänzlich vernachlässigen.» Als die Inquisition auf ihn aufmerksam wurde, half es Johann von Wesel gar nichts, daß er als weithin berühmter Professor an der Erfurter Universität gelehrt hatte. Er widerrief im Prozeß seine beanstandeten Aussagen, wurde trotzdem seines Amtes als Prediger enthoben und lebte bis zu seinem Tod im Mainzer Augustinerkloster wie ein Gefangener.

Auch die Gedanken des Wessel Gansfort klingen uns vertraut: Für ihn ist der Glaube nicht an eine Institution gebunden, sondern an das Individuum. Es entscheidet allein und hat nur die Heilige Schrift als Maßstab. Kein Papst und kein Konzil sollte es manipulieren, nicht einmal ein Engel vom Himmel: «All unser Glaube steht unter dem Evangelium, so daß wir nicht einmal einem Engel vom Himmel glauben dürfen, wenn er anderes verkündete.» Gansfort war weitgereist in Europa und vielseitig gebildet. Doch wer wußte schon etwas von seinen kühnen Ideen? Er tat nichts, um sie einem größeren Kreis zugänglich zu machen. Eine erste Sammlung seiner Gedanken und Briefe erschien 1522, über dreißig Jahre nach seinem Tod. Den Anstoß dazu hat Martin Luther gegeben, der auch Aufklärung darüber gab, ob er von diesem Theologen beeinflußt worden ist: «Wenn ich den Wessel zuvor gelesen hätte, so ließen meine Widersacher sich dünken, Luther habe alles Wessel entnommen, also stimmt unser Geist zusammen.»

Die Kirche des Mittelalters, unangefochten und siegessicher, war aufs Ganze gesehen ein bunter chaotischer Verein und keine straff organisierte Festung. Ausbrüche von Grausamkeit und Disziplinierung standen neben kluger Aneignung neuer Ideen. Sie war schwer kalkulierbar. Persönliche Beziehungen retteten den einen vor der Inquisition und stürzten den anderen ins Verderben. Die Inquisition konnte Langmut zeigen und Widersprüche dulden. Viele theologische Fragen waren ungeklärt. In einem Punkt allerdings reagierte diese Kirche unbarmherzig: wenn Theologen die Worte Gottes nutzten, um die bestehenden politischen Ordnungen zu verändern. Ob Jan Hus, der Prediger aus Böhmen, oder Savonarola, der Mönch aus Florenz: für solche Revolutionäre gab es nur den Scheiterhaufen.

An Kritik mangelte es nicht vor Luther. Die Mönche und Theologen waren ihre besten Verbreiter. Der Papst in Rom lebte nicht, wie es sich für einen Heiligen Vater geziemte. Das hatte sich herumgesprochen. Von Theologie verstand er nichts. Nicht das Evangelium, sondern Macht und Geld prägten das Leben vieler geistlicher Hirten, denen nach dem Verständnis der Zeit das Kostbarste anvertraut war: das Heil der Seelen. Doch die Schäflein revoltierten nicht. Realistisch nutzten sie die Mittel ihrer Kirche, stifteten Altäre und Messen und zogen zur Wallfahrt über Land. Sie waren persönlich engagiert und nicht mehr bloß eine passive Herde. Eines fiel allen ausländischen Besuchern auf: Die Deutschen waren ganz besonders fromm.

Als der italienische Franziskanerpater Johannes von Capistrano 1454 durch Deutschland zog, kamen Tausende freiwillig zu seinen Predigten. In Nürnberg schnitten Frauen ihre Zöpfe ab und warfen sie auf den Scheiterhaufen. In Augsburg, wo Johannes eine Woche lang täglich nach der Morgenmesse predigte, mußten ihm zwei Ratsherren einen Weg durch die Menge bahnen. 20000 sollen ihm zugehört haben, obwohl er in Latein predigte, manchmal zwei Stunden lang, und anschließend alles übersetzt wurde. Als Johannes sie dazu aufforderte, brachten ihm die bußfertigen Augsburger «kartenspil woll ain wagen vol und bei 13 hundert Spilbreter und sechzig oder sibenzig schlitten, on das, das im am ander tag wurd, und on zal vil wirfel».

Die Kirchenfürsten machten sich am Ende des 15. Jahrhunderts keine Sorgen. Es war Ruhe im Land. Kam einmal eine aufmüpfige Schrift auf den Markt, wie 1476 die sogenannte «Reformatio Sigismundi», dann war der Widerhall gering. Ihre Auflagen reichten nicht im mindesten an die Verbreitung der frommen Erbauungsliteratur heran. Es gab lokale Unruhen und einzelne Abweichler von der traditionellen Lehre. Größere Ketzerbewegungen waren nicht in Sicht. Aber Ruhe an der Oberfläche bedeutet nicht Gleichgültigkeit. Auch in Zeiten ohne revolutionären Schwung kann der einzelne betroffen und sensibilisiert sein und einen Blick für das Wesentliche haben. Die fieberhafte Frömmigkeit war ein deutliches Zeichen dafür, daß die Menschen unermüdlich auf der Suche waren. Auch wenn alles in ordentlichen Bahnen verlief.

Was aber war das Wesentliche für einen gläubigen, suchenden Menschen in jener Zeit? Albrecht Dürer hat es um 1510, ein knappes Jahrzehnt bevor der Mönch in Wittenberg die Menschen faszinierte, in unbeholfene Verse gebracht:

> Nur wenn du hienieden fürchtest Gott,
> Entrinnest du dem ew'gen Tod.
> Darum heb' an nach Christo zu leben,
> Der kann dir ewiges Leben geben.
> Das Zeitliche beachte nicht

Nur nach dem Künftigen dich richt'.
Und säume nicht, um Gnad' zu werben,
Als soll'st du jede Stunde sterben.
Spar deine Besserung nicht auf.

Darum ging es: Um Besserung, also Buße, um Gnade und um das ewige Leben.

# Karriere im Orden

Der Mensch in der zweiten Hälfte des 20. Jahrhunderts lebt in einer Welt voller Spannungen, Gegensätze und unlösbar scheinender Konflikte. Butterberge und Nahrungsmittelvernichtung in Europa, verhungernde Menschen überall in der Dritten Welt. Raketen, die den Menschen zum Mond bringen oder mit tödlichen Sprengköpfen die Erde vernichten können. Wohlstand in der westlichen Welt wie nie zuvor und zugleich mehr Drogentote, mehr Selbstmorde, mehr Depressionen. Die Überzeugung schleicht sich ein, das Leben sei ohne unseren Fortschritt und ohne die Segnungen einer hochtechnisierten Zivilisation einfacher, friedlicher gewesen. Die Ängste eines Albrecht Dürer können wir nicht mehr nachempfinden. Die Frage des mittelalterlichen Menschen, wie er Gnade vor Gott findet, ist uns fremd und unverständlich, weil wir die Sprache des Glaubens nicht mehr verstehen. Wir können nicht mehr beten. Die hatten Sorgen, wird manch einer denken.

Sorgen hatten diese Menschen wirklich. Aber eben nicht nur um das tägliche Brot und die Gesundheit, sondern auch und sehr konkret um ihre Seele. Gott war für sie sehr viel wirklicher als alles, was sie mit ihren Augen sehen, mit ihren Händen fühlen, mit ihrem Verstand begreifen konnten. Der Tod prägte ihre Erfahrungen mehr als alles andere. Sie begriffen deshalb die Welt und das Leben vor allem als etwas Vergängliches. Dagegen waren Himmel und Hölle, Gott und Teufel unverwüstlich, ewig. Ein Narr, wer nicht mit ihnen rechnete.

Dieser Glaube war nicht nur eine Seite des mittelalterlichen Menschen. Sie füllte ihn ganz aus. Die Wallfahrten und Reliquien, die Messen und die Gebete waren nicht bloß frommes Beiwerk, sondern Lebenssubstanz. Trotzdem ging nicht alle Welt ins Kloster, und die mittelalterlichen Zeitgenossen verbrachten ihre Tage und Nächte weder asketisch noch sauertöpfisch. Sie genossen das Leben und waren unermüdlich damit beschäftigt, zu verbessern, zu erfinden, zu produzieren und zu konsumieren. Wenn sich eine günstige Gelegenheit bot, kam der Wunsch nach einem besseren Leben schon in dieser Welt über sie wie ein Rausch. Zum Beispiel in Sachsen am Ende des 15. Jahrhunderts.

Die Deutschen, ohnehin seit Jahrhunderten als Bauexperten in ganz Europa gesucht, machten aus dem Land um Elbe und Saale eine wahre Goldgrube. Immer neue Bergwerke und Hüttenanlagen entstanden, um Kupfer, Silber und Zinn zu gewinnen. Über Nacht wurden neue Städte – wie Annaberg – aus dem Boden gestampft, prunkvolle Rathäuser und Kirchen gebaut. Waren die Minen leer, zogen die Menschen weiter und veränderten langsam das Gesicht einer ganzen Landschaft. Man war mobil. Nicht nur auf der Straße. Wer zäh war und das Geld zusammenhielt, auch ein Quentchen Glück hatte, schaffte den sozialen Aufstieg. Was der Aufsteiger träumt, ist durch alle Jahrhunderte gleich geblieben: Seine Kinder sollen es besser haben.

In dieser Welt ist Martin Luther aufgewachsen. Geboren gegen Mitternacht am 10. November 1483 im thüringischen Eisleben als ältester Sohn das Hans Luder, der ein Bauernsohn war. Der Vater zog mit der Familie wenig später nach Mansfeld und saß um 1491 im Rat der Stadt. An der Hauptstraße stand sein stattliches Haus, und er war am Gewinn von acht Kupferschächten und drei Hüttenwerken beteiligt. Hans Luder lebte mit Frau und Kindern in eben jenem Sachsen, dem der Reichtum der Bergwerke ein ungeahntes politisches Gewicht gebracht hatte, womit sein Herrscher zu wuchern verstand.

Kurfürst Friedrich von Sachsen, der Weise genannt, ist ein ungewöhnlicher Mensch gewesen. Er vertrug es offenbar, daß viele seine Bedächtigkeit für Trägheit, seine Friedfertigkeit für Feigheit nahmen. Als Aufruhr in der Stadt Erfurt ausbrach und seine Ratgeber ihm einen Überraschungsangriff vorschlugen, der nur fünf Menschenleben kosten würde, antwortete der Kurfürst: «Es wäre an einem zuviel.» Friedrich war ein kluger, an vielen Dingen interessierter und ein frommer Mann. Er machte eine Wallfahrt nach Jerusalem und füllte die Reliquiensammlung in der Schloßkirche seiner Hauptstadt Wittenberg mit immer neuen Schätzen: Gürtel und Schleier, Haare und Milch von der Gottesmutter, Teile vom brennenden Dornbusch des Mose wie von der Krippe Jesu. Über alles wurde penibel Buch geführt. Genau 5005 Reliquienteile gab es 1510. Acht Jahre später waren es schon 17443.

Der gleiche Mann gründete in Wittenberg eine Universität, ohne zuerst den Papst zu fragen, wie bis dahin allgemein üblich. Er ließ die besten Lehrer für nichttheologische Fächer holen. Er liebte die Kunst. Albrecht Dürer bekam vom Kurfürsten Friedrich seinen ersten großen Auftrag, und über dreißig Jahre lang wurde er immer wieder beschäftigt.

Was tut das alles zur Sache? In diesem aufstrebenden, selbstbewußten Sachsen hat der Mönch Martin Luther sich kritisch mit der Kirche auseinandergesetzt. Viel mehr: Er hat hier als gebannter Ketzer in Ruhe leben und seinen Glauben predigen können. Kurfürst Friedrich war sein Herr. Er konnte ihn an den Kaiser ausliefern oder beschützen, ihn mundtot machen oder gewähren lassen. Er ließ ihn gewähren, zutiefst überzeugt, daß Gott allein in dieser Sache urteilen könne und werde.

Wer kein Heldenleben erzählen will, muß gleich zu Anfang zugeben, daß alle wesentlichen Etappen und Entscheidungen Luthers heute bei den Experten umstritten sind. Die Meinungen der Theologen und Kirchengeschichtler liegen weit auseinander. Die Aussagen und die Reaktionen des Hauptbeteiligten sind voller Widersprüche. Dem Erzähler, will er nicht an alten Legenden weiterspinnen, bleibt nur eins: die Widersprüche aufzuzeigen, die Bruchstellen nicht zu verkleistern, das Ineinander von Interessen, Gegensätzen, Schwächen und Idealen nicht zu glätten. Die Menschen in ihrer Zeit zu begleiten, ohne mit dem Wissen des Nachgeborenen, der die gesamte Entwicklung überblickt, klüger sein zu wollen.

Schon die Kindheit Martin Luthers ist in eine Legende gezwängt, die zielstrebig nicht nur den unerwarteten Eintritt des jungen Mannes in das Erfurter Augustinerkloster erklären soll, sondern auch noch alles, was später kam. Vor der brutalen Erziehung im Elternhaus habe sich Luther in die Mönchskutte geflüchtet. Weil der eigene Vater ihn so streng behandelte, konnte er sich Gott nur als einen strafenden Vater vorstellen. Für Eltern im Mittelalter galt der Spruch der Bibel: Wer sein Kind liebt, hält es unter der Rute! Strenge und Fürsorge schlossen sich jedoch keineswegs aus. Familie Luther war da keine Ausnahme, so dürftig unsere Informationen auch sind. Für ständige Prügel gibt es keine Hinweise. Luther selbst war nach seiner Heirat gegenüber seinen eigenen Kindern streng und liebevoll zugleich. Er verstand später seinen Vater, gegen den er seinen eigenen Kopf durchgesetzt hatte: «Mein Vater hat ein Stund mit mir gezurnet, sed quit nocet? [aber was schadet's?] er hat auch wol zehn jar mit mir muhe und erbeit gehabt.» Es war ein typischer Vater-Sohn-Konflikt, wie ihn jeder Junge bei normaler Entwicklung durchmacht. Nach dem Tod seines Vaters schrieb Luther 1530 einem Freund: «Die Erinnerung an den süßen Umgang mit ihm hat mein Herz erschüttert, daß ich den Tod noch kaum je so verachtet habe.»

Die Mutter vererbte ihrem Ältesten zweifellos einen Hang zum Grübeln, zur Melancholie. Sie war eine Frau, die das Leben nicht leichtnahm. Es muß manches Mal eine bedrückende Atmosphäre im Haus geherrscht haben. Das Kind wurde auch davon geprägt. Doch kein Gedanke an Revolte. Der Heranwachsende tat, was sein Vater von ihm erwartete. Luther ging nach Erfurt an die Universität, um Jurist zu werden. Ein Gelübde während eines starken Gewitters am 2. Juli 1505 ändert die Lebensbahn. Am 17. Juli schon steht der Student vor der Klosterpforte. Er hat seine Eltern nicht gefragt. Seine Freunde konnten ihn von dieser schnellen und radikalen Entscheidung nicht abbringen. Im Rückblick schält sich ein Grund als der entscheidende heraus: «Ich bin drumb auch ins Kloster geloffen, auf das ich nicht verloren wurde, sondern das ewige Leben hätte.» Keine Rede von einer Trotzreaktion gegen den Vater. Wollen wir Luther nicht zubilligen, was für Albrecht Dürer selbstverständlich war: «Nur nach dem Künftigen dich richt'»? Aus Todesgefahr gerettet, wollte er nicht mehr auf dieses vergängliche Leben bauen, sondern nur noch auf das ewige.

Martin Luther im Kloster: die Legende geht weiter. Da saß er angeblich über zehn Jahre in seiner Zelle, zermarterte sich ohne Unterbrechung das Hirn und die Seele, war vom Morgen bis zum Abend nur traurig und depressiv. Und irgendwann traf ihn wie ein Blitz die Erkenntnis, daß Gott anders war, als die katholischen Theologen in ihren Manuskripten schrieben. Wer so viel veränderte, wer so viele treue Freunde und fanatische Feinde hatte, kann der Legendenbildung nicht entrinnen. Aber dem Versuch, das Monument abzuklopfen und auf den Kern zu stoßen, steht auch nichts im Wege.

Sehr früh am Morgen, um drei Uhr, gingen die Mönche zum erstenmal in die Kapelle zum Gebet. Noch sechsmal traf man sich dort, bevor jeder zur Nacht sein Strohlager in der ungeheizten Zelle aufsuchte. Wie alle anderen betete der Mönch Martin immer wieder die Psalmen, die uralten Gebete der Juden, die die Christen in ihren Glauben übernommen hatten: «Richte mich Herr nach meiner Gerechtigkeit und Frömmigkeit! Laß der Gottlosen Bosheit ein Ende werden und fördere die Gerechten; denn du, gerechter Gott, prüfst Herzen und Nieren ... Der Herr prüft den Gerechten ... Er wird regnen lassen über die Gottlosen Blitze, Feuer und Schwefel und wird ihnen ein Wetter zum Lohn geben. Der Herr ist gerecht und hat Gerechtigkeit lieb; die Frommen werden schauen sein Angesicht.»

Martin Luther wollte ein guter Mönch sein. Er tat alles, um fromm und gerecht zu werden. Er fastete härter als die anderen an den mehr als hundert Fastentagen im Jahr. Er beichtete immer wieder, stundenlang, manchmal zweimal am Tag. Seine geistlichen Vorgesetzten schürten seine Skrupel nicht, sondern versuchten, seine Ängste zu lindern und seinen Gedanken einen anderen Weg zu weisen: «Gott zürnt nicht dir, sondern du zürnst ihm.» Das überzeugte ihn nicht, wenn er an den Gott dachte, den die Psalmen beschrieben: «Der Herr schaut vom Himmel auf der Menschen Kinder, daß er sehe, ob jemand klug sei und nach Gott frage. Aber sie sind alle abgewichen und allesamt untüchtig; da ist keiner, der Gutes tue, auch nicht einer.»

Martin Luther, der junge Mann, nahm seinen Beruf ernst und deshalb seinen Gott beim Wort. Ein beschwichtigendes Augenzwinkern vom Himmel gab es nicht. Vor Gott fand keiner Gnade.

Nicht einer. Der Mönch durchlebte Augenblicke tiefster Verzweiflung. Sein Fall war hoffnungslos: «Ich kenne einen Menschen, der versicherte, solche Qualen oft durchlitten zu haben, zwar nur in ganz kurzer Zeitspanne, doch so gewaltig, so infernalisch, daß keine Zunge es aussprechen, keine Feder es niederschreiben kann, keiner es zu glauben vermag, der es nicht selber durchgemacht. Eine halbe, ja nur eine Zehntelsekunde länger – und wer das aushalten müßte, ginge darüber zugrunde, seine Gebeine würden in Asche verwandelt. Da erscheint Gott in fürchterlichem Zorn und zugleich mit ihm die ganze Schöpfung. Nirgends ein Entrinnen, nirgends ein Trost, weder innen noch außen, alles klagt uns an ... In solchen Augenblicken vermag die Seele – wie schrecklich – nicht mehr zu glauben, daß sie jemals erlöst würde, sie fühlt nur eins: noch ist die Qual nicht vollendet ... Da bleibt nichts anders übrig als der nackte Schrei nach Hilfe, ein schreckliches Seufzen, das nicht weiß, wo Hilfe zu finden ist. Da ist die Seele mit dem gekreuzigten Christus weit ausgespannt, daß man alle ihre Gebeine zählen kann; kein Winkel in ihr, der nicht angefüllt wäre mit tödlicher Bitternis, mit Entsetzen, Angst und Traurigkeit – und dies alles scheint ewig zu währen.» Keinen anderen als sich selbst hat Luther damit beschrieben. Doch das war nur der eine Teil des Lebens.

Luther hatte sich für den Orden der Augustinereremiten entschieden. Er war – nach den Bettelorden der Franziskaner und Dominikaner – in der Mitte des 13. Jahrhunderts auf päpstliche Initiative hin entstanden. Gruppen von Einsiedlern, die bis dahin ohne feste Regeln gelebt hatten, bildeten den Orden der Eremiten St. Augustins, nach dem großen Kirchenvater genannt. Das Einsiedlerideal war bald vergessen. Die Augustinermönche gingen in die Städte und machten dort den Geistlichen Konkurrenz. Im Erfurter Kloster lebten bei Luthers Eintritt rund 50 Mönche. Es war schon 1266 gegründet worden und gehörte zu den Klöstern, wo man auf strenge Einhaltung der Regeln achtete.

Im Augustinerkloster zu Erfurt merkte man sehr schnell: Da war einer, der überragte alle seine Mitbrüder an Glauben und an Eifer, an Kenntnissen und an Engagement. Martin Luther füllte seine Zeit nicht nur mit Skrupeln. Er machte Karriere im Orden. 1510 wurde er nach Rom geschickt, um Streitigkeiten unter den Brüdern schlichten zu helfen. 1512 ging es zu einer Ordensversammlung nach Köln. Alles zu Fuß natürlich. Dort am Rhein wählte man ihn zum stellvertretenden Prior im Wittenberger Augustinerkloster, 1515 in Gotha zum Distriktsvikar. Elf Klöster im sächsischen Bereich unterstanden nun der Befehlsgewalt des Zweiunddreißigjährigen. Im Laufe des nächsten Frühjahrs besuchte er sie alle und hielt streng darauf, daß nicht «irgendwelche Meinungen und Absichten» befolgt wurden, sondern das zuständige Gesetz und die Verfassung, «wie sie die Mehrheit der Väter beschlossen hatte». Ein Prior, der sich nicht fügen wollte, wurde abgesetzt, einem Mönch aus einem anderen Orden die Aufnahme verweigert. In Erfurt machte Luther gegen heftigen Widerstand seinen Freund Johannes Lang zum Prior. Ständig gingen seine Briefe hinaus, die alle mahnten, ihr Bestes zu geben und nur auf Gott zu vertrauen. Martin Luther war ein Arbeitstier und eine feste Säule im kirchlichen System.

Damit waren die Stunden aber noch keineswegs gefüllt. Denn dieser Mönch konnte auch noch predigen, und dieses Talent wurde ebenfalls gefördert. Luther predigte in der Schloßkirche zu Wittenberg und in der Pfarrkirche, siebenmal in der Woche und manchmal sogar zweimal täglich. Auch die geistlichen Herren ließen sich von ihm ins Gewissen reden. Zu Beginn der Brandenburgischen Bezirkssynode im Kloster Leitzkau, vom Bischof im Juni 1512 einberufen, sagte Luther den Versammelten, daß im Zentrum aller Reformpläne die Predigt des Evangeliums stehen müsse: «Denn es ist das Herz aller Dinge, der Kern einer berechtigten Reformation, die Wurzel jeder Frömmigkeit.» Reformation – lateinisch reformatio – war seit dem 15. Jahrhundert eine gängige Vokabel für die Kritiker der Kirche.

In diesem Jahr 1512 machte er seinen Doktor in Theologie, und ein Jahr später begann er – gegen seinen Willen und von seinen Vorgesetzten gedrängt – mit seiner ersten Vorlesung an der Universität Wittenberg über die Psalmen. Er übernahm den Lehrstuhl «Lectura in Biblia», den er bis an sein Lebensende behielt und der ihn zur Auslegung der Bibel verpflichtete.

Auch in diesem Beruf war Luther ganz bei der Sache, wollte er sich nichts leichtmachen. Sorgfältig studierte er nicht nur die Bibel, sondern auch die Schriften der Kirchenväter. Im Oktober 1516, er war knapp 33 Jahre alt, schrieb er einem Mitbruder über sein Arbeitspensum: «Ich brauche fast zwei Schreiber oder Kanzler. Ich tue den ganzen Tag beinahe weiter nichts als Briefe schreiben. Deshalb weiß ich nicht, ob ich nicht immer wieder dasselbe schreibe. Du wirst es ja sehen. Ich bin Klosterprediger, Prediger bei Tisch, täglich werde ich als Pfarrprediger verlangt. Ich bin Studienrektor, ich bin Vikar, das heißt, ich bin elfmal Prior ... halte Vorlesungen über Paulus, sammle Material für den Psalter ... Selten habe ich Zeit, das Stundengebet ohne Unterbrechung zu vollenden. Dazu kommen die eigenen Anfechtungen des Fleisches, der Welt und des Teufels. Siehe, was für ein müßiger Mensch ich bin.»

Dieser Brief war wie alle andern, wie alle Vorlesungen, wie seine Predigtentwürfe, wie viele seiner späteren Schriften, in Latein geschrieben. In der Sprache der Kirche hat er sein Leben lang gedacht und gebetet. Redete er, war es meist ein Kauderwelsch aus lateinischen und deutschen Brocken.

Der Orden war Luthers Zuhause, die Gemeinschaft der Mönche sein Arbeitsfeld und sein Ruhepunkt. Hier fand er seine theologischen Lehrer, seine Seelenführer und Gesprächspartner. In der Klosterbibliothek holte er sich die Schriften der Theologen, die seinen Orden, die Augustiner, besonders geprägt hatten und auch auf ihn nicht ohne Einfluß blieben. In einer Zeit, da die Traditionen von Jahrhunderten lebendige Gegenwart waren, die man achtete und pflegte, fühlte auch Bruder Martin sich als Glied in einer langen Kette. Er atmete den Geist seines Ordens so selbstverständlich ein wie den Weihrauch bei Messen und Prozessionen. Nicht nur die unterschiedlichen Kutten trennten Franziskaner, Dominikaner und Augustiner, die alle in Erfurt ihr Kloster hatten. Jeder Orden stand für einen eigenen und eigenwilligen Weg durch die Kirchengeschichte. Wer als gebildeter und fleißiger Student, wie Martin Luther es bei seinem Klostereintritt war, sich für die Augustinermönche entschied, wußte, was in dieser geistlichen Gemeinschaft besonders gepflegt wurde. Es war noch keine Festlegung, aber doch ein früher Hinweis, wo Luthers theologischen Interessen lagen.

Die Mehrzahl der Mönche füllte längst nicht mehr mit Betteln ihren Tag aus. Die meisten, die in radikaler Armut leben wollten, hatten sich dem Sog der Welt nicht entziehen können. Ihre fürstlichen Gönner, die den Ruf der Predigermönche zu Buße und Umkehr ernst nahmen, überhäuften sie mit Reichtum und Ländereien. Die Söhne des Adels ließen sich das Haar scheren und nahmen die Kutte. Auch die Söhne der gutsituierten Bürger begehrten mit der Zeit Einlaß und wurden aufgenommen, geweiht und zum Studium angeregt. Wer von niederem Stand war, blieb ein Laienbruder sein Leben lang und arbeitete in Küche und Klostergarten. Nicht anders war es bei den Augustinern in Erfurt und Wittenberg.

Die Orden hatten mit der Zeit verschiedene Aufgaben in der Kirche übernommen. Spezielle Begabungen und Neigungen der Mönche wurden gefördert. So entstanden Traditionen innerhalb der Orden. Besondere theologische Probleme und Sachgebiete wurden von einer Mönchsgeneration an die andere weitergegeben; immer noch ein bißchen gründlicher durchdacht; immer noch ein bißchen radikaler formuliert. Was typisch ist für den Augustinerorden, läßt sich an einem Ereignis aufzeigen, das in ganz anderem Zusammenhang Geschichte machte.

Am 24. April 1336 begannen vier Männer den Aufstieg zum 1912 Meter hohen Mont Ventoux östlich von Avignon. Die Idee zu diesem für damalige Zeiten ungewöhnlichen Zeitvertreib war einem gekommen, der zu Europas geistiger Elite zählte: Petrarca, Sohn einer Familie aus Florenz, den der Weg des Vaters an den Exil-Hof der Päpste in der Provence verschlagen hatte. Als Wiederentdecker der antiken Literatur wurde Petrarca schon zu Lebzeiten gefeiert. Er selbst machte klangvolle italienische Verse und damit diese Sprache literaturfähig. Ein Senator von Rom krönte ihn 1341 auf dem Kapitol zum Dichter. Der deutsche Kaiser wollte ihn nach Prag an seinen Hof ziehen. Petrarca war ein Individualist, der das Geld der Reichen und Vornehmen ohne Skrupel annahm, um seinen Studien und Interessen leben zu können. Der Gipfel des Mont Ventoux lockte ihn, um «die ungewöhnliche Höhe dieses Flecks Erde durch Augenschein kennenzulernen».

Was geschah, als er oben stand, hat der Dichter in einem langen Brief dem Augustinermönch Francesco Dionigi, einem Italiener, der damals in Paris lebte, geschrieben: «Dieweil ich dieses eins ums andere bestaunte und jetzt Irdisches genoß, schien mir gut, in das

Buch der Bekenntnisse des Augustinus hineinzusehen, eine Gabe, die ich deiner Liebe verdanke ... und die ich stets in Händen habe.» Der Gipfelstürmer nahm das kleine Bändchen im Taschenbuchformat zur Hand, schlug blind eine Seite auf und las: «Und es gehen die Menschen, zu bestaunen die Gipfel der Berge und die ungeheuren Fluten des Meeres und die weit dahinfließenden Ströme und den Saum des Ozeans und die Kreisbahnen der Gestirne und haben nicht acht ihrer selbst.» Petrarca fiel es wie Schuppen von den Augen. Er erkannte, «daß nichts bewundernswert ist außer der Seele: Neben ihrer Größe ist nichts groß. Da beschied ich mich, genug von dem Berge gesehen zu haben, und wandte das innere Auge auf mich selbst, und von Stund an hat niemand mich reden hören, bis wir unten ankamen.»

Den Mönch Dionigi, der an den Hochschulen von Paris, Neapel und Florenz lehrte, verband mit Petrarca die Liebe zur antiken Dichtung, zur Rhetorik, dem gesprochenen Wort und – das war neu in dieser rationalen Zeit – ein tiefes Mißtrauen gegenüber der Vernunft. Auch und gerade in theologischen Fragen. Deshalb verachtete er – wie Petrarca – den heidnischen Philosophen Aristoteles, der für alles eine Erklärung hatte und zum Abgott der mittelalterlichen Theologen geworden war. Petrarca schrieb in einer Streitschrift: «Da wissen sie nun viele Dinge über Tiere, Vögel und Fische: wie viele Haare der Löwe im Scheitel trägt und wie viele Federn der Falke im Schwanz ... Sie wissen, wie die Elefanten sich begatten ... daß der Maulwurf blind und die Biene taub ist und daß das Krokodil allein von allen Tieren die obere Kinnlade zu bewegen vermag – was alles gewiß zu einem großen Teile falsch ist ... Und wenn es auch schließlich wahr wäre, so würde es doch nichts zu einem seligen Leben vermögen. Denn ich bitte dich, was nützt es, die Natur der Tiere, Vögel, Fische und Schlangen zu kennen und dafür die Natur der Menschen, seinen Zweck, seine Herkunft und sein Endziel nicht zu kennen oder gar zu mißachten?» Um den Menschen geht es Petrarca, um den Sinn seines Lebens, um die ewige Seligkeit.

Von seinen Freunden, den Augustinermönchen, hatte er gelernt, daß nicht abstrakte Gedankenakrobatik in den Himmel führt. Der Mensch muß nach innen blicken, um das Wesentliche zu erkennen. Es ist der Beginn einer Entwicklung in Europa, die unter dem Etikett

«Humanismus» in die Bücher eingegangen ist. Zugleich kam die Forderung auf: «Zurück zu den Quellen.» Das galt für die antiken Poeten, wie für den Apostel Paulus und den Kirchenvater Augustinus, beide Zeitgenossen der antiken römischen Welt. Die neuen literarischen und theologischen Interessen fanden ihre stärksten Förderer unter den Mönchen des Augustinerordens. Das Kloster San Spirito in Florenz wurde zu einem Nest, wo sich die neuen Gedanken entwickeln konnten und in alle Himmelsrichtungen hinausgingen.

Petrarca hatte geschrieben: «Uns gilt die Beredsamkeit mehr als das Leben.» Im Augustinerorden wurde die gute Predigt zur Tradition. Die Seelsorge an den Bürgern nahmen die Mönche ebenso ernst wie eine erstklassige Bildung. Als Luther in den Orden trat, verbanden sich in seinem damaligen Ordensgeneral, dem Kardinal Ägidius von Viterbo, alle Traditionen aufs beste. Er dichtete, übersetzte ein Lied von Petrarca ins Lateinische und war sehr an der Kulturgeschichte interessiert. Im Gegensatz zu seinen päpstlichen Vorgesetzten führte er ein untadeliges, frommes Leben, verlangte von seinen Mönchen das gleiche und schrieb an seine Mitbrüder in Köln: «Tag und Nacht sind wir an der Arbeit, um zu reformieren ...» In ganz Italien war Ägidius als Prediger gefragt.

In Deutschland gehörte der Augustinerpater Gottschalk Hollen in der zweiten Hälfte des 15. Jahrhunderts zu den populärsten Predigern. Er lebte längere Zeit in den italienischen Klöstern seines Ordens und ging schließlich nach Osnabrück, wo er 1481 starb. Er predigte nicht nur über Gott, sondern sehr real über die Welt. Der Mönch gab seinen Zuhörern Ratschläge für den Häuserbau, für Krankheiten und das Aufsetzen von Testamenten. Hollen zitierte mit Vorliebe die antiken Dichter und ebenso den Petrarca. Seine Predigten wurden in den Klöstern verbreitet, etliche sogar gedruckt. Er war nicht der einzige Mönch, der mit seinem Gang über die Alpen den Humanismus aus italienischen Klöstern in deutsche Mönchszellen verpflanzte.

Hollen war auch nicht der einzige Augustiner, dessen Predigten in Deutschland Aufsehen erregten. Schon als Student in Erfurt kann es Martin Luther nicht entgangen sein, wenn sich der berühmte Dr. Johann Jeuser von Paltz wieder einmal im Augustinerkloster und in der Stadt aufhielt. Er war ein strenger Mann, der sich ohne Abstriche für Reformen in seinem Orden einsetzte. Vor allem aber wurde er landauf, landab als Prediger berühmt und gerufen. Kurfürst Friedrich von Sachsen war besonders von Paltzens Predigten über einen guten Tod beeindruckt und drängte ihn, diese als Sammlung herauszugeben. Sie erschien 1490 unter dem Titel «Die Himmlische Fundgrube». Schon in der zweiten Auflage konnte der Verfasser den Lesern mitteilen, was der Kardinal Peraudi ihm zu diesem Werk geschrieben hatte: «Eure Frömmigkeit ist so, daß wir bedauern, nicht in jeder Provinz ... ähnliche Männer zu haben. Denn die Lehre und Integrität beredter Männer trägt sehr zum Heil der Seelen bei.»

Paltz predigte besonders gern über Maria, die Gottesmutter. Dabei machte er Vergleiche, die nach heutigem Verständnis weit überzogen, ja unvertretbar sind. Doch der gelehrte Mönch bemühte sich auch, eine nüchterne Frömmigkeit zu verbreiten. Den Rummel der Wallfahrten betrachtete er mit Skepsis und warnte vor Aberglauben. Der Mensch ist ein Sünder, predigte Paltz immer und immer wieder, aber er muß deshalb nicht verzweifeln. «Wie finde ich einen gnädigen Gott, auf welche Weise kann ich ihm gefallen?» Diese Frage wurde dem Prediger überall gestellt, und Paltz sagte den Menschen: «Es anwortet darauf Augustinus: Du wirst ihn versöhnen, wenn du auf seine Barmherzigkeit hoffst.»

Wie andere in seiner Zeit versuchte dieser Mönch, eine Frömmigkeit zu wecken, die nicht an äußerlichen Geboten klebte, sondern ergriffen wird von dem Glauben an jenen Gott, der qualvoll am Kreuz gelitten hat. Auch bei Augustinermönchen stand die Passion Christi im Mittelpunkt ihrer Predigten. In der «Himmlischen Fundgrube» heißt es: «Welcher Mensch alle tag ... bedenckt das leyden Christi, der erlangeth damit mer nutz dan das er alle freitag das gantz iar fastet.»

Einer, der nicht nur durch Bücher auf den Mönch Martin Luther wirkte, war Johannes von Staupitz, als Generalvikar des Ordens zuständig für alle deutschen Augustinerklöster. Der gebildete, fromme Mann wurde dem jungen Mönch ein väterlicher Freund. Vielleicht hat keiner ihn mehr beeinflußt und in seinem Weg bestärkt. Luther hat ihm seine Skrupel und Sorgen anvertraut. Oft

haben sie im Klostergarten lange und intensive Gespräche miteinander geführt. Staupitz hat Luther ermutigt, getröstet, gefördert
und gefordert, indem er ihn – gegen dessen heftigen Protest – zum
Theologiestudium und anschließend zur Übernahme der Professur
in Wittenberg aufforderte. Viel später hat Luther denen, die ihn für
einen Schüler des großen Humanisten Erasmus von Rotterdam
hielten, sehr deutlich gesagt, daß er von ihm nichts übernommen
habe, dafür vieles von einem anderen: «Ex Erasmo nihil habeo – Ich
hab all mein Ding von Doctor Staupitz.»

Über den Glauben und die Hoffnungen des Doktor Staupitz sind
wir aus seinen Predigten gut informiert. Denn auch Staupitz gehörte zu den Männern seines Ordens, von dessen Worten sich die Laien
Hilfe und Trost für dieses und das ewige Leben erhofften. In München saß neben den Bürgern die Herzoginwitwe Kunigunde in der
Augustinerkirche unter der Kanzel, wenn Staupitz zum Predigen
kam. In Nürnberg luden ihn die Patrizier für den Advent 1516 zum
Predigen ein. Die alteingesessenen Familien Tucher und Holzschu-
her hörten ihm zu. Auch Albrecht Dürer ist gekommen. Das Augustinerkloster in Nürnberg war seit Jahren ein Zentrum der humanistischen Elite der Stadt.

Die Nürnberger ließen die Adventspredigten drucken. Auch andere Schriften des Staupitz über die Kunst des Sterbens und den
christlichen Glauben kamen in Umlauf. Was ist für Staupitz das
Wichtigste am Glaube? Nur eins: «Glauben wir in Christum, so
haben wir Christum, werden nicht verloren, überkommen das ewig
Leben . . .» Was ein Christ an guten Werken tut, kann ihm den Weg
in den Himmel nicht öffnen. Darüber entscheidet die «Gnade allein». Nicht wie gerecht der Fromme, sondern wie barmherzig
Gott ist, das gibt den Ausschlag: «Nymand wirdt selig auß seiner
barmhertzickeit, umb seiner werck willen, sunder allein auß gotli-
cher barmhertzickeit, auß gnaden.»

Aber woher weiß denn Staupitz, daß Gott barmherzig ist? Daß
er nicht wie ein peinlicher Richter unsere Sünden und unsere guten
Werke gegeneinander aufrechnet, wobei wir immer den kürzeren
ziehen? Weil Gottes Sohn Mensch wurde und sich dieser Jesus unschuldig ans Kreuz nageln ließ. Seinen Glauben, der identisch war
mit seiner theologischen Gelehrsamkeit, hat Staupitz in einem Satz

77

zusammengefaßt: «Crux sola est nostra Theologia» – allein das Kreuz ist unsere Theologie. Das Kreuz beweist, daß Gott die Menschen nicht straft, sondern liebt. Wer an den Gekreuzigten glaubt, muß nicht weiter grübeln, braucht keine Angst mehr zu haben. Er ist für alle Ewigkeit gerettet. War dies die Theologie eines Einzelgängers? Ohne Vorbilder? Nein, Johannes von Staupitz gab eine lange Tradition seines Ordens an seinen Ordensbruder Luther und an die Zuhörer seiner Predigten weiter. Es waren vor allem die Augustinermönche, die – ganz im Sinne des Kirchenlehrers Augustinus – darauf beharrten, daß der Mensch schlecht ist und völlig auf die Gnade Gottes angewiesen. Und weil diese Überzeugung für den Mönch aus Wittenberg zum Angelpunkt seiner Theologie und seines Lebens wird, lohnt es sich, noch einmal einen Blick zurück zu tun.

Wiederentdecker der Gnadentheologie des Augustinus ist Gregor von Rimini, im 14. Jahrhundert Universitätslehrer in Paris und Generalvikar des Augustinerordens, der von seiner Kirche den Ehrentitel «Doctor Authenticus» erhielt. Gregor lehrte: «Kein Mensch kann, auch wenn er unter dem allgemeinen Einfluß Gottes steht, ohne seine besondere Hilfe sittlich gut handeln.» Jeder Mensch brauche «zum Handeln überhaupt die besondere Hilfe der Gnade Gottes». Seit es christliche Theologen gibt, streiten sie sich über das Verhältnis zwischen göttlicher Gnade und freiem Willen. Für den Kirchenvater Augustinus im antiken Römischen Reich existierte der freie Wille nicht. Doch ihm hatten die Mönche von Lerin heftig widersprochen. Für die Scholastiker des Mittelalters gehörte es gerade zur Würde des Menschen, Entscheidungen eigener Wahl treffen zu können. Sie hielten den Menschen nicht für gänzlich verdorben. Da konnte Gott mit seiner Gnade ansetzen und dem Menschen gleichsam den entscheidenden Schub geben, der es ihm möglich machte, Gutes zu tun und sich gegen das Böse zu entscheiden.

Dieses Miteinander lehnte Gregor von Rimini rigoros ab. Er hielt eine Zusammenarbeit von Gott und Mensch für ausgeschlossen und berief sich auf die Entscheidung eines Konzils im 5. Jahrhundert, «daß der Mensch von sich aus nicht fähiger ist, einen guten Willen zu haben, als der Teufel».

Es ist ein langer Weg, den wir zurückgegangen sind. Aber er endet nicht in theologischer Höhenluft, sondern in der Klosterzelle Martin Luthers, der unermüdlich die Kirchenväter studierte; der versuchte, mit Fasten und Beten Gottes Gnade zu finden; dem Staupitz, ein treuer und hochangesehener Sohn der Kirche, sagte: Du mußt glauben und auf das Kreuz sehen.

Es geht hier nicht um theologische Feinheiten. Mögen die Fachleute darüber streiten, daß Gnade und Gnade keineswegs das gleiche sei. Entscheidend ist, ob die Antworten, die Luther schließlich auf seine Fragen fand, vom Himmel fielen. Oder ob andere vor ihm Wegweiser aufstellten, die ja nicht ausschließen, daß einer seinen eigenen Weg geht. Luthers Aussagen sind eindeutig: Er hat die Traditionen, die ihn beeinflußten und überzeugten, nie verleugnet.

# Professor Luther
# fasziniert die Studenten

Im Jahre 1513 hielt Luther an der Wittenberger Universität seine erste Vorlesung. Im Oktober 1517 stellte er 95 theologische Thesen über den Ablaß zusammen und forderte seine Kollegen auf, mit ihm über deren Richtigkeit zu diskutieren. Ein Verfahren, das im Universitätsbetrieb des Mittelalters alter Brauch war. Geworden ist daraus jenes magische Datum, das den Beginn der Reformation signalisierte: Von nun an herrscht die große, alles umfassende katholische Kirche nicht mehr allein und unangefochten über Europas Seelen. Der Protestantismus entsteht. Mit dem Finger auf einen historischen Punkt zu zeigen und ein Datum zu markieren, an dem exakt eine Entwicklung beginnt und etwas Neues aufbricht, ist immer eine fragwürdige Sache. Was die Reformation betrifft ist es mehr: Es ist falsch.

Für Martin Luther war die Zeit zwischen 1513 und 1517 angefüllt mit vielen Stunden harter Arbeit, mit Augenblicken, in denen er an seinem Gott verzweifelte, und mit großem Erfolg. Er war ein Universitätslehrer, dem die Studenten zuströmten und der seine jüngeren Kollegen mitriß. Er war kein einsamer Prophet, sondern arbeitete in einem theologischen Team, das in Wittenberg, einer jungen Universität ohne verpflichtende Lehrtradition, die alten Scholastiker von ihrem Denkmal stürzen wollte. Er begann zusammen mit andern Mönchen eine neue Theologie zu lehren, die sich vor allem auf die Evangelien, den Apostel Paulus und den Ordensheiligen Augustinus berief. Zurück zu den Quellen! Weg von Aristoteles! Wie es die humanistische Tradition der Augustiner seit den Zeiten Petrarcas empfahl.

Im Mai 1517 schrieb Luther an seinen Freund Johannes Lang, Prior im Erfurter Augustinerkloster: «Unsere Theologie und St. Augustin machen rüstige Fortschritte und beherrschen dank Gottes Fügungen unsere Universität. Mit Aristoteles geht es allmählich bergab, er neigt sich zum nahe bevorstehenden Untergang ... und niemand kann auf Hörer rechnen, der sich nicht zu dieser Theologie, d. h. zur Bibel oder zu St. Augustin oder zu einem anderen Lehrer von kirchlicher Autorität bekennt.» Kurz zuvor hatte er ebenfalls an Johannes geschrieben, er sei «voll von Lästerungen und Flüchen gegen Aristoteles ... diesem Obersten aller Verleumder».

Seine Arbeit als Theologieprofessor brachte Luther dazu, noch gründlicher als bisher über das Verhältnis zwischen Gott und Mensch nachzudenken. Noch immer fand er keinen verläßlichen Trost beim Anblick des Gekreuzigten, wie Staupitz ihm versprochen hatte. Er wollte sich auch nicht auf Gottes Barmherzigkeit verlassen, wie sein Mitbruder Paltz predigte, bevor er nicht wußte, was das für ein Gott ist, mit dem der Mensch zu tun hat. Aus den ersten Vorlesungen, seinen Briefen und den Arbeiten seiner Schüler zwischen 1513 und 1517 schält sich deutlich heraus, welche Antworten Martin Luther auf die Herausforderung fand, die er sich selber gestellt hatte.

Der Vergleich zwischen Gott und dem Menschen fiel eindeutig aus. Immer wieder betete der Mönch Martin mit dem Verfasser der Psalmen: «Denn siehe, ich bin in Sünden empfangen.» Und so interpretierte der Theologe diese Stelle in seiner allerersten Vorlesung 1513, die von den Psalmen handelte: «Denn vor Gott sind wir so ungerecht und unwürdig, daß alles, was wir tun könnten, vor ihm nichts ist.» Der Mensch ist von Natur aus schlecht, ein Sünder. Keine Taufe, keine Beichte ändert etwas daran. Darum kann der Mensch von Natur aus überhaupt kein Interesse an der Existenz Gottes haben. Der würde ihn ja – zu Recht – wegen seiner abgrundtiefen Schlechtigkeit strafen. Hätte der Mensch einen Wunsch frei, er würde sich selbst an die Stelle Gottes setzen. Von diesem Ausgangspunkt ist Luther überzeugt, und so drückt es sein Schüler, der Magister Franz Günther aus Nordhausen, 1517 in seiner «Disputation gegen die scholastische Theologie» aus: «Der Mensch kann von Natur aus nicht wollen, daß Gott Gott ist. Er möchte vielmehr, daß er Gott und Gott nicht Gott ist. Von Natur aus Gott über alles lieben, ist eine erdichtete Redensart wie eine Chimäre.»

Der Mensch ist von Hause aus ein Atheist. Deshalb wird er nie eine Ahnung davon haben, wie Gott wirklich ist. Schon 1509 hatte Luther einem Freund geschrieben: «Aber Gott ist Gott. Der Mensch täuscht sich oft, ja immer in seinem Urteil.» Auf die Idee, daß es diesen Gott vielleicht nicht gebe, ist weder Luther noch ein anderer seiner Zeitgenossen gekommen. Seine Erfahrung lehrte ihn das Gegenteil: Gott ist da, aber er zeigt sich nicht. Er bleibt Gott, unerreichbar, unerklärbar. Gerade weil Luther nicht an Gottes Existenz zweifelte, war diese Erfahrung so schrecklich. Er schrie zu ihm und erhielt keine Antwort, keinen Trost. Obwohl er wußte, daß er da war. Ohne es gleich zu wissen, hatte sich Luther damit einen Weg verbaut, auf den sich viele seiner Zeitgenossen machten. Wenn Gott so anders und so fern ist, kann der Mensch ihn nicht in seinem Innern finden.

Das ist Luthers Erfahrung, und an sie müssen wir uns halten, wenn wir ihn ernst nehmen. Ist sie uns wirklich so fremd? Wer steht uns näher? Der Mitbruder Staupitz und sein Vertrauen auf das Kreuz? Thomas von Kempen mit dem Rat, man brauche nur in sein Inneres zu sehen? Die frommen Bilder und Plastiken, wo ein schmerzverzerrter Christus sich diesem verborgenen Gott als Opfer anbietet? Oder der Mönch in Wittenberg, der bis in den letzten Winkel seiner Seele angefüllt ist «mit tödlicher Bitterkeit, mit Entsetzen, Angst und Traurigkeit»? Nicht weil er Gott im Himmel mit seinem strengen Vater auf Erden verwechselte. Luther war einfach ehrlich gegenüber seinen geheimsten Wünschen: der Mensch wollte sein wie Gott. Nun wäre es das Bequemste, Gott zu leugnen und damit die Grübelei zu beenden. Doch der Mönch hätte in solcher Logik einen Trugschluß, einen faulen Kompromiß gesehen. Hier fing das Problem für ihn erst an: Nach seinem Tod muß der Mensch vor Gott Rechenschaft über sein Leben geben. Wie kann er vor Gott Gnade finden, wenn der Mensch diesen Gott am liebsten in die Hölle wünscht?

Luther zieht eine radikale Konsequenz: So sehr ich mich anstrenge, ich erreiche nichts. In bezug auf Gott sind menschliche Leistungen überflüssig, sinnlos. Was ich auch tue: Fasten und Beten, Prozessionen und Stiftungen, Wallfahrten und Messen. Gut gemeint, mehr nicht. Gott läßt sich von meiner wahren Natur nicht täuschen.

Der Mensch – wenn er ehrlich ist – erkennt, daß «diese Werke ein Nichts vor Gott sind, selbst wenn sie gut sind und im Gehorsam getan ...» Das sagte Luther seinen Studenten 1516 in seiner Vorlesung über den Römerbrief des Apostel Paulus. Weiter: «Darum sind die Menschen heute seltsame Narren: Sie sammeln gute Werke – nach ihrer Meinung viele bedeutende – und glauben, diese Werke seien schon deshalb gut, weil sie Mühe machen und zahlreich sind und ihnen gut scheinen. Aber vergebens.» Luther schreibt auf den Rand seines Vorlesungsmanuskripts, was er von Theologen hält, die anderes lehren. «Sautheologen» sind sie in seinen Augen.

Das einzige Hilfsmittel, um auf Erden Frieden zu finden und im nächsten Leben die Seligkeit, entdeckt Luther beim Apostel Paulus: Es ist die Gnade Gottes. Sie allein schafft es, daß der Sünder – von Gott aus gesehen – wie ein guter, ein gerechter Mensch dasteht. Aber wie kommt Gott dazu? Warum ist er dem Menschen gnädig? Eine solche Frage ist für Luther überflüssig, dumm und töricht. Hat er doch versucht zu erklären, daß Gott zu unseren wichtigsten Fragen schweigt. Sonst wäre er nicht Gott. Und damit haben wir uns abzufinden, denn es geht mit dem Glauben nicht wie mit einer Mathematikaufgabe, wo am Ende eine saubere Lösung steht.

Braucht der Mensch also überhaupt nichts zu tun? O doch, es bleibt ihm noch ein dicker Brocken: er muß bedingungslos an diesen fernen, abweisenden Gott glauben. Eine unmögliche Forderung, das gibt selbst Luther zu. Aber der Mensch hat etwas, an das er sich halten kann und das ihm hilft, den Abstand doch zu überbrücken: «So werden wir alle im Unrecht, d. h. in Ungerechtigkeit geboren und sterben auch darin, gerecht aber sind wir dagegen allein durch die Zusage des gnädigen Gottes und durch den Glauben an sein Wort.» Das Wort ist das Evangelium, die frohe Botschaft vom Leiden und Sterben des Gottessohnes, der nach drei Tagen im Grab seinen Anhängern erschienen ist. Was so dunkel und verzweifelt und kompliziert war, sieht auf einmal ganz einfach aus, wenn der Mönch den Studenten sagt: «Denn wenn du einen Christen fragst, was nötig ist, um den Namen eines Christen zu verdienen, so wird er dir nur antworten können: Das Hören auf Gottes Wort, d. h. der Glaube. Die Ohren sind darum die einzigen Werkzeuge eines Christenmenschen ...»

Immer wieder beteuerte Martin Luther seinen Zuhörern, nichts Neues zu erfinden, sondern nur auf alte, bewährte Lehren und Kirchenväter zurückzugreifen und vor allem auf das Wort Gottes, die Bibel. Trotzdem fiel er bald auf mit «seiner» Theologie – nicht zuletzt durch seinen persönlichen Einsatz. Der mittelgroße Mann in der Kutte mit dem hageren Gesicht, starken Backenknochen und durchdringenden dunklen Augen war nicht irgendein akademischer Durchschnittslehrer, der seinen Stoff unter die Leute brachte. Da stand einer, der von dem Gegenstand seiner Arbeit besessen war und stets sich selber mit einbrachte.

Nicht nur an der Wittenberger Universität und in theologischen Kreisen sprach man von diesem Mönch. Schon in diesen frühen Jahren war Luther seinem Landesvater, dem an allem interessierten Friedrich von Sachsen, wohlbekannt. Mit Georg Spalatin, dem engsten theologischen und politischen Berater des Kurfürsten, hatte er sich angefreundet. Luther, dem es offenbar nicht an Selbstbewußtsein fehlte, nutzte diese Beziehung, um einen der berühmtesten Männer Europas zu kritisieren und zu belehren. Es war Erasmus von Rotterdam, ein Mönch und Gelehrter, den Könige und Päpste umschmeichelten. Seine Kritik an den Zuständen in der Kirche und in der Welt war hart. Trotzdem war Erasmus kein Feuerkopf, kein bedingungsloser Streiter, sondern ein Mann, dem der Friede über alles ging und der sich stets um Ausgleich und Harmonie bemühte, der nicht glauben wollte, daß der Mensch von Natur aus schlecht sei und keinen freien Willen habe.

An Spalatin, der mit Erasmus korrespondierte, schrieb Luther 1516, er möge dem gelehrten Mann folgendes mitteilen: «Denn nicht dadurch, daß wir recht tun, wie es die Meinung des Aristoteles ist, erlangen wir Gerechtigkeit, es sei denn die Gerechtigkeit der Heuchler, sondern erst dadurch, daß wir Gerechtigkeit [von Gott] erlangen und gerecht werden, sind wir fähig, recht zu handeln.» Luther selbst hat diese abstrakten Überlegungen oft in ein Bild übersetzt: Der Mensch ist wie ein schlechter Baum, also kann er keine guten Früchte – Leistungen – erbringen und dadurch zu einem guten, gerechten Menschen werden. Es geht umgekehrt: Erst nachdem Gott ihn akzeptiert hat – ohne jede Vorbedingung –, ist er gut und gerecht und kann gut und richtig handeln.

Luther hatte sehr früh ein feines Gespür dafür, daß ein Abgrund zwischen ihm und den Humanisten lag, die wie Erasmus dachten und fühlten, auch wenn er mit seiner Ordenstradition vieles aufnahm, was ihn mit dieser Entwicklung verband. Ein Erfurter Theologe und berühmter Humanist hatte sich über die Tür seines Hauses malen lassen: «Beata tranquilitas» – Selige Ruhe. Wer das zu seinem Lebensziel machte, konnte die radikalen Erfahrungen und Schlußfolgerungen des Wittenberger Theologieprofessors nicht verstehen.

Die Humanisten dagegen hielten ihn wegen seiner Kritik an der Kirche ganz für einen der ihren und wurden 1517 seine eifrigsten Propagandisten. Es war ein furchtbares Mißverständnis, zu dem Luther etliche Jahre geschwiegen hat. Wer kann sich schon mit der ganzen Welt anlegen?

Die Institution Kirche stand im Zentrum humanistischer Kritik: die korrupten Kardinäle und die ungebildeten Priester; die Päpste in Rom, ihre Liebschaften und Kriegszüge. Was sagte der junge Professor dazu? Luther ging 1513 in der Psalmenvorlesung auf die Mißstände ein: «Gibt es heute aber wohl etwas Hoffärtigeres, Anmaßenderes, Prunkvolleres und Ruhmseligeres als die Fürsten und Priester der Kirche? ... Denn sie streben so sehr nach weltlicher Gewalt, nach irdischem Regiment und der Herrschaft über Städte, Reiche und Provinzen, so sehr sind sie von dem allen gefangen, so sehr begehren sie und raffen, wo sie nur können, daß sie sich mit dreister Stirn nicht schämen, das alles ganz öffentlich das Erbgut Christi zu nennen, das sie zum Ruhme Gottes und zum Wachstum der Kirche vermehrten.» Gemessen an der Kritik, mit der Theologen und Mönche die Kirche seit ihren ersten Schritten in die Welt begleitet hatten, war das so starker Tobak nicht.

Auch zu Luthers Zeiten gab es kräftigere Töne: «Wir raffen überall Reichtümer zusammen, um unserer Hoffart und unserer Schwelgerei zu frönen. An der Tafel derjenigen, welche die bischöfliche Würde und die höchsten Ämter der Kirche an sich reißen, nicht um Christus zu dienen, sondern um durch Christus zu prassen, ist nicht nur Fasten und Mäßigkeit eine fremde Sache, sondern ihre Tische sind auch besetzt mit erlesenen Weinen und mit Speisen, die aus den entferntesten Ländern und übers Meer hergeholt sind, nicht um den Hunger zu stillen, sondern um weltliche Bedürfnisse zu nähren . . .» Das rief der Augsburger Bischof Christoph von Stadion seinem Klerus auf einer Synode im Jahre 1517 ins Gesicht. Es war noch nicht alles: «Das Herz bricht mir, und ich kann mich der Tränen nicht enthalten, wenn ich so viele sehen muß, die ganz leer und sinnlos dahinleben . . . wie sie denn auch den Umgang mit Weibspersonen, den Wucher, den Handel und den Gewinn lieben. Wahrhaftig Menschen, welche Petrus nicht Diener Gottes, sondern Hunde nennet, die wieder auffressen, was sie von sich gegeben haben. Schweine, die sich nach der Schwemme gleich wieder im Kot wälzen.» Der Bischof war ein Anhänger des Erasmus.

Luthers kritische Worte erscheinen da eher wie eine Pflichtübung. Viel intensiver beschäftigt er sich in dieser Vorlesung mit den «Ketzern und ihren Genossen». Ihnen schreibt er ins Stammbuch: «Jeder, der nicht zufrieden ist mit dem Evangelium, . . . der es verschmäht, die Bücher der Apostel und der Väter der Kirche zu lesen und zu beherzigen, weil er aufgebläht ist durch seinen fleischlichen Sinn, der versucht Gott in schrecklicher Vermessenheit. So nämlich leugnen die Ketzer Christus . . . Wolltest du nämlich jedem ein anderes Evangelium zubilligen und jeder Anfechtung und Zweifel willfahren . . . was wäre dann wohl? Du hättest keine Kirche . . .» Das war eindeutig.

An den Ketzern demonstriert der Mönch die größte Sünde, die der Mensch begehen kann: «Nicht glauben zu wollen und alles in Zweifel zu ziehen und immer nach einer anderen Lehre zu suchen, das ist die schlimmste Versuchung, die der Herr schicken kann. Hüte dich also, Mensch, lerne lieber in Demut weise zu sein und überschreite nicht in deiner Neuerungssucht die Grenzen, die deine Väter gesetzt haben . . . Denn den Geist des Gesetzes hat Gott nicht auf Papier in Buchstaben festgelegt, auf welche die Ketzer vertrauen, sondern er hat ihn Menschen eingegeben, die hohe geistliche Ämter bekleiden, und aus ihrem Mund sollen wir ihn erfragen.»

Nichts lag diesem Mönch ferner, als die Kirche in Frage zu stellen. Doch konnte ihm nicht entgehen, daß die älteren Universitätsprofessoren seine Vorlesungen und die Thesen seiner Schüler mit Stirnrunzeln verfolgten. Sicher war auch Neid über den beliebten Kollegen dabei, der ihnen die Studenten abzog. Einer von Luthers Zuhörern schrieb 1516: «Die Studenten horeten ihn gerne, dieweil seinesgleichen nicht war.» Luther reagierte zwiespältig gegenüber Andersdenkenden.

Bei Erasmus trat er selbstbewußt auf wie einer, der allein die Wahrheit verwaltet. Aber nachdem sein Schüler Franz Günther 1517 theologische Thesen zur Diskussion veröffentlicht hatte – «Jedes Werk des Gesetzes ohne die Gnade Gottes erscheint äußerlich als gut, innerlich aber ist es Sünde» –, schrieb Luther im September dieses Jahres voller Zweifel an Johannes Lang in Erfurt: «Übrigens warte ich sehr, über die Maßen, gewaltig und ängstlich darauf, was Du zu diesen unseren scheinbar widersinnigen Sätzen sagst. Denn ich vermute wirklich, daß Euren Leuten diese Sätze widersinnig, ja ketzerisch vorkommen werden, während sie uns nicht anders als rechtgläubig sein können. Teile es mir darum so schnell wie möglich mit und biete meinen Herren und in Wahrheit ehrwürdigen Vätern der theologischen Fakultät und anderen, welchen Du willst, auf meinen Wunsch hin zuverlässig an und teile ihnen mit, daß ich natürlich bereit sei zu kommen und darüber an der Universität oder im Kloster öffentlich zu disputieren.» Ganz im Sinne seines Lehrers schloß Franz Günther seine Thesen mit der feierlichen Erklärung: «Damit wollen wir nichts sagen, und glauben auch nichts gesagt zu haben, was der katholischen Kirche und den Kirchenlehrern nicht entspräche.»

Jedes Jahr um den 1. November – dem Feste Allerheiligen – war in Wittenberg Hochbetrieb. Herbergen und Gasthäuser hatten Mühe, alle Fremden unterzubringen. In den Straßen drängte sich hoch und niedrig. Alle hatten nur ein Ziel: die Schloßkirche. In der Kirche vor den zwanzig Altären ist ein ständiges Kommen und Gehen. Priester lesen die Messe, predigen, sitzen in den Beichtstühlen – und erteilen einen besonderen Ablaß. Sie tun es in der Wittenberger Schloßkirche seit 1398. Damals verlieh ihr Papst Bonifaz den «Portiuncula-Ablaß», so genannt nach der kleinen Kirche bei Assisi, in der der heilige Franziskus sein neues Leben begann. Die Ablaß-Urkunde bestätigte für die Schloßkirche: «Am Allerheiligentage können die, welche aufrichtig gebeichtet und bereut haben oder die gute Meinung dazu besitzen, von der ersten Vesper [Nachmittag des 31.10.] bis zur zweiten [Nachm. des 1. 11.] einschließlich, mit ihren Gebeten und Almosen dieselben Ablässe erwerben, die sie in Assisi in Italien gewinnen können.» Papst Julius II. hatte 1510 diese Aktion auf zwei volle Tage vor und nach dem Allerheiligenfest ausgedehnt. Und das war noch nicht alles. Die außergewöhnliche Reliquiensammlung, die Kurfürst Friedrich zusammengetragen hatte, versprach zusätzliche spürbare Ablässe. Immerhin zählte man 1518 genau 17443 Reliquienteile.

Der Ruf Wittenbergs als Garant für das ewige Heil war weit verbreitet, und mit jedem Jahr stieg die Zahl der Pilger, die Summe der Spenden, die Menge an Wachs, die zu Kerzen gezogen wurden. Im Jahre 1518 wurden 8994 Messen gelesen und 40932 Kerzen angezündet, für die man 66 Zentner Wachs verarbeitet hatte. Einem wurde das heilige Treiben zuviel: Er argwöhnte, daß den Frommen das Geld aus der Tasche gezogen wurde, ohne ihnen wirklich Aufklärung zu geben, was sie sich dafür an Seligkeit einhandelten. Im Jahre 1516 sagte der Mönch und Universitätsprofessor Martin Luther seiner Gemeinde in der Wittenberger Stadtkirche: «Nirgends umfaßt die Predigt der Diener des Herrn etwas anderes als die Empfehlung, sich Ablaßbriefe zu verschaffen, und die Aufforderung an das Volk, dafür zu bezahlen. Du wirst hier auch keinen hören, der das Volk etwa belehrte, was es mit dem Ablaß auf sich hat, wofür er erteilt wird, wo er endet, sondern immer nur, wieviel sie geben müssen, denn in diesem Punkt belassen sie dem Volk natürlich gern seine Unwissenheit, damit es glaube, es könne sich auf der Stelle mit Hilfe der Ablaß-Briefe freikaufen und retten.»

Was ist ein Ablaß? Luther hatte unter seinen Mitbrüdern einen, den berühmten Johann von Paltz, der in seiner «Himmlischen Fundgrube» eine korrekte, von jeder Übertreibung und falschen Hoffnungen freie Definition gab: «Der Ablaß ist keine Vergebung der Sünden ... Ebensowenig betrifft der Ablaß die Beleidigung Gottes; denn diese ist bereits vorher im Akt der Reue oder im Sakrament der Beichte vergeben worden ... Folglich ist der Ablaß nur Vergebung der Sünden, soweit es um die zeitliche Strafe geht.» Mit den zeitlichen Strafen waren jene Strafen gemeint, mit denen die

Kirche den Aufenthalt der Seele nach dem Tod im Fegefeuer verlängern konnte. Die Kirche machte mit dem Ablaß nur rückgängig, was sie zuvor über den Sünder verhängt hatte. Allerdings ließ sie sich solche Gegengeschäfte gut bezahlen, und den Menschen war nichts zu teuer, wo es um das ewige Leben ging. Die Ablässe wurden mit der Zeit immer zahlreicher, immer beliebter. Riesige Summen wanderten nach Rom.

Die Kritiker dieses Handels schwiegen nicht. 1482 erfuhr die berühmte theologische Fakultät von Paris, ein Geistlicher habe folgendes gepredigt: «In dem Augenblick, wo ein Gläubiger aus Zustimmung oder als Almosen ein Geldstück für bauliche Verbesserungen an der Kirche Saint-Pierre-des-Saintes in die Sammelbüchse wirft, wird jede Seele sich aus dem Fegefeuer direkt in den Himmel erheben, das heißt, sie ist sofort von allen Qualen befreit.» Die Sorbonne entschied, daß eine solche Hauruck-Theologie nicht im Sinn der Kirche sei. Niemand dürfe weiterhin diese Meinung über den Ablaß verbreiten.

Der Straßburger Münster-Prediger Geiler von Kaisersberg erklärte seinen Zuhörern ausdrücklich: «Ablaß ist Nachlaß einer Schuld. Aber welcher Schuld? Nicht der Todsünde ... nicht der ewigen Sündenstrafe ... sondern der zeitlichen Strafe.» Der erbauliche «Seelenführer» schärfte seinen Lesern ein, daß nicht das Geldstück im Kasten, sondern Reue über die begangenen Sünden und Umkehr zu einem besseren Leben den Ablaß wirksam machen: «Wisz, das der Ablas nit Sünden vergibt, sondern allein Straffen nachläßt, die du verdienet hast. Wisz, das du keynen Ablas haben kanst, wan du in Sünden bist und nicht gebichtet hast und gereuet hast warhafftichlich und dich hertziglich bessern willst, sunsten hilft dir alles nit.»

Theologen verurteilten den Ablaß, weil er den Menschen eine falsche Sicherheit vorspiegelte. Die Fürsten murrten und wiesen schon im 15. Jahrhundert manchem Ablaßkrämer die Tür, der nur für den Papst in Rom den Beutel füllen wollte. Der populäre Franziskanermönch Berthold von Regensburg hatte schon im 13. Jahrhundert in Augsburg gepredigt: «Wenn ainem Rom fur die thür kam, so solt man die peutel zuohalten.» Das hinderte die weltlichen Herren aber nicht, auf eigene Rechnung möglichst viele Ablässe in

Rom auszuhandeln, um selbst daran zu verdienen. In Augsburg schreibt 1517 ein Chronist: «Es ist zuo erbarmen, daß man also die ainfeltigen leut umb ir gelt laicht.» Und er registriert erstaunt, daß der Bischof der Stadt einen Ablaß ausschreibt, bei dem man ausdrücklich nur beichten und beten, aber «kain gelt geben dorft».

Martin Luther in Wittenberg war mit seiner kritischen Predigt vom Oktober 1516 kein einsamer Rufer, der dem Laien die Augen über den Ablaß öffnete. Doch viele Menschen wollten sich von ihrem falschen Glauben an den Ablaß gar nicht abbringen lassen. Und in der Kirche brauchte man Geld. Luther mußte erleben, daß seine Predigt nicht nur wirkungslos blieb, sondern die Dinge ärger wurden als je zuvor.

In Rom wuchs seit dem April 1506 der Petersdom in die Höhe. Um dieses gewaltige Bauwerk finanzieren zu können, hatte Papst Julius II. – ganz in Einklang mit dem alten Brauch – einen Ablaß ausgeschrieben. Im Jahre 1515 bot sich seinem Nachfolger, Leo X., die Gelegenheit, unter dem Deckmantel dieses Ablasses ein ungewöhnlich lukratives Geschäft für die römische Kirchenkasse zu machen. Der fünfundzwanzigjährige Albrecht von Brandenburg, schon Erzbischof von Magdeburg und Verwalter des Bistums Halberstadt, hatte sich zum Erzbischof und Kurfürsten von Mainz wählen lassen. Diese drei Bischofshüte auf einem Kopf zu tragen, kostete eine Kleinigkeit, denn eine solche Ämterhäufung verstieß eindeutig gegen das Kirchenrecht: 14000 Dukaten war die reguläre Gebühr für den Mainzer Bischofsstuhl. Hinzu kamen weitere 10000, die die Unterhändler Albrechts in Rom aushandelten, damit der Papst beide Augen zudrückte. Einen Leihgeber hatte der deutsche Kirchenmann schnell zur Hand, das Augsburger Bankhaus Fugger. Aber wie kam man von einem solchen Schuldenberg je wieder herunter?

Die klugen Köpfe in Rom wußten Rat: Der Mainzer übernahm offiziell für acht Jahre den Auftrag, in den deutschen Landen einen Ablaß zugunsten der Peterskirche verkünden zu lassen. Als Zwischenhändler für das Seelenheil ging auch er nicht leer aus. Was die Öffentlichkeit nicht erfuhr: Albrecht durfte die Hälfte des Petersablasses behalten, um damit seine Anleihe bei dem Hause Fugger zurückzuzahlen. Eine Idee, die der Teufel nicht hätte besser aushecken können. Der Papst, der Bischof und der Bankier – alle waren sehr zufrieden.

Im Namen Albrechts reiste bald der Dominikanermönch Tetzel predigend durch das Land: mit großem Gefolge, einem schweren Geldkasten und den Agenten der Fugger gleich im Schlepptau. Seine Instruktion schrieb vor, daß «die Könige und Königinnen und ihre Kinder» mindestens 25 Gulden zahlen mußten. Bei den «kleineren Leuten» sollte der Ablaß schon für einen halben zu haben sein. Die Instruktion schärfte außerdem ein, den Ablaß «mit allen Kräften zu erläutern und zu preisen ... den Gläubigen zuzureden» und sich «aufs fleißigste zu bemühen, diese Gnade kräftig zu verkündigen, weil durch sie den abgeschiedenen Seelen ganz gewiß zu Hilfe kommen und dem Werk des Kirchenbaues des heiligen Petrus sehr ergiebig und überreichlich geholfen wird ...» Nicht Aufklärung, sondern Vernebelung und Geldschneiderei war die Devise dieser Aktion.

Tetzel allein konnte dieses Riesenwerk natürlich nicht schaffen. Ihm waren Ablaßprediger unterstellt, für die der Meister eine Musterpredigt aufsetzte: «Bedenke, daß du auf dem tobenden Meere dieser Welt in so viel Sturm und Gefahr bist und nicht weißt, ob du zum Hafen des Heils kommen kannst ... Hört ihr nicht die Stimme eurer toten Eltern und anderer Leute, die da schreien und sagen: Erbarmt, erbarmt euch doch meiner ... tut die Ohren auf, weil der Vater zu dem Sohn, die Mutter zu der Tochter schreit; als wollten sie sagen: Wir haben euch gezeugt, ernährt, erzogen und euch unser zeitlich Gut überlassen. Und ihr seid so grausam und hart, daß ihr, wo ihr uns doch jetzt mit leichter Mühe erretten könntet, es nicht wollt und uns in Flammen wälzen laßt.» Wer konnte da widerstehen? Wer wollte so hartherzig sein?

Kurfürst Friedrich von Sachsen verbot der Tetzel-Mannschaft das Geschäft in seinem Land nur, um den Ablaß in der Wittenberger Schloßkirche nicht zu schmälern. Doch seine Untertanen liefen über die Grenze und kamen mit den tollsten Geschichten wieder. Was Martin Luther im Beichtstuhl zu hören bekam, ließ ihn die Haare zu Berge stehen. Er mußte etwas tun.

Zuerst nagelte er am 31. Oktober 1517 ein Blatt an die Tür der Schloßkirche mit 95 Thesen über den Ablaß und rief damit seine theologischen Kollegen an den Universitäten auf, mit ihm über diese Thesen zu streiten. Denn eine eindeutige theologische Aussage, geschweige denn ein Dogma der Kirche über den Ablaß gab es nicht. (Die Mehrheit der Historiker und Kirchengeschichtler hat sich von der vor wenigen Jahren vorgebrachten Meinung, Luther habe seine Thesen gar nicht an die Kirchentür angeschlagen, bisher nicht überzeugen lassen.) Luther schrieb außerdem einen Brief an Erzbischof Albrecht, jenen kirchlichen Geschäftemacher, der für das Auftreten Tetzels verantwortlich war.

Dieser Brief hatte es in sich, trotz des üblichen Höflichkeitsschnörkels zu Anfang: «Der Herr Jesus ist mein Zeuge, daß ich im Bewußtsein meiner Niedrigkeit und Unansehnlichkeit lange Zeit aufgeschoben habe, was ich jetzt unverschämterweise vollbringe.» Dann sagt der Mönch dem Bischof unverblümt, was seines Amtes sei: «Denn nirgendwo hat Christus befohlen, den Ablaß zu predigen. Aber das Evangelium zu predigen hat er nachdrücklich befohlen. Wie groß ist daher der Greuel, wie groß die Gefahr für einen Bischof, der – während das Evangelium verstummt – nichts anderes als das Ablaßgeschrei unter sein Volk zu bringen gestattet und sich um dieses mehr als um das Evangelium kümmert.» Der Brief ist schon beendet, da macht der Schreiber noch einen Nachsatz: «Wenn es Ew. Hochwürden gefällt, können diese meine Disputationen angesehen werden, auf daß deutlich werde, eine wie zweifelhafte Sache die Lehre vom Ablaß sei, die jene als absolut sicher verbreiten.» Gezeichnet «Euer unwürdiger Sohn Martinus Luther Augustiner, berufener Doktor der heiligen Gottesgelehrtheit». Martin Luther war so höflich, den Erzbischof zu informieren, damit dieser einen theologischen Durchblick bekam. Das war seine freie Entscheidung. Was er diskutieren wollte, das ging den Bischof – kein studierter Theologe und kein Mitglied der akademischen Welt – nichts an.

Luther hat in seinem Brief und vor allem in den 95 Thesen den Ablaß nicht grundsätzlich angegriffen, sondern die Art und Weise, wie er den Menschen verkauft und aufgedrängt wurde. Die Kirche vergaß über der umstrittenen Ablaßlehre die viel wichtigere Botschaft unter das Volk zu bringen, daß niemand durch irgendwelche Leistungen sich die Gnade Gottes erkaufen kann: «Man soll die

Christen lehren, daß der Kauf von Ablaß freigestellt, nicht geboten ist ... daß des Papstes Ablaß nützlich ist, wenn man auf ihn nicht sein Vertrauen setzt ... Verglichen mit Gottes Gnade und der Kreuzesverehrung ist er aber in Wirklichkeit die allergeringste Gnade.» In den Thesen stand auch: «Die Bischöfe und Pfarrer sind verpflichtet, die Kommissare des päpstlichen Ablasses mit aller Ehrfurcht zuzulassen. Aber noch mehr sind sie verpflichtet, alle Augen und Ohren darauf zu richten, daß sie nicht statt des päpstlichen Auftrags ihre eigenen Träume predigen.» Luther schrieb auch, daß der Papst über die Mißbräuche nichts wisse und sich den Kritikern anschließen würde: «Wenn der Papst um das Treiben der Ablaßprediger wüßte, wollte er lieber die Peterskirche in Asche verwandelt sehen, als daß sie von der Haut, dem Fleisch und den Knochen seiner Schafe erbaut würde.»

Die Reaktionen, auf die der Universitätsprofessor gehofft hatte, blieben aus. Kein Kollege meldete sich, um mit ihm über seine Thesen zu diskutieren. Erzbischof Albrecht ließ den Ablaß weiterhin als Allheilmittel anpreisen – und schickte Luthers Papier Mitte Dezember 1517 nach Rom. Ganz anders reagierten jene, die weder Weihen noch Tonsurschnitte hinter sich hatten. Die Laien waren von den kritischen Tönen aus Wittenberg begeistert. Besser: Eine kleine bürgerliche Elite, durchtränkt von den Idealen des Humanismus. Sie forderte schon lange eine Reform der Kirche und wünschte sich einen einfachen Glauben wie er in den früheren Zeiten des Christentums existiert haben sollte: Ohne Hokuspokus, ohne lächerliche Zeremonien, ohne päpstliche Machtansprüche. Die üble Verdummung der einfachen und der gebildeten Menschen durch die Ablaßhändler hatte sie lange genug geärgert. Der Mönch in Wittenberg allerdings war von dieser Reaktion gar nicht angetan.

Im März 1518 schrieb Luther an Christoph Scheurl, einen angesehen Nürnberger Bürger, Jurist, zehn Jahre zuvor Rektor an der Wittenberger Universität, Freund des Johannes von Staupitz, über seine Thesen: «Es war weder meine Absicht noch mein Wunsch, sie zu verbreiten. Sondern sie sollten mit wenigen, die bei uns und um uns wohnen, zunächst disputiert werden, damit sie so nach dem Urteil vieler entweder verworfen und abgetan oder gebilligt und herausgegeben würden. Aber jetzt werden sie weit über meine Erwartungen so oft gedruckt und herumgebracht, daß mich dieses Erzeugnis reut ... Denn es ist mir selbst etwas zweifelhaft, und ich hätte manches weit anders und sicherer behauptet oder weggelassen, wenn ich das erwartet hätte.» Ähnliches hatte Luther schon im Februar an den Brandenburger Bischof Hieronymus Schulz geschrieben, in dessen Bistum Wittenberg lag: «Es ist etliches darunter, was mir zweifelhaft ist, etliches weiß ich nicht, manches stelle ich auch in Abrede, aber nichts behaupte ich hartnäckig. Alles jedoch unterwerfe ich der heiligen Kirche und ihrem Urteil. Daher wolltest du geruhen, gnädigster Bischof, diese meine geringe Arbeit anzunehmen, und – da alle wissen, daß ich gar nichts steif und fest behaupte – gestehe ich es nicht allein zu, sondern bitte vielmehr inständig, daß Du, ehrwürdiger Vater, mit energischer Feder streichen wollest, was Dir notwendig scheint, oder ein Feuer anzündest und das Ganze verbrennst. Mir liegt gar nichts daran.»

Die Wahrheit ist eine komplizierte Sache, und sie läßt sich auch nach fast einem halben Jahrtausend nicht säuberlich tranchieren, nicht in ihre Widersprüche auflösen. Wir täten uns keinen Gefallen und Luther Unrecht, würden wir die Briefe an Scheurl und Schulz als Beschwichtigungsversuche oder Verschleierungstaktik auslegen. Wir müssen gerade diesen Mönch, der sich einen Glauben ohne das Wort gar nicht vorstellen konnte, beim Wort nehmen. Diskutieren, argumentieren gehörte zu seinem Beruf. Es ist so unerklärlich nicht, daß er schwankte. Daß einmal der demütige Mönch und einmal der sichere Gelehrte und Doktor der Theologie sich in den Vordergrund drängte.

Es gibt einen langen Brief vom 11. November 1517, geschrieben nur elf Tage nach dem Thesenanschlag an Johannes Lang, den Freund und Vertrauten im Erfurter Kloster, der Luthers theologische Entwicklung von Anfang an kannte. Wenn Luther sich ins Herz blicken ließ, dann wohl eher von seinem Freund als von einem Bischof oder dem Humanisten-Bürger in Nürnberg. Vielleicht zeigt sich in diesem Brief ein Zipfelchen von der ganzen Wahrheit, weil darin nicht nur ein einziges Motiv sichtbar wird – Ärger über die Ablaßkrämer –, sondern Luthers Gesamtsituation an diesem Punkt seines Lebens, die Entwicklung, die ihn dorthin gebracht hat und seine eigene Einschätzung ins Bild rücken.

«Siehe, mein ehrwürdiger Vater in Christus, ich sende Dir von neuem scheinbar widersinnige Thesen. Wenn nun auch Deine Theologen an diesen Anstoß nehmen und sagen (wie man allenthalben über mich redet), daß ich allzu verwegen und hoffärtig mein Urteil unbedacht fälle und die Meinungen anderer verdamme, so antworte ich durch Dich und diesen Brief: wohlerwogenes Maßhalten und ihre lange zögernde Würde gefiel mir sehr wohl, wenn sie beides auch in der Praxis bewiesen (so wie sie an mir Leichtfertigkeit und jähe Vermessenheit tadeln) ... Ihnen ist es erlaubt und gefällt es, die Meinungen aller zu richten, mir ist es ganz und gar untersagt. Endlich beklage ich auch dies: Wenn ihnen meine Meinung so über alle Maßen mißfällt und sie das Maßhalten höher loben, warum enthalten sie sich nicht des Urteils über mich?»

Da hatte sich offenbar einiges angestaut seit dem Jahre 1513, als der Doktor der Theologie Martin Luther seine erste Vorlesung hielt. Obwohl die Studenten ihm zuliefen und andere junge Kollegen sich von seinem Kampf gegen die Philosophie des Aristoteles mitreißen ließen – «unsere Theologie setzt sich durch», hatte er 1516 an Lang geschrieben –, wurmte es Luther, daß die älteren Kollegen abseits standen und sich nicht überzeugen ließen. Keiner wollte mit ihm über den Ablaß diskutieren. Das war an diesem 11. November 1517 schon klar. Sie ignorierten ihn einfach, diesen erfolgsgewohnten Mönch. Luther war tief getroffen – und reagierte mit trotzigem Stolz:

«Daher sollst Du wissen, daß ich diese Gespenster der Tadler nicht höher achte als Gespenster (nämlich zu der Art gehören sie), und ich will mich nicht dadurch bewegen lassen, was sie gut dünkt oder nicht ... Ich möchte in Erfahrung bringen, wie sie das von mir Veröffentlichte oder die Thesen beurteilen, ja noch viel mehr, daß mir die Fehler des Irrtums angezeigt werden, wenn welche darin sind.» Da wird nichts demütig in Frage gestellt, sondern vorausgesetzt, daß es sich um etwas Neues handelt. In diesem Fall sind rüde Methoden zur Verbreitung erlaubt: «Denn wer weiß nicht, daß ohne Hoffart oder wenigstens ohne den Schein der Hoffart und den Verdacht der Streitsucht nicht etwas Neues hervorgebracht werden kann?»

Der Schreiber wird immer kühner in seinen Vergleichen: «Denn warum sind Christus und alle Märtyrer getötet worden? Warum haben die Lehrer unter übler Nachrede gelitten? Freilich nur deshalb, weil man sie für hoffärtige Leute und Verächter der alten und berühmten Weisheit und Klugheit angesehen hat, oder weil sie solche neuen Dinge ohne den Rat derer vorgebracht haben, welche es mit dem Alten hielten.» Hier schreibt einer, der keine Geduld mehr hat. Der nicht mehr einzelne theologische Fragen zur Diskussion stellt, sondern alles in die Waagschale wirft, was für ihn in den zurückliegenden Jahren Bedeutung gewonnen hat. Die Ablaßthesen sind nur der Auslöser, um sich und andern zu zeigen, wo er steht.

Die Herren Mönche und Theologen in Erfurt wissen Bescheid. Es ist nicht der Anfang eines Kampfes, sondern für Luther die entscheidende Wende: Sie sollen sich endlich erklären. Die Botschaft dieses Briefes ist schroff und eindeutig: Wer nicht für mich ist, der ist gegen mich. Für Luther geht es dabei nicht um seine Person, sondern um Gottes höchstpersönliche Sache. Dieser Mönch kennt keine Zweifel: «Ich will nicht, daß das, was ich tue, durch menschlichen Fleiß oder Rat geschehe, sondern durch den Gottes. Denn wenn das Werk aus Gott ist, wer wird es hindern? Wenn es nicht aus Gott ist, wer kann es fördern? Es geschehe nicht mein, nicht jener Leute, nicht unser Wille, sondern dein Wille, heiliger Vater, der du im Himmel bist, Amen.»

Damit sind die Positionen geklärt. So spricht kein Grübelnder, kein Suchender, der Meinungen zur Disposition stellt. Da schreibt ein Überzeugter, einer, der weiß, was er will, und seine Wahrheit gegen eine Welt verteidigen wird. Zugleich bestätigt dieser sehr persönliche Brief, daß das unterwürfige Schreiben an Bischof Schulz vier Monate später kein Lippenbekenntnis ist. Luther zweifelt nicht im geringsten daran, fest in den besten Traditionen seiner Kirche zu stehen. Es geht nicht darum, die Institution Kirche zu beseitigen. Ein Mönch will die akademische Welt dazu bringen, eine theologische Grundüberzeugung wieder ans Licht holen, die seiner Meinung nach nicht radikal genug gepredigt wird: Niemand kann sich den Himmel oder die göttliche Gnade verdienen.

# Entscheidung in Augsburg

Luthers wütender Novemberbrief fällt ins Leere. Sechs Monate später wandert er in gut zehn Tagen von Wittenberg nach Heidelberg, um vor einem ausgesuchten, kenntnisreichen Publikum seine Theologie in 28 Thesen auszubreiten und zu verteidigen. Prägnanter und konzentrierter hat er seine Überzeugungen nie wieder formuliert als für die Generalversammlung der deutschen Augustiner, die am 25. April 1518 in Heidelberg zusammenkam. Nie hat der Mönch aus Wittenberg mit einem Schlag mehr, nie kompetentere und einflußreichere Anhänger gewonnen. Es war die junge Generation seiner Mitbrüder und einige anwesende Mönche aus anderen Orden, die er begeisterte. Allein fünf der Männer, die zu den wichtigsten Reformern im süddeutschen Raum werden sollten, saßen ihm in Heidelberg zu Füßen.

Von den Dominikanern als Ketzer verschrien und einen Monat zuvor in Rom offiziell angeklagt, von der akademischen Welt mit schweigender Verachtung gestraft, sagte Luther im April 1518 ohne alle Kompromisse und Rücksichten, was seine Sache war. Herausgefordert, gab er sein Bestes. Nicht um den Ablaß geht es in diesen Heidelberger Thesen, nicht um Mißbräuche, korrupte Bischöfe oder lasterhafte Päpste. Kein Wort fällt über die Kirche. Das alles sind für Luther Nebensächlichkeiten verglichen mit der Hauptsache: Was ist der Mensch? In welcher Beziehung steht er zu Gott? Und welche Theologie gibt auf diese Fragen die richtige Antwort? Daß es sie geben mußte, bezweifelte Luther nicht. Dieser Mönch war kein Skeptiker.

In Heidelberg sprach Luther nicht mehr – wie bisher in Briefen an Freunde und Kollegen – von «unserer Theologie». Sie wurde zu «meiner Theologie». Mehr noch: zur «wahren Theologie». Es war nicht die Lust an der Provokation, die Luther die Feder führte. Was er im großen Saal des Augustinerklosters zu Heidelberg verkündete, war sein Credo. Diesem Glauben ist er durch alle Triumphe und Krisen der folgenden Jahre treu geblieben.

These III: «Wenn auch menschliche Werke schön aussehen und gut erscheinen mögen, so gilt dennoch, daß sie Todsünden sind.» Dahinter steht Luthers Bild vom Menschen: ein «verdammungswürdiger und abscheulicher Sünder», der nur Böses produzieren kann.

These XIII: «Freiheit des Willens gibt es nach dem Sündenfall nur noch dem Namen nach ...» Luther zitiert zum Beweis Augustinus: «Der freie Wille vermag ohne die Gnade nur zu sündigen.» Also ist der Mensch ein hoffnungloser Fall?

These XVII: «So zu reden heißt aber nicht, Anlaß zur Hoffnungslosigkeit zu geben, sondern nur zu Demut, und den Eifer zu erwecken, die Gnade Christi zu suchen.» Luther erläutert, «daß man nicht Hoffnungslosigkeit predigt, wenn man predigt, wir seien Sünder». Der Wunsch nach Gnade wird erst geweckt, «wenn die Erkenntnis der Sünde aufgegangen ist. Der Kranke begehrt erst dann Heilmittel, wenn er das Übel seiner Krankheit erkannt hat.»

(Ist er da ein guter Menschenkenner, der Mönch? Viele Jahre später, von seinem Arzt bei schwerer Krankheit auf Diät gesetzt, verlangt er von seiner Käthe Erbsen und einen fetten Hering. Der Arzt ist entsetzt, der Patient bald darauf gesund.)

These XX nennt die einzig richtige Medizin für den von Natur aus schlechten Menschen: «Also liegt in Christus dem Gekreuzigten die wahre Theologie.» Luther läßt es nicht bei solchen positiven Aussagen. In These XXI fährt er schweres Geschütz auf gegen alle, die nicht seiner Theologie zustimmen. «Feinde des Kreuzes Christi» sind sie für ihn, «weil sie Kreuz und Leiden hassen, die Werke und ihre Herrlichkeit jedoch lieben.» Mit diesem vernichtenden Vorwurf sind jene gemeint, vor denen Luther seine Studenten von der ersten Vorlesung an gewarnt hat: die Scholastiker. Theologen, die sich das ganze Mittelalter hindurch auf den verhaßten Aristoteles stützten und einen vernünftigen Glauben konstruierten.

Gemeint sind aber auch jene Theologen, die auf seine Ablaßthesen nicht geantwortet haben. Nun kann er ihnen seine Meinung ins Gesicht sagen, denn sie sind Augustinermönche und wie er nach Heidelberg gekommen. Sie kommen aus der gleichen theologischen Schule. Das heißt jedoch: Sie sind alt geworden in der Gnadenlehre ihres Ordens. Sie haben stets die Bibel als die wichtigste Quelle des Glaubens gerühmt. Sie predigen, wie der berühmte Paltz, immer wieder über die Passion Christi, den Mann am Kreuz. Es war ein Mann ihrer Generation, Johannes von Staupitz, der seinem Schüler Luther beibrachte: «Das Kreuz allein ist unsere Theologie.» War Staupitz, der ihn für diese Disputation vorgeschlagen hatte, vielleicht ein «Feind des Kreuzes»?

Luthers Heidelberger Urteil über seine Kollegen, über die theologische Tradition seines Ordens und seiner Kirche ist pauschal und einseitig. Gerade er müßte es besser wissen. Aber er ist zu einem Mahner geworden, der mit seiner Botschaft etwas erreichen will. Er schreit sie seinen Kollegen, die sich so taub stellen, in die Ohren. Was sonst ist ihm geblieben? Wer überzeugt ist, die Wahrheit zu besitzen, und dazu in einer Sache, wo es um das Allerwichtigste geht, der muß radikal und kompromißlos sein.

Wer die Geschichte der Kirche kennt – und niemand wußte besser über sie Bescheid als die, die ihm in Heidelberg zuhörten –, erschrickt darüber nicht. Der Eifer des Mönchs aus Wittenberg ist guter katholischer Brauch im Mittelalter. Es waren die Mönche, die immer wieder gegen den Stachel löckten und ihre satt gewordenen Zeitgenossen herausforderten. Gerade sie predigten radikale Umkehr: volle Konzentration auf Gott und Mißtrauen in nur vernünftige Handlungen. Wenn die Zeiten günstig waren und die Kirchenoberen klug, dann fanden die Kritiker ihren Platz unter dem weiten Mantel der Mutter Kirche. Für andere hingegen endete der Weg auf dem Scheiterhaufen. Savonarola, der Mönch aus Florenz, mußte ihn nur zwanzig Jahre vor Luthers Heidelberger Auftritt antreten.

Die Anforderungen, die Luther in Heidelberg für jeden Christen aufstellte, sind extrem hoch. Der einzelne soll sich nicht nur in Christi Leiden vertiefen, sondern sich stets aufs neue klarmachen, daß er «durch Kreuz und Leiden zuschanden und zunichte geworden ist». Nur so kann die Versuchung bekämpft werden, sich auf eigene Leistungen zu berufen. Bei lebendigem Leib muß jeder Mensch, weil er ein Sünder war, erst einmal sterben: «Sterben, sage ich, d. h. die beständige Gegenwart des Todes empfinden.» Luther verlangt von der Welt den gleichen radikalen Glauben, den er nach langen Klosterjahren für sich gefunden hatte.

Mitte Mai 1518, endlich wieder in Wittenberg angekommen, zog Luther in einem langen Brief an Spalatin, den engen Berater des Kurfürsten, Bilanz über die Heidelberger Tage und vor allem über die Reaktion auf seine Thesen: «Ferner haben die Herren Doktoren meine Disputation auch willig zugelassen und mit einer solchen Bescheidenheit mit mir gestritten, daß sie mir um des Willens sehr wert waren.» Sie waren offenbar gar nicht so uneinsichtig, die Kollegen. Und Luther erzählt, wie der junge Doktor der Theologie in Heidelberg auf seine Forderung reagierte, in Kreuz und Leiden auszuharren. Dieser junge Mönch brachte «die ganze Zuhörerschaft zum Lachen, als er sagte: Wenn die Bauern dies hörten, so würden sie Euch sicherlich steinigen und töten.» Ein prophetisches Wort, dem Luther nichts hinzufügte. Daß Theologie auch eine politische Dimension hat, lag schon 1518 außerhalb seiner Vorstellungen.

Mit gutem Gespür hatte Luther die Gunst der Stunde genutzt. Der Erfolg beflügelte ihn, und er verschwieg es Spalatin nicht: «Ich bin auf dem ganzen Weg völlig wohl gewesen, und Speise und Trank sagten mir erstaunlich gut zu, so daß einige meinen, ich sei behäbiger und beleibter geworden.» Mochten die älteren Theologen doch auf ihren Lehren beharren: «Ich bin guten Muts, daß – gleichwie Christus zu den Heiden zog, als er von den Juden verworfen wurde – so auch seine wahre Theologie, welche jene wahnerfüllten Greise verwerfen, jetzt auf die Jugend übergehe.» Der Mönch, der nach Wittenberg in sein Kloster zurückkehrte – «ich bin aber im Wagen wiedergekommen, während ich zu Fuße weggegangen war» –, war überzeugt, daß seine Weise, Gottes Wort auszulegen, die einzig wahre Theologie ist und «wahnerfüllt», wer ihm darin nicht folgen mag.

Von der Kirche, vom Papst und seinen Bischöfen war in der Heidelberger Diskussion nicht die Rede. Während in Rom der Verdacht auf Ketzerei schon ausgesprochen war, stand keiner der

Mönche auf, um Luthers Theologie auf diese Weise zu diffamieren. Es bedeutete im Gegenteil eine große Ehre für ihn, auf dieser Ordensversammlung zu sprechen. Eine eindeutigere Unterstützung hätte ihm der Orden gar nicht geben können.

Es gehört zu Martin Luthers Begabungen, sich auf sein jeweiliges Publikum einzustellen. In Heidelberg waren es die kritisch-gespannten Kollegen, die er mit seinen provozierenden theologischen Thesen aufrütteln und überzeugen wollte. In Wittenberg saßen einfache Menschen unter seiner Kanzel, die fast täglich der Institution Kirche ausgeliefert waren. Ihnen predigte er am 16. Mai – einen Tag nach seiner Rückkehr aus Heidelberg – über den Vers 16, 2 im Johannesevangelium: «Und sie werden euch in den Bann tun.» Luther sagte seinen Zuhörern, daß nicht jeder Bannstrahl, den die Mutter Kirche in die Welt hinausschleuderte, gerechtfertigt sei. Ja, daß ein solcher ungerechter Bann, wenn man unter ihm stirbt, nicht den Weg in die Seligkeit versperren kann. Im Gegenteil: «Selig ist, wer in solchem ungerechten Bann dahingeht, denn weil er der Gerechtigkeit treu geblieben ist, wird er, auch wenn er mit dieser Geißel geschlagen ist, die Krone des Lebens erlangen.»

Welche Wirkung diese Predigt hatte, schrieb Luther seinem väterlichen Freund und Ordensbruder Staupitz: «Obwohl alle unsere Juristen und Theologen sie sehr gutgeheißen, so muß man sich doch wundern, ein wie großes Feuer mir einige allzu scharfe Beobachter [gemeint sind Spitzel der Dominikaner] darauf zu entfachen bemüht sind. Sie rissen sie mir förmlich aus dem Munde, stellten sie dann auf sehr gehässige Weise zu Artikeln zusammen, bearbeiteten und verbreiteten sie überall unter heftigen Angriffen auf mich ... Siehe, wie gehässig ich angegriffen werde, und wie ich von allen Seiten mit Dornen umgeben bin ... Mein Gewissen bezeugt mir, daß ich die Wahrheit gelehrt habe.»

Es gab allen Grund, gegen die Bann-Praktik der Kirche zu predigen, um die Menschen von ihrer Angst zu befreien. Nur zu häufig wurde mit diesem Mittel, das ursprünglich einen hartnäckigen Sünder zur Einsicht bringen sollte, gedroht, um Gelder einzutreiben, mit denen päpstliche Kriege geführt und Kunstwerke gefördert wurden. Aber war der Mönch auf der Wittenberger Kanzel wirklich so blauäugig, bei dieser Predigt nicht auch sein eigenes Schicksal bedacht zu haben? Es im vorhinein zu rechtfertigen? Die Aufregung um Luthers Worte läßt sich schwerlich anders deuten.

In diesen Maitagen entwarf Luther in seiner Zelle ein ausführliches Schreiben an den Papst, um dem Stellvertreter Christi direkt zu erläutern, was eigentlich seit November 1517 passiert war. Es ging Ende des Monats durch Staupitz' Vermittlung nach Rom und begann so: «Dem allerheiligsten Vater, Leo X., Papst, wünscht Bruder Martin Luther, Augustiner, ewiges Heil. Allerheiligster Vater! Ich habe ein sehr böses Gerücht über mich gehört ... ich hätte mich unterstanden, das Ansehen und die Gewalt der Schlüssel [Sündenvergebung] und des Papstes herabzusetzen. Aus diesem Grund werde ich als Ketzer, Abtrünniger und Verräter angeklagt und mit unzähligen Namen, ja mit Schmach belegt. Es gellen mir die Ohren, es flimmert mir vor Augen. Aber der einzige Hort meiner guten Zuversicht steht unbeirrbar: mein unschuldiges und ruhiges Gewissen.»

Seinen Brief an den Mainzer Erzbischof gut ein halbes Jahr zuvor hatte Luther «im Bewußtsein meiner Niedrigkeit und Unansehnlichkeit» eröffnet und nannte es «unverschämt, einen Brief an Eure über die Maßen erhabene Hoheit überhaupt in Erwägung zu ziehen». Floskeln, sicherlich, aber hätten sie dem Heiligen Vater nicht ebenso gebührt wie dem geistlichen Herrn von Mainz? Mit dem Schreiber ist etwas vorgegangen. Selbstbewußt nennt er direkt die Dinge beim Namen. In diesen Anfangssätzen spricht einer von gleich zu gleich. Luther beruft sich diesmal nicht zuallererst auf seine wissenschaftliche Qualifikation – «berufener Doktor der heiligen Gottesgelehrtheit» hatte es im Oktober geheißen –, sondern auf sein Gewissen.

Sehr ausführlich schildert er dann, wie er zu einer Disputation aufrief, um die Lehren der Ablaßhändler «ganz vorsichtig in Zweifel zu ziehen». Er wußte, «daß es mir nicht zustände, in diesen Dingen etwas zu bestimmen oder zu tun». Warum diese akademischen Thesen dann so schnell «fast in alle Lande ausgegangen sind, ist mir selbst ein Wunder. Denn sie sind bei den Unseren und nur um der Unseren willen herausgegeben worden, und zwar so, daß es mir kaum glaublich erscheint, daß sie von allen verstanden werden. Denn es sind Disputationssätze – nicht Lehren, nicht Dogmen –, die gewöhnlich dunkel und rätselhaft sind.»

Der Mönch in Wittenberg wollte am 31. Oktober 1517 mit seinen Thesen nicht das Volk über die Mißbräuche des Ablasses aufklären. Das war Sache des Erzbischofs, bei dem er diese Verantwortung mit seinem Brief angeklagt hatte. Hätte der vom Papst berufene Hirte die Ablaßkrämer zur Ordnung gerufen, hätten sich Theologieprofessoren aus Erfurt gemeldet, um über die Thesen ihres Kollegen zu streiten: der Fall wäre, glaubt man Luther, längst vergessen. Aber hier endet der Rom-Brief nicht. Es geht weiter: «Was soll ich jetzt tun? Widerrufen kann ich nicht, obwohl ich sehe, daß durch diese Veröffentlichung ein außerordentlicher Haß gegen mich entfacht ist.» Wie nebenbei klingt das und hat doch das Gewicht von Blei: «Widerrufen kann ich nicht.» Nun ist es heraus gegenüber einer kirchlichen Instanz. Das allererste Mal. Aber was meint Luther damit? Hat er doch wenige Zeilen zuvor beteuert, daß es ihm nicht zusteht, in dieser Sache etwas zu bestimmen.

Vielleicht bringt der Schluß des Briefes eine Lösung: «Denn wenn ich so wäre, wie jene [seine Widersacher] mich angesehen wissen wollen, und wenn ich nicht vielmehr in jeder Hinsicht auf Grund der Erlaubnis zu disputieren richtig gehandelt hätte, so hätte der durchlauchtigste Fürst Friedrich, Herzog zu Sachsen, Kurfürst des Reiches usw., unmöglich eine solche Pest an seiner Universität zugelassen ... Auch hätten mich die strengen und hochgelehrten Männer unserer Schule nicht geduldet ... Deshalb, Heiligster Vater, falle ich Deiner Heiligkeit zu Füßen und ergebe mich Dir mit allem, was ich bin und habe. Mache lebendig, töte, rufe, widerrufe, billige, mißbillige, wie es Dir gefällt. Deine Stimme werde ich als die Stimme Christi anerkennen, der in Dir regiert und redet. Wenn ich den Tod verdient habe, so werde ich mich nicht weigern zu sterben, denn die Erde ist des Herrn und was darinnen ist, der sei gebenedeit in Ewigkeit, Amen. Er erhalte Dich auch in Ewigkeit, Amen. Im Jahre 1518.»

Nur nicht vorschnell urteilen. Wir kennen das Ende. Luther jedoch, der seit sechs Monaten im Mittelpunkt einer innerkirchlichen Auseinandersetzung steht, ist nicht angetreten, um den römischen Papst zu stürzen. Ausdrücklich erkennt er ihn als den Stellvertreter Christi an. Das ist keine Floskel. Und Luther ist seit über zehn Jahren Mönch mit Leib und Seele. Keine Sekunde denkt er in diesen

Wochen daran, seinen ewigen Gelübden untreu zu werden. Doch da steht auch aufs Pergament geschrieben: Widerrufen kann ich nicht.

Der Schreiber dieses Briefes sieht das, was ein halbes Jahr zuvor begann, nicht aus der Distanz eines Historikers. Auch nicht mit den Augen eines Psychologen, der genau beobachtet, wie weit er sich inzwischen von seinem eigenen Ausgangspunkt entfernt hat. Dies schreibt ein Mönch, der sich für sehr viel katholischer hält als seine Kritiker. Der keineswegs am 31. Oktober 1517 planvoll ausgezogen war, die Kirche zu reformieren oder gar zu spalten. Martin Luther hat in diesen Wochen selbstverständlich die Messe gelesen, Beichte gehört und bei aller Arbeit versucht, keine seiner Gebetspflichten als Mönch zu vernachlässigen. Warum sollte er schon die Hoffnung aufgegeben haben, daß seine Gewissensentscheidung mit der Meinung des Papstes nicht übereinstimmte?

Und selbst wenn es so wäre: Die Kirchengeschichte lebte vom Widerstreit der Meinungen. Im April 1519 schrieb der vorsichtige und stets abwägende Erasmus von Rotterdam, ein Mann, der keinen Streit suchte, an den Kurfürsten von Sachsen: «Kein Autor, ob alt oder modern, ist ganz ohne Irrtümer. Wenn all das, was in den Schulen gelehrt wird, ein Orakel ist, warum streiten dann die Schulen untereinander? Sogar die Theologen an der Sorbonne einigen sich nur durch geheime Absprachen ... Die Verleumder verdammen bei Luther solche Dinge, die für orthodox gelten, wenn man sie in den Schriften des Augustinus oder Bernhards liest.»

Über Mangel an Angreifern konnte sich Luther in diesem Frühjahr 1518 nicht beklagen. Der Dominikanermönch Tetzel, wegen dessen Ablaßpropaganda der Augustinermönch zur Feder gegriffen hatte, schickte ein scharfes Pamphlet gegen Luther ins Land. Der Dominikaner behauptete tatsächlich, es sei besser, einen Ablaßbrief zu kaufen, als mit diesem Geld einem Bedürftigen zu helfen. Nicht mehr als zwei Tage brauchte Luther für seine Gegenschrift, die der Drucker sofort unters Volk brachte: «Wenn solche Leute, die die Bibel nicht kennen und weder lateinisch noch deutsch verstehen, mich so überaus lästerlich schelten, so ist mir zumute, als ob mich ein grober Esel anschreie ... Hier bin ich zu Wittenberg, Doktor Martin Luther, Augustiner. Ist irgendwo ein

Ketzermeister, der sich zutraut, Eisen zu fressen und Felsen zu zerreißen, so möge er wissen, daß er hier sicheres Geleit, offene Tore, freie Herberge und Kost haben wird, laut gnädiger Zusage des Kurfürsten von Sachsen.» Luther hatte keine Mühe, von der Sprache des Gelehrten zum volkstümlichen Schreiber zu wechseln.

Eine indirekte Antwort auf Luthers Mai-Brief an den Papst kam schon im Juni. Der päpstliche Hoftheologe und Dominikanermönch Silvester Mazzolini aus Prierio, offiziell mit dem Prozeß gegen Luther beauftragt, machte in einer Streitschrift über die Macht des Papstes der interessierten Welt klar, worum es aus römischer Sicht wirklich ging: «Da ich die Absicht habe, deine Lehre genau durchzusieben, mein Martin, ist es nötig, daß ich Normen und Fundament zugrunde lege ... Wer sich nicht an die Lehre der römischen Kirche und des Papstes hält, als an die unfehlbare Glaubensregel, von der auch die Heilige Schrift ihre Kraft und Autorität bezieht, der ist ein Ketzer ... Wer im Blick auf die Ablässe sagt, die römische Kirche dürfe das nicht tun, was sie tatsächlich tut, der ist ein Ketzer.»

Hätte Mazzolini diese Thesen hundert Jahre zuvor, als in Konstanz ein großes Konzil tagte, vorgetragen, das Hohngelächter der hohen kirchlichen Versammlung wäre ihm sicher gewesen. Wie auf etlichen Konzilien zuvor waren damals Laien und Geistliche zusammengekommen. Sie berieten über den miserablen Zustand der Kirche – und änderten ihn. Die drei amtierenden und sich gegenseitig bekämpfenden Päpste wurden abgesetzt, ein neuer gewählt und eine Reform der Kirche beschlossen. Wichtigstes Mittel, um sie durchzusetzen: Alle zehn Jahre sollte von nun an ein Konzil tagen, den Papst und seine Mitarbeiter kontrollieren und in Zweifelsfällen das letzt Wort haben. «Konziliarismus» nennt man diese theologische Bewegung, zu deren Vorläufern die Münchner Exil-Franziskaner Marsilius von Padua und Wilhelm von Ockham gehören.

Doch Konstanz blieb eine Episode. Schon 1459 hatte sich das Papsttum so weit erholt, daß Pius II. eine Vormachtstellung des Konzils als «unerhörten Mißbrauch, vom Geist des Aufruhrs angesteckt» brandmarkte. Gegen eine päpstliche Entscheidung sollte es keine Berufung an ein Konzil mehr geben: «Fernerhin befehlen wir, daß niemand es wagen soll, unter irgendeinem Vorwand gegen unsere und unserer Nachfolger Verfügungen, Entscheidungen oder irgendwelche Befehle eine derartige Berufung einzulegen ... Wenn aber jemand dem zuwider handeln sollte, soll er ... ohne weiteres dem Bannspruch verfallen.» An der römischen Kurie setzte sich im Laufe des 15. Jahrhunderts die Idee einer absoluten Papstmonarchie wieder durch. An den berühmten Universitäten – Paris vorweg – aber blieb die Idee von einem Konzil als der obersten Instanz der Kirche lebendig. Die Humanisten in vielen Ländern Europas – ob Geistliche oder Laien – hofften auch hundert Jahre nach Konstanz, daß eines Tages ein Konzil die Kirche erfolgreich reformieren werde.

In Rom allerdings fuhr man ganz fest auf dem neuen alten Kurs. Auch Papst Leo X. aus dem Hause der Medici, der über den Mönch aus Wittenberg das entscheidende Wort sprechen mußte und den alle Welt für einen schwachen Mann hielt, nur an harmlosen Vergnügungen interessiert, machte keine Ausnahme. In seiner Bulle «Pastor aeternus» – Ewiger Hirte – hatte der Papst 1516 unmißverständlich erklärt, daß «es heilsnotwendig ist, daß alle Christen dem römischen Papst unterstehen, wie wir aus dem Zeugnis der göttlichen Schrift und der heiligen Väter belehrt werden».

Es war weder Verlegenheit noch Zufall, daß der päpstliche Hoftheologe Silvester in Luthers Thesen zuallererst einen Angriff auf die Autorität des Papstes sah. Zu schmerzhaft war die Erinnerung an Konstanz und das Konzil. Zu sehr mißtraute man den Theologen nördlich der Alpen und witterte in jedem Kritiker einen Verteidiger der Konzilsidee. Den eigenen Machtanspruch zu verteidigen war römische Tradition. Theologisch hatte man im Zentrum der Kirche nichts zu melden. Den meisten Männern am päpstlichen Hof fehlte es an Wissen und an Gespür, um in Diskussionen über neue Entwicklungen als Partner überhaupt mithalten zu können – wenn sie es denn gewollt hätten. Immerhin, der Papst schickte im August 1518 einen Mann der Kurie ins Krisengebiet, der nicht mit Formeln und Verdammungsurteilen um sich warf, sondern ein nachdenklicher, kenntnisreicher und keineswegs unkritischer Theologe war: Thomas de Vio aus dem Städtchen Gaëta am Golf von Neapel, danach Cajetan genannt, Dominikanermönch und Kardinal. Er war ein strikter Anhänger päpstlicher Vorherrschaft, stimmte aber Luthers Kritik am Ablaßwesen im großen und ganzen zu.

Cajetan kam offiziell als päpstlicher Legat zum Augsburger Reichstag. Dort war inzwischen auch der Kurfürst von Sachsen angekommen, seine engsten Vertrauten und Berater im Gefolge. An ihn schrieb Luther nach Augsburg: «Niemals werde ich ein Ketzer sein. Ich kann im Disputieren irren. Aber ich will nichts behaupten, wodurch ich zu einem Gefangenen von menschlichen Meinungen gemacht werde.» Zur gleichen Zeit jedoch arbeitete er an einer Veröffentlichung seiner Predigt über den Bann, die im Frühjahr so großes Aufsehen erregt hatte. Als Spalatin davon erfuhr, schickte er einen Eilboten nach Wittenberg: Luther möge doch um Gottes willen jetzt nichts herausgeben und sich still verhalten. Denn in Augsburg hatten unterdessen intensive diplomatische Verhandlungen hinter verschlossenen Türen begonnen. Wenn einem deutschen Professor der Theologie in Rom der Ketzerprozeß drohte, ging das nicht nur die Theologen etwas an. Es ist an der Zeit, die Politik zu Wort kommen zu lassen.

In Rom herrschte nicht nur Gleichgültigkeit gegenüber theologischen Fragen. Was schlimmer war: Während der Mönch in Wittenberg – wie viele vor ihm – das Evangelium zum alleinigen Maßstab und Gott zum Mittelpunkt aller Entscheidungen machen wollte, richtete sich an der Kurie alles nach dem politischen Kalkül. Der Papst sah sich als mindestens ebenbürtigen Partner im europäischen Mächtespiel. Hier mitzuhalten und womöglich eine Vormachtstellung zu erringen, war das Ziel, dem sich alles unterordnete. Je nachdem, wie gerade die Figuren auf dem politischen Schachbrett standen, konnte das in einem Augenblick für einen Betroffenen von großem Vorteil sein, um im nächsten kaltblütig fallengelassen zu werden. Für Martin Luther war die politische Konstellation erst einmal günstig.

Im August 1518 versuchte Kaiser Maximilian aus dem Hause Habsburg, seit 1493 Alleinherrscher im heiligen Römischen Reich Deutscher Nation, die sieben Kurfürsten für die Wahl seines Enkels Karl zum Nachfolger zu gewinnen. Erstaunlich, wie begehrt diese Krone immer noch war, wenn man bedenkt, was der Träger sich zusammen mit dem Ruhm einhandelte.

Das Deutsche Reich war ein seltsames, schwerfälliges Gebilde, dessen Grenzen sich nach allen Himmelrichtungen ausfransten und keineswegs gesichert waren. Zögerlich und gegen viele Widerstände entwickelten sich an der Wende vom 15. zum 16. Jahrhundert zum erstenmal Institutionen, die das Ganze zusammenhalten und Gesetze und Normen entwickeln sollten, die für alle Geltung hatten. Zu Maximilians Zeiten gab es weder ein stehendes Heer im Reich noch einen Staatshaushalt. Der Kaiser mußte seine Frau wochenlang den Wirten in Worms als Pfand lassen, weil er die Rechnungen nicht bezahlen konnte, die er im Auftrag seines Amtes machte. Es gab keine Rechtsordnung, auf die sich jedermann an allen Orten verlassen konnte.

Nun sollte es anders werden. So sehr die Interessen des Kaisers und der fürstlichen Herren auseinandergingen, man tat sich zusammen, um – so hieß es ganz offiziell – das Reich zu reformieren. Ein Reichskammergericht wurde installiert und mit studierten Juristen besetzt – keine Selbstverständlichkeit. 1495 war ein «ewiger Landfriede» verkündet worden, um endlich ein Ende zu machen mit privaten Fehden, mit Blutrache und Streifzügen der Raubritter, die sich ihr Recht auf eigene Faust holten. Götz von Berlichingen war einer von ihnen. Man einigte sich auch, jährlich einen Reichstag einzuberufen. Das war kein gewähltes oder nur annähernd demokratisches Gebilde. Dort trafen sich auf Grund ihrer Ämter die hohe Geistlichkeit und auf Grund ihrer Geburt die Adelswelt: vier Erzbischöfe, 46 Bischöfe, 83 Prälaten und Äbte, 24 weltliche Fürsten, 145 Grafen und Herren und immerhin auch 85 Reichsstädte als Repräsentanten der freien Bürger. Auf dem Reichstag blieb man unter sich. Der Kaiser war von den Beratungen ausgeschlossen. Allerdings brauchte man am Ende seine Zustimmung zu den «Reichs-Abschieden», Gesetze, die über die Grenzen von Reichsstädten, Bistümern und Ländchen hinweg Gültigkeit haben sollten.

Ein Reichstag war ein mühsames Geschäft. Immer neue Koalitionen bildeten sich, legten sich gegenseitig lahm. In einem Bereich jedoch waren sich alle einig: Was der Papst an Geldern aus dem Reich abzog und wie willkürlich er alle mit geistlichen Prozessen und Bannflüchen überzog, das konnte nicht mehr länger geduldet werden. Man hatte lange genug Geduld gezeigt. Die ersten offiziellen «Beschwerden der deutschen Nation» gegenüber der römischen Kurie waren 1456 auf einem Fürstentag in Frankfurt veröffentlicht und sogar in einer deutschen Kurzfassung unters Volk gebracht worden. Damals schon klagte man, daß die Ablässe nicht so gehandhabt würden, wie sich das gehörte.

Jetzt, im August 1518, war die Beschwerdeliste noch länger geworden. Der Bischof von Lüttich machte sich zum Sprecher aller, als er in einer Eingabe an Kaiser und Fürsten über die eigene Kirche sagte: «Bei Prozessen vor den kirchlichen Gerichten lächelt die Römische Kirche beiden Parteien zu für etwas ‹Handsalbe›. Deutsches Geld fließt gegen alle Naturgesetze über die Alpen. Die Pastoren, die man uns gibt, sind nur dem Namen nach Hirten. Sie kümmern sich bloß um die Wolle und mästen sich von den Sünden des Volkes. Gestiftete Messen werden vernachlässigt, und die frommen Stifter rufen nach Rache. Laß den hl. Papst diese Mißbräuche abstellen.» Der Gesandte der Stadt Frankfurt auf dem Reichstag meinte, eine Schrift so «voll von Dreistigkeit» habe man noch niemals gehört. Aber das war nicht als Tadel gemeint. Anhören mußte sich das auch Kardinal Cajetan, der auf dem Reichstag Geld für einen Feldzug gegen die Türken lockermachen sollte. Vergeblich. Alle waren überzeugt, auch dieses Geld würde nur wieder in die falschen päpstlichen Taschen fließen.

Während der Reichstag zusammen war, bekam der Kardinal aus Rom einen neuen Auftrag: Der widerspenstige Mönch aus Wittenberg solle seine Thesen widerrufen oder aber vom Kardinal gebunden nach Rom geschafft werden. Gleichzeitig ging ein päpstlicher Brief an den Kurfürsten von Sachsen: «Wir erinnern Uns, daß der Hauptschmuck Deiner edlen Familie Hingabe an den Glauben an Gott und an die Ehre und Würde des Heiligen Stuhles gewesen ist. Nun hören Wir, daß ein Sohn der Bosheit, Bruder Martin Luther von den Augustinereremiten, der sich selbst auf die Kirche Gottes warf, Deinen Beistand hat ... Da wir vom Magister S. Palatii [Hoftheologe Silvester Mazzolini] unterrichtet sind, daß Luthers Lehre Häresie enthält, so haben Wir ihn aufgefordert, vor dem Kardinal Cajetan zu erscheinen. Dich aber fordern Wir auf, Luther in die Hände und unter die Jurisdiktion dieses Heiligen Stuhles auszuliefern, damit nicht spätere Generationen Dich tadeln, Du habest das

Aufkommen einer höchst verderblichen Häresie gegen die Kirche Gottes begünstigt.»

Als Leo X. Anfang August diesen Brief entwerfen ließ, war er über die Ereignisse auf dem Reichstag nicht auf dem laufenden. Kaiser Maximilian war mit dem Wunsch, seinen Enkel Karl bald zu seinem Nachfolger wählen zu lassen, bei dem sächsischen Kurfürsten auf taube Ohren gestoßen. Friedrich der Weise weigerte sich, ein solches Wahlversprechen zu geben – und wurde damit automatisch zum begehrten Partner der anderen Anwärter auf den Kaiserthron. In England machte man sich Hoffnungen. Vor allem aber der französische König wurde nun zum ernsthaften Bewerber. Er konnte sich auf kräftige Unterstützung aus Rom verlassen. Der Papst war bereit, einen hohen Einsatz zu wagen, damit dem Habsburger Karl, ohnehin Herrscher über Spanien und Neapel, nicht auch noch das Deutsche Reich zufallen würde, das weit in den italienischen Stiefel hineinragte. Der päpstliche Kirchenstaat würde dann im Norden und Süden von habsburgischer Macht umklammert. Und so wurde in diesen Augusttagen 1518 der sächsische Kurfürst, in dessen Territorium und Schutz der «Sohn der Bosheit» lebte, unversehens ein besonders geliebter Sohn der Kirche. Die päpstlichen Diplomaten fühlten sich in ihrem Element. Was störte sie der Brief aus Rom. Man würde doch die Gunst der politischen Stunde nicht an einem Mönchlein scheitern lassen. Die Verhandlungen zwischen der sächsischen Delegation und dem Kardinal in Augsburg hatten Erfolg: Luther sollte in der Reichsstadt «väterlich» verhört werden und anschließend ungehindert nach Wittenberg zurückkehren.

Ende September wanderte Luther über Weimar und Nürnberg in Richtung Süden. Mit 20 Gulden Reisegeld, etlichen Empfehlungsschreiben für Augsburger Honoratioren und einem Herzen, das immer schwerer wurde. Er fühlte, daß es eine Sache war, begeisterungsfähigen Mönchen seine Theologie in aller Breite darzulegen – wie in Heidelberg – oder einem Freund einen stolzen Brief zu schreiben, und eine andere, allein vor dem Vertreter dessen, den er als Stellvertreter Christi anerkannte, zu stehen und Rechenschaft zu geben. Unterwegs fragte er sich viele Male: «Bist du allein klug und all die Menschengeschlechter im Irrtum?» Er hatte Angst,

Angst um sein Leben. Er sah am Ende dieses Weges schon den Scheiterhaufen für sich bereitet: «Nun muß ich sterben. Ach, welche Schande werde ich meinen lieben Eltern machen.»

In Augsburg verflog die dunkle Stimmung: «Alle begehren den Menschen zu sehen, der gleich einem Herostrat eine so große Feuersbrunst verursacht hat», schreibt Luther nach Wittenberg. Es bleibt nicht beim Sehen. Konrad Peutinger, ein berühmter Humanist aus alteingesessener Familie, bei dem der Kaiser wie die Fürsten verkehren, bittet den wegen Ketzerei angeklagten Mönch an seine Tafel. Bernhard und Konrad Adelmann, zwei angesehene Domherren der Stadt, sind begeistert: «Wir haben gesehen und angeredet den Herrn Doktor Martin Luther, den wir herzlich lieben.» Durchschnitt war er offensichtlich nicht, dieser Mönch, und ließ niemanden kalt, der ihm in die dunklen Augen sah.

Auch der Kardinal war von anderem Kaliber als die Ablaßkrämer und Pamphletschreiber, mit denen der Wittenberger Theologe bisher zu tun hatte. Wir haben Luthers Eindrücke, die er aufzeichnete, als die Gespräche vorbei und gescheitert waren: «Ich wurde vom hochwürdigsten Kardinal-Legaten sehr gnädig, ja beinahe ehrerbietig aufgenommen. Denn er ist in jeder Beziehung ein anderer Mann als die sehr ungehobelten Brüderjäger [Inquisitoren]. Als er gesagt hatte, er wolle nicht mit mir disputieren, sondern die Sache freundlich und väterlich schlichten, legte er mir, wie er sagte auf Befehl des Papstes, drei Forderungen vor: 1. Ich sollte in mich gehen und meine Irrtümer widerrufen. 2. Ich sollte versprechen, mich in Zukunft dieser Sache zu enthalten. 3. Ich sollte von allem absehen, was die Kirche beunruhigen könnte.»

Am Dienstag, dem 12. Oktober 1518, stand der Mönch zum erstenmal vor dem Kardinal, der im Hause der Fugger einquartiert war, warf sich zu Boden, wie es das Protokoll vorschrieb, und wurde von Cajetan freundlich wieder aufgerichtet. Am Verfahren ließ der Kardinal keinen Zweifel: keine Diskussion, sondern Widerruf. Doch er hatte nichts dagegen, als Luther sich am Ende dieses ersten Gesprächs Bedenkzeit erbat und dann am Mittwoch, bei der zweiten Zusammenkunft, erklärte, er wolle auf die Vorwürfe aus Rom lieber schriftlich antworten. Mit den Worten: «Ich werde Dich sehr gerne hören und dann alles wie ein Vater, nicht wie ein Richter erledigen», verabschiedete ihn der Kardinal ohne weitere Diskussion. Man verabredete ein drittes Treffen am nächsten Tag.

Am Donnerstagmorgen allerdings ließ sich weder mit Geduld noch mit Ironie vertuschen, welche Abgründe zwischen den beiden Kontrahenten lagen. Cajetan bat und schrie: «Widerrufe.» Luther höhnte: «Eure Heiligkeit meinen doch nicht, daß wir Deutschen uns nicht auf die Grammatik verstehen.» Der Streit hatte sich an einer entscheidenden Frage festgebissen. Der Mönch bestritt, daß sich über Jahrhunderte in der Kirche ein Vorrat an Verdiensten Christi und der Heiligen angesammelt hatte, von dem mit jedem Ablaßbrief wieder etwas an die Gläubigen ausgeschüttet wurde. Für Cajetan war dies der Punkt, Luther zu einer Entscheidung zu zwingen: War der Mönch aus Wittenberg bereit, im Papst die letzte verbindliche Autorität anzuerkennen, wie es Leo X. in seiner Bulle «Pastor aeternus» 1516 in voller Übereinstimmung mit seinen direkten Vorgängern gefordert hatte?

Der Kardinal erinnerte Luther außerdem an eine Bulle von Papst Clemens VI. aus dem Jahre 1343 über den Ablaß: «Hier hast du eine päpstliche Feststellung, daß die Verdienste Christi ein Schatz von Ablässen sind.» Luther erwiderte listig, wenn das so im Text stände, würde er widerrufen. Doch der Text laute anders. Es fiel das Wort von den Deutschen, die ihre Grammatik ebenfalls gelernt hätten. Wollte sich Luther vor einer Antwort drücken? Er war doch klug genug, um zu wissen, daß es Cajetan in diesem Augenblick gar nicht um den Inhalt ging, sondern allein darum, wie Luther zu einer päpstlichen Verlautbarung stand. An diesem Donnerstag im Oktober 1518 fiel im Fuggerhaus zu Augsburg eine wichtige Entscheidung. In seiner Zelle konnte Luther Briefe schreiben – und sei es an den Papst –, in denen widersprüchliche Positionen unangefochten nebeneinander standen. Der Kardinal in Augsburg verlangte eine eindeutige Antwort.

Jedes Urteil über Luther in dieser Zwangslage muß parteiisch ausfallen. Ist er der mutige Deutsche, der sich von einem Italiener nicht aufs Glatteis führen läßt? Der Held, der sich keinem Zwang beugt und nur der Stimme seines Gewissens folgt? Oder beharrt er, in die Enge getrieben, eigensinnig auf seiner Meinung, ohne nachzudenken, ohne Verständnis für die andere Seite?

Ronald H. Bainton, einer der angesehensten protestantischen Kirchengeschichtler der USA und profunder Kenner der Reformationszeit, interpretiert diesen historischen Augenblick in Augsburg so: «Luther prahlte, weil er in die Ecke gedrängt war ... Das ganze Konzept vom Schatz der überflüssigen Verdienste Christi und der Heiligen ist unmißverständlich in der Bulle [Clemens VI.] enthalten. Aber Luther befand sich in einer Falle, da er entweder widerrufen oder die Dekretale [päpstliche Verlautbarung] verwerfen oder aber sie in einem annehmbaren Sinn auslegen mußte. Er versuchte das letztere.» Als ihm das nicht gelang, «wechselte er den Standort und kam nun mit einer trotzigen Verwerfung der Dekretale und der Autorität des Papstes, der sie abgefaßt hatte».

Nun bekam Cajetan zu hören, worüber es keine Verständigung geben würde: «Ich bin nicht so verwegen, daß ich um einer einzigen dunklen und zweideutigen Dekretale eines Papstes allein, der doch ein bloßer Mensch ist, von so vielen und so klaren Zeugnissen der göttlichen Schrift abgehen wollte. Denn ... in einer Glaubenssache ist nicht nur ein Konzil über dem Papst, sondern jeder Gläubige, der mit besserer Autorität und Begründung ausgerüstet ist.» Da war es heraus: Der Papst muß sich nach der Bibel richten und nicht umgekehrt, wie es Silvester Mazzolini in seiner Anti-Luther-Schrift gefordert hatte. Sogar ein Konzil kann nicht das letzte Wort haben. Wenn es um ewiges Leben oder ewigen Tod geht, ist der einzelne sich selbst die letzte Instanz.

Das ist eindeutig – und wieder folgt der Widerspruch auf dem Fuße. Luther war zu seinem dritten Gespräch bei Cajetan mit einem Notar erschienen, der am Ende eine lange Erklärung für seinen Mandanten verlas: «Zuerst bezeuge ich [«protestor» heißt es auf latein im Original], Bruder Martin Luther, Augustinermönch, daß ich die heilige, römische Kirche in allen meinen Reden und Taten, den gegenwärtigen, vergangenen und zukünftigen, verehre und ihr folge. Wenn also dagegen etwas anderes geredet worden ist oder wird, will ich es für nicht geredet gehalten wissen und halten ... Ich bin mir nicht bewußt, etwas gesagt zu haben, das gegen die Heilige Schrift, die Kirchenväter, die päpstlichen Dekretalen oder die rechte Vernunft ist. Alles, was ich gesagt habe, erscheint mir auch heute noch als heilsam, wahr und katholisch. Gleichwohl bin ich ein Mensch, der irren kann. Darum habe ich mich unterworfen und unterwerfe mich auch jetzt dem Urteil und der Entscheidung der rechtmäßigen und heiligen Kirche und allen, die es besser erkennen.»

Auch das erscheint eindeutig. Doch Luthers Notar ist noch nicht am Ende. Der Mönch wolle sich mitnichten unterwerfen, sondern «öffentlich» Rechenschaft ablegen: «Wenn aber dieses dem hochwürdigen Herren nicht gefällt, bin ich auch bereit, seine Entgegnungen, wenn er beschließt, welche gegen mich vorzubringen, in Schriften zu beantworten und darüber das Urteil und die Ansichten der ausgezeichneten Doctores der Reichsuniversitäten Basel, Freiburg und Löwen, oder, wenn das noch nicht genügt, auch der Universität Paris, der Mutter aller wissenschaftlichen Schulen und von alters her immer christlichen und in der Theologie blühenden Universität, zu hören.» Dazu Professor Bainton: «Das war ein sehr undiplomatischer Versuch, sich der Gerichtsbarkeit des Kardinals zu entziehen.»

Mit Cajetans Geduld ist es am Ende. Er erhebt sich und ruft Luther zu: «Geh und komme mir nicht wieder unter die Augen. Es sei denn, daß du widerrufen willst.» Am gleichen Abend macht sich Luther in mehreren Briefen Luft. An Freund Spalatin, den Berater des Kurfürsten, schreibt er: «Seine Zuversicht war also gebrochen, und während er noch einmal schrie: Widerrufe! wandte ich mich zum Gehen.» Seine theologischen Kollegen und Mitstreiter in Wittenberg erfahren: «Das weiß ich, daß ich der Allerangenehmst und Liebst wäre, wenn ich dies einig Wort spräche: revoco. Das ist: ich widerrufe. Aber ich will nicht zu einem Ketzer werden im Widerspruch zu der Meinung, durch welche ich zu einem Christen geworden bin. Eher will ich sterben, verbrannt, vertrieben und vermaledeiet werden.»

Was er seit 1513 als Universitätsprofessor seinen Studenten vortrug, was seine Schüler in provokanten Thesen disputierten, was er in langen Stunden voller Verzweiflung und dann voller Hoffnung in seiner Klosterzelle erlebte, das alles – so sieht Luther es nun in Augsburg – hat ihn erst zum Christen gemacht. Würde er davon – gegen seine Überzeugung – abrücken, dann wäre er vor sich selber zum Ketzer geworden. Der Mönch fühlte sich in diesem neugewonnenen christlichen Glauben als guter Katholik. Denn das Neue war ja alt. Gewachsen auf dem Glauben derer, die als anerkannte Autoritäten am Anfang des Christentums standen: der Apostel Paulus und der Kirchenvater Augustin. Luther sah sich nicht als Revolutionär, vielmehr als Fackelträger einer Tradition, die gerade in seinem Augustinerorden lebendig war. Nicht zufällig hatte der Orden bis jetzt ohne Abstriche zu ihm gehalten.

Zu den Gesprächen mit Cajetan war der väterliche Freund Staupitz nach Augsburg gekommen. Wenzel Link, der Prior des Nürnberger Augustinerklosters, erschien bei jeder Zusammenkunft als Zeuge. Nachdem der Kardinal bei Luther nicht weiterkam, hat er die beiden angesehenen Ordensmänner zu sich geladen und sich eindringlich und ernsthaft nochmals um Versöhnung bemüht. Weder Link noch Staupitz wollten einen Bruch. Doch keiner von ihnen nahm gegen Luther Partei. Cajetan wiederholte, es ginge nur um ein einziges Wort: revoco. Er solle widerrufen. Luther habe keinen besseren Freund als ihn. Darauf Staupitz: «Ich habe es oft versucht, aber ich bin ihm nicht gewachsen an Scharfsinn und Schriftkenntnis. Ihr seid des Papstes Stellvertreter. Es ist Eure Aufgabe.» Da entfuhr es dem Kardinal: «Ich will nicht mehr mit dieser Bestie reden. Seine Augen sind tief wie ein See, und es sind wunderliche Gedanken in seinem Kopf.» Stoßen wir uns nicht an der «Bestie». Der zierliche, gelehrte Kirchenmann aus Rom hatte für dieses «wilde deutsche Tier» nicht Verachtung, sondern Anerkennung übrig, so unheimlich ihm Luther auch war. Cajetan spürte, daß ein außergewöhnlicher Mensch vor ihm gestanden hatte.

Die Veranstaltung im Oktober 1518 in Augsburg war kein unwürdiges Spektakel. Zum ersten- und letztenmal trafen der Mönch aus Wittenberg und ein Vertreter der päpstlichen Autorität aufeinander. Der Abgesandte aus Rom war kein Ketzerfresser. Er liebte und forderte die Zeichen, die ihm kraft seines Amtes zustanden: das purpurne Gewand, ein mit Seide ausgeschlagenes Zimmer, den Schimmel, auf dem er Einzug hielt. Doch sein Lebensstil war untadelig. Keiner hat ihm je Bestechung vorgeworfen oder eine doppelte Moral. Sein Glaube an die absolute Autorität des Papstes war nicht nachgeplapperte Doktrin, sondern feste Überzeugung. Auch für sie gab es eine Tradition in der römischen Kirche. Cajetan wollte

Luther nicht vernichten, sondern zurückholen wie einen verlorenen Sohn. Ein einziges Wort genügte ihm. Er nahm viel damit auf seine Kappe, der Kardinal. Im wohlverstandenen politischen Interesse seiner Kirche. In der Überzeugung, daß in dieser universalen Gemeinschaft Platz für viele war. Es war eine große Chance. Die letzte. Luther wollte sich kein Pünktchen von seiner Überzeugung nehmen lassen. Er war kein Partner für augenzwinkernde Geschäfte. Nicht für seinen Gott. Nicht für seine Kirche.

Am 31. Oktober 1518, genau ein Jahr nach dem Thesenanschlag, war Luther wieder in Wittenberg und beeilte sich, das Gespräch mit dem Kardinal und seine Sicht der Dinge druckreif zu machen, «damit weder die Freunde die Sache zu sehr hochpreisen, noch die Gegner sie zu sehr herabsetzen». Ende November erschien er mit Zeugen und einem Notar in der Kapelle zum Heiligen Leichnam Christi und gab zu Protokoll, daß er in seiner Angelegenheit an ein bald einzuberufendes Konzil appelliere. Luthers Öffentlichkeitsarbeit war dem sächsischen Hof, dem an einer Eskalation gar nichts lag, höchst unangenehm. Spalatin versuchte, den Eiferer zu bremsen und die Veröffentlichung der Augsburger Gespräche zu verhindern.

Aber Luther ließ sich von der weltlichen Obrigkeit sowenig beeindrucken wie von der geistlichen. Am 9. Dezember schrieb er dem Freund mit listiger Naivität: «Es war schon geschehen, mein lieber Spalatin, was Du mir durch deinen Brief verbieten wolltest. Meine Akten sind veröffentlicht, zwar mit großer, aber doch noch nicht mit voller Freiheit für die Wahrheit. Ich sehe, daß ich hierin und in allem eilen muß ... Und deshalb, damit sie mich nicht etwa unvorbereitet töten oder mit dem Bann überfallen, habe ich alles geordnet und erwarte den Ratschluß Gottes. Je mehr sie wüten und den Weg der Gewalt einschlagen, desto weniger werde ich abgeschreckt. Ich werde endlich einmal noch freier sein gegen dieses römische Schlangengezücht.» Und Wenzel Link, dem Prior in Nürnberg, vertraut er zehn Tage später an: «Ich weiß nicht, woher diese Gedanken kommen. Die Sache hat meinem Urteil nach nicht einmal begonnen, geschweige denn, daß die Herren in Rom schon ihr Ende erhoffen dürfen.» Er könne sich nicht von der Ahnung freimachen, «daß der wahre Antichrist, auf den Paulus hinzielt, in der römischen Kirche herrscht. Heute schon glaube ich beweisen zu können, daß Rom schlimmer ist als der Türke.» Es war entschieden: Der Mönch aus Wittenberg hatte sich eindeutig gegen eine Kirche gestellt, an deren Spitze als unumschränkter Souverän der Papst herrschte, und die römische Kirche müßte einen solchen Angreifer in die Schranken weisen.

# Die Öffentlichkeit wird
# mobil gemacht

Im Januar 1519 trat ein, worauf die Fürsten seit Monaten warteten und wofür sie insgeheim planten: Kaiser Maximilian I. starb. Jetzt war es Aufgabe der sieben Kurfürsten im Reich, den Nachfolger für die bedeutendste und immer noch mit mystischen Erwartungen beladene Krone der mittelalterlichen Welt zu wählen. Maximilians Enkel Karl wollte sie mit aller Macht. England und Frankreich mischten mit und im Hintergrund der Papst. Für ihn wurde nun der Kurfürst von Sachsen endgültig zu einem potentiellen Verbündeten im verwirrenden Spiel der folgenden Monate, das mit Dukaten und Gold von allen Seiten in Schwung gehalten wurde. Aus Rom kam in den nächsten sechs Monaten kein böses Wort über den aufmüpfigen Augustinermönch zu Wittenberg über die Alpen. Es war, als hätte man dort niemals von diesem Menschen und seinen Schriften gehört. Selbst als im Juni Karl von Habsburg allen gegenteiligen Spekulationen zum Trotz und mit der Stimme des sächsischen Kurfürsten in Frankfurt gewählt wurde, änderte sich der Wind aus Rom nicht. Weiterhin mit politischen Händeln und ergötzlichen Festivitäten beschäftigt, ließ man die Akte Luther verstauben. Der päpstliche Hoftheologe schien in der Versenkung verschwunden.

So wurde 1519 für Luther ein Jahr, in dem er Atem holen konnte. Müßig war er deshalb keineswegs, und im eigenen Land ging der Streit heftig weiter. Im Juni forderte ihn Johannes Eck, ein geachteter und kenntnisreicher Theologe aus Süddeutschland, zu einer öffentlichen Redeschlacht in Leipzig heraus. Tagelang wurde auf der Pleißenburg vor Studenten, Professoren und weltlichen Herren debattiert. Von Eck mit immer neuen Fragen zur Autorität des Papstes und der Konzilien bedrängt, rief Luther schließlich in den Saal: «Auch Konzilien können irren.» Noch neun Monate zuvor hatte er vor dem Kardinal in Augsburg ein Konzil zum Urteil in seiner Sache angerufen. Leipzig war wieder ein Schritt weiter in eine unbekannte Richtung. Doch soviel Wirbel auch der Leipziger Zweikampf machte, für Luthers Verhältnis zu seiner Kirche und für sein Selbstverständnis waren jene Stunden in Augsburg, als Cajetan ihn forderte, entscheidender. Als der eine fest entschlossen war, das kleine Wörtchen nicht zu sagen, nicht zu widerrufen. Und der andere ebenso fest glaubte, daß die Autorität des Papstes um keinen Preis gemindert werden dürfe.

Doch der akademische Streit stand für Luther nicht im Zentrum dieses Jahres. Nicht für die gelehrten Theologen griff er in diesen Monaten zur Feder, sondern für die Menschen, die überall unter den Kanzeln saßen. Einer breiteren Öffentlichkeit zeigte sich Luther in seinen Schriften als der, der er mit voller Hingabe war: ein Seelsorger, der seine Verantwortung nicht auf die leichte Schulter nahm; ein Priester, der die Menschen ansprach und nicht akademisch über ihre Köpfe hinweg redete; der sie aufrüttelte, anrührte und tröstete. In bester mittelalterlicher Tradition schrieb der Mönch 1519 einen «Sermon von der Betrachtung des heiligen Leidens Christi» und einen «Sermon von der Bereitung zum Sterben». Auch einen «Sermon von dem Sakrament der Buße» rissen ihm die Drucker aus den Händen.

Noch zählte die Beichte – an der Luther stets festgehalten hat – für ihn zu den Sakramenten. Aber es gibt einen gravierenden Unterschied zur bisherigen Lehre. Nicht die Aktion des Priesters, der am Ende über den reuigen Sünder das Kreuz schlägt und ihn von seinen Sünden absolviert – «Ego te absolvo» –, ist entscheidend. Auch nicht die darauf folgenden Bußübungen, die Gott wieder versöhnen sollen. Nein: «Es liegt nicht am Priester, nicht an deinem Tun, sondern ganz an deinem Glauben. Soviel du glaubst, soviel [Vergebung] hast du.» Damit wird der einzelne in die Verantwortung genommen und die Wichtigkeit priesterlicher Amtshandlungen entscheidend geschmälert, ohne daß sich äußerlich etwas ändert. Zugleich werden die ängstlichen Gewissen beruhigt. Niemand brauchte sich mehr voller Skrupel zu quälen, ob Gott ihm wohl verziehen hatte. Wenn er nur kräftig glaubte, konnte er darüber ganz sicher sein.

Um in der gelehrten Welt Unterstützung zu finden, schrieb Luther – von seinen Freunden gedrängt – im Mai 1519 an den, der dort ungekrönter König war, Erasmus von Rotterdam. Es ist ein Brief, der schmeicheln soll und an etlichen Stellen ziemlich dick aufgetragen. Keine Rede mehr von den Vorbehalten, die Luther diesem Humanisten gegenüber schon lange hat. Nun kann der Holländer lesen: «Denn wen gibt es, dessen Herz Erasmus nicht ganz einnimmt, den Erasmus nicht belehrt, über den Erasmus nicht herrscht? ... Ich weiß, Du wirst Dir nur sehr wenig daraus machen, daß ich Dir brieflich meine Liebe und meinen Dank ausdrücke. Du bist damit völlig zufrieden, daß Dir das Herz in verborgener Dankbarkeit und Liebe vor Gott zugetan ist ... Trotzdem duldet es weder der Anstand noch das Gewissen, diese Dankbarkeit nicht auch in Worten auszudrücken, besonders da auch mein Name bekannt zu werden beginnt, damit niemand meine, das Schweigen sei böswillig und sehr häßlicher Natur ... Demnach, mein lieber Erasmus, wenn es Dir so gut dünkt, so erkenne auch diesen geringen Bruder in Christus, der Dir ganz zugetan ist und Dich völlig liebt, der übrigens wegen seiner Unwissenheit nichts anderes verdient, als daß er, im Winkel begraben, aller Welt ganz unbekannt wäre.»

Erasmus hatte im April 1519 gezeigt, daß er dem Wittenberger Mönch und seiner Theologie gewogen war, und dem Kurfürsten von Sachsen den Rücken gestärkt: «Hochberühmter Fürst, da es die Aufgabe Eurer Hoheit ist, die christliche Religion zu schützen, ziemt es sich nicht, zuzulassen, daß ein Unschuldiger unter dem Vorwand der Frömmigkeit den Gottlosen ausgeliefert wird.» Auch der Erzbischof von Mainz, der Luthers Thesenanschlag unverzüglich nach Rom expediert hatte, bekam wenig später die Meinung des Erasmus zu hören: «Ich wage nicht, über den Geist Luthers zu urteilen. Aber wenn ich ihm wohlgesinnt bin als einem guten Mann, einem Angeklagten und Unterdrückten, so ist das von der Gerechtigkeit und Menschlichkeit geboten.» Nicht wenige Zeitgenossen und Nachgeborene haben Erasmus verurteilt, weil er nicht kompromißlos Partei ergriffen habe für Luther. Als unsicherer

Kantonist, der es mit niemandem verderben wollte, ist er in die Geschichte eingegangen. Erasmus beharrte darauf, seinen eigenen Kopf zu behalten, nachzudenken, nicht gleich bei allen Neuerungen hurra zu schreien. Seine prinzipielle Skepsis verlor er auch gegenüber den Thesen aus Wittenberg nicht.

Der Gelehrte brachte nicht sofort jeden seiner Gedanken über Luther in die Öffentlichkeit, um sich eine mögliche Vermittlerrolle nicht zu verbauen. Sicher war er eitel, vielleicht auch feige. Doch die Briefe an Friedrich den Weisen und Albrecht von Mainz sprechen eine eindeutige Sprache. An Luther selbst schrieb Erasmus: «Es wäre besser, gegen diejenigen, die die päpstliche Autorität mißbrauchen, zu wettern als gegen die Päpste selbst. Wir wollen nicht anmaßend und streitsüchtig sein, sondern frei von Zorn und Ruhmsucht. Nicht als ob Du nicht davon frei wärst, aber Du mögest weiter frei davon bleiben. Ich habe in Deinem Psalmenkommentar zu lesen angefangen, und er gefällt mir sehr.» Erasmus war sich über den Zündstoff, mit dem Luther umging, im klaren. Er wünschte ihm Glück, aber für die Folgen wollte er nicht haftbar gemacht werden: «Wer ihn schätzt, hat den Wunsch, er wäre höflicher und weniger scharf. Aber es ist jetzt für Ermahnungen zu spät. Ich sehe den Aufruhr kommen. Ich hoffe, er wird zu Christi Ehre hinauslaufen. Vielleicht sind Ärgernisse notwendig, ich aber will nicht ihr Urheber sein.»

Im Februar 1519 schrieb Martin Luther an Staupitz, seinen alten Förderer und Ordensvorgesetzten: «Gott reißt und treibt mich viel mehr, als daß er mich führt. Ich bin meiner nicht mächtig: ich will in Stille leben und werde mitten in die Stürme hineingerissen.» Staupitz hatte ihn bei den Gesprächen mit Cajetan nicht im Stich gelassen. Doch jetzt fühlte Luther, daß sich etwas in ihrer Beziehung geändert hatte. Und er kann einen leisen Vorwurf nicht unterdrükken: «Obwohl Du sehr fern von uns bist und schweigst, ehrwürdiger Vater, und auch nicht den darauf Wartenden die sehnlichst erwarteten Briefe schreibst, so wollen doch wir das Schweigen brechen.» Luther lag viel daran, Staupitz nicht zu verlieren. Er brauchte ihn für seine Sache, gewiß. Aber er verehrte ihn auch ohne Hintergedanken. Der Wunsch nach Stille sollte den alten Freund, der kein Kämpfer war, beruhigen. Manchmal wird es Luther damit ernst gewesen sein. Doch sein Temperament entsprach wohl mehr, was er Staupitz dann im Oktober 1519 schrieb: «Ich aber bin in der Tat glücklich, daß mich alle so gern angreifen, so daß sie sogar anfangen, Lehrsätze zu erdichten, welche sie [dann] als die meinen bekämpfen.» Herausforderungen ließen sein Herz höherschlagen. Aber es wurden nun allzu viele.

Als Spalatin Luther im Dezember 1519 um eine Interpretation bestimmter Teile der Evangelien bat, bekam er eine ungeschminkte Antwort: «Es sind viele, und ich bin sehr überlastet. Glaubst Du nicht? Der Psalter [Vorlesung] fordert einen ganzen Mann, ebenso die Gemeindepredigt über das [Matthäus-]Evangelium und das erste Buch Mose, drittens die Gebete und Gottesdienste in meinem Orden, viertens die von dir geforderte Auslegung, ganz zu schweigen von Briefschulden sowie von der Beschäftigung mit fremden Angelegenheiten. Zudem stiehlt mir auch das Beisammensein mit guten Freunden, das ich fast ein Festessen nennen möchte, leider sehr viel Zeit. Ich bin ganz gewiß ein Mensch, und zwar *einer*.» So endete auch dieses Jahr in Arbeit, und der Mönch war es zufrieden. Ein bißchen Poltern und Stöhnen verschaffte Erleichterung.

Mitte Januar 1520 schlägt Luther in einem Brief an Spalatin das Leitmotiv für das neue Jahr an: «Diese Drangsal schreckt mich gar nicht, vielmehr bläht sie die Segel meines Herzens unglaublich auf, so daß ich jetzt an mir selbst erkennen lerne, warum die Teufel in der Schrift mit den Winden verglichen werden. Denn sie erschöpfen sich im Wüten und stärken andere durch Leiden. Nur daran ist mir gelegen, daß mir der Herr in meiner Sache, die ich für ihn führe, seine Gnade schenke ... Die Sache der Menschen aber laß uns in gläubigem Gebet Gott anbefohlen und ohne Sorgen sein. Denn was können sie tun? Werden sie uns töten? ... Werden sie uns als Ketzer schmähen? So ist doch Christus mit den Übeltätern, Verführern und Verfluchten verdammt worden ... Laß nur sein. Je gewaltiger mir meine Feinde zusetzen, desto sicherer werde ich ihrer spotten. Es steht bei mir fest, in dieser Sache nichts zu fürchten, sondern alles gering zu achten. Und wenn ich nicht fürchten müßte, den Fürsten mit hineinzuziehen, so würde ich eine zuversichtliche Schutzschrift herausgeben, diese höllischen Plagegeister noch mehr reizen und ihre ganz törichte Wut gegen mich verlachen.»

Vier Wochen später: «Ich beschwöre dich: wenn du vom Evangelium die rechte Meinung hast, glaube ja nicht, seine Sache könne ohne Unruhe, Ärgernis und Zwiespalt gehandelt werden. Du wirst aus dem Schwert keine Flaumfeder, noch aus dem Krieg den Frieden machen. Das Wort Gottes ist Schwert, Krieg, Fall, Ärgernis, Verderben.» Dann folgte ein sehr persönliches Geständnis: «Doch kann ich nicht leugnen, daß ich heftiger bin, als es sein sollte. Da sie sehr wohl wußten, hätten sie den Hund nicht reizen sollen. Wie schwer es fällt, die Hitze und die Feder im Zaum zu halten, kannst du an dir ablesen. Das ist eben der Grund, warum ich mich immer nur ungern öffentlich mit jemand eingelassen habe.» Und die Entschuldigung: «Je unwilliger ich bin, desto mehr werde ich gegen meinen Willen hineingezogen, und zwar nur durch die greulichsten Anklagen, mit denen sie gegen mich und das Wort Gottes losgehen ... Durch diese Ungeheuerlichkeiten werde ich über die geziemende Bescheidenheit hinausgetrieben ... Ist er [Christus] ein Lästerer gewesen, wenn er die Juden ein ehebrecherisches und verkehrtes Geschlecht, Otterngezücht, Heuchler, Kinder des Teufels nennt? ... Die Wahrheit nämlich, derer man sich bewußt ist, kann gegen halsstarrige und unbändige Feinde der Wahrheit keine Geduld üben.»

Das Geplänkel war endgültig vorbei. Beide Seiten sind zur Entscheidungsschlacht angetreten. Auch in Rom rührt man sich wieder. Im Februar 1520 nehmen zwei Kardinäle und drei Kommissionen den vertagten Prozeß gegen den Mönch wieder auf. In Wittenberg hält zur gleichen Zeit Dr. Luther seinen Studenten eine Vorlesung über die Psalmen, die er im Jahr zuvor begonnen hatte. Gerade ist der zehnte Psalm – «Exsurge Domine» – an der Reihe: «Steh auf, Herr! Gott, erhebe deine Hand! Vergiß die Elenden nicht.» Was Luthers Zuhörer – es sind Hunderte – als Interpretation dieser Zeilen vom Katheder hören, ist alles andere als akademisch. Es ist in diesem Augenblick von brisanter Aktualität. Doch der Kampfgeist des Mannes am Pult ist wie weggeblasen. Hier redet einer, der für die Welt in ihrem jetzigen Zustand keine Hoffnung mehr sieht: «Ich glaube aber, daß dieser Psalm die Zeit bis zum Ende der Welt beschreibt ... Deshalb befaßt er sich nicht nur mit dem Antichrist, sondern auch mit allen gottlosen Tyrannen in der Kirche, die nach der Zeit der Märtyrer und der Lehrer bis zum Ende der Welt ihr Unwesen treiben ... Nur ER [Christus] kann hier noch bessern und reformieren, der durch seine Wiederkunft in Herrlichkeit dem Frevler ein Ende machen wird. Inzwischen werden die Gottlosen bis ans Ende immer weitere Fortschritte machen zum Bösen. Deshalb habe ich kaum noch Hoffnung auf eine allgemeine Reform der Kirche ... Wenn also dieser Vers den Herrn anruft, daß er aufstehe und seine Macht erweise, so bezieht er sich meiner Meinung nach auf den Tag des Jüngsten Gerichts, und dem entspricht auch das Folgende. Es besteht deshalb kein Zweifel, daß sich das, wovon dieser Psalm spricht, in vollem Ausmaß in unserem Jahrhundert ereignet und sich auch schon seit mehr als drei Jahrhunderten angebahnt hat ...»

Luther war der Hörsaal stets so heilig wie die Kirche. Er hat weder die Kanzel noch das Katheder zu billiger Polemik mißbraucht. Es ist ihm sehr ernst, wenn er den Studenten sagt: «Jetzt aber wird der Antichrist unsere Bischöfe und kirchlichen Würdenträger für seine Zwecke gebrauchen, wie er bei den Ketzern bereits begonnen hat.» Es ist ein ungeheurer Vorwurf, der damit in die Öffentlichkeit getragen wird. Wer darin einen Propagandatrick sieht, einen Versuch, kritische Geister auf seine Seite zu ziehen, ermißt nicht, worum es Luther geht. Es war eine schreckliche Erkenntnis, daß der Antichrist – die Verkörperung des Bösen schlechthin – in der Kirche die Herrschaft angetreten hatte. Aber auch eine, die vor allem von radikalen Mönchen seit Jahrhunderten prophezeit worden war: Der Antichrist wird mitten im Zentrum der Kirche auftreten, und damit gibt Gott das Signal für das Ende der Welt. Es war keine vorübergehende düstere Stimmung, die Luther in diesen Wochen überfiel. Hinter seinen Worten stand eine tiefe Überzeugung, die ihn auch in den folgenden Jahren bei aller Tagesarbeit und aller Geschäftigkeit nie verließ. Ohne seinen Glauben an das nahe Weltende bleibt Luthers Handeln und sein Zögern in den folgenden turbulenten Jahren unverständlich.

Seinen Studenten sagte Luther im Rahmen dieser Vorlesung auch: «Wir sind nun wohl hinreichend gewarnt und ermahnt, nicht alles unbesehen anzunehmen, was im Namen Christi und seiner Apostel Petrus und Paulus entweder vom Apostolischen Stuhl in

Rom oder von irgendeinem Bischof an Verheißungen oder Drohungen ausgeht ... Wir sollen vielmehr allein auf das Evangelium
Christi schauen, das soll unser einziger Richter und Führer sein,
wie Paulus sagt.» War das vielleicht ein Aufruf, ein Plan zur Reformation? Sollten die Kritiker den langen Marsch durch die Institution Kirche antreten, um zu retten, was zu retten ist? Am Ende gab
Luther denen, die seine Sicht der Dinge teilten, dies mit auf den
Weg: «Das einzige, was uns deshalb in dieser Zeit des Übergangs
Trost bringen kann, ist die Erwartung des künftigen Gerichts und
der Glaube, daß unser Herr in Ewigkeit regiert und daß letztlich
alle Gottlosen vergehen werden.» Glauben sollten sie, sonst nichts.

Am 24. Juli 1520 wird an der Peterskirche in Rom eine Bulle
angeschlagen, die mit den Worten beginnt: «Exsurge Domine.» Es
sind die Anfangsworte des zehnten Psalms, den Luther im Frühjahr
in Wittenberg ausgelegt hatte. Ein Zufall, der nicht ohne innere
Logik ist. Beide Seiten fühlten sich im Besitz der Wahrheit und
waren fest überzeugt, daß Gott für ihre Sache kämpfen werde. Die
Bulle, die das Datum vom 15. Juni trägt, gab Luther eine Frist von
sechzig Tagen, um seine Irrtümer zu widerrufen und sich dem
Papst zu unterwerfen. Das Urteil der Kirche stand fest: «Die vor-
stehenden Artikel oder Irrtümer verurteilen und verwerfen wir insgesamt und einzeln, wie bereits gesagt, rückschauend als ketzerisch, anstößig und falsch, weil sie fromme Ohren beleidigen, einfache Gemüter verführen und der katholischen Wahrheit widersprechen, und weisen sie insgesamt zurück ...» Erstaunlich ist, daß
weder Leo X. noch die Kardinäle diese historische Bulle – entgegen
dem Brauch – unterschrieben haben.

Am 10. Juli schreibt Luther an Spalatin: «Nachdem nun einmal
die Würfel gefallen sind, wird das Wüten und die Gunst Roms von
mir ganz verachtet. Ich will ihnen nicht versöhnt werden noch in
Ewigkeit mit ihnen Gemeinschaft haben. Sie mögen das Meine verdammen und verbrennen. Ich werde dagegen, wenn ich nur irgend
ein Feuer haben kann, das ganze päpstliche Recht verdammen und
öffentlich verbrennen, d. h. den ganzen Pfuhl von Ketzereien, und
die bisher vergeblich erwiesene Demut wird ein Ende haben, mit
der sich die Feinde des Evangeliums nicht länger aufblasen sollen.»
Einen Monat später in einem Brief an den Freund Johannes Lang,

Prior im Erfurter Augustinerkloster, spricht er nicht mehr nur für sich allein: «Wir sind hier überzeugt, daß das Papsttum der Stuhl des wahren und leibhaftigen Antichrist sei, gegen dessen Lug und Trug und Bosheit zum Heil der Seelen uns – wie wir meinen – alles erlaubt sei. Ich bekenne für meine Person, daß ich dem Papst keinen anderen Gehorsam schuldig bin als den, welchen ich dem rechten Antichrist schuldig bin. Das Übrige bedenke du und urteile nicht voreilig über uns. Wir haben guten Grund, bei dieser Meinung endgültig zu verharren.»

Die Bulle aus Rom ist ein ziemlich wirres Dokument. Sie machte sich nicht die Mühe, Luthers Theologie in aller Breite darzustellen und Punkt für Punkt zu kritisieren oder zu verurteilen. Alles wurde in einen Topf geworfen, vieles offengelassen. Aber nach damaligem Verständnis war solche Gründlichkeit von der Kirche gar nicht gefordert. Das Verdammungsurteil des Papstes genügte. Warum sollten die deutschen Pamphletschreiber differenzierter vorgehen? Professor Eck hatte ihnen in der Leipziger Disputation vorgemacht, wo dieser Luther am besten zu packen war. Im Sommer 1520 beschwor der Leipziger Franziskaner Augustin von Alvelt in seiner Schrift «Über den apostolischen Stuhl», daß die Autorität des Papstes direkt von Gott komme.

Luther antwortete mit der Schrift «Von dem Papsttum zu Rom wider den hochberühmten Romanisten zu Leipzig». Er habe, erklärte er unverblümt, nichts dagegen, «daß Könige, Fürsten und der ganze Adel eingriffen, damit den Schurken von Rom die Straße gesperrt würde ... Wie kommt der römische Geiz dazu, daß er alle Stiftungen, Bistümer, Lehensgüter unserer Väter an sich reißt? Wer hat solche unaussprechliche Räuberei je gehört oder gelesen?» War es jetzt endlich so weit, daß Luther die ganze Kirche zum Teufel wünschte? Der drohende Bann und seine Gegner, die ihn immer wieder mit der Nase auf die Autorität der Kirchen stießen, waren ein Anstoß für Luther, in diesen Monaten sehr intensiv darüber nachzudenken, was Kirche für ihn bedeutete. Die Vorstellung, daß sie eine überflüssige Institution sei, ist ihm dabei niemals gekommen.

In seiner Schrift gegen Alvelt schlägt Luther seine Lösung des Problems vor. Es gibt für ihn nicht ausschließlich die eine römische

Kirche, sondern «zwei Kirchen mit unterschiedlichen Namen». Jeder Glaubende ist Mitglied in der unsichtbaren Kirche, die alle Christen umfaßt, und gehört zugleich zur sichtbaren Kirche, die unterschiedliche äußere Formen haben kann. Deshalb darf aber niemand Kirchen nach eigenem Belieben gründen. Es gibt äußere Kennzeichen, die bei allen gleich sein müssen: die Taufe und das Evangelium. Wenn keine neuen und damit falsche Lehren hinzukommen, ist Luther auch bereit, den Papst anzuerkennen. In der Alvelt-Schrift hat er es sogar auf deutsch gesagt: «Das erst, ich wils nit leyden, das menschen sollen new artickel des glaubens setzen... Er [der Papst] sol mir unter Christo bleyben und sich lassen richten durch die heyligen schrifft.» Für Pomp und Macht, für den Anspruch, Stellvertreter Christi auf Erden zu sein, war da kein Platz mehr.

Luthers Konstruktion von den zwei Kirchen ist ein widerborstiges Stück Theologie. Wem war sie damals einsichtig? Wer versteht sie heute? Wenn der Glaube, der alle verbindet, vor allem geistlich und innerlich ist und nicht an Rituale gekettet, warum hält der Mönch so hartnäckig an äußeren Formen, an Prälaten und sogar an bestimmten kirchlichen Gesetzen fest? Luther, so heißt die Antwort darauf in allen Büchern, war im Grunde seines Herzens ein konservativer Mensch, einer, dem Ordnungen und Gesetze über alles gingen. Wie paßt sein bisheriges Leben – er ist 1520 immerhin 37 Jahre alt – zu solchen Thesen?

Als junger Mensch verließ er die Ordnung seiner Familie und trat hinüber in eine andere, die Gemeinschaft der Mönche. Er ruhte sich in ihr nicht aus, sondern erlebte eine Krise seines Glaubens und seines Lebenszusammenhangs, die bis an die Wurzeln ging. Alle Äußerlichkeiten, alle Ordnungen, alle Sicherheiten seiner Kirche zerbröckelten ihm. Erwiesen sich als halt-los, trost-los. Sicherheit, Mut und Vertrauen kamen erst wieder zurück, als er den Glauben als etwas erlebte, das alle Sicherheiten, alle Ordnungen, alle Gesetze und alle eigenen Anstrengungen aufgibt und sich völlig auf Gott und seine Gnade verläßt. Nach dem Maßstab der Vernunft kann es eine risikoreichere Sache nicht geben. Wenn man das denn konservativ nennen will: An diesem Glauben, wie er ihn verstand, hat er stur und kompromißlos bis an sein Ende festgehalten.

Ein solcher Glaube war für Luther das Wichtigste. In seinem Glauben sollte der Mensch ganz frei sein. Mit politischer Freiheit, mit einer Änderung der weltlichen Ordnung hatte das nach seiner Überzeugung nichts zu tun. Gott und die Welt waren zwei grundverschiedene Bereiche. Die Worte, die er sprach, schienen ihm klar und eindeutig. Doch sehr schnell mußte er erfahren, daß andere anderes gehört hatten. Die Studenten und der Rektor seiner Universität zum Beispiel. Ein Mißverständnis, über das Luther Mitte Juli 1520 voller Entsetzen Spalatin berichtet: «Ich beschwöre dich, wenn du auf den durchlauchtigsten Fürsten irgendwie Einfluß nehmen kannst, mein lieber Spalatin, so sorge dafür, daß der Fürst an unseren Rektor einen sehr harten und scharfen Brief schreibt. Denn der hätte uns gestern, bei seiner überaus großen Unsinnigkeit, fast in Mord und Blutvergießen verwickelt, dieser unsinnige Mensch. Er schürte den Aufruhr des Studentenpöbels gegen den Rat und das unschuldige Volk, den er hätte dämpfen sollen. Ich war bei der Versammlung zugegen, wo sie wie gänzlich berauscht rasten. Es wurde nichts geredet, als was die Wildheit der jungen Leute nur noch mehr entzündete. Es tut mir die Unordnung unserer Universität wehe, die ihr endlich nur zur Schmach gereichen kann ... Es ist besser, daß eine kleinere Anzahl hier studiert, als daß man diesen Aufrührereien ausgesetzt ist. Alle ordentlichen Leute verurteilen diesen Unsinn.» Luther hatte die Zusammenkunft verlassen, «weil ich sah, daß der Satan in dieser Versammlung den Vorsitz führte».

Das war nicht nur so dahergeschrieben. Es ist bei Luther ganz wörtlich zu nehmen. Hier legt Luther eine Wurzel seiner Überzeugung bloß, die ihm noch viel Kritik einbringen wird. Trotzdem ist er nie von ihr abgewichen. Nicht daß der Teufel die Geister verwirrte, bestürzte ihn. Diese Aufgabe war ihm von Gott zugewiesen. Entscheidend war, daß der Satan auf diese hinterhältige Weise planvoll die neue Sache in Mißkredit brachte: «Ich weiß, daß hier der Satan am Werk ist. Da er nirgends dem bei uns wieder aufkommenden Worte Gottes schaden kann, sucht er es durch diesen Kunstgriff in üble Nachrede zu bringen. Aber dagegen muß man sich mit allen möglichen Mitteln zur Wehr setzen, damit er nicht mit diesen blutgierigen Menschen zusammen die Oberhand behalte.» In demselben Brief kündigte Luther seinem Freund an, daß er versuchen werde, mit einer Predigt die aufgeregten Gemüter zu dämpfen.

Drei Tage später ging der nächste Brief an Spalatin ab: «Ich habe gestern von der Kanzel gegen den Aufruhr gepredigt. Aber so gemäßigt, daß ich mich keiner Partei zugeneigt zeigte und lediglich das Übel des Aufruhrs beschrieb, mag er nun durch Bürger oder durch Studenten entstanden sein. Ich pries die Gewalt der Obrigkeit, die von Gott eingesetzt ist, daß nicht durch Aufruhr alles verwüstet würde.» Nicht nur für viele Zeitgenossen hat Luther mit dieser Haltung, die er in ähnlichen Situationen sein Leben lang konsequent durchhielt, seine Sache in Mißkredit gebracht. Der immer neue alte Vorwurf: Er stehe auf seiten der Mächtigen und stütze die Obrigkeit. Luther hat das schon im Sommer 1520 gesehen, ausgesprochen und genau umgekehrt argumentiert: «Sie schreien, ich hätte die Partei des Rates begünstigt, und zeigen endlich ihre innersten Gedanken. Da kann man erkennen, wer in Wahrheit und wer zum Schein unsere Theologie gehört hat. Denn es muß durch dieses Sieb Spreu und Weizen voneinander gesondert werden.» Seine Theologie handelte nur von Gott. Wer in ihrem Namen weltliche Veränderungen herbeiführte, hatte überhaupt nichts begriffen.

Luther vertraute darauf, daß seine Vorlesungen an die Studenten und seine Drucke für die Öffentlichkeit nicht mißverstanden wurden; daß seine Worte nicht doppeldeutig waren. Aber noch ehe die alte Kirche ihren Bann gegen den Ketzer hatte Realität werden lassen, brachen Abgründe zwischen Luther und denen auf, die mit ihm eine neue Sache vertreten wollten. Der Mönch kämpfte an zwei Fronten. Und auch in die Politik kam wieder Bewegung.

An einem heiteren Herbsttag dieses Jahres, dem 22. Oktober 1520, marschierte ein nicht enden wollender Zug von Reitern und Fußvolk in die alte Kaiserstadt Aachen. Hier, wo Karl der Große im wuchtigen Dom seine letzte Ruhestätte gefunden hatte, zog jetzt einer seiner Nachfolger ein: Karl V. aus dem Hause Habsburg. Ein ernster junger Mann, gerade so alt wie dieses Jahrhundert, den nicht unbeeindruckt lassen konnte, was mit ihm am nächsten Tag im Dom geschah. Vor den Fürsten und Großen des Reiches wurde der Herrscher über ein Weltreich nach jahrhundertealtem Ritus zum römischen König gesalbt und gekrönt. Das feierliche Zeremoniell demonstrierte die feste und gottgewollte Verknüpfung von weltlicher und geistlicher Macht, an die das Mittelalter inbrünstig glaubte. Vor Karl standen die höchsten Vertreter der geistlichen Macht, die Erzbischöfe von Mainz, Köln und Trier, und weihten ihn für sein Amt.

Alle im Dom und das Volk draußen waren Zeugen, als der Kölner Erzbischof dem jungen König mit lauter Stimme den Eid abnahm, den seine Vorgänger geschworen hatten: «Willst Du den überlieferten katholischen Glauben halten und mit gerechten Werken bewahren? Willst Du den heiligen Kirchen und den Dienern der Kirche ein Schützer und Verteidiger sein? Willst Du das Dir von Gott gegebene Reich nach der Gerechtigkeit Deiner Vorgänger regieren und wirksam verteidigen? . . . Willst Du den Armen und Reichen, den Witwen und Waisen ein unparteiischer Richter und frommer Hüter sein? Willst Du dem Hl. Vater und Herrn in Christo, dem römischen Papst, und der heiligen römischen Kirche die schuldige Unterwerfung und Treue in Ehrfurcht bewahren?» – «Volo», ich will es, beschwor Karl jede Frage ebenso laut und fest. Dann salbten die geistlichen Herren den König mit geweihtem Öl an Kopf, Brust, Nacken, Ellbogen und Händen. Und er – mit dem Schwert Karls des Großen in der Hand und der Krone auf dem Haupt – bekräftigte: «Ich bekenne und verspreche vor Gott und seinen Engeln, daß ich jetzt und in alle Zukunft Gesetz, Gerechtigkeit und Frieden in der heiligen Kirche bewahren werde.» Große Worte und aller Anstrengungen wert.

Karl hat sie nicht vergessen und sich stets in ihrer Pflicht gefühlt. Seine persönliche Bindung an die römische Kirche und ihre Vertreter – an diesem 23. Oktober 1520 an heiligem Ort beschworen – hat er nie in Zweifel gezogen. Und er hat auch als Politiker mit aller Kraft versucht, diesen einheitlichen Glauben zu bewahren. Er war das Band, das seine so verschiedenen Völker und Untertanen zusammenhielt.

Nach der feierlichen Krönung am Morgen, dem Königsmahl am Mittag und dem Festbankett am Abend im Rathaus sollte in Köln weitergefeiert werden. Karl wollte dort mit dem sächsischen Kurfürsten über die neueste Entwicklung im Fall Luther reden. Die Gicht hatte Friedrich den Weisen auf dem Weg nach Aachen in der

Stadt am Rhein festgehalten. In diesen Wochen und Monaten hatte der Mönch endgültig die engen Grenzen seiner thüringischen Heimat, seines sächsischen Vaterlandes gesprengt. Wer lesen konnte in Deutschland, der hat in der zweiten Jahreshälfte 1520 mindestens eine Schrift aus Wittenberg verschlungen.

Die erste war im August erschienen und wandte sich «An den christlichen Adel deutscher Nation von des christlichen Standes Besserung». Und so begann es: «Der allerdurchlauchtigsten, großmächtigsten Kaiserlichen Majestät und dem christlichen Adel deutscher Nation Doktor Martinus Luther. Gnade und Stärke von Gott zuvor! Allerdurchlauchtigster! Gnädigste, liebe Herren! Es ist nicht aus lauter Fürwitz noch Frevel geschehen, daß ich einzelner, armer Mensch mich unterstanden habe, vor Euren hohen Würden zu reden. Die Not und Beschwerung, die alle Stände der Christenheit, zuvor die deutschen Lande, drückt, hat nicht allein mich, sondern jedermann bewegt, vielmals zu schreiben und Hilfe zu begehren. Hat mich auch jetzt gezwungen, zu schreiben und zu rufen, ob Gott jemandem den Geist geben wollte, seine Hand der elenden deutschen Nation zu reichen.»

Die Quelle dieses Elends liegt für Luther in Rom, dem Zentrum päpstlicher Macht. Romanisten, das sind für ihn die schlechtesten und zugleich typischen Vertreter dieser römischen Kirche: «Die Romanisten haben mit großer Behendigkeit drei Mauern um sich gezogen, womit sie sich bisher beschützt haben, so daß niemand sie hat reformieren können, wodurch die ganze Christenheit greulich gefallen ist.» Doch der Mönch aus Wittenberg fürchtet sich nicht. Wie einst die Israeliten vor Jerichos Mauern will er diese pseudo-theologischen Wälle zum Einsturz bringen: «Wollen die erste Mauer zuerst angreifen! Man hat's erfunden, daß Papst, Bischöfe, Priester und Klostervolk der geistliche Stand genannt wird. Fürsten, Herren, Handwerks- und Ackerleute der weltliche Stand. Das ist eine sehr feine Erdichtung und Trug ... alle Christen sind wahrhaftig geistlichen Standes ... Und damit ich's noch klarer sage: wenn ein Häuflein frommer Christenlaien gefangen und in eine Wüstenei gesetzt würde, die nicht einen von einem Bischof geweihten Priester bei sich hätte und ... erwählten einen unter sich, er wäre verheiratet oder nicht, und beföhlen ihm das Amt: zu taufen, Messe zu halten, die Sünden zu absolvieren und zu predigen, der wäre wahrhaftig ein Priester, als ob ihn alle Bischöfe und Päpste geweiht hätten.»

Ist der Schlüssel zum Paradies nicht nur den Priestern der Kirche anvertraut, dann entfällt auch ihr besonderer Machtanspruch, in Zweifelsfällen über den weltlichen Dingen zu stehen und dort kraft göttlicher Rechte die letzte Entscheidung zu treffen. Die Verquikkung von weltlicher und geistlicher Verantwortung, im Aachener Dom nach mittelalterlichem Verständnis demonstriert und beschworen, wird in dieser Schrift von Luther grundsätzlich abgelehnt: «Drum soll weltliche christliche Gewalt ihr Amt frei unbehindert üben, unangesehen, ob's Papst, Bischof oder Priester sei, den sie trifft. Wer schuldig ist, der leide. Was das geistliche Recht dagegen gesagt hat, ist lauter erdichtete römische Vermessenheit.» Eine scharfe Sprache. Mit ihr gab der Mönch aus Wittenberg den weltlichen Fürsten und Herren kraft seines Amtes als Doktor der Theologie freie Bahn für die politischen Geschäfte. Und allen, ab Ackermann oder Fürst, gab er die prinzipielle Befähigung, ein priesterliches Amt auszuüben. Von der ersten Auflage «An den Adel» waren die 4000 Exemplare in wenigen Tagen vergriffen. In kürzester Zeit kamen zwölf Nachdrucke heraus.

Am 6. Oktober kam der zweite Aufruf aus Wittenberg, um die Schlafenden, die Unentschiedenen und die Trägen aufzuwecken. «Vorspiel von der babylonischen Gefangenschaft der Kirche» hieß die neue Schrift – an einen Wittenberger Stiftsherrn und Professor der Rhetorik gerichtet –, und sie begann so: «Martin Luther, Augustiner, wünscht seinem lieben Hermann Tulich Heil und Segen. Ob ich will oder nicht, ich werde gezwungen, von Tag zu Tag gelehrter zu werden, weil mir so viele und so große Meister um die Wette keine Ruhe lassen und mich ständig in Atem halten.» Diesmal ging es vor allem um theologische Fragen, die Sakramente, von denen die römische Kirche sieben lehrte. Dazu Luther: «Grundsätzlich muß ich verneinen, daß es sieben Sakramente gibt, und kann zur Zeit drei dafür setzen: die Taufe, die Buße, das Brot [Abendmahl].» Geschont wurde Rom auch in diesem «Vorspiel» nicht. Der Kurs hieß Konfrontation.

Seit jeher war es ein Kennzeichen der Abweichler, der Ketzer gewesen, daß sie den Laien in der Messe nicht nur das Brot – also die Hostie –, sondern auch den Wein im Kelch reichen wollten. Wie es in den Evangelien steht. Jesus gab seinen Jüngern beim letzten gemeinsamen Mahl Wein und Brot: Esset alle davon ... Trinket alle davon ... Nun schlug sich Luther eindeutig auf die Seite der Ketzer: «So komme ich zu dem Schluß: Es ist gottlos und tyrannisch, den Laien das Abendmahl in beiderlei Gestalt [als Hostie und Wein] zu verwehren.» Den Ketzervorwurf jedoch kehrte er um: «... ihr Römer seid Ketzer und gottlose Rottengeister, weil ihr euch einzig eurer Einbildungen rühmt – gegen die klare Schrift Gottes! Wascht euch von diesem Vorwurf rein, ihr Herren!»

Dann wettert Luther gegen den «überaus gottlosen Mißbrauch, durch den es gekommen ist, daß heute in der Kirche fast nichts verbreiteter ist, fester geglaubt wird, als daß die Messe ein gutes Werk und ein Opfer ist». Für Luther war sie keines von beiden. Deshalb «müssen wir uns vor allen Dingen darum bemühen, alles das abzutun, was zu der ersten und schlichten Stiftung dieses Sakraments aus menschlicher Andacht und Eifer hinzugetan». Deshalb fort mit «Meßgewändern, Zieraten, Gesängen, Orgeln, Lichtern und der ganzen Pracht der sichtbaren Dinge».

Die Drucker verdienten noch an der «babylonischen Gefangenschaft», da saß Luther in seiner Zelle schon an der nächsten Arbeit. Sie hieß «Von der Freiheit eines Christenmenschen», erschien im November 1520 und begann so: «Jesus. Zum ersten: Damit wir gründlich erkennen können, was ein Christenmensch sei und wie es um die Freiheit beschaffen sei, die ihm Christus erworben und gegeben hat, davon Paulus viel schreibt, will ich diese zwei Leitsätze aufstellen: Ein Christenmensch ist ein freier Herr über alle Dinge und niemand untertan. Ein Christenmensch ist ein dienstbarer Knecht aller Dinge und jedermann untertan. Diese zwei Leitsätze sind klar ...» Von allem, was Luther geschrieben und gesprochen hat, hallt das Echo dieser paradoxen Worte wohl am stärksten durch die Zeiten. Aus einer Schrift, zu der ihn die Ordensbrüder Link und Staupitz drängten, um noch einmal den Ausgleich mit Rom zu suchen. «Die Freiheit eines Christenmenschen» ist Leo X. gewidmet. Ein Begleitbrief Luthers lobt den Papst und richtet alle Kritik gegen den römischen Hof.

Waren die Worte dieser Schrift klar? Unmißverständlich für jene Menschen, die keine Theologen waren und keine Ahnung davon hatten, worüber Luther sich seit Jahren intensiv Gedanken machte? Am Ende dieser Schrift, die längste von den dreien, schienen ihm selber Zweifel gekommen zu sein: «Gott gebe uns, das recht zu verstehen und zu behalten! Amen.»

Mit diesen drei Schriften zwischen August und November 1520 schaffte der Mönch aus Wittenberg, was keinem vor ihm gelungen war: eine öffentliche Meinung in Deutschland herzustellen, die nicht nur auf eine winzige theologische oder humanistische Elite beschränkt war. Allerdings stand ihm zur Verfügung, was kein Außenseiter und kein Kritiker nutzen konnte: Die Erfindung des Buchdrucks kann für die Verbreitung und den Erfolg der lutherischen Sache gar nicht hoch genug eingeschätzt werden. Die Drukker merkten schnell, auf welcher Seite sich die besseren Geschäfte machen ließen. Neun Zehntel der deutschen Druckerpressen arbeiteten in diesen Jahren für Luther. Seine Gegner hatten es schwer, ihre Aufträge unterzubringen. Ende 1520 gab es 81 Lutherschriften, einzelne Aufsätze oder Sammlungen, mit insgesamt 653 Auflagen, die Übersetzungen mitgerechnet. Es existieren keine Angaben für die einzelnen Auflagenhöhen. Doch 1000 Exemplare ist eine realistische Durchschnittszahl. Eine Gesamtauflage von über 500000 wäre demnach nicht zu hoch gegriffen.

Auf ebenfalls eine halbe Million schätzt man die lesekundigen Deutschen dieser Jahre. Keiner von ihnen wird seine Kunst für sich behalten, sondern viele dankbare Zuhörer beim Vorlesen gefunden haben. Und vergessen wir nicht: Schon gegen Ende des 15. Jahrhunderts hatten die Drucker die rege Nachfrage mit immer neuen Beichtspiegeln, Traktätchen und seelsorgerischen Trostbüchern befriedigt. Viele Menschen waren inzwischen an religiöse Literatur gewöhnt. Luther konnte auch in diesem Punkt an eine Tradition anknüpfen. Das schmälert nicht seinen außerordentlichen Erfolg als Autor. Sein Geheimnis war eine unkomplizierte, treffende Sprache, beißende Ironie und plastische Bilder. Spalatin, der Berater des sächsischen Kurfürsten, beobachtet 1520 in Frankfurt am Main, wie beliebt die Schriften Luthers waren: «Nichts wird häufiger gekauft, nichts begieriger gelesen, nichts eifriger gehandelt.»

Luther, vom Bann bedroht, wenn er nicht Widerruf leisten würde – und entschlossen, es nicht zu tun –, machte die Welt auf seine Sache aufmerksam. Weil er sie für die Sache Gottes hielt, wollte er – obwohl persönlich zu allen Konsequenzen bereit – sie nicht stillschweigend mit auf den Scheiterhaufen nehmen. Er, der oft klagte, es treibe ihn gegen seinen Willen, und der tatsächlich eher ein Zauderer war und keiner, der gerne Gordische Knoten durchschlug: Er hatte mit diesen drei Schriften die Initiative ergriffen. Mißverständnisse blieben nicht aus und haben sich unentwegt fortgepflanzt.

Recht verstehen im Sinne des Autors konnte diese aufrüttelnden Schriften nur, wer dabei die lange theologische Entwicklung Luthers als unsichtbares Leitmotiv mitdachte. Wer seine Vorlesungen kannte, seine Glaubenskrisen, sein Verständnis von Gott und der Welt. Von engsten Freunden an der Universität und im Orden abgesehen, traf das auf keinen Leser zu. Und wer liest schon etwas von der ersten bis zur letzten Seite, wenn es – wie die «Freiheit eines Christenmenschen» – gar kein Ende zu nehmen scheint? Wenige werden es Wort für Wort studiert, viele sich an den zündenden Parolen der ersten Absätze begeistert haben. Es klang so einleuchtend: Ein Ende mit der Abhängigkeit von Rom! Weg mit den kirchlichen Machtstrukturen! Von Freiheit redete dieser Mönch! Waren das etwa keine politischen Töne?

Luthers Ausgangspunkt jedoch und Eckstein aller seiner Überlegungen war der Glaube, war die Beziehung zwischen einem Gott, der nicht vernünftig und einsehbar handelte, und dem Menschen, der ein Nichts war, ein Sünder, «ein stinkender Madensack». Seine einzige Hoffnung auf Rettung, auf «Rechtfertigung» gegenüber dem göttlichen Gericht bestand in der bedingungslosen Unterwerfung unter diesen Gott. Die Kritik am Papst in Rom und den schmarotzenden Pfaffen stand weder am Anfang noch im Mittelpunkt von Luthers Aufbegehren. Sie kam hinzu, als er – ein Objekt der Politik geworden – Hilfe und Unterstützung suchte. Seine Theologie, die «wahre Theologie», war da längst fest umrissen. Sie hatte Konturen angenommen, über die er schon 1518 in Heidelberg, vor den klügsten Köpfen seines Ordens, nicht mit sich handeln ließ.

Luther, das sind auch die drei berühmten Schriften von 1520. Der ganze Luther ist es nicht. Den Kern der Nuß, wie er gerne sagte, zeigen sie nur sehr undeutlich und nur den Eingeweihten. Erfüllt von dem Glauben, die apokalyptische Zeit sei angebrochen und der Jüngste Tag nahe, hatte Luther in seiner Psalmenvorlesung am Beginn des gleichen Jahres seine Studenten ermahnt, nur Gott zu vertrauen und abzuwarten. Für eine Reform der Kirche sei es zu spät. Und nun im Herbst las es sich ganz anders. Wer seine Schriften zu Gesicht bekam, wer von ihnen hörte, mußte überzeugt sein, der Mönch aus Wittenberg habe ein Programm zur Reform der Kirche aufgestellt und rufe alle zur Mitarbeit auf.

In seiner Schrift an den Adel der deutschen Nation hatte Luther für eine strikte Trennung von Politik und Glaube plädiert. Doch im gleichen Atemzug warb er für seine eigene Sache – die Sache Gottes, die Sache des Glaubens – um Unterstützung bei den Mächtigen der Welt. Er warnte davor, auf Macht oder Vernunft zu bauen, und rief doch im Kampf gegen die römische Kirche nationale Emotionen wach.

Luther konnte nicht verhindern, daß seine Rede von der Freiheit eines Christenmenschen einen politischen Klang bekam, mochte er sich noch so sehr auf den Apostel Paulus berufen. Wer verstand etwas von der paradoxen Theologie, die den Menschen in ein äußeres Wesen, das von der Sünde geknechtet wird, und einen inneren Teil, der frei von Sünden ist, trennt? Der Mensch, vor die Wahl gestellt, pickt sich stets das Angenehmste heraus. Widersprüche werden nicht ausgehalten, sondern übersehen und abgedrängt.

Freiheit ist zum Markenzeichen des protestantischen Menschen geworden. Keinem Papst und keinem unsinnigen Kirchengesetz unterworfen, folgt er nur der Stimme seines Gewissens. Die Freiheit, die Luther meinte, sah anders aus. Sie ist kein allgemeines Menschenrecht, sondern ausschließlich mit dem Etikett «christlich» zu verstehen. Für eine solche Freiheit kann das Gewissen – gerade eines gläubigen Menschen – kein Maßstab, kein Wegweiser sein. Es führt nach Luther nämlich direkt ins Verderben, fort von Gott. Hier ist jener Atheismus zu Hause, der zum Wesen des Menschen gehört. Das Gewissen erinnert den Menschen immerzu an seine Fehler und damit zugleich an das göttliche Gericht, das auf ihn wartet. Darum ist das Gewissen Ausgang für zwei – nur äußerlich paradoxe – Anstrengungen. Es wünscht sich, daß Gott nicht existiert, um sich nicht verantworten zu müssen. Und zugleich wählt es in der Praxis dann den entgegengesetzten Weg: Es treibt den Menschen unablässig, alle Gesetze und Gebote penibel zu erfüllen, um mit immer neuen guten Taten sein Gewissen zu beruhigen.

Damit sind wir wieder an der Glaubenssache, um die sich bei Luther alles dreht: Der Christ verläßt sich nicht auf gute Taten und lobenswerte Aktionen. Er weiß, daß solche Anstrengungen, und seien sie noch so gut gemeint, das Gewissen nie befriedigen können und vor Gott sinnlos sind. Nur dessen Gnade zählt. Darum sagt Luther in seiner Vorlesung über den Brief des Apostels Paulus an die Galater seinen Studenten, daß der Christ eines Tages «in einer neuen Welt lebt, wo es kein Gesetz gibt, keine Sünde, kein Gewissen, keinen Tod, sondern unbefangenste Freude, Gerechtigkeit, Gnade, Friede, Leben, Heil und Ehre». Das Gewissen ist nach dieser Theologie ein unzuverlässiger Begleiter, weil der Mensch selbst ein haltloses Wesen ist. Der Maßstab für das, was wesentlich ist, muß außerhalb des Menschen liegen, wie Luther 1532 predigt: «Daher ist unsere Theologie gewiß, denn sie stellt uns außerhalb von uns: Ich brauche mich nicht zu stützen auf mein Gewissen, Fühlen, Person oder Werk, sondern auf die göttliche Verheißung und Wahrheit, die nicht täuschen kann.»

Christ sein heißt für Luther, keine Angst mehr vor dem Anspruch des Gewissens zu haben, das unersättlich ist in seiner Gier nach immer neuen Bestätigungen. Wer sich auf diesen Wettlauf einläßt, hat schon verloren. Er kommt nie ans Ziel und ist doch immer gehetzt. Ein Blatt raschelt, eine Bemerkung wird gemacht, und schon ist das Gewissen auf dem Sprung, dem Besitzer im Nacken. Wer sich von diesem Plagegeist frei macht und nicht dem Diktat der guten Werke unterwirft, um mit ihnen sein Gewissen zu beruhigen, der ist ein Christ. Wer sich an sein Gewissen und damit an seine Werke klammert, über den fällt Luther ein klares Urteil: «Wenn du darauf siehst, was du tust, so hast du schon den christlichen Namen verloren. Es ist wohl wahr, daß man gute Werke tun soll, andern helfen, raten, geben. Aber *deshalb* wird keiner ein Christ genannt, und er ist auch deshalb kein Christ.»

Es fällt schwer, in diesem Zusammenhang nicht an den zierlichen Mann in Königsberg zu denken, der als Prototyp des protestantischen Philosophen in die Geschichte eingegangen ist und dessen meistzitierte Forderung als Inbegriff protestantischer – und preußischer – Lebensweise gilt. Für Immanuel Kant galt als höchste Pflicht des Menschen auf dieser Erde, sittlich einwandfrei zu leben und mit seinen Taten den anderen ein Vorbild zu sein. Nur so gewinnt man nach Kant für sich selbst die Freiheit. Für Luther dagegen macht man sich mit solchen Maximen unfrei, nämlich abhängig von äußeren Dingen und zum Sklaven seines Gewissens. Gerade das hatte er ja im Kloster erfahren: Alle Anstrengungen, alles Fasten und Beten konnte sein Gewissen nicht beruhigen und weckte bloß neue Skrupel. Tat er genug? War es wirklich gut, was er tat? (Kant hat übrigens von Luther nicht viel mehr als den Kleinen Katechismus gelesen.)

Luthers Christentum ist eben keine Gebrauchsanweisung für ein sittliches gutes Leben und keine Morallehre, die sich in penibler Pflicherfüllung und frommen Taten beweisen muß: «Es kann einer wohl fromm sein, aber deshalb ist er noch kein Christ. Ein Christ weiß von seiner Frömmigkeit nichts zu sagen. Er findet in sich nichts Gutes noch Frommes. Soll er fromm sein, so muß er sich nach einer anderen und fremden Frömmigkeit umsehen.»

Das klingt uns fremd. Erschreckt wohl auch, wenn man es gründlich bedenkt. Dabei müßten wir aus vollem Herzen zustimmen: Luther predigte damit gegen eine Frömmigkeit, die in Wallfahrten, endlosen Rosenkranzgebeten, im Wunderglauben ihre Gewißheit fand und den Gang in die Kirche schon für den Glauben selbst hielt. Seine «Modernität» geht noch sehr viel tiefer: Der Mensch ist ein Abgrund und brüchig und ungesichert alles, woran wir uns festhalten. Was uns wie eine Offenbarung das Grauens anmutet, die erst der moderne Mensch aufdeckte, hat der Mönch aus Wittenberg ohne Aufgeregtheit ausgesprochen. Allerdings endet seine Botschaft nicht mit dieser trostlosen Bestandsaufnahme. Er hat für den verzweifelten Menschen eine Medizin: «Was soll ich tun? Soll ich nach meinem Fühlen und meinen Fähigkeiten schließen, so müßte ich und alle Menschen verzweifeln und verderben. Will ich aber, daß mir geholfen werde, so muß ich wahrlich mich herumwenden und nach dem Wort sehen und dem nachsprechen: Ich fühle wohl Gottes Zorn, Teufel, Tod und Hölle. Aber das Wort sagt anders: Daß ich einen gnädigen Gott habe durch Christus, welcher ist mein Herr über Teufel und alle Kreaturen. Ich fühle und sehe wohl, daß ich und alle Menschen hinunter im Grab verfaulen müssen. Aber das Wort sagt anders: Daß ich mit großer Herrlichkeit auferstehen und ewig leben soll.» Der Christ steht wie alle anderen am Abgrund. Doch er hat etwas, woran er sich festhalten kann: Gottes Gnade, Gottes Sohn und Gottes Wort in der Bibel.

Martin Luther war nicht der einzige in seiner Generation, der Gott als eine befreiende Gewißheit im Angesicht von Tod und Teufel erlebte. Von Staupitz haben wir gehört und seine Ordensbrüdern, die von der Gnade predigten, die besser sei als alle kirchlichen Gesetze. Es war ein Glaubensgefühl, das an keine Grenzen gebunden war.

Der Italiener Gasparo Contarini wurde 1483, im gleichen Jahr wie Luther, geboren. 1535 zum Kardinal ernannt, mühte er sich voller Engagement um eine wirkliche Reform der Kirche und einen Ausgleich mit den Anhängern der lutherischen Lehre. Wir werden noch von ihm hören. Contarini hatte 1511 ein Erlebnis, das an den deutschen Mönch erinnert, der damals mit seinem väterlichen Freund Staupitz lange Gespräche im Klostergarten führte, ihm seinen trostlosen Glauben beichtete und seine Angst vor einem zornigen Gott. Der Italiener schreibt in seinen Erinnerungen: «Am Karsamstag ging ich in die Kirche San Sebastiano zur Beichte. Dort sprach ich eine Weile mit einem sehr frommen und heiligen Pater. So als hätte er meine innere Last erkannt, begann er mir in verschiedenen Erörterungen klarzumachen, daß der Weg zum Heil breiter sei, als viele denken.

Als ich von dort wegging, begann ich für mich selbst zu überlegen, was doch wohl Glückseligkeit und was unsere Lage auf Erden sei. Und ich begriff wahrhaftig, daß es, wenn ich auch alle Bußleistungen und noch viel mehr täte, doch kaum ausreichend wäre. Ich sage nicht, um die Glückseligkeit zu verdienen, sondern bloß um Genugtuung zu leisten für die bereits begangenen Sünden. Ich erkannte jene grenzenlose Güte, jene Liebe, die ohne Ende immer brennt und uns arme Würmer so sehr liebt, daß es unser Verstand nicht begreifen kann ... Was die Genugtuung für die begangenen Sünden und für diejenigen, in die der Mensch aus Schwachheit fällt, angeht, ist Christi Passion vollkommen ausreichend und mehr als genug. Dieser Gedanke verwandelte meine große Furcht und Traurigkeit in Fröhlichkeit ... Und so werde ich ohne jede Angst vor meinen Bosheiten sicher leben, denn seine Barmherzigkeit ist größer als alle seine anderen Werke.»

In den Niederlanden, die dem Hause Habsburg gehörten, in Löwen und Lüttich, wurden am 8. Oktober 1520 zum erstenmal Luthers Schriften öffentlich verbrannt. Das gleiche geschah am St. Pauls-Kreuz in London. In Köln, der «getreuen Tochter der römischen Kirche», versammelten sich am Morgen des 20. Novembers Professoren, hohe Geistliche und die Obersten des Stadtrates. Eine Menge Volk erschien zum Spektakel. Der Theologieprofessor Johannes Venrath verlas die päpstliche Verdammungsbulle und zündete den Holzstoß an. Niemand protestierte. In Mainz dagegen erlebte der päpstliche Nuntius aus gleichem Anlaß ein Schauspiel, das ihn wütend und erschrocken machte. Als am 28. November der Scheiterhaufen auf dem Marktplatz brannte, brach Unruhe aus. Bevor der Henker die Bücher ins Feuer warf, fragte er laut in Gegenwart des päpstlichen Gesandten, ob sie zu Recht verdammt seien. Nein, rief es aus der Menge. Der Henker weigerte sich weiterzumachen. Der Nuntius konnte sich nicht durchsetzen. Am nächsten Morgen verbrannte der Totengräber einige Schriften in aller Stille und ohne Aufsehen.

Im Dezember 1520 loderte wieder ein Feuer auf, diesmal in Wittenberg vor dem Elstertor. Es war der Ketzer, der eigenhändig einige Bücher des Kirchenrechts in die Flammen warf und zum Schluß die Bulle hinzutat, die ihn zum Widerruf aufforderte und den Bann androhte. Es war keine spontane Reaktion auf die gegnerischen Scheiterhaufen. Lange bevor sie brannten, hatte Luther im Juli an Spalatin geschrieben: «Ich werde das ganze päpstliche Recht, diesen Drachenpfuhl aller Ketzereien verdammen und öffentlich verbrennen.» Der Mönch verzichtete dabei nicht auf feierliche Worte. Im November 1520 ließ er alle Welt in seiner Schrift: «Wider die Bulle des Antichrist» wissen, daß er ebensolche Vollmachten habe wie der Papst – nur daß die Wahrheit auf seiner Seite stand: «Und so wie sie mich exkommunizieren wegen ihrer schändlichen Ketzerei, so exkommuniziere ich sie meinerseits um der heiligen Wahrheit Gottes willen. Christus ist Richter: Er wird zusehen, welche Exkommunikation bei ihm gilt. Amen.»

Im Januar 1521 war die Frist herum, die Rom für den Widerruf gesetzt hatte. Eine weitere Bulle richtete sich an jeden einzelnen Christen und forderte alle Geistlichen auf, Luthers Ausstoßung aus der Gemeinschaft der Gläubigen nach der Tradition sichtbar zu vollziehen: Unter dem Geläut der Glocken mußte die in der Kirche versammelte Gemeinde ihre brennenden Kerzen auf den Boden werfen und sie austreten. Erst diese Aktion machte den Bann kirchenrechtlich gültig. Jetzt konnte die weltliche Obrigkeit eingreifen und den Ketzer nach irdischem Recht strafen.

In Worms am Rhein versammelte sich im Januar 1521 der Deutsche Reichstag. Auch über den Mönch aus Wittenberg sollte verhandelt werden. Der Kaiser hatte sich schließlich einverstanden erklärt, Luther zu hören, und ihn formell nach Worms eingeladen. Als Vertreter des Papstes war der Nuntius Aleander über die Alpen geeilt. Im Februar 1521 kam endlich die Bannbulle aus Rom in seine Hände. Postwendend schrieb der Nuntius zurück, man solle eine neue Bulle aufsetzen, weil die alte «zu viele Irrtümer enthält, die unserer Sache schädlich sind». Nichts rührte sich. Dafür erhielt Luther Anfang März eine Vorladung des Kaisers zum Reichstag. Man wolle sich über seine Bücher informieren. Doch jeder wußte, was auf dem Spiel stand.

Alle konnten es hören, als am späten Nachmittag des 18. April 1521 Martin Luther vor Kaiser, Fürsten und Beratern im überfüllten Saal der Wormser Pfalz aufgefordert wurde: «Erwarte keine Disputation über Glaubensartikel, die du unbedingt zu glauben verpflichtet bist. Antworte aufrichtig und ehrlich, unzweideutig und ohne Hinterhalt, ob du deine Bücher und die darin enthaltenen Irrtümer widerrufen willst oder nicht.» Im Saal brannten Fackeln. Es war unerträglich heiß. Luther lief der Schweiß übers Gesicht, als er auf deutsch seine berühmte Antwort gab: «Da Eure Majestät und Eure Herrlichkeiten eine schlichte Antwort von mir heischen, so will ich eine solche ohne ‹Hörner und Zähne› geben: Wenn ich nicht durch Zeugnisse der Schrift und klare Vernunftgründe überzeugt werde – denn weder dem Papst noch den Konzilien allein glaube ich, da es am Tage ist, daß sie öfters geirrt und sich selbst widersprochen haben –, so bin ich durch die Stellen der Heiligen Schrift, die ich angeführt habe, überwunden in meinem Gewissen und gefangen in dem Wort Gottes. Daher kann und will ich nichts widerrufen, weil wider das Gewissen etwas zu tun weder sicher noch heilsam ist. Gott helfe mir, Amen.» So oft dieser Auftritt schon beschrieben wurde, so sehr man ihn zur Heldenpose verzerrte – es bleibt ein Augenblick von eindrucksvoller Größe. Ein einzelner wagte es, gegen eine Welt zu stehen. Kommentar Friedrichs des Weisen an diesem Abend über seinen berühmten Untertan: «Er ist mir viel zu kühn.»

Peinlich für den päpstlichen Nuntius war, daß er immer noch kein vorzeigbares Dokument besaß, das Luthers Bann bestätigte, um damit den Reichstag aufzufordern, den Gebannten nun auch zu ächten. «Ich bitte mir schnellstens die Bulle gegen Luther zu schikken, die ihn zu einem schmählichen Ketzer erklärt ...» schrieb er am 29. April flehentlich an die Kurie. Endlich kam die Bulle – und der zuständige deutsche Bischof weigerte sich, sie bekannt zu machen. Aleander mußte erfahren: «Albrecht von Mainz ist dagegen, daß die Bulle veröffentlicht wird, denn er ist als einer der beauftragten Vollstrecker darin genannt. Er käme aber, so sagt er, in eine wenig beneidenswerte Situation, wenn er allein aus dem deutschen Klerus für diese Rolle vorgesehen würde.»

Die Angst um sein bißchen Leben wog bei dem hohen Kirchenfürsten aus Mainz mehr als die Konsequenzen für die päpstliche Politik: Die Laien, die dem Stand der Priester angeblich nicht das Wasser reichen konnten und gegen deren Einmischung sich die Kirche seit Jahrzehnten mit allen Mitteln wehrte, wurden nun von dem Nuntius aus Rom gedrängt, als Ketzergericht zu fungieren. Nicht der Papst, sondern der Reichstag zu Worms hat im Mai 1521 zum erstenmal mit einem öffentlichen Dokument auf deutschem Boden Luther zum Ketzer und daraus folgend zum Aufrührer erklärt und alle Welt wissen lassen: «Weil ... Martin Luther als ganz verstockt und verkehrt auf seinen offenbaren Ketzereien beharrte, haben wir zu ewigem Gedächtnis dieses Handelns den gedachten Martin Luther für ein von Gottes Kirche abgetrenntes Glied, für einen verstockten Zerstörer und offenbaren Ketzer erkannt und erklärt.»

Den weltlichen Herrn bot sich in Worms die Chance zu einem unübersehbaren Präzedenzfall: Von allerhöchster Stelle bekamen sie Autorität, in schwerwiegender Sache ein theologisches Urteil zu fällen. Danach erst handelten sie kraft ihrer weltlichen Gesetze und taten Luther als Ketzer in die Reichsacht, wie es der mittelalterlichen Rechtsprechung entsprach. Damit war der Mönch aus der menschlichen Gemeinschaft ausgestoßen. Es wurde mit diesem Wormser Edikt verkündet, daß «niemand ihn hauset, höfet, ätzt, tränkt, noch ihm mit Worten oder Werken, offen oder heimlich, Hilfe oder Vorschub leistet. Und seine Mitverwandten, Anhänger, Gönner und Nachfolger soll jedermann in Kraft Unserer und des Reiches Acht und Aberacht niederwerfen, fangen und ihre Güter in Besitz nehmen. Ferner gebieten wir, daß niemand Martin Luthers Schriften kauft, verkauft, liest, behält, abschreibt, druckt oder drucken läßt, und daß hinfort kein Buchdrucker in dem Heiligen Römischen Reich eine Schrift druckt oder nachdruckt, die den Glauben angeht, ohne Wissen und Willen der Obrigkeit seines Ortes und ohne Zulassung der nächsten Universität.»

Nach dem Edikt waren Luther und alle, die für ihn Partei er griffen, verloren. Doch so einfach, wie es auf dem Papier stand, war die Sache nicht. Es sprach vieles gegen dieses rigorose Urteil und seine Ausführung: ein Erzbischof, der sich weigerte, die Ketzerbulle zu veröffentlichen; Geistliche und Bürger – gut römisch-katholisch –, die überzeugt waren, einen solchen Fall könne nicht der Papst, sondern nur ein Konzil beurteilen; ein Gremium – der Reichstag –, das für Ketzerurteile gar nicht kompetent war; ein Edikt, das nur eine Minderheit unterzeichnete; ein Kurfürst, der für den Ketzer, der in seinem Land lebte, ein faires Verfahren wünschte und der überzeugt war, daß in diesem Fall die Bibel die oberste Autorität war; der sich als Landesherr für den öffentlichen Frieden verantwortlich fühlte, aber auch für den Glauben seiner Landeskinder.

Karl V., so jung er war, spürte den Ernst der Stunde, die mehr war als ein theologisches oder juristisches Geplänkel. Am 19. April, einen Tag nach Luthers Auftritt vor dem Reichstag, rief er die Kurfürsten in sein Quartier und ließ ihnen ganz unerwartet ein sehr persönliches Bekenntnis zum Glauben seiner Vorfahren vorlesen, «die alle bis zum Tode getreue Söhne der römischen Kirche gewesen sind, Verteidiger des katholischen Glaubens, der geheiligten Bräuche, Dekrete und Gewohnheiten des Gottesdienstes, die das alles mir nach ihrem Tode als Vermächtnis hinterlassen haben und nach deren Beispiel ich bisher auch gelebt habe ... Denn es wäre eine Schande ... wenn in unserer Zeit durch unsere Nachlässigkeit auch nur ein Schein der Häresie und Beeinträchtigung der christlichen Religion in die Herzen der Menschen einzöge. Nachdem wir gestern die Rede Luthers hier gehört haben, sage ich Euch, daß ich bedaure, so lange gezögert zu haben, gegen ihn vorzugehen. Ich werde ihn nie wieder hören. Er habe sein Geleit. Aber ich werde ihn fortan als notorischen Ketzer betrachten und hoffe, daß ihr als gute Christen gleichfalls das Eure tut.» Der Kaiser schwor, «alles in dieser Sache daranzusetzen, meine Königreiche und Herrschaften, meine Freunde, mein Leib, mein Blut, mein Leben und meine Seele».

Auch Kurfürst Friedrich von Sachsen war in dieser Stunde von seinem Kaiser beeindruckt. Aber seine bedächtige Art, Politik zu machen, und seine Abneigung gegen spontane, voreilige Entscheidungen änderten sich deshalb nicht. Er wollte Zeit gewinnen und war bereit, sich nicht an das Edikt zu halten. Trotz Luthers eindeutiger Aussage setzte sich am 24. April um sechs Uhr morgens in Worms eine Kommission der Reichsversammlung mit ihm an einen Tisch, darunter der Erzbischof von Trier und der Kurfürst von Brandenburg. Ehrliches Bemühen ist diesen Männern nicht abzusprechen. Am nächsten Abend war dieser Versuch gescheitert. Offiziell wurde dem hartnäckigen Mönch mitgeteilt, daß er noch 21 Tage freies Geleit habe. Luther antwortete: «Wie es dem Herrn gefälllt, der Name des Herrn sei gelobt!»

Als Martin Luther auf dem Rückweg von Worms bei Eisenach in einem Hohlweg überfallen und nach langen Umwegen abends um elf in die Wartburg gebracht wurde, war der Kurfürst über Einzelheiten nicht unterrichtet. Doch die Hofbeamten, die diesen Plan zu

Luthers Sicherheit ausführten, handelten im Sinne ihres Herrn. Albrecht Dürer, der um diese Zeit durch die Niederlande reiste, glaubte, der Mönch aus Wittenberg sei bei einem Überfall ums Leben gekommen. In sein Tagebuch schrieb er: «O Gott, ist der Luther tot, wer wird uns hinfort das heilige Evangelium so klar vortragen!»

# Die Schwächsten bestimmen
# das Tempo

Zehn Monate, vom Mai 1521 bis März 1522, gehörte Martin Luther zum «Reich der Vögel», wie er seine ersten Briefe aus dem noblen Burggefängnis datierte. Aus seinen zwei Burgkammern sah er weit hinaus in das thüringische Land, über die grün bewachsenen Berge und Täler nach Westen bis in die Rhön hinein. Zehn Monate lebte der Mönch in einer Einsamkeit, die er im geschäftigen Wittenberg und im Trubel der letzten Jahre auch als Mönch so intensiv nie gekannt hatte. Sein Arbeitseifer wurde dadurch eher noch gesteigert. Am 10. Juni meldete er Spalatin: «Ich habe viel und gar keine Muße, lerne Griechisch und Hebräisch und schreibe ohne Unterlaß.» Die Ereignisse in Worms haben ihn nicht wankend gemacht in seiner Überzeugung. Doch nun, wo seine Sache unwiderruflich in der Welt war, trug er zunehmend Verantwortung für andere. Das Gewissen – schwankend, wie er es beschrieben hatte – ließ sich durch dicke Mauern und Distanz zu den Menschen nicht unterdrücken: «Wie oft hat mein Herz gezappelt, mich gestraft und mir vorgeworfen ...: Bist du allein klug? Sollten die andern alle irren und so eine lange Zeit geirrt haben? Wie, wenn du irrest und so viel Menschen in Irrtum verführest, welche alle ewiglich verdammt werden?»

Isolation und Zweifel stimmten sein Temperament keineswegs milde. Gegen Ende des Jahres, im November 1521, traf sein Zorn Spalatin, den Freund, und Friedrich von Sachsen, den Beschützer. Anlaß war eine Reliquienausstellung in Halle an der Saale, die Kardinal Albrecht von Mainz hatte organisieren lassen, um seine stets leeren Kassen wieder einmal durch Ablaßgelder zu füllen. Immerhin listete das offizielle Register seiner Reliquiensammlung inzwischen 8933 Einzelreliquien und 42 vollständige Körper von Heiligen auf, die es insgesamt auf 39 245 120 Jahre Ablaß brachten. Luther hatte im September eine anonyme Streitschrift zum Drucker geschickt, in der er eine noch schärfere Reaktion androhte, wenn die Reliquienausstellung nicht sofort geschlossen würde.

Albrecht, der in Worms aus Angst um sein Leben die päpstliche Bulle nicht veröffentlicht hatte, bekam wieder das Zittern. Zwei hohe mainzische Emissäre reisten an den kurfürstlichen Hof nach Wittenberg, um Schlimmeres zu verhindern. Spalatin bat Luther um Zurückhaltung. Postwendend erhielt er von der Wartburg diese Antwort: «Einen unerfreulicheren Brief habe ich kaum gelesen als deinen letzten. Darauf zu antworten hatte ich nicht bloß aufgeschoben, sondern eigentlich wollte ich ganz davon Abstand nehmen. Erstens werde ich mich nicht fügen, wenn du auch sagst, der Fürst werde es nicht dulden, daß ich gegen den Mainzer schreibe oder sonst etwas unternehme, was den öffentlichen Frieden stören könnte. Lieber will ich dich und sogar den Fürsten und alle Kreatur zu Grunde richten. Denn wenn ich dem Schöpfer jenes Mannes [Albrecht], dem Papst, Widerstand geleistet habe, warum sollte ich dann vor seiner Kreatur zurückweichen? Ihr haltet es nicht für ruhmvoll, den öffentlichen Frieden zu stören. Aber wenn der ewige Friede Gottes durch die gottlosen und tempelschänderischen Machenschaften jenes Mannes gestört wird, das wollt ihr dulden? So nicht, Spalatin! So nicht, mein Fürst!» Der Vorwurf, ein Fürstenknecht gewesen zu sein; einer, der stets seinen Nacken vor der Obrigkeit beugte, ist Luther immer wieder gemacht worden, besonders von den Historikern in der DDR. (Die allerdings rechtzeitig zum Lutherjubiläum von diesem Vorwurf abgerückt sind.) Im November 1521 beantwortet sich die Frage, ob ein Schmeichler so redet, einer, der Angst vor seinem Herrn hat und es mit ihm nicht verderben möchte, von selbst.

In diesem Winter war es vier Jahre her, daß der Mönch aus Wittenberg gegen den Mißbrauch des Ablasses geschrieben hatte. Inzwischen besaß er Anhänger im ganzen Reich, Geistliche, Mönche und gebildete Bürger. Was er schrieb, fand eine Verbreitung, wie kein Autor sie vor ihm genossen hatte. Öffentlich war der Stellvertreter Christi von ihm als Antichrist gebrandmarkt worden, ihn selbst hatte der Bannstrahl getroffen. Eine Hoffnung war angefacht, daß endlich einer konsequenter kämpfte als alle Kritiker, die vor ihm in der Kirche aufgestanden waren. Aber was hatte sich konkret seit 1517 geändert? Nichts. Luther wetterte zwar gegen den Mainzer Kardinal, in Wittenberg jedoch wurden weiterhin an Allerheiligen die Reliquien gezeigt und Ablässe erteilt. Luther hatte seine Tätigkeit als Pfarrer an der Stadtkirche fortgeführt, ohne seine Theologie durch neue Formen der Gemeinde sichtbar zu machen. Das taten nun in seiner Abwesenheit andere, und sie gingen radikal ans Werk.

Führender Kopf der Neuerer, die in Wittenberg das religiöse Leben umkrempelten, war Andreas Bodenstein, genannt Karlstadt, ein älterer Kollege Luthers an der Universität, der ihn 1512 zum Doktor promoviert hatte. Karlstadt zielte auf den Mittelpunkt des traditionellen Glaubens, die Messe, deren äußerlichen Pomp und vor allem deren Interpretation als ständig wiederholter Kreuzestod Christi ja auch Luther in seinen bisherigen Schriften entschieden abgelehnt hatte. Zuerst sollten die Äußerlichkeiten abgeschafft werden. Karlstadt: «Besser ein herzliches Gebet als tausend Psalm-Kantaten ... Verweist Orgeln, Trompeten und Flöten aufs Theater.» Dann wurden jene Gebete gestrichen, die von der Messe als einem Opfer sprachen. Angespornt durch ihre Theologen griffen etliche Gläubige – vor allem Studenten – zur Selbsthilfe. Der Wittenberger Rat meldete dem Kurfürsten: «Besonders die Universitätsverwandten haben, wie wir glaubwürdig berichtet sind, bloße Messer unter ihren Röcken gehabt, und als die Priester vor den Altar getreten sind, haben sie die Meßbücher hinweggetragen und die Priester von den Altären vertrieben.»

Die Meinung unter Karlstadts Kollegen war geteilt. Der Prior des Augustinerklosters zweifelte, ob man so uralte Traditionen einfach über Bord werfen könne. Im Oktober 1521 kam von der Wartburg ein Zeichen. Luther bekannte sich in seiner Schrift «Über die Abschaffung der Privatmessen» eindeutig zu Karlstadts Reformen. Messen, die man bisher gegen Geld für sein eigenes Seelenheil oder das anderer bestellen konnte, sollten abgeschafft werden. Gewidmet hatte der Vorzugsgefangene auf der Wartburg seine Gedanken

den Mitbrüdern im Augustinerkloster. Gegnern und Anhängern schärfte er ein, was immer schon seine Überzeugung gewesen war: «Ich protestiere am Anfang dieses Buches gegen alle jene Narren, die gegen mich einwenden werden, daß ich gegen die kirchlichen Gebräuche spreche, gegen die Entscheidungen der Kirchenväter, die überprüften Geschichten und ihren allgemeinen Gebrauch ...» Er wollte nur zurück zu den guten Anfängen.

In Wittenberg wuchs unterdessen der Eindruck, jeder sei in religiösen Dingen sein eigener Reformer. Immer mehr Mönche weigerten sich, die Messe zu lesen. Kurfürst Friedrich sah dem Treiben bis in den Dezember hinein unentschlossen zu. Dann ordnete er an, daß weiterhin diskutiert werden dürfe, in der Praxis aber die Messe nach altem Brauch zu feiern sei, bis man die Verwirrung gelöst und eine einheitliche neue Form gefunden habe.

Am Heiligabend 1521 drangen Menschen mit wenig frommen Absichten in die Stadtkirche, drohten den anwesenden Priestern und sangen lauthals: «Es hat ein Maid ein Schuh verloren». Einen Tag später feierte Karlstadt vor fast zweitausend Menschen die Messe auf radikal neue Weise ohne Talar im einfachen schwarzen Rock. Und als die Wandlungsworte für Brot und Wein an der Reihe waren, da wurden sie nicht – wie ein Jahrtausend lang – auf latein gemurmelt, sondern zum erstenmal laut und deutlich in deutscher Sprache vorgetragen: «Das ist mein Leib ... Das ist mein Blut ...» Dann reichte Karlstadt denen, die kommunizieren wollten, den Kelch und einen Teller mit Brotstücken, von dem sie sich selbst bedienen sollten. Die meisten taten es, aber mit zitternder Hand. Denn sie berührten ja, davon waren alle überzeugt, den Leib Christi. Ein Privileg, das nach der mittelalterlichen Tradition der römischen Kirche den Priestern vorbehalten war.

Es hatte andere Zeiten gegeben: In den ersten christlichen Jahrhunderten war es selbstverständlich, für alle Christen, beim Abendmahl beides – Brot *und* Wein – zu empfangen. Im 5. Jahrhundert hatte Papst Leo der Große dies sogar ausdrücklich vorgeschrieben, um sich von bestimmten Sekten zu unterscheiden. Dann schlug die Entwicklung in ihr Gegenteil um. Rom ordnete an, daß die Gläubigen bei der Kommunion nur die Hostie aus den Händen des Priesters erhielten. Wer für das Volk auch den Kelch – aus dem selbstverständlich der Priester trank – forderte, war automatisch in die Ketzerecke gedrängt.

Als Karlstadt seinen aufsehenerregenden Gottesdienst hielt, hatte Luther schon zu Papier gebracht, was er von den Reformen in Wittenberg hielt und was von Tumulten, die diese Veränderungen vorantreiben sollten. An Spalatin schrieb er: «Von uns allein wird gefordert, daß sich der Hund nicht muckse ... Das Evangelium wird nicht daran zugrunde gehen, wenn einige der Unsrigen sich gegen die Bescheidenheit versündigen.» Anfang Dezember 1521 war er dann für eine Woche inkognito in seine Stadt gereist, um sich aus erster Hand von den Freunden unterrichten zu lassen. Noch bevor er wieder zurück auf die Burg ging, bekam Spalatin eine Beurteilung: «Was ich sehe und höre, gefällt mir alles außerordentlich. Der Herr stärke den Geist derer, die es wohl meinen. Doch da mich auf dem Wege verschiedene Gerüchte über das Drängen einiger von uns beunruhigten, habe ich mir vorgenommen, eine öffentliche Vermahnung herauszugeben, sobald ich in meine Einsamkeit zurückgekommen bin.» Nur zwei Tage brauchte er dann für die erste – lateinische – Fassung seiner «Treuen Vermahnung an alle Christen, sich zu hüten vor Aufruhr und Empörung».

Martin Luther war keiner, der die Augen zumachte oder seinen Kopf abstellte, wenn es brenzlig wurde. Blanke Messer und Steinwürfe in Wittenberg und was er unterwegs an den Wirtshaustischen hörte, ließen keinen Zweifel: Es gab einen Zusammenhang zwischen dem, was er predigte, und der Unruhe im Land, die auf gewaltsame Entladung zusteuerte. Aber war das, was er gepredigt und geschrieben hatte, die Ursache dafür? An den Anfang der Schrift stellte er seine Analyse: «Allen Christen, die diesen Brief lesen oder hören, gebe Gott Gnade und Frieden. Amen. Es ist durch Gottes Gnade in diesen Jahren das selige Licht der christlichen Wahrheit, durch den Papst und die Seinen zuvor unterdrückt, wieder aufgegangen. Dadurch ist ihre mannigfaltige, schädliche und schändliche Verführung, allerlei Missetat und Tyrannei öffentlich an den Tag gebracht und zuschanden geworden. So daß es sich ansehen läßt, es werde zu Aufruhr führen, und Pfaffen, Mönche, Bischöfe mit dem ganzen geistlichen Stand möchten erschlagen und verjagt werden, wo sie nicht eine ernstliche, merkliche Besserung selbst vornehmen. Denn der einfache Mann, in Erwägung und Verdruß seiner Beschädigung an Gut, Leib und Seele erlitten ... möge noch wolle solches hinfort nimmer leiden und habe redliche Ursache dazu, mit Flegeln und Kolben dreinzuschlagen ...»

Da also liegt die Ursache: nicht bei dem, der das Übel aufdeckt, sondern bei der römischen Kirche und ihren unwürdigen Vertretern. Luther kann die Wut der Gläubigen verstehen. Doch wer glaubt, damit einen Freibrief zu erhalten, um die neue Theologie mit Gewalt durchsetzen und die politischen Zustände gleich mit zu reformieren, wird hart und konsequent enttäuscht. Luthers Segen haben solche Veränderer nicht, und er läßt darüber keine Zweifel aufkommen: «Welche meine Lehre recht lesen und verstehen, die machen nicht Aufruhr.» Verständnis bedeutet für ihn nicht, die Gewalt gutzuheißen oder auch nur zu entschuldigen. Der richtige Zweck heiligt für ihn nicht die Mittel. Das ist für Luther erst einmal eine allgemeine Maxime: «Denn Aufruhr hat keine Vernunft und geht gemeiniglich mehr über die Unschuldigen als über die Schuldigen. Darum ist auch kein Aufruhr recht, wie rechte Sache er immer haben mag, und folgt allezeit mehr Schaden als Besserung daraus ... und es kann nicht ohne großes greuliches Unrecht zugehen. Darum habe acht auf die Obrigkeit. Solange die nicht zugreift und befiehlt, so halte du stille mit Hand, Mund und Herz, und kümmere dich um nichts ... Ich halte und wills allezeit halten mit dem Teil, der Aufruhr leidet, wie ungerechte Sache er immer habe, und entgegen sein dem Teil, der Aufruhr macht, wie rechte Sache er habe: deshalb, weil Aufruhr nicht ohne unschuldiges Blut oder Schaden vor sich gehen kann.»

Soweit der politische Aspekt, die Mahnung an den Bürger. Dann folgt der andere, entscheidende Teil, die Warnung an den Christen: Im Aufruhr steckt der Teufel, um die Wahrheit – und es gibt nur die, die Luther predigt – in Mißkredit zu bringen. Der Teufel «will Aufruhr anrichten durch die, welche sich des Evangeliums rühmen, womit er hofft, unsere Lehre zu verschimpfieren, als sei sie vom Teufel und nicht aus Gott». Luther hat noch ein wichtiges Argument. Er will nicht aktiv werden, wenn es um die Sache Gottes geht, weil das seiner Theologie widerspricht: Er vertraut ausschließlich auf das Wort; das Wort Gottes, aber auch auf die Kraft menschlicher Worte. Darum fordert er seine Anhänger auf, weiterhin «des Papsts und der Papisten Büberei und Trügereien unter die Leute zu bringen, mit Reden, und mit Schreiben, bis er, vor aller Welt bloß aufgedeckt, erkannt und zuschanden werde. Denn mit Worten muß man ihn vorher töten ... Hiermit kann man ihm besser begegnen, als mit hundert Aufruhren ...» Sich selbst sieht er als den besten Beweis: «Siehe mein Tun an: habe ich nicht dem Papst, Bischöfen, Pfaffen und Mönchen allein mit dem Mund, ohne allen Schwertschlag, mehr Abbruch getan, als ihm bisher alle Kaiser und Könige und Fürsten mit aller ihrer Gewalt Abbruch getan haben?» Für alle – ob Priester oder Laie – gibt es nur eins: «Lehre, rede, schreibe und predige ...»

Ein Jahr nachdem er das Fanal von der «Freiheit eines Christenmenschen» ins Land geschickt hatte, versuchte Luther bei seinen Wittenbergern ein Mißverständnis zu korrigieren: Als ob der Mönch aus Wittenberg die Christen zu Neuerungen und Abspaltungen hätte verleiten wollen. Das war nicht die christliche Freiheit, wie Luther sie verstand: «Es sind etliche, wenn sie ein Blatt oder zwei gelesen oder eine Predigt gehört haben, fahren sie rips, raps heraus und tun nichts mehr als dreinfahren ... Sie tuns nur deshalb, weil sie etwas Neues wissen und als gut lutherisch angesehen sein wollen. Aber sie mißbrauchen das heilige Evangelium zu ihrem Mutwillen ... Nicht so, du Narr! Höre und laß dir sagen: Zum ersten bitte ich, man wolle meines Namens schweigen und sich nicht ‹lutherisch› nennen. Was ist Luther? Ist es doch nicht meine Lehre, ebenso bin ich auch für niemand gekreuzigt ... Wie käme denn ich armer, stinkender Madensack dazu, daß man die Kinder Christi mit meinem heillosen Namen benennen sollte. Nicht so, liebe Freunde, laßt uns die Parteinamen tilgen und uns Christen nennen ...»

Damit sind Luther die Argumente gegen eilfertige Veränderungen in Glaubensdingen noch nicht ausgegangen. Am Schluß der Schrift beschwört Luther seine Anhänger: «Wenn du mit dem Evangelium christlich verfahren willst, so mußt du auf die Personen acht haben, mit denen du redest. Die sind zweierlei: Zum ersten sind etliche verstockt, die nicht hören wollen, dazu andere mit ihrem Lügenmaul verführen und vergiften ... Mit denen sollst du nichts zu schaffen haben ... Zum zweiten sind etliche, die so schwach sind, daß sie es nicht leicht zu erfassen vermögen. Über diese soll man nicht mit Poltern herfallen, noch sie überrumpeln, sondern sie freundlich und sanft unterweisen, ihnen Begründungen und Ursachen anzeigen, wo sie es aber nicht gleich erfassen können, eine Zeitlang Geduld haben mit ihnen.»

Luther war kein Fanatiker, so radikale Anforderungen er an den Glauben stellte; so unbeugsam er vor Kardinal und Kaiser auf seiner Überzeugung bestand. Der Mönch vergaß nicht, daß seine Erfahrungen mit Gott nicht zum christlichen Alltag gehörten. Äußerliche Gewalt und radikale Änderungen im Gottesdienst überzeugten die Zögernden und Mißtrauischen nicht. Sie schüchterten vielmehr ein und führten zu Trotzreaktionen. Und was mindestens so wichtig war: der römische Zwang wurde nur gegen einen anderen eingetauscht. Immer wieder kommen jene zwei Grundüberzeugungen ans Licht, aus denen sich Luthers Theologie entwickelt hatte. Erstens: Der Mensch ist von Grund auf schwach, ein Sünder. Zweitens: Der Glaube hängt nicht an Äußerlichkeiten, nicht an Gesetzen und Kleidern, Kerzen und Bildern. Er kann von keinem Priester, keinem Papst und keinem Sakrament eingeimpft werden. Er muß im Herzen jedes einzelnen durch das Wort Gottes ausgelöst werden. Für den Glauben gibt es keinen Stellvertreter.

Die «Treue Vermahnung» verpuffte wirkungslos. In Wittenberg kam es noch toller. In den letzten Tagen des Jahres 1521 tauchten in der Stadt drei Männer auf, die behaupteten, in Träumen und dunklen Geschichten direkte Anweisungen von Gott erhalten zu haben. Die Zwickauer Propheten nannte man sie, denn sie kamen aus der reichen Tuchmacherstadt. Und einer, auf den Luther seine ganze Hoffnung setzte, der sein Werk fortsetzen sollte, erlag völlig der Faszination dieser Propheten und schrieb nach der Wartburg: «Ich habe sie angehört. Was sie von sich sagen, klingt recht wunderlich ... sie könnten die Zukunft vorhersehen; kurz: sie seien Propheten und Apostel. Ich kann kaum sagen, wie stark mich das beeindruckt.» Es ist an der Zeit, von Philipp Melanchthon zu reden.

Als der gebürtige Pfälzer im August 1518 an der Wittenberger Universität seine Antrittsvorlesung hielt, saß auch Martin Luther unter den Zuhörern. Er schrieb am 2. September begeistert an Spalatin: «Laß dir den Philippus, den besten Griechen, den gelehrtesten und gebildetsten Mann, dringend empfohlen sein. Er hat den Hörsaal voller Hörer.» So ist es geblieben: Melanchthon, 1518 mit 21 Jahren zum Professor für Griechisch ernannt und schon damals eine Kapazität unter seinen Kollegen, hatte stets einen dichtgefüllten Hörsaal, manchmal bis zu 600 Studenten. Bei Luther waren es «nur» 400. Und auch daran änderte sich nichts: Der Mönch, fünfzehn Jahre älter, faßte ein spontanes Vertrauen in die intellektuellen Fähigkeiten dieses Professors und sah in Melanchthon eine gottgesandte Ergänzung zu seinem eigenen Temperament, um die neue Theologie zu festigen und zu verbreiten: «Ich bin dazu geboren, daß ich mit den Rotten und Teufeln muß kriegen und zu Felde liegen ... ich muß die Klötze und Stämme ausrotten, Dornen und Hecken weghauen, die Pfützen ausfüllen und bin der grobe Waldknecht, der die Bahn brechen und zurichten muß. Aber Magister Philippus fährt säuberlich und still daher, bauet und pflanzet, säet und begießt mit Lust, nachdem Gott ihm hat gegeben seine Gaben reichlich.»

Mehr noch: Luther, entschieden zupackend und nicht zimperlich, wenn er es für nötig hielt, hat dieses kleine zarte Männlein mit den schiefgezogenen Schultern in sein Herz geschlossen. Sehr bald erhoben sich Stimmen, die das ungleiche Paar auseinanderbringen wollten; die Melanchthon vorwarfen, er verwässere die Lehre seines Meisters und sei nicht radikal genug. Luther hat solchen Vorwürfen nie Gehör geschenkt und war stets väterlich um die kränkelnde Gesundheit des Freundes besorgt. Immer wieder forderte er ihn auf, mehr zu essen und weniger zu arbeiten. Er hielt ihm zeitlebens die Treue, ohne die Schwächen des Jüngeren zu übersehen, der bei aller Zögerlichkeit auch eine Härte, eine rationale Unbeugsamkeit zeigen konnte, die Luther schwerfiel: «Philippus sticht auch, aber nur mit Pfriemen und Nadeln. Diese Stiche sind übel zu heilen und tun weh. Ich aber steche mit Schweinsspießen.» Luthers Grobheiten ließen sein weiches Herz fast nie versteinern. Die Wunden seiner «Schweinsspieße» sahen breit aus, aber sie heilten schneller.

Kaum war Luther auf der Wartburg eingetroffen, hatte er seinem Philippus nach Wittenberg geschrieben: «Ich will einfach nicht, daß ihr euch meinetwegen im geringsten beunruhigt ... Wenn ich auch untergehe, so wird dem Evangelium nichts verloren gehen, in welchem du mich jetzt übertriffst, du folgst als ein Elisa dem Elia mit zwiefachem Geist, den dir der Herr Jesus gnädig verleihe, Amen.» Ein Brief, der Mut machen sollte.

Noch ehe das Jahr um war, mußte Luther erleben, daß er den dreiundzwanzigjährigen überfordert hatte. Melanchthon, der sich völlig mit der neuen Theologie identifizierte, fehlten Erfahrung und Standfestigkeit. Er hatte nicht – wie der Mönch – in Kämpfen und Krisen seinen Glauben gewonnen. Als die Zwickauer Propheten ihn herausforderten, kam er in Bedrängnis: Waren es nun echte oder falsche? Mit offenem Mund hörte der Professor ihren leidenschaftlichen Predigten zu. Und Melanchthon war es, der Ende Dezember 1521 hilfesuchend an den Kurfürsten schrieb: «Ich kann kaum sagen, wie stark mich das beeindruckt. Es gibt zahlreiche Hinweise dafür, daß sie von irgendwelchen Geistern angegriffen sind; aber dies kann nur Martinus sicher beurteilen. Da jetzt das Evangelium und zugleich Ehre und Friede der Kirche auf dem Spiel stehen, muß man sich mit allen Mitteln bemühen, daß die Leute mit Martinus zusammenkommen, denn auf ihn berufen sie sich.»

Melanchthons Aufgeregtheit erhielt im Januar 1522 von der Wartburg einen kräftigen und entschiedenen Dämpfer: «Ich komme auf die Propheten. Erstens billige ich deine Furchtsamkeit nicht, da du sowohl einen größeren Geist als auch größere Gelehrsamkeit hast als ich ... Denn ich höre noch nicht, daß von ihnen irgend etwas gesagt oder getan wird, was der Satan nicht auch tun oder nachahmen könnte.» Dann nannte Luther ein Mittel, um die Spreu vom Weizen zu trennen: «Um nun auch ihren eigenmächtigen Geist zu prüfen, frage, ob sie jene geistlichen Wehen und die göttliche Geburt, Tod und Hölle erfahren haben. Wenn du hören solltest, daß alles lieblich ruhig, andächtig und geistlich sei, so sollst du sie nicht gut heißen, wenn sie auch sagen sollten, daß sie in den dritten Himmel entrückt worden sind.»

Schon 1516 hatte Luther einem Mönchsbruder geschrieben: Gott ist Gott. Er blieb für ihn immer der unnahbare Fremde und nicht etwa der liebe Nachbar hinter den Wolken, mit dem sich gut plaudern läßt. Wer – wie die Zwickauer Propheten – behauptete, einen direkten Draht zu Gott zu haben, war in Luthers Augen nicht glaubwürdig. Sie hätten mit Gott gesprochen? Dem Philippus schärfte er dazu ein: «Auch einen kleinen Schimmer seiner [Gottes] Rede kann die Natur nicht ertragen.» Eindeutig war Luthers theologische Abgrenzung. Unmißverständlich auch seine politische Forderung an Spalatin: «Du sorge auch dafür, daß unser Fürst nicht seine Hände beflecke mit dem Blute jener Zwickauer Propheten.» Sein letztes Wort: «Ihretwegen aber komme ich nicht – sie bewegen mich nicht.»

Was ihn bewegte, war seine eigene Sache, und die verselbständigte sich immer mehr. Am 24. Januar 1522 wurde den Bürgern der Stadt Wittenberg eine neue Ordnung bekanntgegeben. Ausgearbeitet hatten sie Mitglieder des Rates und Vertreter der Universität, darunter Melanchthon und Karlstadt. Was die städtischen Obrigkeiten seit mehr als einem Jahrhundert im Kampf gegen die römische Kirche zu erstreiten suchten, wurde hier radikal festgeschrieben: Die Magistrate sollten selbst bestimmen, was für das Heil der Seelen gut war. Punkt 13 der Ordnung entschied: «Ebenso sollen auch die Bilder und Altäre in der Kirche entfernt werden, um Abgötterei zu vermeiden, drei Altäre ohne Bilder sollen vollauf genügen.» Punkt 14: «Die Messe soll nicht anders gehalten werden, als sie Christus beim Abendmahl eingesetzt hat ... Es mag auch der Kommunikant die konsekrierte Hostie in die Hand nehmen und selbst in den Mund schieben, ebenso auch den Kelch und daraus trinken.» Damit hatte sich Karlstadt durchgesetzt.

Das Vorgehen der Wittenberger bedeutete offenen Ungehorsam gegenüber dem Kurfürsten, der Diskussionen über neue Gottesdienstformen erlaubt, Änderungen aber verboten hatte. Friedrich war höchst beunruhigt. An die Universität schrieb er: «Wir haben zu sehr geeilt. Der gemeine Mann ist zum Aufruhr aufgereizt. Davon wird niemand gebessert. Um der Schwachen willen muß man Geduld haben.» Die «löbliche Ordnung» wurde unter dem Druck von oben aufgehoben. Wie es weitergehen sollte, wußte keiner.

An dieser Stelle muß ein kurzer Einschub gemacht werden, weil nicht unterschlagen werden soll, was Luthers Aufenthalt in der Wartburg vor allem berühmt gemacht hat: In elf Wochen übersetzte hier der Mönch zu Anfang des Jahres 1522 das Neue Testament aus dem hebräischen Urtext ins Deutsche. Die Drucker brauchten anschließend fünfeinhalb Monate für ihre Arbeit. 1534 war – unter der Mithilfe von Melanchthon vor allem – die gesamte Bibel übersetzt. Luthers ungeheure Leistung, seine sprachliche Kreativität, sein Hineinhorchen in den Sinn der Worte, sein Mut zur Einseitigkeit beim Übersetzen – alles das ist unübertroffen. Jeder hat seine Lieblingsstellen. Als Kostprobe vom Hohenlied Salomos den Beginn des 2. Kapitels:

> Ich bin eine Blume zu Saron
> und eine Rose im Tal.
> Wie eine Rose unter den Dornen,
> so ist meine Freundin unter den Töchtern.
> Wie ein Apfelbaum unter den wilden Bäumen,
> so ist mein Freund unter den Söhnen.
> Ich sitze unter dem Schatten, des ich begehre,
> und seine Frucht ist meiner Kehle süß.
> Er führet mich in den Weinkeller,
> und die Liebe ist sein Panier über mir.
> Erquicket mich mit Blumen!
> Und labet mich mit Äpfeln!
> Denn ich bin krank vor Liebe.
> Seine Linke lieget unter meinem Haupte,
> und seine Rechte herzet mich.
> Ich beschwöre euch, ihr Töchter Jerusalems,
> bei den Rehen oder bei den Hinden auf dem Felde,
> daß ihr meine Freundin nicht aufweckt, noch reget,
> bis es ihr selbst gefällt.

Am 5. März 1522 saß in der Gastwirtschaft des kleinen Örtchens Borna bei Leipzig ein kräftiger Mann mit langem Bart und schrieb einen Brief an den Kurfürsten von Sachsen: «In bezug auf meine Sache, aber, gnädigster Herr, antworte ich so: E. K. F. G. [Euer kurfürstliche Gnaden] weiß oder weiß sie nicht, so laß ich sie es hiermit kund sein: daß ich das Evangelium nicht von den Menschen, sondern allein vom Himmel, durch unseren Herrn Jesus Christus habe ... Nun ich aber sehe, daß meine zu große Demut zur Erniedrigung des Evangeliums gereichen und der Teufel den Platz ganz einnehmen will, wo ich ihm nur eine Handbreit einräume, muß ich, von meinem Gewissen gezwungen, anders handeln ...E. K. F. G. wisse, ich komme gen Wittenberg in einem gar viel höheren Schutz als dem des Kurfürsten. Ich hab's auch nicht im Sinn, von E. K. F. G. Schutz zu begehren. Ja, ich meine, ich wolle E. K. F. G. mehr schützen als sie mich beschützen könnte ... Dieser Sache soll noch kann kein Schwert raten oder helfen; Gott muß hier allein schaffen, ohne alles menschliche Sorgen und Zutun. Darum: wer am meisten glaubt, der wird hier am meisten schützen. Dieweil ich denn nun spüre, daß E. K. F. G. noch gar schwach ist im Glauben, kann ich E. K. F. G. auf keine Weise für den Mann ansehen, der mich schützen oder retten könnte ..., so ist E. K. F. G. vor Gott entschuldigt, so ich gefangen oder getötet würde ...» Martin Luther, von der Kirche gebannt, vom Kaiser geächtet, war auf dem Weg zurück in die Welt und wollte sich selbst von seinem Kurfürsten daran nicht hindern lassen.

Der Mönch hatte allen Grund, seinem Herrn Gottvertrauen einzuimpfen. Denn nach weltlichen und kirchlichen Gesetzen war jeder, in dessen Machtbereich sich der Ketzer aufhielt, verpflichtet, ihn gefangenzunehmen und die Verbreitung seiner Lehren zu verhindern. Mancher hohe Herr hätte sich für einen solchen Brief sehr ungnädig bedankt. Friedrich der Weise jedoch verstand, was der Mönch ihm hatte sagen wollen. Am 6. März ritt Luther wieder in Wittenberg ein. Kurz darauf wurde ihm von seinem Kurfürsten ein gnädiger Gruß übermittelt.

Drei Tage später, an einem Sonntag der Fastenzeit 1522, stand Luther auf der Kanzel der Stadtkirche und predigte seiner Gemeinde, die in den vergangenen Monaten zu radikalen Änderungen im kirchlichen Leben geschritten war. Mit schriftlichen Notizen – das tat er sonst nie – hatte er sich auf dieses Wiedersehen vorbereitet. Ganz still war es in der Kirche, als der Rückkehrer eine Nachhilfestunde im Glauben gab, so wie er ihn verstand: «Wir sind allesamt zu dem Tod gefordert und wird keiner für den andern sterben. Sondern ein jeglicher wird in eigener Person für sich mit dem Tode kämpfen. In die Ohren können wirs wohl schreien, aber ein jeglicher muß für sich selber bereit sein in der Zeit des Todes. Ich werde dann nicht bei dir sein noch du bei mir.» Eine Woche lang predigte Luther, um zurechtzurücken und teilweise zurückzunehmen, was die Neuerer in seiner Abwesenheit eingeführt und durchgesetzt hatten. Sein Hauptvorwurf: Man habe den römischen Zwang nicht abgelöst durch die Freiheit eines Christenmenschen, sondern durch neue Zwänge und damit seine Theologie in ihr Gegenteil verkehrt: «Ich kann nicht weiter kommen als bis zu den Ohren, ins Herz kann ich nicht kommen. Dieweil ich also den Glauben nicht ins Herz gießen kann, so kann noch soll ich niemand dazu zwingen, noch dringen, denn Gott tut das alleine und macht, daß es im Herzen lebt. Darum soll man das Wort frei lassen und nicht unser Werk dazu tun.»

Am Montag hörte die Gemeinde ausführlich und plastisch, was der Kern von Luthers Theologie war: «Summa summarum: predigen will ichs, sagen will ichs, schreiben will ichs. Aber zwingen, mit Gewalt dringen will ich niemand, denn der Glaube will willig, ungenötigt angenommen werden. Nehmt euch ein Beispiel an mir. Ich bin dem Ablaß und allen Papisten entgegengezogen, aber mit keiner Gewalt. Ich habe allein Gottes Wort geschrieben, sonst habe ich nichts getan. Das hat, wenn ich geschlafen habe, wenn ich Wittenbergisch Bier mit meinem Philipp und Amsdorf getrunken habe, so viel getan, daß das Papsttum so schwach geworden ist, daß ihm noch nie ein Fürst noch Kaiser so viel Abbruch getan. Ich hab nichts getan, das Wort hat alles gewirkt und ausgerichtet.» Der Glaube an das Wort und der Glaube an gewaltsame Veränderungen schließen einander aus.

Am Dienstag nahm er sich jene äußerlichen Neuerungen vor, die Karlstadt als Beweis für den neuen Glauben gefordert und durchgesetzt hatte. Für Luther eine Todsünde. Warf er doch gerade der römischen Kirche vor, Äußerlichkeiten wie Wallfahrten, Ablaß, Reliquienverehrung als notwendige Voraussetzungen für das ewige Heil anzupreisen und darüber die wesentlichen Dinge zu vernachlässigen. Bilder und Orgel aus der Kirche entfernen? Kelch und Hostie für den Laien? Auflösung aller Klöster und Heiratszwang für Mönche und Nonnen, wie Karlstadt es gefordert hatte? Luther widersprach solcher Einseitigkeit entschieden, denn alle diese Dinge sind «nicht notwendig, sondern von Gott frei gelassen, die man halten mag oder nicht ... Also liebe Freunde, es ist klar genug gesagt. Ich meine, ihr solltet es verstanden haben und kein Gebot aus der Freiheit machen, indem ihr sprecht: *Der* Pfaffe hat ein Weib genommen, darum müssen sie alle Weiber nehmen. *Der* Mönch oder die Nonne ist aus dem Kloster gegangen, darum müssen sie alle herausgehen, keineswegs! Der hat die Bilder zerbrochen und verbrannt, darum müssen wir sie alle verbrennen, keineswegs, lieber Bruder! ... sie [die Bilder] sind weder gut noch böse, man kann sie haben oder nicht haben.»

In der Donnerstagspredigt ging es um die Messe und darum, wie das Abendmahl ausgeteilt wird: «Wollt ihr deswegen als gute Christen angesehen sein, daß ihr das Sakrament mit den Händen anfaßt und davon einen Ruhm vor der Welt habt, so sind Herodes und Pilatus die obersten, besten Christen. Ich meine, sie haben den Leib Christi wohl angerührt, wenn sie ihn haben ans Kreuz schlagen und töten lassen. Nein, liebe Freunde: das Reich Gottes bestehet nicht in äußerlichen Dingen, die man anfassen oder empfinden kann, sondern im Glauben.» Wieder, wie bei den Bildern, ist in äußerlichen Dingen Zwang ausgeübt worden. Seine ganze Autorität wirft Luther in die Waagschale: «Und werdet ihr nicht davon abstehen, so braucht mich kein Kaiser noch niemand von Euch wegzujagen, ich will wohl unangetrieben von euch gehen und darf sagen: Es hat mich kein Feind, obwohl sie mir viel Leid getan haben, so getroffen, wie ihr mich getroffen habt.»

Aber Luther ist an diesem Donnerstag noch nicht fertig mit seinen Wittenbergern: «Und ich hörte es ganz gerne, da es mir geschrieben wurde, daß etliche allhier angefangen hätten, das Sakrament in beiderlei Gestalt zu nehmen. Bei dem Brauch hättet ihrs bleiben lassen und es in keine Ordnung gezwungen haben sollen. Nun fahrt ihr aber hurr, burr einher und wollt mit den Köpfen hindurch und wollt jedermann dazu zwingen. Da werdet ihr fehlgehen, lieben Freunde. Denn wenn ihr deshalb als gute Christen vor allen andern angesehen sein wollt, weil ihr das Sakrament mit den Händen anfaßt und es dazu in beiderlei Gestalt nehmt, so seid ihr mir schlechte Christen. Auf diese Weise könnte auch wohl eine Sau ein Christ sein. Sie hat ja einen so großen Rüssel, daß sie das Sakrament äußerlich nehmen könnte. Deshalb handelt gut und säuberlich in den hohen Sachen. Liebe Freunde, hier ist kein Schimpfen: Wollt ihr mir folgen, so steht davon ab.»

Am Ende folgt wieder der alte Grundsatz gegen zu schnelle Neuerungen: Weil alle überzeugt werden sollen, muß man sich in Glaubensdingen nach denen richten, die voller Skepsis sind. Wo es um eine Sache auf Leben und Tod geht, nämlich die Beziehung zwischen Gott und Mensch, darf man nichts tun, was andere, Schwache, abstoßen könnte. Wer so handelt, belädt sich mit schwerer Schuld, weil er diesen anderen den Weg zu Gott versperrt. Um der Schwachen willen kennt Luther keinen Pardon: «Aber hier ist kein Dulden, denn ihr habt es zu grob gemacht, so daß man sagt: Ja, zu Wittenberg sind gute Christen, denn sie nehmen das Sakrament in die Hände und fassen den Kelch an, gehen danach hin zum Branntwein und saufen sich voll. So treibt es denn die schwachen, gutherzigen Menschen zurück, die wohl zu uns kämen, wenn sie so lange und viel gehört hätten, wie wir ... Das kann ich sagen, daß mir von allen meinen Feinden, die bisher wider mich gewesen sind, nicht so weh geschehen ist, wie von euch. Es ist heute genug, morgen wollen wir weiter reden.»

Wer geglaubt hatte, Luther würde sich nur auf theologische Zurechtweisungen beschränken, sah sich am Samstag, als er in die Kirche ging, getäuscht. Am Anfang stand das Wort. Daran war nicht zu rütteln. Aber wer dem Wort keine Taten folgen ließ, weil man sich mit guten Werken vor Gott doch nicht reinwaschen konnte, der hatte die neue Theologie gründlich mißverstanden: «Das ist ja wahr: Ihr habt das Evangelium und das lautere Wort Gottes, aber es hat noch niemand seine Güter den Armen gegeben ... Keiner will dem andern die Hände reichen, keiner nimmt sich des andern ernstlich an, sondern ein jeder hat auf sich selber acht ... Und werdet ihr nicht einander lieb haben, so wird Gott eine große Plage über euch ergehen lassen.»

Am Sonntag schließlich predigte Luther über die Beichte. Wieder ist er gegen jeden Zwang: «Aber dennoch will ich mir die heimliche Beichte von niemand nehmen lassen und wollt sie nicht um der ganzen Welt Schatz hingeben. Denn ich weiß, welchen Trost und Stärke sie mir gegeben hat. Es weiß niemand, was sie vermag, als wer mit dem Teufel oft und viel gefochten hat. Ja, ich wäre längst vom Teufel erwürgt, wenn mich nicht die Beichte erhalten hätte ... Aber ich will niemand dazu gezwungen, sondern sie einem jeden frei anheimgestellt haben.» Am Ostersonntag 1522 hätte ein auswärtiger Besucher glauben können, selbst nach fünf Jahren Kampf mit der römischen Kirche habe sich in der Stadt des Martin Luther nichts geändert: Die Priester standen im traditionellen Ornat am Altar und reichten den Gläubigen, die zur Kommunion gingen, die Hostie. Alle Gebete, auch die Wandlungsworte, wurden wieder in Latein gehalten. Gestrichen blieb, was die Messe als Opfer charakterisiert hatte. Doch wer merkte das schon in der fremden Sprache?

Das Erstaunlichste: Niemand muckte auf. Niemand protestierte. Alle fügten sich. Nach dem Hin und Her, den Aufregungen der vergangenen Wochen und Monate waren die Professoren an der Universität, die Handwerker und die Marktfrauen bereit, dem einen zu folgen, der ihnen sagte, wo es langging. Und vielleicht war das das Wichtigste: Luther hatte in seinen Predigten nicht mit Hölle und Teufel gedroht noch alle Veränderungen in Bausch und Bogen verdammt. Es ist wahr: Etliches, das er selbst in seinen drei großen Schriften im Herbst 1520 gefordert hatte, wollte er in diesem Augenblick nicht in die Praxis umgesetzt sehen. Doch er blieb glaubwürdig, denn er brachte sich selbst mit ein, um seine Wittenberger und die vielen Fremden, die seinetwegen in die Stadt gekommen waren, zu überzeugen. Einer, der ihn bei diesen Fastenpredigten zum erstenmal sah, schrieb: «Er ist, soviel man seinem Gesicht entnehmen kann, ein gütiger, milder und fröhlicher Mann. Seine Stimme ist wohlklingend und freundlich, und man muß die gewinnende Redegabe des Mannes bewundern. Gar fromm ist, was er sagt, was er lehrt, was er tut, mögen auch seine gottlosen Feinde das Gegenteil behaupten. Wer ihn einmal gehört hat, möchte ihn, wenn er kein Stein ist, wieder und wieder hören, so fest schlägt er seine Nägel in den Geist seiner Zuhörer ein.»

Wie der verlorene Sohn im Gleichnis der Bibel kehrte die Stadt reumütig zu ihrem Meister zurück. Die Hochstimmung der Versöhnung verflog so schnell nicht. Im Mai 1522 schrieb Luther an Spalatin: «Hier ist nichts mehr denn Lieb und Freundschaft.» Ihm schien die Zeit der Ernte gekommen und die Saat seiner Worte, zumindest in Wittenberg, prächtig aufgegangen. Aber auch mit dem, was über die Mauern der Stadt hinaus sich getan hatte, wurde der Mönch in seiner Überzeugung gestärkt, Gott auf seiner Seite zu haben. Wie die harte Predigtwoche auf Luther gewirkt hatte, erfuhr Wenzeslaus Link, Prior im Erfurter Augustinerkloster, aus einem Brief des Freundes: «Aber das weiß ich, daß ich an dieser Sache nie in einem so beherzten und stolzen Geist gewesen bin wie eben jetzt ... Dies schreibe ich nüchtern und früh am Tage, in voller Zuversicht eines frommen Herzens. Mein Christus lebt und regiert, und ich werde leben und herrschen. Gehab dich wohl, teuerster Wenzeslaus.»

Das schreibt einer, den ein knappes Jahr zuvor in Worms Kaiser und Fürsten geächtet, den die Kirche als Ketzer gebannt hatte. Wer in den Jahrhunderten zuvor mit der geistlichen und weltlichen Macht zusammengestoßen war wie Luther, den hatte Flucht, Gefangenschaft oder ein qualvolles Ende auf dem Scheiterhaufen erwartet. Wer sich gegen den kirchlichen Apparat stellte, wer die Autorität von Papst und Bischöfen anzweifelte, war bisher immer gescheitert. Der Wittenberger aber lebte nicht nur: Er predigte weiterhin in den altehrwürdigen Kirchen der Stadt. Er stand unter dem Schutz seines Landesherrn, obwohl Friedrich der Weise sich mit keinem Wort, mit keiner Geste zur Theologie seines Schützlings bekannte.

Im Gegenteil: Er hörte die Messe nach alter Weise. Er hing an seinen geliebten Reliquien und den damit verbundenen Ablässen. Und Luther war bereit, seinem Fürsten zuzugestehen, was er soeben dem Volk als goldene Regel hingestellt hatte: Die Zaudernden nicht mit Gewalt zum neuen Evangelium zu zwingen, zumal wenn es sich – wie bei den Reliquien oder Heiligen – nicht um Kernfragen des Glaubens handelte. Spalatin, der im April 1522 Luther um Rat bat, erhielt diese Antwort: «Über die Ausstellung der Reliquien denke ich so: Man hat sie freilich leider bereits übergenug vorgezeigt. Gar sehr damit geprahlt und sie der ganzen Welt zur Schau gestellt. Doch mag man es so einrichten, daß sie mitten im Chor öffentlich ausgelegt werden, so daß sie alle auf einem Tisch zu sehen sind, während alle anderen Zeremonien nach dem Brauch beibehalten werden.» Es kann nicht oft und laut genug gesagt werden, was dieser Mann, der als Reformator und Kirchenspalter in die Geschichte eingegangen ist, Ende 1523 – wie viele Male vorher und nachher – beteuerte: «Ich habe nichts mit Gewalt und Befehl unternommen und nichts Altes mit Neuem vertauscht, sondern war immer zögernd und ängstlich. Einmal wegen der im Glauben schwachen Seelen ... vor allem aber wegen der leichtfertigen und anmaßenden Geister, die wie schmutzige Säue ohne Glauben und Verstand hereinbrechen und nur an der Neuheit Freude haben. Sobald es nichts Neues mehr ist, wird es ihnen zuwider.»

Wer sich auf Luthers Standpunkt einläßt, auf seine Deutung von Gott als einem unbegreiflichen, allmächtigen Wesen und dem von Grund auf schlechten Menschen, auf seinen Glauben an die göttliche Gnade als der einzigen Brücke zwischen ewiger Qual und ewiger Erlösung, zwischen Verhängnis und Freiheit: Für den werden Schlagworte wie revolutionär oder konservativ, fortschrittlich oder rückständig in diesem Zusammenhang fragwürdig und verlieren ihre Aussagekraft. Luther war radikal in seiner Theologie – gerade gegenüber den Gegnern aus den eigenen Reihen, davon wird noch ausführlich die Rede sein. Aber er war kompromißbereit, wenn es darum ging, sie im Alltag durchzusetzen. Sein Leben als Mönch hat ihn und seine Theologie geprägt. Doch er lebte nicht nur in seiner Zelle. Stets war er auch Seelsorger, der die Beichte hörte und dem Volk das Wort Gottes auslegte. Er kannte nicht nur die gelehrte Theorie der Hörsäle, sondern ebenso den Alltag, in dem sich der einzelne mühsam genug nach den Forderungen des Evangeliums zu strecken versuchte.

Martin Luther war ein Mann, der mit sich reden ließ, solange der Kern unangetastet blieb. Damit war der Streit aber auch vorprogrammiert. Denn was gehörte alles zu diesem Kern des Glaubens? Was geschah, wenn andere mit demselben Anspruch auftraten? Und was war mit Karlstadt, der sich auf Luthers Worte berief? Was mit den Zwickauer Propheten, die sich von Gott gesandt fühlten? Die Zwickauer Propheten hatten sich noch vor Luthers Rückkehr abgesetzt. Karlstadt verließ grollend die Universität und die Stadt und zog gegen vielfältigen Widerstand als Pfarrer nach Orlamünde. Die friedliche Eintracht in der Wittenberger Gemeinde nach Luthers Auftreten kam von Herzen und täuschte dennoch eine Übereinstimmung vor, die an den Mauern der Stadt schon ihre Grenze fand. Doch zunächst einmal meldete sich die gegnerische Seite mit Macht.

Daß die römische Kirche alle Mittel einsetzte, um den Ketzer, seine Lehre und seine Anhänger zu vernichten, hatten schon die Verbrennungen seiner Schriften angedeutet. Bald sollten auch Menschen brennen. In den Niederlanden, Familienbesitz der Habsburger, wurde die Inquisition zuerst aktiv. Ihr Augenmerk fiel auf die Klöster der Augustiner. Kein unberechtigter Verdacht, denn nicht wenige niederländische Mönche hatten in Wittenberg bei Martin Luther theologischen Unterricht genommen und kehrten als überzeugte «Martinianer» – so nannte man Luthers Schüler und Anhänger in den ersten Jahren – in ihre Heimat zurück.

In einem Brief von der Wartburg hatte Luther seinen Freund Jakob Propst, den «fetten Flamen», grüßen lassen. Propst war Prior im Antwerpener Kloster, wurde von der Inquisition gefangengenommen und sagte sich nach qualvoller Folter im Februar 1522 von der neuen Theologie los. Dann gelang ihm die Flucht, und im August kam er glücklich in Wittenberg an. An seiner Stelle predigte nun der Augustinermönch Heinrich von Zütphen in Flandern öffentlich gegen den Ablaß und für das reine Evangelium. Auch er landete im Gefängnis, wurde jedoch noch vor der Folter von einer aufgebrachten Menschenmenge befreit und rettete sich nach Bremen.

Am Ende des Jahres 1522 war in Nürnberg der Reichstag versammelt, und seine Mitglieder hörten erstaunliche Worte aus dem Munde des päpstlichen Legaten. Er hatte einen neuen Papst zu vertreten, den asketischen Holländer Hadrian IV., der Ernst zu machen suchte mit Reformen und ein Ende mit dem korrupten päpstlichen Hof. In Nürnberg ließ er verkünden: «Wir haben die höchste Würde auf uns genommen, nicht um unserer Herrschaft zu frönen oder unsere Verwandten reich zu machen, sondern um Gottes Willen zu gehorchen, seine entstellte Braut, die katholische Kirche, zu reformieren, den Unterdrückten zu Hilfe zu kommen und die Gelehrten und Tugendhaften, die schon lange unbeachtet geblieben sind, aufzurichten und auszuzeichnen. Kurz: um alles zu tun, was ein guter Papst und rechtmäßiger Nachfolger des seligen Petrus tun muß.»

Ein oft zitiertes Bekenntnis. Endlich kam einer, der aufräumen wollte. Übersehen werden darf aber nicht, was der Papst vor dieser selbstkritischen Anklage durch seinen Legaten forderte: «Da also Luther und seine Anhänger die Konzilien der heiligen Väter verurteilen, das heilige Kanonische Recht verbrennen und alles nach ihrem Gutdünken durcheinanderbringen, ja die ganze Welt in Aufruhr versetzen, kann es keinen Zweifel darüber geben, daß sie als Feinde des öffentlichen Friedens und Aufrührer von allen, die diesen Frieden lieben, ausgerottet werden müssen.»

Im Januar 1523 ließ die Obrigkeit das Antwerpener Augustinerkloster zerstören. Kein Stein blieb auf dem andern. Wer nicht fliehen konnte, wurde verhaftet. Am 1. Juli starben in Brüssel auf dem Marktplatz zwei Augustinermönche in den Flammen eines Scheiterhaufens, weil sie sich als Anhänger des Wittenbergers bekannten und nicht davon abgingen. Ihr Tod hat Luther tief erschüttert. Verantwortungen ist er nie aus dem Weg gegangen. Er wußte, daß er sich vor Gott für seine Worte und ihre Konsequenzen verantworten mußte – und hatte doch bei aller Trauer ein ruhiges Gewissen. Noch im gleichen Jahr wurde sein «Märtyrerlied» gedruckt und verbreitet: «Die Aschen will nicht lassen ab, / sie stäubt in allen Landen. / Da hilft kein Bach, Loch, Grub noch Grab, / sie macht den Feind zuschanden. / Die er im Leben durch den Mord / zu schweigen hat gedrungen, / die muß er tot an allem Ort, / mit aller Stimm und Zungen / gar fröhlich lassen singen.»

Luthers Lied sollte die Gläubigen ermutigen, die nicht so ungehindert wie in Kursachsen der neuen Theologie folgen konnten. Der Urheber der beginnenden Verfolgungen hatte einen Landesvater, der ihn schützte. Was sollten jene tun, deren Obrigkeit als verlängerter Arm der römischen Kirche gegen sie vorging? Als einige Fürsten ihre Untertanen aufforderten, das Neue Testament in Luthers Übersetzung abzuliefern, hielt er die Zeit für eine grundsätzliche Diskussion und Stellungnahme gekommen. Im Frühjahr 1523 erschien seine Schrift «Von weltlicher Obrigkeit, wie weit man ihr Gehorsam schuldig sei». Ohne unter Druck zu stehen, ohne daß es um Tod oder Leben ging wie zwei Jahre später im Bauernkrieg, hat Luther sie abgefaßt. Ein heikles Thema, nicht nur in diesen Jahrzehnten, und Luther ist einer Stellungnahme nicht ausgewichen. Seine Meinung zum Verhältnis Christ und Obrigkeit hat besonders im 20. Jahrhundert die Kritiker auf den Plan gerufen. Man kann

Luther nicht verstehen, ohne diese Schrift von 1523 zu berücksichtigen.

An den Anfang stellt er das berühmte Zitat aus dem Brief des Paulus an die christliche Gemeinde in Rom: «Jedermann sei untertan der Obrigkeit, die Gewalt über ihn hat. Denn es ist keine Obrigkeit ohne von Gott; wo aber Obrigkeit ist, die ist von Gott verordnet.» Davon ausgehend verlangt Luther, denen, die «weltlich Schwert und Recht» führen, zu gehorchen, seien es Christen, Türken, Heiden oder Juden, weil «kein Mensch von Natur Christ oder fromm ist, sondern sie allzumal Sünder und böse sind». Wieder wird die pessimistische Sicht auf den Menschen zur Grundlage der theologischen Schlußfolgerung: «Denn wo das nicht wäre, sintemal alle Welt böse und unter Tausenden kaum ein rechter Christ ist, würde eines das andere fressen, daß niemand Weib und Kind aufziehen, sich nähren und Gott dienen könnte, wodurch die Welt wüst würde. Deshalb hat Gott die zwei Regimente verordnet: das geistliche, welches durch den heiligen Geist Christen und fromme Leute macht, unter Christus, und das weltliche, welches den Unchristen und Bösen wehrt, daß sie gegen ihren Willen äußerlich Friede halten und still sein müssen.»

Der Einwand, daß Christen ohne das Richtschwert, ohne Gesetze und Obrigkeiten harmonisch zusammen leben könnten, wenn sie nur die Bergpredigt zu ihrem einzigen Gesetz machen würden, hielt Luthers Bild vom Menschen nicht stand: «Ja freilich ists wahr, daß Christen um ihrer selbst willen keinem Recht noch Schwert untertan sind, noch seiner bedürfen. Aber sieh zu und mach die Welt zuvor voll rechter Christen, ehe du sie christlich und evangelisch regierst. Das wirst du aber nimmermehr tun, denn die Welt und die Menge sind und bleiben Unchristen, auch wenn sie alle getauft und Christen heißen ... Ein ganzes Land oder die Welt mit dem Evangelium zu regieren sich unterfangen, das ist deshalb ebenso, als wenn ein Hirt Wölfe, Löwen, Adler, Schafe in einen Stall zusammentäte und sagte: Da weidet und seid rechtschaffen und friedlich untereinander ...»

Doch die Mahnung Christi, daß seine Jünger nicht zum Schwert greifen, sondern auch noch die andere Backe hinhalten sollen, ist offenbar zu eindringlich, um sie nur mit einem Argument abzutun.

Luther stellt selbst die Frage, «ob denn auch ein Christ das weltlich Schwert führen und die Bösen strafen dürfe, weil Christi Worte so streng und unzweideutig lauten: Du sollst dem Übel nicht widerstreben.» Für sich selber, so die erste Antwort, braucht der Christ das Schwert nicht. Aber es ist ein Gebot der Liebe, das Unrecht, das dem Nächsten angetan wird, zu bekämpfen: «Denn mit dem einen siehst du auf dich und auf das Deine, mit dem andern auf den Nächsten und auf das Seine. In bezug auf dich und das Deine hältst du dich nach dem Evangelium und leidest Unrecht als ein rechter Christ. In bezug auf den andern und das Seine hältst du dich nach der Liebe und leidest kein Unrecht gegen deinen Nächsten: welches das Evangelium nicht verbietet, ja vielmehr an anderer Stelle gebietet.» Mit Fleiß hat man in den folgenden Jahrhunderten jenen Luther gepredigt, der Gehorsam gegenüber der Obrigkeit verlangte. Doch die – unterschlagene – Rückseite der Medaille ist ebenso verpflichtend: dem Unrecht, das anderen getan wird, aktiv zu wehren.

Das allerdings ist erst die Vorrede, um den hohen Herren und Obrigkeiten jeder Art zu zeigen, «wie lang ihr Arm und wie weit ihre Hand reiche, daß sie sich nicht zu weit erstrecke und Gott in sein Reich und Regiment greife». Wer glaubt, Luther vertrete bedingungslos die weltliche Gewalt, kann sich auf seine Schriften nicht berufen. Er will die Obrigkeit durch eine strikte Trennung von der geistlichen Gewalt gerade in die Schranken weisen: «Mein Lieber, wir sind nicht getauft auf Könige, Fürsten, noch auf die Menge. Das weltliche Regiment hat Gesetze, die sich nicht weiter erstrecken als über Leib und Gut und was äußerlich auf Erden ist. Denn über die Seele kann und will Gott niemand regieren lassen als sich selbst allein ... Deshalb soll in den Sachen, die der Seele Seligkeit betreffen, nichts als Gottes Wort gelehrt und angenommen werden ... Zum Glauben soll und kann man niemand zwingen.» Es ist ein Grundrecht, an das wir uns längst gewöhnt haben, einklagbar in vielen Staaten der modernen Welt. Martin Luther schrieb diese Forderung in einer Welt, für die es seit Jahrhunderten selbstverständlich war, jeden, den die römische Kirche zum Ketzer erklärt hatte, mit staatlicher Gewalt zu verfolgen und zu bestrafen. Eine Rechtsauffassung, die das christliche Mittelalter von der heidnischen Antike übernommen hatte: Der Abweichler hatte kein Recht auf Leben. Doch bevor wir den Mönch aus Wittenberg zum Propheten des modernen Pluralismus machen, müssen wir genau hinsehen.

Wollte Martin Luther damit Ketzerei hinnehmen? Verzichtete er auf die eine, absolute Wahrheit und ließ jedem seinen eigenen Glauben? Keineswegs. Er verschiebt nur die Verantwortung auf die kirchlichen Instanzen – wo sie hingehört – und verdammt jede Anwendung von Gewalt: «Wie könnte man sonst den Ketzern wehren? Antwort: das sollen die Bischöfe tun, denen ist solches Amt befohlen und nicht den Fürsten. Denn Ketzerei kann man nimmermehr mit Gewalt wehren. Es gehört ein anderer Griff dazu, und es ist hier ein anderer Streit und Handel als mit dem Schwert. Gottes Wort soll hier streiten. Wenns das nicht ausrichtet, so wirds wohl von weltlicher Gewalt unausgerichtet bleiben, wenn sie auch die ganze Welt mit Blut füllte. Ketzerei ist ein geistlich Ding, das kann man mit keinem Eisen zerhauen, mit keinem Feuer verbrennen, mit keinem Wasser ertränken ... Denn wenn man gleich alle Juden und Ketzer mit Gewalt verbrennte, so ist und wird doch keiner dadurch überwunden noch bekehrt.» Das sind neue Töne und schöne Worte. Luther wird sich an ihnen messen lassen müssen.

Dann sind die Fürsten an der Reihe. Martin Luther redet ihnen sehr unverblümt ins Gewissen: «Denn gar wenig Fürsten sind, die man nicht für Narren oder böse Buben hält ... Man wird nicht, man kann nicht, man will nicht eure Tyrannei und Mutwillen auf die Dauer leiden. Liebe Fürsten und Herren, da wisset euch nach zu richten, Gott wills nicht länger haben. Es ist jetzt nicht mehr eine Welt wie vorzeiten, da ihr die Menschen wie das Vieh jagtet und triebet. Deshalb laßt euren Frevel und Gewalt und seid darauf bedacht, daß ihr rechtlich handelt ...» Es folgt eine wichtige Frage: «Wie, wenn ein Fürst unrecht hätte, ist ihm sein Volk dann auch schuldig zu folgen?» Luthers Antwort: Nein. «Denn gegen das Recht gebührt niemand zu tun; sondern man muß Gott mehr gehorchen als den Menschen.» Zum Schluß noch ein guter Rat an die Juristen: «Aus den Büchern kommen überspannte und wankende Urteile. Deshalb sollt man geschriebene Rechte niedriger als die Vernunft achten ... Wenn du aber das Recht der Liebe und der

Natur aus den Augen verlierst, wirst du es nimmermehr so treffen, daß es Gott gefalle, wenn du auch alle Rechtsbücher und Juristen gefressen hättest ... Ein rechtes gutes Urteil, das muß und kann nicht aus Büchern gesprochen werden, sondern aus freien Überlegungen heraus, als gäbe es kein Gesetzbuch.»

Die Schrift von 1523 ist wichtig und ein Musterbeispiel dafür, daß scheitern muß, wer Luther in ein Schema preßt; wer ihn eindeutig der alten oder einer neuen, modernen Welt zuordnen möchte. Der Mönch aus Wittenberg hat Wegrichtungen eingeschlagen, die in eine neue Welt führten. Mit den neuen Positionen – zum Beispiel der Trennung von Kirche und Staat – hat er zugleich die Rolle der weltlichen Macht auf eine Weise betont und gestärkt, die im nachhinein gefährlich und zwiespältig genannt werden muß. Verständlich wird sie, wenn man weiß, daß er sich damit von tausend Jahren christlicher Geschichte absetzte: von der Welt des Mittelalters, in der der Einfluß des Klerus alle Lebensbereiche durchdrang. Auch die einseitige Interpretation und Auswahl seiner Schriften durch die Nachkommenden darf dem Autor nicht zur Last gelegt werden. Luther hat sehr entschieden und nicht nur aus einer Laune heraus die Herrschenden dazu verpflichtet, Gerechtigkeit, mehr noch, Liebe zu üben. Und so sehr er den Gehorsam der Untertanen strapazierte, daneben steht seine Aussage, sich nicht alles gefallen zu lassen.

# Kein Aufruhr im Namen Christi

Die Trennungslinie, die die römische Kirche zwischen dem Ketzer und seinen Anhängern zog, war eindeutig und von tödlicher Konsequenz. In Wittenberg waren zwar Priester, die sich den radikalen Reformen nicht anschließen wollten, mit Steinen beworfen worden. Doch weder in den turbulenten Wochen Ende 1521 noch als Luther wieder das Heft in die Hand nahm, wurde jemand wegen seines Glaubens gefoltert oder gar verbrannt. Der Mönch im Augustinerkloster wußte das Evangelium und die wahre Tradition der Kirche auf seiner Seite. Er wollte nicht provozieren. Andere, seiner Sache ursprünglich zugetan, waren bald anderer Meinung, und sie sagten es auch laut.

Im März 1522 erhielt Philipp Melanchthon einen Brief, der zwar an ihn adressiert war, mit dem aber nicht nur der Schüler, sondern auch der Meister angesprochen werden sollte: «Thomas Müntzer, Bote Christi, an den Christenmenschen Philipp Melanchthon, Professor der Heiligen Schrift. Ich grüße Dich, Du Werkzeug Christi. Eure Theologie nehme ich von ganzem Herzen an; denn sie hat viele Seelen von Auserwählten aus den Fallen der Jäger befreit.» Nach der Zustimmung folgt die Abgrenzung: «Achtet darauf, aus dem Mund Gottes kommt es [das Wort], und nicht aus den Büchern ... O Ihr Geliebten, strebet danach, daß Ihr weissagen möget; sonst wird Eure Theologie keinen Heller wert sein ... Schon ist – ich fürchte und weiß es – die Schale des dritten Engels in die Wasserbrunnen ausgegossen und das ganze lebendige Wasser ist zu Blut geworden ... Unser geliebter Martin handelt in Unwissenheit, wenn er bei den Kleinen [Schwachen] keinen Anstoß erregen will ... Nein, die

Bedrängnis der Christen steht schon vor der Tür. Ich weiß nicht, warum Ihr meint, man müsse noch warten. Liebe Brüder, laßt Euer Trödeln; es ist Zeit! Laßt Euer Säumen; der Sommer ist da! Sucht keinen Ausgleich mit den Verworfenen ... Auch Euren Fürsten schmeichelt nicht; sonst werdet Ihr zugrunde gehen ... Thomas Müntzer, Bote Christi.»

Der da so selbstbewußt die anerkannten Führer der lutherischen Sache zurechtweist, der Bote Christi Thomas Müntzer, ist als eine der umstrittensten Gestalten dieser Jahre in die Geschichte eingegangen. Bis zur Unkenntlichkeit verzerrt von Freund und Feind. Martin Luther ächtete ihn als «Aufrührer, Mord- und Blutpropheten» und «leibhaftigen Teufel». Drei Jahrhunderte später lobte ihn Friedrich Engels als «Revolutionsprophet» und «Vorläufer des Kommunismus und Atheismus». Der marxistische Philosoph Ernst Bloch machte Müntzer 1921 zum «Theologen der Revolution». Bis heute ist die Diskussion um die treibende Kraft und Wirkung dieses kurzen Lebens nicht abgebrochen.

Als er 1522 seinen Brief an Melanchthon schrieb, war Thomas Müntzer Pfarrer im thüringischen Allstedt. Er besaß eine hervorragende theologische und humanistische Bildung und hatte sich intensiv mit der deutschen Mystik und mit Luthers Schriften beschäftigt. Die Mystik vor allem hat ihn geprägt. Für Müntzer konnte das geschriebene Wort nur den Anstoß zum Glauben geben. Das Erlebnis des Glaubens selbst ist ein emotionaler Vorgang, der den Menschen direkt mit Gott verbindet. Darin lag ein eklatanter Gegensatz zu Luther, der ja Melanchthon geschrieben hatte, was er von solchen Propheten wie den Zwickauern hielt, die behaupteten, mit Gott zu reden. Müntzer dagegen hatte sich folgerichtig hinter die Zwickauer gestellt. Weissagen zu können war für ihn ein Zeichen der Auserwähltheit, und damit ergab sich ein zweiter schwerwiegender Unterschied zu Luther, der die Schwachen in der Gemeinde nicht nur duldete. Sie bestimmten das Tempo der Veränderungen. Müntzer dagegen kannte kein Mittelmaß. Er teilte die Menschen in Auserwählte, die asketisch und engagiert höchste Ansprüche im Glauben erfüllten, und in Gottlose, Verworfene, mit denen es keine Gemeinschaft geben konnte. Für ihn war das Jüngste Gericht schon angebrochen, wie es in der Offenbarung des Johannes – der Apokalypse – der Engel mit der dritten Schale ankündigt. Es galt, das endgültige Reich Gottes auf Erden zu errichten: Liebe Brüder, laßt Euer Trödeln; es ist Zeit!

Müntzer führte ein unstetes Leben. Nirgendwo fand er längere Bleibe. Während in Wittenberg auf Luthers Wunsch hin weiter lateinisch gebetet wurde, las Müntzer Ostern 1523 in Allstedt die erste Messe in deutscher Sprache: «Es wird sich nicht länger leiden lassen, daß man den lateinischen Worten will eine Kraft zuschreiben, wie die Zauberer tun, und das arme Volk viel ungelehrter lassen aus der Kirche herausgehen, denn hinein.» Noch während Müntzer die Messe eindeutschte, damit alle sie verstehen konnten, gewann bei ihm jene Überzeugung die Oberhand, die er schon in seinem Brief an Melanchthon angedeutet hatte: Das Volk Gottes ist nicht mit der großen Menge identisch. Nur wenige sind erwählt, die andern verworfen, verdammt. Und von dem einen Ufer zum andern gibt es keine Brücke. Verdammt sind nach Müntzer vor allem jene, die sich nur an den Buchstaben, an die Bücher klammern. Damit waren die geweihten Kleriker und gelehrten Theologen gemeint. Auch das stand als Mahnung für die Wittenberger schon in seiner Botschaft von 1522. Auserwählt sind nicht jene, die das Leiden des gekreuzigten Christus in ihrem Herzen und ihrem Leben nur nachempfinden, sondern alle, die wie «auf der Kelter zerknirscht» werden.

Der Pfarrer Thomas Müntzer legte diesen theologischen Raster an alle Christen: hindurch fielen mit den Klerikern, egal ob römischer oder lutherischer Couleur, die weltlichen Fürsten und Herren. Leiden war nicht ihr Teil, und statt sich in Weissagungen über die Zukunft zu üben, trieben sie Machtpolitik. Der Prophetenblick zeichnete den «gemeinen Mann» aus, der auf Besserung hoffte. Es gab Unruhe in Allstedt, seit Müntzer dort predigte. Er gründete einen Geheimbund, dem wenige Fromme aus den Oberschichten angehörten und fast fünfhundert Bergknappen. Noch war von sozialrevolutionären Tönen, gar von Klassenkampf, nichts zu hören. Ziel des Bundes war nach Müntzer, «daß sich der gemeine Mann mit frommen Amtleuten verbinde allein um des Evangeliums willen». Die Obrigkeit allerdings differenzierte nicht. Der Pfarrer der Hauptkirche kam immer mehr in Verruf. Er wolle Aufruhr und Umsturz, wurde nach Wittenberg an den Hof des Kurfürsten gemeldet.

Veränderungen wollte er, das wurde immer deutlicher. Aber zu welchem Zweck? «Allein um des Evangeliums willen» rief Müntzer auf zum Kampf gegen die «gottlosen Tyrannen» und «feisten Pausbacken». Da die Obrigkeit sich seiner Deutung der Geschichte nicht anschloß und nicht bereit war, zum Schwert zu greifen, um als Werkzeug Gottes das Jüngste Gericht auf Erden zu vollziehen, wurde Müntzer immer radikaler in seiner Theologie: «Darum lasset die Übeltäter nicht länger leben, die uns von Gott abwenden, denn ein gottloser Mensch hat kein Recht zu leben, wenn er die Frommen hindert ...» Nach Luthers Überzeugung muß der einzelne Christ Unrecht leiden, solange ihn die Obrigkeit nicht auffordert, Unrecht zu tun. Gott richtet, nicht der Mensch. Kreuz und Leiden hatte er 1518 in Heidelberg seinen Mitbrüdern als die christliche Lebensregel eingehämmert. Nur Gottes Gnade und keine Aktionen können den Menschen retten. Müntzers Schlachtruf führte in den Kampf. Er verachtet die «beschissene Barmherzigkeit und Demut» der Wittenberger.

Aus Allstedt geflohen, ließ Müntzer 1525 – mitten im Bauernkrieg – einen «Brief an die Mansfelder Berggesellen» in die Stadt schmuggeln: «Dran, dran, solange das Feuer heiß ist. Lasset euer Schwert nicht kalt werden, erlahmt nicht! ... Dran, dran, solange ihr Tag habt. Gott geht euch voran, folget, folget!» Auch diese blutigen Worte sind kein Aufruf zum Klassenkampf im marxistischen Sinne. Dahinter steht ein theologisches Konzept, das dem Herzstück der lutherischen Theologie zuwiderläuft. Müntzer wollte sich nicht mehr auf das Wort Gottes allein verlassen. Er war überzeugt, mit Hilfe sozialer Veränderungen das Reich Gottes auf Erden zu schaffen.

Der weise Kurfürst ließ sich selbst von Thomas Müntzer nicht provozieren. Er mahnte, es nicht zu toll zu treiben, tat aber nichts. Vielleicht war dieser Mann doch von Gott gesandt? Luther hielt nichts von solcher theologischen Ungewißheit und gab in einem offenen «Brief an die Fürsten zu Sachsen von dem aufrührerischen Geist» seinem Fürsten Nachhilfeunterricht. 1518 hatte er den Hörsaal verlassen, weil Tumulte für ihn ein Beweis teuflischer List waren. Jetzt sah Luther in Müntzer den Satan am Werk, um seinen – Luthers – Kampf gegen Rom in Mißkredit zu bringen. Was er ein Jahr zuvor von «Weltlicher Obrigkeit» geschrieben hatte, führte er nun konkret weiter. Eindringlich redete er Friedrich ins Gewissen, dieser müsse gegen die Gewalt, die Müntzer anzettele, aktiv werden. Gott habe ihn zum Herrscher eingesetzt, damit er Ordnung halte und die Bösen bestrafe. Zugleich wiederholte er, daß gegen Müntzer selbst und seinesgleichen nicht gewaltsam vorgegangen werden dürfe, nur weil sie eine andere Lehre verbreiteten: «Man lasse sie nur getrost und frisch predigen, was sie können und wider wen sie wollen ... Es müssen Sekten sein, und das Wort Gottes muß zu Felde liegen und kämpfen ... Man lasse die Geister aufeinander platzen und treffen.»

Das klingt gut. Aber Luther vergaß völlig, den weltlichen Herren klarzumachen, welche Ideen hinter Müntzers wütenden Ausfällen standen. Er brandmarkte ihn als Aufrührer und predigte – um jede Verwandtschaft auszuschließen – Strenge statt Nachsicht. Theologisch setzte er sich mit ihm nicht auseinander. Vielmehr förderte Luther noch das Mißverständnis, hier wolle einer unter der Maske des Evangeliums nichts als politischen Umsturz bewirken. Im August 1524 schrieb Luther an Bürgermeister, Rat und Gemeinde von Mühlhausen: «Wollet euch vor diesem falschen Geist und Propheten, der in Schafskleidern dahergeht und inwendig ein reißender Wolf ist, gar fleißig vorsehen. Denn er hat jetzt an vielen Orten, besonders zu Zwickau und Allstädt, wohl bewiesen, was er für ein Baum ist, weil er keine andere Frucht trägt, als Mord und Aufruhr und Blutvergießen anzurichten ...»

Auch Müntzer ließ sich nicht lumpen und schrieb im gleichen Jahr eine «Hochverursachte Schutzrede und Antwort wider das geistlose, sanftlebende Fleisch zu Wittenberg». Er warf Luther vor, dem Adel «das Maul mit Honig» bestrichen zu haben, um sich und seine Lehre keiner Verfolgung auszusetzen: «Schlafe sanft, liebes Fleisch! Ich röche dich lieber gebraten in deinem Trotz durch Gottes Grimm in der Röhre oder Topf beim Feuer. Denn in deinem eigenen Südlein gekocht sollte dich der Teufel fressen.» Die Schrift, in Nürnberg gedruckt, aber noch vor der Auslieferung fast vollständig vom Rat der Stadt beschlagnahmt, schließt mit der Vision:

«Das Volk wird frei werden, und Gott wird allein der Herr darüber sein.»

Martin Luther predigte in dem Bewußtsein, die Sache Gottes zu vertreten. Thomas Müntzer handelte, weil er sich als auserwählter Nachfolger des Propheten Elia fühlte, der einst – so erzählt es das Alte Testament – fünfhundert Priester des heidnischen Gottes Baal hinrichten ließ. Müntzer ging nach seiner Flucht aus Allstedt zu den Bauernhaufen über, die im Frühjahr 1525 auch das thüringische Land unsicher machten. Er war überzeugt, das Reich Gottes könne nur noch mit den Unterdrückten auf Erden realisiert werden. Er schickte Brandbriefe ins Land, deren radikale Forderungen die Absichten der Bauern weit hinter sich ließen. Eben weil es ihm nicht bloß um Veränderungen und soziale Verbesserungen ging, sondern um die Durchführung einer theologischen Utopie. Wer aushielt im Kampf, dem versprach Müntzer einen faszinierenden Lohn: «Daß wir fleischlichen irdischen Menschen sollen Götter werden.»

Und wieder zeigt sich, daß es ein theologischer Abgrund ist, der ihn von Luther trennt. Denn darin lag für den Wittenberger die Ur-Versuchung des Menschen. Hatte doch die Schlange im Paradies Eva mit den Worten verführt: Ihr werdet sein wie Gott. Weil nur die göttliche Gnade den Menschen für die Ewigkeit retten kann, haben die politischen und sozialen Verhältnisse nichts mit der christlichen Botschaft zu tun. Gerade diese theologische Grundüberzeugung machte es Luther möglich, den weltlichen Dingen einen eigenen Lebensraum, eine eigene Verantwortung zuzugestehen. Darin lag die Rechtfertigung, sich von der geistlichen Welt zu emanzipieren.

Thomas Müntzer steht tief in der mittelalterlichen Welt, wenn er politische Veränderungen zum Vehikel macht, mit denen man angeblich den Willen Gottes erfüllt. Genau dieses Ineinander von politischer und geistlicher Macht hatte die römische Kirche – zu ihrem Vorteil – stets gepredigt. Bei Martin Luther dagegen liegt der Schlüssel zur modernen Welt, in der Gott nicht mehr im Zentrum steht; die ihren eigenen Gesetzen folgt. Nur muß deutlich bleiben, daß Luther selbst niemals unter dieser Devise angetreten ist. Im Gegenteil: Er wollte eine verweltlichte Christenheit, eine laxe Kirche wieder zu Gott führen. Das Ziel, das Luther anpeilte und die Veränderungen, die tatsächlich eintraten, liegen weit auseinander. Worte, einmal ausgesprochen, lassen sich nicht an der Leine halten. Der Widerspruch ist immer schon vorprogrammiert. Das gilt auch für Thomas Müntzer: Er wollte das Reich Gottes auf Erden anbrechen lassen und stand doch in der Gefahr, daß am Ende der Mensch sich auf den Platz Gottes setzte. Aus dem Kampf gegen die Willkür der Herrschenden kann die Tyrannei der Auserwählten werden, die im Namen des Volkes brutal ihre Macht ausnutzen.

Luther und Müntzer: zwei Namen, die überdeutlich machen, daß niemand die Folgen seiner Gedanken oder Taten in der Hand hat. Daß die Geschichte kein Automat ist, den man mit Ideen und Anweisungen füttert, und eines Tages wird das gewünschte Ergebnis herausspringen. Es reicht auch nicht, das Beste zu wollen und die Augen vor den Realitäten zu verschließen. Das gilt für den Mönch aus Wittenberg wie für den Pfarrer aus Allstedt. Sie stehen für zwei verschiedene Wege, die sich dennoch kreuzen können. Die Tragödie beginnt, wenn beide auf ihrem Weg füreinander außer Ruf- und Sichtweite geraten. Wenn kein Brückenschlag und kein Gespräch über den Abgrund mehr möglich ist und auch gar nicht mehr gewollt wird.

Die Bauern, mit denen Müntzer zog, hatten schließlich bei Frankenhausen am Südhang des Kyffhäusers ihr Lager aufgeschlagen. Kurz vor der Schlacht vom 15. Mai 1525, die blutig für die Bauern verlorenging, schrieb Müntzer seinen letzten Satz in Freiheit, der noch einmal seine Theologie zusammenfaßt: «Die Kreaturen müssen frei werden, wenn das Wort Gottes aufgehen soll.» Müntzer hatte eine Sensibilität dafür, daß die Würde des Menschen, die von Gott kommt, auch von den Umständen abhängt, unter denen er lebt. Luther hat das Elend nicht übersehen, aber sich geweigert, es in seine Theologie aufzunehmen. Müntzer konnte nach der Schlacht entkommen, wurde entdeckt, grausam gefoltert und am 27. Mai hingerichtet. Luther sah in diesem gewaltsamen Ende ein Gottesurteil. Er schrieb aber auch: «Nicht, daß ich mich freue seins und der Seinen Unglück, denn was ist mir damit geholfen, der ich nicht weiß, was Gott über mich nicht auch beschlossen hat.»

Deutsche Geschichte im Frühjahr 1525 bedeutete für viele Menschen Unruhe, Plünderung und schließlich Tod. Die Bauern hatten Forderungen gestellt, taten sich zusammen, zogen – meist planlos – durch das Land. Manchmal brannte eine Burg, ein Kloster wurde geplündert, wurden die dicken Weinfässer der Mönche ausgetrunken. Doch der «große deutsche Bauernkrieg» fand längst nicht überall im Lande statt. Hauptschauplatz war der deutsche Südwesten. Im Schwarzwald hatte es 1524 begonnen. Die Unruhe zog bis Sachsen. In Niedersachsen und den nördlichen Rheinlanden blieb alles ruhig. Ein Bürgerkrieg quer durch das ganze deutsche Land war es nicht. Aber daß der «gemeine Mann» sich muckte, der Bauer, der ganz unten auf der sozialen Leiter stand, genügte schon, um die Herrschenden und andere Zeitgenossen in hellen Aufruhr zu versetzen.

Ähnlich wie Thomas Müntzer ist der Bauernkrieg zum Zankapfel der historischen Wissenschaft und der ideologischen Lager geworden. Für Marxisten in den sozialistischen Ländern östlich der Elbe, so sehr sie sich inzwischen auch um theologische und andere Komponenten bemühen, liegen in den wirtschaftlichen Verhältnissen die entscheidenden Triebkräfte für diese Auseinandersetzung. Es handelt sich um eine «frühbürgerliche Revolution», in der veränderungswillige Kräfte der unteren Schichten gegen das feudale Herrschaftssystem des Mittelalters anrennen – der Fortschritt gegen die alte Zeit. Die überwiegende Mehrheit der Historiker in den sogenannten westlichen Demokratien beurteilt die Bewegung vor allem nach ihren politischen Motiven und kommt zu dem entgegengesetzten Schluß: Es waren keineswegs die Ärmsten, sondern vor allem der bäuerliche Mittelstand, der um soziale und politische Freiheiten kämpfte. Noch dazu um alte Freiheiten, die ihnen das mittelalterliche System der dörflichen Selbstverwaltung seit langem zugestand und die ihnen die Fürsten nehmen wollten, um eine neue, moderne Art von Staat – zentralistisch und bürokratisch – aufzubauen. Das wäre dann eine konservative Revolution gegen die neue Zeit.

Die Karten gerecht zu verteilen ist bis heute nicht möglich. Wir wissen viel zuwenig über diesen Bauernaufstand im einzelnen. Allerdings ist klargeworden, daß regionale Unterschiede eine wichtige Rolle spielen. Intensive Arbeiten über das südliche Schwaben, ein Kernland der Unruhen, haben zum Beispiel die These der westlichen Forscher bestätigt. Zu Verallgemeinerungen ist deshalb noch lange kein Anlaß. Umstritten ist auch, wie weit der Aufbruch im religiösen Leben, wie stark Luther und seine Schriften die Unruhen beeinflußt, vielleicht sogar ausgelöst haben. Die meisten westlichen Historiker warnen vor Überschätzung. Ganz sicher ist Thomas Müntzers radikale theologische Interpretation der Unruhen über die Köpfe der Bauern hinweg geschehen. Aber daß sie sich als Verteidiger der lutherischen Positionen sahen und aus seiner Lehre die Rechtfertigung für ihr Aufbegehren nahmen, daran besteht kein Zweifel.

Im März 1525 gingen die sogenannten «Zwölf Artikel» in Druck, die viele Bauerngruppen zu ihrem Programm machten. Sie weisen schon in den ersten Absätzen die angebliche Beziehung zwischen dem «neuen Evangelium» und Gewalt und Aufruhr empört zurück: «Das Evangelium verursacht weder Empörung noch Aufruhr, weil es eine Rede von Christus, dem verheißenen Messias ist, dessen Wort und Leben nichts als Liebe, Friede, Geduld und Eintracht lehren ... Zweitens folgt daraus klar und deutlich, daß die Bauern, die in ihren Artikeln solches Evangelium zur Lehre und zum Leben begehren, nicht ungehorsam und aufrührerisch genannt werden können.» Es war tatsächlich ein gemäßigtes Programm, keine Anstiftung zur Revolution. Nachdem die «Zwölf Artikel» in Nürnberg in Umlauf kamen, schrieb der Rat der Stadt über die Forderungen der Bauern: «Wir gedenken, sie in ihren Angelegenheiten gewiß nicht zu begünstigen, aber ein jeder hat zu bedenken, wie einleuchtend ihre Forderungen in diesen Artikeln sind, wie offenkundig auch die Beschwerden, die ihnen bisher widerfahren sind, erscheinen und nicht geleugnet werden können.»

Seit die Artikel durch das Land gingen, wußte eine Öffentlichkeit, daß die Bauern sich auf Martin Luther beriefen. Er konnte nicht länger schweigen. Am 19. April 1525 besuchte er seinen Geburtsort Eisleben, wo eine Gelehrtenschule gegründet werden sollte, und begann einen Tag darauf im Garten eines Freundes seine «Ermahnung zum Frieden auf die zwölf Artikel der Bauernschaft in Schwaben». Mit dieser wenig bekannten Schrift beginnt sein Eingriff in die Tagespolitik dieser aufgewühlten Monate, die ihm bis heute scharfe Kritik eingetragen hat. Persilscheine sollen hier nicht verteilt werden. Doch man kann Luther nur gerecht werden, wenn alle seine Aussagen herangezogen und nicht willkürlich und einseitig provozierende Zitate herausgepickt werden.

Gleich zu Beginn sagt Luther, welche Schuld die Herrschenden in diesem Streit tragen: «Erstens können wir niemand auf Erden für solch Unheil und Aufruhr danken, als euch Fürsten und Herren, besonders auch blinden Bischöfen und tollen Pfaffen und Mönchen ... Dazu tut ihr im weltlichen Regiment nicht mehr, als daß ihr schindet und Geld eintreibt, euren üppigen und hochmütigen Lebenswandel zu führen, bis es der gemeine Mann nicht länger ertragen kann und mag. Das Schwert ist euch auf dem Halse. Dennoch meint ihr, ihr sitzt so fest im Sattel, man werde euch nicht ausheben können. Solche Sicherheit und verstockte Vermessenheit wird euch den Hals brechen, das werdet ihr sehen ... Denn das sollt ihr wissen, liebe Herren: Gott schaffts so, daß man eure Wüterei nicht kann noch will noch solle dulden auf die Dauer ... Denn er will euch schlagen und wird euch schlagen. Es sind nicht Bauern, liebe Herren, die sich gegen euch stellen. Gott ists selbst, der sich gegen euch stellt, eure Wüterei heimzuzahlen ... Scherzt nicht mit Gott, liebe Herren!»

Natürlich kennt Luther den Vorwurf, seine Predigt hätte die Bauern angestachelt. Er setzt zwei Argumente dagegen: «Ihr und jedermann muß mir Zeugnis geben, daß ich in aller Stille gelehrt habe, heftig gegen Aufruhr gestritten, und die Untertanen zu Gehorsam und Ehre auch [für] eure tyrannische und tobende Obrigkeit mit höchstem Fleiß angehalten und vermahnt habe ... Und wenn ich Lust hätte, mich an euch zu rächen, so möchte ich mir jetzt in die Faust lachen und den Bauern zusehen, oder mich auch zu ihnen schlagen und die Sache ärger machen helfen. Aber da soll mich mein Gott vor behüten, wie bisher.» Sein Rat an die Obrigkeit: «Fangt nicht Streit mit ihnen an, denn ihr wißt nicht, wo das Ende bleiben wird. Versuchts zuvor gütlich, weil ihr nicht wißt, was Gott tun will, auf daß nicht ein Funke angehe und ganz Deutschland anzünde ...»

Danach sind die Bauern an der Reihe. Luther sagt ihnen, daß «die

Fürsten und Herren wohl verdient haben, daß Gott sie vom Stuhle stürze, da sie sich gegen Gott und Menschen höchlich versündigen. Sie haben auch keine Entschuldigung.» Es folgt eine Warnung vor den «wilden Rottengeistern und Mordgeistern», womit Thomas Müntzer und seine Anhänger gemeint sind. Dann kommt Luther zum Kern: «Erstens, liebe Brüder: ihr führt den Namen Gottes, und nennt euch eine christliche Rotte oder Vereinigung und gebt vor, ihr wollt nach dem göttlichen Recht verfahren und handeln.» Dagegen steht das zweite Gebot: «Du sollst den Namen des Herrn nicht mißbrauchen.» Luther ist überzeugt, «daß ihr [die Bauern] aber die seid, die Gottes Namen unnützlich führen und schänden ... Und daß euch deshalb zuletzt alles Unglück begegnen werde, ist auch kein Zweifel, Gott sei denn nicht wahrhaftig.» Was die Bauern dazu sagen, ist nicht schwer zu erraten: «Ja sagt ihr, die Obrigkeit ist zu böse und unleidlich ... Antworte ich: Daß die Obrigkeit böse und ungerecht ist, entschuldigt keine Zusammenrottung noch Aufruhr.» Über den Tag hinaus sieht Luther das menschliche Zusammenleben gefährdet: «... wenn euer Vorgehen recht sein sollte, so würde ein jeglicher über den andern Richter werden und keine Gewalt noch Obrigkeit, Ordnung noch Recht in der Welt bleiben, sondern nichts als Mord und Blutvergießen.»

Wir haben es schon gehört: Ordnung muß sein, und sie ist keineswegs typisch christlich. Sie gilt ebenso unter Türken und Heiden. Um ein Christ zu sein, muß noch etwas anderes hinzukommen: «Nicht sich gegen Unrecht sträuben, nicht zum Schwert greifen, nicht sich wehren, nicht sich rächen, sondern Leib und Gut dahingeben ... Wir haben doch genug an unserm Herrn, der uns nicht verlassen wird, wie er verheißen hat. Leiden, Leiden, Kreuz, Kreuz ist der Christen Recht, das und kein anderes.» Ob Luther, als er diese Sätze schrieb, acht Jahre zurückdachte? Damals, 1518 in Heidelberg, als er auf dem Konvent der Augustinermönche seine Kreuzes-Theologie verkündete, hatte ein hellsichtiger Bruder den Zwischenruf gemacht: Die Bauern werden dich steinigen!

Der Öffentlichkeit hat Luther schon 1521 unmißverständlich klargemacht, wie das Verhältnis eines Christen zu Aufruhr und Gehorsam sein mußte. Im Exil auf der Wartburg schrieb er für die

Wittenberger: «Sich zu hüten vor Aufruhr und Empörung». 1523 entstand die Schrift «Von weltlicher Obrigkeit, wie weit man ihr Gehorsam schuldig sei». Niemand kann Luther vorwerfen, er hätte mit seiner Meinung zu diesem brisanten Thema hinter dem Berg gehalten oder gar seine Meinung geändert. Daß die Bauern mit ihren politischen Forderungen vertrauensvoll ihre Sache auf Martin Luther stellten, beweist einmal mehr, wie wenig die Theologie dieses Mönches selbst von denen verstanden wurde, die sich auf ihn beriefen.

Im April 1525 versucht Luther den Bauern klarzumachen, worum es ihm geht. Er will die hohen Herren nicht verteidigen: «Sie sind und tun greulich Unrecht, das bekenne ich.» Aber sein Standpunkt ist ein grundsätzlich anderer, was ihn unterscheiden läßt: «Ich lasse eure Sache sein, wie gut und recht sie sein kann. Weil ihr sie aber selbst verteidigen und nicht Gewalt noch Unrecht leiden wollt, mögt ihr tun und lassen, was euch Gott nicht wehrt. Aber den christlichen Namen, den christlichen Namen sage ich, den laßt beiseite ...»

Weil die Bauern sich auf seine Theologie berufen, antwortet ihnen Luther nicht als Jurist, nicht als Untertan, nicht als Ökonom, sondern als Theologe und als einer, der für das Heil der Seelen verantwortlich ist. Auch als ein Prophet, der die Sache Gottes vertritt, die nicht in Aufruhr und Untergang hineingezogen werden darf. Martin Luther beschwört die Bauern im Namen Gottes, weltliche und geistliche Bereiche voneinander zu trennen, ohne deshalb den Kampf aufgeben zu müssen: «So soll nun und muß euer Titel und Name dieser sein: daß ihr Menschen seid, die darum streiten, daß sie nicht Unrecht noch Übel leiden wollen noch sollen, wie das die Natur ergibt. *Den* Namen sollt ihr führen und Christi Namen in Frieden lassen.» Nur wenn sie dazu nicht bereit sind, wird Luther sich von ihnen distanzieren: «Wohlan, so muß ich die Sache nicht anders verstehen, als daß sie mir gelte, und euch für Feinde rechnen und halten, die mein Evangelium unterdrücken oder verhindern wollen, mehr als der Papst und Kaiser bisher getan haben. Weil ihr unter des Evangeliums Namen gegen das Evangelium handelt und tut.»

So überzeugend das klingt: Luther hatte auch geschrieben, daß man gerade als Christ aktiv werden muß, wenn dem Nächsten Unrecht geschieht. In seiner «Ermahnung zum Frieden» an die Bauern ist diese Aufforderung nicht mehr enthalten: «Seht, das ist die rechte, christliche Weise, von Unglück und Übel frei zu werden, nämlich dulden und Gott anrufen.» Der Mönch schloß mit einer «Vermahnung an beide, Obrigkeit und Bauernschaft», «weil ihr zu beiden Teilen im Unrecht seid». Den Herren prophezeite er: «Weil denn sicher ist, daß ihr tyrannisch und wütiglich regiert, das Evangelium verbietet und den armen Mann so schindet und unterdrückt, habt ihr keinen Trost noch Hoffnung, als daß ihr umkommt, wie euresgleichen umgekommen ist.» Die Zukunft der Bauernschaft sah er so: «Weil ihr denn Unrecht tut damit, daß ihr selbst richtet und euch rächt, dazu den christlichen Namen unwürdig führt, seid auch ihr bestimmt unter Gottes Zorn.» Luther ließ es jedoch nicht bei allgemeinen Verdammungsurteilen. Sein konkreter Vorschlag: «Daß man aus dem Adel etliche Grafen und Herren, aus den Städten etliche Ratsherren erwähle und sie die Sachen auf freundliche Weise verhandeln und zur Ruhe bringen ließe ...» Seine Worte wurden sofort gedruckt und verbreitet.

Von Eisleben aus reiste Luther zwei Wochen durch Thüringen, wo die Unruhe schon gärte, und versuchte durch seine Predigt den Lauf der Dinge, wie er ihn kommen sah, aufzuhalten. Am 1. Mai 1525 schrieb ein Beamter dem sächsischen Kurfürsten: «Doktor Luther ist im Mansfeldischen Lande, aber kann solicher Aufruhr und des Zulaufens aus dem Mansfeldischen Lande nit wehren.» Die Bauern wollten sich ihr altes Recht nicht kampflos nehmen lassen, und der Erfolg schien ihnen recht zu geben. Zu Tausenden zogen sie durchs Land, während die Obrigkeit Mühe hatte, ein paar hundert Berittene zur Verteidigung aufzubringen. Etliche Städte schlossen sich den Bauern an. Das Oberste schien sich zuunterst zu kehren: die Bauern schienen die Herren zu werden. In der zweiten Maiwoche 1525 ließ Luther seine «Ermahnung zum Frieden» in Wittenberg noch einmal drucken, nun aber zusammen mit der Ergänzung «Auch wider die räuberischen und mörderischen Rotten der andern Bauern».

Es ist diese ursprünglich angehängte Schrift, aus der seitdem Luthers Stellung zum Bauernkrieg ausschließlich abgeleitet und damit aus dem Zusammenhang gerissen wird. Erst die folgenden Nachdrucke außerhalb von Wittenberg, wie alle anderen von Luther nicht autorisiert, haben die Worte von den «räuberischen und mörderischen Rotten der Bauern» unters Volk gebracht, ohne die kritischen und mahnenden Worte an die Herrschenden, den Aufruf zum Frieden mitzuliefern.

Luther hat in dieser Ergänzungsschrift wahr gemacht, was er den Bauern angedroht hatte, wenn sie ihre Sache weiterhin im Namen des Evangeliums führen würden. Er war wieder überzeugt, daß der Teufel seine Hand im Spiele habe, um den neuen Glauben zu vernichten. Zugleich hielt er es für seine Pflicht, die Obrigkeit, die überall vor den Bauern zurückwich, an ihre Pflicht zu erinnern: für Ordnung zu sorgen – wenn nötig mit dem Schwert. Er tat es in einer Sprache, die keine Gnade, keine Nachsicht kannte. Und so war auch sein Rat an die Fürsten: «Es gilt hier nicht Geduld oder Barmherzigkeit. Es ist hier des Schwertes und Zorns Zeit und nicht der Gnaden Zeit. So soll nun die Obrigkeit hier getrost fortfahren und mit gutem Gewissen dreinschlagen, solange sie einen Arm regen kann.» Es galt aber nicht nur, die Bauern zu strafen, die ihre «greulichen, schrecklichen Sünden mit dem Evangelium bemänteln». Zugleich mußten die «anderen Bauern», die keinen Aufruhr wollten und nur aus Angst mitliefen, von den Aufständischen befreit – «erlöst» – und damit vor schlimmster Sünde bewahrt werden. Sie sind die «armen Menschen» in den so oft zitierten und mißverstandenen Sätzen – die deshalb nicht entschuldbarer werden –: «Darum, liebe Herren, erlöset hier, rettet hier, helft hier, erbarmt euch der armen Menschen: steche, schlage, töte hier, wer da kann. Bleibst du drüber tot, wohl dir, seligeren Tod kannst du nimmermehr finden ... Dünkt das jemand zu hart, der bedenke, daß Aufruhr unerträglich ist und alle Stunde der Welt Zerstörung zu erwarten sein.»

Als Luthers Aufruf zu einem unbarmherzigen Strafgericht erschien, um seine Sache und die Welt vor dem Untergang zu retten, hatte sich das Blatt schon gewendet. Die Bauernhaufen waren auf der Flucht, und der Öffentlichkeit erschienen die Worte aus Wittenberg als Rechtfertigung für die blutige Vergeltung der Herrschenden. Nicht wenige von Luthers Anhängern waren über ihren

Meister entsetzt: Sowenig wie die Bauern verstanden sie seinen radikalen theologischen Ansatzpunkt in politischen und sozialen Konflikten. Ein Freund schrieb ihm, es erscheine vielen seltsam, daß Luther das «erbarmungslose Würgen der Tyrannen» zulasse. Was unterschied den Mönch noch von Müntzer, diesem «Mordpropheten»?

Müntzer bekämpfte die Unterdrückung des armen Mannes, weil nach seiner Meinung nur *der* Mensch frei war für Gott, den man zuvor von irdischer Not befreit hatte. Luther predigte die Aufrechterhaltung der bestehenden Ordnung um jeden Preis, weil nach seiner Interpretation das Evangelium den Christen auferlegte, die bestehenden Verhältnisse zu erdulden, und wenn sie noch so unmenschlich waren. Freiheit war ein Geschenk Gottes und konnte von niemandem erkämpft werden. In der Unerbittlichkeit, mit der Luther an diesem «Artikel» – dem Glauben von der Befreiung des Menschen durch die Gnade allein – festhielt, stand er der römischen Kirche nicht nach: Lieber sollte die Welt «in der Höllen Grund fallen», als diesen Glauben aufgeben. «Von diesem Artikel kann man nicht weichen oder nachgeben, es falle Himmel oder Erden oder was nicht bleiben will.»

Es täusche sich keiner: Müntzers blutiges Ende und Luthers gnadenlose Worte sind kein Zufall, kein Ausrutscher. In der Krise herausgefordert, antwortet jeder von beiden auf eine Weise, wie es seiner tiefsten Überzeugung entsprach und legte zugleich die Widersprüche seiner Lehre offen. Gerade Luthers Forderung, die weltlichen Geschäfte strikt von den geistlichen Dingen zu trennen, hatte sich in diesen turbulenten Wochen als Illusion gezeigt. Nur als Prediger Gottes wollte er gehört werden, der von den Christen kampfloses Leiden forderte – und stützte damit doch eine ganz bestimmte Politik: In diesem Fall die der Herrschenden. Der Glaube an das Evangelium bewahrt keinen davor, schuldig zu werden. Es ist kein Wegweiser, um schnell und glatt die Probleme dieser Welt zu lösen.

Luther wurde von seinen Anhängern so gedrängt, daß er schließlich im gleichen Jahr 1525 zwei weitere Schriften folgen ließ, in denen er seine Haltung gegenüber den Bauern entschieden verteidigte und alles nur noch schlimmer machte: «Dünkt sie solche Antwort zu hart und geben sie vor, es sei mit Gewalt geredet und das Maul gestopft, da sage ich: Das ist recht, denn ein Aufrührer ist nicht wert, daß man ihm mit Vernunft antworte, denn er nimmts nicht an. Mit der Faust muß man solchen Mäulern antworten, daß das Blut zur Nase herausgehe.» Die Stärken eines Menschen werden seine Schwächen, wenn die Situation wechselt: Die Standfestigkeit, mit der Luther es vor Kaiser und Kardinal abgelehnt hatte zu widerrufen, ließ ihn im Bauernkrieg trotzig auf einer Meinung bestehen. Der theologische Ausgangspunkt war in beiden Fällen der gleiche: Sola gratia – die Gnade allein. Keinen Finger durfte der Christ für sein Seelenheil krümmen.

Eines allerdings will er nicht zulassen, daß seine Worte als Aufruf zur Rache verstanden werden: «Siehe nun, ob ich billig und recht in meinem Büchlein geschrieben habe, man solle ohne alle Barmherzigkeit in die Aufrührer stechen. Damit habe ich aber nicht gelehrt, daß man den Gefangenen und die sich ergeben haben, nicht Barmherzigkeit erweisen wolle, wie man mir Schuld gibt ... Hiermit will ich auch die wütigen Tyrannen nicht gestärkt, noch ihr Toben gelobt haben.» Ausdrücklich betont Luther, seine Schrift habe für diesesmal nur einer Seite gegolten: «Aber die wütigen, rasenden und unsinnigen Tyrannen, die auch nach der Schlacht nicht des Bluts satt werden können, und die in ihrem ganzen Leben nicht viel nach Christus fragen, habe ich mir nicht vorgenommen zu unterrichten ... Was sollte ich solchen Schurken und Säuen schreiben? Die Schrift nennt solche Menschen Bestien, das heißt, wilde Tiere, als da sind Wölfe, Säue, Bären und Löwen. So will ich sie auch nicht zu Menschen machen ... Ich habe beides befürchtet: Würden die Bauern Herren, so würde der Teufel Abt. Würden aber solche Tyrannen Herren, so würde seine Mutter Äbtissin.»

Die Historiker sind zunehmend überzeugt, daß die Bauern nicht umsonst gestorben sind, wie es lange Zeit gelehrt wurde. Ihre Lage verschlechterte sich nicht. Der Reichstag von 1526 empfahl den Herren, sich die Beschwerden der Untertanen wohlwollend anzuhören und sie nicht zu sehr durch Steuern und Abgaben zu bedrükken. Doch es war zuviel geschehen, um als Zeitgenosse wortlos zur Tagesordnung übergehen zu können. Im August 1525 schrieb Luther: «Die Sache der Bauern ist überall zur Ruhe gekommen, an die 100000 sind getötet und so viele dadurch zu Waisen gemacht worden, die übrigen in ihrem Leben so verkümmert, daß Deutschland nie jammervoller ausgesehen hat. So wüten die Fürsten und machen ihr Unrecht voll.» Jetzt, wo die prinzipielle Auseinandersetzung hinter ihm lag, zeigte Luther, was auch zu ihm gehörte – ein weiches Herz: «Die wahre Gerechtigkeit hat Mitleid, die falsche entrüstet sich.»

Etwas ganz anderes gehört noch in diese erste Hälfte der zwanziger Jahre: die offene Sympathie, mit der Luthers Auftreten von den Juden begrüßt wurde und die für jene Zeiten ganz ungewöhnliche Anerkennung, die der Mönch anfänglich den «Gottesmördern» öffentlich entgegenbrachte: «Darum soll man heutigen Tags die Juden nicht verachten, dieweil aus ihnen, nicht aus uns, die Herrlichkeit [Christi] gekommen ist. Denn sie sind die ersten Christen gewesen ...» Ganz ausdrücklich erinnerte Luther 1523 in seiner Schrift «Daß Jesus Christus ein geborener Jude sei» an den Ursprung des christlichen Glaubens: «Unsere Namen, die Papisten, Bischöfe, Sophisten und Mönche haben bisher also mit den Juden verfahren, daß, wer ein guter Christ gewesen, hätte wohl mögen ein Jude werden. Und wenn ich ein Jude gewesen wäre und hätte solche Tölpel und Knechte den Christenglauben regieren und lehren sehen, so wäre ich eher eine Sau geworden als ein Christ. Denn sie haben mit den Juden gehandelt, als wären sie Hunde und nicht Menschen, haben nicht mehr tun können, als sie schelten und ihr Gut nehmen. Die Juden sind Blutsfreunde, Vettern und Brüder unseres Herrn. Darum, wenn man sich des Blutes und Fleisches rühmen soll, so gehören sie Christus mehr an denn wir. Ich bitte daher, meine lieben Papisten, wenn ihr müder geworden, mich Ketzer zu schimpfen, daß ihr anfangt, mich einen Juden zu schelten.»

Hinter Luthers Aufruf zur Menschlichkeit gegenüber den Juden steht die gleiche Theologie, die das christliche Mittelalter vor ihm gelehrt hatte: Das jüdische Volk besaß zu Lebzeiten Christi das außergewöhnliche Angebot, sich zu ihm als dem Messias zu bekennen, und hat es ausgeschlagen. Deshalb wurden die Juden als Volk insgesamt von Gott verworfen, verdammt. Weil aber einzelne Ju-

187

den vor dem Jüngsten Gericht am Ende der Welt gerettet werden können, soll man versuchen, sie ohne Zwang zu bekehren. So hat es Luther den Studenten schon in seiner zweiten Psalmenvorlesung 1517 gesagt: «Denn obwohl der große Haufe verstockt ist, sind dennoch allezeit solche, wie wenig ihrer sei, die zu Christo sich bekehren und an ihn glauben ... Drum sollen wir die Juden nit so unfreundlich behandeln ... man sag ihnen gütlich die Wahrheit. Wollen sie nit, laß sie fahren.» In den ersten Jahren nach der Rückkehr von der Wartburg, als alles sich gut anließ, war Luther überzeugt, daß die Kraft des Wortes, so wie er es der Welt predigte, auch das Herz und den Verstand vieler Juden umstimmen würde. In der Mitte des Jahrzehnts mußte er erfahren, wie mißverständlich Worte sein können – und wie kraftlos. Die Bauern hörten nicht auf ihn, die Herren nutzten ihn bedenkenlos für ihre Interessen aus, und die Juden bekehrten sich nicht.

Schon bevor er eine Berühmtheit wurde, hatte Luther 1516 darüber gestöhnt, wieviel Arbeit er zu bewältigen habe. Mit der Berühmtheit hatte das Pensum noch zugenommen. Vorlesungen, Predigten, Briefe liefen weiter nebenher. Hinzu kamen – außer den Schriften für die Öffentlichkeit – Anfragen von überallher, Auseinandersetzung nicht mehr nur mit den «Papisten», sondern auch mit Kritikern und Gegnern aus den eigenen Reihen. Und viele Stunden wurden für mehr oder weniger hochgeborene Besucher vertan, die neugierig nach Wittenberg kamen, um den berühmten Mann persönlich in Augenschein zu nehmen. Gott sei Dank: denn so haben wir lebendige Augenzeugenberichte nicht nur von Luther, sondern ebenso von seinem Wittenberger Kreis.

Eines Tages im Jahre 1523 ließ sich Johannes Dantiscus trotz schwerem Hochwasser auf einem Kahn über die Elbe nach Wittenberg setzen. Drei Jahre lang war Dantiscus der Gesandte des polnischen Königs am spanischen Hof Karls V. gewesen. Auf der Rückreise nach Polen wollte der überzeugte Anhänger der römischen Kirche nicht achtlos an Wittenberg vorüberziehen. Dantiscus, ein gebildeter Mann, hat aufgeschrieben, was er in der Stadt des Ketzers erlebte: «Ich fand dort einige junge Männer im Hebräischen, Griechischen und Lateinischen hochgelehrt, vornehmlich Philipp Melanchthon, der für den ersten von allen in der gründlichen

Kenntnis der Schriften und der Lehre gehalten wird. Ein junger Mann von 26 Jahren und mir gegenüber während der drei Tage, die ich dort zubrachte, von herzlichstem und sehr gewinnendem Wesen. Durch seine Vermittlung habe ich Luther den Grund meiner Reise so auseinandergesetzt: Wer in Rom den Papst und in Wittenberg den Luther nicht gesehen hat, der hat, so glaube man, überhaupt nichts gesehen ... Es hat nämlich nicht leicht jeder beliebige Besucher Zutritt zu ihm; mich nahm er jedoch ohne Schwierigkeiten auf.

So kam ich denn mit Melanchthon zu ihm gegen Ende des Abendessens, zu dem er einige Brüder seines Ordens zugezogen hatte, die in Kutten von weißer Farbe, jedoch nach vorgeschriebenem Schnitt, gekleidet und daher als Brüder kenntlich waren, in der Haartracht aber von Bauern nicht unterschieden [d. h. sie hatten keine Tonsur. Außerhalb des Klosters trugen die Augustiner schwarze Kutten]. Luther stand auf, reichte mir etwas verlegen die Hand und hieß mich niedersitzen. Wir setzten uns und haben uns fast vier Stunden lang bis in die Nacht hinein über die verschiedenen Dinge auf mancherlei Weise unterhalten. Ich fand den Mann gescheit, gelehrt und beredt. Aber abgesehen von Schimpfreden, Anmaßungen und bissigen Bemerkungen gegen den Papst, den Kaiser und andere Fürsten brachte er nichts vor.

Luthers Gesicht ist wie seine Bücher: seine Augen sind durchdringend und beinahe unheimlich funkelnd, wie man es bisweilen bei Besessenen sieht ... Als wir nun mit ihm beisammen saßen, haben wir uns nicht bloß unterhalten, sondern auch in heiterer Laune Wein und Bier getrunken, wie es dort Sitte ist. Er scheint in jeder Hinsicht ‹ein guter Geselle› zu sein, wie man im Deutschen sagt ... Dieser Tage übersetzt er die Bücher Mosis aus dem Hebräischen ins Lateinische, wobei er sehr viel den Melanchthon zur Hilfe heranzieht. Dieser Jüngling gefällt mir unter allen Gelehrten Deutschlands am meisten. Mit Luther stimmt er durchaus nicht in allem überein.»

Dantiscus wurde später Bischof von Ermland. Vielleicht war es diese persönliche Begegnung, die ihn davon abhielt zu glauben, daß auf einen gebannten Ketzer unwiderruflich die Hölle wartet. Dreiundzwanzig Jahre später schickte ihm sein Nachbar Albrecht von

Preußen Berichte über Luthers Tod als Beispiel für ein christliches Sterben. Dantiscus antwortete, daß er gerne an seinen Besuch in Wittenberg zurückdenke und daß Gott «eim jeden, der Jesum Christum unsern Heiland und Erlöser erkennt in der letzten Stunde, wie E. F. D. auch bitten, ein christlich Ende zu ewiger Seligkeit wollt geben. Amen.»

# Die gebremste Reformation

Luthers Biographen und viele Bücher zur Reformationsgeschichte haben die Zeit zwischen 1517 und 1525 als die sieben fetten Jahre beschrieben, in denen der Mönch aus Wittenberg und seine Theologie Deutschland wie im Sturm eroberten. Von Luther angefeuert, breitete sich angeblich eine «Revolution von unten» aus, in der die Laien – meist in Gestalt der kleinen Leute – die treibenden Kräfte waren. Dann kam der Bauernkrieg und wurde durch Luthers Eintreten für die Fürsten zur Wasserscheide: Der Mönch und seine Sache wurden unglaubwürdig, gerieten in Mißkredit beim Volk. Luthers Lehre mußte nach 1525 «von oben» verordnet werden. Die Massen fielen wieder von ihm ab, der revolutionäre Schwung der Bewegung war gebrochen. Der Mönch in Wittenberg hatte nicht mehr viel zu sagen und wurde nicht mehr gehört. In Richard Friedenthals populärer Lutherbiographie vergehen bis zum Bauernkrieg 524 Seiten. Für den «Rest» – immerhin hatte Luther noch zwanzig Jahre zu leben – bleiben 124 Seiten.

Daß Luther in seinen Stellungnahmen während des Krieges nicht die Bauern verriet, um den Herren nach dem Mund zu reden; daß er vielmehr unnachsichtig und ohne politische, wirtschaftliche oder soziale Gesichtspunkte einzubeziehen, seine Theologie zum alleinigen Maßstab nahm, und zwar ungeachtet aller Folgen – das haben wir gehört. Wie aber breitete sich außerhalb Wittenbergs und der kursächsischen Lande die neue Theologie aus? Das, was erst die Nachgeborenen «Reformation» nannten? Wer nahm die neue Lehre auf, und wer trug sie weiter? War es überhaupt eine Mehrheit der Deutschen, die in diesen sieben Jahren nach 1517 vom alten Glauben abfiel? Die päpstlichen Legaten im Reich schrieben es entsetzt nach Rom. Doch sie sind keine zuverlässigen Zeugen. Für sie war jeder ein kleiner Luther, der es wagte, die päpstliche Autorität auch in nur Kleinigkeiten in Frage zu stellen.

Weil die meisten der aufständischen Bauern sich ausdrücklich auf Luther beriefen, wurden sie insgesamt und ohne Nachfrage für Luthers Sache vereinnahmt. Doch sie hatten sich längst nicht alle erhoben. Noch wichtiger: Es gibt kaum Dokumente, kaum Zeugnisse von diesen 80 Prozent der Bevölkerung, in denen wir etwas über ihren Glauben erfahren. Die bäuerliche Schicht war auch in diesen Jahren, wie alle zurückliegenden Jahrhunderte im christlichen Europa, ohne Stimme. Eines darf man beim Rekonstruieren nicht verdrängen: Bauern in aller Welt hängen besonders treu und zäh an ihren Traditionen und stehen allem Neuen zuerst einmal skeptisch gegenüber. Ihre enge Beziehung zur Natur fördert eine Frömmigkeit voller Magie und Aberglaube, die von der römischen Kirche erst nach langem Zögern in den christlichen Glauben eingebettet wurde.

Hören wir noch einmal Johannes Dantiscus auf dem Weg zu Martin Luther: «Die Flüsse, besonders die Elbe, die bei Wittenberg vorbeifließt, waren so angeschwollen, daß in den Niederungen fast alle Saaten überschwemmt waren. Unterwegs hörte ich von den Bauern viele harte Schmähungen und Vorwürfe gegen Luther und seine Mitschuldigen. Denn man glaubte, weil während der Fastenzeit die meisten Fleisch gegessen hatten, deshalb verwüste Gott das ganze Land.» Der Zorn der Bauern beschränkte sich nicht nur auf Worte. Nachdem der Augustinermönch Heinrich von Zütphen der Inquisition in seiner Heimat entkommen war, predigte er in Bremen im Sinne Luthers und wollte 1524 auch den Dithmarscher Bauern das reine Evangelium verkünden. Wie seine Mitbrüder in Antwerpen wurde er zu einem Märtyrer der lutherischen Sache: Im Dezember 1524 haben ihn aufgebrachte Bauern, die ihren traditionellen Glauben bedroht sahen, bei Meldorf erschlagen und verbrannt. Zwei Zeugnisse, die sicher nicht für das Ganze stehen, aber zu größter Vorsicht mahnen, wenn es um die «Reformation» auf dem Lande geht. So erdrückend sind für manche modernen Historiker die Beweise, daß sie die Durchsetzung von Luthers Sache ein «städtisches Ereignis» nennen, eine Angelegenheit der bürgerlichen Eliten.

Noch keine zwei Jahre waren vergangen, seit der Mönch in Wittenberg 95 Thesen gegen die Ablaßprediger aufgestellt hatte, da ließ 1519 der Nürnberger Ratsschreiber Lazarus Spengler seine «Schutzrede und christliche Antwort eines ehrbaren Liebhabers göttlicher Wahrheit der heiligen Schrift» drucken. In ihr legte er dieses Bekenntnis ab: «Ob Luthers Lehre christlicher Ordnung und Vernunft gemäß sei, stelle ich in eines jeden vernünftigen, frommen Menschen Erkenntnis. Das weiß ich aber unzweifellich, daß mir, der sich für keinen hochvernünftigen Gelehrten oder Geschickten hält, mein Leben lang keine Lehre oder Predigt so stark in meine Vernunft gegangen ist, als Luthers und seiner Nachfolger Lehr und Unterweisung. Walte Gott, daß mir die Gnade verliehen würde, mich derselben Unterweisung gemäß zu halten und mein ganzes Leben danach zu regulieren.»

Im Juli 1523 schrieb Jörg Vögeli, Stadtschreiber in Konstanz am Bodensee, einem Freund: «Soweit ich mich zurückerinnern kann und, wie ich glaube, schon lange davor, ist zwar das Evangelium Gottes dem Volk verkündet worden, aber nicht im Geist, sondern buchstäblich oder auch historisch, wie man in Spinnstuben allerlei Märchen erzählt. Darum hat es nichts nützen können ... Etliche (und das waren die Hochgelehrtesten) haben den Geist des Evangeliums und den Glauben an Christus angeregt, aber dermaßen auf zahllose Weise entstellt, daß ich und andere Einfältige keineswegs verstehen konnten, was das Evangelium wäre ... Deshalb habe ich immer gezweifelt, ob ich die Prediger nicht verstehe, oder die Prediger nicht das Evangelium in seinem rechten, eigentlichen Sinn. Immer dünkte mich (denn ich las keine der biblischen Bücher), es müßte eine königliche Straße in den Himmel führen als dermaßen viele labyrinthische Abwege ... Nun aber, da ich die Bücher Martin Luthers, in denen er vom christlichen Glauben redet, gelesen, da habe ich fröhlich gemerkt: Der redet gründlich von Dingen. Aus der Schrift selbst heraus erläutert er die Schrift so angemessen, daß kein Zweifel besteht, er zeige die Spur an, auf der man zum Verständnis Gottes, das ist, zum Glauben an ihn, kommen könne.»

Die Stadtschreiber von Nürnberg und Konstanz stehen für eine humanistisch gebildete bürgerliche Minderheit, deren Ideal die klaren, vernünftigen Philosophen der Antike waren; Weihrauch und Kerzen schienen ihnen den Glauben zu verdunkeln. Rhetorik war ihre Wissenschaft. Ablaß und Wallfahrten waren etwas für die Dummen. Luther machte Schluß mit solchem äußerlichen Glauben. Er stellte das Evangelium in den Mittelpunkt seiner Predigten. In diesen Aussagen gleichen sich die Bekenntnisse von Spengler und Vögeli. Die Anklagen gegen die römische Kirche sind nicht präzise, eher verschwommen. Von Luthers Theologie ist nicht die Rede. Es fällt kein Wort über die Befreiung des Menschen von seinen Sünden allein durch Gottes Gnade, auf der die neue Lehre und alle ihre Konsequenzen aufgebaut sind. Was die beiden an Luther rühmen, ist wichtig und richtig. Aber haben die Humanisten die Radikalität seiner Theologie begriffen? Haben sie wirklich verstanden, was dieser Mönch forderte: nicht nur eigene Anstrengungen, sondern auch alle Vernunft fahrenzulassen vor dem gewaltigen, unbegreiflichen Gott?

Männer wie Vögeli und Spengler, wie der Maler Albrecht Dürer oder der kursächsische Kanzler Gregor Brück waren ideale Propagandisten – Multiplikatoren – der neuen Sache. Sie reisten viel, führten einen ausführlichen Briefwechsel mit Gleichgesinnten überall im Land. Es war eine Elite. Doch längst nicht alle gebildeten Bürger liefen mit fliegenden Fahnen über. Etliche, vor allem die älteren Humanisten, bewahrten sich bei aller Sympathie für den Kämpfer in Wittenberg ihren skeptischen Kopf. Sie scheuten die endgültige Konfrontation mit der alten Kirche, erkannten auch – wie Erasmus –, was Luther wirklich von seinen Anhängern forderte, blieben abwartend und schließlich, als sie einer Entscheidung nicht mehr ausweichen konnten, bei der angestammten Kirche.

Oft sind sie als Drückeberger abgestempelt worden. Zu Unrecht, denn sie waren einsichtiger als manche, die Luther blind folgten. Sie waren ehrlich in ihrer Ablehnung, denn das Ideal der Humanisten – Harmonie und Klarheit – ließ sich mit Luthers Radikalität, mit seiner Theologie der Widersprüche, nicht vereinbaren. Erasmus von Rotterdam hat 1523 die Unterschiede sehr deutlich formuliert: «Ich verhehle nicht, daß ich den Frieden suche, wo immer es möglich ist. Ich bin dafür, beide Seiten zu hören. Ich liebe die Freiheit. Einer

Partei dienen will und kann ich nicht. Ich habe gesagt, daß man nicht die gesamte Lehre Luthers unterdrücken kann, ohne dabei einen guten Teil des Evangeliums zu unterdrücken. Wenn ich anfangs Luther billigte, sehe ich nicht ein, warum ich alles, was er seither geschrieben hat, gutheißen soll ... Er sagt, man müsse bereit sein, für das Evangelium in den Tod zu gehen. Ich würde mich nicht weigern, wenn die Situation es erforderte. Aber ich bin nicht gesonnen, für die Paradoxien Luthers zu sterben ... Wir wollen uns doch nicht gegenseitig verschlingen wie die Fische. Warum die ganze Welt in Aufruhr stürzen wegen solcher Paradoxien, von denen einige unverständlich sind, einige diskutiert werden können und einige ganz nutzlos sind.» Von Erasmus, dem Idol aller Humanisten, wird noch die Rede sein. Für diese ersten Jahre ist wichtig, daß die Bürger, die Luther folgen, vor allem aus den bürgerlichen Humanistenkreisen stammen.

Nicht nur die Bürger: Auch der Adel, den der Mönch aus Wittenberg überzeugt, kommt aus der Schule des Erasmus. Allen voran Luthers Schutzherr und Landesvater Kurfürst Friedrich der Weise. Aber auch die Reichsritter Franz von Sickingen und Ulrich von Hutten, die Luther als den Helden einer neuen Zeit preisen und beide qualvoll in Krieg und Krankheit enden, gehören zum humanistischen Lager. Überhaupt darf man nicht unterschätzen, was einzelne Adlige getan haben, um die neue Theologie im Land zu verbreiten. Der Ritter Hartmut von Kronberg schrieb 1522 nach Wittenberg: «Das Wort Gottes nimmt ziemlicher Maß an etlichen Orten bei uns.» Herzog Barnim von Pommern wurde als Student in Wittenberg ein begeisterter Anhänger Luthers. Für den Altar der Goldschmiede in der Großen Kirche zu Emden war der Priester Georg Aportanus zuständig, zugleich Erzieher für die Söhne des Grafen Edzard I. Als Aportanus im Sinne Luthers zu predigen begann und seine Kollegen ihm die Kanzel sperrten, schickte der Graf 1522 einen Beamten, der dem unbequemen Theologen den Zugang zum Predigtstuhl wieder frei machte.

Die Begeisterung der Bürger und der Schutz der adligen Herren war wichtig. Doch beides wäre verpufft und auf Dauer wirkungslos geblieben: Die neue Theologie aus Wittenberg war auf Theologen angewiesen. Luther lehnte zwar den besonderen Charakter des

Priestertums ab und hatte den Pfarrberuf zu einem Beruf – «Amt» – wie den des Bäckers oder Juristen gemacht, ihn aber keineswegs abgeschafft. In Notsituationen durfte jeder als Priester handeln. Der Alltag jedoch sah anders aus. Die Vorstellung, daß ein Laie die Kanzel betrat, weil ihn spontan eine göttliche Eingebung überkam, war Luther fremd. Wer zu den Menschen über Gott sprach, mußte harte wissenschaftliche Arbeit geleistet haben und etwas von der Sache verstehen. Zur Kirche gehörte ein ausgebildetes geistliches Personal. Es ging ja gerade der Vorwurf an die römische Kirche, seit Jahrhunderten dem Volk Priester vor die Nase zu setzen, die weder ein vorbildliches Leben führten noch irgendwelche theologischen Kenntnisse besaßen.

Hätte Luther sich nach dem Bannspruch aus Rom 1521 seine Theologen erst heranziehen müssen, eine halbe Generation wäre ins Land gegangen und seine Sache mit Sicherheit gescheitert, weil niemand sie von den Kanzeln predigte. Doch der Mönch aus Wittenberg brauchte nicht einmal zu rufen: Noch bevor man ihn aus der Gemeinschaft der Kirche stieß, hatten fast ein Jahrzehnt lang Studenten der Theologie in Wittenberg in seinen Vorlesungen gesessen und begeistert seine Auslegung des Evangeliums aufgenommen. Von ihrem Lehrer übernahmen sie die Überzeugung, das beste an katholischer Theologie aus dem Wust der Jahrhunderte gereinigt und verständlich an das helle Licht ihrer Zeit gebracht zu haben.

Es war vor allem der Nachwuchs des Augustinerordens, der – von Luthers väterlichem Freund Staupitz kräftig gefördert – im zweiten Jahrzehnt des Jahrhunderts von der neuen Universität zu Wittenberg und ihrem unkonventionellen Theologenteam, zu der neben Luther sein Freund und Mitbruder Wenzeslaus Link und Professor Karlstadt gehörten, angezogen wurden. In ihre Klöster zurückgekehrt, gaben die studierten Mönche ihr Wissen und ihr Engagement weiter, auch etliche Mitglieder anderer Orden ließen sich von der neuen Theologie anstecken. Es waren vor allem Mönche, die in den zwanziger Jahren des 16. Jahrhunderts in Kirchen und auf Marktplätzen das Wort Gottes so auslegten, wie sie es bei dem Mönch in Wittenberg gelernt hatten.

Augustinermönche predigten die neue Lehre in Lippstadt und

Herford, in Osnabrück und im hessischen Alsfeld. Johannes Frosch, Prior im Augsburger Karmeliterkloster, der Luther beherbergt hatte, als dieser vor Kardinal Cajetan zitiert worden war, bekannte sich offen zu seinem ehemaligen Gast. 1524 teilte er während der Messe Brot *und* Wein an die Gläubigen aus – das Zeichen der Rebellion gegen die römische Kirche. Als Graf Georg von Wertheim Luther 1522 um einen guten Prediger bat, empfahl der ihm den Dominikanermönch Jakob Strauß. In den Küstenstädten der Ostsee, in Wismar, Rostock, Stralsund, predigten Franziskaner das reine Evangelium, und in Hamburg tat es 1523 der Franziskaner Stephan Kempe. In Pommern wurde das Prämonstratenserkloster Belbuck bei Treptow zum Zentrum der neuen Lehre.

Auch bei etlichen Weltgeistlichen fiel Luthers Wort auf fruchtbaren und nur zu aufnahmebereiten Boden. Es gab ja nicht nur den verlotterten, unwissenden Klerus, sondern ein Netz gut ausgebildeter Theologen, die als Prediger – «Prädikanten» – von den Bürgern gerufen und bezahlt wurden und denen es lange vor Luther ernst war mit der Suche nach Gnade und Heil. Eine lebendige Frömmigkeit – und nicht etwa ein toter Glaube – erklären das starke Echo, das der Mönch aus Wittenberg fand.

Es waren die Besten der römischen Kirche, die ihr geistliches Haus reformieren und reinigen wollten. Deshalb gab es für sie keinen Grund, aus der Kirche, in der sie groß geworden waren, auszuziehen und eine neue zu gründen. Ketzer: Das waren die andern, die nicht umkehrten auf ihrem falschen Weg und keine Buße taten. Mochte auch das Beispiel früherer Reformer und Kritiker ein Scheitern vorhersagen. Wie alle Neuerer vor ihnen waren auch Martin Luther und seine Anhänger überzeugt, die Wahrheit auf ihrer Seite zu haben und damit den Sieg. Die Zeichen standen nicht schlecht: Obwohl in der Minderheit, waren es doch noch nie so viele gewesen, die gleichzeitig antraten. Die nicht nur einer Elite predigten, sondern auch dem Volk und die vor allem ein noch nie dagewesenes Mittel hatten, ihre Gedanken weit zu verbreiten – den Buchdruck. Die in ihrer Mehrheit trotz allem Eifer nicht radikal vorwärts stürzten, keine Kirchen demolierten und niemanden zwangen, von einem Tag auf den anderen von sämtlichen alten, liebgewordenen Gewohnheiten und Zeichen Abschied zu nehmen. Der Umsturz, den die Gegner an die Wand malten, fand nicht statt. Es gab etliche demonstrative Spektakel. Lang angestaute Volkswut machte sich Luft gegenüber der Pfaffenwirtschaft. Bilder wurden abgenommen, 1524 in Augsburg Heiligenstatuen mit Kuhblut beschmiert. Doch kein Dom brannte, kein Bischof wurde erschlagen. Fast überall begann das Neue so gemäßigt und friedlich, wie Luther es in Wittenberg exemplarisch vorgeführt hatte: Was wir die «Reformation» nennen, kam auf leisen Sohlen.

In den Jahren zwischen 1521 und 1525 brach in den Kirchen der Städte und Dörfer keineswegs die Revolution aus. Die Mönche und Geistlichen, die sich auf Luther beriefen, taten, was sie schon früher getan hatten: Sie hielten wie immer die Messe in den bunten Gewändern. Sie stiegen auf die Kanzeln der alten Kirchen und erklärten, das reine Evangelium zu predigen. Die traditionellen lateinischen Gebete wurden gesungen und die Gemeinde sagte: Deo gratias. Wer besonders kühn war, der gab zur Kommunion während der Messe nicht nur die Hostie, sondern auch den Wein an die Gläubigen.

Was die Reformer auch taten: Sie handelten nicht im luftleeren Raum und keineswegs unkontrolliert. Die Mitsprache, die die städtischen Verwaltungen in den vergangenen Jahrzehnten der römischen Kirche mühsam abgetrotzt hatte, wollten die Herren Räte auch gegenüber der neuen Lehre keineswegs aufgeben. Sie taten alles, um die neue Entwicklung fest in der Hand zu haben. Ob römische Kirche oder Wittenbergische Reform, ihr Grundsatz blieb, was Obrigkeiten zu allen Zeiten und Orten leitet: Ruhe und Ordnung zu bewahren.

Wie wenig selbst kirchliche Autoritäten an einen Bruch dachten, beweist die Tatsache, daß in diesen ersten Jahren selbst in den ehrwürdigen Kathedralen vor den Augen und Ohren der Bischöfe und Kardinäle – ja mit ihrer Zustimmung – ungestört Männer predigten, die sich auf Luther beriefen. Das geschah bis 1522 in der Kathedrale von Konstanz wie im Dom zu Mainz. Albrecht von Mainz, Kardinal und Kurfürst, raffte sich erst im September 1523 dazu auf, die neue Lehre öffentlich zu verbieten, weil «vil Pfarher, Capellan, Priester und andere Prediger nochmals der lutherischen Sect und Lare anhangen, sich diselbig über die Canzellen und sunst offentlich und heimlich mit sonderer Arglistigkeit zu predigen, zu lehren und zu halten befleißigen, zu Abbruch und Zerstörung christlichs Glaubens...» Jetzt erst fühlte sich der Domprediger Kaspar Hedio nicht mehr sicher und ging im November nach Straßburg. Dorthin hatte sich schon zu Anfang des Jahres Wolfgang Capito abgesetzt, bis dahin engster Mitarbeiter des Kardinals.

Wie in Mainz so war auch in Würzburg der oberste Kirchenmann geistlicher und weltlicher Herr zugleich. Der Fürstbischof Konrad von Thüngen, humanistisch gesinnt, ließ der neuen Lehre freien Lauf, als sie in seinem eigenen Dom gepredigt wurde. Georg Kobe-rer, Prior im Würzburger Kartäuserkloster, gehörte zweifellos zu Luthers Anhängern. Über die Hälfte seiner Bibliothek bestand aus Luther-Schriften, dann folgten die Werke von Erasmus und Me-lanchthon. Der Weihbischof Johann Pettendorfer scheint nach 1525 sogar ganz ins andere Lager übergegangen zu sein. Konrad von Thüngen reagierte erst, als Verstöße gegen die kirchliche Diszi-plinarordnung bekannt wurden. In einer persönlichen Unterre-dung versuchte der Bischof den Pfarrer Johann Apel, der mit einer ehemaligen Nonne zusammen lebte, auf den Zölibat zu verpflich-ten. Doch Apel, der in Wittenberg studiert hatte, berief sich auf sein Gewissen und auf das Evangelium, in dem von priesterlicher Ehelosigkeit nicht die Rede sei. Im Juni 1523 wurde Apel und sein Kollege Friedrich Fischer, dem man das gleiche vorwarf, verhaftet, am hellichten Tag auf den Marienberg geführt und «in den grundt eines tiefen Thurms» eingekerkert. Ein Domherr warnte die Ehe-frauen, denen die Flucht aus der Stadt gelang. Sonst rührte sich allerdings keine Hand für die Neuerer. Zwei Monate später wurden die beiden Gefangenen wieder freigelassen, ihrer Ämter enthoben, gebannt und aus dem Land gewiesen.

Wer es noch nicht wußte, erfuhr es 1523 in München von der Kanzel, daß «der Henker diesen Sommer in der fürstlichen Stadt München einem Schänder Marias das Haupt mit dem Schwert ge-nommen hat». Der arme Mensch war ein Bäckergeselle. Sein Ster-ben als Bekenntnis zur lutherischen Lehre auszulegen ist eine zwei-felhafte Beweisführung. Auf jeden Fall war die Obrigkeit beunru-higt. Als sie erfuhr, der ehrbare Münchner Kaufmann Bernhard Dichtl habe in einem Ingolstädter Gasthof die Hinrichtung mit den

Worten kritisiert: «Denn es ist von Gott ein groß Geschöpf, ein Mensch. Es wachsen die Köpfe nicht wieder bei den Menschen wie Krautköpf», wurde er nach seiner Rückkehr an den Pranger gestellt, ihm ein Mal auf die Backen und die Stirn gebrannt und er in den Falkenturm geworfen. Erst gegen 1000 Gulden und energische Fürsprache kam Dichtl wieder frei.

Solch brutales Vorgehen, das sich nicht gegen theologische Neuerungen, sondern gegen Unruhe und Aufmüpfigkeit richtete, hinderte die Obrigkeit nicht, von der römischen Kirche energisch Reformen zu fordern. Wie man es seit Jahrzehnten erfolglos getan hatte. Zwar ließen die bayrischen Herzöge 1522 alle «unchristlichen, ketzerischen und schändlichen Büchlein bei harten und großen Strafen» verbieten. Zugleich wurden die alten Klagen gegen die Geistlichen mit aller Dringlichkeit vorgebracht: Sie liegen Tag und Nacht in den Wirtshäusern. Halten unausgeschlafen die Messe. Führen in aller Öffentlichkeit Frau und Kinder aus. Nehmen für alle heiligen Handlungen Geld. Je schwerer die Sünde, um so mehr muß das Beichtkind zahlen. Wenn keine Besserung einträte, gäbe es Aufruhr, Gerede und Überfälle. Der zuständige Erzbischof von Salzburg wurde aufgefordert, eine Bischofskonferenz einzuberufen und die Schwachpunkte «aufs schleunigste» in Ordnung zu bringen. Falls es keine energischen Reformen gebe, wollten die Herzöge selber eingreifen, «zuversichtlich gegen Gott, dem Papst und der christlichen Kirche zu Gefallen».

Tatsächlich kam es schon einen Monat später, im März 1522, zu einer fünftägigen Konferenz. Den «zahllosen» Priestern, die mit einer Frau lebten, wurde befohlen, «keusch zu leben», und eine Visitation angedroht. Dabei blieb es. Kardinal Matthäus Lang, Erzbischof von Salzburg, war mit zwei unehelichen Kindern nicht gerade ein leuchtendes Vorbild noch ein engagierter Reformer. Das einzige, was er und seine Mitbrüder fürchteten, war der Verlust traditioneller Privilegien. Da sich von seiten der Hierarchie nichts bewegte, waren es die Herzöge, die am Aschermittwoch 1523 die Bevölkerung endlich darüber informierten, daß Martin Luther ein gebannter Mann war. Zugleich verboten sie bei Strafe, «des Luthers Irrtümer anzuhangen und dieselben zu disputieren, beschützen und zu verfechten». Bayern hatte sich für die römische Kirche ent-

schieden, weil es glaubte, auf diese Weise – aber in eigener Verantwortung – die Ruhe im Lande zu bewahren.

Die Herzöge standen unter ihren fürstlichen Kollegen keineswegs allein in diesen Jahren. Als in Alsfeld der Augustinermönch
Tilmann Schnabel im Sinne Luthers predigte, gefiel das dem Landgrafen Philipp von Hessen gar nicht. Der Mönch mußte 1524 das
Land verlassen. Erst in der zweiten Hälfte der zwanziger Jahre
wurde Philipp zu einem begeisterten und überzeugten Anhänger
der neuen Theologie.

Noch war alles im Fluß. Fast gleichzeitig mit Luther in Wittenberg predigte Huldreich Zwingli am Großmünster von Zürich, das
Evangelium sei die einzige Richtschnur für ein christliches Leben.
Zwingli, der in Basel und Wien studiert hatte und in Erasmus von
Rotterdam seinen Lehrer sah, faszinierte die humanistische Elite
der Stadt. Da alles ruhig zuging, sah der Rat keinen Grund einzu-
greifen. Doch als die reformfreudigen Herren in der Fastenzeit
1522 beim Drucker Froschauer statt Fastnachsküchlein geräucherte
Würste aßen, wurden sie von der Obrigkeit dazu verurteilt, für
diese schwere Sünde zur Beichte zu gehen. Zwingli hatte auch in
der provokanten Runde gesessen, verteidigte hinterher die christliche Freiheit, selber über Fastengebote zu entscheiden – doch am
Wurstessen hatte er sich nicht beteiligt! Der Schweizer Reformator,
von dem noch zu hören sein wird, war ein vorsichtiger Mann und
akzeptierte das Urteil des Rates.

Ein Musterbeispiel für die gebremste Reformation, bei der viel
Taktik und Pädagogik im Spiel war, ist Nürnberg. Zugleich bleibt
diese Stadt mit ihrem Bekenntnis zur neuen Lehre bis 1525 die große Ausnahme unter den deutschen Kommunen. Keine hat sich in
diesen Jahren so weit aus den überkommenen Institutionen heraus-
gewagt und – bei aller Vorsicht – mit so entschiedener Zähigkeit von
der alten Kirche gelöst. Ohne Drama und ohne sichtbare Brüche.

Die Voraussetzungen waren ideal: Hatte sich doch im Augustinerkloster um Luthers väterlichen Freund Johannes Staupitz im
zweiten Jahrzehnt des Jahrhunderts ein Kreis von Bürgern gebildet, denen es sehr ernst war um ihr Seelenheil. Ihnen predigte Staupitz – noch bevor Luther an die Öffentlichkeit trat –, daß der Christ
allein durch die Gnade gerettet wird und nicht durch irgendwelche

äußeren Anstrengungen oder Ablässe. Luther fand mit seiner Theologie in der reichen Stadt an der Pegnitz offene Ohren. Aus den «Staupitzianern» wurden sofort begeisterte «Martinianer». Ab 1522 waren die wichtigen Predigerstellen an St. Lorenz und St. Sebaldus und die Stellen der beiden Pröpste – keine Theologen, sondern Verwaltungsbeamte – mit Männern besetzt, die eindeutig mit der neuen Theologie sympathisierten.

Nun muß man wissen, daß Nürnberg in diesen Jahren mehrmals den Reichstag in seinen Mauern hatte, der nicht nur von deutschen Fürsten, sondern auch vom päpstlichen Legaten besucht wurde. Als dieser 1522 forderte, die Prediger gefangenzunehmen, lehnte der Rat der Stadt dies ab und erklärte, die Stadt sei entschlossen, sich zum «heiligen Evangelium und dem Wort Gottes, darauf unser Glaube, all unser Trost und Seligkeit gegründet ist, zu halten und dabei vermittelst göttlicher Gnade bis in die Gruben zu verharren». Es war ein Bekenntnis, das die Autorität der Kirche nicht höher stellte als das Wort Gottes. Damit, so suggerierten die Herren Räte dem Vertreter des Heiligen Vaters, laufen wir keineswegs dem Martin Luther nach. Wir halten uns nur an gut christliche Grundsätze.

Es lag der Obrigkeit fern, der alten Kirche ein trotziges «Los von Rom» ins Gesicht zu schleudern. Darum war es dem Rat sehr unangenehm, als die Pröpste 1523 fragen ließen, ob die Gemeinde zu Ostern die Kommunion in beiderlei Gestalt – Hostie und Wein – empfangen könne, und auch noch hinzufügten, dies sei im Sinne des Evangeliums. Der Rat, auf das Wort Gottes eingeschworen, antwortete, die Zeit sei für solche Veränderungen noch nicht reif, und schickte gleich ein erneutes strenges Verbot aller lutherischen Schriften hinterher. Ausdrücklich wurden die Bürger ermahnt, sich an die Fastengebote zu halten. Die Priester gebeten, die Fronleichnamsprozessionen wie alle Jahre durchzuführen und keine Predigten zu halten, die die Gläubigen provozieren könnten.

1524 trat wieder ein Reichstag in Nürnberg zusammen. Als der päpstliche Legat Kardinal Lorenzo Campeggi in die Stadt ritt, erwartete ihn im Auftrag des Rates eine feierliche Prozession. Sie sollte ihn in die Sebalduskirche führen, die für den Vertreter des Papstes festlich geschmückt war. Doch Campeggi hielt von solcher Diplomatie nichts und sah in diesen Formalitäten nur Heuchelei. Er weigerte sich, mit der Prozession zu gehen, betrat die Sebalduskirche nicht und erklärte öffentlich, von Ketzern wolle er solche Ehrungen nicht annehmen. Einen Tag später rief der Prediger an St. Lorenz seiner Gemeinde zu, der Papst sei der Antichrist.

Der Kardinal Campeggi war kein Dummkopf, sondern ein fähiger Mann. Doch selbst er begriff nicht, was hier vor sich ging. Er sah überall nur Angriffe auf die Autorität des Papstes und die Gebote der Kirche. Voller Angst, das Ende aller Institutionen sei gekommen, faßte er seine Kritik in dem Satz zusammen: «Jedermann glaubt, man werde durch den Glauben selig!» Da gab es keine Differenzierungen, keine theologische Auseinandersetzung. Da war kein Platz für die Einsicht, daß die Neuerer weder das Chaos wollten noch die Kirche abschafften. Dem Kardinal gab es auch nicht zu denken, daß die versammelten Fürsten und Vertreter der Städte – alles andere als Revolutionäre – weder mit Lockungen noch mit Drohungen zu einer Verdammung der lutherischen Sache bereit waren. Sie wollten den Schlendrian der römischen Kirche nicht mehr dulden; nicht blind jedem Wink aus Rom folgen und nicht mehr jede kritische Äußerung als Ketzerei verdammen. Hatte der vorangegangene Reichstag doch schon 1523 in Nürnberg ausdrücklich erklärt, daß «ums Geld gedingte und insgeheim ungelehrte Pfarrer statt des lautern Evangelii trübe unflätige Pfützen und Fabeln, der Heiden Fabeln ähnlich, vortragen, wodurch das gemeine Volk von dem rechten Christlichen Glauben und Vertrauen auf Gott auf Aberglauben und Träume geführt werde».

Der Nürnberger Reichstag von 1524 endete mit einem Kompromiß, den jede Seite in ihrem Sinn auslegen konnte. Alle unterschrieben die Verpflichtung, das Wormser Edikt von 1521, mit dem Luther zum Ketzer und für vogelfrei erklärt worden war, zu achten – «soviel als möglich». Als Karl V. von diesem Gummiparagraphen hörte, schickte er drohende Briefe ins Reich. Er war seit Worms nicht mehr in Deutschland gewesen, in Kriege mit Frankreich und heftige Machtkämpfe mit dem Papst verwickelt, dessen Kirche er verteidigte. Die Abwesenheit des Kaisers schuf ein politisches Vakuum im Reich, das die Neuerer begünstigte.

In Nürnberg begann der Prior des Augustinerklosters inzwischen, die Messe auf deutsch zu lesen und teilte in der Fastenzeit

1524 erstmals Brot *und* Wein an die Gläubigen aus, die zur Kommunion gingen. Es waren über viertausend. Prediger und Pröpste verlangten nun generell eine neue Gottesdienstordnung. Statt der Einzelbeichte sollte es allgemeine Bußfeiern geben. Die privaten Seelenmessen für Verstorbene sollten abgeschafft, das Weihwasser aus den Kirchen entfernt und jene Gebete während der Messe, die eine Wiederholung des Opfertodes Christi andeuteten, gestrichen werden. Am 5. Juni 1524 wurde in St. Lorenz und St. Sebaldus eine solche gereinigte Meßfeier gehalten.

Das war ein sichtbarer Bruch mit der Vergangenheit, und der Rat konnte darüber nicht zur Tagesordnung hinweggehen. Er plädierte dafür, die alte Ordnung wiederherzustellen. Doch er tat es ohne Überzeugung. Es war eine Geste nach draußen. Als die Pröpste sich weigerten, verzichtete er auf eine gewaltsame Durchsetzung seiner Forderungen. Den kaiserlichen Statthalter ließ man wissen, man habe die neue Ordnung akzeptieren müssen, um Ruhe und Ordnung zu wahren. Damit war die Argumentation der Gegenseite – die neue Lehre bringe Unruhe – auf den Kopf gestellt. Den zuständigen Bamberger Bischof bat man, die neuen «geringfügigen Änderungen» doch zu billigen. Auf solche Augenwischerei ließ sich der Bischof jedoch nicht ein und exkommunizierte die Pröpste und den Prior des Augustinerklosters. Die Betroffenen liefen deshalb keineswegs in Sack und Asche, vielmehr gingen sie in Nürnberg zum Notar und erklärten, daß sie sich nur einem «freien, christlichen und gottseligen Konzil» beugen würden. Der Rat rührte sich nicht, und in das Buch, in dem bisher die Seelenmessen an St. Sebaldus eingetragen worden waren und das in Zukunft nicht mehr gebraucht würde, schrieb 1524 ein Kaplan als letzte Eintragung: «In diesem Jahr hat man dem Papst Urlaub gegeben.»

Den gleichen Weg wie Nürnberg hatte in diesen Jahren ein Stadtstaat eingeschlagen, auch wenn die Richtung bald nicht mehr mit der lutherischen Sache übereinstimmte: Von Zürich ist die Rede. Auch dort hatte ein vorsichtiger Rat auf die Einhaltung äußerer Formen geachtet – wie zur Fastenzeit 1522 – und trotzdem der neuen Predigt nichts in den Weg gelegt. In Huldreich Zwingli hatten die Kritiker der alten Kirche einen Führer, der wie Luther nichts von radikalen Veränderungen hielt, sondern sich nach den Zögernden und Zaudernden richtete. Der auch wußte, daß es bei den theologischen Reformen zugleich um komplizierte Rechts- und Machtfragen ging, die man nicht mit einem Schwertstreich lösen konnte. Im Gegensatz zu Luther war Zwingli ein bewußt politischer Kopf. Er nahm für sich in Anspruch, in Sachen des Gemeinwohls ein gewichtiges Wort mitreden zu können, und billigte der Obrigkeit politisches Taktieren zu, ohne es gleich mit der Elle einer radikalen Theologie zu messen wie sein Wittenberger Glaubensbruder.

Am 15. Juli 1522 predigte ein Franziskanermönch im Zürcher Frauenmünster, daß ein Christ mit gutem Gewissen Maria und die Heiligen um etwas bitten dürfe. Da rief einer aus der Gemeinde laut dazwischen: «Bruder, da irrest du.» Der Störer war Huldreich Zwingli. Sechs Tage später müssen Zwingli, die Vertreter der Bettelorden, Weltgeistliche und ein Magister der Philosophie vor dem Rat der Stadt erscheinen. Die Obrigkeit wollte kein Urteil in theologischen Streitfragen fällen. Doch sie war verantwortlich für die Ruhe in der Stadt, die durch solche öffentlichen Diskussionen gestört wurde.

Nachdem die Parteien bei dieser Anhörung vor dem Bürgermeister und seinen Räten ihre Argumente vorgetragen hatten, mußten sie den Raum verlassen: «Und als man wider hinin kam, do redt bourgermeister Roust, si solten miteinander früntlich faren ...» Damit zog sich die Obrigkeit auf eine neutrale Position zurück. Es gab weder Sieger noch Verlierer. Zwingli und den Mönchen wurde aufgetragen, «freundlich» miteinander umzugehen. Schon Ende Januar 1523 gab es die nächste – zweite – «Disputation» vor dem Zürcher Rat. Sie ist fälschlich als erste in die Geschichtsbücher eingegangen, weil das Treffen vom Sommer 1522 keine Beachtung gefunden hat. Und um gleich das nächste Mißverständnis aufzuklären: Was als Streitgespräch geplant war, verlief ohne Aufregung, weil niemand Zwinglis theologische Positionen in Frage stellte.

Über zweihundert Mitglieder vom Kleinen und vom Großen Rat hatten sich versammelt, und der Bischof von Konstanz hatte eine Delegation geschickt. Zur Eröffnung erklärte der Bürgermeister, daß in dieser «offentlich disputation in tütscher sprach vor dem grossen Radt zu Zürich» ein jeder den Priester Huldreich Zwingli als Ketzer anklagen könne und dieser alle Vorwürfe entkräften müsse. Dreimal forderte Zwingli seine Gegner auf, ihre Anklagen vorzubringen. Doch die Vertreter des Bischofs schwiegen aus Prinzip, da nach ihrer Meinung ein Laiengremium, noch dazu in Theologie unbeschlagen, über kirchliche Fragen nicht entscheiden dürfe. Der Rat ließ aufzeichnen, es habe keine Disputation gegeben, weil sich «niemans wider ihn [Zwingli] erhebt». Wo keine Kläger, da kein Richter. Der Rat erlaubte Zwingli offiziell, weiterhin auf seine Weise zu predigen. Ebenso wurden alle anderen, die das Wort Gottes gemäß der Heiligen Schrift verkündeten, unter «Schmutzschutz» gestellt. Niemand sollte sie beschimpfen. Eine Entscheidung für Zwinglis Theologie war dieser Beschluß nicht. Die Disputation wurde ausdrücklich ausgeschrieben, um «Zwietracht und Entzweiung unter denen, die auf der Kanzel das Wort Gottes allen Menschen verkünden», auszuschließen. Man wollte die Streithähne «gegeneinander verhören, um zu sehen, welche überhaupt als gehorsame Untertanen sich erweisen».

Das war der Punkt: Der Rat wünschte gehorsame Untertanen, mochten sie sich in diffizilen theologischen Fragen ruhig unterscheiden. Zwingli durfte unbehelligt predigen, aber ebenso die Anhänger der traditionellen römischen Lehre. Mit diesem Entscheid nach der «Disputation» vom Januar 1523 wurde in Zürich keineswegs die Reformation eingeführt. Einen Monat später schärfte der Rat allen Bürgern wiederum ein, die Fastengebote streng einzuhalten. Nicht um der Kirche einen Gefallen zu tun, sondern um «vil ärgerniss, zank und widerwillen» in der Stadt zu unterbinden. Es war nämlich nicht so, daß alle Zürcher Bürger die neuen Lehren begrüßten.

In Wittenberg hatte Luther 1521 entschieden, die Bilder in den Kirchen sind weder gut noch böse. Man solle sie ruhig hängen lassen, um jene nicht zu verstimmen, die sich in einem kahlen Gotteshaus nicht wohl fühlten. Damit war für ihn die Diskussion beendet. In Zürich wogten zwei Jahre später die Meinungen zu diesem Thema hin und her. Im September 1523 stürmten etliche die Kirche St. Peter und zerstörten die dortigen Bilder, weil sie in ihnen Götzen sahen, die möglicherweise von naiven Gemütern angebetet wurden. Im Oktober lud der Rat zu einer weiteren Disputation über die «Messe und die Götzen» ein. Ausdrücklich wurde bestätigt, daß die verhafteten Bilderstürmer weiterhin «in ir gefänkniss» bleiben sollten. Nach der Anhörung entschied die Obrigkeit, nichts an der Messe zu verändern und die Bilder hängen zu lassen. Auch gegen Ende des Jahres 1523 versuchte der Rat der Stadt Zürich noch, es zu keinem Bruch mit der römischen Kirche kommen zu lassen und nicht zum Handlanger und Befürworter einer theologischen Partei zu werden. Huldreich Zwingli, der seine Kirche reformieren wollte, kann dies nicht entgangen sein, und er hat es gebilligt. Zwingli akzeptierte, daß die städtische Verwaltung theologischen Fragen ein anderes Etikett gab, sie zu politischen umfunktionierte und mit diesem Maßstab eine Entscheidung traf. Unvorstellbar, daß Martin Luther sich auf ein solches Geschäft eingelassen hätte. Allerdings, das kleine Wittenberg, wo alle auf den Bruder Martin hörten, war nicht vergleichbar mit der alten Kaufmannsstadt Zürich, in der viele einander widerstreitende Interessen ausgeglichen werden mußten.

Was auf den ersten Blick nach einem bequemen Kompromiß aussieht, hat in Wahrheit eine andere Erklärung: Zwingli dachte anders über die Theologie und ihre Aufgaben als der Mönch aus Wittenberg. Der Humanist aus Zürich hatte andere Vorstellungen über Gott, den Menschen, die Rolle der Kirche und der weltlichen Herrschaft. Er trennte keineswegs rigoros zwischen weltlichen und geistlichen Bereichen. Zwingli wollte seine Theologie nicht um jeden Preis durchsetzen, ohne Rücksicht zu nehmen auf die politischen Verhältnisse. Luther verlangte von den Bauern, seiner radikalen Theologie zu folgen, und wenn sie darüber Unrecht und qualvolle Tode erleiden mußten. Zwingli sah die Kirche als Teil des Gemeinwesens, mitverantwortlich für den Frieden zwischen den Bürgern. Er war als Theologe bereit, sich politischen Erwägungen unterzuordnen. Zwingli ging sogar noch weiter: Er sah keinen Graben zwischen theologischem und politischem Auftrag. Die politischen Repräsentanten – die Zürcher Ratsherren – wurden für ihn zu einem kirchlichen Gremium, jedem Konzil ebenbürtig.

Auch wenn dies nicht im Sinne der Beteiligten war: Der Pfarrer am Großmünster drehte während der Disputation im September 1523 den Spieß herum. Während die Ratsherren nur politisch entscheiden wollten, funktionierte Zwingli diese Versammlung zu einem Kirchenforum – einer Synode – um. Er akzeptierte damit, daß theologisch ungebildete Laien kirchliche Sachfragen entschieden und redete sie nicht – wie die anderen Beteiligten – in ihren weltlichen Funktionen als «hochgelehrte, würdige, feste und ehrsame Herren» an, sondern als «getreue, auserwählte, liebe Brüder in Christo Jesu, unserm Herrn».

Die Bischofsdelegation hatte Zwingli – sicher gegen ihren Willen – auf diesen Weg gebracht, als sie der Ratsversammlung jede theologische und kirchliche Kompetenz verweigerte und auf ein allgemeines Konzil verwies. Da waren die Altgläubigen in bester Gesellschaft mit den Lutherischen, die ständig auf den Reichstagen ein allgemeines Konzil forderten. Zwingli stimmte nicht in diesen Ruf ein, der in den Ohren der Zeitgenossen so fortschrittlich klang. Wozu ein Konzil mit seinen gelehrten Theologen und Professoren, wenn alles Notwendige in der Bibel steht, und zwar unzweideutig und klar: «Die nitt kan lügen noch trügen.» In der Zürcher Ratsstube schrumpfte für Zwingli die universale römische Kirche auf die Gemeinde am Ort zusammen. Die Ratsversammlung wurde zur Generalsynode. Damit war eine Institution geboren, die charakteristisch ist für die sogenannte «reformierte Kirche», wie sie sich in Zürich und später in Genf als ein Zweig am Baum des Protestantismus entwickelte und vor allem in England, Frankreich und Nordamerika Verbreitung fand.

Noch bevor die Männer im September 1523 auseinandergingen, und der Rat beide Seiten unter Androhung schwerer Strafe ermahnte, sich nicht gegenseitig zu verketzern, interpretierte Zwingli das Ereignis in seinem Sinn. Er sagte den Versammelten, daß sie Beteiligte und Zeugen von etwas Neuem, Außergewöhnlichem geworden seien: «Ir von Zürich solt das für eine grosse gnad und berufung gottes achten, das sölichs in üwer statt, got und der wahrheit zu lob und eeren, ist fürgenummen.»

Im Mai 1523 konnte man plötzlich meinen, Zürich und Wittenberg lägen doch nicht so weit auseinander. Martin Luther gab eine Schrift heraus, die den Titel trug: «Daß eine christliche Versammlung oder Gemeinde Recht und Macht habe, über alle Lehre zu urteilen und Lehrer zu berufen, ein- und abzusetzen». Der Mönch sagte den Gläubigen, sie sollten sich nicht «kehren an Gesetz, Recht, altes Herkommen, Brauch oder Gewohnheit von Menschen, gleichgültig, es sei von Papst oder Kaiser, Fürst oder Bischöfen gesetzt, ob die halbe oder die ganze Welt es so gehalten hat, ob es ein Jahr oder tausend gewährt hat». Ein Jahr darauf hielten sich die Bauern im fränkischen Dorf Wendelstein bei Schwabach an diese Worte und wollten sie in die Praxis umsetzen.

Aus der Sicht des Dorfpriesters begannen die Veränderungen so: «Am Sonntag nach Johannes dem Täufer, da ich morgens zur Kirche gehen wollte, um mein Amt zu verrichten, stand einer unter dem Kirchentor, ein langes Messer an der Seite, und sagte: Ihr ließet besser einen Frömmeren auf der Kanzel stehen, als Ihr es seid. Sag ich: Was geht Euch meine Frömmigkeit an? Habt Ihr etwas mit mir zu tun? Aber er ließ nicht ab, sondern ging neben mir mit vielen bösen Worten bis vor den Chor.» Als die Lage bedrohlicher wurde und die Bauern mit Knüppeln erschienen, suchte der Pfarrer schließlich das Weite.

Der Landesvater, Markgraf von Bayreuth, ließ das noch durchgehen und schickte kommentarlos einen Nachfolger. Dem legten die Bauern einen Katalog von Forderungen vor: «Erstlich werden wir dich nicht als Herrn, sondern alleine als einen Knecht und Diener der Gemeinde anerkennen, daß du nicht uns, sondern wir dir zu gebieten haben. Wir befehlen dir demnach, daß du das Evangelium und das Wort Gottes lauter und klar nach der Wahrheit treulich vorträgst ... Was aber anders unnützigen Dings und gotteslästerlichen Wesens ist», wollten sie «keinesfalls dulden». So wichtig war den Wendelsteinern diese «Vorhaltung», daß sie sogar gedruckt wurde. Das stimmte den Markgrafen nicht milder. Die Bauern erhielten eine scharfe Rüge. Das Experiment wurde abgebrochen, bevor es recht begonnen hatte. Der Pfarrer blieb, obwohl er die Forderungen nicht akzeptierte und alsbald heftigen Streit mit der Gemeinde bekam.

Der Eingriff des Markgrafen von Bayreuth und der Schiedsspruch der Zürcher Ratsherren waren nicht neu und deshalb auch keine revolutionäre Tat. Beide Obrigkeiten handelten in der Tradition ihrer Vorgänger, die – ohne auch nur im Traum an eine Trennung von der römischen Kirche zu denken – in zäher Kleinarbeit versucht hatten, der Geistlichkeit ihre Sonderrechte zu nehmen und sie in die Gemeinschaft der Bürger einzubinden. Die Städte hatten dies vor allem im Widerstand gegen die Bischöfe getan. Es ging ihnen aber nicht nur um Rechts- und Machtfragen. Ehrlich bemühten sich die weltlichen Herren, Mißstände in der Kirche abzustellen, weil es ihnen ernst war mit ihrem Glauben und die geistlichen Autoritäten bis hinauf zum Papst unfähig oder nicht willens waren, ihre ureigenen Aufgaben und Pflichten wahrzunehmen.

In der Kontinuität zeigte sich aber auch der Bruch mit der Vergangenheit: Daß die Herren in Zürich selbstverständlich die Heilige Schrift als alleinige Richtschnur anerkannten, war neu und signalisierte einen deutlichen Autoritätsverlust der traditionellen kirchlichen Hierarchie. Wenn Luther feststellte, die Ortsgemeinde könne über theologische Aussagen urteilen und ihre Hirten selber ab- und einsetzen, weil durch die Taufe jeder Christ im Prinzip ein Priester geworden sei, brach damit das bisher bestehende Kirchengebäude zusammen. Besser: Es wäre zusammengebrochen, hätte Luther mit dem Kampf gegen die römische Kirche den Aufstand gegen die bestehenden politischen Autoritäten ausgerufen. Doch genau das wollte er nicht, sah er nicht als seine Aufgabe an. Deshalb konnte der Markgraf von Bayreuth – als Anhänger Luthers – weiter die Religion mit seinen politischen Geschäften verbinden und der reformfreudigen Gemeinde von oben Ruhe und Ordnung verordnen.

Und täuschen wir uns nicht über die Realitäten in Zürich: Auch Zwingli, der eine politische Versammlung zu einer christlichen Synode uminterpretierte, beugte sich dem Spruch der Obrigkeit. Er hat ihr in den folgenden Jahren immer wieder in theologischen Fragen Entscheidungsbefugnisse zugebilligt, selbst in so zentralen Fragen wie der Reform des Gottesdienstes. Mit seinem Begriff der Synode war keineswegs die Vorstellung verbunden, daß in der Kirche nun der Laie die Zügel in die Hand nehme. Fast noch mehr als Luther war der humanistische Zwingli überzeugt, daß die christlichen Schafe stets einen strengen Hirten brauchten. So wenig wie später sein Gesinnungsbruder Johannes Calvin in Genf hat der Mann aus Zürich einer totalen Demokratisierung der Kirche das Wort geredet.

Wie Luther gehandelt hätte, wäre seine Gemeinde in einer selbstbewußten freien Stadt zu Hause gewesen, muß eine unentschiedene

Frage bleiben. Die Zustände in Wittenberg waren ganz anders: Da gab es keinerlei Widerstand in der städtischen Verwaltung, und es regierte ein Fürst, der seinem Untertan, dem Bruder Martin, in religiösen Dingen freie Hand ließ, obwohl ihm sicherlich vieles fremd blieb, was vor seiner Schloßtür geschah. Wittenberg war die Ausnahme. Der Durchschnittsalltag, in dem sich mühsam und vorsichtig das Neue durchsetzte, geschah anderswo.

Nachdem der Bischof von Bamberg 1524 die Nürnberger Pröpste exkommuniziert und ihrer Ämter enthoben hatte, ohne daß die städtische Obrigkeit irgendwelche Konsequenzen daraus zog; nachdem Tausende in der Stadt beim Abendmahl Brot und Wein nahmen, war der Bruch mit den traditionellen kirchlichen Strukturen unübersehbar. Das machte die Nürnberger allerdings nicht friedfertiger, sondern provozierte innerhalb der Stadtmauern die gegnerischen Lager zu immer heftigeren Streitigkeiten. Denn die Anhänger der römischen Kirche waren keineswegs über Nacht ausgestorben. Besonders die Nonnen und Mönche – das Augustinerkloster ausgenommen, das zum Zentrum und Umschlagplatz der lutherischen Theologie geworden war – hielten entschlossen am alten Glauben fest. Die Ratsherren, inzwischen mutiger geworden, beschlossen deshalb eine «christliche Disputation», auf der für alle verbindlich entschieden werden sollte, «was ein Christ zu seiner Seligkeit wissen müßte». Welche traditionellen Formen der Frömmigkeit abgestellt und welche übernommen werden sollten.

Im März 1525 füllte sich der große Nürnberger Rathaussaal mit Männern. Schließlich waren über fünfhundert versammelt: Ratsherren, Mönche, Geistliche der alten und der neuen Theologie. Nicht nur aus Nürnberg, auch aus dem weiten Umland waren sie in Scharen gekommen. Vor dem Rathaus stand eine große Menschenmenge, die lauthals ihre Entscheidung schon getroffen hatte: Man möge doch die Mönche aus dem Fenster werfen, um auf dem Marktplatz mit ihnen besser diskutieren zu können.

Oben im Saal eröffnete Christoph Scheurl die Sitzung, ein humanistischer Jurist aus altem Patriziergeschlecht, weitgereist und hochgebildet. Er hatte einst die Predigten des Johannes Staupitz drucken lassen und 1517 als erster Luthers Ablaßthesen verbreitet. Nun machte dieser Laie der erlauchten Versammlung klar, daß es über die Voraussetzung des Religionsgesprächs keine Diskussion mehr geben konnte: Wenn schon die Kinder auf den Gassen, zu schweigen von den Weibern, schrien: Schrift! Schrift! gäbe es auch an diesem Ort nur eine Münze, um das Wahre vom Falschen zu scheiden: Die Bibel.

Die Vertreter der verschiedenen Richtungen mußten langsam sprechen. Jedes Wort wurde protokolliert. Bei diesem Tag und mehreren folgenden Sitzungen ging alles ruhig über die Bühne. Doch als zur letzten Sitzung die Vertreter der Orden nicht mehr erschienen, war mit dieser Verweigerung die Entscheidung des Rates vorweggenommen. Im Gegensatz zu Zürich glaubte der Nürnberger Rat – dessen oberste Devise ebenfalls Ruhe und Ordnung unter den Bürgern war, – sich eindeutig auf die Seite der Neuerer und gegen die römische Kirche stellen zu können. Per Beschluß wurde der traditionelle Opfercharakter der Meßfeier aufgehoben. Die Mönche durften nicht mehr predigen, und die Klöster gingen in städtische Oberaufsicht über. Die Geistlichen mußten Steuern zahlen wie alle Bürger. Aber wenn die «evangelischen» Theologen glaubten, nun alles durchsetzen und radikale Änderungen vornehmen zu können, irrten sie sich. Bei aller Eindeutigkeit gab der Rat seine vorsichtige Politik nicht auf und machte klar, daß er in theologischen Fragen ein gewichtiges Wort mitsprechen werde.

Die Geistlichkeit wollte den zweiten Feiertag an Weihnachten, Ostern und Pfingsten und sämtliche Heiligenfeste streichen. Der Rat entschied dagegen. Sogar einige Marienfeste mußten weiterhin gefeiert werden. Wie in Wittenberg trugen auch in Zukunft die Pfarrer beim Gottesdienst die alten Meßgewänder und sprachen die meisten Gebete auf lateinisch. Die deutschen Messen im Augustinerkloster blieben ein Intermezzo. Die prächtige Ausstattung der Nürnberger Kirchen mit Bildern, Skulpturen und Orgeln blieb unangetastet, mochten manche Theologen noch so sehr das Gegenteil wünschen.

Während sich die Mönche in die neue Lage schickten und ihre Klöster freiwillig der städtischen Verwaltung unterstellten, leisteten die Frauenklöster Widerstand. An der Spitze stand Caritas Pirckheimer, Äbtissin im traditionsreichen Klarakloster und Schwester des Ratsherrn Willibald Pirckheimer, ein angesehener

Humanist, dessen anfängliche Zuneigung zur lutherischen Sache inzwischen sehr abgekühlt war. Die Pirckheimerin war eine umfassend gebildete und tief religiöse Frau. Als Philipp Melanchthon im Herbst 1525 Nürnberg besuchte, kam es zu einem Gespräch zwischen den beiden. Die Äbtissin erzählte dem Professor aus Wittenberg, mit welcher brutalen Gewalt die Nonnen – ihre «Kinder» – gegen ihren Willen aus dem Kloster entführt worden waren. Man nahm sie «unter die Arme, fing an, sie zu ziehen und zu zerren. Es sollen je vier Menschen an einer von ihnen gezogen haben. Zwei hätten vorn gezogen und zwei hinten geschoben. Da man sie nun auf den Wagen vor der Kirche setzen wollte, entstand abermals ein großer Jammer. Unsere Kinder hätten immer lauter geschrien und geweint ...» Das konnte Melanchthon nicht gutheißen. Hatte doch Luther selbst in einem Brief an die Nürnberger Augustinermönche gefordert, man solle dieses Problem «in beiderseitigem Einverständnis und Frieden» lösen, und sich von solchem «Austreten unter Tumult» distanziert.

In theologischen Fragen war der Graben zwischen Luthers engstem Mitarbeiter und der Äbtissin erstaunlich schmal. Melanchthon mußte sich von Caritas Pirckheimer sagen lassen, daß sie und ihre Nonnen sich nicht auf ihre «eigenen Werke», sondern nur «auf die Gnade Gottes» verließen. Daraufhin bat er den Rat der Stadt, die Frauen nicht mehr gegen ihren Willen aus den Klöstern zu holen, und man folgte seinem Wunsch.

Nürnberg widerlegt viele Vorurteile und ist keineswegs untypisch für den Verlauf der lutherischen Bewegung in Deutschland: Eine wohlhabende Stadt, in der nicht die unteren Schichten, sondern die besseren Kreise – reich und gebildet – zum Stoßtrupp der neuen Lehre werden. Aber nicht deshalb, weil die alte Theologie bankrott machte und ihre Vertreter unglaubwürdig waren. So radikal die Theologie des Mönchs aus Wittenberg war: Es gab viele Brücken zwischen dem, was aus der Rückschau in eine alte und eine neue Zeit zerlegt worden ist. Ob Christoph Scheurl oder Albrecht Dürer: Sie wandten sich der neuen Theologie aus Wittenberg zu, weil sie schon lange vor dieser Entscheidung fromme Menschen waren, denen das Heil ihrer Seele viel Nachdenken und viele Gebete wert war.

Wir sind im Frühjahr 1525 und damit auf dem Höhepunkt des Bauernkrieges. Zürich und Nürnberg, Konstanz und Straßburg gehören zu einer winzigen Minderheit von Städten, in denen man sich zu diesem Zeitpunkt vorsichtig, aber nun doch für alle sichtbar, aus dem alten Kirchenverband abgenabelt hat, ohne eine neue Kirche gründen zu wollen. Die vier Städte blieben vom Bauernkrieg unberührt. Es gab andere, in denen die Bürger dem Beispiel der Bauern folgten und die städtische Verwaltung zwangen, «Artikel» anzuerkennen, in denen mehr Mitbeteiligung und stets auch die Predigt des «reinen Evangeliums» gefordert wurde. Frankfurt am Main, Würzburg, Worms gehören dazu. Die Niederlage der Bauern ließ diese städtischen Experimente scheitern. Mit dem Argument, unter Gewalt erpreßt worden zu sein, machten die alten Herren die meisten Zugeständnisse rückgängig. Zu spontanen Unruhen und aggressiven Reaktionen war es schon 1515 gekommen. Sicherlich gab Luthers Kritik an den kirchlichen Autoritäten einen wichtigen Anstoß, um vor allem der über Jahrhunderte angestauten Wut über die Privilegien und die Nichtsnutzigkeit des Klerus sichtbar Luft zu machen. Darüber waren sich alle in der Stadt einig, die Armen wie die Handwerker, die Bergleute und in manchen Fällen sogar die Ratsherren. Die Klöster gehörten zu den beliebtesten, weil symbolträchtigen Zielen dieser Volkswut: In Halberstadt wurden sie 1523 gestürmt, in den folgenden zwei Jahren in Königsberg und Magdeburg, in Fulda wie in Eisenach, in Gotha wie in Plauen.

Doch die Klösterstürmer und radikalen Dränger waren längst nicht überall identisch mit den Anhängern der lutherischen Theologie. Viele Ratsherren, die sich gegen gewaltsame und radikale Änderungen stellten, sahen keinen Widerspruch darin, gleichzeitig den Predigern des reinen Evangeliums freien Lauf zu lassen. Aber noch war das keineswegs die Regel. Landschaften und Städte, die heute als stockprotestantisch gelten, standen in jenen zwanziger Jahren des 16. Jahrhunderts noch fest zum alten Glauben, auch wenn das Neue erste Anhänger gefunden hatte. Lübeck zum Beispiel.

Die Stadt an der Trave war das Haupt des hansischen Bundes, wohlhabend und selbstbewußt. Vom Reichtum wie von einer selbstverständlich gelebten Frömmigkeit zeugen die zahlreichen kunstvollen Schnitzaltäre, die um die Jahrhundertwende von den Bruderschaften der Handwerker und Kaufleute zahlreich in Auftrag gegeben wurden. In diesen traditionellen Bruderschaften fand die neue Theologie aus Wittenberg erste interessierte Zuhörer. Bekannt wurde sie in Lübeck durch Jürgen Benedicti Sengestake, einem reichen Kaufmannssohn, der von 1518 bis 1522 in Wittenberg studierte und eifrig lutherische Schriften in seine Heimatstadt schickte. Auch die guten Verbindungen der Lübecker Kaufleute zu ihren Nürnberger Kollegen blieb nicht ohne Einfluß auf das kirchliche Leben.

Die Gleichgesinnten, alle aus wohlhabenden Kreisen, trafen sich in der vornehmen Leonhardsbruderschaft, die in der Gemeinde der Marienkirche zu Hause war. Auch bei den unteren Schichten sprach sich die neue Botschaft herum. Die reformfreudigen kleinen Leute trafen sich in der Ägidiengemeinde. «Martinianer» nannte man sie allesamt.

Dem Rat dämmerte langsam, daß sich etwas zusammenbraute. Unter Führung von Bürgermeister Thomas von Wickede beschloß er, die Kritiker mundtot zu machen. Im Januar 1524 wurde eine Bittmesse gegen die «martinianische» Häresie beantragt, und der Bürgermeister erklärte, alle Ketzer hätten den Tod auf dem Scheiterhaufen verdient. Im August kam der Prämonstratensermönch Johann Osenbrügge aus Stade nach Lübeck. Er fand Aufnahme bei Jasper Bomhower in der Mengstraße und predigte dort vor fast dreihundert Menschen. Wo er sich in den folgenden Tagen auch zeigte, lief das Volk zusammen. Diesmal griff der Rat hart durch. Osenbrügge wurde in den Turm geworfen und blieb dort vier lange Jahre. Ein Jahr später landeten vier Männer im Gefängnis, weil sie Predigten durch Zurufe gestört und Geistliche beschimpft hatten. Im September 1526 ließ der Rat zur Abschreckung auf dem Markt lutherische Schriften verbrennen. Eins gelang den Lübecker Herren allerdings nicht: die anderen Hansestädte für ihre harte Linie zu gewinnen. Mitglieder wie Stralsund und Wismar waren vorsichtiger. Sie spürten, daß der Wind sich gedreht hatte und man mit solchen Maßnahmen eher die Unruhe schürte. Der Hansetag von 1525 einigte sich sogar darauf, nur solche Prediger anzustellen, die «das Wort Gottes rein und ohne menschlichen Zusatz» verkündeten, weil dies dem inneren Frieden nützen würde.

Der Rundblick im ersten knappen Jahrzehnt nach den 95 Thesen zum Ablaß, mit dem ein Mönch in Wittenberg die Theologen und Bürger im Land aufrüttelte, zeigt: Es gibt keinen reformatorischen Sturmwind, der die bestehenden kirchlichen Autoritäten im Deutschen Reich von den Kanzeln und aus den Kirchen wehte. An den wenigen Orten, wo sich Luthers Theologie schon jetzt eindeutig durchsetzt, gibt es keine radikalen Brüche, sondern vorsichtiges Taktieren. Streiter für das Neue sind vor allem bürgerliche Kreise, Mönche und Theologen der römischen Kirche. Wo herausragende theologische Persönlichkeiten fehlen – wie in Lübeck –, hat es die neue Bewegung schwer. Wo sich etwas verändert – ob in Zürich oder Nürnberg –, geschieht es mit Zustimmung oder sogar auf Befehl von oben. Die Obrigkeiten, ob adlig oder bürgerlich, bestimmten den Lauf der Dinge. Die Ausnahme blieb Wittenberg, wo ein zurückhaltender Kurfürst und ein gehorsamer Rat sich der Persönlichkeit Luthers beugten. Sie taten es in der Gewißheit, daß der Mönch – was immer seine theologische Botschaft war – nicht den Aufruhr, sondern Mäßigung predigte und sich weigerte, im Evangelium einen Anstoß zu sozialen Veränderungen zu sehen.

Gescheitert. Das ist das Urteil derer, die im nachhinein sich klüger glaubten. Mit der Niederschlagung des Bauernaufstands sei der Elan der neuen kritischen Bewegung gebrochen worden, die angeblich angetreten war, Kirche und Welt total zu verändern. Der Mönch aus Wittenberg sei nie wieder der alte geworden.

Martin Luther wird nach den turbulenten Wochen im Frühjahr 1525 Bilanz gemacht haben, so unflexibel er seinen Standpunkt auch in der Öffentlichkeit vertrat. Es gab etliche Minuspunkte, aber gar nicht so kleine Erfolge. Der Mönch war ein Risiko eingegangen, das keiner vor ihm gewollt und gewagt hatte: das Monopol der Geistlichen und vor allem der Universitäten auf theologische Fragen zu brechen; den Laien die komplizierte geistliche Materie aufzudröseln. Sie in diesen Fragen für lernfähig zu halten und ihnen die Entscheidung zu überlassen. Er glaubte an die Kraft des Wortes. Sie schien ihm stärker als alle Zeremonien und heiligen Handlungen, die er keineswegs verwarf oder verdammte.

Gebannt und geächtet erreichte der Mönch, was keinem Kirchenkritiker vor ihm gelungen war. Es war eine revolutionäre Entscheidung, den Laien wesentlich in die neue Theologie mit einzubeziehen und Mißverständnisse nicht zu scheuen. Gewiß: Lesen und schreiben konnte nur eine Minderheit. Doch wenn Luther seine Schriften selbst ins Deutsche übersetzte, wenn er sich um eine bildhafte und einprägsame Sprache bemühte, dann stand dahinter der Wille und die Hoffnung, daß seine Botschaft nicht nur von studierten Leuten aufgenommen würde. Luther hatte – im Gegensatz zu Erasmus von Rotterdam und vielen anderen Humanisten – nichts Elitäres an sich. Er unterschied sich wesentlich von seinen Kollegen, als er aus dem Elfenbeinturm der theologischen Wissenschaft und aus dem klösterlichen Lebensbereich heraustrat. Allerdings erst – auch das darf nicht vergessen werden – nachdem die Theologieprofessoren den Aufruf zu einem akademischen Streitgespräch über den Ablaß völlig unbeantwortet ließen und theologisch interessierte Bürger seine Thesen – ohne Luther zu fragen – zirkulieren ließen.

Im Frühjahr 1522 hatte er den aufmüpfigen Wittenbergern gepredigt, daß das Wort im Kampf gegen Kaiser und Papst seine einzige und sehr wirksame Waffe gewesen sei. Er forderte sie auf, in Zukunft jede gewaltsame Änderung zu unterlassen und die Schwachen nicht zu überfordern. Die Gemeinde folgte Luthers Mahnung wie brave Kinder dem Vater. Warum sollte sich nicht überall im deutschen Land das Wort Gottes so friedlich durchsetzen: eine innere Erneuerung der Gläubigen ohne Aufruhr im weltlichen Bereich, ohne Radikalität in den äußerlichen Dingen der Liturgie und der kirchlichen Strukturen. Am Ende stände der Papst allein, weil seine Kirche ihm weggelaufen war.

Diese Hoffnung trog. Luthers Wort brachte keinen bischöflichen Stuhl ins Wanken. Vorläufig verzichtete kein geistlicher Fürst auf das Bischofsamt und auf seine weltlichen Privilegien. Es konnte auch nicht Kritiker wie Thomas Müntzer überzeugen. Wo sich die Bewegung durchsetzte, da half die Obrigkeit, der Luther gerade keine Mitsprache in theologischen Fragen zugestanden hatte, kräftig nach. Dann kam der Aufstand der Bauern, die im Namen des Evangeliums, so wie der Mönch es deutete, soziale Veränderungen forderten und Gewalt als letztes Mittel rechtfertigten. Luther mußte erkennen, daß weder die Intellektuellen noch die einfachen Leute die Radikalität seiner Theologie verstanden oder akzeptierten. 1525 lagen die Mißverständnisse für ihn offen zutage. Luther war tatsächlich an einer entscheidenden Station seines Weges angekommen. Es gab drei Möglichkeiten: zu resignieren, in eine elitäre Sekte von Auserwählten zu flüchten oder weiterzumachen wie bisher.

Luther resignierte nicht. Er zog sich nicht verbittert auf wenige Getreue zurück, noch forderte er von seinen Anhängern das Unmögliche. Zwar gab er seine theologische Grundposition nicht auf. Das wußte nach dem Bauernkrieg jeder, der sich für seine Lehre interessierte. Seiner Meinung über Gott und den Menschen blieb er treu: Der Mensch, ein Nichts, kann nur gerettet werden, wenn er sich Gott, dem Unergründlichen, und seiner Gnade bedingungslos ausliefert. Aber der Mönch war bereit, die Spannung zwischen dem Anspruch seiner radikalen Theologie und dem Menschen mit allen seinen Schwächen auszuhalten. Wie im Brennglas zeigen zwei Ereignisse des Jahres 1525, daß Luther unbeugsam an seiner Überzeugung festhielt, ohne sich mit dem Kopf in den Wolken zu verlieren. Er war bereit, sich realistisch auf diese Welt und ihre Gesetze einzulassen.

Das Land war noch voller Unruhe vom Bauernkrieg, da heiratete Martin Luther im Juni 1525 die ehemalige Nonne Katharina von Bora. Selbst engste Freunde waren entsetzt. Philipp Melanchthon schrieb einem Vertrauten, «daß in dieser unseligen Zeit, in der die Guten überall so schwer leiden, dieser Mann nicht mitleidet, sondern vielmehr, wie es scheint, schwelgt und seinen guten Ruf kompromittiert, wo Deutschland seines Geistes und seiner Autorität besonders bedarf». Luther, dem solches Stirnrunzeln nicht verborgen blieb, hat seine Beweggründe in einer Einladung an seinen Freund Nikolaus von Amsdorf zum Hochzeitsschmaus zusammengefaßt: «Das Gerücht stimmt, daß ich mit Katharina plötzlich zusammengegeben worden bin, bevor ich mir, wie es zu sein pflegt, aufgeregtes Geschwätz anhören mußte. Ich hoffe, ich werde nur noch kurze Zeit zu leben haben, und wollte meinem Vater, der mich so dringend bat, diesen letzten Gehorsam in der Hoffnung auf Nachkommenschaft nicht abschlagen; zugleich auch, um mit der Tat zu bekräftigen, was ich gelehrt habe. Es gibt ja so viel ängstliche Gemüter bei so großem Licht des Evangeliums. So hat Gott es gewollt und bewirkt. Ich bin ja nicht verliebt und in Hitze, aber ich liebe meine Frau.» Luthers demonstrative Heirat zeigt ein wesentliches Stück seines Temperaments. Angriff war für ihn oft die beste Verteidigung. Ganz anders – und ebenfalls typisch – verhielt sich Huldreich Zwingli bei gleicher Gelegenheit. Er hatte schon 1522 geheiratet, aber diese Ehe mehrere Jahre verheimlicht, um niemanden vor den Kopf zu stoßen.

Luther war ein geselliger Mensch. Zwar brauchte der zweiundvierzigjährige ehemalige Mönch eine Weile, um sich daran zu gewöhnen, daß morgens beim Aufwachen zwei Zöpfe neben ihm lagen. Doch bald genoß er sein neues Leben als Ehemann und Familienvater. Seine Frau Käthe akzeptierte er als selbstbewußte, unermüdlich aktive Persönlichkeit, die das Geld für die Familie verdiente. Er konnte ein strenger Vater sein, kompromißlos und trotzdem voller Zärtlichkeit gegenüber seinen Kindern.

Die neue Lebensform schmälerte seine Arbeit nicht, und sie weichte auch seine Theologie nicht auf. Heirat oder Bauernkrieg – wenn es ums Grundsätzliche ging, war Luther ganz der alte. Die Öffentlichkeit erfuhr es im letzten Monat des Jahres 1525.

Ein Jahr zuvor hatte Erasmus von Rotterdam in einer Schrift erstmals eindeutig gegen den Mönch aus Wittenberg Partei ergriffen. Viel zu lange hatte das etlichen gedauert, die in diesem berühmtesten aller Humanisten einen verkappten Lutheraner witterten; oder die ihm allein noch zutrauten, die römische Kirche vor dem Untergang zu retten. Die Päpste forderten seine öffentliche Unterstützung. Heinrich VIII. von England drängte ihn, und der Bischof von London schrieb an Erasmus: «Wer ist besser ausgerüstet, Luther zu widerlegen, als du, besonders, da du dadurch auch deinen Ruf wiederherstellst! ... Die Lutheraner sagen, daß alle Christen, Männer und Frauen, Priester seien, ja, und alle seien sogar Könige. Wohin wird das führen, wenn nicht zu völliger Anarchie? Luther will die Messe abschaffen. Was bleibt dann noch, als Christus abzuschaffen? Um des Blutes Christi willen, das zur Erlösung der Welt vergossen wurde, um der Herrlichkeit willen, die du im Himmel erwartest, bitte ich dich, flehe ich dich an, Erasmus. Die Kirche selbst bittet dich und fleht, du mögest den Kampf mit dieser Hydra aufnehmen und diesen Cerberus mit dem Schwert des Geistes in seine Höhle zurücktreiben.»

Der Philosoph, der den Streit haßte und sein Leben lang Mäßigung und Frieden predigte, war im Zugzwang. Doch zu sehr wollte er sich nicht mißbrauchen lassen und begann die Auseinandersetzung mit einer Schrift «Über die sehr große Barmherzigkeit Gottes». Es gehöre zum Wesen eines Christen, konnte man lesen, nicht nur dem Freund, sondern ebenso dem Feind mit Güte zu begegnen. Wie verdient man sich Gottes Gnade: durch Tränen, Fasten oder Bußübungen? Solche Werke sind nicht sinnlos, aber wichtiger ist es, barmherzig gegenüber seinem Nächsten zu sein. Dann, im September 1524, ließ Erasmus eine große theologische Abhandlung «Vom freien Willen» in Druck gehen, in der römisch-katholische Positionen der neuen Theologie aus Wittenberg gegenübergestellt wurden. Ein Exemplar ging mit freundlichem Brief nach Wittenberg an Philipp Melanchthon. Der antwortete ausgleichend wie immer: Luther könne etwas vertragen und habe versprochen, eine maßvolle Antwort zu geben.

Die blutigen Ereignisse und die aufbegehrenden Bauern verschoben die Antwort über ein Jahr. Endlich, im September 1525, schrieb Luther seinen Freunden: «Macht inzwischen, was ihr wollt, ich bin ganz damit beschäftigt, Erasmus zu widerlegen.» So sehr er diese Auseinandersetzung vor sich her geschoben hatte, der Mönch aus Wittenberg war dem international angesehenen Gelehrten dankbar für dessen Herausforderung und sagte es ihm gleich zu Anfang in seiner Schrift, der er den Titel «Vom geknechteten Willen» gab: «Du allein von allen hast die Sache selbst, das Kernstück der Frage, angefaßt und langweilst mich nicht mit Papsttum, Fegefeuer und ähnlichem Zeug ... Einzig und allein du hast den Angelpunkt der Sache gesehen und hast das Messer an die Kehle gesetzt. Dafür danke ich dir von Herzen.» Erasmus hat Luther mit einer weiteren Schrift geantwortet. Die Grundpositionen dieser drei Schriften zeigen in aller Deutlichkeit, worin sich zu jenem historischen Zeitpunkt Luthers Aussagen über Gott und den Menschen von dem unterschieden, was die römische Kirche als katholisch und ohne Abstriche für sich in Anspruch nahm.

Erasmus legte den Finger auf das, was beide Lager trennte: die

Frage, ob der Mensch einen freien Willen hat. Dabei ging es nicht um eine Entscheidung im weltlichen Bereich. Nur das Verhältnis zwischen Gott und dem Menschen stand zur Debatte. Das hatte weder mit Politik zu tun noch mit sozialem Verhalten. Umstritten war, ob im Menschen selbst eine Anlage ist – und sei sie noch so unterentwickelt –, die es ihm möglich macht, von sich aus, also aus freiem Willen, etwas zu tun, was dem Heil seiner Seele nützt oder schadet. Was ihm dem Himmel ein wenig näher bringt oder dem ewigen Feuer in der Hölle. Hat der Mensch die Möglichkeit, sich zwischen gut und böse zu entscheiden? Fest verknüpft mit der Antwort auf die Frage nach dem freien Willen ist eine verschiedene Definition der Gnade Gottes. Freiheit und Gnade sind miteinander verwachsen wie siamesische Zwillinge. Ihr Verhältnis hat die besten christlichen Theologen von Anfang an beschäftigt. Eine spannende Auseinandersetzung, weil sie alle Beteiligten zwang, intensiv über den Menschen nachzudenken.

Erasmus war überzeugt, daß dem Menschen auch als Sünder ein Stückchen freier Wille geblieben ist, und er aktiv zu seinem Freispruch oder zu seiner Verurteilung am Ende der Welt, wenn Gott Gericht hält, beitragen kann: «Wenn wir auf dem Wege der Frömmigkeit sind, so sollen wir eifrig zum Besseren voranschreiten ... wenn wir in Sünden verstrickt sind, sollen wir mit allen Kräften herausstreben, das Heilmittel der Buße suchen und uns auf jede Weise um Gottes Barmherzigkeit bemühen.» Welche Funktion bleibt dabei für die Gnade? Kann der Mensch auf Gottes Hilfe verzichten? Keineswegs. Erasmus versucht die Beziehung zwischen Gott und Mensch mit einem Vergleich zu erklären: «Ein Vater richtet sein Kind auf, das noch nicht gehen kann, hingefallen ist und sich bemüht, wieder aufzustehen. Der Vater hält ihm einen Apfel hin. Das Kind will voll Verlangen darauf zulaufen, würde aber wegen seiner schwachen Glieder sofort wieder hinfallen, wenn der Vater nicht seine Hand ausstreckte, um es zu stützen und seine Schritte zu lenken. So gelangt das Kind unter Führung des Vaters zum Apfel ... Was wird nun das Kind sich zuschreiben? Es hat wohl etwas getan, und dennoch nichts, auf Grund dessen es sich seiner Kräfte rühmen könnte ...» Auf sein Thema bezogen, bedeutet das für Erasmus: «Mir gefällt die Meinung derer, die dem freien

Willen [in Gestalt des kleinen Kindes] ein wenig zuschreiben, der Gnade [in Gestalt des Vaters mit dem Apfel] aber das meiste ...» Der gelehrte Theologe gibt zu, daß die Aussagen der Bibel zu dieser wichtigen Frage nicht eindeutig sind. Aber alle «Gelehrten, Rechtgläubigen, Heiligen, Märtyrer, alte und neue Theologen, viele Akademien, Konzilien, Bischöfe und Päpste» hätten sie in seinem Sinn beantwortet. Wie kann ein einzelner mit seiner Privatmeinung dagegen bestehen?

Luther imponierte das alles gar nicht. Er machte sogar einen Pluspunkt für sich daraus: «Du hast mich in meiner Überzeugung sehr viel sicherer gemacht, da ich die Sache des freien Willens von einem so bedeutenden Geist unter Aufbietung aller Kräfte behandelt und in keiner Weise zur Lösung gebracht sah, so daß es schlechter mit ihr steht als zuvor. Das ist ein überzeugender Beweis, daß der freie Wille reine Lüge ist.» Luthers Weg ist eindeutig vorgezeichnet durch seine Überzeugung, daß der Mensch von Natur aus schlecht ist und sich Gottes Gnade auch nicht durch die kleinste gute Tat oder die allergrößte Anstrengung verdienen kann. Es ist der Artikel von der Rechtfertigung, von der Befreiung des Menschen allein durch Gnade, an dem für ihn alles hängt, und wenn die Welt darüber zugrunde geht. Ob der Mensch das einsehen kann, ob es ihm paßt – für Luther tut das nichts zur Sache. Und er wiederholt es in seiner Schrift «Vom geknechteten Willen» mit aller Schärfe und Radikalität.

Der Mann aus Wittenberg predigt, daß der Mensch nicht die geringste Möglichkeit oder Fähigkeit hat, sich für das Gute zu entscheiden und aktiv an seiner Besserung mitzuarbeiten. In dem Augenblick, wo er gezeugt wird, ist alles schon entschieden. Er ist vorherbestimmt – für den Himmel oder die Hölle. Diese dritte – erschreckende – Dimension bildet zusammen mit der Freiheit und der Gnade ein unentwirrbares theologisches Dreieck. Prädestination nennen es die Fachleute.

Luther zählt in seiner Schrift selber auf, welche demoralisierenden Wirkungen seine radikale Theologie auf die braven Bürger und Christen hat: «Wer wird sich bemühen, sein Leben zu bessern? Niemand! Wer wird glauben, daß er von Gott geliebt wird? ... Von diesem Gott, der auf unergründliche Weise alles wirkt? Niemand!»

Aber gerade diese Ausgangslage ist wichtig. Denn nur wer überzeugt ist, «daß alles am Willen Gottes hängt, der verzweifelt ganz an sich, sucht keine eigenen Wege, sondern erwartet Gottes Wirken; der ist der Gnade, gerettet zu werden, am nächsten». Luthers theologische Gedankenkette ist in sich logisch, auch wenn sich alle menschliche Vernunft dagegen sträubt. Wer hat nicht den Wunsch, daß der Gott, zu dem er betet, ein guter Gott ist, ein liebender Vater?

Der Gegner des Erasmus hat die Bibel auf seiner Seite. Der Gott, von dem das Alte Testament der Juden erzählt, der das Leben des frommen und gerechten Hiob zerstört, ist nicht gut, sondern willkürlich und ungerecht. Luther schwelgt geradezu in Widersprüchen, um diesen fremden Gott einzukreisen. Sie sind schwer verständlich und noch schwerer zu akzeptieren: «Wenn Gott lebendig macht, so tut er das, indem er tötet. Wenn er rechtfertigt, so tut er das, indem er schuldig macht. Wenn er in den Himmel bringt, so tut er das, indem er in die Hölle führt ... So verbirgt er seine ewige Güte und Barmherzigkeit unter der Ungerechtigkeit.» Sein Vorbild ist Hiob: Erst als der völlig zerstörte Mann Hiob am Ende diesen willkürlichen und ungerechten Gott trotz allem lobt und anbetet, hat er die Prüfung bestanden. Gott ist ihm gnädig.

Das menschliche Herz empört sich über solche brutale Logik und weigert sich, Gott so zu sehen. Es hat Erasmus auf seiner Seite. Was ist das für ein Gott, der den Menschen verdammt, ohne ihm die Chance einer freien Entscheidung zu lassen? Luther weicht dieser Frage nicht aus. Das von Gott zu denken, erscheint absurd und unerträglich, und es haben viele große Theologen durch die Jahrhunderte daran Anstoß genommen. Auch der Wittenberger: «Ich selbst habe mehr als einmal bis in die Tiefe und den Abgrund der Verzweiflung daran Ärgernis genommen, so daß ich gewünscht hätte, nie als Mensch geschaffen zu sein.» Und dann folgt der entscheidende Satz: «Gott ist kein Tyrann, aber nur der Glaube kann das einsehen.»

An diesem Punkt trennen sich noch einmal die Geister. Erasmus hatte in seiner Schrift die Vorherbestimmung – Prädestination – ein Geheimnis genannt, an das man besser nicht rühren sollte: «Aber da die Sache auf jeden Fall erst am Tage des Jüngsten Gerichts ent-

223

schieden werden kann, warum verschieben wir nicht die Entscheidung?» Der Humanist hielt nichts davon, sich gegenseitig zu verketzern oder Völker in den Krieg zu treiben, nur um einem Geheimnis und damit möglicherweise der Wahrheit auf die Spur zu kommen. Bei Luther war er mit solchem Realismus an der falschen Adresse: «Du mit deiner Theologie der Friedensliebe. Dir liegt nichts an der Wahrheit. Das Licht darf nicht unter den Scheffel gestellt werden, und wenn die ganze Welt darüber zu Bruch geht. Gott kann eine neue Welt machen.»

Den Nachgeborenen mag das wie eine verkehrte Welt erscheinen: Der katholische Humanist Erasmus plädiert dafür, wesentlichen theologischen Problemen und Fragen nicht bis auf den Grund zu gehen, weil die Antworten widersprüchlich, zweideutig, unentschieden bleiben müssen und nur Unruhe unter die Gläubigen bringen. Erasmus war ein skeptischer Christ, der auf unfehlbare Wahrheiten verzichtete, weil ihm selbst die Bibel kein eindeutiger Wegweiser war. Ganz anders der Mönch aus Wittenberg: «Du bist in der Tat ein Skeptiker, ein spöttischer Lukian [griechischer Satiriker]. Aber der Heilige Geist ist kein Skeptiker. Siehst du nicht, daß es keine Religion ohne feste Behauptungen geben kann?» Luthers Sicherheit beruhte auf der festen Überzeugung, daß das Wort Gottes allen dasselbe sagt. Entschieden wies er deshalb die Meinung Erasmus' zurück, die Heilige Schrift sei nicht eindeutig: «Durch solche Schreckensgespenster hat der Satan vom Lesen der Heiligen Schrift abgeschreckt und die Heilige Schrift verächtlich gemacht, um seine aus der Philosophie herrührende Pestilenz in der Kirche herrschen zu lassen.»

Der Wittenberger Professor für Theologie hatte zu lange und zu intensiv die Bibel studiert, um nicht zu wissen, daß es darin «unklare und unverständliche Stellen gibt». Das hatte für ihn jedoch nichts mit dem Inhalt zu tun und ließ deshalb noch keine zweideutige Interpretation zu. Zweideutigkeiten lagen ausschließlich «an der Unkenntnis der Worte und der Grammatik. Aber das hindert in keiner Weise das Verständnis all dessen, was in der Schrift behandelt wird.» Luthers Fazit: «Die in der Schrift enthaltenen Aussagen sind alle ans Tageslicht gebracht, wenn auch gewisse Stellen wegen unbekannter Worte bislang unverständlich sind. Es ist aber töricht und gottlos, zu wissen, daß die eigentlichen Inhalte der Schrift alle im klarsten Licht dastehen, wegen einiger unverständlicher Worte diese aber als unverständlich zu bezeichnen.» Wenn dem Menschen trotzdem unerklärlich bleibt, was Gott mit ihm vorhat, welcher Sinn in seinem Leben ist; wenn ihm vieles ungerecht und widersinnig erscheint, so zählt das alles nicht: «Es genügt zu wissen, daß in Gott ein unausforschlicher Wille da ist. Was aber dieser Wille und warum und inwiefern er es will, das darf man überhaupt nicht fragen oder zu erkunden wünschen. Man darf sich nicht darum kümmern oder berühren, sondern nur fürchten und anbeten.»

Gott ist Gott, hatte Bruder Martin 1516 einem Freund geschrieben. Das war der Kern seiner Theologie. Im Laufe des darauf folgenden Jahrzehnts kam etliches hinzu und entwickelte sich. Die Situation und die Gegner stellten Luther neue Fragen, seine Anhänger verlangten ausführlichere Antworten. Doch was auch geschah, der Kern blieb unangetastet.

Dies ist das vorläufige Ende eines langen und sicher nicht immer leichten Weges ins Innere der lutherischen Theologie. Ihrer Radikalität zu folgen und sie für sich selber zu bejahen ist eine Sache. Sie zu leugnen oder beiseite zu schieben, hieße, die tiefsten Überzeugungen eines Menschen zu verharmlosen und zu verfälschen. Vor uns steht ein Mensch, der sicher ist, Gott gefunden zu haben, ohne ihn erklären zu wollen. Fragen, die uns heute bedrücken und unverzichtbar erscheinen, stellten sich für Luther nicht: Warum muß der Mensch leiden? Warum gibt es so viel Ungerechtigkeit in der Welt? Da hat sich einer in sein Schicksal ergeben, wie auch immer es ausgehen mag.

Luther sagte den Fürsten nicht: Erfüllt doch die Forderungen der Bauern, Gott wird schon eine neue Welt bauen. Der Mönch aus Wittenberg nahm politische, wirtschaftliche oder soziale Erwägungen nicht in sein theologisches Denken auf. Alles drehte sich um eine Achse: Gott. Der Mensch ist ein Nichts vor Gott, gefangen in seiner Schuld, und nur die Gnade kann ihn frei machen. Luther fühlte sich von Gott berufen, diese Wahrheit allen zu predigen, mochten darüber er und die ganze Welt zugrunde gehen. Denn für ihn war seine Theologie keine Privatmeinung. Sie enthielt die einzige Wahrheit über Gott und über den Menschen.

# Protest in Speyer
## und das Martyrium der Täufer

Wenn es überhaupt möglich ist, im historischen Rückblick Erfolg oder Scheitern einer Entwicklung an bestimmte Jahre zu binden, dann ist es für den Protestantismus die Zeit zwischen 1525 und 1530. Keiner der Akteure damals ahnt es, keiner will es: In diesen Jahren wird der Keim zu einer anderen Kirche gelegt. Es entstehen Institutionen und Strukturen, die nötig sind, wenn eine Botschaft überleben will. Es kommt an einigen Orten im Reich zu eindeutiger politischer Unterstützung der neuen Theologie durch die Mächtigen – nicht nur aus uneigennützigen Motiven. Es tun sich zugleich unüberbrückbare Abgründe im evangelischen Lager auf, die zu bitteren und erbitterten Auseinandersetzungen führen.

Seinen Wittenbergern hatte Martin Luther nach der Rückkehr von der Wartburg gepredigt, sich nach dem Schrittempo der Schwachen zu richten und kirchliche Änderungen, die alle betreffen, erst einzuführen, wenn auch wirklich alle überzeugt waren. Besonders, was das Herz des Glaubenslebens betrifft: die Messe. Jetzt scheint Luther die Zeit reif zu sein: Weihnachten 1525 wird nach seinen Vorschlägen in Wittenberg endgültig eine «deutsche Messe» eingeführt. Dabei waren die Änderungen nach außen auch diesmal nicht revolutionär. Bunte Meßgewänder und Kerzen blieben. Gestrichen wurde alles, was an Maria oder die Heiligen erinnerte. Vor allem wurde die Gemeinde aktiv in die Feier mit hineingenommen. Vieles, was bis dahin nur der Priester und der Chor beten oder singen durften, wird nun von allen gebetet und vor allem gesungen. «Ein feste Burg ist unser Gott», schallt es durch Kapellen und Kirchen. Das eigenständige deutsche Kirchenlied ist eine Schöpfung dieser Jahre – vor allem Martin Luthers – und wurde von den Zeitgenossen bewußt als Demonstration für eine neue Frömmigkeit eingesetzt.

Die Menschen in Wittenberg – das war Luthers Gemeinde. Er fühlte sich als ihr Seelsorger. Hier predigte er, hier hörte er die Beichte, teilte das Abendmahl aus. Kamen Briefe von auswärts, dann gab er Rat, antwortete auf Fragen. Seine Schriften richteten sich an alle im Land. Doch immer wieder machte der Mann, der mit seiner Frau im ehemaligen Augustinerkloster zu Wittenberg lebte, klar, daß er sich nicht berufen fühlte, die Kirche im Deutschen Reich – geschweige denn darüber hinaus – zu reformieren. Gott hatte ihn berufen, das Evangelium frei von allen Zusätzen und Verdunklungen zu predigen und auszulegen. Mehr nicht. Sein Platz war in dieser Stadt. Alles weitere lag bei Gott. Und deshalb schrieb Luther nach Einführung der deutschen Messe: «Denn es ist nicht meine Meinung, das ganze Deutschland müßte unsere Wittenbergische Ordnung annehmen.» Auch die römische Kirche feierte zu dieser Zeit die Messe keineswegs nach einheitlichem Muster.

Luthers Heimatland war Kursachsen, und natürlich kümmerte ihn, welche Früchte innerhalb dieser Grenzen das Wort Gottes, das er predigte, brachte. Keineswegs nur erfreuliche, wie er bald kritisch feststellen mußte. Die Freiheit, die er predigte, schien die Menschen nicht besser, sondern eher schlechter zu machen. An Johann den Beständigen, Bruder und Nachfolger des weisen Friedrich, schrieb Luther im November 1526: «Erstlich, gnädigster Herr, ist das Klagen der Pfarrherrn fast an allen Orten über alle Maß viel. Da wollen die Bauern schlechterdings nichts mehr geben, und ist unter den Leuten für das heilige Gotteswort solcher Undank, so daß ohne Zweifel von Gott eine große Plage vorhanden ist. Und wenn ichs mit gutem Gewissen zu tun wüßte, möchte ich wohl dazuhelfen, daß sie keinen Pfarrherrn noch Prediger hätten und lebten wie die Säue, wie sie es doch [ohnehin] tun: da ist keine Furcht Gottes noch Zucht mehr, weil des Papstes Bann aufgehört hat, und tut jedermann, was er nur will.» Es war eingetreten, was Luthers Kritiker ihm vorgeworfen hatten: Wer nichts als die Gnade predigt und den freien Willen leugnet, untergräbt jede Moral. Wozu sich noch anstrengen?

Luther weicht nicht ab von seiner Theologie, aber er gibt seine ablehnende Haltung gegenüber allem Zwang in religiösen Dingen zögernd auf. Mit seinem Brief stärkt er das Gewissen des Kurfürsten, der – im Gegensatz zu seinem Bruder ein überzeugter Anhänger Luthers – in seinem Land einheitlich und für alle verbindlich die neue Theologie durchsetzen will. Luther argumentiert: Da die Gesetze der römischen Kirche nicht mehr gelten und die Vertreter des Papstes im Land – die Bischöfe – sich dem Wort Gottes verschließen, muß der Landesherr für eine neue Ordnung sorgen: «Deshalb ... will es vonnöten sein, vor allem von E. K. F. G., die Gott in solchem Fall dazu gefordert und die Tat anbefiehlt, von vier Personen das Land visitieren zu lassen: zwei, die für die Einkünfte und Güter, zwei, die für die Lehre und Personen sachverständig sind ... Wo nun eine Stadt oder ein Dorf ist, die das vermögen, hat E. K. F. G. Macht, sie zu zwingen, daß sie Schulen, Predigtstühle, Pfarrer halten. Wollen sie es nicht um ihrer Seligkeit willen tun noch bedenken, so ist E. K. F. G. da, als oberster Vormund der Jugend und aller, die es bedürfen, und soll sie mit Gewalt dazu anhalten, daß sie es tun müssen; gleich als wenn man sie mit Gewalt zwingt, daß sie zur Brücke, Steg und Weg oder sonst vorkommender Landesnot geben und dienen müssen.»

Und so geschah es ab Juli 1527: Zwei Theologen, Philipp Melanchthon war einer davon, und zwei kurfürstliche Räte reisten durch Sachsen und nahmen den Zustand der Kirchen und Schulen zu Protokoll. Visitation hieß das Stichwort. Sie fragten die Pfarrer, die alle in der römischen Kirche geweiht und – wenn überhaupt – in der alten Theologie ausgebildet worden waren, wie sie es mit dem reinen Evangelium hielten. Eine schwierige Sache, denn die Herren sollten die Gewissen prüfen, wo doch an der Antwort Amt, Geld und Autorität hingen. Die Existenz stand auf dem Spiel. Nicht nur die eigene, denn viele geistliche Herren hatten – von der neuen Bewegung ermuntert – geheiratet oder langjährige Beziehungen legalisiert. Ein Priester in Altleisning zum Beispiel hatte Frau und Kind und war noch wenige Jahre zuvor ein treuer «Papist» gewesen. Den Visitatoren zeigte er seine Lutherschriften und versprach, darin weiterhin eifrig zu lesen, damit er die neue Lehre noch besser verstehen könne. Auf sein Gewissen versprach er das. Die Alternative: aus dem Amt und aus dem Land gewiesen zu werden. So sollte es allen Untertanen ergehen, die in Zukunft öffentlich den alten Glauben praktizieren wollten. Für sie war in Kursachsen kein Platz mehr, denn es gab ja nur eine Wahrheit. Der Kurfürst, der dies am Ende der Visitationen offiziell verkündete, handelte im Sinne Luthers.

Aber hatte Luther in den vergangenen Jahren nicht immer wieder die Fürsten und Herren beschworen, daß man die Gewissen nicht zwingen darf? Daß man Ungläubige mit dem Wort überzeugen müsse? Wo blieb die christliche Freiheit? Daß Luther den Glauben nicht mit dem Schwert durchsetzen wollte und der Obrigkeit nicht das Recht gab, Menschen ihrer Überzeugung wegen auf den Scheiterhaufen zu schicken, war neu gegenüber Theorie und Praxis im christlichen Mittelalter. Für Toleranz in unserem Sinn jedoch hatte Luther kein Verständnis. Wie seine Zeitgenossen war er überzeugt, daß unterschiedliche Meinungen in Glaubensfragen innerhalb der Grenzen eines Landes Unruhe stiften. Der Herrscher, von Gott eingesetzt, um Ruhe und Ordnung zu schaffen, mußte deshalb diesen Unruheherd beseitigen.

Johann der Beständige kannte seinen Luther wohl besser als wir, die immer gleich einen krummen Rücken vor Fürstenthronen vermuten. Der Mann in Wittenberg hatte einen aufrechten Gang und redete auch diesem Herrn nicht nach dem Mund. Was seine fürstlichen Anhänger überall im Land mit dem Besitz der ehemaligen Klöster taten, ließ ihn nicht ruhig schlafen: «Sehr ernst, mein lieber Spalatin, ist die Sache, welche den Raub der Klöster betrifft, und glaube mir, daß mich das außerordentlich quält. Das, was du begehrst, habe ich schon längst in Schriften behandelt. Damit nicht zufrieden, bin ich gegen den Willen aller sogar in das Gemach des Fürsten vorgedrungen, um mit ihm allein über diese Sache zu reden ... Schon im Vorgemach hatte ich auch dem jüngeren Fürsten dasselbe geklagt, der zu erkennen gab, daß ihm derartige Dinge übel gefielen. Man antwortete, man werde Vorsorge treffen, daß alles recht zuginge. Was soll ich sagen? Unter dem besten Fürsten fürchte ich, daß mir und uns allen blauer Dunst, leerer Schein und Märchelein vorgemacht werden ... Und das ist mir das Bitterste vom Bitteren: daß die, welche zuvor dem Evangelium feind waren ... jetzt bei der Beute sich vergnügen, lachen und – reich geworden – frohlocken, daß es ihnen unter dem Namen des Evangeliums freistehe, zugleich die größten Feinde des Evangeliums zu sein und alle Freiheiten des Evangeliums zu genießen.»

Es ist typisch für Luther, daß er am Ende dieses bitteren Briefes weder in Selbstmitleid verfällt noch bei der Erkenntnis stehenbleibt, daß die Welt schlecht ist. Er schließt an seinen alten Freund Spalatin, der inzwischen auch eine Frau – seine «Rippe» – hat, sehr privat und mit einer versöhnlichen Note als Familienvater: «Gehab dich wohl in dem Herrn mit deiner Rippe. Mein Hänschen grüßt dich, der im Monat des Zahnens anfängt ‹Vater› zu lallen und mit ergötzlichen Belästigungen jedermann anzufahren. Auch Käthe wünscht dir alles Gute, vornehmlich einen kleinen Spalatin, der dich lehre, was sie, wie sie rühmt, von ihrem Hänschen gelernt hat, d. h. die Frucht und Freude der Ehe, deren der Papst mit seiner Welt nicht wert war.»

Wenn schon unter Luthers Augen die Fürsten in Sachsen das Kirchengut und deren Erträge zu ihrer privaten Schatulle schlugen und nicht ausschließlich für Schulen und soziale Einrichtungen ausgaben, dann konnte es außerhalb der Grenzen nicht besser zugehen. Die Fürsten handelten nach mittelalterlicher Tradition und doch voller Widerspruch: Sie forderten freie Hand in ihrem Territorium für Glaubensfragen und verlangten eine einheitliche religiöse Ausrichtung ihrer Untertanen, damit Ruhe und Ordnung im Land herrschten. Nichts anderes beanspruchte der Kaiser für sein Hoheitsgebiet, das Deutsche Reich, auch wenn seine tatsächliche Macht arg zerlöchert war. Dem Kaiser jedoch wollten seine Fürsten nicht zugestehen, worauf sie für sich selber pochten.

Und Karl V. war weit. Seit dem Wormser Reichstag 1521 hatte er deutschen Boden nicht mehr betreten. Die lange Abwesenheit des Kaisers zählt zweifellos zu den günstigen Umständen, unter denen sich die neue Theologie ausbreiten konnte. Die starke Hand fehlte, und so stritten sich Fürsten und Prälaten noch in der zweiten Hälfte der zwanziger Jahre auf den Reichstagen, ob und wie das Wormser Edikt – das Luther immerhin zum Ketzer erklärt hatte und seine

Auslieferung forderte – durchgeführt werden solle. Immer selbstbewußter traten jene auf, die sich an dieses Edikt nicht gebunden fühlten und die der Mann aus Wittenberg für sich gewonnen hatte. Als der Reichstag sich im Juni 1526 wieder einmal in Speyer traf, um auf Anordnung des Kaisers endlich dem Ketzeredikt Geltung zu verschaffen, flanierten die Vertreter der hessischen und der sächsischen Delegation in Umhängen durch die Stadt, auf denen stand provokativ die Losung der neuen Theologie: «Verbum Dei manet in aeternum.» Das Wort Gottes bleibt in Ewigkeit. Wer durch Speyer ging, hörte in den Innenhöfen der Gasthäuser die lutherischen Prediger laut ihre Botschaft verkünden.

Das Ergebnis dieses Reichstags von 1526 rechtfertigte solche Siegesgewißheit. Alle Beteiligten unterschrieben, daß sie nicht nur auf eine erneute Verurteilung der lutherischen Ketzerei verzichteten, sondern ganz offiziell ein Stillhalteabkommen geschlossen hatten: «Danach haben wir, auch Kurfürsten, Fürsten und Stände des Reiches und deren Gesandte, die uns jetzt hier auf dem Reichstag einmütig abgesprochen und geeinigt, bis zum Konzil oder aber der Nationalversammlung ... mit unseren Untertanen ein jeder in den Sachen, die das Edikt – das durch kaiserliche Majestät auf dem zu Worms gehaltenen Reichstag ausgegangen ist – betreffen möchten, für sich so zu leben, zu regieren und zu halten, wie ein jeder solches gegen Gott und die kaiserliche Majestät hofft und meint verantworten zu können.» Nun hatten es alle Obrigkeiten schriftlich: Wer die neue Lehre duldete, weil er ihre Verfolgung vor Gott und seinem Gewissen nicht verantworten konnte, tat nichts Unrechtes. Zum erstenmal hatten Luthers Anhänger das Recht auf ihrer Seite.

In immer mehr Städten wurde eine veränderte, gereinigte Form der Messe eingeführt und damit dokumentiert, daß die Bürger der Wittenberger Richtung folgten, Celle und Wismar 1526, Braunschweig und Goslar 1528, Lüneburg und Hamburg 1529. Zusammen mit den neuen Gottesdienstformen wurden im Schutz des Reichstags von Speyer «Ordnungen» eingeführt, wie es im Januar 1522 erstmals und noch erfolglos Wittenberg versucht hatte. Von überallher kamen Briefe ins Augustinerkloster, die Martin Luther um gute Theologen baten, solche «Ordnungen», die das kirchliche Leben neu regeln sollten, aufzusetzen und einzuführen.

Einer war im norddeutschen Raum besonders gefragt und reiste von Stadt zu Stadt: Johannes Bugenhagen, nach seiner Heimat von Luther mit dem Spitznamen Pommeranus versehen oder Dr. Pommer genannt. Bugenhagen war schon zum römisch-katholischen Priester geweiht, als er nach Wittenberg kam, um bei Luther Theologie zu studieren. Was er hörte, überzeugte ihn. Er blieb, wurde 1523 Stadtpfarrer, dazu Luthers Beichtvater und Freund. Der Mann aus Pommern war kein Intellektueller und kein Umstürzler. Er arbeitete theologisch solide, wählte den mittleren Weg, und wie einst der väterliche Freund und Ordensbruder Staupitz, mahnte auch Bugenhagen sein Beichtkind viele Male, Gott nicht so ängstlich und skrupelvoll gegenüberzutreten.

Die Bugenhagensche Ordnung für Hamburg zeigt auf beispielhafte Weise, wie im Leben der betroffenen Bürger das begann, was erst die Nachgeborenen unter dem Stichwort Reformation abgelegt haben. Den Bazillus der neuen Theologie trug der Franziskaner Stephan Kempe in die Hansestadt an der Elbe. Nach einer ersten Disputation mit Priestern, die zum alten Glauben hielten, wurde er 1527 zum Pfarrherrn an St. Katharinen gewählt. Ein Jahr später gab es die zweite öffentliche Auseinandersetzung. Allen Theologen war vorgeschrieben, ihre Meinungen nur mit Stellen aus der Bibel und nicht – wie in der römischen Kirche üblich – mit Aussagen von Konzilien und Kirchenvätern zu untermauern. Die neue Richtung siegte.

Der Rat rief Johannes Bugenhagen, und seine Ordnung wurde im Mai 1529 in allen Kirchen Hamburgs mit einem feierlichen Tedeum angenommen. In den Geschichtsbüchern ist ohne Einschränkungen stets von einer «Kirchenordnung» die Rede. Doch die Hamburger haben damals diesen Begriff nicht benutzt. Sie hätten ihn auch nicht verstanden. Denn was er ausdrückt – eine neue, von der päpstlichen getrennte Kirche – wollten sie nicht gründen. Was Bugenhagen ausarbeitete, hieß «Der Erbarn Stadt Hamborch Christlike Ordeninge to denste [im Dienst] dem hilgen Evangelio...» Ihr Ziel war «christliche Liebe, Zucht, Friede und Einigkeit». Am Anfang ist von der Hoffnung auf ein Konzil die Rede und von der festen Überzeugung, in wesentlichen Dingen nichts anderes zu lehren und zu praktizieren, als Christus es befohlen hat. Die Ketzer, das sind die anderen.

Im praktischen Teil werden den Gläubigen «lateinische Vorlesungen aus der Heiligen Schrift angeordnet, und welcher gottesdienstliche Brauch und welche christliche Zeremonien bei uns nach Gottes Wort, der Jugend und dem Volke zur Besserung gehalten werden sollen, bis ein christliches Concilium eine andere Weise aus Gottes Wort vorschlägt. Was wider und ohne Gottes Wort ist, das soll fern von den Christen sein. Was man aber predigt oder wie man taufen oder das Sakrament des Leibes und Blutes Christi geben und nehmen soll, dazu bedürfen die Christen keines Conciliums. Es ist im Concilium der Heiligen Dreifaltigkeit von Ewigheit her beschlossen und durch Christus und seine Apostel uns befohlen und gelehrt.»

Diese christliche Ordnung war keineswegs auf theologische Bereiche beschränkt. Denn christliches Leben fand in der Kirche wie auf dem Marktplatz statt. Jeder weltliche Beruf, so hatte Luther gepredigt und geschrieben, steht dem Pfarramt in nichts nach. Man brauchte sie alle. Die Ordnung forderte die Anstellung von guten Juristen, Gelehrten und Medizinern durch die Stadt. Die Geistlichkeit wurde zum Hüter von Moral und guter Sitte gemacht: «Im offenkundigen Ehebruch Lebende, Huren, Herumtreiber, tägliche Trunkenbolde, Gotteslästerer und andere, die in einem Schandleben und frevelnder Gesetzlosigkeit wider andere Leute handeln, sollen zunächst ernstlich durch einen oder zwei Prediger ein- oder zweimal ermahnt werden, daß sie sich bessern. Wollen sie nicht, so halte man sie für Unchristen und verdammte Leute, wie Christus uns lehrt und das Urteil spricht, Matth. 18. Darum lasse man sie nicht zum Sakrament gehen zu größerer Verdammnis, bis sie sich offenkundig bessern, weil sie offenkundig gesündigt haben...

Darüber hinaus kann man ihn jedoch dulden und soll ihn auch dulden in Nachbarschaft und Bürgerschaft... Also, daß die Christen wissen, daß sie bei solch alltäglichen Begebenheiten, bei denen sie ihn weder meiden können noch sollen, mit ihm umgehen wie mit einem Mitbürger, aber nicht mit einem Christen.» Eine schizophrene Aufteilung, die trotzdem Erleichterung für die Bürger bedeutete. Zwar blieb dem Pfarrer – wie in der römischen Kirche – das Recht auf Exkommunikation. Aber wen diese Strafe traf, der wurde nicht – wie bisher – zugleich aus der bürgerlichen Gemeinschaft ausgestoßen. Ob diese Unterscheidung im Alltag durchzuhalten war, mußte die Zukunft zeigen.

Auch hinter diesem Verdammungsurteil stand Luthers Bild vom Menschen. Ob in Hamburg, Braunschweig oder Nürnberg: nirgendwo schaffte die Predigt vom reinen Evangelium die Sünden aus der Welt. Luther hatte sich gegen seine eigene Überzeugung in Wittenberg anfangs Illusionen gemacht. Sie hielten der Realität nicht stand. Am 8. November 1528 predigte er seiner Gemeinde: «Man wird diese Woche ein Opfergeld fordern. Ich höre, daß man den Fordernden nichts geben will. Gnad euch Gott, ihr undankbaren Leute, ihr sollt euch schämen. Ihr Wittenberger habt nichts dazu getan, Schulen und Hospitäler zu erhalten ... und jetzt wollt ihr wissen, wofür ihr vier Pfennige geben sollt. Sie sind für die Pfarrer, die Schulmeister und die Armen ... nun ihr aber jetzt vier Pfennig geben sollt, fahrt ihr auf. Was heißt das anders, als daß ihr lieber das Evangelium nicht gepredigt, die Kinder nicht unterrichtet und den Armen nicht geholfen haben wollt!

Das sage ich nicht meinetwegen. Ich bekomme nichts von euch. Keinen Fußbreit habe ich zu eigen und hinterlasse meinem Weibe und Kindern nicht einen Pfennig. Doch werde ich mit größerer Freude meine Armut genießen als ihr euren Reichtum und Überfluß. Aber mich reut, daß ich euch so frei gemacht habe von den Tyrannen und Papisten. Ihr undankbaren Bestien, ihr seid den Schatz des Evangeliums nicht wert. Wenn ihr euch nicht besinnt, will ich aufhören euch zu predigen, daß ich nicht Perlen vor die Säue werfe.» Luther konnte sehr drastisch werden: gegen Freund und Feind und auch gegen die, die sich zu seinen Freunden zählen wollten, aber keine Gnade vor seinen Augen fanden, weil sie nicht in allen Stücken seine Theologie akzeptierten.

Als Huldreich Zwingli sich in Zürich langsam und vorsichtig vom traditionellen Glauben absetzte, hat er seine Eigenständigkeit von Wittenberg und zugleich seine Übereinstimmung mit Luther betont. Ungefähr ab 1524 jedoch bekam die Einigkeit über die Frage, welche Bedeutung das Abendmahl habe, einen tiefen Riß. Es erschien eine Schrift des holländischen Juristen Cornelisz Hendricxz Hoen über «Die Neudeutung des Abendmahls». Der Laie aus den Niederlanden erklärte, die berühmten Worte vom letzten

Abendmahl Christi – «Das ist mein Leib ... Das ist mein Blut», von den Pfarrern in Wittenberg wie in Rom während der Messe gesprochen – seien nicht wörtlich zu nehmen. Das «ist» habe den Sinn von «bedeutet». Damit lebte ein Streit wieder auf, der im Laufe der zurückliegenden Jahrhunderte stets aufs neue die Theologen beschäftigt hatte. Andere vor Hoen hatten dieselbe Interpretation gegeben. Sie besagte, daß der Gläubige Brot und Wein im Gottesdienst nur zur Erinnerung aß und trank. Eine symbolische Handlung. Unter dem Einfluß der Schrift aus den Niederlanden schloß sich Zwingli dieser Deutung an.

Die römische Kirche hatte aus dem Wörtchen «ist» eine komplizierte Theologie gemacht. Seit dem 11. Jahrhundert wurde verkündet und mußte geglaubt werden, daß in jeder Messe mit den Worten des Priesters – «Das ist mein Leib» – sich die Substanz des Brotes in den wirklichen Leib und die Substanz des Weines in das wirkliche Blut Christi verwandelten. Auch wenn äußerlich nichts davon zu sehen war. (Daß den Gläubigen diese theologisch-philosophischen Konstruktionen damals bewußt waren und heute verständlich sind darf bezweifelt werden.)

Martin Luther verurteilte die Messe als Opferhandlung. Christus war nur einmal für alle gestorben. Alles andere war Götzendienst. Die Heiden opferten, nicht die Christen. Doch an jenem berühmten «ist» ließ auch er nicht rütteln. Nur die ausgeklügelte Lehre von der Verwandlung der Substanz lehnte er ab, weil es nicht Aufgabe des Menschen sei, dieses göttliche Geheimnis auszuforschen. Im Abendmahl war Christus im Brot und im Wein anwesend, wenn der Pfarrer die entsprechenden Worte sprach, und zwar unabhängig davon, ob die Gemeinde daran glaubte oder nicht. Wie Gott das machte, war seine Sache. Luther lehnte es ab, darüber zu spekulieren, als handle es sich um einen Lehrsatz der griechischen Philosophie.

Was im 20. Jahrhundert dem Laien als theologische Haarspalterei erscheint – aber immer noch die Konfessionen trennt! –, war zu Luthers Zeiten und noch lange danach eine Frage auf Leben oder Tod. Da die Meinungen der führenden Theologen sofort in Briefen und Drucken verbreitet wurden, erfuhr man auch in Wittenberg sehr bald, was in Zürich und in immer mehr Städten am Oberrhein geglaubt wurde. Luther konnte nicht schweigen. Für ihn war entscheidend, ob man dem Wort Gottes – für ihn eindeutig – gehorchte oder nicht. Die Streitschriften gingen bald hin und her zwischen Zürich und Wittenberg. Im Mai 1527 schrieb Luther einem Freund: «Zwingli hat eine gewisse ‹Auslegung› mit einem eigenhändigen Brief an mich geschrieben voller Hoffart und Unbesonnenheit. Da gibt es nichts an Schandtaten oder Grausamkeiten, deren er mich nicht beschuldigte, so, daß selbst Papisten, meine Feinde, mich nicht so zerfleischen, wie diese unsere Freunde, die ohne uns und vor uns nichts waren und sich nicht einmal zu mucksen wagten. Jetzt aber, aufgeblasen durch unsern Sieg, ihren Angriff gegen uns richten ... Jetzt erst verstehe ich, was es heißt, daß die Welt im Argen liegt und daß der Satan Fürst dieser Welt ist.»

Die Theologen blieben nicht lange unter sich, denn ihre Differenzen gefielen einem überhaupt nicht, der die neue Theologie zu neuen politischen Bündnissen nützen wollte. Es war der Landgraf Philipp von Hessen, der sich und damit sein Land nach einer öffentlichen Disputation in das Wittenberger Lager geführt hatte. Doch erst einmal ging der Streit zwischen den Theologen weiter. Luther wetterte «Wider die Schwarmgeister» und nannte Zwinglis Schlußfolgerungen «unhaltbar». Es handle sich um das Fleisch Christi und nicht «um Rindfleisch oder Saufleisch». Der Mann aus Zürich antwortete dem «lieben Luther» freundlich, konziliant, aber in der Sache unnachgiebig. Aus Wittenberg kam 1528 die Schrift «Vom Abendmahl Christi»: «Es ist reine Dichtung zu sagen, das Wörtchen ‹ist› heiße soviel wie ‹bedeutet›.» Schließlich, mitten in der theologischen Debatte, wurde die Politik unüberhörbar. Alle Beteiligten mußten erkennen, daß die Zukunft diesen Streit vielleicht auf sehr brutale Weise überflüssig machen würde.

Im Mai 1527 war etwas Unerhörtes geschehen: Deutsche Landsknechte lagerten im Namen des katholischen Kaisers vor der Ewigen Stadt, eroberten und plünderten sie schließlich. Der Papst konnte gerade noch in die Engelsburg fliehen. Karl V. widerstand der Versuchung, endlich Schluß zu machen mit der päpstlichen Herrschaft über den Kirchenstaat und den Bischof von Rom auf seine eigentlichen Aufgaben zu verweisen. Der Papst begriff die Lektion und schloß Frieden mit dem Kaiser. Der Krieg war deshalb nicht zu Ende. Er ging nun erst richtig los. Der deutsche Kaiser kämpfte mit dem Franzosenkönig um Norditalien. Bis in das Jahr 1529 zog sich der Krieg hin. Karl hatte immer noch keine Zeit zu einer Reise nach Deutschland. Aber er drängte seinen Bruder und Stellvertreter Ferdinand, König von Böhmen und Ungarn, auf einem Reichstag endlich Schluß zu machen mit der lutherischen Ketzerei, um sich mit geschlossenen Reihen nach Osten zu wenden. Denn immer bedrohlicher marschierten die Türken an der Grenze Ungarns auf.

Im April 1529 versammelte sich der Reichstag wieder in Speyer. König Ferdinand ließ den Kurfürsten, Bischöfen, Äbten und städtischen Räten vortragen, was sie alle widerspruchslos unterschreiben sollten: Daß es mit dem Gummiparagraphen – «Artikel» – von 1526, mit der augenzwinkernden Duldung einer neuen Theologie vorbei sei: «So hebt ihr. Kais. Maj. angezeigten Artikel hiermit auf, kassiert und vernichtet denselben jetzo als dann und dann jetzo, alles aus kaisl. Machtvollkommenheit.» Melanchthon, der zur Begleitung des sächsischen Kurfürsten gehörte, empfand diese Worte als «ganz furchtbar». Wieder predigten lutherische Geistliche in den Gasthäusern, aber diesmal an die Adresse der eigenen Herren: «Darumb wer hie schweigt und williget also mit seim Schweigen in das Wormser Edikt, der hilft die Unschuldigen verdammen, welche der rechten Lehre anhängig sind.»

Zwischen den Quartieren der lutherisch gesonnenen Fürsten und Städte waren die Boten pausenlos unterwegs. Fünf Fürsten und sechzehn Städte einigten sich schließlich auf eine «Protestatio» – Widerrede – gegen die kaiserliche Religionspolitik. Als der sächsische Kanzler Brück auf der Sitzung vom 19. April diesen Protest zu verlesen begann, erhob sich Ferdinand und verließ demonstrativ den Saal. Als ihm das Schriftstück, das gegen seine harte Politik Protest einlegte, schriftlich nachgereicht wurde, ließ er es zurückschicken. Es half nichts. Seit jenem Tag in Speyer haben alle, die nicht mehr der römisch-katholischen Theologie folgen und sich nicht dem Papst als Stellvertreter Christi auf Erden beugen wollen, ihren Namen: Protestanten.

Das Bekenntnis der «Protestanten» von 1529 zu ihrem Glauben – so sehr sie in der Minderheit waren – und die Berufung auf ihr Gewissen haben Geschichte gemacht: «Wir sind guter Zuversicht, Euer königliche Durchlaucht Liebden sowie Ihr, die anderen Fürsten, werden uns darin freundlich, gnädig und gutwillig entschuldigt halten, wenn wir mit Euer königlichen Durchlaucht Liebden wie Euch, den anderen, wegen des oben erwähnten Artikels nicht übereinstimmen, noch darin der Mehrheit, wie einige Male auf diesem Reichstag betont wurde, gehorchen wollen ... Außerdem hat auch sonst jeder in Dingen, die Gottes Ehre, das Heil unserer Seelen und die Seligkeit angehen, für sich selbst vor Gott zu stehen und Rechenschaft zu geben ... Daher protestieren und bezeugen wir hiemit öffentlich vor Gott, unserem einigen [einzigen] Erschaffer, Erhalter, Erlöser und Seligmacher (der – wie bereits erwähnt – allein unser aller Herzen erforscht und erkennt und auch danach gerecht richten wird), auch vor allen Menschen und Geschöpfen, daß wir ... jeder Verhandlung und vermeintlichem Reichstags-Abschied, wie wir vorher gesagt, oder anderen Sachen, die gegen Gott, sein heiliges Wort, unser aller Seelenheil und gutes Gewissen ... vorgenommen, beschlossen und gemacht worden sind, nicht zustimmen noch einwilligen sondern sie aus rechtlichen und anderen redlichen Gründen für nichtig und unverbindlich halten ...»

Mehrerlei traf hier zusammen: die tiefe Überzeugung der Obrigkeit, für sich selbst und die Untertanen an dem festzuhalten, woran man glaubte, weil man für das Seelenheil aller verantwortlich war. Zugleich gab es andere, sehr weltliche und sehr gewinnträchtige Motive: Klöster, die man aufgelöst, kirchlichen Landbesitz, den man kassiert hatte, die Freiheit von päpstlichen Bannflüchen und Geldeintreibern. Und es gab die Möglichkeit, mit der neuen Theologie Politik zu machen und den Einflußbereich des Kaisers noch ein wenig mehr einzuschränken. In den Herzen der protestierenden Fürsten und Räte waren die Gewichte der Argumente sicher sehr unterschiedlich verteilt. Die Mehrheit auf diesem Reichstag setzte sich über die Gewissen der Minderheit hinweg und beschloß, daß in Sachen der Religion «künftig jede weitere Neuerung bis zu dem kommenden Konzil, soweit möglich und menschlich», verhütet werden soll.

Als Melanchthon zurück in Wittenberg war, führte ihn sein erster Weg ins Kloster zu Martin Luther. Entsetzt berichtete er dem

Meister, daß einer derer, die in Speyer protestiert hatten, schon dabei war, mit dem neu gepredigten Evangelium handfeste Politik zu machen und es als Kitt für ein Bündnis gegen den Kaiser zu nutzen. Es war Philipp von Hessen, der auch als überzeugter Anhänger Luthers seine politischen Talente nicht brachliegen ließ. Philipp schlug die Trommel für ein politisches Bündnis der Lutheraner, dem auch die bedeutenden Städte am Oberrhein – Straßburg wie Zürich – beitreten sollten. Ein Grund mehr für die beiden Theologen in Wittenberg, entsetzt zu sein. Luther bat seinen Kurfürsten inständig, die Hände von solchem «Bundmachen» zu lassen. Bündnisse würden für die Krise gemacht, und das bedeutete Krieg. Den Fürsten, die seine Sache vertreten wollten, sagte Luther nun das gleiche wie den Bauern, die gegen ihre Herren aufgestanden waren: Es ist ein Widerspruch in sich selbst, im Namen Gottes oder des Evangeliums Politik zu machen und Krieg zu führen.

Seinen Studenten sagte Luther im Frühjahr 1529 während der Vorlesung über den Propheten Jesaja: Die Feinde des Evangeliums können uns nichts tun, denn alles liegt in Gottes Hand. Gott habe immer – auch im Alten Testament – gefordert, nur auf seine Hilfe zu vertrauen und sich nicht auf menschliche Klugheit zu verlassen. Noch wichtiger jedoch war dem Professor der Theologie ein anderer Grund: «Aufs zweite, und das ist das Allerärgste, daß wir in solchem Bündnis die haben müssen, die wider Gott und das Sakrament als die mutwilligen Feinde Gottes und seines Wortes streben.» Wollte der Landgraf Luther für seine Politik gewinnen, mußten die theologischen Differenzen mit Zürich beseitigt sein.

Philipp von Hessen gab so schnell nicht auf. Und es gelang ihm, an einem Samstagmorgen im Oktober 1529 um sechs Uhr früh in seinem Schloß in Marburg eine illustre Gesellschaft zu versammeln. Sie teilte sich in zwei Lager, die von Martin Luther aus Wittenberg und Huldreich Zwingli aus Zürich angeführt wurden. Am letzten Julitag hatte Luther einem befreundeten Theologen über die Marburger Einladung geschrieben: «Nachdem wir, Philippus und ich, uns lange geweigert und vergeblich gesträubt hatten, sind wir endlich durch seine [des Landgrafen] zudringliche Hartnäckigkeit gezwungen worden zu versprechen, daß wir kämen ...

Wir erhoffen nichts Gutes, sondern haben den Verdacht, daß alles voller Tücken ist, damit sie die Ehre des Sieges hätten.»

In Marburg saßen der Landgraf, Herzog Ulrich von Württemberg, ihre Räte, Professoren aus Wittenberg und Marburg unter den Zuhörern. Der hessische Kanzler Johann Feige eröffnete die erste Sitzung mit dem Wunsch, die Disputation möge zu «Gottes Ehr, gemeiner Christen Nutz und brüderlicher Einigkeit» geführt werden. Man diskutierte bis zum Sonntag. Die Auseinandersetzung kreiste im wesentlichen um einen Satz, den Luther schon am Samstag mit Kreide auf einen hölzernen Tisch schrieb: «Hoc est corpus meum.» Dies ist mein Leib. War Christus im Abendmahl wirklich anwesend oder nahmen die Gläubigen Brot und Wein nur als symbolische Handlung zur Erinnerung an den letzten gemeinsamen Abend, den Jesus mit seinen Jüngern verbrachte?

Am Sonntagabend sahen beide Seiten ein, daß keiner nachgeben, keiner einen Kompromiß schließen wollte. Es war eine Erkenntnis, die die Spannungen löste und die Gegner plötzlich freundlich stimmte. Luther entschuldigte sich bei Zwingli, falls er im Argumentieren manchmal zu scharf gewesen sei. Dem traten die Tränen in die Augen, und er sagte, niemandem würde er lieber begegnen als Luther. Der Mann aus Wittenberg war offenbar aus anderem Holz geschnitzt. Um keine Mißverständnisse in der Sache oder falsche Versöhnungsstimmung aufkommen zu lassen, setzte er schnell hinterher: «Bittet Gott, daß Ihr zur Einsicht kommt.» Die Antwort darauf gab ihm ein Freund Zwinglis: «Bittet auch Ihr, Ihr habt es ebenso nötig.»

Umsonst war Marburg nicht. Auf den Wunsch des Landgrafen setzte Luther am Montagmorgen fünfzehn theologische Aussagen auf, die alle unterschreiben konnten. Erst dann folgte der Punkt, in dem man sich nicht einig war: «Ob der wahr Leib und das Blut Christi leiblich im Brot und Wein sei.» Man gab auch zu Protokoll, in Zukunft den Streit in christlicher Liebe auszutragen und sich nicht gegenseitig zu verketzern. Noch am gleichen Tag schrieb Luther seiner Frau nach Hause: «Meinem freundlichen lieben Herrn Katharina Lutherin, Doktorin, Predigerin zu Wittenberg, Gnade und Friede in Christus. Lieber Herr Käthe, wisset, daß unser freundlich Gespräch zu Marburg ein Ende hat. Wir sind fast in allen

Stücken eins ... Sage dem Herrn Pommer [Bugenhagen], daß die besten Argumente des Zwingli gewesen sind, daß ein Leib nicht ohne Ort sein könne, also sei Christi Leib nicht im Brot, sondern für immer im Himmel ... Ich meine, Gott habe sie verblendet, daß sie nichts haben vorbringen können. Ich habe viel zu tun, und der Bote eilt. Sage allen gute Nacht und betet für uns. Wir sind alle noch frisch und gesund und leben wie die Fürsten. Küßt mir Lenchen und Hänschen. Euer williger Diener Martin Luther.»

So unbeugsam Luther an Wahrheiten festhielt, die ihm wesentlich schienen, er war nicht aus Stein. Er ließ sich beeinflussen von der Atmosphäre, die ihn umgab. Er war euphorisch, als die Wittenberger nach seiner Rückkehr von der Wartburg zerknirscht zu Füßen seiner Kanzel saßen. Er ließ sich erweichen, als ihm Zwingli – den er doch als Kind des Satans gebrandmarkt hatte – freundlich entgegenkam. War die Stimmung verflogen, kam die Härte zurück. Das Treffen in Marburg änderte nichts: Der Bruch zwischen Wittenberg und Zürich blieb.

Wie unterschiedlich Zwingli und Luther als Theologen dachten, zeigte sich schon zwei Jahre später wieder. Zwingli war überzeugt, für die Sache des Evangeliums auch zum letzten Mittel, zum Krieg, greifen zu dürfen. Als Zürich von den katholischen Nachbarkantonen bedroht wurde, forderte er den Stadtstaat auf, dem erwarteten Überfall mit einem Überraschungsangriff zuvorzukommen. Man hörte nicht auf ihn. Im Oktober 1531 schlugen die Gegner tatsächlich los. Als es bei Kappeln zum Gefecht kam, stand Zwingli bewaffnet im dritten Glied. Die Zürcher flohen bald. Da ging der Pfarrer vom Großmünster in die vorderste Reihe und wurde im Kampf lebensgefährlich verwundet. Ein Soldat der Gegenseite fragte ihn – nicht ahnend, wer da vor ihm lag –, ob er beichten wolle. Als Zwingli das verneinte, wurde er mit dem Schwert erschlagen. Schließlich identifizierten die Gegner seinen Leichnam.

Trotz Protest aus den eigenen Reihen wurde spontan ein Gericht gebildet, Zwingli als Ketzer verurteilt, sein toter Körper in vier Teile zerhackt. Die warf man zusammen mit Stücken von Schweinen ins Feuer, damit niemand heimlich die Asche entwendete und als kostbare Erinnerung nach Zürich brachte. Als Luther in Wittenberg von diesem grausamen Ende hörte, dachte er nicht an die gemeinsamen Stunden in Marburg, nicht an die Tränen in Zwinglis Augen. Wie bei Thomas Müntzer sah Luther in diesem Tod ein Gottesurteil, mit dem Zwinglis Theologie verdammt und seine eigene bestätigt wurde. «Er ist wie ein Mörder gestorben», sagte er bei Tisch. Hätte er in Marburg nachgegeben, «das in der Schweiz vergossene Blut würde an meinen Händen kleben».

Damit kein falsches Mitleid aufkommt: Auch Huldreich Zwingli, der sanfte Humanist, konnte hart sein und ohne Gnade, wenn es um seine Wahrheit ging. Nicht gegenüber Luther und dessen Anhängern. Da gab es trotz allem zu viele Gemeinsamkeiten. Aber als sich in Zürich radikale Kritiker meldeten, ließ Zwingli ihnen zuletzt nicht einmal die Luft zum Atmen. Die Zeit der Täufer ist gekommen.

Zu den engsten Mitarbeitern Zwinglis am Anfang der zwanziger Jahre gehörten die beiden Zürcher Patriziersöhne Konrad Grebel und Felix Mantz. Systematisch besuchten sie die Gottesdienste und machten laute Zwischenrufe, wenn in den Predigten die Rede auf die Heiligen oder auf die Marienverehrung kam. Zwingli war es sehr recht, wenn so auf seine neue Theologie aufmerksam gemacht wurde, die solche Verehrung rigoros ablehnte. Nach mehreren Streitgesprächen, in denen sich der Rat zuerst auf eine neutrale Position zurückzog, war schließlich die Mehrheit auf Zwinglis Seite. Es sollte in Zukunft in Zürich nur noch das reine Evangelium, wie der Pfarrer vom Großmünster es verstand, gepredigt, die alte katholische Messe und die Bilder in den Kirchen beseitigt werden. Den genauen Zeitpunkt für diese Neuerungen jedoch wollte der Rat erst später festsetzen, damit nichts überstürzt würde. Zwingli war es zufrieden. Er wollte keine Minderheitenkirche gründen, sondern alle Bürger der Stadt für den neuen Glauben gewinnen. Die Ratsversammlung wurde für ihn zur Synode, die auch in kirchlichen Dingen wichtige Entscheidungen treffen durfte.

Für Männer wie Grebel und Mantz war das Verrat an der einstmals gemeinsamen Sache. Sie hatten nicht gegen den Papst gekämpft, sich nicht von römischen Abhängigkeiten befreit, um sich nun von der Obrigkeit bevormunden zu lassen, um Rücksicht auf politisches Taktieren und auf die Schwachen und Lauen zu nehmen. Für sie waren Kompromisse mit den Forderungen des Evangeliums nicht vereinbar. Sie wollten einen radikalen Glauben in einer christlichen Gemeinschaft leben, zu der nur die wirklich Überzeugten gehörten.

Wer davon ausgeht, daß der Glaube an Gott und seinen Sohn eine bewußt vollzogene Entscheidung des einzelnen ist, muß an einer Tradition zweifeln, die so alt ist wie die Kirche: die Säuglingstaufe. Das Neugeborene hat keine Ahnung, warum der Pfarrer Wasser über seinen Kopf gießt und es damit in die Gemeinschaft der Christen aufnimmt, ob es will oder nicht. Während Grebel, Mantz und Gleichgesinnte in Zürich noch diskutierten, ob es nicht richtiger sei, erst als Erwachsener getauft zu werden, fing vor den Toren der Stadt schon einer an, diese revolutionären Ideen in die Praxis umzusetzen. Es war Wilhelm Reublin, geboren in Rottenburg am Nekkar, einst römisch-katholischer Priester in Basel. Er hatte 1521 begonnen, einen neuen Glauben zu predigen, viel kompromißloser noch als der Pfarrer Zwingli in Zürich. Dorthin flüchtete Reublin zwar, als er aus Basel vertrieben wurde, konnte aber nicht bleiben. Er war zu radikal. Den Bürgern, aber nicht den Bauern. Im schweizerischen Gebirgsdorf Witikon wählte man ihn zum Prediger und begeisterte sich für seine Theologie, die er nun auch in den umliegenden Dörfern verkündete. Reublin predigte ein Evangelium, das nicht nur auf den Himmel Bezug nahm, sondern im Namen Gottes die sozialen Ungerechtigkeiten in dieser Welt beseitigen wollte. Die Bauern sollten ihre traditionellen Abgaben – den Zehnten – nicht mehr leisten und sich überhaupt von den «stinkenden» Patriziern und Priestern nichts mehr sagen lassen. Und dann überzeugte Reublin 1524 die ersten Eltern, ihre Kinder nicht mehr taufen zu lassen. Das sei ein äußerliches Christentum, wie es der Papst lange genug erzwungen habe.

Die Gedanken hatten keine langen Wege zwischen Witikon und Zürich. Die Diskussion um die Kindertaufe in den theologisch interessierten Kreisen der Stadt an der Limmat wurde so brisant, daß der Rat von Zürich im Januar 1525 darüber offiziell in einer Disputation streiten ließ: Reublin, Grebel, Mantz gegen die frühe Taufe, Zwingli dafür. Es wundert nicht, daß der gemäßigte Zwingli die Sache für sich entschied. Pfarrer Reublin wurde aus seiner Gemeinde entlassen. Die beiden anderen bekamen Redeverbot.

Den Bürgern des 20. Jahrhunderts ist solche Aufregung unverständlich. Doch ein Gemeinwesen, dessen Grundgesetz der christliche Glaube ist, in dem seit tausend Jahren die Mitgliedschaft in der einen, allen gemeinsamen Kirche mit dem Menschsein identisch ist, wird in seinen Grundlagen erschüttert, wenn nicht jeder automatisch in diese Kirche hineingeboren wird. Wenn er erst als Erwachsener frei entscheidet, ob er sich zum Glauben und damit zu dieser Kirche bekennt – oder vielleicht nicht. Der Protest gegen die Kindertaufe ging an den Nerv der mittelalterlichen Gesellschaftsordnung. Aus der Sicht der Obrigkeiten, die für die Einhaltung dieser Ordnung Verantwortung trugen, war dieses Problem keine theologische Angelegenheit. Für sie bedeutete der Ruf nach der Erwachsenentaufe Aufruhr und Umsturz.

Die Ideen dieser «Aufrührer» trafen auf eine explosive politische Situation überall im Land. Reublin erkannte die Gunst der Stunde und ging zu jenen, die sich im Namen Gottes für ihre Rechte erhoben hatten: Es war die Zeit des Bauernkriegs. Während die Heere der Bauern erfolgreich durchs Land zogen, taufte Reublin in Hallau, einem Dorf zwischen Schaffhausen und Waldshut, fast die gesamte erwachsene Bevölkerung. Die Erwachsenentaufe gab denen, die wie Reublin, Grebel und Mantz sich weder bei Luther noch bei Zwingli mit ihrem Glauben aufgehoben fühlten, ihren Namen: Als Täufer oder Wiedertäufer sind sie in die Geschichte eingegangen.

Wie die Historiker die Täufer behandelt haben, ist ein Kapitel für sich. Erst vergessen oder verachtet, dann mit Beginn dieses Jahrhunderts rehabilitiert und schließlich idealisiert, ist die heutige Forschung dabei, diesen «linken Flügel der Reformation» nüchtern zu analysieren und vor allem den vielen unterschiedlichen Gruppen innerhalb der Täuferbewegung, die bisher gemeinsam etikettiert und interpretiert wurden, gerecht zu werden. Umstritten sind sie geblieben, wenn auch eines inzwischen anerkannt ist: Die Täufer waren nicht aufmüpfige Söhne, die gegen ihre geistlichen Väter – Luther, Zwingli – rebellierten. Sie waren radikale Reformer aus eigenem Recht, mit eigenen Visionen, eigenen Träumen und einer eigenständigen Theologie. Ob ihre Vorstellungen von einer neuen Welt und einem rigorosen Christentum lebensfähig waren ist eine andere Sache. Die Zeitgenossen jedenfalls wußten, warum sie die Täufer so gnadenlos bekämpft und verfolgt haben.

Pfarrer Reublin knüpfte bewußt bei den Bauern an. Er predigte seine Theologie nicht ein paar Auserwählten, sondern brachte eine Massenbewegung in Gang, die kämpferisch auszog, die Kirche und die Gesellschaft zu verändern. Grebel und Mantz gingen in Zürich unter ganz anderen Umständen einen unterschiedlichen Weg. Sie bildeten mit ein paar Gleichgesinnten einen kleinen geheimen Zirkel, entschlossen als Märtyrer, ohne jede Gewalt, für ihre Überzeugung einzustehen. Die kleine auserwählte Schar, abgesondert von der bösen Welt, gehorchte nur den Forderungen der Bergpredigt und war deshalb bedingungslos pazifistisch gesinnt. Diese elitäre Richtung innerhalb der Täufer hat dann schließlich ihr Bild bei den Nachgeborenen geprägt. Die Erklärung ist einfach und brutal zugleich: Mit Reublin und seinen bäuerlichen Anhängern geschah, was Luther für seine Sache voraussah, hätte er sich auf die Seite der kämpfenden Bauern gestellt: Mit der Niederlage der Bauernheere im Reich und in der Schweiz durch die Herrschenden wurde die politisch engagierte Richtung der Täufer in den Dörfern um Zürich ausgelöscht. Zu klein waren die Zahlen, zu gering die Anknüpfungspunkte, um weiterhin das Evangelium gesellschaftlicher Veränderungen zu predigen. Mißverstehen wir sie dennoch nicht: Wie Müntzer wollten auch diese Radikalen den Fortschritt, die verbesserten Lebensbedingungen nicht um ihrer selbst willen. Am Ende stand die totale Herrschaft Gottes über alle Menschen.

Den duldsamen Täufern ging es vorerst nicht viel besser. Allerdings konnten sie immer aufs neue als kleine Gruppen eine Weile gewaltlos in der Stille wirken, bevor die Obrigkeiten auf sie aufmerksam wurden. Während Reublin sich wie Müntzer zur gewaltsamen Veränderung bekannte, schrieb Felix Mantz um 1524 in einer «Protestation» an den Rat von Zürich: «Es kann auch mit keiner Wahrheit bewiesen oder gezeigt werden, daß ich irgendwo Aufruhr gestiftet habe oder daß ich irgendwo irgendwen etwas gelehrt oder zu ihm gesprochen habe, was Aufruhr gebracht hat oder bringen kann ...» Im gleichen Jahr belehrten Grebel und seine Freunde Thomas Müntzer in einem Brief: «Rechte gläubige Christen sind

Schafe mitten unter den Wölfen, Schafe zum Schlachten, müssen in Angst und Not, Trübsal, Verfolgung, Leiden und Sterben getauft werden, sich im Feuer bewähren und das Vaterland der ewigen Ruhe nicht durch Erwürgen leiblicher Feinde erlangen ... Auch gebrauchen wir weder weltliches Schwert noch Krieg.»

1525 taufte Grebel bei einer geheimen Zusammenkunft in Zürich den ehemaligen katholischen Priester Jörg Blaurock mit der Geisttaufe, wie die Täufer dieses bewußte Bekenntnis als Erwachsener nannten. Blaurock seinerseits zog hinaus ins bäuerliche Umland, begann ebenfalls, erwachsene Christen «wiederzutaufen», und versuchte, seine Botschaft in den altehrwürdigen Kirchen zu verkünden. In Zollikon schnitt Blaurock einem Geistlichen, der gerade die Kanzel besteigen wollte, den Weg ab und rief: «Du bist nit, sunder ich gesant zu predigen.» In Zürich erließ der Rat ein Mandat gegen die Erwachsenentaufe, mahnte und drohte. Doch die Kritiker ließen sich nicht einschüchtern. Da boten «die Herren von Zürich» zur Abschreckung das letzte Mittel auf: «Denn wer weiterhin den andern taufen würde, den würden unsere Herren ergreifen und nach ihrem jetzt beschlossenen Urteil ohne alle Gnade ertränken lassen.» Zwingli spottete, wer nun immer noch wiedertaufe, werde «richtig untergetaucht». Konrad Grebel starb 1526 an der Pest. Am 5. Januar 1527 wurde Felix Mantz auf Beschluß des Rates und mit Billigung Zwinglis in der Limmat ertränkt. Bis 1532 wurden fünf weitere Todesurteile vollstreckt.

1527 wurde ein blutiges Jahr für die Täufer, auch wenn sie vor aller Öffentlichkeit verkündeten, daß ihr einziger Wunsch war, friedlich nach ihrer Überzeugung leben zu dürfen. Auf der «Täufersynode» in Schleitheim, Kanton Schaffhausen, trafen sich im Februar die unpolitischen, gewaltlosen Täufer. Sie versuchten, sich zu organisieren und sich auf eine gemeinsame Theologie zu einigen. Sie akzeptierten die Gerichtsbarkeit der Obrigkeit, wollten selbst aber nicht zum Schwert greifen und keinen Eid leisten. Ihre Vision: Eine kleine Gemeinde, die fern von der großen Mehrheit existiert: «Wir, die wir zu Schleitheim am Randen im Herrn versammelt sind, tun allen Liebhabern Gottes kund, daß wir in den Stücken und Artickeln übereingekommen sind, die wir im Herrn halten wollen, ... wenn wir gehorsame Kinder, Söhne und Töchter Gottes sein wollen, die in allem Tun und Lassen angesondert von der Welt sind und sein wollen!»

Der führende Kopf bei den Schleitheimer Verhandlungen war Michael Sattler. Ehemals ein gelehrter Theologe der römischen Kirche, Mönch und schließlich Prior im Benediktinerkloster St. Peter im Schwarzwald. Die zunehmende Kritik an Rom – ob sie aus Wittenberg oder Zürich zu ihm kam, ist unbekannt – änderte sein Leben. Er verließ den Orden, heiratete, tauchte in Zürich auf und wurde dort zum Täufertum bekehrt. Nach der Zusammenkunft von Schleitheim predigte Sattler in Süddeutschland. Dort hat man ihn wenig später zusammen mit seiner Frau verhaftet. Verurteilt wurde er im Mai 1527 in Rottenburg am Neckar mit ausdrücklichem Hinweis auf das Edikt, das 1521 in Worms gegen Luther und seine Anhänger erlassen worden war. Was dort mit ihm geschah, ist typisches Täuferschicksal: «Zwischen dem Anwalt Seiner Kaiserlichen Majestät und Michael Sattler ist zu Recht erkannt, daß man ihn dem Henker an die Hand geben soll. Der soll ihn auf den Platz führen und ihm allda zuerst die Zunge abschneiden, ihn dann auf den Wagen schmieden, zweimal mit einer glühenden Zange Stücke aus dem Leib reißen und ihm auf dem Weg zur Malstatt noch weitere fünf solcher Griffe geben. Danach soll er seinen Leib als den eines Erzketzers verbrennen.» Jörg Blaurock wurde 1528 in Tirol verbrannt.

Balthasar Hubmaier aus Süddeutschland, ebenfalls zuerst katholischer Priester, Theologieprofessor in Ingolstadt und wortgewaltiger Domherr in Regensburg, war ab 1523 ein überzeugter und überzeugender Prediger im Sinn jener Täufer geworden, die sich für religiöse und soziale Umkehr einsetzten. Nach der Niederlage der Schweizer Bauern flüchtete er zu Täufergemeinden in Mähren. Im März 1528 wurde er in Wien als Ketzer und Aufrührer verbrannt, seine Frau in der Donau ertränkt. Im gleichen Jahr ging in Augsburg und Konstanz je ein Täufer den Weg zum Scheiterhaufen. Auf die Verfolger blieb ein solches Glaubenszeugnis nicht ohne Wirkung. Ihr Sterben beeindruckte die Zeitgenossen. Standhaft ertrugen die Täufer alle Qualen als sichtbaren Beweis ihrer Heiligkeit. Die Nachfolge Christi, die sie predigten: als Märtyrer kamen sie ihr am nächsten. Auch wenn sie die Mehrheit nicht überzeugen konnten, sprach man von ihnen überall im Land.

Im Juli 1528 schrieb Martin Luther an Wenzeslaus Link, seinen alten Freund aus vergangenen Klostertagen: «Du fragst, ob die Obrigkeit falsche Propheten töten soll. Ich bin vorsichtig mit Bluturteilen, auch wenn sie verdient sind. Mich schreckt das Beispiel der Papisten und der Juden zur Zeit Christi. Wenn es eine Anordnung gab, falsche Propheten und Häretiker zu töten, dann stellte sich mit der Zeit heraus, daß immer nur die Heiligen und Unschuldigen getötet worden sind ... Ich kann nicht zugestehen, daß falsche Lehrer zum Tode verurteilt werden. Es genügt, wenn man sie verbannt.» Mit dieser Antwort blieb Luther dem treu, was er elf Jahre zuvor zum Entsetzen seiner Kirche in den Thesen über den Ablaßhandel verkündet hatte: «Es ist gegen die Heilige Schrift, einen Ketzer zu verbrennen.» Auch als Thomas Müntzer, in dem Luther den Teufel am Werk sah, Unruhe und eine eigene Theologie ins Land brachte, hatte der Mönch aus Wittenberg seinem Kurfürsten empfohlen: «Laßt die Geister ruhig aufeinander platzen ... Es soll kein Blut fließen.»

Mit harten Worten gegen die «Täufer» – von ihm meistens «Schwärmer» genannt – sparte Luther dagegen nicht. Und das war mehr als nur Spaß am kräftigen Schlagabtausch. Luther erkannte, daß es sich hier nicht um belanglose Meinungsunterschiede, sondern um grundsätzliche theologische Differenzen handelte. Die andere Seite übrigens auch. Schon Konrad Grebel hatte in seinem berühmten Müntzerbrief mit Blick auf die Lutherischen geschrieben, es wolle «heute jedermann im Scheinglauben selig werden, ohne die Früchte des Glaubens». Grebel traf den Kern. In einem Brief bestätigte ihn Luther 1528, als er über die Täufer schrieb: «Es ist aber ein Werkteufel bei ihnen, der gibt Glauben vor und meint doch das Werk, und führt mit dem Namen und Schein des Glaubens die armen Leute auf das Vertrauen auf die Werke.» Hier lag die Trennungslinie.

Im Gegensatz zu Luther und in Übereinstimmung mit der römischen Kirche glaubten die Täufer, daß der Mensch einen freien Willen hat, um sich für das Gute oder das Böse zu entscheiden. Daß er nicht nur auf die Gnade Gottes vertrauen darf, sondern selber aktiv daran mitarbeiten muß, ein heiligmäßiges Leben zu führen. Der Streit um die Taufe war kein Zufall: Hier eine bewußt vollzogene

Entscheidung des erwachsenen Menschen, dort die totale Auslieferung des Säuglings an Gottes Gnade.

Gegen Ende der zwanziger Jahre, als die Täufer im südlichen Deutschland blutig verfolgt wurden, versuchte der Laienprediger und überzeugte Täufer Melchior Hoffmann in Schleswig in aller Öffentlichkeit die lutherische Theologie zu verdrängen. Zu Beginn des Jahrzehnts war Hoffmann, ein gelernter Kürschner, noch mit einem Empfehlungsschreiben Luthers durch Livland gezogen. Nun verfolgte ihn im Norden Deutschlands die Unduldsamkeit der lutherischen Geistlichkeit, gegen die er 1529 im ehemaligen Franziskanerkloster zu Flensburg disputierte. Hoffmann sprach in Flensburg klar aus, was ihn von der Wittenbergischen Theologie trennte: «Die ganze Welt ruft: Glaube, Glaube, Gnade, Gnade; Christus, Jesus; und sie hat deswegen nicht das bessere Teil erwählt, denn ihre Hoffnung ist eitel und ein großer Betrug. Denn solcher Glaube kann sie vor Gott ganz und gar nicht rechtfertigen. Der heilige Apostel Jakobus schreibt: ... Darum kann der Glaube nicht gerecht machen, wenn er keine Frucht trägt.» Indem die Täufer Glaube und Handeln als Einheit sahen, standen sie in einer mittelalterlichen Tradition, wie sie die meisten Humanisten – vor allem Erasmus – vertraten.

Eine andere Wurzel ins Mittelalter war ihre Überzeugung, daß der göttliche Geist geradewegs in die Herzen der Menschen gelangte. Sie vertrauten dem Gefühl und spontanen Eingebungen, denen gegenüber Luther, wenn sie den Glauben betrafen, stets mißtrauisch blieb und am Wort und seiner Klarheit festhielt. Es war für ihn die einzige Brücke zwischen Gott und Mensch. Die göttliche Gnade erreichte den Menschen nur auf dem Umweg über dieses Transportmittel. Visionen und Prophezeiungen konnten Einbildungen sein, hinter denen der Teufel steckte. Gebete und Andachten, die den Menschen erschütterten, aber sich nicht ausdrücklich auf die Worte der Bibel stützten, waren gefährlich, «und wenn sie gleich so süße wären, daß du große Mulden voll Tränen weinest».

Dahinter stand Luthers Klostererfahrung: Der Mensch, der immer nur in die eigene Seele blickt, um dort Gott zu finden, verzweifelt schließlich. Wer immer nur quälerisch um sich selber kreist, um Gott in seinem Innern zu suchen, geht in die Irre. Er findet keinen

Frieden. Der Mensch braucht etwas Sichtbares, Hörbares, etwas außerhalb seiner selbst, an das er sich halten kann: Gottes Wort, das Evangelium. Denn der Mensch ist ein schwankendes Rohr im Wind: «Ja, es soll und muß äußerlich sein, daß mans mit Sinnen fassen und begreifen und dadurch ins Herz bringen könne. Wie denn das ganze Evangelium eine ... äußerliche, mündliche Predigt ist. Summa: Was Gott in uns tut und wirkt, will er durch solche äußerliche Ordnung wirken.» Das Wort Gottes bedeutet Ordnung, Sicherheit, Eindeutigkeit. Alles Dinge, die dem Menschen von Natur aus fehlen. Der Geist, der für die Täufer direkt mit Gott kommunizieren kann; das Herz, wo das Göttliche sich mit dem Menschlichen trifft – alles bedeutet Chaos, Unsicherheit, Vieldeutigkeit. Für Luther das Gegenteil jener Therapie, die der Mensch braucht, weil er mehr als genug Zwiespalt und Unordnung in sich selber hat.

Wenn jemand behauptet, Gott habe zu ihm gesprochen: wer will und kann das nachprüfen? Und vor allem: Dieser ferne, unerklärliche Gott redet nicht mit den Menschen wie mit seinesgleichen. Er hat ein für allemal entschieden, wie er sich äußert: «Darumb sollen und müssen wir darauf beharren, daß Gott nicht will mit uns Menschen handeln denn [als] durch sein äußerliches Wort und Sakramente.» Die mittelalterliche Mystik, die in den Täufern weiterlebte, die verinnerlichte Frömmigkeit der «devotio moderna» am Ausgang des 15. Jahrhunderts: Beides war Luther suspekt. Die «Nachfolge Christi», das meistgelesene Buch jener Jahre, war gerade erst vor einer Generation erschienen. Der Märtyrertod, das geduldig ertragene Leiden wurde von den Täufern geradezu herbeigesehnt, weil sie in allem ihrem gekreuzigten Herrn nachfolgen wollten. Für den Wittenberger war das Blasphemie, die unerhörte Anmaßung, Gott gleich werden zu wollen. Wo der Mensch doch nichts war als ein erbärmlicher «stinkender Madensack».

Hinter Luthers Befürchtungen stand kein Konkurrenzneid. Er machte sich keine Illusionen über den Menschen. In jeder Radikalität steckt die Versuchung zur Maßlosigkeit. Die Realität schien ihm recht zu geben. Das blutige Reich der Täufer, 1534 in Münster errichtet, war die extreme Verwirklichung einer Theologie, die sich aus den Visionen und der Willkür einzelner Führer aufbaute und jeden festen äußeren Maßstab – wie das Wort Gottes – ablehnte.

Aus der Sicht der Täufer waren Luther und Zwingli gleich weit entfernt: Zwei etablierte Theologen, die sich der Obrigkeit bedienten, um ihren Glauben durchzusetzen und allen aufzuzwingen. Sie hatten so unrecht nicht. Luther spürte in jenen Jahren, daß ihm die römische Kirche näher war, als jene kleine Schar, die aus allen gewohnten Ordnungen ausbrach, um auf ihre Weise heilig und selig zu werden. Und er scheute sich, 1528 nicht auszusprechen, daß Rom und Wittenberg, bei allen Unterschieden, durch ein großes gemeinsames Erbe verbunden waren.

Niemals hat Luther an den Grunddogmen der Kirche, die von den Konzilien der ersten nachchristlichen Jahrhunderte aufgestellt wurden, gerüttelt. Seinen Anhängern schärfte er ein, daß etwas deshalb noch nicht schlecht sei, weil es der Papst für gut halte. Oder daß man etwas als christlich verkündet, nur um die römische Kirche zu ärgern: «Narrenwerk ist das alles. Christus fand auch im jüdischen Volk der Pharisäer und Schriftgelehrten Mißbrauch, aber verwarf deshalb nicht alles, was sie hatten und lehrten. Wir bekennen aber, daß unter dem Papsttum viel christliches Gutes, ja alles Christliche gut sei und auch von daselbst an uns hergekommen sei: Wir bekennen nämlich, daß im Papsttum die rechte heilige Schrift sei, rechte Taufe, rechtes Sakrament des Altares, rechte Schlüssel zur Vergebung der Sünde, rechtes Predigtamt, rechter Katechismus, wie das Vaterunser, die Zehn Gebote, die Artikel des Glaubens ... Ich sage, daß unter dem Papst die rechte Christenheit ist, ja der rechte Ausbund der Christenheit und vieler frommer, großer Heiliger ... Wir schwärmen nicht so wie die Rottengeister, daß wir alles verwerfen, was der Papst unter sich hat.» Wenn die Täufer Erfolg bei den Massen hätten, würde das christliche Erbe, das bisher allen Gläubigen heilig war, in einem Sumpf von Irrlehren versinken.

Im gleichen Jahr 1528 legte Luther in der Schrift «Wider die Feinde des Evangeliums und allerlei Ketzerei» in feierlicher Form sein persönliches Glaubensbekenntnis nieder und ließ es durch die Drucker verbreiten: «Weil ich sehe, daß des Rottens und Irrens je länger je mehr wird und des Tobens und Wütens des Satans kein

Aufhören ist: damit nicht hinfort, bei meinem Leben oder nach meinem Tode, deren etliche sich zukünftig auf mich berufen und meine Schriften, ihren Irrtum zu stärken, fälschlich anführen möchten ...» Es folgen die uralten Dogmen von der Dreifaltigkeit, Jesus, der Gott und Mensch zugleich sei und aufgefahren in den Himmel. Aber auch die Absage an den freien Willen und das Mönchsleben. Ein Lob der Privatbeichte: «Davon halte ich viel.» Ein Bekenntnis zum Jüngsten Tag, wenn Christus alle Menschen richtet und keineswegs alle gerettet werden: «... und so die Frommen ewiglich leben mit Christus und die Bösen ewiglich sterben mit dem Teufel und seinen Engeln. Denn ich halte es nicht mit denen, die da lehren, daß die Teufel auch endlich zur Seligkeit kommen werden.»

Sehr ausführlich definierte Luther, was er unter Kirche verstand: «Demnach glaube ich, daß eine heilige christliche Kirche auf Erden sei, das ist die Gemeinde und Zahl oder Versammlung aller Christen in aller Welt, die einzige Braut Christi und sein geistlicher Leib, dessen er auch das einzige Haupt ist, und die Bischöfe oder Pfarrer sind nicht Häupter, noch Herren noch Bräutigam derselben, sondern Diener, Freunde, und, wie das Wort Bischof besagt, Aufseher, Pfleger oder Fürsorger. Und dieselbe Christenheit ist nicht allein unter der römische Kirche oder Papst, sondern in aller Welt ...» Damit bekennt sich Luther zur traditionellen Struktur der Kirche, die Bischöfe eingeschlossen (und der Papst ist ja zuerst einmal Bischof vom Rom). Und er hält es für selbstverständlich, daß es eine Vielzahl von Kirchen gibt, die alle zusammen die Christenheit ausmachen. Gemeinsame sichtbare Übereinstimmung dieser Kirchen ist die Predigt des Evangeliums, die Kindertaufe und das Abendmahl. In äußerlichen Dingen kann es Unterschiede geben: «Bilder, Glocken, Meßgewänder, Kirchenschmuck, Altarlichter und dergleichen halte ich für frei. Wer da will, der kanns lassen, obwohl ich Bilder aus der Schrift und von guten Historien für sehr nützlich halte, aber doch frei und in eines jeden Ermessen. Denn mit den Bilderstürmern halte ich es nicht.»

Er hielt es genausowenig mit einem privatisierten Glauben im stillen Kämmerlein. Kirche war für Luther kein unsichtbares, frei schwebendes Phänomen, sondern ein für alle sichtbarer und verbindlicher Zusammenschluß mit bestimmten geistlichen Ämtern. Wer auf Gottes Gnade hoffte, mußte sich zu einer solchen Kirche bekennen: «Und außerhalb solcher Christenheit ist kein Heil noch Vergebung der Sünden, sondern ewiger Tod und Verdammnis, obgleich großer Schein der Heiligkeit da ist und viel guter Werke, so ist doch alles verloren.» Das war damals den Täufern auf den Leib geschrieben. Niemand sollte sich durch ihren vorbildlichen Lebenswandel und ihr beispielhaftes Sterben täuschen lassen. Aber auch das gilt: Mit keinem Wort werden 1528 von Luther jene gerechtfertigt, die Irrtum oder Ketzerei mit Schwert und Folter ausrotten wollten.

Als auf dem Reichstag zu Speyer 1529 jene Fürsten, die der Theologie Luthers folgten, in ihrer «Protestnote» forderten, daß «in Sachen des Gewissens» kein staatlicher Zwang ausgeübt werden dürfe, machten sie Geschichte. Speyer ist als die Geburtsstunde des Protestantismus in das historische Gedächtnis eingegangen – so falsche Überlegungen damit auch geweckt werden. Weder bei dieser noch bei irgendeiner anderen Gelegenheit ist von Luther und seinen Mitstreitern eine protestantische oder gar lutherische Kirche gegründet worden. Durch den Raster der Erinnerung gefallen ist eine andere Entscheidung von Speyer: Alle Anwesenden, ob nach Wittenberg oder nach Rom ausgerichtet, erhoben ohne Widerspruch eine Vorlage zum Reichsgesetz, die die Todesstunde für die damaligen Täufergemeinden einläutete. In nüchternem Amtsdeutsch heißt das: «Nachdem auch kürzlich eine neue Sekte der Wiedertäufer entstanden ist, die durch allgemeines Recht verboten ist, ... hat Ihre Majestät ... eine rechtmäßige Konstitution, Satzung und Verordnung erlassen ..., daß alle Wiedertäufer und Wiedergetauften, Männer und Frauen, in verständigem Alter vom natürlichen Leben zum Tod mit dem Feuer, Schwert oder dergleichen nach Gelegenheit der Personen ohne vorhergehende Inquisition der geistlichen Richter gerichtet und gebracht werden ...» Entscheidend an dieser Gesetzgebung war, daß die Täufer in erster Linie nicht als Ketzer gebrandmarkt wurden – wie Luther 1521 in Worms –, sondern als «Aufrührer» sofort von einem weltlichen Gericht verurteilt werden konnten.

Es läßt sich schnell und zynisch sagen, daß die evangelischen

Fürsten den Freiraum für ihren Glauben mit dem Blut der Täufer erkaufen wollten, indem sie ihre Staatstreue mit dem bedingungslosen Ja zu den Wiedertäufergesetzen unter Beweis stellten. Solche Gedanken mögen eine Rolle gespielt haben. Nötig waren sie nicht. Denn der tiefe Graben bestand tatsächlich, und in den Augen der meisten Zeitgenossen mußten die Täufer Aufrührer sein. Ihre Theologie von einer bewußten und freiwilligen Entscheidung für den Glauben und die Kirche und ihre gewollte Isolierung von der großen Gemeinschaft bedeutete eine Kampfansage an die bestehende Ordnung der Welt, die auch von den evangelischen Pfarrern und Obrigkeiten nicht in Frage gestellt wurde.

Begriffe wie Toleranz und Menschenrechte stammen aus einer anderen Zeit. Für die erste Hälfte des 16. Jahrhunderts helfen sie nicht weiter. Die Anhänger Luthers auf dem Speyrer Reichstag forderten eben nicht, daß jeder an jedem Ort seinen Glauben bekennen und leben könne. Die Fürsten und Vertreter der Städte konnten sich nur eines vorstellen: Daß der neue Glaube, für den sie eintraten, von allen ihren Untertanen übernommen werden mußte. Wer das nicht wollte, durfte auswandern.

An einen der Visitatoren, die Sachsen bereisten, schrieb Luther 1529 sogar, man dürfe Menschen, die nicht glaubten, zum Predigthören zwingen, damit sie wenigstens Gehorsam lernten. Denn damit würden sie eine Tugend erlernen, ohne die ein Land nicht regiert werden könne. Damit ihn niemand mißverstehe, kam Luther ein Jahr später sehr ausführlich auf dieses Thema zurück. Angeregt hat ihn der 82. Psalm: «Wie lange wollt ihr unrecht richten ... Errettet den Geringen und Armen und erlöst ihn aus der Gewalt der Gottlosen.» Der persönliche Glaube des einzelnen, davon ist Luther nie abgegangen, kann durch nichts erzwungen werden. Wenn aber in aller Öffentlichkeit Irrlehren verbreitet werden, muß die staatliche Gewalt eingreifen. Denn der Friede im Land ist nur gewährleistet, wenn alle Untertanen den gleichen Glauben haben. Andernfalls würde es zu nicht endenden Streitereien und Unruhen kommen.

Luther übernahm damit die mittelalterliche Identität von bürgerlicher und christlicher Gemeinde und zog daraus für seine Anhänger die gleichen Konsequenzen: Wo sie in der Minderheit waren, sollten sie nicht die Mehrheit bekehren wollen, sondern freiwillig ihre Stadt oder das Land verlassen, in dem sie lebten. Waren die Mehrheitsverhältnisse ungeklärt, sollte der Magistrat ein Streitgespräch arrangieren und anschließend die Seite zum Sieger erklären, die ihre Theologie mit den besseren Bibelargumenten stützte. Was auf den ersten Blick einleuchtet, ist voller Widerspruch. Wird so nicht automatisch ein Glaube gefördert, der der jeweiligen Obrigkeit angenehm ist? Der die Gewissen nicht beunruhigt, sondern besänftigt? Der allen angenehm wie Balsam ist und nicht – wie es das Evangelium verlangt – bitter und anstößig wie Salz?

# Unbeirrbar bis ans Ende

Es ist schon erstaunlich, wie sich ein Reichstag nach dem andern mit den Ketzereien aus Wittenberg beschäftigte und immer wieder alles in der Schwebe blieb. Auch Speyer 1529 brachte letztlich kein Ergebnis. König Ferdinand, des Kaisers Bruder, konnte sich mit seiner harten Linie nicht durchsetzen. Schon ein Jahr später sahen sich alle Beteiligten in Augsburg wieder. Ein brisantes historisches Datum, denn dort sollte zum erstenmal seit Luthers Verurteilung vor neun Jahren ein ernsthafter Versuch gemacht werden, den Graben zwischen den beiden feindlichen Lagern zuzuschütten.

In Augsburg traf sich die theologische Elite. Aus Wittenberg kam Melanchthon mit der Delegation des sächsischen Kurfürsten, um die Sache der Protestanten anzuführen. Aus Ingolstadt reiste der katholische Professor Johannes Eck an, der zwölf Jahre zuvor in Leipzig in tagelangen Streitgesprächen alles getan hatte, um Luther in die Ketzer-Ecke zu drängen. Luther selbst mußte gegen seinen Willen auf Befehl seines Landesherrn den Kampf um seine Theologie von der Ferne aus verfolgen. «Schweig still, du hast ein böses Maul», hatte ihm Johann der Beständige gesagt und befohlen, daß sein berühmtester Untertan in der Veste Coburg, am äußersten Zipfel des sächsischen Hoheitsgebiets, den Reichstag abwartete. Sieben Tage brauchte der reitende Bote, um die Korrespondenz über eine Strecke zu befördern. Luther schrieb seine Briefe «Aus dem Reiche der geflügelten Dohlen», die ab vier Uhr morgens unentwegt um die Türme der weiten Burganlage flogen und ihre «einstimmige Musik» machten.

Das große Ereignis in Augsburg war die Ankunft des Kaisers. Karl V. kam von Italien und zog über Innsbruck und München in die prächtige Stadt am Lech. Nach neunjähriger Abwesenheit vertrat er wieder persönlich seinen Glauben und seine Politik vor den Deutschen. Die Einladung Seiner Majestät zum Reichstag hatte Versöhnungsbereitschaft signalisiert. Das Ziel sollte sein, «die Zwietracht hinlegen, vergangene Irrsal unserem Seligmacher ergeben und eines jeglichen Opinion in Liebe und Gütigkeit hören, verstehen und erwägen, und also alle in einer Gemeinschaft, Kirche und Einigkeit leben». Bei aller Treue zum Glauben seiner Väter: die Schlachten der vergangenen Jahre, die Enttäuschungen – nicht zuletzt über die Reformunwilligkeit, ja Feindlichkeit der Stellvertreter Christi in Rom –, die vielen diplomatischen Manöver waren nicht spurlos an dem jetzt Dreißigjährigen vorübergegangen. Realistischer war er geworden, aber nicht weicher.

Die Wiederbegegnung zwischen dem Kaiser und den hohen Herren des Reiches begann mit unerwarteter Härte: Karl forderte die Fürsten auf, ihn bei der Fronleichnamsprozession, die erstmals seit Jahren wieder durch Augsburg zog, zu begleiten. Die Lutherischen waren empört. Gehörte es doch zu ihrer Grundüberzeugung, Gott mit solchen äußerlichen Frömmigkeitsübungen nicht zu dienen. Zwar gingen sie zum feierlichen Eröffnungshochamt des Reichstages in den Dom. In der Prozession schritt der Kaiser allein. «In seinen beiden henden ain grose, prinnende kertzen von weissem wachs», schrieb der Chronist. Die Vertreter der neuen Theologie waren seit Wochen an der Arbeit. Unter der Federführung Melanchthons hatten sie sich schließlich auf ein gemeinsames «Bekenntnis» geeinigt. Es ist die berühmte «Confessio Augustana», das Augsburger Bekenntnis. In der Residenz Karls V., der im bischöflichen Palais einquartiert war, verlas der kursächsische Kanzler Christian Beyer am 15. Juni 1530 vor dem Kaiser und vor den Vertretern des Reichstags diese Confessio in deutscher Sprache (in der der Kaiser nur radebrechen konnte). Die Ketzer durften öffentlich in ihrer Muttersprache ihren Glauben bekennen. Das war keine Selbstverständlichkeit.

Melanchthon hat in der Confessio etwas versucht, womit er scheitern mußte – sieht man Augsburg mit den Augen dessen, der weiß, wie die Entwicklung weiterging. Der kleine schmächtige Gelehrte, gerade 33 Jahre alt, fühlte in diesen Wochen auf seinen Schultern die Last einer Verantwortung, vor der man wahrlich Angst bekommen konnte: die einheitliche christliche Lebensordnung Westeuropas, die seit einem Jahrtausend mit dem römischen Katholizismus identisch war, vor der Zersplitterung, vor blutigen Religionskriegen, vielleicht vor dem Chaos zu bewahren. Er war bereit, für dieses Ziel der andern Seite weit entgegenzukommen, zumal er die zunehmende Verflechtung der evangelischen Sache mit handfester Machtpolitik voller Mißtrauen beobachtete.

Die Confessio Augustana von 1530 will deshalb zweierlei: den Kern der neuen Theologie nicht aufgeben und zugleich die Einheit mit der alten katholischen Kirche bewahren. Der erste Teil schließt so: «Das ist ungefähr die Summe der Lehre auf unserer Seite. Es zeigt sich, daß nichts darin vorhanden ist, was abweicht von der Heiligen Schrift und von der römischen Kirche, wie wir sie aus den Kirchenschriftstellern kennen.» Und so der zweite Teil: «Bei uns gilt weder in der Lehre noch in den Zeremonien, was der Heiligen Schrift oder der katholischen Kirche entgegensteht. Denn es liegt klar zutage, wie sorgfältig wir uns gehütet haben, daß sich nicht neue und gottlose Glaubenssätze bei uns in der Kirche einschleichen.» Das bedeutete eine eindeutige Distanzierung von den verhaßten Täufern.

Eine Überzeugung, die Luther immer wieder gepredigt hatte, wollte Melanchthon zur Brücke machen, zum Eckstein für das gemeinsame Dach: «Es ist für die Einheit der christlichen Kirche nicht notwendig, daß die menschlichen Traditionen und die Riten und die Zeremonien, welche von Menschen eingeführt wurden, sich überall gleichen.» Auch in der mittelalterlichen Katholizität hatte es keine Uniformität gegeben, sondern unterschiedliche Riten und Zeremonien. Doch die Einheit innerhalb der neuen Lehre, die von Melanchthon und seinen Freunden in Augsburg angeboten wurde, hatte schon einen entscheidenden Sprung. Sie schloß Zwingli aus und die oberdeutschen Städte, die der Theologie aus Zürich folgten, Straßburg allen voran. Diese weigerten sich, die Confessio zu unterschreiben und verfaßten ihr eigenes Bekenntnis, die «Trepolitana».

Der Reichstag dauerte fast ein halbes Jahr bis in den November hinein. Die Theologen kamen nicht zur Ruhe. Ausschüsse wurden gebildet, man traf sich zu vertraulichen Gesprächen. Unter Führung Ecks entwarfen die Katholiken eine «Widerlegung», die «Confutatio». Der Kaiser persönlich strich aus ihr die Polemik, entschärfte die Gegensätze und bedrängte den Papst in immer neuen Schreiben, endlich ein allgemeines Konzil auszurufen. Melanchthon fühlte Entgegenkommen und war zu gleichem bereit: Wenn der Papst den Priestern die Ehe erlauben und den Gläubigen bei der Messe auch den Kelch gestatten würde, dann könnte man Gebiete, wo der neue Glaube herrsche, wieder der Gewalt der katholisch gebliebenen Bischöfe unterstellen. Aber mit diesem Zugeständnis stand der Professor aus Wittenberg allein unter seinen Freunden. Die Abgesandten aus Nürnberg und der Landgraf Philipp von Hessen schrieben Brandbriefe an die Coburger Festung: Luther solle die frommen Fürsten, besonders seinen eigenen Herrn, vor Philipp Melanchthon warnen. Er solle dem «Philippo in die Würfel» greifen. Entsetzen überall. Man sprach nicht von Verrat. Jeder wußte, wie eng die Beziehungen zwischen Luther und seinem Philippus war. Doch das Mißtrauen, mit dem die Evangelischen in Augsburg ihrem eigenen theologischen Führer begegneten, hat Melanchthon nie mehr abschütteln können. Und was sagte Luther, der Mann, den Melanchthon in diesen Monaten inständig um Rat und Führung bat?

Gleich zu Beginn des Reichstags meldete er sich mit einer «Vermahnung an die Geistlichen, versammelt auf dem Reichstag zu Augsburg» aus seinem luftigen Reich. Aggressiv und provozierend: «Wenn ihr auf eurem Trotzen und Pochen beharren wollt, so sollt ihr wissen, daß des Thomas Müntzers Geist auch noch lebt und meines Erachtens mächtiger und gefährlicher, als ihr glaubt oder jetzt begreifen könnt.» Positiv fiel sein Urteil über das Augsburger Bekenntnis aus. Seinem Kurfürsten schrieb er im Mai: «Sie gefällt mir sehr wohl, und ich weiß nichts daran zu bessern noch zu ändern. Das würde sich auch nicht einfügen, denn ich kann so sanft und leise nicht treten.» Der feine Unterton, der dem sanften Melanchthon galt, war nicht abschätzig gemeint. Luther hat sich oft in diesem Sinne über die unterschiedlichen Temperamente, die er und

Philippus verkörperten, ausgelassen. Sein Vertrauen in ihn war unbeirrbar. Im Juli schrieb er an Melanchthon ausdrücklich, er habe die Confessio «gar sorgfältig von neuem gelesen, und sie gefällt mir außerordentlich».

In der Sache jedoch war er zu keinem weiteren Kompromiß bereit. Ende Juni an Melanchthon: «Du fragst danach, was und wieviel den Päpstlichen nachgegeben werden solle ... Für meine Person ist in dieser Apologie [das erweiterte Bekenntnis] mehr als genug nachgegeben worden. Wenn sie die so zurückweisen, dann sehe ich nichts, worin ich noch nachgeben könnte ... Ich beschäftige mich Tag und Nacht mit dieser Sache. Ich bedenke sie, erwäge sie, erörtere sie und durchsuche die ganze Schrift, und es wächst in mir ständig die völlige Glaubensgewißheit in unsere Lehre, und ich werde mehr und mehr darin bestärkt, daß ich mir (so Gott will) nun nichts mehr werden nehmen lassen, es gehe darüber, wie es wolle!» Bei dieser Haltung blieb er, mochte der Reichstag auch eine Ewigkeit dauern.

Die Confessio hat aller Welt deutlich gemacht, daß der Mönch aus Wittenberg und seine Anhänger in der besten Tradition der Kirche standen. Das reichte Luther, und deshalb trieb er schon Mitte Juli die theologischen Freunde ungeduldig an: «... wir sind frei von der Schmach des Ketzernamens. Christus selbst möge sich so zu Euch bekennen, wie wir ihn bekannt haben, und die verherrlichen, welche ihn verherrlicht haben, Amen. Daher spreche ich Euch frei von diesem Reichstage im Namen des Herrn. Immer wieder heim, immer heim! Hofft ja nicht auf Eintracht ... Auch ich habe Gott niemals darum gebeten, da ich weiß, daß es unmöglich ist ... daher verschafft euch vom Kaiser Urlaub und laßt dort die Räte des Fürsten zurück. Die können bei den übrigen Dingen mitarbeiten. Unsere Sache ist erledigt, und ihr werdet darüber hinaus nichts Besseres oder Glücklicheres ausrichten ... heim, heim!»

Die Töne aus Coburg wurden immer schärfer. Ende August drohte Luther: «Ich höre, freilich nicht gern, von eurem wunderlichen Unterfangen der Herstellung einer Übereinstimmung des Papstes mit Luther. Aber der Papst wird nicht wollen, und Luther verbittet es sich.» Am 20. September: «Ich berste fast vor Zorn und Entrüstung. Ich bitte aber, daß ihr die Verhandlungen abbrecht und aufhört, mit ihnen zu verhandeln und zurückkehrt.» Er traute den Worten der Päpstlichen nicht mehr. Als Melanchthon ihm meldete, man habe sich mit Professor Eck über die Lehre von der Rechtfertigung des Sünders allein aus Gnade geeinigt, kam aus Coburg die vernichtende Antwort: «Hättet ihr ihn lieber nicht gezwungen, so zu lügen.»

Seine Freundschaft zu Philippus zerbrach auch über solchen Worten nicht. Daneben stehen Briefe voller Ermutigung und Anteilnahme. Luther bat den Freund, weniger zu arbeiten, und versuchte mit kritischer Sympathie ihre Gegensätze zu analysieren: «Du verachtest dein Leben, bist aber in Furcht um die allgemeine Sache. Ich dagegen bin in der Sache der Allgemeinheit ganz wohlgemut und ruhig, denn ich weiß, daß sie recht und wahr, ja Christi und Gottes eigene Sache ist und darum nicht so schuldbewußt zu erblassen braucht, wie ich für mich persönlich als kleiner Heiliger erblassen und zittern muß. Darum bin ich fast ein sorgloser Zuschauer. Fallen wir, so fällt Christus mit. Sei's drum, daß er fällt – ich will lieber mit Christus fallen, als mit dem Kaiser stehen.»

Einer, der von vornherein keine Hoffnungen in den Reichstag gesetzt hatte, sondern auf eine Entscheidung mit dem Schwert gefaßt war, der Landgraf von Hessen, stahl sich bei Nacht aus der Stadt. Er hatte sich nicht offiziell vom Kaiser verabschiedet. Ein unerhörter Affront. Die Fronten verhärteten sich. Karl V., dessen Pläne sich nicht erfüllt hatten, reagierte mit zorniger Enttäuschung. Der Kurfürst von Sachsen verließ die Stadt. Keine Seite hatte nachgegeben. Die zurückgebliebenen Vertreter des alten Glaubens beschlossen unter Vorsitz des Kaisers, es sei jeder in Acht und Bann, der nicht die Lehre und Zeremonien der römischen Kirche einhalte und schütze.

Drohende Worte nach außen. Hinter den Kulissen sah man im kaiserlichen Lager ein, daß die Entwicklung des vergangenen Jahrzehnts nicht aufzuhalten war. Eine Bewegung war entstanden, hatte sich durchgesetzt und konnte offenbar durch kein Gesetz mehr rückgängig gemacht werden. Am Ende des Reichstags bekam Karl einen ungewöhnlichen Rat von Kardinal Loaysa, seinem ehemaligen Beichtvater. Der malte seinem Herrscher das politische Szenario aus: Feinde überall. Der Papst, der König von England und der von Frankreich wollten keinen Frieden mit dem Kaiser. Die Türkengefahr kam immer näher. So «wage ich es, Eure Majestät zu bitten, weil das Gewissen dabei beruhigt bleiben kann, Euch wohl oder übel mit diesen Ketzern abzufinden und sie Eurem Bruder in der Art untertan sein zulassen, wie es die Böhmen sind».

Das Rad drehte sich nach dem Augsburger Reichstag noch schneller, als manch einer gehofft oder befürchtet hatte. Schon Ende Dezember 1530 trafen sich in Schmalkalden, einer Stadt am südwestlichen Hang des Thüringer Waldes, Vertreter jener Länder und Städte, die entschlossen waren, ihren neuen Glauben zu verteidigen. Wenn nötig, mit Gewalt. Im Februar 1531 schlossen sechs Fürsten und zehn Städte den «Schmalkaldischen Bund». Auch Martin Luther, der mehr als ein Jahrzehnt lang jeden Kampf für das Evangelium abgelehnt hatte, war anderen Sinnes geworden: «Wird ein Krieg daraus, so werde er draus. Wir haben genug gebetet und getan.» Zwar schrieb er an Martin Butzer, den führenden Straßburger Theologen, daß es mit Zwingli keine kirchliche Einheit geben könne. Doch er opponierte nicht mehr gegen ein politisches Bündnis mit den oberdeutschen Städten, die sich tatsächlich den Schmalkaldern anschlossen.

Der Kaiser hatte Wichtigeres zu tun, als an die Verfolgung der Ketzer im Reich zu denken. Die Türken kamen immer näher. Wien war bedroht und damit seine habsburgischen Erblande. Er brauchte jede Hilfe. Schon 1532 wurde in Nürnberg auf einem Reichstag die kaiserliche Politik von Worms bis Augsburg erst einmal begraben. Bis zu einem Konzil oder einem Reichstag im nächsten Jahr sollten sich Katholiken und Protestanten «der Religion und des Glaubens halber nicht bekriegen, berauben, verfolgen, überziehen und belagern». Der Kaiser bekam Geld und Soldaten bewilligt, die erfolgreich gegen die Türken eingesetzt wurden.

Unterdessen rückte die andere Seite immer enger zusammen. Luther hatte jahrelang eine Theologie gepredigt, die sich radikal auf Gott besann und das Bündnis der römischen Kirche mit den Mächtigen der Welt strikt abgelehnt. Wie entschlossen hatte er während der Bauernkriege und ohne Rücksicht auf Beifall oder Verurteilung dagegen opponiert, mit dem Evangelium Politik zu machen. Die Theologen und Beamten, die im Namen des Kurfürsten die kirchliche Situation in Sachsen prüften, verwischten – in bester mittelalterlicher Tradition – diese Grenzen zwischen weltlichem und geistlichem Bereich wieder. Das Bündnis von Schmalkalden war der endgültige Sündenfall. Hätte man lieber die Unterdrückung der neuen Lehre im ganzen Reich und eine gewaltsame Rückführung in die römische Kirche erdulden sollen? Philipp von Hessen, der Laie und Politiker, war dazu nicht bereit. Er wollte kämpfen für die neue Sache, die Sache Gottes.

Luther, der Theologe, der Seelsorger, hatte bisher immer dagegen gepredigt. Im November 1517 erfuhr sein Mitbruder und Freund Johannes Lang durch einen Brief: «Ich will nicht, daß das, was ich tue, durch menschlichen Fleiß oder Rat geschehe, sondern durch den Gottes. Denn wenn das Werk aus Gott ist, wer wird es hindern? Wenn es nicht aus Gott ist, wer kann es fördern? Es geschehe nicht mein, nicht jener Leute, nicht unser Wille, sondern dein Wille, heiliger Vater, der du im Himmel bist, Amen.»

Leid und Kreuz müsse ein jeder erdulden, hatte Luther 1518 in Heidelberg ausgerufen. Und wenn die Obrigkeit Unrecht tut? Ausharren, geduldig sein. Als der Kaiser 1530 in Augsburg den evangelischen Geistlichen das Predigen verbot, wollte Luther dagegen nicht aufbegehren. In Augsburg habe der Kaiser zu bestimmen. Da müsse man sich fügen. Und nun, in den Monaten, die folgten, schmiedeten seine Anhänger an einem Bündnis gegen den Kaiser, die Allerhöchste Majestät. Im Januar 1531 antwortete Luther auf einen Brief des Wenzeslaus Link: «Du fragtest kürzlich, ob es wahr ist, daß wir den Rat gegeben hätten, man solle dem Kaiser Widerstand leisten ... Wir haben dies tatsächlich in keiner Weise getan. Aber da gab es einige, die sagten öffentlich, daß man hierbei die Theologen nicht fragen dürfe oder sich um sie kümmern müsse, sondern die Juristen, welche bestimmten, das zu erlauben. Da habe ich für meinen Teil gesagt: Ich rate nicht als Theologe. Aber wenn Juristen nach ihren Gesetzesparagraphen lehren können, daß es erlaubt ist, so würde ich nichts dagegen haben, daß sie ihre Gesetze anwenden. Sie mögen selbst zusehen.»

Das ist eine der Konsequenzen, die man ziehen kann, wenn Gott und die Welt streng voneinander getrennt werden: Mögen die andern doch sehen, wo sie bleiben. Aber stellt sich da nicht sogleich jenes Bild aus der Bibel ein, wo einer seine Hände in Unschuld wäscht? Ist der Theologe nicht gerade dann aufgerufen, wenn es um wesentliche Dinge geht? Um Krieg oder Frieden? Was sagt er den beunruhigten Gewissen? Eure Probleme gehen mich nichts an? Luther wußte es nur zu gut: Als Theologe hätte er nein sagen müssen zu diesem Bündnis, das für den Kriegsfall geschlossen wurde.

Im gleichen Jahr 1531 erarbeiteten die Wittenberger Theologen ein Gutachten für den Kurfürsten über die Frage, ob Wiedertäufer mit dem Schwert hingerichtet werden sollten. Melanchthon war die treibende Kraft, und er setzte sich schließlich auch gegenüber Luther durch: Ja, sie sollten es, da sie Gotteslästerer waren und damit den öffentlichen Frieden empfindlich störten. Drei Jahre zuvor hatte Luther über die Täufer geschrieben: «Doch ist es nicht recht und ist mir wahrlich leid, daß man solche elenden Leute so jämmerlich ermordet, verbrennt und greulich umbringt. Man sollte einen jeglichen glauben lassen, was er will.» Verbannung war sein Rat gewesen. 1531 unterschrieb Luther die tödliche Empfehlung seiner Freunde. Ein Zusatz, den er als einziger unter dieses Blutdokument setzte, deutet an, daß ihm nicht wohl dabei war und sein Gewissen ihn zu einer besondern Rechtfertigung herausforderte: «Wiewohl es crudele [grausam] anzusehen, daß man sie mit dem Schwert straft, so ist doch crudelius [grausamer], daß sie ministerium verbi damniren [die Geistlichkeit verachten] und keine gewisse [eindeutige] Lehre treiben, und rechte Lehr unterdrucken, und dazu regna mundi [die weltliche Herrschaft] zerstören wollen.»

Die evangelischen Obrigkeiten, auch in Kursachsen, sind der unmenschlichen Strenge der Theologen nicht gefolgt. Rund 85 Prozent aller Hinrichtungen von Täufern bis zum Beginn des nächsten Jahrhunderts sind in katholischen Herrschaftsgebieten vollzogen worden. Einer, der sich besonders hartnäckig weigerte, in Glaubensfragen mit dem Schwert zu urteilen, war Philipp von Hessen. Er forderte von den Wittenbergern 1536 ebenfalls ein Gutachten in der Täuferfrage. Diesmal erklären die berühmten Theologen immerhin, die Todesstrafe solle erst angewandt werden, wenn alle Bekehrungsversuche gescheitert sind. Wieder macht Luther einen handschriftlichen Zusatz: «Dies ist die generelle Regel, nach der man mit den Wiedertäufern verfahren soll. Aber möge unser gnädi-

264

ger Herr zu allen Zeiten neben der Bestrafung Gnade walten lassen, je nach Umständen und Fall.» In Hessen ist kein Täufer hingerichtet worden.

Die Beschäftigung mit den radikalen Außenseitern hatte einen handfesten Grund. So viele auch in Süddeutschland und Österreich verfolgt und getötet wurden, aus dem deutschen Norden kam die Kunde von ungewöhnlich erfolgreichen Taufaktionen an Erwachsenen. Es trat ein Mann auf, der unübersehbare Spuren hinterließ und noch unter der Oberfläche einen Einfluß ausübte wie kein zweiter Täufer in dieser Zeit. Es war Melchior Hoffmann, der ehemalige Kürschner aus Schwäbisch-Hall. Als Laienprediger und überzeugter Lutheraner war er zu Beginn der zwanziger Jahre nach Livland ausgewandert, um dort die Bevölkerung für das reine Evangelium zu gewinnen. Noch 1525 stellt ihm Luther in Wittenberg ein Empfehlungsschreiben aus. Drei Jahre später warnte er vor Hoffmanns «Hirngespinsten». Der Laienprediger, der einst die katholischen Priester als falsche Propheten und «Fledermäuse» angeprangert und die Nonnen «Himmelshuren und Teufelsbräute» genannt hatte, kritisierte nun aus tiefer Enttäuschung jene Theologen, die auf wittenbergische Art predigten. Hoffmann sah keinen Unterschied zum Klerus der alten Zeit. Hatte er nicht bei Luther gelesen, daß alle Christen Priester sind? Jetzt hatten wieder nur die Theologen das Sagen. Trotz aller gegenteiligen Reden war es dahingekommen, daß «die Lehrer herrschen und wieder zu Herren werden, sich wieder in die fetten Nester setzen».

Als Hoffmann in Schleswig-Holstein sein eigenes Glaubensverständnis durchsetzen wollte, wurde ihm 1529 in einer Disputation Johannes Bugenhagen, der gerade in Hamburg Luthers Theologie friedlich und endgültig durchgesetzt hatte, als Streitgegner vorgesetzt. Der Ausgang dieser Redeschlacht verwundert nicht: Hoffmann wurde des Landes verwiesen. Ein kurzer Abstecher nach Straßburg, dann tauchte der «Unruhestifter» 1530 in Emden auf. Hier hatte sich mit Duldung des Grafen eine sehr aktive Gemeinde gebildet, die an Zürich orientiert war. Mit Zwingli glaubten die Emdener, daß man im Abendmahl nicht Christi Fleisch und Blut zu sich nehme, sondern nur ein Erinnerungsmahl feiere. Als man von Bremen aus – das inzwischen lutherisch geworden war – Prediger in die Emdener Kirchen schickte, um den Gläubigen solche Irrlehren auszutreiben, stürmte die Gemeinde die Kanzeln mit dem Ruf: «Schlagt die Fleischfresser tot!» Hoffmann, inzwischen dem Täufertum übergetreten, fand offene Ohren und taufte über 300 Erwachsene in der Stadt. Dann ging es weiter ins holländische Friesland und nach Amsterdam, wo er ebenfalls taufte und ihm ergebene Gemeinden gründete. Auch dort sah die Obrigkeit in ihm einen Aufrührer und verwies ihn außer Landes. Noch 1530 zog sich Hoffmann wieder nach Straßburg zurück.

Die Stadt am Rhein war mit Beginn der Verfolgungen zum Asyl für viele radikale Reformer geworden. 1528 flohen hundert Täufer von Augsburg nach Straßburg. Zwar ließ man auch hier nicht alles durch. Doch es hatte sich herumgesprochen: Wofür man anderswo gehenkt wurde, gab es in Straßburg nur ein paar Peitschenhiebe. Und außerdem eine vorbildliche Armenpflege. Niemand mußte hungern. In Straßburg trat Hoffmann bald in sehr enge Kontakte zu den «Straßburger Propheten». Das war eine kleine Schar, von zwei Frauen stark beeinflußt, die in immer neuen Visionen und Gesichten das nahe Ende der Welt und eine radikale Erneuerung der Gesellschaft erlebte und prophezeite.

Bald begann auch Hoffmann zu prophezeien und weissagte das Jüngste Gericht, wie es in der biblischen Apokalypse geschildert wird. Viele christliche Außenseiter vor ihm haben der Kirche diese blutigen Visionen als Spiegel vorgehalten und auf das bevorstehende Goldene Zeitalter gehofft. Hoffmanns Haß auf die bestehende Ordnung wurde immer glühender. Er galt vor allem dem Klerus jeder Richtung: «Es muß der ganzt pfaffenhauff zu grund gan.» Der selbsternannte Prophet machte allerdings feine Unterschiede: Der Obrigkeit befahl er, sich zu bewaffnen und die Gottlosen auszurotten. Die Täufer sollten reine Hände behalten. Ihnen begann er nun, eine strenge Hierarchie zu predigen: Die 144000 Gerechten, die nach der Zerstörung der alten Welt übrigblieben, würden von «apostolischen Sendboten» regiert werden. Das neue Jerusalem, das durch viel Blut entstehen würde, sollte von einem Propheten und einem König regiert werden. Beiden mußte absoluter Gehorsam geleistet werden.

Die Realität sah anders aus. Seit die Straßburger sich im Schmalkaldischen Bund 1533 mit den Wittenbergern zusammengetan hatten, war die Epoche der Duldung vorbei. Zwar wurde kein Täufer vom Leben zum Tode befördert und das allgemeine Ausweisungsverbot lasch gehandhabt. Doch einen Mann wie Hoffmann wollte man nicht mehr frei herumlaufen lassen. Er wurde in den Turm gesperrt und ist dort bis zu seinem Tod 1543 geblieben. Seine Gedanken jedoch ließen sich nicht einfangen.

Im Februar 1534 kam der Täufer Jan Matthys aus dem niederländischen Haarlem nach Münster. Melchior Hoffmann hatte ihn vier Jahre zuvor getauft. Nun wollte Matthys in Münster verwirklichen, was seinem Meister in Straßburg nicht gelungen war: das neue Jerusalem. Die Tore standen ihm weit offen. Denn in der Stadt hatte sich der lutherische Prediger Bernhard Rothmann, einst katholischer Geistlicher, zu den Täufern gewandt und seit Januar begonnen, Erwachsene zu taufen. Der Rat der Stadt, der im Februar neu gewählt wurde, war in seiner Mehrheit den Täufern wohlgesinnt. Die folgende Herrschaft der Täufer in Münster ist als Terrorregime, als Aufstand des Pöbels in die Geschichte eingegangen. So haben es die Lutheraner und der katholische Bischof, die schließlich zusammen die Stadt der Täufer nach einem blutigen Gemetzel eroberten, den Zeitgenossen erzählt. Es ist die Interpretation der Sieger.

Die Revolution von Münster nahm mit der Ratswahl ganz legal ihren Anfang. Insgesamt haben sich von der Bevölkerung 62 bis 68 Prozent der Erwachsenen durch erneute Taufe zu einer Theologie bekannt, auf der im Reich die Todesstrafe stand, und sie haben auch bewußt einer Veränderung der sozialen Verhältnisse zugestimmt. Es waren rund achthundert bis tausend Männer und über dreitausend Frauen. Wer nichts mit den Neuerungen zu tun haben wollte, konnte in den folgenden Monaten die Stadt verlassen. Nicht selten wurden Familien auseinandergerissen, weil Überzeugungen stärker waren als persönliche Bande. Vor allem die Frauen entschieden sich für die Radikalen. Da steht dann in den Dokumenten: «He ut, se in» – er draußen, sie drinnen.

Aus den Vermögensunterlagen ist inzwischen eindeutig belegt, daß der Anteil der armen Leute bei den Täufern nicht über dem Bevölkerungsdurchschnitt lag und die führenden Posten des neuen

Regimes von angesehenen Bürgern der Stadt besetzt wurden. Nur die prophetischen Führer machten eine Ausnahme. Matthys war Bäckergeselle. Als er bei einem Ausfall gegen die Belagerer umkam, trat Johann von Leyden an seine Stelle, unehelicher Sohn einer Magd und gelernter Schneidergeselle. Im September 1534 ließ sich Johann zum König ausrufen, kündigte an, daß Christus in Münster sein neues Reich gründen werde und zuvor die Gottlosen von der Erde verschwinden müßten. Wie bei den Patriarchen im Alten Testament wurde die Vielweiberei erlaubt. Zugleich eine praktische Entscheidung, um den starken Frauenüberschuß in der Stadt abzubauen.

Weder katholische noch lutherische Obrigkeiten im Reich konnten den revolutionären Umwälzungen in Münster untätig zusehen. Wenn sich dort die Herrschaft der Täufer durchsetzte, wäre das ein Fanal für die Täufer überall im Land geworden und keine Ordnung mehr sicher gewesen. Der Aufmarsch der Truppen vor den Stadttoren verfehlte allerdings seine abschreckende Wirkung. Die Bevölkerung hielt König Johann und seinem Hof die Treue, auch als sich, unter dem Druck der Belagerung, willkürliche Bluturteile häuften. Wer glaubt, für Gottes Sache zu kämpfen, hält vieles aus. Erst im Juni 1535 konnten die Belagerer durch Verrat in die Stadt eindringen. Die Rache der Sieger war fürchterlich. Noch heute hängen im Turm der St. Lamberti-Kirche zu Münster jene eisernen Käfige, in denen Johann von Leyden und Bernhard Knipperdolling, gewählter Bürgermeister und als Scharfrichter weltlicher Arm des Täuferregimes, nach ihrer Hinrichtung «zur Warnung und Schrecken» ausgestellt wurden.

Münster war kein Betriebsunfall der lutherischen Theologie, sondern eine Reformation aus eigenem Recht. Die entschlossene, soziale Revolution im Westfälischen war von Anfang an eine Möglichkeit der täuferischen Theologie, die eine eigenständige Interpretation über die Beziehung zwischen Gott und Mensch entworfen hatte. Die ersten Täufergemeinden im Zürcher Umland hatten die Welt gründlich verändern wollen. Nach dem Fall von Münster allerdings gab es nur noch eine Möglichkeit, wollten die Täufer in Europa, vor allem im Norden, überleben: als abgesonderte Schar zu leben, die aller Gewalt abgeschworen hatte. Es war der ehemalige katholische Priester Menno Simons, der mit viel Geduld und dem Willen zur Einigkeit diese Richtung unter seinen Glaubensbrüdern durchsetzte. Er distanzierte sich entschieden von den Vorgängen in Münster, gab ungewollt den Täufern ihren endgültigen Namen – Mennoniten – und sehr bewußt ihr Gesicht: Rigoros fromm, pazifistisch und ohne jeden revolutionären Drang – die «Stillen im Lande». Simons ist 1561 bei Bad Oldesloe im Holsteinischen gestorben.

Das Bekenntnis zur Friedfertigkeit half den Täufern jedoch wenig. Sie wurden weiter verfolgt. Ihr Versuch, aus den bestehenden Ordnungen auszusteigen und eine alternative Lebensform zu praktizieren, wurde in Europa nicht geduldet. Sie blieben Ketzer und Aufrührer. Mit den Täufern schloß die evangelische Theologie Wichtiges aus ihrem Leben aus: religiöse Spontaneität, einen Glauben, der sich nicht scheute, auf Emotionen zu bauen und der jede Bevormundung der Laien durch die Geistlichkeit ablehnte. Aber vergessen wir darüber nicht: Was so fortschrittlich klingt, das sollte nur Vorbereitung sein auf die totale Vergöttlichung der Welt. Es ist eine Sicht vom Leben, die wir nicht mehr nachvollziehen können. Eine Modernität, die täuscht. Oder vielleicht doch nicht? Dahinter steht die Hoffnung, daß Träume Wirklichkeit werden können. Luther mißtraute solchen Visionen aus tiefster Seele, weil der Mensch für ihn nicht die geringste Fähigkeit zum Guten besaß. Er war und blieb ein Sünder, den nur die Gnade Gottes rettete. Was die Täufer, ein Thomas Müntzer oder Melchior Hoffmann erstrebten, war für ihn Gotteslästerung.

Natürlich versuchten die Anhänger des alten Glaubens, die Revolution von Münster mit ihren Exzessen zu Lasten der wittenbergischen Theologie zu verbuchen und Luther als Schreibtischtäter zu entlarven. Doch zu offensichtlich hatte er sich von Anfang an distanziert. Zu wenig Gemeinsames gab es zwischen den ordnungsliebenden evangelischen Bürgern und jenen Radikalen. 1534 wurde sogar ein besonders erfolgreiches Jahr für die Protestanten: In Württemberg, von den Habsburgern annektiert, hielt der rechtmäßige Herzog Ulrich wieder Einzug. Er war ein überzeugter Lutheraner, der sofort und zielstrebig den Wechsel seines Landes zum neuen Glauben einleitete und damit geographisch eine Lücke schloß. Es erleichterte eine theologische Annäherung zwischen den oberdeutschen Städten – an Zwingli orientiert – und den lutherischen Gebieten Mitteldeutschlands.

Aus Straßburg war Martin Butzer 1536 mit mehreren Kollegen in die Lutherstadt gekommen, um versöhnende Gespräche zu führen. Äußeres Zeichen für die weitgehenden Zugeständnisse, die der berühmte süddeutsche Theologe für die Einheit der protestantischen Sache den Wittenbergern machte. Luther, der dem Besuch erst ablehnend gegenüberstand, dann aber einlenkte, schrieb hinterher einem Bekannten: «Ohne Zweifel habe ich zur Genüge ausführlich und deutlich wieder und immer wieder bei dieser Zusammenkunft erklärt: Wenn ihre Gesinnung in der Sache selbst nicht aufrichtig und lauter wäre, möchten sie von der Konkordie [Einheitsbund] abstehen, weil dieser Zwiespalt gefahrloser als eine erdichtete Einheit wäre, aus welcher unendliche Zwietracht hervorgehen könnte. Aber sie haben alles so feierlich und ernst genommen, selbst unsere Apologie [das erweiterte Augsburger Bekenntnis], daß ich sie nicht abweisen durfte.»

Die auswärtigen Geistlichen besuchten in Wittenberg und auf ihrem Weg dorthin natürlich den Gottesdienst. Geprägt von der reformierten Theologie Zürichs, wo man alle Bilder aus den Kirchen entfernt hatte, kam ihnen der lutherische Gottesdienst «papistisch» – päpstlich – vor. Wolfgang Musculus, Pfarrer in Augsburg, hat den Besuch der Franziskanerkirche 1536 in Eisenach sehr genau protokolliert. Es ist ein seltenes Dokument.

«Um sieben Uhr betraten wir die Kirche, wo das Amt der Messe, wie sie es nennen, abgehalten wurde in folgender Weise: Zunächst sangen die Knaben und der Schulmeister den Introitus vom Sonntag Kantate lateinisch in ganz papistischer Weise gesondert im Chorraum. Dann folgte das Kyrie eleison, während abwechselnd jemand auf der Orgel spielte. Dann sang ein ganz nach papistischer Weise angetaner Diakon, der an dem mit Lichtern und anderm ebenso geschmückten Altare stand, in lateinischer Sprache das Gloria in excelsis Deo, welchen Gesang der Chor und der Organist wiederum zu Ende brachten. Nun sang der Diakon eine Kollekte, wie sie es nennen, auf deutsch, das Gesicht zum Altar, den Rücken zur Gemeinde gewendet ... Wieder wurde auf der Orgel gespielt, während der Chor sang: Victimae paschali. Die Gemeinde stimmte an: Christ ist erstanden! Darauf sang der Diakon einen Abschnitt aus dem Evangelium auf deutsch, mit dem Gesicht zur Gemeinde hin. Alsdann wurde auf der Orgel gespielt zum Gesang der Gemeinde ‹Wir glauben all an einen Gott›. Es folgte die Predigt ...»

Gott schien immer sichtbarer mit der neuen Lehre zu sein. 1534 war Augsburg offiziell ins protestantische Lager übergegangen. Zwar hatte man in den Kirchen schon lange die neue Theologie gepredigt, doch einflußreiche und wohlhabende Familien wie die Fugger hielten fest zum alten Glauben. Am 22. Juli kam der große Rat um fünf Uhr morgens zusammen und tagte bis mittags um eins. Mit 175 von rund 230 Stimmen wurde beschlossen, die alte Meßliturgie und die altgläubige Predigt in allen Kirchen, bis auf den Dom und sieben weitere, abzuschaffen.

Auch in Lübeck hatten sich die Bürger, gegen den hinhaltenden Widerstand des Rates, inzwischen das «reine Evangelium» erkämpft. Nach einer Abstimmung wurde dort 1529 beschlossen, für «Gottes Wort» und gegen «des Papstes Regiment» zu streiten. Besonders erfolgreich setzte man in der alten Hansestadt lutherische Choräle als Kampfmittel ein. Nach oder während einer Predigt im römischen Sinn begann eine Truppe unter der Kanzel lautstark zu singen: «Ach Gott vom Himmel sieh darein». 1530 wurde Johannes Bugenhagen, der Hamburg ohne Komplikationen zum neuen Glauben geführt hatte, eingeladen. Von ihm konzipiert, nahm der Rat ein Jahr später «Der Keyserliken Stadt Lübeck Christlike Ordeninge» an, die sich am Hamburger Modell orientierte. «Keine umstürzenden Neuerungen» war auch diesmal Bugenhagens Devise. Man feierte die Messe weiterhin nach traditionellem Ritus. Zwar gab es deutsche Gebete und Lieder, aber daneben blieben wichtige lateinische Stücke erhalten. Man erwartete, daß jeder auch weiterhin täglich in die Kirche ging. Den Lübeckern wurden nach 1531 wöchentlich 91 Gottesdienste angeboten. Zwar entfielen etliche Heiligenfeste. Doch immerhin hielt man an drei Marienfeiertagen fest, und es blieben die Gedenktage an die Missionare Willhad, Ansgar und «andere frame lüde».

In Lübeck und anderswo standen die Beichtstühle weiterhin zur Benutzung in den Kirchen. Für die evangelischen Pfarrer gab es wie seit Jahrhunderten Beichtspiegel, nach denen sie ihre Pfarrkinder befragten. Als Brandenburg am Ende der dreißiger Jahre protestantisch wurde, ging der Beichtspiegel der Geistlichen davon aus, daß sie auf die Frage nach Kenntnis der Zehn Gebote diese Antwort von ihrem Beichtkind bekämen: «Mein herr, ich kann ir leider nicht.» Die Klagen über die neuen Pfarrer blieben ebenfalls die alten. Da wird von Geistlichen erzählt, die Sterbende bedrängen, um etwas von der Erbschaft einzustreichen. Andere müssen am Samstag die Schweine hüten, weil die Gemeinde ihnen zuwenig zum Leben bezahlt.

Die guten wie die schlechten Nachrichten fanden ihren Weg schnell ins alte Augustinerkloster nach Wittenberg. Luthers Ausblick in die Zukunft wurde düster, auch wenn er polternd gegen die Resignation ankämpfte: «Ich sehe überall Dinge, die mich quälen, und ich fürchte, daß in kurzem das Wort der Gnade wegen der unglaublichen Undankbarkeit und Verachtung von uns genommen werden wird. Fast alle Gemeinden denken: Wir wollen uns der Armen entledigen und sie nach Wittenberg abschieben. Dies erfahren wir täglich. Niemand will mehr Gutes tun und den Armen helfen, unterdessen suchen wir das Unsere bis zur Raserei. Wohlan, das Schicksal treibt die Welt. Gehab dich wohl und bete für mich.» Der Brief ging im September 1536 an den alten Freund und Kampfgefährten Spalatin, einst kurfürstlicher Vertrauter und Beichtvater, nun evangelischer Pfarrer und längst verheiratet.

Luthers Stimmung wurde zunehmend von Krankheiten beeinflußt: ein unangenehmes Steinleiden, eine beginnende Herzkrankheit, die Angst und Beklemmung auslöste. Schließlich war Luther über fünfzig Jahre alt. Sehr viel für eine Zeit, in der die Lebenserwartung durchschnittlich nicht über 35 Jahren lag. Die meisten Biographen wollen deshalb für sein letztes Jahrzehnt nur noch Müdigkeit, Mißmut und Verfall sehen. Der alte Mann in Wittenberg ist ein bequemer Zeuge, weil er ausführlich von seinen Gebrechen und seiner Unlust über die Zustände der Welt berichtet. Aber er war deshalb kein tatteriger Greis, den man nicht mehr ernst zu nehmen brauchte. Luthers Arbeitseinsatz ist immer noch gleich hoch. Immer noch liegen Tische, Bänke und Fensterbretter seiner Arbeitsstube voller Briefe, von Bürgermeistern, Fürsten, Theologen,

Freunden und Bittstellern geschrieben. Keiner bleibt ohne Antwort.

Der Landgraf von Hessen hat 1533 eine Synode einberufen, die eine neue Ordnung mit starker Beteiligung der Laien an der Kirchenarbeit einführen wollte. Selbstverständlich fragt man vor der Verabschiedung in Wittenberg an, und Luther warnt: «Auf euren sehr aufrichtigen und brüderlichen Brief und die Bitten antworte ich kurz, soweit es die zur Verfügung stehende Zeit und meine Muße erlauben. Euren Eifer für Christus und die christliche Zucht habe ich mit sehr großer Freude vernommen. Aber in dieser so unruhigen Zeit, die auch noch nicht geeignet ist, Zucht anzunehmen, würde ich es nicht wagen, zu einer so plötzlichen Neuerung zu raten ... Es wird sich von selbst einrichten, denn durchs Gesetz vermögen wirs nicht voranzutreiben.» Als Zuchtmittel soll man nur den «kleinen Bann» aussprechen, um Sünder vom Abendmahl fernzuhalten. Der Pfarrer soll auf keinen Fall Strafen aussprechen, die den Gläubigen in seinem beruflichen und sozialen Leben treffen.

Luther, den die Realitäten dazu brachten, sich mit der Obrigkeit einzulassen, hat trotzdem nicht aufgegeben, die Trennung von geistlichen und staatlichen Gewalten zu predigen. So sagt er den Hessen: «Denn wenn ihr anscheinend hofft, daß die Vollstreckung [des Bannes] etwa durch den Fürsten geschieht, so ist das sehr ungewiß. Auch möchte ich nicht, daß die weltliche Obrigkeit sich in diese Aufgabe einmische, sondern in jeder Beziehung davon getrennt sei, damit der Unterschied beider Regimente recht und klar herauskommt.» Nur ein Jahr später fügte er seiner Auslegung des 101. Psalms, die ihm die Drucker – wie alle anderen Schriften – förmlich aus der Hand rissen, eine deutliche Vorrede hinzu, die seine Sorgen öffentlich machte: «Ich muß immer solch Unterschied dieser zweier Reiche einbleuen und einkäuen, eintreiben und einkeilen, obs wohl so oft geschrieben und gesagt ist. Denn der leidige Teufel hörte nicht auf, diese zwei Reiche ineinander zu kochen und zu bräuen. Die weltlichen Herren wollen in Teufels Namen immer Christum lehren und meistern ... So wollen die falschen Pfaffen und Rottengeister ... immer lehren und ordnen, wie man solle das weltlich Regiment ordnen ...»

Was die ganze Zeit nebenherläuft, ist seine Universitätsarbeit. Nach wie vor hält der Doktor Martin Luther seine theologischen Vorlesungen, die sich ausschließlich mit der Bibelarbeit beschäftigen. Immer neue Theologen werden von ihm promoviert. 1535 übernimmt er zusätzlich das Amt des Dekans an der Wittenberger Universität.

Theologe und Seelsorger, mehr wollte er nie sein. Wenn Freund Bugenhagen, der Stadtpfarrer zu Wittenberg, auf Reisen geht, um andernorts die neue Theologie einzuführen und allen radikalen Entwicklungen zu wehren, springt Luther für ihn ein. Im August 1537 meldet der sächsische Kanzler seinem Kurfürsten: «Es prediget Doctor Martinus jetzund in der Pfarre die Woche drei mal; thut solche gewaltige, treffliche Predigten, daß mich dünkt, so sagt es Jedermann, daß er hievor so gar gewaltiglich nicht gepredigt hat. Zeigt sonderlich an die Irrthume des Papstthums, und ist ein groß Volk, das ihn höret. Bittet zu Ende der Predigt wider den Papst, seine Kardinäle und Bischöfe und für unsern Herrn Kaiser, daß ihm Gott Sieg geben und ihn vom Papstthum abziehen wolle.» Bugenhagen war in diesem Jahr vom dänischen König gerufen worden, um Dänemark eine neue Ordnung für den neuen Glauben zu geben.

Die Aufzählung ist immer noch nicht vollständig, denn auch die Besucher kamen wie eh und je, um den berühmten Mann zu sehen. Im November 1535 war der päpstliche Legat Pietro Paolo Vergerio auf seiner Reise nach Brandenburg Gast im kurfürstlichen Schloß zu Wittenberg. Ob Luther ihm zum Abendessen die Ehre gebe, ließ er anfragen. Doch der, immer noch zu einem Scherz bereit, erschien erst zum Frühstück am nächsten Morgen. Vor Sonnenaufgang mußte ihm Andreas Engelhard, der Barbier, eine gute Rasur verpassen, und Luther erklärte ihm auch warum: «Ich muß zu des Papstes Gesandten. So muß ich mich ihm nun jugendlich zeigen, mag derselbe denken: ‹Pfui Teufel, wenn der Luther, ehe er Greis geworden ist, uns schon solche Händel angestiftet, was wird er nicht bis dahin noch anrichten.›» Dann putzte er sich heraus: Seine Jacke hatte seidene Ballonärmel, der Mantelkragen war mit Fuchspelz besetzt. Um den Hals hängte er sich eine Kette mit goldenen Medaillons und schmückte seine Finger mit etlichen Ringen. Bugenhagen mußte mitkommen. Ein letzter Kommentar in der Kutsche: «Da fahren der deutsche Papst und Cardinal Pommeranus, Gottes Zeugen und Werkzeuge.»

Im Schloß ging das Spiel weiter. Luther hat nach dem Besuch seine Maskerade in einem Brief ironisiert: «Ich bin hingegangen und habe bei ihm im Schloß gegessen. Aber was für Reden ich geführt habe, darf ich keinem Menschen schreiben. Ich habe während der ganzen Mahlzeit den Luther selbst gespielt ...» So wie ihn sich die Feinde vorstellten: Grob, unhöflich, einsilbig – auf latein natürlich. Prompt berichtete Vergerio von der «Bestie» Luther nach Rom, die viel jünger aussehe, als sie sei! Das Spektakel hat den Gesandten allerdings nicht gehindert, zehn Jahre später ein Anhänger des neuen Glaubens zu werden.

Es gab andere Gegner, und zwar in den eigenen Reihen, die waren so leicht nicht zu beeindrucken. Während der Kaiser seinen Burgfrieden mit den Protestanten hielt, die Schmalkaldischen Verbündeten von vielen Seiten hofiert wurden, zeigten sich Gräben zwischen den Theologen, die Luthers Lehre aus erster Hand und mit großer Begeisterung aufgenommen hatten. Die ersten leisen Mißtöne lagen fast ein Jahrzehnt zurück. Damals hatte Melanchthon, entsetzt über die lasche Moral der Gemeinden, die sich auf das reine Evangelium beriefen, vor zuviel Freiheit gewarnt: «Jetzt ist es üblich, vom Glauben zu reden, und dennoch kann nicht verstanden werden, was Glaube ist, wenn nicht vorher Buße gepredigt wird. Offensichtlich gießen sie neuen Wein in alte Schläuche, die den Glauben ohne Buße, ohne die Lehre von der Furcht Gottes und des Gesetzes verkünden und das Volk an eine gewisse fleischliche Sicherheit gewöhnen. Diese Sicherheit ist schlimmer als alle Irrtümer vorher unter dem Papst.» Das war 1528 am Ende der Visitation in Kursachsen. Schon damals meldete sich gegen Melanchthon der Magister und Prediger Johannes Agricola aus Eisleben, ehemals Luthers Schüler, Sekretär und enger Freund. Agricola schmeckte das Wort Buße zu sehr nach jenen frommen Werken und Übungen, die sein Lehrer so entschieden verdammt hatte, weil man sich den Himmel nicht verdienen kann. Für diesmal schlichtete Luther den Streit.

1536 quartierte sich Agricola mit Frau und Kindern bei Familie

Luther im alten Kloster zu Wittenberg ein. Eine theologische Professur stand in Aussicht. Luther war arglos und ließ sich von seinem alten Freund in der Universität und auf der Kanzel vertreten. Den stach der Hafer. Agricola stellte Aussprüche des jungen und des älteren Luther zusammen und spielte sie gegeneinander aus. Agricola wollte beweisen, daß die Zehn Gebote für einen Christen keine Bedeutung haben. Gottes Gnade sei alles, was der Christ brauche. Luther nahm die Herausforderung an, ohne gleich die Brücken abzubrechen. Er predigte gegen Agricola, ohne ihn beim Namen zu nennen: Ohne Gesetze würde der Mensch zum Tier. Was für ein Irrtum zu glauben, die Christen seien durch die Taufe zu guten Menschen geworden. Agricola gab sich einsichtig – und zugleich neue Thesen zum Druck. Im Januar 1538 entzog ihm Luther als Dekan der theologischen Fakultät die Lehrbefugnis. Agricolas Frau vermittelte, die beiden versöhnten sich wieder. Die Übereinkunft hielt nicht lange, denn der Konflikt lag in der Sache.

Hatte Luther nicht oft genug geschrieben, nichts, aber auch gar nichts zähle außer der Gnade? Gewiß, aber er fühlte sich mißverstanden. Konsequenzen, wie Agricola sie forderte, hatte er nicht im Sinn. Natürlich tut ein Christ gute Werke, soviel er kann, und ordnet sich dem Gesetz unter. Auch wenn er für sich damit vor Gott nichts verdient. Er tut es für seinen Nächsten. Wer Theologe und Prediger ist, muß differenzieren können: «Den Angefochtenen, Armen und Schwachen muß Christus und Gnade gepredigt werden. Den Sicheren, Müßigen, Sündern und Gotteslästerern dagegen das Gesetz.»

1540 verließ Agricola heimlich Wittenberg, ging zum Kurfürsten Joachim II. nach Brandenburg und wurde dessen Hofprediger. Jahre später stand Agricolas Frau wieder vor Luther und bat mit Tränen in den Augen um ein Versöhnungstreffen. Doch Luther wollte nicht noch einmal verzeihen. Er weigerte sich, den Mitstreiter so vieler schwerer Jahre wiederzusehen.

Schmalkalden war im dritten Jahrzehnt zum Treffpunkt der lutherischen Anhänger, ob Fürsten oder Theologen, geworden. Unter dem Vorsitz Melanchthons wurden hier im März 1540 zwei Männer als «hochmütige Heuchler und Skeptiker», als «Umherstreicher, die das Volk abführen von der richtig bestellten Kirchenlehre», verurteilt. Es waren Caspar von Schwenckfeld und Sebastian Franck. Ihre Namen, ihr ruheloses und eigenwilliges Leben sind nur noch den Experten bekannt. Beide lehnten es ab, sich fügsam und stumm unter die Kanzel der Etablierten zu setzen, ob sie nun die römische oder die lutherische Theologie verkündeten. Laute Kämpfer waren sie trotzdem nicht. Sie blieben Einzelgänger und wichen der Gewalt. Aber unbeugsam und im Vertrauen auf das Wort, das sie niederschrieben.

Es war im Winter 1525, als der schlesische Adlige Caspar von Schwenckfeld durch Schnee und Wind nach Wittenberg ritt. Luthers Schriften hatten ihn überzeugt und einen frommen Menschen aus ihm gemacht. Der Hofrat des Herzogs von Liegnitz begann zu predigen und gewann Anhänger für den neuen Glauben. Doch ihm kamen Zweifel, da nirgendwo mit der Theologie die Menschen ihren Lebenswandel änderten. War es wirklich richtig, nur auf die Gnade zu bauen und dem Menschen zu sagen, er habe keinen freien Willen? War Christus wirklich in Brot und Wein anwesend? In der Lehre vom Abendmahl neigte der Mann aus Schlesien bald immer mehr Zwingli zu.

Um aus erster Hand Klarheit zu bekommen, machte sich Schwenckfeld auf den Weg nach Wittenberg. Schließlich ging es um seine Seele und die vieler anderer Christen. Da war es selbstverständlich, Mühe und Kosten nicht zu scheuen. Luther und Bugenhagen empfingen den unsicher Gewordenen freundlich. Überzeugen konnten sie ihn nicht. Schwenckfeld kehrte zurück, blieb bei seiner Überzeugung und fand Gleichgesinnte. Damit war er zwischen alle Fronten geraten. In seiner Heimat Schlesien griffen ihn Katholiken wie Lutheraner an. Und da tat der Edelmann, was sich in den folgenden Jahren bis ans Ende seines Lebens wiederholen sollte: Still ging er fort, um niemandem Unannehmlichkeiten zu machen. Zuerst 1529 nach Straßburg, wo man ihn mit Sympathie aufnahm.

Je mehr Schwenckfeld davon überzeugt war, daß der Christ nicht durch Äußerlichkeiten wie das Wort der Bibel oder die Sakramente selig werden kann, mißtraute ihm das theologische Establishment, allen voran der Straßburger Pfarrer Martin Butzer, der sich im süddeutschen Raum für die reine Lehre verantwortlich fühlte. Daß einer predigte, es komme nur auf den Geist Gottes an, der das Innere des

Menschen verändert, ohne daß ein Geistlicher oder kirchliche Institutionen gebraucht würden, fand weder in der Theologie Luthers noch des Zwingli eine Stütze. Die Verwandtschaft zu den Täufern ist unübersehbar. Doch Schwenckfeld – wie Sebastian Franck – hat sich ihnen nicht angeschlossen und die Erwachsenentaufe abgelehnt.

Freiwillig zog der sanfte Mann 1534 aus Straßburg fort, bevor man ihn auswies. Ulm war das nächste Ziel, dort gab es einen aufgeschlossenen, toleranten Bürgermeister. Doch Butzer intrigierte. 1539 drohten die Ulmer Pfarrer geschlossen mit ihrem Rücktritt, würde man dem unbequemen Fremden weiterhin Asyl geben. Schwenckfeld verließ die Stadt.

Für sieben Jahre nahm ihn ein adliger Freund in seinem Schloß auf der Schwäbischen Alb auf. Schwenckfeld reiste durch das Land, traf sich mit Gleichgesinnten, ohne eine organisierte Gemeinde zu gründen. Er wollte nur seiner Überzeugung treu bleiben können und publizieren dürfen, woran er glaubte. Die Zeitgenossen allerdings meinten, daß solcher Freiheit Unruhe und Aufruhr folgen würden: «Daß ich mich jetzt keiner Partei oder Sekte unterziehe, wie mans heißt, weder den Papisten, Lutheranern, Zwinglianern noch Täufern, mit meinem Gewissen, hat viele Ursache, und es bringet mir solches nicht wenig Verfolgung und Haß von ihnen allen.» Im Dezember 1561 ist Caspar von Schwenckfeld in Ulm im Kreis seiner Freunde gestorben.

Daß 1540 in Schmalkalden der Adlige aus Schlesien und der Theologe, Seifensieder, Schriftsteller und Drucker Sebastian Franck in einem Atemzug verdammt wurden, ist nicht ohne Sinn. Auch Franck blieb ein einzelner und lehnte für sich alle kirchlichen Institutionen ab. Erst katholischer Priester, dann protestantischer Pfarrer, ist Franck schließlich vor allem enttäuscht, weil in lutherischen Gebieten die weltliche Obrigkeit die päpstliche Aufsicht ersetzt hat und man vielerorts vom Regen in die Traufe gekommen war: «Sunst im Papstthum ist man viel freier gewesen, die Laster auch der Fürsten und Herren zu strafen, jetzt muß alles gehofirt sein oder es ist aufrührerisch, so zart ist die Welt geworden. Gott erbarms!» Sein Plädoyer war, daß «man einem jeden sein Gewissen und Glauben vor Gott frei ließ. Es glaubet gleich einer an Käs und Brot ...»

Wie Schwenckfeld mußte Franck auf Wanderschaft gehen, mit Frau und Kindern. Nürnberg, Straßburg, Ulm hießen die ersten Stationen. In Straßburg konnte er endlich sein größtes Werk drucken, die «Chronika, Zeitbuch und Geschichtsbibel». Es ist der Versuch, die Weltgeschichte seit Adam und Eva neu zu schreiben. In sein Vorwort nahm er zwei Satiren des Erasmus auf. Der Mann aus Rotterdam, der Frieden und Toleranz predigte und einen Glauben, in dem nicht alles festgelegt war, hat Franck beeinflußt. Hoffnung, daß solche Ideen durchsetzbar seien, sah der Theologe und Seifensieder allerdings nicht. Franck hatte seine Sicht der Welt veröffentlicht, um aufzuzeigen – und darin traf er sich mit Luther –, «wie ein armes, baufälliges, unstetes, lügenhaftes Ding um ein Menschen» sei.

1534 durfte sich Franck in Ulm niederlassen. Dort erhielt der städtische Zensor, der wegen des Außenseiters Rat aus Wittenberg erbeten hatte, eines Tages Post von Philipp Melanchthon: «Was soll ich von Franck sagen? Er ist voll Gift und Galle. Was hat er an giftigen Dingen in jene elenden Schriften hineingesudelt! Gehässig wie ein Schwein benimmt er sich gegen Staaten, Könige und gelehrte Leute.» Kein Wunder, daß man ihn bald wieder lossein wollte in der Stadt an der Donau. 1539 mußte der Einzelgänger Ulm mit Frau und Kindern verlassen. Franck ging nach Basel, wo er zwei Jahre später gestorben ist.

Katholiken und Lutherische hielten still, weil beide Seiten ein Konzil forderten und alle Beschlüsse nur Aufschub sein sollten bis zu jenem großen Ereignis, das alle Christen wieder unter derselben Theologie vereinen würde. Die Hoffnung darauf war freilich fast bis zum Nullpunkt geschrumpft. Hatten die römischen Päpste doch immer wieder ein hartes «Nein» zu solchen Plänen über die Alpen geschickt. Da berief Paul III. im Juni 1536 für das Frühjahr des folgenden Jahres ein Generalkonzil nach Mantua ein. Würden die Protestanten kommen? Nun war es Luther, der entschieden Nein sagte. Denn in Mantua «werden wir nicht von dem Kaiser oder weltlicher Obrigkeit... sondern vor dem Papst und dem Teufel selbst stehen, der nicht zu hören, sondern kurzerhand zu verdammen, zu morden und zur Abgötterei zu zwingen gedenkt». Dann solle man doch ein Gegenkonzil halten, schlug der sächsische

Kurfürst vor. Auch das lehnte Luther ab. Er wollte weder Trennung noch Unterwerfung. Die wirkliche Nagelprobe blieb vorerst aus. Der Papst vertagte das Konzil auf unbestimmte Zeit. Lief denn nicht alles auf Trennung hinaus? War die Einheit nicht längst irreparabel zerbrochen? Glaubte denn irgend jemand noch ernsthaft an Versöhnung? Im Rückblick scheinen am Ende des dritten Jahrzehnts die Weichen gestellt. Doch die Zeitgenossen, die Beteiligten sahen das gar nicht so. Ihr Einsatz, ihr Engagement ist zu hoch, als daß man es leichthändig beiseite schieben könnte.

In Frankfurt einigten sich im April 1539 der Kaiser und seine deutschen Fürsten darauf, den Nürnberger Frieden zu verlängern, und Karl V., vom Papst oft enttäuscht, stimmte zu, daß unabhängig vom Konzil und ohne päpstliche Einmischung Religionsgespräche stattfinden sollten, um «auf eine löbliche christliche Vereinigung zu handeln». Leipzig, Hagenau bei Speyer, Worms hießen die Stationen, an denen die Theologen der «alten» und der «neuen» Religion miteinander um die Vorbedingungen rangen. Worüber sollte geredet werden? Wie sollte man abstimmen? Wer gehörte denn nun eindeutig zum protestantischen Lager?

In Worms begann am 14. Januar 1540 das Gespräch zur Sache. Die alten Bekannten, Melanchthon und der Professor Eck aus Ingolstadt, saßen sich wieder gegenüber. Drei Tage diskutierte man über die Erbsünde. Dann hatte man eine gemeinsame Definition gefunden. Und danach, es war fast ein Wunder, geschah dasselbe mit der Rettung des Sünders allein durch die Gnade Gottes; jener Stein des Anstoßes, der übergroß auf dem Weg zur Einigkeit lag. Weiter ging es mit der Diskussion um Messe und Heiligenverehrung. Am letzten Tag des Jahres hatten sich beide Seiten auf einen umfassenden Vergleich geeinigt.

Im April 1541 verhandelte man offiziell auf dem Reichstag zu Regensburg. Nun war auch ein Vertreter des Papstes anwesend: Kardinal Contarini, den vor vielen Jahren bei einem Kirchenbesuch in Venedig blitzartig die Erkenntnis getroffen hatte, daß der Mensch ausschließlich von der Barmherzigkeit Gottes abhängt. Rom hätte keinen ehrlicheren Makler schicken können. In Regensburg wurden die Ergebnisse von Worms untereinander und miteinander überprüft, neu formuliert und schließlich gutgeheißen. Am

3. Mai hatte man sich endgültig über die härtesten Brocken – freier Wille, Erbsünde, Rechtfertigung – geeinigt. Mit Tränen in den Augen fielen sich dieselben Theologen in die Arme, die sich seit über zwanzig Jahren verteufelt hatten. Auf dem schnellsten Wege wurden die Ergebnisse nach Rom und Wittenberg geschickt. Der Kaiser ließ verbreiten, er ginge davon aus, daß man «auch in den übrigen Fragen zu einer Verständigung gelange».

Doch die Männer, die in Regensburg bis zur Erschöpfung miteinander verhandelten, waren wohl zu weit von der Basis und von jenen entfernt, die das letzte Wort hatten. Als man im protestantischen Konstanz von den Religionsgesprächen hörte, war man gar nicht begeistert: «Es gibt keinen Vergleich ohne Nachgeben. Das aber können wir nicht, da wir uns doch nur an das Wort Gottes halten.» Ein fehlgeschlagener Einigungsversuch sei schlimmer als gar keiner. Man solle lieber erst gar nicht damit anfangen.

Und Luther? Ende 1539 hatte ihn der Propst von St. Nikolai in Berlin um Rat gefragt. Der brandenburgische Kurfürst habe zwar die Kernsätze der neuen Theologie akzeptiert, hänge aber noch vollkommen an den alten Bräuchen. Aus Wittenberg kam eine großzügige Antwort: «So gehet in Gottes Namen mit herum und traget ein silbern oder golden Kreuz und Chorkappe oder Chorrock von Samt, Seide oder Leinwand. Und hat Euer Herr, der Kurfürst, an einer Chorkappe oder Chorrock nicht genug, die Ihr anzieht, so zieht deren drei an ... Haben auch Ihre Kurfürstliche Gnaden nicht genug an einem Umzug oder Prozession, ... so geht siebenmal mit herum ... Denn solche Stücke, wenn nur der Mißbrauch davon bleibt, geben oder nehmen dem Evangelium gar nichts ... Und könnt ichs mit dem Papst und den Papisten so weit bringen, wie sollte ich Gott danken und so fröhlich sein! Und wenn mir der Papst diese Stücke frei geben und mich predigen ließe, und hieße mich – mit Verlaub – eine Hose umhängen, ich wollts ihm zu gefallen tragen.»

Gute Voraussetzungen für die Gespräche? Als ein Jahr später die Einigungsversuche beginnen, schreibt derselbe Mann in Wittenberg von den «falschen Larven ..., die doch gewiß unser Verderben suchen», und beschwört seinen Kurfürsten, nicht nachzugeben. Und als Luther im Frühjahr 1541 erfährt, worüber man sich in

Worms geeinigt hat, bekommt Caspar Cruciger, Theologieprofessor in Wittenberg und Mitglied der protestantischen Delegation in Regensburg, einen bösen ironischen Brief: «Ich erkenne aus den 15 verkehrten Artikeln, die Du an mich gesandt hast, lieber Doktor Caspar, was der Satan vorhat ... es ist gleichviel: Was sie [die römischen Theologen] auch tun, so ists doch der höllische Teufel und Lügengeist. Dem D. Amsdorf [protestantischer Pfarrer und Luthers Freund] sollst Du sagen, daß er zu diesen Artikeln den von der Empfängnis der heiligen Jungfrau hinzufügen soll, den von den Rosenkränzen und den Heiligenscheinen der Doktoren, den vom Weihrauchfaß und vom Weihwedel und von der Hose des heiligen Franziskus ...» Am 12. Juni erhält Melanchthon einen eindeutigen Wink: «Ich hoffe, Ihr werdet in Kürze zurückkehren. Denn Ihr seid vergeblich dort gewesen und habt vergeblich alles mit diesen Verlorenen getan ...»

Vier Tage zuvor war aus Rom ein päpstliches Schreiben in Regensburg angekommen, das der bisher erzielten Einigung die Zustimmung verweigerte und dem Kardinal Contarini schwere Vorwürfe machte, weil er mit seinen Zugeständnissen zu weit gegangen sei. Ohnehin hatten sich in der Zwischenzeit die Gespräche der theologischen Unterhändler bei der Diskussion über die Ämter in der Kirche festgefahren. Das Trennende schob sich weiter in den Vordergrund.

Alle, die es in Regensburg ehrlich meinten, und wenige waren es nicht, müssen mit schwerem Herzen nach Hause gefahren sein. Niemals war man sich in den vergangenen zwanzig Jahren so nahegekommen. Niemals war die Atmosphäre zwischen den Gegnern so versöhnlich und tolerant gewesen. Eine solche Chance konnte es kein zweites Mal geben. Wäre es nun nicht an der Zeit gewesen, daß die Protestanten die Trennung aktenkundig machten und ohne weitere Hoffnung auf Einigung ihres Weges gingen? Sie taten es nicht. Zäh hielten sie an der Überzeugung fest, die wahre katholische Kirche zu vertreten, nichts Neues zu verkünden, von den Traditionen nur die schlechten ausgesondert zu haben und sich nicht als Spalter aus der Kirche drängen zu lassen. Das war nach wie vor auch Luthers Meinung, und er nutze eine Konstellation, um dies aller Welt zu demonstrieren.

In Naumburg an der Saale konnte der alte Dom am Freitag, dem 20. Januar 1542, kaum die Menschen fassen, die von überall herbeiströmten. Über fünftausend standen schließlich dicht gedrängt. Vorne, in der Nähe des Altars, waren die Vornehmsten versammelt: Der Kurfürst von Sachsen und sein Bruder, sechs adlige Ritter und der Rat der Stadt. Auch die anwesenden Theologen zählten zur Elite: Luther, Melanchthon und der alte Spalatin. Der Gottesdienst begann mit Chorgesang. Es folgte ein Lied der ganzen Gemeinde. Dann ging der Naumburger Stadtpfarrer auf die Kanzel und verkündete den Zuhörern, daß an diesem Morgen Nikolaus von Amsdorf zum neuen Bischof von Naumburg gewählt worden sei. Amsdorf war ein alter Freund Luthers. Er lehrte schon als Dozent an der Wittenberger Universität, als der Mönch Martin dort eintraf. Amsdorf wurde ein früher und überzeugter Anhänger der neuen Theologie, half mit, sie in Magdeburg und Goslar durchzusetzen. Jetzt, in Naumburg, war er der Hauptakteur in einem Experiment: Der erste evangelische Bischof im Deutschen Reich wurde in sein Amt eingeführt.

Nach der Predigt spielte die Orgel. Der Chor sang: «Nun bitten wir den heiligen Geist», und die Trompeten bliesen einen fünfstimmigen Satz. Dann ging Luther vor den mittleren Altar und hielt seinem Freund eine «sehr gewaltige und tröstliche Predigt», die ungefähr eine halbe Stunde dauerte. Ein wahrer Bischof solle auf die christlichen Seelen achtgeben «und dieselben hüten und weiden». Sein Amt gehöre zur wahren Kirche und sei der «Bischöfe und Pfaffen im Papsttum» nicht würdig, denen es nur um Geld und Ehre, nicht aber um das Lob Gottes ginge.

Luther blieb am Altar, die anderen Geistlichen traten hinzu, und der Kandidat kniete auf der obersten Stufe nieder. Luther sang ein lateinisches Gebet und fragte den zukünftigen Bischof, «ob er aller Seelen des ganzen Stifts und Bistums Naumburg treulich und wohl pflegen wollte, ihnen mit Versorgung der reinen Lehre des heiligen Evangelii und des hochwürdigen Sakramentes nach Einsetzung Christi des Herrn ... wohl vorstehen und versorgen wolle». Amsdorf antwortete mit Ja. Luther und die anderen legten ihm die Hände auf zum Segen. Dann wurde der Bischof, wie es in der römischen Kirche Brauch ist, zu seinem Bischofsstuhl geführt. Chor, Orgel und Gemeinde stimmten das Tedeum an. Alle Kirchenglocken läuteten. Die erste «Weihe» eines evangelischen Bischofs war zu Ende, Amsdorf als oberster geistlicher Hirte für das Naumburger Bistum eingesetzt. Ein von der römischen Kirche gebannter Ketzer hatte einen Theologen, der sich nicht der päpstlichen Autorität verpflichtet fühlte, zum Bischof ernannt. Die Beteiligten waren überzeugt, die wahre Kirche zu vertreten. Die Ketzer saßen für sie in Rom. Luther sagte es aller Welt: «Unser Gewissen ist vor Gott sicher und frei, daß wir recht und wohl getan haben.»

Amsdorf ist in seinem Amt nicht glücklich geworden. Luther, dem viel daran lag, einen adligen und unverheirateten Bewerber vorzuzeigen, hatte ihn ohnehin sehr überreden müssen. Kaum waren die Wittenberger abgereist, schrieb der neue Bischof ihnen einen traurigen Brief hinterher: «Ach, wäre ich doch in Magdeburg geblieben.» Luther stärkte und tröstete ihn immer wieder in den folgenden Jahren. Für ihn war dieser Bischof ein Exempel, dem weitere folgen sollten. Nicht zuletzt, um sich gegen die zunehmenden Eingriffe der weltlichen Obrigkeit in geistliche Dinge besser wehren zu können. Die weltlichen Fürsten als oberste geistliche Autorität, wie sie sich in ihren Ländern bald überall durchsetzten, waren eben nicht Luthers Ideallösung. «Notbischöfe» nannte er sie und gab ihnen das Recht dazu. Doch dieses Provisorium blieb in Deutschland von Dauer über fast vier Jahrhunderte bis 1918. Das Naumburger Experiment scheiterte und fand keine Nachfolge im deutschen Protantismus.

Eins fällt auf: Luther hat in der neuen Kirche, die sich allen gegenteiligen Absichten zum Trotz in Kursachsen bildete, keine Ämter und keine Posten angestrebt. Er blieb Professor für Theologie und Seelsorger der Wittenberger. Er versuchte, allen Bitten mit Rat nachzukommen. Er warnte ungefragt, wenn die Entwicklung nicht so verlief, wie er es sich vorstellte. Er ermutigte die Obrigkeit, hart durchzugreifen, um die Ordnung – auch die kirchliche – aufrechtzuerhalten. Er war ein Realist und überzeugt, die Menschen seien ohne feste Stützen und ohne Disziplin nicht bei einer Sache zu halten, die er nun einmal für die wichtigste hielt. Er lebte in der Spannung, darüber seine Theologie nicht aufzugeben: daß der Glaube eine Gnade ist, die jeder im Augenblick des Todes allein nachvollziehen muß. Wie er es den Wittenbergern 1522 nach seiner Rückkehr von der Wartburg gepredigt hatte: «In die Ohren können wirs wohl schreien, aber ein jeglicher muß für sich selber geschickt sein in der Zeit des Todes. Ich werde dann nicht bei dir sein noch du bei mir.»

Vielleicht sagt die strikte Abstinenz von Ehren und Ämtern mehr über Luther aus, als man auf den ersten Blick glauben mag. Er war und blieb radikal, was ihn selbst und seinen Glauben betraf, und hielt doch die Mehrheit für so schwach, daß es seiner Meinung nach nicht ohne Ämter, nicht ohne Anordnungen von oben ging. Für sich und seine Person zeigte er keinen Ehrgeiz. Er war selbstbewußt um der Sache Gottes willen. Der Ruhm bei den Menschen hat ihn nicht verändert und nicht korrumpiert.

Im November 1543 feierte Luther seinen 60. Geburtstag. So robust er war, so sehr er den Kampf liebte und in der Auseinandersetzung, im entschlossenen Widerstand auflebte, die Jahre hatten ihn viel Kraft gekostet. Das Neue, das entstanden war und gegen seinen Willen ein immer größeres Eigenleben gewann, betrachtete er aus der Distanz und mit zunehmendem Mißtrauen. An seinen Bischof Amsdorf hatte er im August 1543 geschrieben: «Es scheint mir das verwunderlich, was die Welt heutzutage tut. Entweder habe ich niemals die Welt gesehen, oder es entsteht, während ich schlafe, täglich eine neue Welt.» Im Frühjahr 1544 klagte er einem alten Bekannten aus längst vergangenen Klostertagen: «Ich bin in der Tat müde, träge, kalt, d. h. ein Greis und unnütz. Ich habe meinen Lauf vollendet. Es bleibt nur noch, daß mich der Herr zu meinen Vätern versammle und der Verwesung und den Würmern ihr Teil übergeben wird. Ich habe genug gelebt, es ein Leben zu nennen ...

Um den Kaiser und das ganze Reich kümmere ich mich nicht, außer daß ich sie im Gebet Gott empfehle. Es scheint mir die Welt auch zu der Stunde ihres Endes gekommen und ganz und gar veraltet zu sein wie ein Gewand und daß sie bald verwandelt werden muß. Amen ... Meine Tochter Margarethe dankt dir für dein Geschenk. Sie hatte zugleich mit allen ihren Brüdern eine kleine Krankheit ... und liegt noch jetzt bedenklich im Kampfe mit Leben und Gesundheit. Und ich werde dem Herrn nicht zürnen, wenn er sie wegnehmen sollte aus dieser satanischen Zeit und Welt, aus der auch ich mit allen den Meinen rasch herausgerissen zu werden wünschte.» Eine apokalyptische Stimmung, die keine Laune war. Zwanzig Jahre schon lag es zurück, daß er die Studenten in seiner Psalmen-Vorlesung auf das nahende Ende vorbereitet hatte. Das berühmte Zitat vom Apfelbaum, den er heute noch pflanzen würde, wenn auch morgen die Welt unterginge, ist Legende und ohne gesicherte historische Quellen.

Sein Überdruß an der Welt, Krankheiten, die ihn zunehmend quälten, hinderten Luther keineswegs, zur Feder zu greifen und kräftig dreinzuschlagen. Der katholische Herzog Heinrich von Braunschweig-Wolfenbüttel wurde 1541 in einem gedruckten Pamphlet als «Hans Worst» [Wurst] verspottet. Das war noch harmlos gegenüber dem, was im Haupttext folgte: «Du solltest nicht eher ein Buch schreiben, du hättest denn eher einen Fortz von einer alten Sau gehört, da solltest du dein Maul aufsperren und sagen: Dank habe, du schöne Nachtigall, da höre ich einen Text, der ist für mich.» 1545 erschien «Wider das Papsttum zu Rom, vom Teufel gestiftet». Darin wurde die Kirche des römischen Papstes als «Bubenschule, Huren- und Hermaphroditenkirche» und «Teufels-synagoge» gebrandmarkt. Zum Abschluß der Schrift heißt es: «Ich muß aufhören, ich mag nicht mehr in dem lästerlichen, höllischen Teufelsdreck und Gestank wühlen.»

Auch die eigenen Herren gingen nicht leer aus. Luther sah sehr wohl, wie sehr die Obrigkeiten überall die neuen Strukturen ausnutzten, um in geistliche Dinge hineinzuregieren oder sie für ihre politischen Zwecke zu mißbrauchen: «Denn wenn das eintritt, daß die Höfe die Kirchen nach ihren Gelüsten regieren wollen, so wird Gott keinen Segen geben, und das Letzte wird ärger werden als das Erste ... Entweder sollen sie nun auch selbst Pfarrer werden, predigen, taufen, die Kranken besuchen, das Abendmahl reichen und alle kirchlichen Aufgaben übernehmen oder aufhören, die Berufe ineinanderzumengen ... Wir wollen die Ämter der Kirche und des Hofes unterschieden haben oder beide werden Schaden nehmen. Der Satan fährt fort, Satan zu sein; unter dem Papst mengte er die Kirche in das Weltregiment. Zu unserer Zeit will er das Weltregiment in die Kirche mengen. Aber wir wollen mit Gottes Hilfe Widerstand leisten und uns nach unseren Kräften bemühen.»

In diesen Jahren, wo Luther sich fragen mußte, was aus seiner Sache geworden war, kommt es auch zu einer endgültigen Auseinandersetzung mit jenen, die er einst als Glaubensgenossen des Jesus von Nazareth in Schutz genommen hatte und die ihrerseits von dem Mönch aus Wittenberg Großes erhofften: mit den Juden. Auf beiden Seiten hatten sich die Erwartungen nicht erfüllt, löste die Enttäuschung Bitterkeit aus. Luther vor allem mußte seine Hoffnungen begraben, daß die Juden zum christlichen Glauben finden würden, nachdem er ihn von Verzerrungen und Mißbräuchen gereinigt hatte.

Der Umschwung in den vierziger Jahren ist allerdings nicht die Laune eines cholerischen alten Mannes. Auch er gründet in Luthers Theologie und bahnte sich schon ein Jahrzehnt früher an, als Luther merkte, daß die Juden nicht bereit waren, ihre Bibel, das Alte Testament, im Sinne der christlichen Theologie zu interpretieren. Drei gelehrte Juden, die Luther 1536 in Wittenberg aufsuchten, mußten erfahren, daß er ihre Auslegung gemäß der jüdischen Tradition strikt ablehnte. Luthers Reaktion: «Darum will ich mit keinem Juden mehr zu tun haben.» 1538 erscheint seine Schrift «Wider die Sabbather». Sie versucht, das Elend der Juden seit ihrer Vertreibung aus Jerusalem theologisch zu deuten: «Denn solche schreckliche, lange, greuliche Strafe zeigt an, daß sie greuliche, schreckliche Sünden müssen auf sich haben, dergleichen von der Welt her nie gehört sind.»

Das war erst der Anfang. Drei weitere Schriften folgen 1542/43: «Von den Juden und ihren Lügen»; «Vom Geschlecht Christi» und «Von den letzten Worten Davids». Es ist wichtig, sich von der groben Sprache nicht täuschen zu lassen. Es geht hier nicht um oberflächliche Schimpfkanonaden und auch nicht darum, die Juden als «Untermenschen» zu diffamieren. Wie viele Theologen vor ihm rechnet Luther mit den Juden theologisch ab. Das ändert nichts daran, daß die praktischen Konsequenzen, die Luther aus seiner theologischen Überzeugung zieht, unmenschlich sind und daß seine Worte von seiner Kirche durch die Jahrhunderte auf fatale Weise benutzt und daß sie zu vortrefflichen Waffen in den Händen der Antisemiten wurden.

Im Mittelpunkt dieser Schriften steht der Versuch, das ganze jüdische Alte Testament als einen einzigen Hinweis auf Christus zu interpretieren, wie es die römische Kirche seit Jahrhunderten tat. Weil die Juden Christus nicht als Erlöser erkannt haben, sind sie nichts als «trübe Neige, garstige Hefe, verdorrter Schaum, schimmlige Grundsuppe und [ein] morastiger Pfuhl ...» Es bleibt nicht bei dieser theoretischen Verurteilung. Dezidiert sagt Luther den Fürsten und Magistraten, wie sie mit den Juden verfahren sollen: «... daß man auch ihre Häuser desgleichen zerbreche und zerstöre ... Dafür mag man sie etwa unter ein Dach oder Stall tun, wie die Zigeuner, auf daß sie wissen, sie seien nicht Herrn in unserm Land, wie sie rühmen, sondern im Elend und gefangen ...»

Selbst Gefangenschaft ist nicht demütig genug. Sklavenarbeit sollen die Geächteten leisten: «... daß man den jungen, starken Juden und Jüdinnen in die Hand gebe Flegel, Axt, Karst, Spaten, Rocken, Spindel und lasse sie ihr Brot verdienen im Schweiße der Nasen, wie Adams Kindern auferlegt ist ... Besorgen wir uns aber, daß sie uns möchten an Leib, Weib, Kind, Gesind, Vieh usw. Schaden tun, wenn sie uns dienen oder arbeiten sollten ... so laßt uns bleiben bei gemeiner Klugheit anderer Nationen, als Frankreich, Hispanien, Böhmen usw. und mit ihnen rechnen, was sie uns abgewuchert, und darnach gütlich geteilet, sie aber für immer zum Lande ausgetrieben. Denn, wie gehört, Gottes Zorn ist groß über sie, daß sie durch sanfte Barmherzigkeit nur ärger und ärger, durch Schärfe aber wenig besser werden. Drum immer weg mit ihnen.»

Zum Schluß fordert Luther dazu auf, alle Erinnerungen an dieses Volk gewaltsam auszulöschen: «... daß man ihre Synagoga oder Schule mit Feuer anstecke und, was nicht verbrennen will, mit Erde überhäufe und beschütte. Daß kein Mensch einen Stein oder Schlacke davon sehe ewiglich. Und solches soll man tun, unserm Herrn und der Christenheit zu Ehren, damit Gott sehe, daß wir Christen seien und solch öffentlich Lügen, Fluchen und Lästern seines Sohnes und seiner Christen wissentlich nicht geduldet noch gewilliget seien.»

Was ist Schuld? Luther kann die Deutschen von Auschwitz nicht freisprechen. Aber unerheblich sind diese Worte eines christlichen Theologen auch nicht. Sie sind nicht Rauch, der vergeht, sondern Zeichen, deren sich die Nachgeborenen bemächtigten. Gerade Luther hat ja stets gepredigt, was für ein ungeheures Gewicht Worte haben. Als im November 1939 in Deutschland die Synagogen brannten, als Menschen geschlagen und verhaftet wurden, nur weil sie Juden waren, nannte es ein protestantischer Pfarrer eine göttliche Fügung, daß diese «Reichskristallnacht» gerade an Luthers Geburtstag ihren Lauf nahm.

Es wiederholte sich mit den Juden, was sich schon bei der Verfolgung der Täufer gezeigt hatte: Die weltlichen Obrigkeiten waren barmherziger als die Theologen. Das 16. Jahrhundert erlebte die grausamen Judenverfolgungen des Mittelalters nicht mehr. Die brutalen Traditionen, die Luther fortgeführt sehen wollte, wichen praktischen Überlegungen. Die Fürsten brauchten das Geld der Juden, dafür boten sie den Ungeduldeten ihren Schutz. Martin Butzer, der Straßburger Theologe, hatte in einem Gutachten für Hessen ähnlich drakonische Maßnahmen wie Luther gefordert. Landgraf Philipp war anderer Meinung als sein Theologe und legte das Schriftstück zu den Akten, ohne im geringsten darauf einzugehen.

Am 17. November 1545 hielt Luther seine letzte Vorlesungsstunde über das erste Buch Mose, die Genesis, und sagte zu seinen Studenten: «Das ist nun die liebe Genesis. Unser Herr Gott geb', daß man's nach mir besser mache. Ich kann nicht mehr, ich bin schwach. Bittet Gott, daß er mir ein gutes, seliges Stündlein verleihe.» Über die Weihnachtstage machte er sich mit Melanchthon auf den Weg nach Mansfeld, wo die Grafen von Mansfeld seit langem in gegenseitiger Fehde lagen. Viel konnte er nicht ausrichten. Bei strenger Kälte ging es zurück nach Wittenberg. Aber Luther fühlte sich verpflichtet, um des Friedens willen noch einen Versuch zur Versöhnung zu wagen. Am 26. Januar 1546 brach er wieder mit Söhnen und Freunden auf und kam am 28. in seiner Geburtsstadt Eisleben an, wo die Verhandlungen zwischen den zerstrittenen Parteien geführt wurden.

Luther wohnte mit seinen Begleitern im Haus des Stadtschreibers. Um ihn, der auf der Reise einen Schwächeanfall gehabt hatte, zu schonen, wurde im gleichen Haus verhandelt. Langsam und zäh. Luther predigte zwischendurch in der Kirche, ging zum Abendmahl, führte zwei Geistliche in ihr Amt ein und schrieb fast jeden dritten Tag an seine Frau, die sich große Sorgen um ihn machte: «Der heiligen, ängstlichen Frau, Katharina Luther, Doktorin, meiner gnädigen lieben Hausfrau. Gnade und Frieden in Christus. Allerheiligste Frau Doktorin! Wir danken euch sehr herzlich für Eure große Sorge, von der Ihr nicht schlafen könnt . . . Bete du und lasse Gott sorgen. Dir ist nicht befohlen, für mich oder dich zu sorgen . . .»

Einen Tag nach seiner Ankunft, als Luther in seiner Stube saß, schrieb er Gedanken, die ihm durch den Kopf gingen, auf einen Zettel. Es wurde sein Vermächtnis an die Welt. Auf erstaunliche Weise schließen diese Gedanken den Kreis zu jenem jungen Mönch, den die humanistische Tradition seines Ordens prägte. Der, obwohl er dem Volk aufs Maul schaute, stets ein Liebhaber der klassischen antiken Schriftsteller blieb. Mit fortschreitendem Alter hat Luther sie noch mehr als früher in seine Tischgespräche eingeflochten. Cicero war für ihn der Größte. Gleich danach kam für ihn Vergil mit seinen Gedichten über das Landleben – «Bucolica» und «Georgica» – und mit seinem großen Epos über Äneas, den sagenhaften Gründer Roms.

Luther notierte an jenem 29. Januar 1546 auf latein: «Den Vergil in seinen Bucolica und Georgica kann niemand verstehen, er sei denn fünf Jahre Hirt oder Landmann gewesen. Den Cicero in seinen Briefen versteht niemand, wenn er nicht zwanzig Jahre in einem hervorragenden Staatswesen sich betätigt hat. Die Heilige Schrift glaube niemand genügend geschmeckt zu haben, er hätte denn hundert Jahre mit den Propheten Kirchen geleitet. Darum ist es ein ungeheures Wunder um: 1. Johannes den Täufer, 2. Christus, 3. die Apostel. Vergreife dich nicht an dieser göttlichen Aeneis, sondern beuge dich und verehre ihre Spuren. Wir sein pettler. Das ist wahr.» Einen Satz nur hat er auf deutsch eingeschoben: Wir sein pettler.

Die Verhandlungen in Eisleben kamen nicht voran. Schon wollten die Wittenberger unverrichteter Dinge wieder aufbrechen. Da meldete Luther seiner Käthe am 14. Februar: «Gott hat hier große Gnade gezeigt. Denn die Herren haben durch ihre Räte fast alles verglichen . . . ich schicke dir Forellen, so mir die Gräfin Albrecht geschenkt hat. Die ist der Einigkeit von Herzen froh.»

Was dann am 17. Februar 1546 geschah, es war ein Mittwoch,

haben die anwesenden Theologen aus Wittenberg auf Wunsch des sächsischen Kurfürsten wenig später in einem ausführlichen Dokument protokolliert. Sie besuchten Luther nachmittags in seiner Stube: «Als wir hinauf kamen, hat er sich aber hart geklaget umb die brust. Da wir mit warmen tüchern ihn wol gerieben, das er empfand und sprach: ‹Ihm were besser.›» Man holte ihm Medizin aus der Apotheke, das Bett wurde mit warmen Kissen ausgelegt, und er schlief ein. In der Kammer blieben die Freunde, der Diener und zwei seiner Söhne. Um ein Uhr nachts wachte Luther auf, klagte über Brustschmerzen, ging im Zimmer auf und ab und sprach auf lateinisch den Psalm: «In deine Hände empfehle ich meinen Geist.»

Langsam fürchtete seine Umgebung das Schlimmste. Der Stadtschreiber wurde geweckt und die beiden Ärzte in der Stadt. Graf Albrecht von Mansfeld kam mit seiner Frau. Luther lag wieder im Bett, betete teils deutsch: «Ich bitte dich, mein Herr Jesus, laß dir mein Seelichen befohlen sein!» Dann wieder sehr schnell auf lateinisch: «In deine Hände empfehle ich meinen Geist.» Endlich wurde er ruhiger. Er drehte sich auf die rechte Seite und schlief eine Viertelstunde. Die Ärzte warnten alle, daraus Hoffnung zu schöpfen. Sie hatten recht: «Nachdem erbleicht der doctor [Luther] sehr unter dem angesicht, wurden ihm fuße und nase kalt; thet ein tief, doch sanft odem [Atem] holen, mit welchem er seinen geist aufgab, mit stille und großer geduld, daß er nicht mehr ein finger noch bein reget.»

Am Montag, dem 22. Februar 1546, war ein Gedränge in den Straßen von Wittenberg, wie man es nie zuvor erlebt hatte. Ein langer Zug bewegte sich vom Stadttor zur Schloßkirche. Fürsten und Grafen, Professoren und Studenten, der Rat der Stadt, «dergleichen viel burgerin, matronen, frauen, jungfrauen, viel erlicher kinder, jung und alt, alles mit lautem weinen und wehklagen ... und nechst nach dem wagen, darauf die leich gefaren, ist sein ehelich gemahl die frau doctorin Katharina Lutherin sampt etlichen matronen auf einem weglin hinnach gefurt». In der Schloßkirche hielt Johannes Bugenhagen, der Freund und Beichtvater, «vor etlich tausend menschen gar eine christliche, tröstliche predigt». Nach ihm sprach Melanchthon eine lateinische Gedächtnisrede für den gelehrten Professor der Theologie. «Nachdem die oration geendet, haben die leich hingetragen etliche gelehrte magistri, dazu verordnet, welche die leich in das grab gelassen und also zur ruhe gelegt.»

Fünfzehn Monate später, im Mai 1547, betrat ein Mann die Wittenberger Schloßkirche, dessen Lebensziel es war, den Glauben seiner Väter und die Einheit der Kirche zu bewahren, wie er es geschworen hatte. Jetzt ging Karl V., Kaiser des Heiligen Römischen Reiches Deutscher Nation, zu dem Grab jenes Mannes, der in seinen Augen dieses Lebenswerk zerstört hatte. Luthers Antwort auf diesen Vorwurf hatte er dem Kaiser 26 Jahre zuvor in Worms gegeben: Er wollte nichts als das reine Evangelium predigen und den Menschen sagen, daß auf Gott allein Verlaß ist.

1543, der Kaiser war noch in Spanien, hatte er seinem Sohn und Nachfolger geschrieben: «Alle Dinge liegen in der Hand Gottes, und nicht um meiner Verdienste willen, sondern nur aus seiner Gnade erbitte ich, daß er mir helfe.» 1547 beherrschten seine Truppen nach kurzem, erfolgreichem Kriegszug das geographische und geistliche Herzstück der deutschen Protestanten. Sie lagen vor jener Stadt, die zum Gegenpol Roms geworden war. Der Kurfürst von Sachsen war sein Gefangener. Philipp von Hessen sollte es wenig später werden.

Übereifrige rieten dem Kaiser, die Gebeine des Ketzers ausgraben und, zu Asche verbrannt, als abschreckendes Beispiel in alle Winde zerstreuen zu lassen. Für Karl V. war es der triumphalste Tag seines Lebens. Der Mönch aus Wittenberg, der ihn immer als Kaiser respektiert hatte, war sein Todfeind gewesen. Wäre er lebend in seine Hände gefallen, Karl V. hätte keine Gnade gekannt. Doch auch ein Kaiser muß vor Gottes Gericht erscheinen. Das Grab in Wittenberg blieb unberührt.

# Der Streit bricht los

Der Sieger: Als Augsburg kapituliert, müssen die Ratsherren, aus alten, stolzen Geschlechtern, dem Kaiser zu Füßen fallen. Die Gesandten von Ulm liegen eine halbe Stunde lang vor Karl V. auf den Knien, ohne den Kopf heben zu dürfen. Am 1. September 1547 war er triumphierend zu einem Reichstag in Augsburg eingezogen. Er wird der längste dieses Jahrhunderts sein und bis zum 30. Juni des folgenden Jahres dauern. Der Kaiser und sein tausendköpfiges Gefolge verbreiten Glanz und Schrecken. Pferderennen und Saujagden werden veranstaltet. Der Chronist beschreibt, in welcher Bekleidung sich die kaiserliche Majestät unter ihrem Baldachin aus golddurchwirktem Tuch niederläßt: «Die kay.mt. ist mit ainem schwartzen attleßin rock, auf spanisch gemacht, beklaidt gewesen, ain schwartz sametin parett auf dem haubt und weiß spanisch stiffel angehabt, ist wolauf und volligs leibs ...»

Ärger gibt es wie immer bei der Einquartierung und dem ungewöhnlich langen Zusammenleben zwischen Einheimischen und Fremden. Besonders die katholischen Spanier sind den protestantischen Augsburgern ein Dorn im Auge. Sie stören nicht nur die Gottesdienste, sondern beanspruchen frech die besten Stuben. Die Bewohner müssen sich derweil in Dachkammern zusammendrücken und mit ansehen, wie ihre Untermieter das Mobiliar zerstören und – im Winter – verheizen. Der Chronist klagt, «etlich erbar leut» seien «vor laid gestorben». Äußerlichkeiten, aber keine zufälligen. Die Anhänger Luthers, vernichtend geschlagen, mußten das alles zähneknirschend ertragen. Es sollte, was ihren Glauben betraf, noch viel schlimmer kommen.

Dabei hatte sich das Blatt im geheimen schon zu ihren Gunsten gewendet, wenn auch vorläufig davon nichts spürbar wurde. Karl V., auf dem Höhepunkt seiner Macht und entschlossen, endlich die römisch-katholische Religion in seinem Reich wieder als einzige durchzusetzen, wurde wieder einmal vom Papst in einem entscheidenden Augenblick im Stich gelassen. Dem Stellvertreter Christi war es wichtiger, seinen Interessen als weltlicher Herr des Kirchenstaates zu folgen und die Position des Kaisers und der Habsburger nicht zu stark werden zu lassen, statt zusammen mit Karl V. die Protestanten zu schlagen und die katholische Kirche zu reformieren. Schon im Frühjahr 1547 hatte der Papst seine Truppen aus dem kaiserlichen Aufgebot gegen die schmalkaldischen Verbündeten wieder abgezogen. Ein Jahr später ließ er das Konzil, das gegenüber der neuen Theologie keinerlei Konzessionen gezeigt hatte, abbrechen.

Aber diesmal wollte der Kaiser sich nicht mehr vertrösten lassen. Er nahm es selber in die Hand, einen Ausgleich zwischen den Altgläubigen und den Protestanten herbeizuführen und den Riß zu kitten. Auf allerhöchsten Befehl erarbeiteten kompromißbereite katholische Theologen und als einziger Lutheraner Johannes Agricola – der im Streit mit Luther aus Wittenberg geflüchtet war – eine Erklärung, «wie es der Religion halber im heiligen Reich bis zu Austrag des gemeinen Concilii gehalten werden soll». Als Reichsgesetz verpflichtend für jedermann, verordnete dieses «Augsburger Interim» für die Zwischenzeit (lateinisch: interim) bis zu einem Konzil dem Deutschen Reich einen einheitlichen Glauben. Der Kaiser verspricht darin, in geistlichen Dingen «eine nützliche Reformation zu verschaffen». Von der römischen Kirche wird gefordert, «abzutun die Ärgernisse aus der Kirche, die große Ursache gegeben haben zu der Zerrüttung dieser Zeit». In einer besonderen «Formula Reformationis» werden sehr genaue Anweisungen für eine Besserung der kirchlichen Zustände, besonders beim Klerus, gemacht. Die Bischöfe werden angehalten, in nächster Zeit Synoden einzuberufen, «damit der fromme Reformationseifer nicht durch langes Aufschieben erkaltet».

Dogmatisch blieb der alte Glaube ohne Abstriche. Als Entgegenkommen wurde den Protestanten die Priesterehe und die Austeilung des Abendmahls in beiderlei Gestalt – Brot und Wein – gestattet. Dafür mußten sie schwerwiegende Änderungen hinnehmen, die überdeutlich eine Rückkehr in die alte Kirche demonstrierten: Die Anhänger Luthers unterstanden ab sofort wieder den katholischen Bischöfen. Die sieben Sakramente – von den Protestanten auf zwei reduziert – waren für alle verpflichtend. Wo Gewänder und Altarschmuck in den Schränken der Sakristei verschwunden waren – vor allem im süddeutschen Protestantismus –, mußte beides wieder hervorgeholt werden. Die Messen mußten haargenau nach dem römischen Ritus gefeiert werden. Alle, die ihren neuen Glauben ernst nahmen, waren herausgefordert: Sollte man das Diktat des Augsburger Interims annehmen, um auf bessere Zeiten zu hoffen, oder sollte man dem Kaiser den Gehorsam aufkündigen? Und damit vielleicht Nachteile, ja Verfolgung auf sich nehmen?

Die Antwort auf die Gewissensfrage spaltete die evangelische Bewegung tief. Ausgerechnet die Wittenberger, unter Führung Melanchthons, waren bereit, die kaiserlichen Zumutungen auf ihr Gewissen zu nehmen. Der Kern der lutherischen Lehre sei gewahrt, und das bleibe die Hauptsache. Die römische Messe habe man schließlich seit tausend Jahren nicht anders gefeiert. Und was die Meßgewänder, den Weihrauch, die Bilder und Kerzen beträfe: Das seien «Adiaphora», neutrale Äußerlichkeiten, «mittlere Dinge», weder gut noch böse. So habe sich auch Luther geäußert. Um zur Seligkeit zu gelangen, spielen sie keine Rolle. Dem sächsischen Kurfürsten empfahlen die Theologen, sich an das Interim zu halten, «weil solches ohne Verletzung guter Gewissen wohl geschehen mag». Die Wittenberger hatten ihre Rechnung, in der Ruhe und Übereinstimmung mit der alten Kirche obenan standen, ohne ihre Glaubensbrüder in Süd und Nord gemacht.

Zwar wichen viele Städte der kaiserlichen Gewalt. Auch das große Straßburg, wo so viele unterschiedliche Prostestanten Zuflucht gefunden hatten. Fürstliche Obrigkeiten versuchten, beim Kaiser Sondergenehmigungen auszuhandeln und befahlen derweil der Geistlichkeit, gehorsam zu sein und wenigstens äußerlich mitzumachen. Doch der Widerstand, erst vereinzelt und schwach, wurde immer stärker. Von Magdeburg, wohin viele unbeugsame Geistliche geflohen waren, gingen unermüdlich Streitschriften ins Land, die die Lutheraner aufriefen, treu zu ihrem Glauben zu stehen. In Ostfriesland hatte die Gräfin Anna befohlen, sich an das Interim zu halten. Als die Geistlichen in Emden sich weigerten, ließ sie die Kirchen schließen. Die Pfarrer tauften und predigten daraufhin unter freiem Himmel und schrieben ihrer Landesherrin: «Deshalb ist dies unser Rat: Wenn Ew. Gnaden überhaupt noch Hilfe, Wohlergehen und Erlösung erwarten, so halten Ew. Gnaden an Gott und seinem heiligen Wort fest und an der Berufung, dazu der Herr Ew. Gnaden gesetzt hat, mit festem Vertrauen auf die Zusage Gottes, daß Gott Ew. Gnaden und ihre armen Untertanen am Ende nicht verlassen wird, und wenn er schon keine äußerliche Hilfe oder Rettung gibt, dann wolle er mit Ew. Gnaden und unser aller Tod seinen Namen herrlich machen und Ew. Gnaden und uns alle aus diesem Jammertal retten.»

Im Dezember 1548 erklärten sich die Geistlichen der drei Hansestädte Lübeck, Hamburg und Lüneburg gegen das Interim. Nach etlichem Lavieren schloß sich auch der Lübecker Rat mit zehn gegen sieben Stimmen diesem Votum an. Auch diese Entscheidung wurde sofort gedruckt unter das Volk gebracht, um Stimmung gegen das kaiserliche Religionsdiktat zu machen. Die Argumente waren im ganzen Land die gleichen: Zu Lebzeiten Luthers hatten äußere Ordnungen und Zeichen keine entscheidende Bedeutung, weil alles noch in der Schwebe, im Entstehen war. Jetzt aber, wo es um Sein oder Nichtsein der neuen Theologie ging, dürfe man «die Feldzeichen des Papstes», die römischen Farben und Bräuche, nicht akzeptieren. Jetzt bekenne man sich mit solchen Äußerlichkeiten zu einem bestimmten Glauben, und deshalb seien sie nicht mehr zweitrangig.

Die Geister trennten sich. Für Melanchthon war die Einheit im Glauben das Allerwichtigste. Er blieb seiner Linie treu, die er schon 1530 in Augsburg beim Abfassen der Confessio Augustana eingeschlagen hatte: katholisch wollte er bleiben, wenn auch mit einer gereinigten Theologie. Das Losungswort seiner Gegner hieß «protestantisch». Sie sahen nicht auf die Übereinstimmungen, sondern auf die Unterschiede und pochten darauf. Sie hatten ein anderes neues Selbstbewußtsein und wollten nicht mehr davon lassen. Inbrünstig sangen sie im Lied gegen das Interim: «Solt unser seel ver-

terben, / wir nehmen dich nicht an! / viel lieber wollen wir sterben / bapst, kaiser faren lan [lassen].»

Fortuna ist eine launische Göttin. Drei Jahre später schon mußte
Karl V., in einer Sänfte getragen, Hals über Kopf von Innsbruck
über die Alpen nach Villach flüchten. Moritz von Sachsen, der protestantische Verbündete des Kaisers, hatte mit einem meisterhaften
politischen Coup seinen Herrn überrumpelt und befand sich für die
Sache seiner Glaubensgenossen auf siegreichem Vormarsch. Und
1555 handelte König Ferdinand in Augsburg im Auftrag seines kaiserlichen Bruders mit den Ketzern von gestern einen «beständigen,
beharrlichen, unbedingten für und für währenden Frieden» aus.
Immer noch war keine Rede von getrennten Kirchen, blieb die
Hoffnung auf ein gemeinsames Konzil. Trotzdem: 1555 wurde die
Spaltung der Kirche mit Brief und Siegel versehen. Der Augsburger
Religionsfriede war ein Provisorium mit Ewigkeitscharakter.

Glaubensfreiheit allerdings brachte er nicht. Sie wollte weder die
eine noch die andere Seite. Die Formel, auf die man sich einigte,
hieß: «Ubi unus dominus, ibi una sit religio.» Wo *ein* Herr ist, da
sei auch *eine* Religion. (Der viel berühmtere Satz «Cuius regio, eius
religio» kam erst 1612 auf.) Die Betonung liegt auf eine: eine einzige. Der Entscheidung des Landesherrn für den alten Glauben oder
das Augsburger Bekenntnis von 1530 mußten sich alle Untertanen
anschließen. Wer anders wählte, konnte auswandern. Ein Fortschritt gegenüber den mittelalterlichen Jahrhunderten, wo auf An-
dersgläubige nur der Scheiterhaufen wartete. Ein Nachteil: Vor der
Auswanderung mußten Hab und Gut verkauft werden. Zu billig
sollten die Abweichler nicht davonkommen. Die Lutherischen hatten darauf bestanden, daß in diesen Religionsfrieden nur eingeschlossen wurde, wer die Confessio Augustana unterschrieben hatte. Damit waren nicht nur die Wiedertäufer und kleine Grüppchen
am linken Rand ausgeschlossen. Auch für jene, die sich die «Reformierten» nannten, war im Deutschen Reich kein Platz: die Anhänger Zwinglis und eine kleine, aber entschlossene Schar von Christen, die sich auf Johannes Calvin berief, der in Genf wirkte und
diese Stadt zu einem Muster «reformierter» Lebensart machte. Von
ihm wird gleich zu reden sein.

Mit dem Frieden von Augsburg werden Religion und Politik

weiterhin auf Gedeih und Verderben miteinander verknüpft. Der Kampf der mittelalterlichen Obrigkeit gegen die Vormacht der Kirche endete mit einem absoluten Sieg – im Herrschaftsbereich des neuen Glaubens. Der evangelische Landesherr war nun wirklich Papst in seinem Territorium. Von Rechts wegen konnte ihm da niemand dreinreden. Der katholische hatte in Glaubensfragen immerhin den Papst noch über sich. Ausgenommen von dieser Regelung wurden die Reichsstädte, in denen eine säuberliche Trennung der unterschiedlichen Richtungen nicht mehr möglich war, ohne das soziale Netz, ja die Familien auseinanderzureißen. Hier wurde religiöser Pluralismus zum erstenmal sanktioniert. Es konnte ein jeder bei «seiner religion, glauben, kirchengepreuchen, ordnungen und ceremonien» bleiben. Niemand mußte wegen seines Glaubens sein Bündel schnüren.

Es gab eine einflußreiche Stadt, die war frei und hätte doch einem solchen Kompromiß nicht zugestimmt. Denn in Genf bestimmte Johannes Calvin den Lauf der Dinge, und er hielt gar nichts von religiöser Toleranz. Der Franzose Jean Cauvin – Johann Calvin – war gelernter Jurist, humanistisch gebildet, als er in den dreißiger Jahren sein Bekehrungserlebnis hatte. Er beschloß, sein Leben zu ändern und andere für die gleichen Ziele zu gewinnen. Diesen Weg ist er so rigoros und konsequent gegangen, wie es weder Luther noch Zwingli, dessen Theologie Calvin am nächsten stand, getan haben. Nicht die verzweifelte Suche nach der Rechtfertigung des Sünders vor Gott steht im Zentrum seiner Theologie: «Ein Christenmensch muß sich höher erheben als zum Suchen und Ringen nach der eigenen Seele Seligkeit.» Nach Calvin war der Mensch in dieser Welt, um für die Ehre Gottes zu kämpfen. Er sollte nicht dulden und leidend alles ertragen. Gott braucht und fordert aktive Streiter, die sein Reich ausdehnen. Ein guter Streiter wiederum braucht Sendungsbewußtsein und Organisationstalent, will er Erfolg haben. Beides setzte Calvin überreich für die protestantische Sache ein.

In Genf, wo er nach einer vorübergehenden Vertreibung mit offenen Armen wieder aufgenommen wurde, beugten sich die Bürger seinem starken Willen. Durchgesetzt hat Calvin ein Christentum, das keine Trennung zwischen geistlichem und weltlichem Bereich kennt und das auf die sittlich einwandfreie Lebensführung größten Wert legt. An ihr läßt sich das göttliche Wohlwollen ablesen. Die Moral der Pfarrer und der ganzen Gemeinde wurde in Genf schärfstens kontrolliert und reglementiert. Die Verfehlungen des Nachbarn anzuzeigen war eine gute Tat. Karten- und Würfelspiele wurden abgeschafft. Tanzen und Theaterspielen natürlich auch. Zeitweilig die Wirtshäuser ganz geschlossen. Calvin kannte keine Skrupel, die Todesstrafe durch Ertränken auch für Jugendliche zu fordern. Seine Argumente für eine strenge moralische Aufsicht, «Kirchenzucht» genannt: «Was wird denn in Zukunft geschehen, wenn jedem erlaubt sein soll, was gefällt? ... Die Zucht ist eine Art Zügel, mit dem die festgehalten und gezähmt werden sollen, die gegen Christi Lehre wüten. Oder sie ist wie ein Stachel, mit dem die angetrieben werden sollen, die wenig willig sind. Manchmal ist sie auch eine Art väterlicher Rohrstock ...»

In theologischen Fragen war Calvin nicht weniger kompromißlos. Der Irrtum hatte kein Recht auf Leben. Sebastian Castellio, Vorkämpfer einer wirklichen Toleranz, konnte gerade noch aus Genf fliehen, nachdem er es gewagt hatte, die angebliche Höllenfahrt Christi – nach dem Tod am Kreuz und vor der Auferstehung – anzuzweifeln und das Hohe Lied der Liebe des Salomo ein erotisches Gedicht zu nennen. Der gelehrte Humanist Michael Servet hatte weniger Glück. Servet, der als erster entdeckte, daß der menschliche Blutkreislauf durch die Lunge führt, zweifelte fast alle christlichen Dogmen an, von der Dreifaltigkeit bis zur Erbsünde. Auf der Flucht vor der französischen Inquisition wurde er in einer Genfer Kirche erkannt und verhaftet. Calvin selbst schrieb die Anklageschrift und forderte die Todesstrafe. Als Servet 1553 hingerichtet wurde, beglückwünschte Melanchthon den Schweizer Kirchenmann, den er persönlich kannte, zu diesem Erfolg.

Calvin hatte sich etwas vorgenommen und wollte es durchsetzen, weit über Genf hinaus. Er korrespondierte mit Königen und Fürsten. Er zögerte nicht, politische Ratschläge zu erteilen. Die Genfer Gemeinde wurde bis ins kleinste Detail von ihm organisiert. Die traditionelle kirchliche Hierarchie lehnte er ab. Trotzdem war er kein direkter Vorläufer der Demokratie. Dem Volk mißtraute er. Es hatte zu gehorchen. Von Revolutionen hielt Calvin gar nichts.

Doch indem er die Mobilisierung des einzelnen für seinen Glauben betonte, förderte er zugleich unbewußt einen Individualismus, der eines Tages auf politische Bereiche überspringen und die Reformierten zu den frühesten Kämpfern für demokratische Institutionen machen würde.

Die Genfer Ratsherren hatten es nicht leicht mit ihrem obersten Kirchenmann. Doch als Calvin 1564 starb, ehrten sie ihn als einen «Charakter von großer Majestät». Für Gott alles, für sich nichts: Calvin hat sich ein öffentliches Begräbnis und ein markiertes Grab verbeten. Niemand weiß, wo er seine letzte Ruhe fand.

Während die calvinische Theologie sich nicht mit Gegnern aus dem eigenen Lager auseinandersetzen mußte, ging es bei den deutschen Protestanten weniger harmonisch zu. Die Töne, die von überzeugten Anhängern der lutherischen Theologie im Streit um das Interim gegenüber Glaubensbrüdern angeschlagen wurden, ließen nichts Gutes ahnen für die Zeit, in der sich die neue Lehre ungehindert unter staatlichem Schutz ausdehnen und festigen konnte. Der Streit bekam eine Schärfe, über die wir im 20. Jahrhundert nur noch den Kopf schütteln können. Aber sind uns Glaubenskriege mit kompromißlosen Wortgefechten wirklich so fremd? Es muß dabei ja nicht um Himmel und Hölle gehen. Das allerdings hing für alle damals Streitenden daran: die ewige Seligkeit. Es ging um die absolute Wahrheit, die jeder auf seiner Seite wähnte. Nicht um irgendeine, sondern um die Wahrheit des Evangeliums. Sie zu verteidigen, war kein Schimpfwort zu grob. Konnte keine Schmähschrift verletzend genug sein. Stand man mit seinen Argumenten auf seiten des Himmels, dann gab es für den Gegner nur eine Alternative: die Hölle.

Luther hatte es ihnen vorgemacht: Wenn es um Gott ging, durfte es keine Kompromisse geben. Der Irrtum mußte bekämpft werden, ob er von den Katholischen kam oder aus den eigenen Reihen. So war es bei Müntzer und den Wiedertäufern, bei Zwingli und Erasmus, bei Schwenckfeld und Franck gewesen. Warum sollten seine Nachfolger anders vorgehen, zumal sie nun im Schutz der Obrigkeiten predigen und lehren konnten? Was Andreas Osiander, der in Nürnberg die neue Lehre durchgesetzt hatte und bei Anordnung des Interims nach Königsberg geflohen war, erklärte, stand in ähnlichen Worten in vielen Flugblättern und Streitschriften: «Das Interim annehmen und bewilligen heißt nichts anderes, als sich in äußerlichem Schein mit dem Antichrist vergleichen und also alle seine Sünden, Mißbräuche, Irrtümer, Verführungen, Abgötterei und Gotteslästerungen und Greuel helfen decken, beschönigen, entschuldigen, stärken und erhalten, wodurch denn die Gewissen befleckt und Gottes Zorn, der den Antichrist schon verurteilt und zum ewigen höllischen Feuer verdammt hat, auf sich geladen wird.» Auch Melanchthon war gemeint.

Es scheint eine Ewigkeit, und doch war Martin Luther erst zwei Jahre tot, als solche Worte ins Land gingen. Als Führernatur hatte er sich nie verstanden wie Zwingli und Calvin. Er wollte ein Prophet Gottes sein, seine Autorität allerdings half, unterschiedliche Interpretationen seiner Theologie zu Lebzeiten aus der Welt zu schaffen, mindestens nicht voll aufbrechen zu lassen. Als Johannes Agricola ihn wegen der guten Werke angriff, antwortete Luther keineswegs umgehend mit Bannsprüchen und Verdammungsurteilen. So eindeutig die Sache Gottes für ihn war, er vergaß darüber nicht, daß auch die Theologen nur Menschen waren. Was sie verkündeten, mußte Stückwerk bleiben bis ans Ende der Tage. Dann erst würde das Ganze sichtbar werden. Für ihn war die Bibel die einzige Autorität. Sie stand höher als jedes Dogma und jeder Kirchenlehrer. Galt das genauso selbstverständlich für seine Nachfolger? Oder wurde der Mann aus Wittenberg, vor dessen Glauben und vor dessen radikaler Theologie andere auf Mittelmaß und zu Epigonen schrumpften, nun zur allerletzten Autorität, auf die man sich berief? Auf jeden Fall mußten seine Worte im Zentrum aller Streitigkeiten unter Protestanten stehen.

Einer, der überzeugt war, Luthers Erbe auf das beste und genaueste zu hüten und in allen Stücken in seinem Sinn zu argumentieren, war der Wittenberger Hebräischprofessor und Theologe Matthias Flacius, der sich vor den kaiserlichen Truppen 1547 nach Magdeburg geflüchtet hatte. Hochbegabt und übereifrig, machte er mit Nikolaus von Amsdorf, dem Freund Luthers und ehemaligen Naumburger Bischof, die Stadt zu einem Zentrum der «Gnesiolutheraner», den Treuesten der Treuen. Da nach dem Stil der Zeit Namen zu Etiketten und Schimpfnamen herhalten mußten, handelte man seine Anhänger im Streit der folgenden Jahre als die Flacianer.

Paradoxerweise stand auf der Gegenseite jener Mann, dem Luther in vielen Äußerungen sein Erbe anvertraut hatte, ungeachtet aller Unterschiede der Temperamente und Charaktere. Sein Name wurde ebenfalls zum Schimpfwort oder Ehrenzeichen, je nachdem. Melanchthonisten oder Philippisten nannte man jene, die angeblich von Luthers Theologie abwichen und unter dem Einfluß Philipp Melanchthons standen. Der Vorwurf: Zu weich gegenüber der alten Kirche und später auch gegenüber der Theologie des Calvin. Nicht eindeutig genug in theologischen Definitionen. Die Unterschiede blieben eher verdeckt. Das war so falsch nicht, wie sich zeigen wird.

Der Streit ging über Jahrzehnte. Jeder gab sein Bestes. Ein Kennwort für diese zweite Hälfte des 16. Jahrhunderts heißt: rabies theologorum, ein Zeitalter des «Wütens der Theologen». Neu war das nicht. Aber anders. Die Lust am Disputieren war gute christliche Tradition. Doch in den zurückliegenden Jahrhunderten hatte es nur ein kleiner elitärer theologischer Zirkel getan. Der Streit blieb stets innerhalb der akademischen Welt. Mochten die theologischen Lehrstühle von Oxford und Paris miteinander in Fehde liegen: der Bürger, der in die Kirche ging, merkte gar nichts davon. Denn der Priester, der am Altar die Messe las, ahnte auch nichts von solchen Querelen. Er hatte nie eine Universität von innen gesehen, kein Semester Theologie studiert und kannte oft kein Latein. Kein Drucker und Verleger brachte die Schriften der Theologen unters Volk.

Jetzt blieb das Wüten der Theologen gegeneinander nicht im theologischen Elfenbeinturm verborgen. Die Geistlichen verbreiteten ihre Argumente in unzähligen Streitschriften und donnerten wochentags wie sonntags ihre vernichtenden und polemischen Urteile über ihre Glaubensbrüder am gleichen Ort, im gleichen Land von der Kanzel in die Gemeinden. Der einzelne Gläubige wurde mit in den Streit hineingezogen. Auch er mußte sich entscheiden, mußte Partei nehmen. Mehr noch: Pfarrer und Gemeindemitglieder blieben nicht unter sich. Fürsten und Stadträte mischten sich ein. Nicht als gläubige und interessierte Laien, sondern als Obrigkeit, die kraft ihres Amtes jeder Unruhe wehren mußte und für das Heil ihrer Untertanen verantwortlich war. Wurde ihnen der Streit zu ausfallend und verwirrend, haben sie ein Machtwort gesprochen. Es blieb aber nur Platz für *eine* Meinung nach dem Verständnis der Zeit. Für die Untertanen bedeutete das, von einem Tag auf den anderen liebgewordene Bräuche und Überzeugungen stillschweigend aufzugeben. Für die Geistlichkeit hing an solcher Entscheidung das Amt und die Existenz. Wer auf der falschen Seite stand, mußte weichen und jenseits der Grenze Parteigänger suchen.

Martin Luther hatte entgegen der mittelalterlichen Tradition gepredigt, daß weltliche und geistliche Bereiche zwei getrennte Welten seien. Daran hat er in der Theorie immer festgehalten. Sein Glaube war radikal auf die Bibel gebaut, unabhängig von päpstlichen Autoritäten und Konzilsentscheidungen. Das Wort Gottes – das reine Evangelium – war die höchste und letzte Instanz. Nach seinem Tod wurden theologische Aussagen und Interpretationen – die reine Lehre – zum Ausweis, an dem die ewige Seligkeit hing. Der Glaube an die Rettung des Menschen durch die Gnade allein genügte nicht mehr, um ein rechter Christ zu sein. Er wurde sogar zum erbitterten Streitpunkt unter den Lutheranern. Die Schüler zerstritten sich über die Lehre des Meisters. Was genau hatte er gemeint? Gerade mit dem Hinweis auf Luther verdammte man sich gegenseitig in die hintersten Höllen.

Schon zu Luthers Lebzeiten hatte es ersten Streit um seine rigorose Rechtfertigungslehre gegeben. Er selbst beklagte, daß die Wittenberger Gemeinde ihn mißverstand und jede eigene Anstrengung unterließ. Als ob der Glaube an Gottes Gnade und aktive christliche Nächstenliebe einander ausschließen würden. Luther hatte immer nur eins gepredigt: daß man sich mit Aktivitäten – guten Werken – nicht den Himmel verdient. Einen Christen ohne gute Werke konnte er sich genausowenig vorstellen.

Mit dem absoluten Vertrauen auf Gottes Gnade war die Absage an einen freien Willen des Menschen verbunden. Erasmus von Rotterdam hatte sie entsetzt zurückgewiesen, und die Humanisten unter den Lutheranern konnten sich nur schwer mit ihr befreunden. Mit feinsinnigen Unterscheidungen versuchten sie, Luthers radikale Aussage ein wenig zugunsten des Menschen zu mildern. Sie hatten Melanchthon dabei auf ihrer Seite, der stets befürchtet hatte, daß mit der Ablehnung des freien Willens beim Durchschnittschristen Sitte und Moral zum Teufel gehen müßten.

In beiden Punkten – guter Wille und gute Werke – war Matthias Flacius ganz anderer Meinung. Er setzte sich für eine kompromißlose Theologie ein und scheute besonders als Professor in Jena kein Mittel, um sich durchzusetzen. Was seinem Universitätskollegen Victorin Striegel, einem sanftmütigen Mann, von Flacius als «Melanchthonianer» verschrien, im April 1559 zustieß, schildert ein zeitgenössischer Brief: «Am heiligen Ostertag nämlich hat man an die hundert Hakenschützen, desgleichen an fünfzig oder sechzig Pferde ... in Weimar auf den Abend sich rüsten lassen ... Am Ostertage zwischen zwei und drei in der Nacht sind die Thore der Stadt Jena auf vorangehende Bestellung geöffnet worden, Reiter und Hakenschützen hineingelassen, welche alsbald in die zwei Gassen, darin Dr. Victorinus und der Superintendent ihre Wohnung haben, gerückt, dem Victorinus mit grossem Ungestüme die Thür mit Aexten und Zimmerbeilen aufgehauen und als der fromme, ehrliche Mann aus Schrecken sammt seiner tugendreichen, lieben Hausfrau im Hemde herabgelaufen ist und fragt: was da wäre? ob Feuer da wäre? haben die Ölberger [Schimpfwort] geantwortet: Was sollte das sein? Wir sind da und wollen dich losen Bösewicht dahin führen, wohin du gehörst.»

Striegel wurde auf Befehl des sächsischen Kurfürsten für Monate ins Gefängnis geworfen – weil er in den Augen des Eiferers Flacius Irrlehren und Ketzerei vertrat und damit dem Aufruhr Vorschub leistete. Im folgenden Jahr standen sich beide in Weimar in einem Streitgespräch gegenüber, das der Kurfürst befohlen hatte. Eine Woche lang wurde disputiert. Das Aufregende: Jeder von beiden berief sich auf Luther, um seine theologische Richtung zu untermauern. Flacius allerdings mit einer Wucht, die den Gegner vernichten sollte. Kategorisch erklärte er: «Das steht im Gegensatz zu Luther, zur Lehre unserer Kirche und zur heiligen Schrift.» Eine interessante Reihenfolge. Ein andermal warnt er Victorin: «Ich höre dich Luthern tadeln, den du als den Wiederhersteller der wahren Religion und singuläres Werkzeug Gottes unangefochten im Herrn ruhen lassen solltest.»

Der Heiligenschein war festgezurrt. Der Tote hatte von sich gesagt: Ich bin nur ein stinkender Madensack. Nennt euch nicht nach
mir. Christus ist euer Herr. Eine gespaltene Christenheit lag für ihn
außerhalb jeder Vorstellung. Jetzt konnte er sich nicht mehr dagegen wehren, zum obersten Kirchenvater einer neuen Kirche ausgerufen zu werden. Flacius mahnte seine Kollegen mit aller Strenge,
«das uns von Gott und jenem deutschen Propheten anvertraute Gut
heilig, unversehrt und makellos der Nachwelt zu überliefern».

In der Interpretation von Luthers Worten konnten die Flacianer
sehr großzügig sein, wenn es galt, abweichende Theologen mit dem
Bannstrahl des Gründers zu treffen. Über den Luther-Vers «Erhalt
uns Herr bei deinem Wort / und steur des Papsts und Türken Mord»
predigte Cyriakus Spangenberg, Pfarrer in Eisleben und Straßburg,
so: «Alle unsere Feinde begreifen wir unter zwei Titeln, nennen sie
entweder Papst oder Türken. Unter des Papsts Namen verstehen wir
den ganzen antichristlichen Haufen der papistischen Bischöfe, Car-
dinäle, Mönche, Pfaffen und Nonnen, und danach alle falschen Lehrer, Verführer und Verfälscher, Interimisten, Adiaphoristen, Sacra-
mentierer und Schwermer, Wiedertäufer, Calvinisten, Schwenkfel-
disten ... die in einem oder mehr Artikel von der christlichen Lehre
unrichtig wandeln, gröblich irren ... ihren Irrtum verteidigen und
darüber rechtschaffene Lehrer verfolgen, schmähen und lästern und
viele unachtsame Leute schändlich verführen.»

Lassen wir auch die Gegner des Flacius zu Wort kommen, die
nicht weniger zimperlich waren. Sie erklärten in ihrem Kampf gegen die flacianischen Ketzer nur zu gerne, «mit der Sauglocke» zu
läuten. Und das hörte sich so an: «Sieh zu, daß dir nicht dermaleinst
all der Geifer, den du aus deinem schnöden, unreinen Lästermaule
speist, wiederum zurück in dein wendisch Angesicht und Judasbart
falle.» Keine Partei hat sich in diesen Jahrzehnten in Achtung vor
denen, die anderer Meinung waren, geübt. Alle glaubten, Gott und
der Wahrheit mit Schimpf- und Schmähworten einen Dienst zu erweisen. Bald gab es ein neues Thema zum Aufregen.

1552 warnte der Hamburger Pfarrer Joachim Westphal in einer
Druckschrift vor einer falschen Interpretation des Abendmahls in
den lutherischen Reihen. Zwinglis Auffassung, von Luther 1529 in
Marburg erbittert abgelehnt, und modifiziert von Johannes Calvin

übernommen, breitete sich in Deutschland immer mehr aus. Diese Ketzerei schien allen Lutheranern die schlimmste. «Sakramentierer» hieß das gezielte Schimpfwort und bald brandmarkte man generell als «Kryptocalvinisten» jene, die angeblich heimlich die lutherischen Territorien unterwanderten, um sie in das Lager der Schweizer Reformierten zu führen. Als der polnische Adlige Jan Laski, geistliches Oberhaupt der reformierten Gemeinden Londons, 1553 mit 173 Glaubensgenossen ausgewiesen wurde und mitten im Winter in Dänemark und Norddeutschland um Asyl bat, schlug man ihm die Stadttore vor der Nase zu. Luthers alter Freund Bugenhagen ließ den Flüchtlingen ausrichten, lieber würde er die Katholischen unterstützen als sie. Laski fand vorübergehend in Frankfurt am Main Aufnahme.

Calvin setzte sich gegen Westphals Anschuldigungen zur Wehr und beschwor die deutschen Protestanten, ihre Uneinigkeit aufzugeben. Der Hamburger Pfarrer antwortete mit einem «Brief, in dem kurz erwidert wird auf das Gekeife Johann Calvins». Einer, der schwieg, obwohl der Vorwurf des Kryptocalvinismus gegen ihn in der Luft lag, war Melanchthon. Es würden noch harte Zeiten für ihn und seine Freunde anbrechen.

Es war eine bewegte theologische Landschaft zwischen Straßburg und Königsberg. Für den Bürger, der unter der Kanzel saß, kaum nachvollziehbar und sehr chaotisch. Und doch haben in dieser Zeit die Theologen nicht nur gegeneinander gewütet, sondern endgültig eine eigene protestantische Kirche aufgebaut. Überall in den Städten, wo ein ehrwürdiger Rat sich dem Protestantismus angeschlossen hatte, und überall in den Ländern und Ländchen, in denen ein Fürst sich zur neuen Lehre bekannte und von seinen Untertanen das gleiche forderte. Noch längst nicht war die katholische Kirche dabei, in einer «Gegenreformation» das verlorene Terrain zurückzugewinnen. Die neue Lehre – ob mehr von Wittenberg oder von Genf und Zürich geprägt – breitete sich aus und gewann feste Strukturen. In Lübeck zum Beispiel.

Die beiden wichtigsten Institutionen für das religiöse Leben in der Hansestadt – wie in den übrigen evangelischen Territorien – waren der Superintendent und das Konsistorium. Der eine war als «upseher» der oberste Geistliche der Stadt, der für die reine Lehre und eine tadellose Amtsführung seiner Kollegen zuständig war. 1545 gründete der Rat das Konsistorium, ein geistliches Gericht, das über Ehestreitigkeiten entschied und die Einhaltung von Zucht und Sitte überwachte. Es war eine städtische Behörde, an deren Spitze ein Beamter stand. Der Superintendent war Beisitzer. Andere Geistliche wurden nach Belieben hinzugezogen. Das Konsistorium konnte Urteile aussprechen, die anschließend ein weltliches Gericht vollstrecken mußte. Und den großen Bann.

Martin Luther hatte nach einigem Zögern zugestimmt, daß ein Gemeindemitglied mit dem kleinen Bann belegt werden dürfe, wenn es gegen kirchliche Gebote verstieß, nicht zur Beichte, zum Gottesdienst oder zum Abendmahl ging, einen Seitensprung machte. Bugenhagen hatte diese Kirchenstrafe in seine Ordnungen aufgenommen mit dem ausdrücklichen Hinweis, daß der kleine Bann den Betroffenen nicht – wie in der römischen Kirche – vom sozialen Leben und von den bürgerlichen Rechten ausschloß. Der große Bann, den Luther nicht mehr dulden wollte, kannte solche Milde nicht. Als sich die Strukturen der neuen, evangelischen Kirche festigten, glaubte man, ohne diese drakonische Strafe keine Ordnung halten zu können. Nicht nur in Lübeck.

Die Kirchenordnung von Wolfenbüttel aus dem Jahre 1569 sah vor, daß der große Bann «aus göttlicher verordnung und stiftung ... zu gebrauchen und zu verrichten bevohlen» sei. Er sei nötig, «damit nicht durch ein reudiges schaf eine ganze herde verderbt und das böse ergerlich exempel gemeiner christlicher versamlung schedlich und nachteilig sey, das auch Gottes zorn und straff verhütet werde».

Wen der große Bann traf, der wurde vor versammelter Gemeinde feierlich exkommuniziert. Der Pfarrer stieg auf die Kanzel und erklärte, daß er diesen unbußfertigen Sünder «dem teufel itzundt übergebe zum verderben des fleisches, auf dass sein geist selig werde am tage des herrn, wann [falls] er sich wiederum bekeren wird. Verkündige hiemit gottes schrecklichen zorn und ungnade, und dass er von aller gemeinschaft aller heiligen im himmel und auf erden ausgeschlossen und abgeschnitten und mit allen teufeln in der hölle verflucht und ewiglich verdammt sei, solange er in dieser unbussfertigkeit verharret.» Dann wurde der arme Sünder aus der

Kirche geführt. Schon zum nächsten Gottesdienst erwartete man, daß er wiederkam. Es gab in den Kirchen ein extra «Gestül, da die excommuniciert person alle Sontag und feyertag zur zeit der predigt stehen . . . sol».

Der Gebannte war – wie zu alten Zeiten – in der Gesellschaft ein Aussätziger. An Hochzeiten und Feiern aller Art durfte er nicht teilnehmen. Der Gemeinde war streng verboten, sich mit dem Sünder einzulassen. In Mecklenburg durfte man ihn nicht einmal «auf der strassen oder sonst» grüßen. Hielt der Exkommunizierte sich nicht an die geistlichen Auflagen, drohten ihm weltliche Strafen von Gefängnis bis Landesverweisung. Wer unter dem Bann starb, wurde «ohn alle christliche ceremonien, gesang und geleute der glocken, stille schweigendes, und andern zum schrecken» in ungeweihter Erde außerhalb des Friedhofs begraben.

Die Handhabung des großen Bannes durch das Konsistorium macht die enge Verzahnung zwischen geistlichem Amt und weltlicher Macht und die totale Übereinstimmung zwischen der Kirchenmitgliedschaft und der bürgerlichen Gemeinschaft in den lutherischen Territorien deutlich. Wie es seit Jahrhunderten mittelalterliches Ideal war. Es gab keinen Raum für unterschiedliche politische Meinungen, und ebensowenig durfte jemand von der christlichen Lehre abweichen, wie sie mit Zustimmung der Obrigkeit gepredigt wurde. Beides hätte die bestehende Ordnung ins Wanken gebracht. Beides war deshalb ein politisches Vergehen, von Aufruhr bis Hochverrat.

Luther hatte vom Priestertum aller Christen geschrieben. Mitbestimmung bei den kirchlichen Dingen, zum Beispiel, bei der Wahl des Pfarrers, hatte Johannes Bugenhagen in der Lübecker Ordnung festgeschrieben. Sie war auch wenige Jahre praktiziert worden. Der Obrigkeit gelang es, diese Neuerungen abzuwürgen und alle Rechte – «das vollkommene Regiment» – an sich zu reißen unter dem Vorwand, daß sonst der Katholizismus wieder Fuß fassen könnte in der Stadt. Schon 1535 übergab die Bürgerschaft einem ehrwürdigen Rat «als der ordentlichen overicheit eth regimente vulkomelick und in aller maten . . . to ewigen tidenn». Der Rat gelobte im Gegenzug, eine Rückkehr zur römischen Kirche zu verhindern und fest bei «Gades wort» zu bleiben. Mit diesem Vertrag von 1535 haben Lübecks Bürger für Jahrhunderte auf alle politische und kirchliche Mitsprache verzichtet.

Im gleichen Jahr wurde Detlev Reventlow, Kanzler des dänischen Königs und der evangelischen Sache sehr gewogen, von den katholischen Domherren zum Lübecker Bischof gewählt. Sein Versuch, im Lübecker Dom keine katholische Messe mehr zu halten, schlug zwar fehl. Doch es gelang diesem katholischen Bischof, am Dom einen Pfarrer anzustellen, der eindeutig die Wittenbergische Theologie predigte. Reventlow starb schon ein Jahr darauf. Seine Nachfolger waren wieder entschieden katholisch. Doch als 1561 Eberhard von Holle, Abt des Lüneburger Michaelisklosters, zum Bischof gewählt wurde – den der Papst noch bestätigte –, kam das Ende der alten Kirche auch in dieser Hansestadt. Holle bekannte sich wenig später eindeutig zur neuen Religion und führte 1571 im Hochchor des Lübecker Doms, wo nur der Bischof und die Domherren Messe lesen durften, den evangelischen Gottesdienst ein.

In allem Streit um die reine Lehre im protestantischen Lager standen Lübecks Geistliche fest auf der Seite derer, die sich auf Luther als unfehlbare Autorität beriefen, jede Abweichung und jede Weiterentwicklung als Ketzerei verdammten und sich für die rechtgläubigen – orthodoxen – Lutheraner hielten. Sie sahen es als ihre Pflicht an, nicht das allen Protestanten Gemeinsame zu betonen, sondern immer neue Punkte zu finden, in denen man anderer Meinung war, um die ihnen anvertrauten Schäflein vor dem Irrtum und damit vor der ewigen Verdammnis zu bewahren. So zahlreich wurden mit den Jahren die Schmähschriften, so bitter und so giftig, was den Theologen aus der Feder floß und von den Kanzeln mit höchster Autorität verkündet wurde, daß die Politiker eingriffen. Unter Führung Braunschweig-Lüneburgs trafen sich 1562 die Räte der wichtigsten norddeutschen Fürstentümer in Lüneburg und beschlossen, mit dem Gezänk der Theologen solle es ein für allemal ein Ende haben, damit nicht «weiterer Schade und Nachtheil, Aufstand und Empörung des Volks, Zerrüttung aller löblichen Policey [Ordnung] und Zucht, auch wohl der Untergang der Religion und der Schulen zu besorgen sey». Wie schon anderswo, wurde eine Zensur eingeführt. Wer im niedersächsischen Kreis ein theologisches Buch herausbringen wollte, brauchte die Zustimmung der Obrigkeit.

Ein Aufschrei ging durch die Pfarrhäuser. Wieder wurden die Federn gewetzt und Kollegen, die sich dem Votum der Fürsten beugten, mit Vorwürfen überhäuft. Hamburg versprach, die Beschlüsse von Lüneburg zu befolgen. Schleswig-Holstein desgleichen. Die Lübecker Theologen lehnten ab. Sie fühlten sich stark genug, das Leben jedes einzelnen und der Gesamtheit immer umfassender nach ihren Vorstellungen von christlicher Moral zu formen. Die neue Theologie sollte endlich äußere Früchte zeigen. Der Rat folgte nur zögernd und halbherzig. Zwar erging 1575 die Verordnung, daß Gasthäuser und Fleischerstände am Sonntagmorgen geschlossen bleiben müßten, um niemanden von den Gottesdiensten fortzulocken. Die Geistlichen hatten eine Schließung während des ganzen Sonntags gefordert.

Die Pfarrer besaßen ein einzigartiges Propagandamittel, um ihre Vorstellungen zu verbreiten: Sie gingen auf die Kanzel und wetterten gegen die verlotterten Sitten und gegen einen Rat, der nicht fest genug für die christliche Ordnung eintrat. Wer unter der Kanzel saß, mußte glauben, daß ganz «Lübeck ein gross hurhauss und nachbar bei nachbar ehebrecher weren». Solche Verzerrungen der Wirklichkeit warf der Rat den Lübecker Theologen vor, als er sie im Januar 1582 barsch aufs Rathaus befahl. Niemand sollte einen Zweifel daran haben, wer Herr in dieser Stadt war, und zwar ohne Ausnahme. Der Jurist Calixt Schein hielt den angetretenen Geistlichen eine Standpauke und trug ohne weitere Diskussion vor, wie sie sich in Zukunft zu verhalten hätten. Nicht nur das Fluchen und Lästern auf den Kanzeln müsse endlich aufhören. Die Pfarrer, so der Rat, hätten nur Kompetenz und Entscheidungsbefugnis in rein theologischen Fragen. Schon der Gottesdienst dürfe nicht ohne Zustimmung der weltlichen Obrigkeit verändert werden. Ob die Orgel während der Taufe spielte oder nicht; wieviel Schmuck die Frauen beim Abendmahl trugen und zu welchem Zeitpunkt die Kollekte eingesammelt wurde: nichts durfte mehr vor der Geistlichkeit «beratschlaget und publiciret werden, ohn des rats vorwissen und mitbewilligung». Die protestantische Kirche Lübecks war endgültig Staatskirche geworden.

Noch keine zwanzig Jahre lag es zurück, da waren die Gewichte anders verteilt. Da hörten die Politiker auf das, wozu ihnen die Theologen dringend rieten: 1563 wurde Bremen aus der Hanse ausgeschlossen, weil dort nach Meinung der lutherischen Geistlichen der Teufel selbst die Herrschaft angetreten hatte. Die Stadt an der Weser bekannte sich offen zum Calvinismus.

Auch in der Zeit nach dem Religionsfrieden von 1555 war die religiöse Landschaft Deutschlands keineswegs zementiert und vieles noch im Fluß. Mittlere Positionen, für die in den Jahren, als die lutherische Bewegung sich gegen eine Welt von Feinden durchsetzen mußte, kein Raum war, kamen wieder an die Oberfläche. Lebendige geistige Strömungen trocknen so schnell nicht aus, und Traditionen haben ein zähes Leben. Es ist die Rede vom Humanismus und von der spezifisch niederländischen und niederrheinischen Frömmigkeit – der «Devotio moderna» –, die die Menschen schon vor Luther zu einem einfachen und überzeugenden Glauben führen wollte. In Bremen verband sich beides mit der Theologie des Johann Calvin, der seine humanistische Bildung – im Gegensatz zu dem Mönch aus Wittenberg – voll in seinen Glauben mithineingenommen hatte.

In der Osterwoche 1562 verließen drei Bürgermeister und sechzehn Ratsherren Bremen, um nie mehr zurückzukehren. Sie gingen ins Exil, weil sie unbeugsam an der lutherischen Theologie festhielten. Ihr Versuch, diese Theologie in Bremen endgültig durchzusetzen, war damit gescheitert. Begonnen hatte alles 1547 mit Albert Rizaeus Hardenberg, der als Domprediger in die Hansestadt berufen worden war. Hardenberg, ein Niederländer, wurde in einer Schule der «Brüder vom gemeinsamen Leben» in Groningen großgezogen und trat als Mönch in ein Kloster ein, das ebenfalls stark unter dem Einfluß der «Devotio moderna» stand. Erasmus ist sein großes Vorbild gewesen. Nach langen inneren Kämpfen trat Hardenberg aus dem Kloster aus, ging 1543 kurz nach Wittenberg, wo er sich mit Melanchthon anfreundete – zu Luther fand er keinen Kontakt –, und kam auf einer Reise in die Schweiz in engen Kontakt mit der Theologie Zwinglischer Prägung.

Das allein machte ihn in Bremen, wo man streng lutherisch war, verdächtig. Er wurde offen als Ketzer verdammt und mußte 1561 die Stadt verlassen. Hardenberg war keine Kämpfernatur. Er wich allen Angriffen ängstlich aus und hatte sich mit unscharfen und doppeldeutigen Erklärungen zu verteidigen gesucht. Fest steht, daß er nicht zur orthodoxen lutherischen Lehre vom Abendmahl stand, die in Brot und Wein das Fleisch und Blut Christi zu empfangen glaubte. Humanisten, Wiedertäufer, die Reformierten in der Schweiz wollten an ein solches «katholisches» Dogma, das aller Vernunft widersprach, nicht glauben. Eine Ketzerei, die besonders unter den Gebildeten weit verbreitet war. «Sakramentierer» beschimpfte man sie, und der streng lutherische Pfarrer Nikolaus Selneccer, Prediger in Dresden, beklagte, «daß man niemand mehr vor gelehrt halten wolle, er sey denn ein Sakramentirer».

Hardenberg wurde aus Bremen vertrieben, seine Ideen blieben. Einer, der sie teilte und anderen Wißbegierigen unbemerkt einpflanzte, war der Schulmeister Johannes Molanus, ebenfalls ein Niederländer. In Maastricht hatte ihn die Inquisition wegen seiner humanistischen Gesinnung ins Gefängnis gebracht. Molanus konnte fliehen und wurde auf Hardenbergs Fürsprache 1553 Privatlehrer an einem Internat im Bremer Katharinenkloster. Auch dieser Niederländer fiel in Bremen schnell unangenehm auf. Er ging nämlich nicht in den Gottesdienst und nahm auch nicht das Abendmahl. Und natürlich blieb nicht verborgen, daß er beides bei seinen Besuchen in Emden, wo sich die reformierte Schweizer Theologie durchgesetzt hatte, nachholte. 1557 forderte ihn der Rat auf, seine Meinung über das Abendmahl schriftlich vorzulegen. 1558 wurde in der Stadt das Gerücht lanciert, Molanus habe gesagt, lieber sei er ein «Schwärmer» – Wiedertäufer – als ein lutherischer «Brotanbeter». Ein Jahr später verließ er Bremen freiwillig und ging an das damals weithin berühmte Gymnasium in Duisburg.

Einer, der seine Söhne zu Molanus schickte, war Daniel von Büren, ein Mann aus altem holsteinischem Adel, einer der bremischen Bürgermeister seit 1544. Er war ein außergewöhnlicher Bürgermeister, der sieben Jahre in Wittenberg Jura und Theologie studiert hatte und eng mit Melanchthon befreundet war. Immer wenn jene auftauchten, die, im Gegensatz zu Luther, beim Glauben ein bißchen Vernunft gestatteten und nicht alles ins Grundsätzliche ziehen wollten, knüpften sich die Fäden zu dem Mann, der in Wittenberg

Luthers Erbe verwaltete und doch schon lange zu Lebzeiten des Meisters und Freundes in den eigenen Reihen mit größtem Mißtrauen betrachtet wurde. Zu weich, zu nachgiebig, zu kompromißbereit mit der römischen Kirche, gingen die Parolen. Unsicher und schwankend in seinen theologischen Überzeugungen sei er. Die Anklage war stets die gleiche.

Als Daniel von Büren 1562 erster Bürgermeister wurde, nutzte er sein Amt, um die lutherische Partei auszuschalten, und förderte jene Theologie, die Geistlichen wie Hardenberg und Laien wie ihm selbst die überzeugendere schien. Er rief Molanus zurück und machte ihn zum Rektor der Lateinschule. Außerdem holte er sofort den gelehrten Arzt Johann von Ewich nach Bremen, der zum Stadtphysikus ernannt wurde. Damit erhielt die Partei der Humanisten und «Sakramentierer» gewichtige Verstärkung. Ewich, 1525 in Kleve geboren, hatte in den Niederlanden die Schule besucht und in Padua, der berühmtesten medizinischen Fakultät Europas, 1557 seinen Doktor gemacht. Stets an Theologie interessiert, kannte er die wichtigsten Schweizer Theologen nach Zwingli persönlich und machte kein Hehl daraus, daß er dieser Glaubensrichtung anhing. In Bremen leistete Ewich vorbildliche Arbeit, um Epidemien schon im Keim zu ersticken und ihre Ausbreitung zu verhüten und kämpfte gegen den Hexenglauben seiner Zeitgenossen.

Daniel von Büren war ein engagierter Politiker. Um die bremische Kirche nicht auf dem Stand der strengen Lutheraner zu lassen, brauchte er einen Theologen. Denn alle Kirchen waren voll von alten Bildern, auf den Altären brannten Kerzen. Bei der Taufe wurde der Exorzismus über den Säugling gesprochen. Gesang und Orgelspiel – von Molanus als «Ohrenschmaus» und «leeres Geschrei» kritisiert – gehörten noch zum Gottesdienst wie die alten, farbigen Meßgewänder. Der Mann, der dies alles gründlich änderte, war Christoph Pezel, ehemals führender Theologe in Wittenberg, Schloßprediger daselbst, und seit 1573 in Nassau-Dillenburg, wo er eine reformierte Theologie vertrat. Pezel hatte aus der dortigen lutherischen Kirche mit allerhöchster Zustimmung eine reformierte Kirche gemacht.

Johann von Nassau ließ seinen Theologen nicht ohne weiteres ziehen, als der Ruf aus dem Norden kam. In einem ausführlichen

Brief an den Bremer Rat stellte er die Bedingung, die Stadt müsse die «reformierte Religion, wie an jezo nenet», annehmen. Der Graf hatte Schlimmes gehört: «Zum dritten werden wir berichtet, daß Ihr bey euch noch die Bilder, den Exorcismum und andere vielfaltige abergleubische Ceremonia bey den heiligen Sacramenten und sonsten in euren Kirchen haben sollt, so tempore [zur Zeit] Lutheri, als welcher vielleicht im anfangk nicht alle mißbreuche auf einmal zugleich hat abschaffen können, seindt geduldet.» Man habe die «Kirchen von den auß dem Bapsttumb noch überbliebenen, abergleubischen und ergerlichen Ceremoniis zu säubern und zu reinigen ...»

Der Graf hatte damit deutlich gesagt, was Männer wie Pezel, Hardenberg, Büren oder Molanus von den orthodoxen Lutheranern unterschied: Nach ihrem Lutherverständnis hatte der Mann aus Wittenberg etwas angefangen, aber nicht zu Ende gebracht. Ganz bewußt sogar und keineswegs aus Unfähigkeit. Von Büren selbst hat in Bremen ein Zitat Luthers in die Diskussion eingebracht, das eine Bremer Gesandtschaft, die sich bei Melanchthon in Wittenberg Rat holen wollte, bestätigt. Kurz vor seinem Tod soll Luther dem Freund gesagt haben: «Ich habe das meine getan. Ihr anderen müßt auch etwas tun.»

Die Erneuerung der Kirche war mit Luthers Tod nicht fertig, nicht zu Ende. Die «zweite Reformation» haben Theologen wie Christoph Pezel das genannt, was ihrer Meinung nach in der zweiten Generation folgen mußte: Eine endgültige Abkehr von der römischen Kirche, eine wirkliche Reinigung, die – für alle sichtbar – mit dem Verschwinden der alten Symbole, Bilder und Zeremonien, vollzogen werden sollte. Daniel von Büren und andere Ratsherren gingen 1581 selbst mit in die Kirchen, um sie von «des Papstes Hoffarben und Kennzeichen» zu säubern. «Emendation» – Reinigung – lautete das theologische Schlagwort.

Zogen die Gemeindemitglieder nach? Waren sie überzeugt von dem, was geschah, ohne daß sie gefragt worden wären? Waren sie mit solchen radikalen Änderungen nicht überfordert? Martin Luther hatte seinen Wittenbergern eindringlich gepredigt, sich immer nach den Schwachen im Glauben zu richten. Jedem Zeit zu lassen, sich an das Neue zu gewöhnen. Christoph Pezel wußte das natürlich und argumentierte so: «Weil man denn die Lehr des Evangelii nunmehr so lange Zeit gehabt, und bisher nach der ersten Reformation der Schwachen lang genug geschonet ..., wurde die Zahl der Schwachen von Jahr zu Jahr vermehret ... Also hat man Fug und Ursach, das man auch in dem übrigen christliche Emendation endtgeltlich für die Hand nehme und nicht das angefangene Werk in der Helfft sitzen lassen.»

Der Apostel Paulus hatte seinen Gemeinden gepredigt, der Christ werde es in dieser Welt immer nur zu Stückwerk bringen. Nur Gott könne die Kirche reformieren, hatte Professor Luther seinen Studenten zugerufen. Eine Generation später sind Theologen überzeugt, die Reformation ans Ziel zu bringen, die wahre Religion zu schaffen und eine christliche Utopie zu verwirklichen, die so alt ist wie die Kirche selbst. Dahinter stand ein Vertrauen in die menschliche Fähigkeit, das Luther gegen Humanisten und Wiedertäufer stets kompromißlos verurteilt hatte. Trotzdem sah Pezel sich nicht als Anhänger Zwinglis oder Calvins, die ebenfalls die alten Kirchen geräumt hatten und die gleiche Lehre vom Abendmahl predigten. Die Bezeichnung «reformierte» Kirche interpretierte Pezel nicht – wie die Lutheraner – als Gegensatz, sondern als logische Fortführung dessen, was Luther begonnen hatte.

Zur reformierten Theologie gehört die feste Überzeugung, ein Christ müsse an seinem guten Lebenswandel zu erkennen sein. Geistliche und weltliche Obrigkeit haben die Pflicht, die Christen zur hundertprozentigen Tugend zu zwingen. In Lübeck hatte sich der Rat geweigert, auf Verlangen der lutherischen Pfarrer eine solche Kirchenzucht zu verordnen. Für den reformierten Theologen Christoph Pezel gehörte es zum Reformprogramm, diese Kirchenzucht in Bremen zu verwirklichen. Er beklagte 1593, daß «wir noch heutigs tags durch vielfeltige vorhinderung zu keiner anordnung einiger rechtmessigen und ordentlichen stendigen Kirchendisciplin kommen mögen, die wir doch mitt hertzen wünschen, und uns oder unsern nachkommen gerne mögen gunnen möchten, das sie mitt hilff und zuthuen unser gebührenden Obrigkeit ins werck gerichtet». Aufsicht über die Moral der Bürger und das Recht zu strafen – auch mit dem großen Bann – sollte ein Gremium aus Geistlichen und Laien haben.

Wie in Lübeck wollte auch die bremische Obrigkeit der Kirche kein so weitgehendes Mitspracherecht am bürgerlichen Leben zugestehen. Es half auch hier nichts, daß die Geistlichkeit den Räten und Bürgermeistern eine Mitbestimmung in kircheneigenen Angelegenheiten wie der Form des Gottesdienstes einräumte. Das Ideal einer totalen «christlichen Bürgergemeinde», von Calvin in Genf verwirklicht, scheiterte in der Stadt an der Weser. Die Lutheraner waren vertrieben, eine reformierte Theologie und Liturgie durchgesetzt. Doch der Rat behielt sich für alles, was das Leben in der Stadt betraf, das letzte, entscheidende Wort vor. Am Ende des Reformationsjahrhunderts war auch die reformierte Kirche in Bremen Staatskirche geworden.

Die Disziplin, von der besonders die Reformierten träumten, wurde an manchen lutherischen Orten Wirklichkeit. Allerdings nicht in den großen Städten: Da war das lebenslustige Erbe vergangener Zeiten vielleicht zu stark, die Menschen zu weltoffen und frei, um sich solchem rigorosem Reglement zu beugen. In den kleineren Fürstentümern jedoch, wo nur ein einziger Herr und nicht der Chor der Ratsherren zu entscheiden hatte, entstanden Musterländchen christlicher Existenz, zum Beispiel das Herzogtum Pfalz-Neuburg.

Im kleinen spiegelte der neuburgische Flickenteppich die Verhältnisse im Deutschen Reich wider. Das Territorium setzte sich aus etlichen kleinsten Flecken Land zusammen, die meist voneinander getrennt lagen. Residenzstädtchen war Neuburg an der Donau. 1542 hatte der Landesfürst Ottheinrich, ein gebildeter und künstlerisch interessierter Mann, nach intensiver Beschäftigung mit den Schriften Luthers angeordnet, daß «das Wort Gottes, dadurch die Sünde aufgedeckt und gestraft, Christus aber als der einzige Heiland den gläubigen Herzen vorgebildet wird, lauter und rein, ohne jeglichen Zusatz und Vermischung irriger, unbegründeter und verführerischer Lehre, die in der heilige Schrift keinen Grund hat, überall öffentlich gelehrt und gepredigt werde». Viele Pfarrer gingen freudig darauf ein. Die Gemeinden blieben skeptisch. Da dem Landesvater Strenge in Glaubenssachen fern lag, gibt es vorerst nichts Besonderes zu berichten.

Ottheinrichs Nachfolger holte demonstrativ einen orthodoxen

Lutheraner, von eigenen Glaubensgenossen vertrieben, an seinen Hof nach Neuburg. Der zweite Nachfolger, Pfalzgraf Philipp Ludwig, machte dann ganz ernst mit dem neuen Glauben, dem auch eine «wahrhafte Besserung» von Sitte und Moral folgen müsse. In den Gemeinden wurden Zensoren gewählt, die zusammen mit dem Pfarrer die Kirchenzucht durchsetzten. Das Gremium trat in Aktion, «bei Verachtung des Predigtamtes, des Gottesdienstes und der Sakramente, beim Fluchen, Schwören und Lästern des Wortes Gottes und der Sakramente. Bei der Anwendung abergläubischer Segnungen, Beschwörungen und Zaubereien, bei Trunkenheit und Unmäßigkeit, bei Ehebruch und unzüchtigem Leben, bei Verleumdungen und Afterreden, bei Feindschaften und Wucher, bei mangelnder Kinderzucht und schlechter Aufsicht über das Gesinde.» Niemand im Ländchen konnte dieser Kontrolle entgehen. Und wenn der Zensor die Augen schloß und nichts sehen wollte, dann gab es bestimmt einen bösen Nachbarn, der zur höheren Ehre Gottes Anzeige erstattete.

Zur Aufsicht des Gesindes gehörte, daß Mägde und Knechte mit in den Gottesdienst gingen. Wenngleich sie dort natürlich nicht neben der Herrschaft Platz nahmen. Der lutherische Gottesdienst in Pfalz-Neuburg war wie die römische Messe eine feierliche Angelegenheit. Die Kerzen brannten auf dem Altar, der Priester trug die alten, farbigen Gewänder, und lateinische Gesänge gab es ebenfalls. Beim Abendmahl wurde eine Hostie gereicht, und jeder Untertan mußte einmal im Jahr zum Tisch des Herrn gehen, nicht ohne vorher bei den «Herren Kirchendienern» zum privaten Beichtgespräch zu erscheinen, das mit der Absolution durch den Pfarrer endete.

Die Pfalz-Neuburger haben sich gefügt und ein ordentliches christliches Leben gelebt. Was sie antrieb – außer den Zensoren und fürstlichen Beamten – war das Vorbild ihres Landesvaters und der ganzen pfalzgräflichen Familie. Philipp Ludwig war in jeder Beziehung der christliche Hausvater, den Martin Luther so oft beschworen hatte. Wohin er reiste, wie schwierig die Geschäfte waren: Jeder Tag wurde mit einer Bibelandacht begonnen und beschlossen, an der nicht nur Frau und Kinder, sondern auch Edelknaben und Kammerdiener teilnahmen. Die Söhne knieten während dieser Zeit und hoben die gefalteten Hände zum Himmel. Wolfgang-Wilhelm, der Älteste, mußte außerdem die Bibelstellen auf lateinisch, französisch und italienisch wiederholen. Jeden Tag versammelte sich der ganze Hof zu einer ausführlichen Predigt. Wer fehlte, bekam für den Rest des Tages nichts zu essen.

Bei einem schlug das patriarchalische Regiment fehl. 1613 mußte der Vater erleben, daß Wolfgang-Wilhelm katholisch wurde. Die Politik spielte dabei ihre Rolle. Aber zweifellos stand hinter diesem Religionswechsel, dem natürlich das ganze Land folgen mußte, auch persönliche Überzeugung.

Die Pfalz-Neuburger Kirche mußte sich nicht nur gegen den Einfluß Bayerns, des mächtigen katholischen Nachbarn, wehren. Noch abweisender und erbitterter verfolgten die Lutheraner Entwicklungen, die in der großen Kurpfalz, wohin vielfache verwandtschaftliche Bande führten, vor sich gingen. Nach einen unsicheren Kurs bekannte sich das regierende Herrscherhaus ab 1560 zum Calvinismus. Eine Katastrophe.

An keinem Land läßt sich in der zweiten Jahrhunderthälfte protestantischer Bekehrungseifer und eine unerbittliche Wahrheitsliebe, die beide eine radikale religiöse Intoleranz rechtfertigten, besser demonstrieren. In der Kurpfalz mußten die Untertanen auf fürstlichen Befehl zwischen 1556 und 1583 viermal die Religion wechseln – und gehörten doch die ganze Zeit zum evangelischen Lager. Was konnte sich für ein Glaube bei den Menschen entwickeln, wenn ihre Pfarrer vertrieben, die Altäre aus ihren Kirchen gerissen wurden und alles mit der Begründung, daß daran die ewige Seligkeit hing und das, was man gestern noch gebetet, heute schnurstracks in die Hölle führe?

Das Territorium, um das es ging, war in zwei getrennte Landmassen geteilt: Die Kurpfalz am Rhein mit der Zentrale Heidelberg und die Oberpfalz an der Grenze zu Böhmen mit der Residenz Amberg. Die Änderungen kamen Schlag auf Schlag.

1556: Durch Erbschaft wird der Neuburger Pfalzgraf Ottheinrich Herr der Kurpfalz. Er verbietet jede weitere Ausübung des katholischen Glaubens und stärkt die Lutheraner, die vor allem in der Oberpfalz die Bevölkerung gewonnen haben. Er beruft Theologen verschiedenster protestantischer Richtungen an die Heidelberger Universität in der Hoffnung, daß eine theologische Einigung möglich ist.

1559: Nach Ottheinrichs Tod fällt das Land an Friedrich III., später auch der Fromme genannt. Obwohl Lutheraner, scheint seine Frau frühe Zweifel an der religiösen Standfestigkeit ihres Mannes zu haben. Gleich nach dem Regierungsantritt schreibt sie ihm, daß er schnell «die kristlich religion im Land wider aufrichte und des teufels geschmaiß wider hinweg due». Wen sie mit dem Teufel meint, bleibt nicht im unklaren: «Es wert der deufel den zwinglischen samen under den guten waizen seen, den ich ia wol weys, die werlich gar zwinglisch sein under den reten.»

Ein Jahr später, 1560, heiratet die Tochter des frommen Friedrich den Herzog Johann Friedrich II. von Sachsen, einen Mann, der fest zur orthodoxen lutherischen Lehre steht. Es bleibt nicht nur bei fröhlichem Gelage. In einer offiziellen Disputation streiten Lutheraner und Reformierte auf der Hochzeit um den wahren Glauben. Der Kurfürst zeigt zum Entsetzen seines Schwiegersohnes deutliche Sympathien für die Zwinglianer, obwohl er steif und fest behauptet, nie etwas von Zwingli oder Calvin gelesen zu haben und nichts anderes zu glauben, als was in Wittenberg Melanchthon gelehrt habe. Als ihm der Sachse eine Lutherschrift über das Abendmahl schickt, um den Schwiegervater bei der richtigen Religion zu halten, erreicht er nur das Gegenteil. Was Friedrich an dieser Schrift kritisiert, hätte ebenso Pfarrer Christoph Pezel als Argument für die Weiterentwicklung der reformierten Theologie anführen können: «Ich befind aber wenig darin, was zur bawung [Aufbau] der kirchen Christi dienlich, sonderlich schilt Doctor Luther darin uff die falschen lehrer und Zwinglianer ... Das ist nuh nit unrecht.» Luthers Argumente seien ohne Überzeugung. Er verlange einen blinden Glauben, «als obs ayn evangelium wehre wan [wenn] es Doctor Lutterus geschrieben hett». Da ist kein Heiligenschein; keine Dogmatisierung.

Einmal überzeugt, handelt allerdings der Kurfürst so, als ob die Theologie der Reformierten «ein Evangelium» sei, nämlich die einzige Wahrheit. Die lutherisch gesinnten Professoren und Pfarrer, um fünfhundert, werden entlassen und aus dem Land gejagt; Schüler in den Turm gesperrt, weil sie die falschen Schriften lesen. In den Kirchen werden Bilder und Kerzen abgetragen, die Altäre aus ihrer Verankerung gerissen und durch Tische ersetzt. Nicht mehr Hostien bekommt die Gemeinde beim Abendmahl, sondern Brotstük-ke. Orgelspiel ist verboten. Eine neue scharfe Polizeiordnung soll Zucht und Sitte in der Pfalz kontrollieren und bessern. 1563 erscheint der Heidelberger Katechismus, der den lutherischen ersetzt und die neue reformierte Theologie in die Köpfe der Untertanen hämmern soll. Kein Gottesdienst, keine Feier, wo nicht aus ihm zitiert wird. Er kommt gleich nach dem Evangelium.

In der Pfalz um den Rhein protestieren die Gemeinden mit Petitionen an den Hof und fügen sich schließlich. Nicht so in der Oberpfalz. Um die Widerspenstigen zu überzeugen, erscheint Friedrich 1566 persönlich mit großem Gefolge in Amberg. Den Ratsherren erklärt er die wahre Bedeutung des Abendmahls. Es hilft alles nichts. Auch nicht, daß auf höchsten Befehl zwei reformierte Prediger bleiben müssen und eine Schule gegründet wird: «Allein die reformierte Kirche noch Schule wollte großen Zugang daselbst finden, indem sich fast niemand dazu fand außer den kurfürstlichen Räten und Bedienten, auch was sich von Heidelberg so dahin begab. Die anderen waren der reformierten Religion mehrenteils zuwider.»

In den kleineren Städten der Oberpfalz, wo die lutherischen Geistlichen den reformierten weichen müssen, kommt es zu gespenstischen Szenen. Die Gemeinde geht, wie vorgeschrieben, in den Gottesdienst. Doch in dem Augenblick, wenn der verhaßte Prediger die Kanzel betritt, um die neue Theologie zu verkündigen, strömt alles wie auf Kommando aus der Kirche. Als der Kurfürst in Amberg endlich reinen Tisch machen will, ruft der Rat bewaffnete Bürger zu Hilfe, um die Martinskirche vor reformierten Geistlichen zu schützen. Ihr Protest ist um so wirksamer, da sie gute Hoffnung auf andere Zeiten haben.

1576: Der Sohn, streng lutherisch geblieben, tritt das Erbe seines Vaters an. Um keine falschen Versprechen abgeben zu müssen, hatte Ludwig VI. es peinlich vermieden, den Sterbenden an seinem Krankenlager zu besuchen. Was die Pfälzer nun erwartete, wird beim Begräbnis des frommen Friedrich überdeutlich. Der reformierte Hofprediger darf die Leichenpredigt nicht halten, denn der Verstorbene «were kein Zwingler gewesen». Bekanntes wiederholte sich, diesmal nur in umgekehrter Richtung. Die Tische fliegen aus den Kirchen, Altäre werden wieder aufgebaut. Es gibt kein Brot, sondern Hostien beim Abendmahl. Die Orgel spielt, die Kerzen brennen. Der Pfarrer trägt wieder das weiße Chorhemd, und natürlich ist er gut lutherisch, denn die Reformierten haben längst das Land verlassen müssen.

1583: Nach Ludwigs Tod tritt sein Bruder, Johann Kasimir, die Nachfolge an. Er ist ein überzeugter Calvinist, und wieder geht alles seinen gewohnten Gang. Tische statt ... Brot statt ... keine Orgel, kein Chorhemd, keine Kerzen. Die lutherischen Theologen werden entlassen, die Pfarrer verjagt. Im Auditorium Philosophicum der Universität Heidelberg müssen acht Tage lang reformierte gegen lutherische Professoren disputieren. Die letzteren werden bei jedem Argument von den Studenten mit lautem Trampeln unterstützt – der Pfalzgraf ist anwesend. Als ein reformierter Professor seinen Vortrag beendet, wird er «ausgerauscht, ausgepfiffen und verlacht». Die Lutherischen erklären, daß die Calvinisten «vom Satan, dem Vater der Lügen, geritten und getrieben werden». Fünfhundert Heidelberger Bürger bitten ihren Landesvater, ihre Pfarrer behalten zu dürfen. Es hilft alles nichts. Der Sieger stand schon vorher von Amts wegen fest. Und wegen der vertriebenen Lutheraner meinte der Fürst, er habe «nur einen Haufen unrichtiger Buben, Clamanten und Lästermäuler beurlaubt».

Und die Oberpfälzer? Mit Gewalt waren sie nicht zu beeindrukken. Sie gingen ihrerseits zum Angriff über. In Amberg kam es zu einem «bedenklichen Auflauf». In der Stadt Neumarkt rotteten sich die Bürger zusammen. In Hambach wurde «die Obrigkeit thätlich mißhandelt». Als in Tirschenreuth der Oberhauptmann Valentin Windsheim 1590 drohte, er werde die neue Religion schon mit Hilfe der Landsknechte durchsetzen, hat man ihn «aus einem Dachkämmerlein in die Tenne hinabgeworfen, daselbst mit grausamen Streichen, Hieben und Stichen gemartert. Dann heraus auf die Gasse gerissen, eine gute Zeit auf dem Markte hin und her geschleift, bis er gar ohne Jemands Erbarmen abgeschlachtet war.» Der Prozeß gegen die Mörder dauerte sechs Jahre. Sechs Menschen wurden schließlich hingerichtet.

Stets war Nabburg ein Nest des Widerstands gewesen. Als dort ein Calvinist einen lutherischen Laienprediger verhaften ließ und verkündete, er werde die Stadt dem Erdboden gleichmachen, stürmten die Bürger das Haus und suchten den verhaßten Calvinisten: «Nach vier Stunden haben sie ihn unter dem Dach gefunden, dann hinunter geschleift, auf ihn geschlagen und gestochen, mit Prügeln und großen Stangen ihm alle Glieder und Beine zerschmettert.» Natürlich gab es für den Ketzer keinen Platz auf dem lutherischen Friedhof. Er wurde auf freiem Feld verscharrt. Das war 1592. Die Obrigkeit griff hart durch. Mit der Zeit kam Ruhe ins Land. Alle lutherischen Pfarrer jedoch ließen sich nicht vertreiben. Die wenigen, die in Amberg, Neumarkt und Cham bleiben konnten, predigten nicht nur von der Kanzel gegen ihre reformierten Kollegen. Geschlossen demonstrierten sie für ihre Religion, indem sie sich einen Vollbart stehen ließen, worauf die Ketzer sich einheitlich einen Spitzbart stutzten.

Den theologischen Streithähnen sollte das gegenseitige Lästern und Verketzern noch vergehen. Und die Menschen mußten 1621 zum fünftenmal in gut einem halben Jahrhundert die Religion wechseln: die Kurpfalz ging an Bayern. Mit den katholischen Wittelsbachern kamen Jesuiten und Kapuzinermönche ins Land – und wunderten sich, mit wieviel Gleichmut die Mehrheit der Bevölkerung die Gebräuche und Zeremonien der römischen Kirche übernahmen.

Im Dezember 1571 sagte der Kurfürst aus der Pfalz seinem sächsischen Kollegen erfreut, daß der soeben erschienene Wittenberger Katechismus über das Abendmahl das gleiche lehre wie der reformierte Heidelberger Katechismus. War Sachsen, das Bollwerk der orthodoxen Lutheraner, etwa ins calvinistische Lager übergegangen? Mitnichten. Kurfürst August war über dieses Lob des Ketzers vom Rhein entsetzt. Sofort ging Befehl an die Universitäten in Wittenberg und Leipzig, diese unverschämte Anbiederung mit akademischem Nachdruck zurückzuweisen und ausdrücklich auf die grundlegenden Unterschiede zwischen den Lutheranern und den Reformierten hinzuweisen. Unter den Gutachten, die nun von Wittenberg nach Heidelberg gingen, stand ein Name immer obenan: Christoph Pezel, Professor der Theologie und Prediger an der Schloßkirche. Es ist eben jener Pezel, der zwanzig Jahre später die Bremer Kirche von der lutherischen zur reformierten Theologie führte.

Der Humanist Pezel war von Hause aus der Geschichte zugetan. In diesem Fach hielt er in Wittenberg seine erste Vorlesung. Er hat Melanchthon noch gekannt, der 1560 starb, und dessen theologischen Einfluß nicht geleugnet. Melanchthon wollte Luthers Werk weiterführen. Pezel fühlte sich berufen, noch über Melanchthon hinauszugehen.

Pezel fand in Wittenberg Freunde und Gleichgesinnte. Zwei vor allem, die nicht zu den Theologen zählten und doch, wie viele ihrer gebildeten Zeitgenossen, zutiefst in Glaubenssachen engagiert waren. Humanisten, die die radikalen Positionen der Theologen menschlicher und vernünftiger machen wollten. Der eine war Kaspar Peucer, kurfürstlicher Leibarzt und Melanchthons Schwiegersohn. Der andere, Georg Cracow, arbeitete als Rat am kurfürstlichen Hofe. Das war die erste, einflußreichste Garde. Daneben gab es nicht wenige, die – mehr im Hintergrund – mit diesen Positionen übereinstimmten.

Der Wittenberger Katechismus, von Pezel verfaßt, war bei den orthodoxen Lutheranern außerhalb von Sachsen auf erbitterten Widerstand gestoßen und als Ketzerei gebrandmarkt. Trotzdem faßte der Kurfürst auch dann noch keinen Verdacht, als die eingeforderten Gutachten gegen die Reformierten in Heidelberg gar nicht so eindeutig waren, wie man es sich hätte denken können. Trotzdem: Seine Professoren bestritten jeden Vorwurf, mit den Calvinisten gemeine Sache zu machen und als heimliche Anhänger des Calvin – Kryptocalvinisten – eine andere Theologie in Luthers eigenem Land einführen zu wollen.

Das war der eine, äußere Vorgang. Schwarz auf weiß aber gingen zur gleichen Zeit heimliche Briefe von Wittenberg an die führenden Heidelberger Theologen, in denen das Gegenteil stand. Briefe, worin Pezel vor allem seine Theologenfreunde um Verständnis für die offizielle Verurteilung bat, die natürlich nicht seiner wirklichen Überzeugung entspräche. Der Kurfürst zwinge sie, Positionen zu vertreten, zum Beispiel in der Lehre vom Abendmahl, die mit der Bibel nicht übereinstimmten. Die Offenheit gegenüber der Reformierten läßt staunen. Doch die Heidelberger haben ihre Freunde in Sachsen nicht verraten, dafür aber immer drängender gebeten, sich offen zu ihrem Gewissen zu bekennen. Pezel antwortete mit einem

Zitat des biblischen Propheten Amos: «Der Weise schweigt, denn die Zeit ist böse.»

Nicht jeder ist zum Märtyrer berufen. Außerdem mußten die Wittenberger tatsächlich bedenken, daß ein solches Bekenntnis alle mitreißen würde, die auch nur im entferntesten ihre Partei ergriffen hatten, ohne ahnen zu können, was hinter den Kulissen vor sich ging. Das doppelte Spiel flog auf, als ein Leipziger Verleger 1574 eine anonyme Schrift druckte, die den Unterschied zwischen Luther und Melanchthon beschrieb und die heimlichen calvinistischen Neigungen der führenden Wittenberger Theologen ziemlich unverhüllt darstellte. Der Kurfürst fühlte sich schmählich betrogen und kannte keine Gnade. Pezel, Peucer und Cracow wurden verhaftet und auf die Pleißenburg bei Leipzig gebracht. Viele andere im Land, des Kryptocalvinismus verdächtigt, kamen ins Gefängnis. Cracow ist dort gestorben. Christoph Pezel wurde im Herbst 1576 aus dem Land gewiesen. In Nassau-Dillenburg wurde er mit offenen Armen aufgenommen. Während der Haft war er ein Märtyrer und offener Bekenner der reformierten Sache geworden. Sein weiterer Lebenslauf in Bremen ist bekannt.

In Sachsen wollte der Kurfürst kein Risiko mehr eingehen. Für alle theologischen Bücher wurde die Zensur eingeführt und ein Index der verbotenen Bücher aufgestellt. Aufpasser kontrollierten die Druckpressen und die Buchläden. Die Theologen mußten sich mit ihrer Unterschrift zum Abendmahlverständnis Luthers bekennen und ihre Predigttexte vor der Verkündigung dem Zensor vorlegen.

Hochgeehrt, vertrieben, verdammt, mit Ämtern überhäuft und immer wieder auf der Flucht: Kaum ein Theologe hat diese Jahrzehnte so exemplarisch durchlebt wie Tilemann Heshusius, 1527 als Sohn einer ehrbaren Familie in Wesel am Niederrhein geboren. Es genügt, die Stationen aufzuzählen, um etwas mitzubekommen von der Unruhe der Zeiten, in denen die Generation nach Luther um ihren Glauben kämpfte. Heshusius kam 1546 nach Wittenberg, um Theologie zu studieren. Melanchthon, mit seinem untrüglichen Gefühl für Begabungen, lud ihn fast täglich in sein Haus, nahm ihn mit auf kleine Reisen. Da Geld genug vorhanden war, folgte eine ausgedehnte Bildungsreise nach Frankreich und

England. Ab 1549 lehrte der Mann vom Niederrhein als Dozent für Theologie in Wittenberg. Jeder wußte, der würde Karriere machen. Es fing auch gut an: 1553 als Superintendent nach Goslar. Aber schon drei Jahre später wurde er vom Rat der Stadt vertrieben, der sich von Heshusius nicht die üppigen sonntäglichen Hochzeiten verbieten lassen wollte. Ein Jahr Rostock folgte – vertrieben. 1558 kam ein Ruf nach Heidelberg in eine glänzende Stellung als Pfarrer, Präsident des Kirchenrates, Generalsuperintendent der Pfalz und Theologieprofessor. Heshusius arbeitet rund um die Uhr, ist klug, belesen, führt eine scharfe Feder. Zwei Jahre später: die nächste Vertreibung. Die Kurpfalz wird calvinistisch. Von einem Anhänger des Melanchthon hat sich Heshusius inzwischen zu einem orthodoxen Lutheraner entwickelt, streng und kompromißlos. Unerbittlich im Kampf gegen alle Theologen, die seine Meinung nicht teilen, und gegen die Obrigkeit, die über die Geistlichkeit herrschen will.

Magdeburg ist die nächste Station, eine Hochburg des Luthertums. Doch zwei Jahre später: vertrieben. Heshusius geht in seine Vaterstadt. Seine Frau stirbt dort. Ausdrücklich verbietet er dem reformierten Geistlichen, an der Beerdigung teilzunehmen. Wesel fürchtet Unruhe, Zwietracht. Heshusius muß die Stadt verlassen. Das Musterländchen Pfalz-Neuburg nimmt ihn auf. Von dort kommt 1569 ein Ruf nach Jena. Endlich einmal ein friedlicher Abschied. 1573: aus Sachsen vertrieben. Heshusius geht nach Königsberg und wird evangelischer Bischof des Samlandes. Vier Jahre lang, dann ist er auf Grund der Klagen von Kollegen entlassen und ausgewiesen. In Helmstedt, der neu gegründeten evangelischen Universität, findet er Ruhe, bis er 1588 stirbt. Seine Worte, als es zum Ende geht: «Ich hätte die Sünder härter strafen und die Rottengeister eifriger widerlegen sollen.»

Es war schließlich die fürstliche Obrigkeit, die dem Wüten der Theologen Einhalt gebot und wenigstens die Lutheraner dazu brachte, sich nicht mehr gegenseitig als Philippisten oder Flacianer, als Kryptocalvinisten oder Sakramentierer zu verketzern. Der Anstoß zur Einigkeit kam um 1570 aus Württemberg von Jacob Andreä, auch ein Schüler des Melanchthon, aber frei von allen Verdächtigungen. Über Jahre gingen die Verhandlungen. Der Tübinger Professor reiste unermüdlich durch das Land, um die wichtigsten Theologen für sein Ziel zu gewinnen: Die Substanz der lutherischen Theologie in einem Buch zusammenzufassen, das von allen als verbindlich anerkannt wurde. Überall kamen die Geistlichen zusammen, berieten, verwarfen, machten neue Vorschläge. Auch das kleinste Ländchen wollte gefragt werden.

Als sich 1577 die sächsischen und die schwäbischen Theologen auf einem Konvent, den der sächsische Kurfürst einberufen hatte, einig wurden, war ein bedeutender Schritt getan. Der Kurfürst drängte unermüdlich andere, sich anzuschließen. Weite Gebiete Norddeutschlands taten es. Als das «Konkordienbuch» – Buch der Eintracht – 1580 in deutscher Sprache in Dresden veröffentlicht wurde, hatten sich 51 Fürsten, 35 Städte und zwischen achttausend und neuntausend Theologen mit ihrer Unterschrift diesem lutherischen Bekenntnisbuch verpflichtet. Abgelehnt hatten unter anderem Schleswig-Holstein und Pommern, Nürnberg und Straßburg, Frankfurt und Worms. Ihnen war die Verurteilung der gemäßigten Richtung im Konkordienbuch zu hart.

Martin Luther hatte versucht, den Einfluß theologischer Systeme in der Kirche zurückzudrängen. Ich glaube nicht an den Papst, hatte er gesagt. Das heißt: nicht an Dogmen oder Lehrsätze. Ich glaube an Gott. In der Todesstunde ist jeder Christ allein. Da hilft ihm kein noch so kluges Buch, kein Katechismus und nicht einmal der Pfarrer. Doch was Luther so einfach und eindeutig erschien, führte zum erbitterten Streit unter seinen Nachfolgern. Um eine Bewegung, die nur das reine Evangelium predigen wollte, vor dem Auseinanderfallen zu bewahren, mußten gerade theologische Definitionen herhalten. Die Berufung auf die «reine Lehre» wurde zum Kitt, der alles zusammenhielt, zum Scheidewasser, das von den Ketzern trennte. Im Vorwort der Konkordienformel hieß es, «daß eine christliche Erklärung und Vergleichung alles Kontroversen geschehe, die in Gottes Wort wohlgegründet ist, nach welcher die reine Lehre von der verfälschten erkannt und unterschieden werde und den unruhigen, zankgierigen Leuten, die an keine gewisse Form der reinen Lehre gebunden sein wollen, nicht alles frei und offen stehe ...»

Das ging nicht zuerst gegen die römische Kirche, sondern gegen jene protestantischen Lager, die im Sinne Melanchthons nicht die Gegensätze, sondern das Gemeinsame betonten; die nicht allen theologischen Problemen auf den Grund gehen und Streitfragen dem Jüngsten Gericht überlassen wollten. Es war das Erbe des Erasmus, der nichts so sehr gehaßt hatte wie Unfrieden und dogmatische Tüfteleien. Wir dürfen es nicht vergessen: Gerade ihn hatte Luther in der Auseinandersetzung um den freien Willen wegen seiner skeptischen Haltung streng getadelt: «Du mit Deiner Theologie der Friedensliebe. Dir liegt nichts an der Wahrheit. Das Licht darf nicht unter den Scheffel gestellt werden, und wenn die ganze Welt darüber zu Bruch geht.»

Diese Worte hatte sich die zweite Generation lutherischer Prediger und Theologen zu Herzen genommen. Ihr unermüdlicher und uns abstoßender Kampf um die Wahrheit hat seine Tradition. Es wäre kurzsichtig, das «Wüten der Theologen» nur als Selbstbefriedigung, als allzu schnelle Abnutzungserscheinung der ursprünglichen evangelischen Ziele zu interpretieren. Auf die Entwicklung der protestantischen Kirche und Theologie trifft zu, was schon die allerersten Christen erleben mußten: Es gibt keinen reinen, ungetrübten Urzustand. Wo das Wort die Basis ist, auch wenn es das Wort Gottes ist, sind Mißverständnis und Streit von Anfang an mitgegeben. Was ist katholisch, hatten sich die Mönche auf der Insel Lerin vor Marseille im 5. Jahrhundert nach Christus gefragt, als der Kirchenvater Augustinus dogmatische Thesen vertrat, die sie für falsch hielten. Was ist lutherisch, fragten die Theologen, die ein ganzes Jahrzehnt lang gegen Ende des 16. Jahrhunderts um das Konkordienbuch rangen. Ob lutherisch oder katholisch – alle meinten dasselbe: Was ist christlich?

Es gab auch in diesen kämpferischen Zeiten solche, die die Frage offenlassen wollten. Die zwischen den beiden verfeindeten Lagern einen dritten Weg gehen wollten und eine mittlere Position suchten. Es gab Fürsten, die ihre Untertanen nicht zu einem einheitlichen Glauben zwangen, weil ihre eigenen Zweifel zu groß waren und nicht unterdrückt wurden. Am Niederrhein versuchte Herzog Wilhelm von Jülich-Kleve-Berg sich zwischen den Fronten zu bewegen. Er berief katholische Theologen in sein Land, die noch an einen Ausgleich mit den Protestanten glaubten und ernsthaft eine

Reform der eigenen Kirche anstrebten. Auch sie kamen aus dem humanistischen Lager. «Vermittlungstheologen» nannte man sie. Sie hielten sich, wie der Herzog, für katholisch im besten Sinn, wenn sie für die Heirat der Priester eintraten oder die Kommunion der Gemeinde mit Brot und Wein für keine Ketzerei hielten. Wie es der Herzog in jeder Messe tat. Er duldete auch, daß seine beiden Töchter sich offen zur lutherischen Lehre bekannten und nicht in die Messe gingen. Der Kaiser selbst, Maximilian II., ein Neffe Karls V., schwankte, sympathisierte mit der evangelischen Bewegung – und blieb ein Gefangener der Staatsräson.

Im Bistum Würzburg, wo ein katholischer Bischof geistlicher und weltlicher Herr war, hatten die Protestanten für Jahrzehnte eine breite Anhängerschaft im Rat der Stadt Würzburg und stellten den Bürgermeister. Erst 1587 wichen sie einer neuen, kompromißlosen Politik des Kirchenfürsten und verließen das Land. Es wundert nicht, daß die Menschen, die täglich in die Kirchen gingen, über den Auseinandersetzungen, Schmähschriften und theologischen Disputen oft nicht mehr wußten, woran sie eigentlich glauben sollten und zu welchem Lager sie gehörten. Besonders groß war solche Verwirrung da, wo nicht von oben eine Richtung mit Gewalt durchgesetzt wurde.

In Xanten am Niederrhein bat eine Gruppe von Bürgern den Rat, daß man sie in Zukunft zur Augsburgischen Konfession zähle. So hatte der Religionsfrieden von 1555 alle anerkannten Protestanten definiert, nämlich solche, die sich nach dem 1530 in Augsburg vorgetragenen Bekenntnis richteten. Als der Xantener Rat die Antragsteller fragte, ob sie wüßten, «was die Augsburgische Konfession für ein Ding sei oder wes Inhalts sie wäre», antworteten die angeblich Evangelischen, das wüßten sie nicht. Sie hätten aber gehört, «es sollte etwas Guts und in dem Worte Gottes begründet sein».

In Orsoy, ebenfalls am Niederrhein bei Duisburg gelegen, hielt ein Pfarrer noch um die Wende zum 17. Jahrhundert ein paar Jahre lang in der gleichen Kirche abwechselnd die Messe für die Katholiken und einen kargen Predigtgottesdienst für die Reformierten und teilte ihnen das Abendmahl auf ihre Weise aus. Als den Behörden das seltsam vorkam, wurde der Geistliche von den Katholiken als vorbildlich rechtgläubig verteidigt und zugleich von der Synode der

Reformierten ausdrücklich als «treuer Lehrer» des Calvinismus bestätigt. Daß er ab und zu ein katholisches Meßgewand trage, sei zu vertreten. Es schütze ihn vor den Problemen mit den katholischen Behörden.

Toleranz, religiöser Pluralismus ist das noch nicht, aber doch eine wohltuende Duldsamkeit in Glaubensfragen. Mit dem neuen Jahrhundert ging sie auch am Niederrhein zu Ende. Noch war es die Unduldsamkeit, die rigorose Behauptung und Durchsetzung der als richtig erkannten Wahrheit, die das Leben prägte. Nicht der Herzog von Kleve symbolisiert den Zeitgeist, sondern der Markgraf Georg Friedrich von Ansbach. Als sein lutherischer Hofprediger Neigungen zur reformierten Theologie erkennen ließ, wurde er verhaftet und anschließend die Universität von Tübingen um ein Gutachten gebeten. Die Theologen antworteten: Da die Todesstrafe für Ketzerei abgeschafft sei, solle man den Übeltäter lebenslang in Festungshaft halten. Die Juristen argumentierten: Bei einem so gelehrten Mann sei die vorgeschriebene Strafe – Verbannung – zu gering. Sie plädierten für verschärfte Haft mit Bekehrungsversuchen. Sollte der Theologe von seinem Irrtum nicht abgehen, müsse man ihn wie einen Irren behandeln.

Ordnungen, wie sie Johannes Bugenhagen in den Pionierjahren für Hamburg, Lübeck und anderswo im norddeutschen Raum erlassen hatte, wurden nun überall in den evangelischen Ländern und Ländchen erlassen und ganz offiziell «Kirchenordnungen» genannt. Das Gefühl, gut katholisch zu sein, wich einem eigenen lutherischen Selbstbewußtsein. Und lutherisch, ursprünglich ein Schimpfname, nannten sich nach Unterzeichnung des Konkordienbuches ohne Scheu und endgültig jene, die in Martin Luther ihren geistlichen Vater sahen.

Ein Pluspunkt bei dieser Institutionalisierung: Es besserten sich zusehends Bildung und Qualifikation des Pfarrerstandes, wenngleich das Gesamtbild sehr unterschiedlich blieb. In Brandenburg forderte der Kurfürst noch 1588, daß man endlich aufhören solle «wie bishero geschehen ... schneider, schuster oder andere verdorbene handwerker und lediggenger» zu Geistlichen zu machen, «die ihre grammaticam nicht studiert, viel weniger recht lesen können, und alleine, weil sie ihres berufs nicht gewartet, verdorben und nirgend hinauswissen, nothalben pfaffen werden». So war es in den frühen Notjahren oft geschehen: Man nahm als Pfarrer, wer sich nur anbot. Hatte doch Luther eine besondere priesterliche Würde, die ihn vor andern Menschen auszeichnete, abgelehnt. Doch den ungebildeten Geistlichen hatte er ebenfalls nicht das Wort geredet. Um 1580 waren von 320 Pfarrern in der Oberpfalz immerhin 150 auf einer Hochschule gewesen, und nur zwei kamen aus Handwerksfamilien. In Oldenburg kamen um 1600 rund die Hälfte der Pfarramtskandidaten aus einem Pastorenhaushalt. Um diese Zeit hatten sich eine theologische Ausbildung und ein Pfarrexamen überall eingebürgert.

Wäre ein Katholik um diese Zeit in einen lutherischen Gottesdienst gegangen – unvorstellbar –, er hätte sich ziemlich heimisch gefühlt. Nachdem man im Kampf gegen das Augsburger Interim um die Jahrhundertmitte eine erzwungene Übernahme päpstlicher Zeremonien abgelehnt hatte, brachte die Abgrenzung von den Calvinisten die alten Bräuche und Farben wieder zu Ehren bei den Lutheranern. Jetzt wurden diese Äußerlichkeiten zum wesentlichen Bestandteil des eigenen Glaubens erklärt, mit denen man demonstrativ zeigte, auf welcher protestantischen Seite man stand.

Die lutherischen Pfarrer trugen nicht nur das traditionelle weiße Chorhemd, sondern auch die alten, reichverzierten Meßgewänder im Abendmahlgottesdienst. In Berlin wurden das ganze 16. Jahrhundert hindurch feierliche Prozessionen gehalten. Das Kreuz zu schlagen war kein Privileg der Katholiken oder Ausweis für Ketzerei. Im Amberger Katechismus von 1559 stand: «Morgens, so du aus dem Bette fehrst ... des Abends, wenn du zu Bette gehst, solst du dich segnen mit dem heiligen Creutz.» Auch das Knien in der Kirche war keineswegs verpönt. Bei dem Versuch, die Amberger Lutheraner zur reformierten Religion zu bewegen, hielt ihnen ein calvinistischer Prediger vor: «Du gehest zum Sakrament, hebest die Hende auf, kniest nieder, und lessest dir ein tuchlein unterhalten. Das ist ein abgotterey, darauff die Ewig Verdammnis gehöret.»

Viele Pfarrer gaben sich redliche Mühe, ihre Pflichten zu erfüllen. Einer konnten sie oft nicht für alle nachkommen: Es starben so viele Menschen, daß nicht bei jedem Zeit für eine Leichenpredigt war. In Anhalt wurde sie den Geistlichen erlassen, wenn weniger als fünfzig Trauernde zuhörten. In Dinkelsbühl wurde «ohne alle ceremonien» zu Grab getragen, wer lange nicht beim Abendmahl erschienen war. Der Tote lag in der Regel auf einer Bahre. Ein Sarg war noch Seltenheit. In Nassau-Dillenburg schrieb 1590 die Kirchenordnung vor, «daß in einem jeden Dorf ein gemeiner Todtenkasten gemacht und in die Kapelle gestellt werden sollte, darin arme, so ihnen keine eigene Todtenlade machen lassen können oder auch andere, in gemeinen Sterbensläuften keine Bretter zu bekommen, und bis zum Grabe getragen oder gefuhrt werden mögen».

In den Predigten versuchte man, das reine Evangelium zu verkündigen, ohne allzuviel Schnörkel und Allegorien. Andere Traditionen blieben. Die Höllenqualen der Verdammten wurden auch auf lutherischen Kanzeln in allen Einzelheiten ausgemalt. Man gab praktische Ratschläge, wie sie seit Jahrhunderten die Bettelmönche in ihren Predigten unters Volk gebracht hatten. Den schwangeren Frauen wurde Diät empfohlen, um die Geburt zu erleichtern. Die vernünftige Ernährung war generell ein beliebter Gegenstand. Eine Leichenpredigt nennt die Ursachen des Schlaganfalls: «Wenn man des Abendts lange und über die Zeit sitzet, starcks Getränck heuffig zu sich nimpt ...»

Welche Lehren die Prediger von den Kanzeln auch immer verkündeten und in welchen Formen der Glaube auch immer praktiziert wurde: der Landesfürst hatte in letzter Instanz darüber zu entscheiden. Es war keine Laune, auch kein Hilfsdienst mehr, den er in Notzeiten erfüllte, weil keine andere geistliche Autorität existierte. So hatte Luther argumentiert, der prinzipiell die geistliche von der weltlichen Macht trennte und Eingriffe in Kirchenfragen nur billigte, wenn sie vor Aufruhr schützten. Luther kannte keine christliche Politik, sondern nur eine weltliche Ordnung, der sich Christen und Heiden beugen mußten, weil sonst die menschliche Gesellschaft auseinanderfiel. Denn der Mensch war schlecht, ein Sünder. Das Evangelium änderte daran nichts. Die Realität bewies es schmerzlich. Die Machthaber gingen souverän über diesen Teil der lutherischen Theologie hinweg. Die Geistlichkeit erhob nur vereinzelt Protest. Insgesamt beugte sie sich den weltlichen Gewalten.

Die Kirchenordnung von Wolfenbüttel schrieb dem Fürsten

1569 vor, «die kirchen im lande durch rechte warhaftige christliche lehre und gotsdienst zu pflanzen und zu verordnen lassen». Ausdrücklich wurde gesagt, daß diese Amtspflicht nicht nur ausgeübt wurde, um Aufruhr zu verhindern. Sie entsprach einem direkten Auftrag Gottes: «Das wir unsern getreuen und lieben underthanen nicht alleine umb zeitlichs friedens, ruhe und einigkeit willen, sondern auch darumb, von seiner göttlichen allmacht fürgesetzt, das wir bey denselben von allem anderm, was die rechte erkantnuss, anruffung und dienst Gottes belanget, vermöge unsers tragenden und von Gott bevohlenen ampts befürderten.»

Weltliche Ordnung – im Gebrauch der Zeit «Polizei» genannt – und geistliche wurden in einem Atemzug genannt. Kirche und Polizei, Theologen und Beamte: Auf ihnen ruhte der Staat und das Auge des Herrschers, dem «nicht allein löbliche policei, sondern auch der kirchen sachen vermöge tragenden und uns von gott befohlenen ampts angelegen» war. So die sächsische Kirchenordnung von 1580.

Als die römische Kirche noch allein die Seelen regierte und mehr als das, hatten Fürsten und städtische Magistrate zäh darum gekämpft, die Privilegien der Geistlichkeit aufzuheben und sie zu einem Teil der weltlichen Gemeinschaft zu machen, wie jeder andere Bürger auch. Nun war es erreicht. Am Ende der sächsischen Kirchenordnung wurde den Untertanen unmißverständlich gesagt, daß alle und alles dem Regiment des Fürsten unterstand: «Dem allem nach gebieten und befehlen wir allen und jeden unterthanen, wes standes sie sind, geistlichen und weltlichen, das sie sich aller obgemelter ordnungen, so viel das menniglich und ein jeden insonders betreffen und anlangen thut, untertheniglich und gehorsamlich jeder zeit verhalten und dagegen oder wider nichts fürnemen, gebaren oder thun, bei vermeidung unser ungnad und ernsten straf . . .»

Nicht nur über äußere Ordnungen entschied der Landesherr, auch die Theologie als Wissenschaft wurde eine Magd der Politik. Die mittelalterliche Universität, ein Ort akademischer Freiheit, über Jahrhunderte von Kaiser und Papst respektiert, hatte keinen Platz mehr in den lutherischen Landeskirchen von Fürsten Gnaden. Der Landesvater entschied jetzt, welche theologische Richtung die Lehrstühle besetzen durfte. Wechselten Gunst oder Person, konnten von einem Tag auf den anderen die besten Kapazitäten ausgetauscht werden.

«Wir träumten uns ein goldenes Jahrhundert», sagte der Humanist Abraham Scultetus, ein reformierter Protestant, 1591 bei einem Besuch in Leipzig. Die meisten evangelischen Theologen – ob reformiert oder lutherisch – hielten nichts von Träumen. Es ging um die Wahrheit, und da mußte man kämpfen. Nichts anderes hatte der Mönch getan, der in diesem Jahrhundert in einer kleinen Stadt in Sachsen die Welt veränderte.

# Im Barock:
# Der Pastor kommt nicht ins Haus

Am 9. Oktober 1601, so meldet der Chronist, hatte sich die Kurfürstinwitwe Sophie mit ihren Hofdamen in Dresden «auf der Gallerie des neuen Stallgebäudes eingefunden, weil man von da herab die Execution auf eine sehr bequeme Art betrachten konnte. Um dem Schauspiel recht nahe zu sein, wurde auf ihren Befehl das Blutgerüst, welches einige Tage vorher von dem Stallgebäude etwas entfernt errichtet war, wieder abgebrochen und näher an dasselbe gebaut.» Nach zehn Jahren Gefangenschaft verlor an diesem Morgen vor großem Publikum durch einen Schwertstreich des Henkers der Doktor Nikolaus Krell sein Leben, ehemals Kanzler im Kurfürstentum Sachsen und damit engster Berater des Kurfürsten. Die Anklage: Hochverrat. Krell hatte am Ende der achtziger Jahre versucht, eine Theologie calvinistischer Prägung in Sachsen zu begünstigen. Das Schicksal der «Kryptocalvinisten» um Pezel und Cracow schreckte ihn nicht. Doch auch dieser Versuch scheiterte. Auf dem Schwert, das ihn vom Leben zum Tod beförderte, stand in Latein: «Hüte dich du Calvinist Doktor Nikolaus Krell.» Und der Henker zeigte dem umstehenden Volk das abgeschlagene Haupt mit den warnenden Worten: «Das war ein calvinistischer Streich. Seine Teufelsgesellen mögen sich wohl vorsehen, denn man schont allhier keinen. Es sind ihrer noch mehr unter dem Haufen. Ich denke, sie sollen auch noch in meine Fäuste geraten.»

Zu Ostern 1603 ließ der Landgraf Moritz von Hessen die Geistlichkeit von Schmalkalden zu sich in die Wilhelmsburg oberhalb der Stadt kommen. Seit über zwei Menschenaltern war das Land gut lutherisch. Nun erklärte der Landgraf seinen Pastoren, daß in den Kirchen die Bilder abgenommen, lateinische Gesänge und das Schlagen des Kreuzes abgeschafft werden sollten. Die Richtung war eindeutig: Mit diesen Änderungen nahm Hessen Kurs auf das reformierte calvinistische Lager. Zwei Jahre später ließ der Graf die Kasseler Bürger befragen, ob sie das Abendmahl nach reformierter Weise empfangen würden. Von 2000 Befragten stimmten 1879 zu.

Anders war es in Marburg, wo vier prominente Theologieprofessoren der Universität sich weigerten, der neuen Linie zu folgen. Als auch ein persönlicher Überredungsversuch des Landgrafen nichts daran änderte, wurden sie entlassen und Reformierte an ihre Stelle gerufen. Doch die Unbeugsamen hatten die Bevölkerung der Stadt hinter sich. Als der Superintendent Valentin Schoner am 6. August 1605 auf die Kanzel stieg, um den Marburgern zu erklären, warum es keine Bilder mehr in den Kirchen geben würde, rief die Gemeinde: «Hör auf, du Pfaffe», und jagte ihn durch die Kirche. Draußen war ebenfalls eine empörte Menge aufmarschiert, «die Maurer mit ihren Piken, die Steindecker mit ihren Hämmern, die Schreiner und Zimmerleute mit ihren Richtscheiten». Einer läutete die Sturmglocke, während die Menschen in der Kirche lauthals den Lutherchoral «Allein zu dir, Herr Jesu Christ» anstimmten. Schließlich brachen die Außenstehenden durch die Tür in die Kirche, wohin in der Zwischenzeit mehrere reformierte Geistliche geflüchtet waren.

Nun tobte sich die Volkswut über die Neuerer und Ketzer erst richtig aus: «Herrn Doktor Schönfeld nahmen sie zuvörderst, stürzten ihn die Stiege hinunter in die Sakristei, schleppten ihn mitten in den Chor zwischen beide Altäre. Da raufte und schlug ihn, wer hinzukommen mochte und konnte. Die vorn waren, schlugen ihn ins Angesicht. Die an den Seiten schlugen ihn auf das Haupt, warfen ihn auf die Erde, traten ihn mit Füßen ... Zugleich haben sie den alten Herrn Superintendenten Schoner angefaßt, und, obwohl etliche riefen, man sollte des armen Mannes verschonen, so mochte es doch nicht helfen, sondern haben ihn ungescheut seines hohen Alters, auch seines Amtes, übel zerschlagen ...» Am 7. August erschien der Landgraf vor der Stadt. Die Bürger griffen zu den Waffen. Einen Tag später wurde die Stadt ohne Schuß besetzt, die

Bürger in die Kirche befohlen, wo in Anwesenheit von Landgraf Moritz und den mißhandelten Pfarrern alle Bilder und Kruzifixe entfernt wurden.

Im gleichen Jahr 1605 wurde in Bremen Heinrich Kreffting zum Bürgermeister gewählt. Sein Großvater hatte sich den Wiedertäufern in Münster angeschlossen. Dem Enkel gelang es, das geächtete calvinistische Bremen wieder in den Bund der lutherischen Hansestädte zurückzuführen. Kreffting wandte sich entschieden gegen «Priesterherrschaft» in politischen Angelegenheiten, von welcher Religion sie auch ausging, und warb für einen Ausgleich zwischen Calvinisten und Lutheranern im Reich. Als Juraprofessor in Heidelberg hatte Kreffting enge Kontakte zu dem Theologen David Pareus gehabt. Pareus forderte unermüdlich – aber vergeblich – ein Ende der innerprotestantischen Streitigkeiten und einen Zusammenschluß aller evangelischen Kirchen. Sein bitterer Kommentar: «Nur Theologen sind das Hindernis solchen Friedens.»

Trotz des blutigen Schauspiels in Dresden und des Aufruhrs in Marburg mehrten sich mit Beginn des Jahrhunderts die Zeichen für religiöse Duldsamkeit. Weihnachten 1613 bekannte sich Kurfürst Johann Sigismund von Brandenburg durch eine Teilnahme am reformierten Abendmahl demonstrativ zum Calvinismus. Wäre es nach den Bestimmungen des Augsburger Religionsfriedens von 1555 gegangen, hätte die gesamte lutherische Bevölkerung des Landes ihrem Fürsten folgen müssen. Natürlich wußten der Kurfürst und seine Berater, daß ein erzwungener Religionswechsel in dem streng lutherischen Brandenburg zu Aufruhr und Chaos geführt hätten. Es lag also sehr im fürstlichen und staatlichen Interesse, daß im Februar 1614 verkündet wurde: «... weil der Glaube nicht jedermanns Ding ist, sondern ein Werk und Geschenk Gottes, und niemand zugelassen, über die Gewissen zu herrschen, oder, wie der Apostel Paulus redet, ein Herr sein wollen über den Glauben, welches allein dem Herzenkündiger zustehet, also wollen Se. Churf. Gn. auch zu diesem Bekenntnis keinen Untertanen öffentlich oder heimlich wider seinen Willen zwingen, sondern den Kurs und Lauf der Wahrheit Gott allein befehlen ...» Egal, aus welchen Motiven: Ein Anfang zu einer toleranten Politik, ein Ansatz zu religiösem Pluralismus war gemacht.

Der ungewöhnliche Ton aus den Kanzleien traf sich mit neuen Tönen von den Kanzeln. Es wurde nicht mehr so häufig verdammt und verflucht und dem theologischen Gegner am Zeug geflickt. Die Gemeinde wurde weniger mit derben Bildern über Hölle und ewige Verdammnis erschreckt. Von Liebe war auffallend oft die Rede und von Sanftmut. Der Görlitzer Pastor Martin Moller predigte 1601 seinen Zuhörern (und manchem Kollegen): «Ja, meine Seele, gleichwie das Wasser quillt aus einem Brünnlein, also soll die Liebe und allerlei Gutherzigkeit quellen aus einem jeden Christenherzen. Und gleichwie die armen, durstigen Menschen bei einem Brunnen Wasser holen, also soll ein jeder Durstiger und Elender bei seinem Bruder Liebe und Treue, Hilfe und Rettung, Rat und Tat suchen und zu finden haben ... behüte mich vor teuflischem Haß und Neid und vor erkalteten, falschen Herzen ... O Lindigkeit und Sanftmut, du edle Tugend, wie schön bist du vor Gott und Menschen! Wie manche große Sache kannst du mit einem Wort schlichten! Wollte Gott, daß du aller Gelehrten Herz, Mund und Feder regierest. Wie würde so mancher unnötige Streit in Religionssachen unterbleiben! O wie leicht wären viel Kontroversien zu schlichten, wenn nur Sanftmut in der Lehrer Herzen wohnte und die harten Köpfe sich vertragen könnten! O Sanftmut, du schöne Tochter Gottes! Was könntest du uns ausrichten bei Kaisern, Königen, Fürsten und Herren. Wie manchen schädlichen Krieg könntest du verhüten, wenn sie nur dich zu Rate nehmen möchten!»

Mollers Amtsbruder in Celle, der Superintendent Johann Arndt, schrieb zwischen 1606 und 1616 vier Bücher «Vom wahren Christentum», die weit über das ganze folgende Jahrhundert hinaus die meistgelesenen Erbauungsbücher der evangelischen Christen blieben. Arndt verurteilt in seiner Vorrede zum ersten Buch ausdrücklich jene lutherischen Geistlichen, die im theologischen Elfenbeinturm sitzen und sich weit von der Frömmigkeit und dem Alltag der Durchschnittschristen entfernt haben. Martin Luther hätte es in seiner Zeit nicht anders gesagt: «Viele meinen, die Theologia sei nur eine bloße Wissenschaft und Wort-Kunst, da sie doch eine lebendige Erfahrung und Übung ist. Jedermann studieret jetzo, wo er hoch und berühmt in der Welt werden möge. Aber fromm sein will niemand lernen. Jedermann suchet jetzo hochgelehrte Leute, von denen er Kunst, Sprachen und Weisheit lernen möge. Aber von unserm einigen Doktor und Lehrer Jesu Christo will niemand lernen Sanftmut und herzliche Demut ...»

Arndt, ein orthodoxer Lutheraner, dem niemand Sympathie für den Katholizismus nachsagte, nimmt in sein «Wahres Christentum» und das Erbauungsbuch «Paradiesgärtlein» bewußt die Schriften mittelalterlicher Mystiker auf, um den Menschen einen unmittelbaren Zugang zu Gott zu weisen, unverstellt durch eine akademische und unverständliche Theologie. Mit Thomas von Kempen predigt er eine «Nachfolge Christi», ohne die es keinen Glauben und keine Rettung gibt: «Wer Christum lieb hat, der hat auch lieb das Exempel seines heiligen Lebens, seine Demut, Sanftmut, Geduld, Kreuz, Schmach, Verachtung, ob's gleich dem Fleische wehe tut.» Und mit Thomas von Kempen und den «Brüdern vom gemeinsamen Leben» fordert dieser lutherische Pastor die Christen auf, den Weg nach innen zu gehen: «Es muß in dir geschehen.» Das göttliche Licht «ist verborgen im innersten Grund und Wesen der Seele».

Genau diese Erfahrung machte 1600 in Görlitz an der Neiße der evangelische Schuhmacher Jakob Böhme. Er wurde «vom göttlichen Licht ergriffen und mit seinem gestirnten Seelengeiste ... zu dem innersten Grunde oder centro der geheimen Natur eingeführt». Das war erst der Anfang. Immer wieder erlebte der kleine, zart gebaute Mann, wie der Geist über ihn kam und ihn nie gehörte, nie gesehene Dinge erfahren ließ. Böhme schrieb alles auf und ließ seine Papiere unter seinen Freunden und Anhängern, zu denen bald Bürger und Adlige zählten, zirkulieren. Im lutherischen Glauben erzogen, genügte dem Schuhmacher nicht mehr, was die Pastoren von den Kanzeln verkündigten. Er machte sich in eigener Verantwortung immer entschlossener auf den Weg zu Gott: «In solchem meinem gar ernstlichen Suchen und Begehren ... ist mir die Pforte eröffnet worden, daß ich in einer Viertelstunden mehr gesehen und gewußt habe, denn als wenn ich wäre viel Jahr auf hohen Schulen gewesen ... Denn ich sah und erkannte das Wesen aller Wesen, den Grund und den Urgrund: Item die Geburt der Heiligen Dreifaltigkeit, das Herkommen und den Urstand der Welt.»

Der Laie, der solchen direkten Kontakt zu Gott fand, wurde sehr schnell von den Theologen als «Enthusiast» gebrandmarkt. Hatte nicht Luther immer wieder erklärt, daß Gott nicht mit den Menschen redet «wie mit einem Schusterknecht»? Hatte er nicht Melanchthon entschieden vor denen gewarnt, die sich auf Stimmen und Erscheinungen beriefen? Wer wußte denn, ob solches nicht vom Teufel kam? In sich selbst findet der Mensch keinen Halt, keine Gewißheit. Ist er doch wie ein schwankendes Gras im Wind, ein Sünder, sonst nichts. Jakob Böhme, der einflußreiche Außenseiter, dessen Schriften wie geheime Schätze von Generation zu Generation weitergegeben wurden, mußte in seiner Todesstunde erst ein dogmatisches Examen ablegen, bevor der Pfarrer ihm das Abendmahl reichte. Der lutherische Geistliche, der den Sarg begleitete und ihm die Leichenpredigt hielt, erklärte ausdrücklich, er tue es nur auf Anordnung der Obrigkeit.

1617 feierte die evangelische Welt zum erstenmal das Reformationsjubiläum. Hundert Jahre war es her, daß Martin Luther mit 95 akademischen Thesen seine Universitätskollegen aufgefordert hatte, über den Mißbrauch des Ablasses zu diskutieren. Der Kurfürst von Sachsen verordnete seinen Untertanen acht Tage lang feierliche Gottesdienste und schrieb seinen Geistlichen genau vor, worüber und in welchem Sinn sie zu predigen hätten. Zum Beispiel am 1. November 1617 über ein Kapitel aus der Offenbarung des Johannes, «darinnen der heilige Geist deutlich geweissaget, wie zu den letzten Zeiten, wann der Antichrist zuvor hart und lang gewütet, der Allmechtige einen Engel, das ist einen freudigen Lehrer, Prediger und Reformatorem senden, denselben das Evangelium allerley Nationen verkündigen und durch die Predigt des Evangelii die grosse Stadt Babylon, das ist das Römische Pabstthum stürtzen und für demselben treuhertzig warnen lassen wollte ...» Und zum Andenken ließ der Kurfürst eine Münze schlagen, auf der diese Inschrift stand: «D.[eo] S.[oli] G.[loria] Jubilaeus primus reformati per D. Lutherum papatus.» Zu Deutsch: «Gott allein die Ehre. Erstes Jubiläum des durch Doktor Luther reformierten Papsttums.»

Schon ein Jahr darauf entzündet sich an dem berühmten Prager Fenstersturz ein Brand, der sich schließlich auf das ganze Deutsche Reich ausdehnen und weite Teile davon mit Not und Tod überziehen wird. Der Dreißigjährige Krieg ist in das historische Bewußtsein eingegangen als ein Krieg der Konfessionen: hie Protestant – hie Katholik. Aber solche eindeutigen Alternativen hat es von Anfang an nicht gegeben. Stets waren Politik und Religion – wie so viele Jahrhunderte zuvor – eng miteinander verzahnt.

Als Friedrich von der Pfalz, ein Calvinist, sich 1619 von den Böhmen zum König machen ließ, um gegen den katholischen Habsburger, der auch deutscher Kaiser war, anzutreten, kam von seinen lutherischen Glaubensbrüdern im Reich keine Hilfe. Der Kurfürst von Sachsen, anerkannter Führer der deutschen Lutheraner, bat seinen Oberhofprediger und Beichtvater, den unerbittlichen Hoë von Hoenegg, «den Mund des Herrn» für ihn zu befragen, ob er dem Kaiser oder den Calvinisten beistehen solle. Stellvertretend für Gott antwortete ihm der Theologe: «Bei rechtschaffenen Christen heißt es: ‹Ich hasse die Flattergeister.›» Und für die öffentliche Meinung gab Hoë eine ältere Schrift neu heraus, deren Titel keinen Zweifel ließ, wie die lutherischen Fürsten sich entscheiden sollten: «Eine wichtige und in diesen gefährlichen Zeiten sehr nützliche Frag: ob, wie und warumb man lieber mit den Papisten Gemeinschaft haben und gleichsamb mehr Vertrauen zu ihnen tragen solle, denn mit und zu den Calvinisten.» Doch die Rechnung ging nicht auf.

Der Kaiser besiegte den calvinistischen Kurfürsten, und bald sahen sich die Lutheraner bedroht. Tatsächlich glaubte der Habsburger Ferdinand II., dessen Heer in den zwanziger Jahren bis Pommern vorstieß, endlich zu erreichen, worum sein berühmter Vorgänger Karl V. vergeblich gekämpft hatte: ganz Deutschland dem Katholizismus zurückzugewinnen. Daraus wurde nichts, denn Gustav Adolf von Schweden kam 1630 über die Ostsee, um den evangelischen Glauben zu retten – und verbündete sich, als er in Schwierigkeiten kam, mit dem katholischen Frankreich. Deutschland wurde ein europäisches Schlachtfeld. Das Leid des einzelnen ließ die Diplomaten ungerührt. Die Pfarrer jedoch konnten und wollten ihm nicht ausweichen. Bartholomaeus Dietwar spricht für viele von ihnen: «Dieses Jahr, 1634, hab ich als damahlen Diacono zu Kitzingen 477 Personen zur Erden bestattet, ohne was bey den andern beiden Collegen geschehen.»

Hin und her, quer durch das Land zog die Soldateska. Kamen die

Evangelischen in katholisches Gebiet, wurde gleich das reine Evangelium gepredigt. Eroberten die Katholischen Territorien, die dem lutherischen Glauben anhingen, mußte die Bevölkerung ebensoschnell die Konfession wechseln. Wo die Kriegsläufte es mit sich brachten, geschah ein solcher Szenenwechsel mehr als einmal am gleichen Ort. Die Menschen wurden mit Gewalt in die Kirchen getrieben, wo man entweder die alten Bilder aus der Sakristei hervorholte oder sie von den Wänden nahm, einen katholischen bzw. evangelischen Geistlichen den Gottesdienst samt Bekehrungspredigt halten ließ – und schon waren aus Ketzern anständige Christen geworden.

Der Versuchung, zwischen der äußeren Not in den Kriegsjahren und der inneren Schlechtigkeit der Menschen einen ursächlichen Zusammenhang herzustellen, konnten viele Theologen nicht widerstehen. Sie waren wohl auch überzeugt, daß der Krieg eine Strafe Gottes war, ein blutiger Aufruf umzukehren und sich zu bessern. Als schon zwei Jahre lang Friede herrschte, hielt der Pastor Johann Georg Dorsch in Bad Peterstal im Schwarzwald eine Friedenspredigt, um die Erinnerung an das Gottesurteil wachzuhalten: «Menschenurteil geht allein auf die Mordbrenner und Feuerbringer, auf Kriegsleute. Denen wird es auch noch vor Gottes Thron gedacht werden ... Gott gebe ihnen Bußfeuer. Wir haben uns um solche nicht zu kränken, sondern auf die feuerbringenden und gottentzündenden Sünden zu sehen. Die Tiefe, die Tiefe, da das Feuer so große Nahrung gefunden, ... die grausame Sündentiefe läßt uns ebnen und durch ernstliche Buße zerstreuen ... Deutschland hat sich tief hinunter gestürzt und versenkt in Abgötterei und falsche Religion, in übergroßen Stolz, Hoffart und Übermut, in schnöde, abscheuliche Wollüste und Unreinigkeit, in unerhörte Sicherheit, in unbarmherzigen Geiz ... Die Menschenkinder haben sich nicht erinnern können, ob schon alles um sie gesauset und gebrauset, daß da göttliches Rufen sei, daß Gott das Kriegsfeuer herausgefordert und gerufen, daß er es unter seinem Zwang und Klang habe, daß die Feuerflammen unter göttlichem Befehl grassierten und wüteten. Sie haben nicht wahrgenommen, worum es dem Feuer zu tun sei, nämlich die Tiefe der Sünden und Bosheit zu strafen, anzugreifen, zu verzehren und auszubrennen.»

Die Pfarrer versuchten, die Menschen aufzurütteln. Sie waren glaubwürdig, weil sie mit ihnen gelitten, mit ihnen das Elend geteilt und die Angst der Menschen schon während des Krieges in Worte gefaßt hatten: «Wir gehn dahin und wandern / von einem Jahr zum andern, / Wir leben und gedeihen / vom alten bis zum neuen / durch soviel Angst und Plagen, / durch Zittern und durch Zagen, / durch Krieg und große Schrecken, / die alle Welt bedecken ... Schleuß zu die Jammerpforten / und laß an allen Orten / auf soviel Blutvergießen / die Freudenströme fließen.» So tröstete Paul Gerhardt, lutherischer Pfarrer im Spreewald, seine Gemeinde. Gerhardt gehört in diesem 17. Jahrhundert, in dem viele der beliebtesten lutherischen Choräle entstanden, zu den größten evangelischen Liederdichtern. «O Haupt voll Blut und Wunden» und «Geh aus mein Herz und suche Freud» zählen zu seinen bekanntesten Liedern.

Nach dreißig Jahren Krieg wurde am 24. Oktober 1648 in Osnabrück und Münster der «Westfälische Frieden» unterschrieben. Paul Gerhardt dichtete: «Gottlob nun ist erschollen / Das edle Fried- und Freudenwort, / Daß nunmehr sollen ruhen / Die Spieß und Schwerter und ihr Mord, / ... O Deutschland, singe Lieder / Im hohen vollen Chor, / Erhebe dein Gemüte / Zu Deinem Gott und sprich: / Herr, Deine Gnad und Güte / Bleibt dennoch sicherlich.» Schon ein Jahr später brachte der Ulmer Stadtbaumeister Joseph Furttenbach eine Anleitung zum Bau von evangelischen Notkirchen heraus. Denn nicht nur Häuser, auch unzählige Kirchen lagen in Schutt und Asche. Furttenbach schlug einen einzigen Kirchenraum vor, in dem der Altar nicht mehr getrennt oder erhöht von der Gemeinde stand. Vielmehr sollten «die vornehmsten Prinzipalstücke (Taufstein, Altar, Predigstuhl und die Orgel, allda Gott zu loben die liebliche Musica gehalten wird) gar wohl in das Gesicht und Gehör gerichtet und auf das allernäheste zusammengerückt gebauet werden».

Die Gesandtschaften aus ganz Europa, die in Osnabrück und Münster über Jahre verhandelten, hatten keine neuen Ideen, um zwischen den Konfessionen Frieden zu stiften. Vielmehr einigten sie sich darauf, daß endlich die alten Verträge von allen anerkannt und akzeptiert wurden: «Da aber die Beschwerden, die zwischen

den Kurfürsten, Fürsten und Reichsständen beider Religionen ob-
walteten, großenteils Ursache und Anlaß zum gegenwärtigen Krieg
gegeben haben, so hat man sich ihretwegen wie folgt vereinbart und
verglichen. Der im Jahre 1552 zu Passau abgeschlossene Vertrag
und der im Jahre 1555 darauf gefolgte Religionsfriede [in Augs-
burg] ... soll in allen seinen, mit einmütiger Zustimmung des Kaisers, der Kurfürsten, Fürsten und Stände beider Religionen angenommen und beschlossenen Artikeln für gültig gehalten und gewissenhaft und unverletzlich beobachtet werden.» Einen Vorteil
brachte der Vertrag gegenüber der alten Regelung. Das Jahr 1624
wurde zum religiösen Stichjahr bestimmt. Wenn Fürsten oder städtische Obrigkeiten danach die Konfession gewechselt hatten oder
dies in Zukunft geschehen würde, mußten die Untertanen nicht
mehr folgen. Sie durften bei dem Glauben bleiben, zu dem sie sich
1624 bekannt hatten. Diese Verbesserung entsprang keineswegs
dem Wunsch, Religionsfreiheit zu gewähren. Die beiden großen
Konfessionen zementierten damit die Besitzverhältnisse von 1624,
wobei endlich die Calvinisten – wenngleich nur stillschweigend – in
den Frieden mit einbezogen wurden. Für radikale Abweichler und
Sektierer oder gar für Nichtchristen gab es auch weiterhin keinen
Platz in der bürgerlichen Gemeinschaft.

Neben der nüchternen Interessenpolitik blieb immerhin noch
Platz für ein bißchen Illusion, für eine Hoffnung, die uns töricht
erscheint. Denn wenngleich es 1648 einen «immerwährenden Frieden» geben sollte, schrieb man doch in die Verträge, alles habe so
lange Gültigkeit, «bis man sich durch Gottes Gnade über die Religion verständigt haben wird». Noch immer ließen Europas Christen von dem Gedanken nicht ab, daß die Menschen eines Tages
wieder in einer Kirche vereint sein würden und denselben Gott
nicht mehr getrennt anbeteten.

Der Einbruch des Todes in der ersten Hälfte des Jahrhunderts
erschütterte die Menschen, wenngleich der Sensenmann ein vertrauter Geselle war, solange man denken konnte. Der Gang zum
Kirchhof, wo man mitten in der Stadt die Toten begrub, war eine
alltägliche Übung. Todessehnsucht und Weltverachtung wurden
ein Merkmal dieses barocken Jahrhunderts. Dichter haben sie in
Verse gefaßt, und die schönsten und ausdrucksvollsten stammen

mit wenigen Ausnahmen von schlesischen Lutheranern: Martin Opitz, Andreas Gryphius, Christan Hofmann von Hofmannswaldau, Quirinus Kuhlmann, Friedrich von Logau und auch Johannes Scheffler, bekannt als Angelus Silesius, der 1652 katholisch wurde. Die meisten dieser Poeten wurden vor dem Krieg geboren und haben seine Schrecken noch erlebt. Andreas Gryphius dichtete eine Grabschrift für «seines Bruders Pauli Töchterlein»: «Geboren in der Flucht, umringt mit Schwert und Brand, / Schier in dem Rauch erstickt, der Mutter herbes Pfand, / Des Vaters höchste Furcht, die an das Licht gedrungen, / Als die ergrimmte Glut mein Vaterland verschlungen – / Ich habe diese Welt beschaut und bald gesegnet, / Weil mir auf einen Tag all Angst der Welt begegnet. / Wo ihr die Tage zählt, so bin ich jung verschwunden; / Sehr alt, wo fern ihr schätzt, was ich für Angst empfunden.» Der Tod ist zugleich eine Herausforderung an das Leben. Martin Opitz hat sie aufgegriffen und auch diesem Gefühl Ausdruck gegeben: «Ach Liebste, laß uns eilen, / Wir haben Zeit: / Es schadet das Verweilen / Uns beiderseits. / Der schönen Schönheit Gaben / Fliehn Fuß für Fuß, / Daß alles, was wir haben, / Verschwinden muß. / Der Wangen Zier verbleichet, / Das Haar wird greis, / Der Äuglein Feuer weichet, / Die Flamm wird Eis. / Das Mündlein von Korallen / Wird ungestalt, / Die Händ als Schnee verfallen, / Und du wirst alt. / Drum laß uns jetzt genießen / Der Jugend Frucht, / Eh dann wir folgen müssen / Der Jahre Flucht ...»

Drum laß uns jetzt genießen: Am Ende stand der Pfarrer und hielt den Zurückgebliebenen die Leichenpredigt. Kein besserer Augenblick, um die Lebenslust zu verdammen, alte Tugenden einzuschärfen und neue Sitten anzuprangern: «Was für pracht und stoltz der moden und gestalt nach. Wie die schuh gespitzt, die hauben erhöhet. Die schürtzen verkürtzet ... Die peltze auffgestecket und alles dazu bereitet ist, daß manns mit verwunderung ansehen und die schöne gestalt loben soll ... Man lachet wohl noch der alten moden als unanständig, gleich als ob die ietzige art der Kleider nicht so närrisch, ja viel närrischer wäre.» Der den Trauernden die Leviten las, war Johann Benedict Carpzov junior, 1639 in Leipzig geboren, daselbst ab 1665 Professor für Moral, Polemik und hebräische Sprache und Pastor an der St. Thomas-Kirche. Carpzov war ein streng orthodoxer Lutheraner, der allen Neuerungen mißtrauisch gegenüberstand.

Nach den Modetorheiten nahm sich der Professor die Eßkultur vor: «Die alten schlechten und rechten speisen gelten nicht mehr. Es muß fein kauderwelsch durcheinander gemenget und mit neuerfundenen brühen zugerichtet seyn, daß, wenn es nicht den namen einer ollaputry [spanisches Gericht], fricassee oder frantzösischen sallats hätte, wohl den schweinen graulen möchte davon zu fressen.» Und natürlich ließ Carpzov kirchliche Moden nicht ungeschoren: «Es müssen allamodelieder her, die mer zierligkeit nach heutiger teutschen reimkunst als theologischen geist in sich haben und auff weltliche melody fein lustig klingen.» Auch beim Gottesdienst machte sich der Sittenverfall bemerkbar: «Was kann und soll das Gott dem Herrn für ein lob bringen, wenn man unter wehrender predigt, da Gott mit uns durch seinen botschaffter redet, ein solches tumultuiren und unheiliges wesen verführet, darüber wir sonderlich in dieser Paulinerkirchen zu klagen haben? Der ein redet mit seinem nachbar, der ander lacht, der dritte spatziret herum, der vierdte hat sonst ein frembdes werck vor.»

Nicht nur der Leipziger Pastor malte ein düsteres Bild von seinen Zeitgenossen. War der Krieg an allem schuld? Es ist Vorsicht angebracht: Die Lust am Leben und am Genuß, an wechselnden Moden und schmackhaften Speisen durchzieht das ganze Mittelalter. Ebenso lange schon klagen die Kirchenmänner über das ausgelassene Treiben der Christen und den Mangel an Frömmigkeit. Wie oft hat Martin Luther seinen Wittenbergern die Leviten gelesen. «Die Welt ist aus den Fugen», schrieb Johann Arndt zu Beginn des 17. Jahrhunderts. Die Theologen waren überzeugt, daß sich in diesem Niedergang das Ende der Welt mit all seinen Schrecken ankündigte. Auch wenn seit anderthalb Jahrhunderten diese Erwartung sich nicht erfüllte. Die überzeugten Christen ließen sich nicht beirren. Das apokalyptische Erbe saß tief und begleitete die Christen als eine Realität durch die Jahrhunderte. Tuet Buße, das Himmelreich ist nahe, hatte Johannes der Täufer den Menschen zugerufen, die zu ihm an den Jordan pilgerten, noch ehe Jesus durch Palästina zog. Nicht jeder christliche Pfarrer war ein so gewaltiger und glaubwürdiger Prediger wie der Mann vom Jordan. Doch in seiner Nachfolge standen sie alle. Auch jene lutherischen Pastoren, die im 17. Jahrhundert alles so erhalten wollten, wie es seit hundert Jahren gelehrt und gehalten wurde. Martin Luther hatte die Kirche ein für allemal reformiert – nun brauchte man nur noch auf das Ende zu warten. Weitere Neuerungen waren überflüssig, ja Ketzerei. Ein «Zeitalter der Orthodoxie» hat man deshalb die Geschichte der lutherischen Kirchen im 17. Jahrhundert genannt.

In den Augen der aufgeklärten Nachgeborenen waren diese Orthodoxen engstirnige, provinzielle Theologen, die sich an Gesetz und Buchstaben klammerten, die Doktorarbeiten über das Gewicht der Weintrauben im Lande Kanaan schrieben. Die Calvinisten verdammten, keine Herzensfrömmigkeit kannten und den Menschen Steine statt Brot reichten. Heute ist dieses krasse Urteil ein wenig revidiert. Denn auch ein Mann wie Johann Arndt zählte sich ja zu den Orthodoxen, und immer wieder tauchen im Laufe des Jahrhunderts Geistliche auf, die nicht in dieses Schema passen. «Reformorthodoxe» nennt man sie, um liebgewordene Klassifizierungen nicht aufgeben zu müssen. Wie unheilvoll für einen überzeugenden Glauben das unkritische Festhalten an alten Positionen war, wie blind sich die führende Schicht der orthodoxen Lutheraner gegenüber Erkenntnissen und Bedürfnissen einer neuen Zeit zeigte, werden wir noch erfahren. Doch das Bild der evangelischen Kirchen im barocken Jahrhundert darf nicht zu holzschnittartig ausfallen. Viele Pfarrer haben mit Eifer und Engagement ihrem Gott gedient, ohne starr an allem Überkommenen festzuhalten und ohne Angst vor Widersprüchen zu haben.

Johann Michael Dilherr, seit 1640 für 23 Jahre Pastor an der Nürnberger Sebalduskirche, war streng und unnachsichtig, wenn es um Moral und Kirchenzucht ging, aber milde und versöhnlich gegenüber anderen christlichen Konfessionen und keineswegs engherzig, wo es um Bildung und Kultur ging. Wie die meisten lutherischen Pastoren in diesem und späteren Jahrhunderten, die nicht aus einer Pastorenfamilie kamen, stammte Dilherr aus einer höheren Beamtenfamilie. Er war ursprünglich Professor für Beredsamkeit und Geschichte in Jena, und um die zweihundert Studenten besuchten seine öffentlichen Vorlesungen. 1640 wurde ihm eine außerordentliche Professur für Theologie angetragen, da er auf Drängen eines Kollegen fünf Jahre zuvor auf die Kanzel gestiegen war und bald weit über Jena hinaus als eindrucksvoller Prediger gerühmt wurde.

Neben seinem Predigtamt kümmerte sich Dilherr in Nürnberg um die städtischen Schulen und übernahm das Amt des Stadtbibliothekars. Als Kaiser Leopold 1658 in die traditionsreiche Stadt an der Pegnitz kam, wo Reichsapfel, Zepter und Schwert aufbewahrt wurden, führte ihn Dilherr über fünf Stunden durch die Bibliothek. Der Kaiser, der nie zuvor einen lutherischen Geistlichen leibhaftig vor sich gesehen hatte, war freudig überrascht. Denn Dilherr suchte im Gegensatz zu manchem seiner Kollegen keinen theologischen Streit, vermied jede Polemik, zitierte im Gespräch mühelos die alten Kirchenväter und betonte das Gemeinsame von Protestanten und Katholiken. Genauso aufgeschlossen war der Gottesmann gegenüber der Musik. 1643, es war noch Krieg, organisierte Dilherr in St. Sebaldus ein großes Konzert, an dem Stadtpfeifer, Sänger, Kantoreien und mehrere Organisten beteiligt waren. Er selbst hielt einen lateinischen Vortrag über den «Gebrauch und Mißbrauch der Musik».

Ein sauertöpfischer Puritaner war er also keineswegs, dieser Pfarrer. Und doch kannte er keine Nachsicht, wenn es galt, den Sonntag als Tag des Herrn zu feiern und die Moral hochzuhalten. Bei Ehebruch plädierte Dilherr für Todesstrafe – ohne sich durchzusetzen. Unentwegt setzt er dem Rat der Stadt zu, am Sonntag alle Vergnügungen zu verbieten: keine Feiern, geschlossene Gasthäuser, kein Tanzen und kein Schießen mit Büchse oder Pfeil und Bogen. Am Sonntag sollte weder Karten- noch Würfelspiel erlaubt sein. Der Rat gab immer wieder Lippenbekenntnisse ab, doch es blieb bei Worten. Die Nürnberger hatten so wenig Neigung zur Askese wie die lutherischen Christen in Lübeck. Es blieb bei den vertrauten Vergnügungen.

Wie die Mehrzahl seiner Zeitgenossen war auch dieser gebildete Mann überzeugt, daß es Hexen und Zauberei gab. Weil beides Unheil über die Menschen brachte, war die Obrigkeit nach Dilherr verpflichtet, Hexen gefangenzunehmen, zu einem Geständnis zu bringen – wenn nötig mit der Folter – und als abschreckendes Beispiel öffentlich zu verbrennen. Ein aktuelles Thema, denn die meisten Hexen sind nicht vor der Reformation, sondern im 17. Jahrhundert in katholischen wie evangelischen Gebieten verurteilt und verbrannt worden. In Frankfurt am Main hielt um die Mitte des Jahrhunderts Pfarrer Bernhard Waldschmit, ein streng orthodoxer Lutheraner, Hexen- und Gespensterpredigten. Auch er forderte Folter und Verbrennung.

So gering ihre Zahl war, es gab in allen Konfessionen Theologen, die für Menschlichkeit eintraten. Sie verdienen es, nicht vergessen zu werden. Bei den Katholiken war es der Jesuit Friedrich von Spee, wegen seiner Parteinahme für die unschuldig Verfolgten selbst der Hexerei verdächtigt. In Kleve war es der calvinistische Arzt Johann Weyhe. In Westfalen klagte der lutherische Pastor Johann Praetorius in seiner Schrift «Von Zauberey und Zauberern», jene an, die Verdächtigte unter den unmenschlichsten Umständen gefangenhielten: mit Ketten gefesselt, in permanenter Dunkelheit und unerträglichem Gestank, den Tieren ebenso ausgeliefert wie der Kälte. Dafür gab es nach Praetorius, der selber an Hexen glaubte, keine Entschuldigung. Den Hexenrichtern sagte dieser Pastor schon 1598 über ihre Urteile: «Gott merkt und höret und schreibt es auf einen Denkzettel», und nannte manche von ihnen «öffentliche Totschläger». Praetorius plädierte dafür, die Folter überhaupt abzuschaffen. Sie sei unchristlich.

Zurück zum christlichen Sonntag: Den Versuch, jedes Vergnügen und jede Arbeit zu unterbinden, machte die evangelische Geistlichkeit an allen Orten. Den Bauern in Derendingen gestattete sie gerade noch, den Kohl ab Sonntagnachmittag vier Uhr zu stechen, da sie am Montag in aller Frühe damit auf dem Tübinger Markt sein mußten. Was im überschaubaren dörflichen Bereich noch durchsetzbar war, scheiterte im bunten städtischen Lebensraum. Eine Untersuchung über die Sonntagsarbeit in Frankfurt am Main meldet für 1668, «daß von Morgens oder doch nach der Predigt den ganzen Tag über sich Leute in den Wirtshäusern befinden, Schneider und Schuster größtentheils noch Sonntag früh, auch an den allerhöchsten Festen oft noch bis gegen Mittag und Abend fortarbeiten, also auch Barbiere, Bierbrauer, Lichtmacher, Buchdrucker, nicht wenig Färber und Schmiede. Gärtner bereiten ihre Marktschätze auf den Sonntag vor.» In Hamburg wettert 1650 der Theologe Balthasar Schupp: «Denn da sie Gott dienen sollen mit Anhören seines Wortes, setzen sie sich nieder zu fressen und zu saufen, stehen auf zu huren und zu spielen oder sich zu balgen und zu schlagen. Knechte und Mägde geben bei ihren Herren vor, sie wollten in die Nachmittagskirche gehen und laufen in die Hurenwinkel.»

Was die Herren Pastoren beklagen, ist das Lebensmuster der Menschen seit Jahrhunderten. Und die neue Theologie, die der Mönch aus Wittenberg predigte, wollte keine Puritaner schaffen, mochten sich auch viele seiner Nachfolger so gebärden. Gewiß, der Mensch war ein Sünder, in jeder Beziehung, und das konnte man ihm nicht oft genug sagen. Aber gerade diese pessimistische Sicht bewahrte vor zu großen Illusionen und zu weit gesteckten Zielen. Es ist kein Zufall, daß die streng lutherische Geistlichkeit nichts dagegen hatte, daß 1687 die Hamburger Oper wiedereröffnet wurde. Theologische Gutachten aus Wittenberg bestätigten diese Freizügigkeit.

Die Christen, ob katholisch oder evangelisch, gingen wie eh und je täglich in die Kirche – wenngleich manchmal in ungewöhnlicher Gesellschaft. Der Pastor Johann Müller beschwerte sich beim Rat der Stadt Hamburg über ein neumodisches Übel: «Die Gotteshäuser werden Hundehäuser, denn die Hunde sich dermaßen darin beißen und bellen, daß der Prediger oft stillschweigen muß.» Erinnern wir uns: In den katholischen Jahrhunderten waren es die adligen Domherren gewesen, die ihre Jagdhunde mit in die Kirche brachten. Nun zogen endlich die einfachen Laien nach. Wenn der Pfarrer allein in seiner Stube über seinem Kirchenbuch saß, wenn keine Gemeinde zuhörte und kein fürstlicher Beamter ihm über die Schulter sah und er das Leben einzelner an sich vorbeiziehen ließ, sah die Bilanz gar nicht so schlecht aus: «1624 stirbt Hans Freising, 70 Jahre alt, ist ein recht Exemplar eines ehrlichen, gottesfürchtigen, frommen Mannes gewesen ... Vortreffliche Hausfrauen schmücken die Gemeinde: 1616 Jakob Heintzmanns, Metzgers Hausfrau, ein ehrlich, gottselig, frommes, bieder Weib, welches von ganzer Gemeinde ein solch ehrlich Lob hat, derengleichen ich kaum erhöret, wird mit großem Weinen und Klagen des ganzen Fleckens zu ihrem Ruhebettlein geleitet. 1632 Michel Kröner um die 45 Jahre, ein feiner, ehrlicher, gottesfürchtiger Mann ...»

Eine neue Hochkonjunktur hatten das ganze 17. Jahrhundert

hindurch wieder Erbauungsbücher. Die Titel zeigen an, daß diese Schriften wie eh und je dem einzelnen Trost im Leid schenken sollten. Man las den «Gebetsanker» oder in den «Sechzig Andachten vom Wort der Geduld» und kaufte sich das «Edel-Herz-Pulver für Betrübte und Angefochtene». Daß mancher Christ lieber im stillen Kämmerlein seine Andacht hielt, statt bei stundenlanger Predigt unter der Kanzel auszuharren, dürfte einen selbstkritischen Pfarrer nicht verwundert haben. Was in Gottesdiensten, bei Leichen- und Hochzeitsfeiern gepredigt und – nach der Mode der Zeit – gedichtet wurde, war häufig banal bis peinlich.

Auf einen Menschen, der bei Lebzeiten gerne tief ins Glas gesehen hatte und ertrunken war, reimte 1688 ein Pfarrer im Badischen: «H. B. hat gern getrunken, darum ist er ins Wasser gesunken. Er hat oft durch den Wein geschlemmt, so hat ihn das Wasser hinweggeschwemmt.» Der Pfarrer Christoph Bertel aus Badenweiler läßt die Witwe eines Verstorbenen in seiner Leichenpredigt ausrufen: «Ach harter Knall, ach schwerer Fall, davon mein Hertz zerspringet, ja der Schmertz all Aederlein meines Leibs durchtringet.» Und bei der Beerdigung eines Herrn von Bärenfels predigt derselbe Geistliche: «Daß aber eine hochansehnliche Leichen- und Kirchenversammlung bey gegenwärtiger hochadelicher Leichbestattung gegen hochgedachte beide hochansehnliche Häuser von Berenfels und Böcklingen und dero gesamte hochstbetrübteste hochadeliche Glieder ihre christherzliche Condolenz durch Ihre hochansehnlichste Praesenz und Gegenwart auch so gar mit Hindansetzung Ihrer habenden wichtigen Geschäften zu contestieren sich belieben lassen wollen ...» Lassen wir die Trauergemeinde mit ihrem Pastor allein und hören dafür, was der Pfarrer Johannes Müller 1630 vor dem Hamburger Rat über das Ansehen seines Standes zu sagen hat: «Es stinket das Predigtamt dermaßen bei vielen, daß sie einen Prediger nicht gern ansehen, ihm nicht gern danken auf seinen Gruß. Wer etwas sein will, hält sich zu gut, mit Predigern zu conversiren, viel weniger sich mit ihnen zu befreunden. Insgemein halten ihrer viele die Prediger für dumme alberne Leute ...»

Den Schäflein, die sie hüten sollten und denen sie des Sonntags ihre Sünden vorhielten, blieb auch nicht verborgen, daß manch einer ihrer Pastoren nur durch ein Heiratsversprechen ins Pfarrhaus gezogen war. Das Versprechen gab der Kandidat der Witwe oder Tochter seines Vorgängers und hatte damit – wie bei den Hinterbliebenen der Handwerksmeister – Anspruch auf die Planstelle. Von Württemberg bis Pommern war diese Unsitte verbreitet. Ein Visitationsbericht aus Brandenburg von 1633 verteilt die Schuld an solchen Verbindungen sehr einseitig: «Wenn sich dann oft zuträgt, daß solche Personen zusammenkommen, da weder das Alter correspondirt, noch einige Affektion zu merken ist und die Weiber die Beförderung der Männer ihnen selbst zuschreiben oder sonst unbändig oder alt und kalt sind, kann da Anderes herauskommen, als daß der Pfarrer an eine Delila gelangt?»

Natürlich gab es auch Unzählige, die ihr Amt ernst nahmen. Einer, der seine Amtsbrüder ausführlich und eindringlich auf ihre schwere Verantwortung hinwies, war der Rostocker Pastor Heinrich Müller, ein vielgelesener Autor von Erbauungsbüchern. Seine «Geistlichen Erquickungsstunden oder 300 Haus- und Tisch-Andachten», erschienen 1672 zu Frankfurt am Main in zweiter Auflage. Unter Nummer 131 spricht er den Geistlichen direkt an: «Siehe, wenn dir Christus eine Schale mit seinem heiligen Blute gefüllt anvertraute, würdest du ja sorgfältig Aufsicht darauf haben, daß kein Tröpflein davon umkäme. Nun ist eine Seele mehr als eine solche Schale voll Blutes. Denn für eine jede Seele hat Jesus all sein Blut vergossen. Ach, wie wirst du bestehen, so du eine einzige Seele umkommen läßt!» Pastor Christian Scriver ruft beschwörend in seinem «Seelenschatz»: «Prediger müssen sich wie die Lichter selbst verzehren, nur daß sie andern leuchten.»

Zu einem guten Prediger gehört für Heinrich Müller auch, daß er alle in der Gemeinde gleich behandelt: «Wer ein rechter Prediger sein und sein Amt treulich führen will, der muß die Freiheit bei sich behalten, daß er ungescheut die Wahrheit sage, niemand ansehe und strafe, wo zu strafen ist, groß und klein, reich und arm, Gewaltige, Freunde und Feinde.» Wer zu bequem geworden ist in seinem Pfarrhaus, dem ruft der Rostocker Pastor zu: «Meinst du, daß die Prediger von Gott auf einen Teppich und Polster gesetzt sind, und man ihnen lauter Rosinen, Mandeln und Zucker vorsetzen wird?»

Dem Hamburger Pfarrer Johann Winkler wurde die Last seiner Verantwortung um jede einzelne seiner 30000 Seelen, zu denen allein 10 000 Kinder zählten, so schwer, daß er 1688 an die theologische Fakultät der Leipziger Universität eine offizielle Anfrage richtete: «Ob er, Pastor, bey erzehltem und ungebeßerten Kirchenwesen, bey welchem er den Zustand seiner Gemeinde weder erkennen noch die schuldigen curam animarum [Seelsorge] erzeigen könne, seinem Beruffe nach ein verus et legitimus [wirklicher und rechtmäßiger] Pastor sey? Ob, da ferner keine andere Anstalten der Kirche zu erhoffen, und ihm die Hände gebunden bleiben, sein Pastoralambt nach Christi Einsetzung zu verwalten, dazu er doch von Gott berufen, er mit gutem Gewissen ein solcher titular-Pastor, der zweimal in der Woche prediget, bleiben möge und von denen ihme so teuer befohlenen Seelen, deren Zustände er nicht wissen noch gebührende Sorge vor sie tragen könne, vor Gottes Richtstuhl keine fernere Rechenschaft zu geben und in der Stunde des Totes deshalben getröstet zu seyn genugsamer Ursache habe?» Die Leipziger machten sich die Antwort leicht: Wenn ein Pastor nach bestem Vermögen und aus treuem Herzen seine Arbeit leiste, brauche er sich um sein Seelenheil keine Sorgen zu machen.

Johann Winkler war es nicht zufrieden, schrieb ein zweites Mal und betonte noch einmal, es bedrücke ihn, daß er sich nicht um seine Gemeindemitglieder persönlich kümmern könne. Diesmal versuchten die Theologen mit einem Gleichnis aus dem Alten Testament die in ihren Augen übertriebenen Skrupel des Hamburger Geistlichen zu zerstreuen: «Der Prophet Jonas war von Gott dem Herrn in die große Stadt Ninive gesendet, daß Er ihnen ihre große begangene Sünde vorhalte und Buße zu tun verkündigen sollte, woferne sie nicht wollten, daß Ninive sollte untergehen. Jonas hat solches treulich verrichtet. Allein, wer will denn sagen, daß Jonas in individuo vor alle und jede Menschen habe absonderlich Sorge tragen können? Der Herr [Winkler] spricht: In seinem Kirchspiel waren an die 30 000 Menschen, dieses ist zwar viel, aber der Prophet Jonas hatte in seinem Kirchspiele zu Ninive mehr denn 120 000 Seelen, wie zu sehen Jona Cap. IV 11. Wer will nur glauben, daß Jonas vor iedwede seine Zuhörer habe in specie und individuo Sorge getragen. Dergleichen könnte man auch anführen von den H. Aposteln, wenn sie in große Städte und Länder kommen seyen.» Die Leipziger wußten, wovon sie sprachen. Wie überall, war die Zahl der Geistlichen auch in dieser Stadt seit dem Übergang zur lutherischen Theologie unverändert geblieben. An den beiden Kirchen St. Thomas und St. Nicolai amtierten je fünf Geistliche – sowohl 1617, als die Stadt 15 136 Einwohner hatte, als auch um 1700, und da gab es inzwischen über 21 000 Menschen geistlich zu versorgen.

Hinter dem Zahlen-Problem stand mehr: die grundsätzliche Frage, ob der Pfarrer außer seinem Gang auf die Kanzel, außer Abendmahl und Taufe auszuteilen und auf die reine Lehre zu achten, überhaupt die Aufgabe hatte, eine individuelle Seelsorge zu betreiben. Der konkrete Fall, an dem sich die Geister schieden: Sollte, durfte ein Pastor Hausbesuche machen? Schon die Frage will uns heute nicht in den Kopf, so selbstverständlich scheint uns die Antwort. Damals witterten viele lutherische Geistliche hinter privaten Zusammenkünften Sektiererei. Über Gott und mit ihm sollte man nur am offiziellen Ort, in der Kirche, sprechen. Alles andere waren Kennzeichen der Schwärmer und Enthusiasten, die glaubten, direkt mit Gott sprechen und auf die kirchlichen Institutionen verzichten zu können. Der Teufel wurde ernst genommen, und deshalb sollte der Mensch gar nicht erst in Versuchung geführt werden.

In Frankfurt am Main waren in der zweiten Hälfte des 17. Jahrhunderts den evangelischen Geistlichen Hausbesuche ausdrücklich verboten. In Hamburg hatten drei Kandidaten für das Pfarramt einigen armen Leuten privat aus Luthers Katechismus vorgelesen und Erläuterungen gegeben. Auf Geheiß des geistlichen Ministeriums wurde einer vom Abendmahl ausgeschlossen, die andern beiden Kandidaten aus der Stadt gejagt. Allerdings dachte man nicht überall so. In der Darmstädter Kirchenordnung von 1634 steht: «Die Prediger sollen ihre anvertrauten Pfarrkinder nach Möglichkeit kennen ... nicht nur in ihren Krankheiten, sondern auch bei gesundem Leibe besuchen, zu ihnen, sie seyn reich oder arm, nach erheischender Nothdurft in die Häuser gehen oder nach Beschaffenheit der Personen sie zu sich erfordern.» In seinem «Spiegel der Verderbnis» klagt 1637 der Schulrat Ervenius, daß im Herzogtum Sachsen-Gotha die Pfarrer die Hausbesuche unterlassen «mit dem Vorwand, es seien die öffentlichen Predigten deshalb angeordnet, daß man privatim Keinen dürfe unterweisen».

Sachsen-Gotha: Es lohnt sich, einen kurzen Blick über den

Grenzzaun zu werfen, denn dort regierte seit 1640 ein ungewöhnlicher Fürst, Herzog Ernst, mit dem Beinamen der Fromme, im Volk der «Bete-Ernst» genannt. Was nach Provinzialismus klingt, ist jedoch so engstirnig nicht. Bei diesem patriarchalischen evangelischen Landesvater führt ein einfaches Schwarzweißbild nicht weiter. Vieles kommt bei ihm zusammen, das nicht ins Schema paßt. Herzog Ernst beweist, wie sich die Fronten zwischen orthodoxen und reformfreudigen Christen, zwischen engstirnigem Landeskirchentum und einer aufgeschlossenen Frömmigkeit im 17. Jahrhundert verwischen.

Der Herzog war ein frommer Mann und kannte keine Zweifel an seinem lutherischen Glauben. Er fühlte sich von Gott in sein Amt berufen und nahm es ernst: «Das Fürstenamt besteht nicht in großem Pomp und äußerlicher Anstalt, sondern vielmehr in ordentlicher Führung des Regiments und fleißiger guter Aufsicht, daß es im Lande allenthalben, sowohl in geistlichen als weltlichen Sachen, richtig hergehe, Gottes Ehre befördert, jedermann gleiches und unparteiisches Recht ertheilet, Schutz geleistet, das Gute belohnt, das Böse bestraft, und was sonst versprochen, fürstlich gehalten werde.» So steht es in seinem Testament von 1654 für seine Söhne, und mancher deutsche Fürst hat in diesem Jahrhundert ähnliches geschrieben. Die absolutistischen Herrscher des Barockzeitalters, die als erste den modernen, zentral verwalteten und gelenkten Staat schufen, wollten meist keine willkürlichen Tyrannen sein. Mit der Kontrolle des Bürgers ging die Sorge um seine Wohlfahrt einher. In Sachsen-Gotha gab Herzog Ernst den Anstoß, erstmals die medizinische Versorgung der Bevölkerung von Staats wegen zu fördern und zu überwachen. Sein Land hat 1642 als erstes den Besuch der Volksschule allen Kindern zur Pflicht gemacht. Persönlich bescheiden, wenngleich bei Hochzeiten und Taufen nicht an Wein und gutem Essen gespart wurde, sorgte er mit seinem privaten Vermögen dafür, daß Lehrer und Geistliche mehr als einen Hungerlohn bekamen. Das war die weltliche Seite seines Amtes. Die geistliche nahm er genauso ernst.

Gleich zum Regierungsantritt wollte der Herzog sich 1640 gründlich über das kirchliche Leben seiner Landeskinder informieren und erließ ein «Verzeichnuß etzlicher Articul, darauff die Gerichtsherren und Beampte in Städten und Dörffern gründlichen Bericht einschicken sollen». Zu den Dutzenden von Fragen, die er beantwortet haben wollte, gehörte auch, ob es Sünder gab, die gegen die Zehn Gebote verstießen. Dann wurde nachgehakt: «Wer solche Sünder seien? Ob sie gestraft worden? Ob vor diesen grobe Mishandlung vorgegangen, welche ungestraft blieben, und wer daran Ursach sei?» Solche Strenge in Sachen Moral verbot es ihm nicht, reformierten Glaubensgenossen milde und versöhnlich gegenüberzutreten, eine gehässige Streit-Theologie abzulehnen und alle Versuche zu unterstüzen, die evangelischen Kirchen unter einem Dach zu vereinigen. Als einer seiner Untertanen in Rom einen vornehmen Abessinier kennenlernte und der Herzog davon erfuhr, lud er ihn nach Sachsen-Gotha ein. Der «Mohr», ein koptischer Christ, kam tatsächlich, wurde bei Hofe empfangen, und Herzog Ernst selbst nahm an Diskussionen teil, in denen der dunkelhäutige Fremde mit Räten und Theologen über religiöse Fragen diskutierte.

Der fromme Ernst berief aus allen Teilen des Reiches Theologen, Lehrer und Juristen in sein Land – alle von bester Qualifikation und aufgeschlossenem Geist. Das hinderte den Herzog allerdings nicht, in seinem Testament zu beten: «Ich rufe dich auch an, mein lieber und getreuer Gott ... und bitte, du wolltest mich um des theuren Verdienstes meines Herren und Heilandes Jesu Christi willen bei obgedachter erkannten und bekannten reinen Lehre bis an mein seliges Ende erhalten und vor allem Irrthum und falscher Lehre, namentlich der Papisten, Calvinisten, ... Wiedertäufer, Schwenkfelder ... und was dergleichen mehr vor Ketzereien und Schwärmereien gewesen und annoch sein mögen, gnädiglich bewahren ...»

Die liberalen Männer fanden bei Hofe und an der Landesuniversität in Jena ihren Platz. Von den Theologen in Wittenberg mit Mißtrauen betrachtet und angeklagt, der reinen lutherischen Lehre untreu geworden zu sein, wurde Jena bei den deutschen Studenten im Laufe der zweiten Jahrhunderthälfte immer beliebter. Zum Sommersemester 1663 meldeten sich allein 430 Neuankömmlinge, für damalige Verhältnisse eine ungewöhnlich hohe Zahl. Zehn Jahre zuvor war Erhard Weigel, knapp 28 Jahre alt, als Ordinarius für Mathematik an die Universität berufen worden. Weigel, so begabt wie kritisch, versuchte in seiner sechsundvierzigjährigen Lehrtätigkeit in Jena vorsichtig, aber hartnäckig die totale Vorherrschaft der Theologie im akademischen Betrieb zu brechen und die gesamte Wissenschaft auf eine mathematische Basis zu stellen. Weigel stand nicht allein. Ähnliches taten in diesem Jahrhundert die Juristen und Naturwissenschaftler aller Schattierungen. Sie alle versuchten es gegen den erbitterten Widerstand der Geistlichkeit in allen Konfessionen. Katholiken wie Protestanten stemmten sich einmütig gegen die neue Zeit. Die Katholiken verurteilten Galilei, den Protestanten waren Keplers Gedanken und Berechnungen in höchstem Maße suspekt.

Der Streit läßt sich in einem Namen zusammenfassen. Er wurde zum roten Tuch in der zweiten Jahrhunderthälfte. Teufel und Verführer für die einen, Prophet einer ersehnten neuen Zeit für die anderen: René Descartes, auch Cartesius genannt, der Philosoph aus Frankreich, der keineswegs Gott abschaffen, wohl aber die Wissenschaft auf eine exakte mathematische und damit nachweisbare Grundlage zurückführen wollte. An den protestantischen Universitäten wurde längst – wie einst im katholischen Mittelalter – streng nach Aristoteles gearbeitet (jenem griechischen Philosophen, den Luther für das allergrößte Übel gehalten hatte). Die Professoren mußten einen Eid darauf leisten, nur das zu lehren, was durch Aristoteles abgestützt war.

Wesentlicher Bestandteil der aristotelischen Weltsicht war die Überzeugung, daß die Erde fest im Mittelpunkt des Planetensystems steht und sich alles um sie dreht. Nur von dieser Voraussetzung her durfte an deutschen Universitäten gelehrt und geforscht werden. In Jena wiesen die Beamten 1696 bei einer Visitation die Professoren ausdrücklich darauf hin, «daß man in Philosophia auf die Fontes Aristotelicos [aristotelischen Quellen] die Jugend beständig weisen und dieselbe den Auditoribus zuförderst gründlich beybringen und inculiren, nicht aber durch Herfürzieh- und Emporhebung anderer Principiorum als [da sind] Cartesii und dergleichen ... deprimiren sollte». Professoren, die sich in diesen Jahren offen zu Descartes bekannten, wurden auf Betreiben der Theologen von der Universität gejagt. Die besten von ihnen machten im Ausland Karriere.

Im Sommer 1596 war in Tübingen das erste Buch des Astronomen und Mathematikers Johannes Kepler erschienen. Damit die Universität – wie erforderlich – ihre Genehmigung zum Druck gab, hatte Kepler auf die «brüderliche Mahnung» des Rektors hin – der ein Theologe war – eine wichtige Änderung im Manuskript vorgenommen. Der Wissenschaftler verzichtete darauf, in seinem Buch zu behaupten, die Planetentheorie des Kopernikus – die Erde drehe sich um die Sonne – lasse sich mit biblischen Argumenten belegen. Denn die lutherische Geistlichkeit war 1596 und noch das ganze folgende Jahrhundert überzeugt, die Sonne drehe sich um die Erde, weil es so in der Bibel beschrieben ist. Die hartnäckige Weigerung, naturwissenschaftliche Forschungen unvoreingenommen zu prüfen, brachte der christlichen Religion auf die Dauer einen Schaden, der bis heute nachwirkt: Ein bestimmtes naturwissenschaftliches System wurde mit Zitaten aus der Bibel als göttlich und einzig richtig gepredigt. Die Widerlegung dieses Systems würde eine Bankrotterklärung der biblischen Aussagen, der christlichen Lehre, ja letztlich Gottes selbst bedeuten.

In diesem 17. Jahrhundert hat die strenggläubige Geistlichkeit eine Spaltung vertieft, die sich durch die ganze moderne Zeit zieht: Aufgeklärten Geistern wurde die Kirche, die sich auf keinerlei Dialog mit den Ergebnissen der Wissenschaften einließ, zu einem Hort des Aberglaubens und Religion etwas für kleine Kinder. Die Kirche ihrerseits sah in allem Neuen und vor allem den Naturwissenschaften eine teuflische Verführung, die die Menschen weg von Gott und geradewegs in die Hölle führte. Die Vorstellung, daß der Protestantismus Wegbereiter der Neuzeit und des Fortschritts wurde, ist ein Trugbild. Wäre es nach den lutherischen Pastoren gegangen, sähe die Welt heute anders aus.

Unermüdlich hat Johannes Kepler den Theologen klarzumachen versucht, daß die Bibel kein wissenschaftliches Lehrbuch ist. Weder für die Astronomie noch für die Physik, noch für die Mathematik, und daß Wissenschaften und Theologie zwei getrennte Bereiche sind: «Unsere Studia seynd unpartheyisch, dem Menschen nützlich ...» Die Mehrheit der lutherischen Theologen – klug und gebildet – konnte und wollte nicht einsehen, daß man Wissenschaft um ihrer selbst willen betreibt. Daß sie weder christlich noch mohammedanisch ist und nicht mit religiösen Kategorien gemessen werden kann. Es war allerdings nicht nur eine Frage des Glaubens, sondern ebensosehr eine Machtfrage. Denn Johannes Kepler, René Descartes oder Erhard Weigel beanspruchten einen Raum, in dem die Theologie – immer noch die dominierende Wissenschaft – nichts zu sagen hatte. Oder sich mindestens kritischen Einwänden beugen und von liebgewordenen Traditionen Abschied nehmen müßte.

Und welche Veränderungen würde die Zukunft bringen, wenn der theologische Damm gebrochen war? Die Angst der Theologen war so unbegründet nicht. Die Aggressivität, mit der sie das alte Weltbild und die buchstabengetreue Autorität der Bibel verteidigten, entsprach dem Risiko, das darin lag, sich dem neuen Geist zu öffnen: Es war eine Fahrt ins Unbekannte. Niemand wußte, wo sie enden würde. Aufzuhalten war sie nicht. Doch am Ende des zweiten Jahrtausends, soviel klüger geworden, wissen wir, daß in der Angst vor dem Neuen auch ein Körnchen Wahrheit lag: Der Mensch, von seinen Möglichkeiten und dem Fortschritt der Wissenschaften berauscht, steht in der Versuchung, jedes Maß zu verlieren und glaubt, alles sei machbar. Die Theologen des 17. Jahrhunderts waren überzeugt, es gebe nur die Alternative, sich dem Geist der Zeit radikal zu verweigern oder sich ihm hemmungslos auszuliefern. Das folgende Jahrhundert mußte zeigen, ob ein solches Schwarzweißdenken die nächsten Generationen überzeugen würde.

Das Übel neuer Gedanken, das sich im Laufe des Jahrhunderts an den Universitäten ausbreitete, verschonte auch den kleinen Mann nicht. Zwar blieb er von den Diskussionen um Aristoteles und Descartes unberührt, dafür ergab er sich nach Meinung frommer Zeitgenossen einem Laster, das im Kern den gleichen Ausgangspunkt hatte: «Ich scheue mich fast, die schande unserer zeit auszusprechen, und doch muss ichs sagen. Wir sind in die jenigen zeiten gerathen, darinnen die Gottlosen in ihrem hertzen sprechen: Es ist kein Gott. Ja, es ist keine Secte und Religion weiter ausgebreitet, und hat mehr leute und örter eingenommen als die Atheisterey ... Die Atheistische spötterey hat sich von Herrenhöfen bis in die Hohen Schulen, in die Rath-häuser, in die Gerichts-stuben, in die Cabinete der Kauffleute, in die werck-stadt der handwercker, ja bis in die hütten der bauren ausgebreitet.» Das schrieb Gottfried Arnold in seiner «Kirchen und Ketzerhistorie» 1699.

Arnold war ein Mann voller Mißtrauen gegenüber dem orthodoxen Luthertum und voller Sympathie für die Abweichler und Außenseiter. Um so erstaunlicher ist diese Analyse. Denn weit und breit gab es in deutschen Ländern und Ländchen niemanden, der Gott geleugnet hätte. Die ganz große Mehrheit der Bevölkerung ging in die Kirchen, versuchte redlich, kein allzu schlechtes Leben zu führen und starb in der Hoffnung auf einen gnädigen Gott. Trotzdem: In dieser übertriebenen Klage zeigt sich das Gespür für etwas Neues, das dem traditionellen Wertsystem bedrohlich wird, auch wenn noch alles in den alten, geregelten Bahnen weiterläuft. Die Sensiblen merkten: Die Welt war aus den Fugen. Was für Generationen selbstverständlich war, verlor seine Gültigkeit: Gott selbst geriet ins Zwielicht. Und einige Theologen erfuhren es am eigenen Leib.

# Pietisten und Einsiedler:
## Weinen erwünscht

In Lüneburg sollte 1687 der Theologiestudent August Hermann Francke über diese Stelle aus dem Johannesevangelium eine Predigt halten: «Dieses ist geschrieben, daß ihr glaubt, Jesus sei der Christus, und daß ihr durch den Glauben das Leben habt in seinem Namen.» Francke, ein gewissenhafter Mensch, begann sogleich, sich vorzubereiten und machte dabei eine Entdeckung, die sein Leben änderte – und das vieler anderer evangelischer Christen: «Bei diesem Text gedachte ich sonderlich Gelegenheit zu nehmen, von einem wahren, lebendigen Glauben zu handeln und wie solcher von einem bloßen menschlichen und eingebildeten Wahnglauben unterschieden sei. Indem ich nun mit allem Ernst hierauf bedacht war, kam mir zu Gemüte, daß ich selbst einen solchen Glauben, wie ich ihn fordern würde in der Predigt, bei mir nicht fand. Ich kam also von der Meditation ab und fand genug mit mir selbst zu tun.» 21 Jahre war er alt, der Sohn aus wohlhabender und angesehener Lübecker Familie, als er merkte, daß von seinem Theologiestudium «nicht das Geringste mehr übrig war, das ich von Herzen geglaubt hätte. Denn ich glaubte auch keinen Gott im Himmel mehr ... Wie gern hätte ich alles geglaubt, aber ich konnte nicht ... Dieser Jammer preßte mir viele Tränen aus den Augen, wozu ich sonst nicht geneigt bin. Bald saß ich an einem Ort und weinte, bald ging ich in großem Unmut hin und her, bald fiel ich nieder auf meine Knie und rief den an, den ich doch nicht kannte.»

Der Pfarrkandidat hatte sich schon vorgenommen, die Predigt abzusagen, um die Gemeinde nicht zu betrügen, da kam die Wende. Gott erhörte seine Gebete. Seine Tränen waren nicht umsonst: Denn wie man eine Hand umwendet, so war all mein Zweifel hinweg ... alle Traurigkeit und Unruhe des Herzens wurde auf einmal weggenommen. Hingegen wurde ich wie mit einem Strom der Freude plötzlich überschüttet, daß ich aus frommem Mut Gott lobte und pries, der mir solche Gnade gezeigt hatte ... Denn es war mir, als hätte ich in meinem ganzen Leben gleichsam in einem tiefen Schlaf gelegen und als wenn ich alles nur im Traum getan hätte und wäre nun erst davon aufgewacht ... Ich konnte mich nicht die Nacht über in meinem Bette halten, sondern ich sprang vor Freuden heraus und lobte Gott den Herrn, meinen Gott ... Und das ist also die Zeit, dahin ich eigentlich meine wahrhaftige Bekehrung rechnen kann.»

Von jenseits des Wendepunkts sah das vorangegangene Leben des begabten und fleißigen Studenten Francke, der nicht nur Theologe, sondern auch ein Fachmann in orientalischen Sprachen war, so aus: «Meine Intention war, ein vornehmer und gelehrter Mann zu werden; reich zu werden und in guten Tagen zu leben ... Ich war bemüht, mehr Menschen zu gefallen und mich in ihre Gunst zu setzen als dem lebendigen Gott im Himmel. Auch im Äußerlichen stellte ich mich der Welt gleich, in überflüßiger Kleidung und anderen Eitelkeiten. In summa: ich war innerlich und äußerlich ein Weltmensch und hatte im Bösen nicht ab-, sondern zugenommen.» Nach dem Erlebnis in Lüneburg wurde alles anders, und nichts konnte den neu gewonnenen Glauben mehr ins Wanken bringen: «Denn von der Zeit her hat es mit meinem Christentum einen Bestand gehabt, und von da an ist mir es leicht geworden zu verleugnen das ungöttliche Wesen und die weltlichen Lüste und züchtig, gerecht und gottselig zu leben in dieser Welt.»

Es ist wichtig, die Bekehrung des August Hermann Francke ausführlich zu erzählen. Denn nach diesem Schema sind seitdem unzählige Christen «erweckt» und «wiedergeboren» worden. Allein im stillen Kämmerlein oder zusammen in der Menge mit anderen, beim Lesen der Bibel oder aufgerüttelt durch einen Prediger, dessen Worte sie wie ein Blitzstrahl Gottes treffen: Du mußt dein Leben ändern. Tiefste Verzweiflung, Ängste und plötzliche übergroße Freude: Das sind seit Franckes Erlebnis für viele die Beweise, die erst den wahren Christen machen. Auch Martin Luther war in seiner Klosterzelle oft in tiefste Verzweiflung wie in ein schwarzes Loch gefallen. Aber nicht, weil er an Gott zweifelte, sondern weil er an diesen Gott nicht herankam und sich vor seinem unmenschlichen Zorn fürchtete. Und als er viele Jahre später über diese Stunden schrieb, machte Luther keinen erbaulichen Erlebnisbericht zur Nachahmung daraus. Sehr zurückhaltend schrieb er: «Es gab einen Mann, der . . .» Und er warnte alle, sich mutwillig in Grenzsituationen hineinzugrübeln. Nicht in Tränen und Selbstanalyse sollte der Christ sein Heil suchen.

Was für Francke zum Ausweis des wahren Christentums wurde, hat Luther von keinem Christen verlangt. Niemals kam er auf den Gedanken, aus seinen schrecklichen Anfechtungen ein Bekehrungsschema abzuleiten. Als Luther am Ende des dunklen Tunnels Licht sah, machte er die befreiende Erfahrung, nicht weiter in sich hineinhorchen zu müssen. Ohne Wenn und Aber vertraute er Gott, der ihm in der Bibel versprach: Wer an meine Gnade glaubt und alle eigenen Anstrengungen aufgibt, ist gerettet. Franckes Erlebnis bedeutete mehr: Der Glaube ist nicht Endpunkt. Er muß sich erst beweisen und Berge versetzen. Der bekehrte Christ wird mit allem Einsatz in Zukunft Gutes tun und Böses meiden. Wer diesen sichtbaren Glaubensbeweis nicht liefert, wird auch nicht gerettet. Eine Verknüpfung, wie sie die reformierte Theologie des Johann Calvin stets gelehrt hatte. Dagegen stand Luthers entschiedener Ausspruch: Fromme Werke machen keinen Christen aus, das können auch die Heiden tun. Vor Gott zählt kein einziges gutes Werk.

Es war nur folgerichtig, daß Francke seine Kollegen an den theologischen Fakultäten von seiner Botschaft überzeugen wollte. Das Studium sollte nicht mehr gelehrte Männer, sondern fromme und glaubensstarke Geistliche hervorbringen. Er ging nach Leipzig, wo der Student Johann Schade sein eifrigster und überzeugendster Schüler wurde. Wie Francke begann Schade abseits vom großen Lehrbetrieb Vorlesungen zu halten, die bald den Charakter einer Erbauungsstunde annahmen. Die Nachricht von Schades revolutionären Kolloquium sprach sich wie ein Lauffeuer herum. Es kamen bald nicht nur Theologen. Hörer aller Fakultäten sammelten sich um Schade, und wenig später kamen auch Leipziger Bürger, da dieser Theologe nicht auf lateinisch – wie üblich –, sondern auf deutsch seine Stunden hielt. Ein Kommilitone hat ihn dabei beschrieben: «Schade komme, setze sich nieder, tue ein fein Gebet, erkläre einen Spruch, schließe mit Gebet. Er habe eine besondere Gabe und angenehme Sprache.»

Als die Hörerzahl unübersichtlich wird und auch noch Leipziger Frauen auftauchen, um zuzuhören, bricht Schade seine Veranstaltungen ab. Die Entwicklung jedoch ist nicht mehr aufzuhalten. Studenten tun sich zusammen und halten zu fünft oder sechst Kollegs in ihren Stuben. Die Leipziger Bürger folgen und versammeln sich unter der Leitung von Theologiestudenten zu privaten Gebetsstunden. Eine Kirche, der schon Hausbesuche durch den Geistlichen suspekt sind, muß daran Anstoß nehmen: «Kaum hatten die Studenten den Anfang gemacht, so fielen ihnen von gemeinem Volck Handwerksleute, Schuster und Becker, Müller und Schneider, auch einige von der Kaufmannsschafft, wie nicht minder Weibespersonen, ledige und verehelichte, Wäscherin und Näherin zu, die stellten auch ihre Versammlung an und erklärten die Schrifft, so gut ein jeder konnte.» So schildert es 1689 ein Gutachten der Fakultät, das der sächsische Kurfürst in Leipzig anforderte, um dem Spuk schnellstens ein Ende machen zu können. Zur gleichen Zeit dichtet Johann Feller, Leipziger Professor für Poesie, trotzig: «Es ist jetzt Stadt-bekannt der Nahm der Pietisten; / Was ist ein Pietist? der Gottes Wort studirt, / Und nach demselben auch ein heilges Leben führt ... Ich selber will hiermit gestehen ohne Scheu, / Daß ich ein Pietist ohn' Schmeich' und Heucheln sei!» Mit diesem Gelegenheitsgedicht war der Name geboren, der bis heute eine Richtung in der evangelischen Theologie kennzeichnet. Und einer der Väter des Pietismus ist August Hermann Francke geworden.

Auch die orthodoxe Geistlichkeit hatte den Christen immerzu gepredigt, daß ihr Leben nicht mit ihren Worten übereinstimme. Doch selbst der lange und blutige Krieg, als Strafgericht Gottes von vielen Kanzeln verkündet, hatte keine Umkehr gebracht. Selbstkritische Geistliche erkannten, daß sie selbst die Ursache waren. Daß ihre Predigten nichts bewirkten, weil ihr Leben nicht glaubwürdig genug war, um andere mitzureißen. Es blieb bei Worten. Die Stärke der Pietisten lag darin, daß sie ein Beispiel gaben, ungewöhnlichen Formen persönlicher Frömmigkeit offen gegenüberstanden und vor allem den Laien in der Kirche sehr viel mehr zutrauten als ihre orthodoxen Kollegen.

Der zweite Vater des Pietismus war Philipp Jakob Spener, vorsichtiger und behutsamer als der zielstrebige Francke und gerade deshalb eine ideale Ergänzung. August Hermann Francke hat ihn, der eine Generation älter war, während seiner Leipziger Zeit mehrmals in Dresden besucht, wo Spener seit 1687 als Oberhofprediger lebte. Die beiden wurden sofort Freunde. Von 1666 bis 1686 hatte Spener als Senior-Pfarrer der Geistlichkeit von Frankfurt am Main vorgestanden. 1675 veröffentlichte der gebürtige Elsässer dort eine Schrift, die Aufsehen erregte und ihn mit einem Schlag berühmt machte. Ihr Titel: «Pia desideria [fromme Wünsche] oder: Herzliches Verlangen nach Gottgefälliger Besserung der wahren Evangelischen Kirchen sampt einigen dahin einfältig abzweckenden Christlichen Vorschlägen». Der Frankfurter Pfarrer ging davon aus, daß Luther keineswegs alles für immer geregelt hatte. Die evangelischen Kirchen mußten dringend reformiert werden, wenn es nicht weiter mit ihnen abwärts gehen sollte.

Dem gut lutherischen Spener genügte es nicht, daß die Christen brav in die Gottesdienste gingen. Man müsse endlich begreifen, «daß es mit dem Wissen in dem Christentum durchaus nicht genug sei, sondern es vielmehr in der Praxis besteht». Die Praxis ist der Alltag, und den muß jeder Christ allein und ohne geistlichen Führer bestehen. Kein Problem für Spener, der sich in diesem Punkt auf Luther berufen konnte: «Alle Christen sind von ihrem Erlöser zu Priestern gemacht.» Der nächste Schritt: Den Menschen muß nicht nur im Gotteshaus und unter klerikaler Leitung das Wort Gottes nahegebracht werden. Private Zusammenkünfte sollen den Glauben vertiefen und den einzelnen ansprechen. Spener fordert Erbauungsstunden, in denen nicht nur der Geistliche das Wort führt, «sondern auch andere, welche mit Gaben und Erkenntnis begnadet sind, jedoch ohne Unordnung und Zank».

Spener, der im streng orthodoxen Straßburg seine theologische Ausbildung bekommen hatte, kannte keine Berührungsangst. Was er 1675 niederschrieb, war für ihn keine Theorie mehr. Fünf Jahre zuvor hatte er zum erstenmal interessierte Frankfurter Bürger nach dem Gottesdienst in sein Pfarrhaus neben der Barfüsserkirche eingeladen. Im kleinen Kreis meditierte man im Studierzimmer des Pfarrers von nun an regelmäßig über Bibelstellen und Kapitel aus Erbauungsbüchern und gab der Einrichtung auch einen Namen: Collegia pietatis – Übungen in Frömmigkeit. So viele kamen schon bald, daß man in die Kirche umziehen mußte, um niemanden abzuweisen. Wo zuerst das gehobene Bürgertum unter sich war, beteiligten sich nun vor allem Männer und Frauen aus Handwerkerkreisen. Aber auch Wäscherinnen und Mägde waren willkommen. Niemand wurde abgewiesen, niemand für zu ungebildet gehalten, um mitzureden, wenn es um den Glauben ging.

Heute, wo jeder sich ungefragt in eine Kirchenbank setzt, können wir kaum nachempfinden, wie revolutionär das war, was der oberste Frankfurter Pfarrer in Gang gebracht hatte und unterstützte. Damals saßen nicht nur Männer und Frauen streng getrennt vor dem Altar. Auch das Gesinde hatte in der Kirche einen anderen Platz als die Herrschaften. Manchenorts gab es sonntags um zwölf nach dem Mittagessen einen extra Gottesdienst für Knechte und Mägde, die – wenn die Bürger dem Wort Gottes lauschten – das Essen vorbereiteten. Mochten vor Gott alle Menschen gleich sein, vor dem lutherischen Pastor waren sie es noch lange nicht.

Bevor August Hermann Francke Ende 1689 Leipzig verläßt, muß er sich vor Geistlichen der Stadt einem Inquisitionsverfahren stellen, da er als Urheber der ungewöhnlichen Vorlesungen, die schließlich zu privaten Erbauungsstunden führten, bekannt ist. Francke wird gefragt, «ob er meine, daß die Leute nicht genug von ihren vorgesetzten Lehrern und Predigern unterrichtet werden»? Weiter: «Ob er bishero zu etlichen gemeinen Leuten ins Haus gegangen und sie daselbst unterrichet habe?» Außerdem habe man gehört, der angehende Pfarrer habe – gegen alle Tradition – einen Leinewerber aus Magdeburg als «Bruder in Christo» angesprochen. Das war nicht der Fall, aber Francke weicht der Antwort trotzdem nicht aus: «Aber ich halte dafür, daß die Beschreibung Christi, Matthäus 12, 50, wer den Willen meines Vaters tut, der ist mein Bruder ... nicht nur den gelehrten Doctoribus, sondern auch den geringsten Laien zugute komme.»

In Sachsen, dem Lande Martin Luthers, wo man sich als Hüter der reinen lutherischen Lehre sah, gab es für solche neuen Töne keinen Platz. Nach einem Zwischenspiel in Erfurt, wo ihn die orthodoxe Geistlichkeit aus der Stadt ekelte, fand Francke 1692 dort Aufnahme, wohin ein Jahr zuvor voller Erleichterung schon Philipp Jakob Spener aufgebrochen war: in Preußen. Es war ein Land, das keine Angst vor theologischen Experimenten hatte und dessen Herrschern vor allem jene Theologen willkommen waren, mit denen sie gegen die streng lutherische Geistlichkeit gemeinsame Sache machen konnte. Spener arbeitete als Pastor in Berlin an der St. Nikolai-Kirche. Francke ging nach Glaucha, einer kleinen ärmlichen Gemeinde vor den Toren der Stadt Halle, und wurde zugleich als Professor für orientalische Sprachen an die gerade gegründete Universität in Halle berufen.

Verweilen wir ein wenig in Preußen. Nicht nur, weil es im 17. Jahrhundert unter dem Großen Kurfürsten von einem Staat dritter Klasse zu einem mißtrauisch beobachteten Machtfaktor auf dem Schachbrett europäischer Politik geworden war. Friedrich Wilhelm praktizierte in seinem Land eine religiöse Toleranz, die für seine Zeit ungewöhnlich und für die folgende exemplarisch war. Nur auf diesem Hintergrund wird der Erfolg des Pietismus in Preußen verständlich und auch der Preis, den er dafür zahlen mußte. In der Regierungszeit des Großen Kurfürsten liegen auch die Wurzeln für jenes Bündnis zwischen Thron und Altar, das ganz und gar nicht so harmonisch begann, wie es sich in den folgenden Jahrhunderten darstellte.

Ein Jahr nach dem Frieden von Osnabrück und Münster, der außer Katholiken, Lutheranern und Reformierten keiner Konfession ein Existenzrecht im Deutschen Reich gab, holte der Große Kurfürst 1649 holländische Siedler ins Land, die in der Altmark Gebiete trockenlegen und Dörfer errichten sollten. Postwendend beschwerten sich die lutherischen Einheimischen, daß hier «Häretiker und Schismatiker» geduldet würden, was gegen den Friedensvertrag sei. Friedrich Wilhelm antwortete ihnen kühl, jeder, der fleißig und anständig sei, könne «in seinem Haus privatim seinen Gottesdienst abhalten», solange er keinen Anspruch auf öffentliche Religionsausübung erhebe.

Daß Mißtrauen der Untertanen kam nicht von ungefähr. Seit der Großvater Friedrich Wilhelms 1613 zum reformierten Glauben übergetreten war, herrschte zwischen Regierenden und Regierten in Brandenburg-Preußen ein nur mühsam eingehaltener Burgfriede. Die lutherischen Untertanen und ihre Geistlichkeit beobachteten das Herrscherhaus mit Argusaugen, um jeden Vorteil für die Reformierten und jede weitere Ausbreitung dieser Ketzerei im Keim zu ersticken. Religion verband sich auf beiden Seiten mit harter Politik. Friedrich Wilhelm wollte aus seinem rückständigen Land einen modernen, zentral verwalteten absolutistischen Staat machen und stieß dabei auf den erbitterten Widerstand der traditionellen Ständeregierungen in den einzelnen Landesteilen, die sich als Verteidiger der alten Ordnung sahen. Und dazu gehörte natürlich auch der lutherische Glaube. Die Pastoren hörten nicht auf, von den Kanzeln zu bitten: «Behüt' uns Gott vor dem calvinistischen Gift.» Der Große Kurfürst sah darin einen ständigen Aufruf zu Unruhe und Unfrieden unter den Bürgern im Land.

Berlin war das Zentrum des Widerstands. Mitten in der Residenzstadt predigte der Rektor des Gymnasiums: «Wer nicht lutherisch ist, der ist verflucht.» 1656 hielt der Kurfürst den Zeitpunkt für gekommen, die lutherischen Unruhestifter endgültig zu disziplinieren. Daß ihm, dem Reformierten, die oberste geistliche Gewalt über die lutherische Kirche zustand, bestritt niemand. Kraft dieser Vollmacht erließ Friedrich Wilhelm eine neue Ordnung für angehende Pfarrer: Sie sollten nur noch auf die Heilige Schrift und nicht mehr auf das Konkordienbuch vereidigt werden. Das Konkordienbuch hatten 1580 jene Territorien unterschrieben, die eine streng lutherische Richtung vertraten und den Calvinismus entschieden ablehnten.

Mit dem Edikt von 1656 begann ein Machtkampf zwischen Friedrich Wilhelm und den Lutheranern, der aufrührerische Züge annahm, und in dem keine Seite vor Gewalt zurückschreckte. Pfarrer, die sich der neuen Ordnung nicht beugten, wurden amtsenthoben und außer Landes gejagt. Der Liederdichter Paul Gerhardt, inzwischen Pfarrer in der Hauptstadt, schrieb in einem Gutachten: «Eine solche Toleranz, wie die Reformierten sie bisher bei uns gesucht haben, werden wir ihnen nimmermehr und in Ewigkeit nicht willigen.» Über allen diesen Aufregungen war es 1665 geworden. Wieder ließ der Kurfürst zwei widerspenstige Geistliche entlassen.

Dann verbreitete sich das Gerücht, auch Paul Gerhardt werde seines Amtes verlustig gehen. In Berlin brodelte es. Die Handwerkszünfte machten eine Eingabe an den Magistrat und verlangten, er solle alles tun, daß «dieser fromme, ehrliche und in vielen Landen berühmte Mann ihnen gelassen werde». Es half nichts: Gerhardt wurde entlassen. Dann ließ der Kurfürst sich doch umstimmen. Aber der Pastor ließ nicht mit sich handeln und pochte auf sein Gewissen: Unter solchen Bedingungen wolle er kein Pfarrer sein.

Das Ende: Staatsräson und Gewissensfreiheit gewannen – die Freiheit der lutherischen Kirche blieb auf der Strecke. Kein öffentlicher Streit um Glaubensfragen störte mehr die öffentliche Ruhe. Jeder gehorsame Untertan durfte Gott auf seine Weise im stillen Kämmerlein verehren. Ein wichtiger Schritt auf dem Weg zu wirklicher Religionsfreiheit. Doch sie war mit Zwang durchgesetzt und der eigenwilligen lutherischen Geistlichkeit das Rückgrat gebrochen. In Zukunft muckte kein Pastor mehr auf, wenn von oben befohlen wurde. Reformierte und Lutheraner standen von nun an völlig unter der Kontrolle des Staates. Was so aufgeklärt aussieht, schloß jede Partnerschaft, jede Kritik aus. In Preußen hat sich die lutherische Kirche dem Staat nicht an den Hals geworfen, sondern ist zu einem sehr ungleichen Bündnis zwischen Thron und Altar gezwungen worden. In der Kirche entschied der Staat, weil er die Macht hatte. Diesmal für die Toleranz. Was würde er ein andermal von der Geistlichkeit fordern? Auch der Fortschritt ist nicht ohne Widersprüche.

Noch etwas ist erwähnenswert: Der Große Kurfürst erhielt für seine Religionspolitik Beifall von jenen Männern, die die Wissenschaft in der zweiten Hälfte des 17. Jahrhunderts aus der Vorherrschaft der Theologie und damit der lutherischen Geistlichkeit zu befreien suchten. Sie begrüßten Friedrich Wilhelm als Gesinnungsgenossen, tat er doch ähnliches: Er trennte Politik und Religion, wenn er unterschiedlichen Glaubensrichtungen in seinem Land Heimatrecht gab. Und diese Gelehrten bestätigten dem Großen Kurfürsten auch, daß er als geistliche Oberinstanz und mit Blick auf den öffentlichen Frieden unumschränkt in die Kirchen hineinregieren dürfe. Die gleiche Linie vertraten ihre Nachfolger, als die aufgeklärte Zeit nicht mehr aufzuhalten war. Christian Thomasius, berühmter Jurist und Philosoph, der gegen Vorurteile aller Art, gegen Hexenwahn und für Religionsfreiheit kämpfte, schrieb 1723 über das «Recht eines christlichen Fürsten in Religionssachen» unter Punkt 45: «Christi Reich ist nicht von dieser Welt und hat nichts gemein mit obrigkeitlicher oder menschlicher Gewalt.» Und unter Punkt 93: «Ein christlicher Fürst hat bei seiner und seiner Untertanen Religion zu beobachten, daß alles ordentlich zugeht.» Punkt 94: «... also gehört auch die Ordnung in den Religionssachen zu dem Recht eines Fürsten.»

Als die reformierten Hohenzollern mit Spener und Francke die beiden Führer einer neuen Frömmigkeit ins Land holten, die größten Wert auf asketischen Lebensstil und ein aktives Christentum legten, bewiesen sie eine glückliche Hand. Zwischen dem preußischen Staat und dem Pietismus begann ein Bündnis, aus dem beide Seiten Vorteile zogen. Die reformierte Führungsschicht fand in den reformfreudigen Pfarrern kongeniale Partner. Spener, eher zurückgezogen und vermittelnd, knüpfte in Berlin Kontakte und Beziehungen zu einflußreichen Persönlichkeiten. Francke, voller Tatendrang und Organisationstalent, machte Halle zum Zentrum für engagierte pietistische Theologen und Laien, die die neue Botschaft in alle Himmelsrichtungen trugen.

In der Stadt an der Saale entstand ein gewaltiges Erziehungs-Imperium. Francke baute ein Waisenhaus, ein Gymnasium und ein Pädagogium für angehende Lehrer. Er plante und errichtete Betriebe, die Gewinn abwerfen und seine Institution von staatlichen Zuschüssen weitgehend unabhängig machen sollten. Allerdings nahm er gerne jedes Privileg in Anspruch, das der Staat ihm bot – ohne den preußischen Beamten jemals Einsicht in seine Aus- und Einnahmebücher zu geben.

Alles ist Franckes Idee: eine Apotheke, die zum erstenmal Arzneien in Serie verkauft und genormte Medizinpackungen als Feld-, Reise- oder Hausapotheken. Die wundersamen Tinkturen aus Halle sind bald im ganzen Reich und darüber hinaus begehrt. Der Gewinn ist enorm. Der hallesche Waisenhaus-Verlag druckt mit großem Erfolg Erbauungsschriften, bald wird eine Papierfabrik hinzugekauft. Von den Pietisten wird Preußens erste regelmäßige Zeitung herausgebracht. Die Meldungen kommen gratis von weit her, denn bis Konstantinopel und ins russische Asien sind Kaufleute und Gelehrte unterwegs, die in Halle zu begeisterten Anhängern eines bewußt praktizierten Christentums geworden sind. Auch für einen Großhandel mit Delikatessen, die aus dem Orient kommen, ist sich dieser Pfarrer nicht zu schade.

Alle Geschäfte werden zur höheren Ehre Gottes gemacht und darüber die geistlichen nicht vernachlässigt. Francke nimmt Kontakt zur englischen Kirche auf und läßt sich von dem Projekt begeistern, Missionare auszusenden. Im Auftrag der Engländer und Dänen, aber kräftig unterstützt von Halle, geht Bartholomäus Ziegenbalg als erster deutscher Missionar nach Südindien. Viele werden ihm folgen. Ein halbes Jahrhundert zuvor noch hatten sich die lutherischen Theologen zu Wittenberg in einem Gutachten strikt gegen jede Missionstätigkeit ausgesprochen. Nach ihrer Überzeugung sollte jeder an dem Platz ausharren, an den Gott ihn einmal gestellt hat. Ihr Motto: Bleibe im Lande und nähre dich redlich. Nichts zeigt deutlicher den Unterschied zwischen dem alten und dem neuen lutherischen Geist. Was harmlose Vergnügen betraf, blieben die Rollen allerdings vertauscht: Tanz und Spiel waren bei den Pietisten verpönt. In Hamburg kämpften sie gegen die Öffnung der Oper.

Immer mehr Bürger und Adlige schicken ihre Kinder nach Halle. In England haben Franckes pädagogische Institute einen so hervorragenden Ruf, daß bald ein Besuch in Halle zum festen Programmpunkt einer Kontinentalreise gehört. Für den aktiven Pfarrer gibt es keinen Zweifel: «Das weiß ich, daß ich Gott und den ganzen Himmel auf meiner Seite habe! Gott hat diesem Werk nun schon ein solches Siegel aufgedrückt, daß ein jeder wohl erkennen kann, daß es nicht mein Werk sei: so liegt nun auch seine Ehre darin, daß er es mit seinem allmächtigen Arm unterstütze und erhalte!» Selbst Gott wird von Francke in die Pflicht genommen.

Bald scheint für die Pietisten nichts mehr unmöglich zu sein. Francke überwindet alle bisherigen Beschränkungen des Luthertums. Er schlägt vor, in Halle ein Generalstudium zu schaffen, das allen Menschen bessere Zeiten bringen soll: «Denn das ist es, was man von Hertzen wünschet, suchet und verlanget, und darumb man ringet mit demütigem Gebeth und Flehen vor Gott, daß er dasjenige Werck hieselbst ... nicht allein erhalten und gnädiglich beschützen, sondern auch als sein Werck herrlich ausführen wolle, damit zu einer allgemeinen Verbeßerung in allen Ständen nicht allein in Teutschland und in Europa, sondern auch in den übrigen Theilen der Welt alle gehörige Zubereitung gemacht und in kurtzer Zeit die gantze Erde mit Erkenntniß des Herrn als mit einem Strom lebendiger Waßer bedeckt werde.» Ein Netzwerk pietistischer Stützpunkte soll den Globus bedecken.

Die Aktivitäten der Pietisten dürfen nicht darüber hinwegtäuschen, daß sie und ihre Anhänger vor und um die Jahrhundertwende im Reich eine kleine engagierte Minderheit bleiben. In Hamburg kommt es zu Handgreiflichkeiten zwischen Pietisten und strengen Lutheranern. Die Außenseiter und ihre Geistlichen werden aus der Stadt gejagt. Das gleiche geschieht in Lübeck. Pastoren predigen auf der Kanzel gegen das «höllische Institut» und die «Satansschule» in Halle und verdammen die Pietisten als «schleicherige und in Schafskleidern hergehende Leute, als Phantasten, die die Weiblein gefangen nehmen und in die Häuser schleichen». In vielen deutschen Ländern arbeiten Geistlichkeit und Obrigkeit Hand in Hand, um die neuen aufmüpfigen Christen zu unterdrücken und mundtot zu machen.

Geschieht das alles nur aus Starrsinnigkeit, aus Neid und Streitsucht? In einer Verordnung gegen die Pietisten im Lande Braunschweig-Lüneburg heißt es unter Punkt sieben: «Daß sie [die Pietisten] sich selbst ruhmtätigerweise für solche erneuerten und geheiligten Christen ausgeben, die mit der Zeit zu einer solchen Vollkommenheit gelangen können, daß sie ihr übriges Leben ohne Sünde zubringen können ... So wir sagen, wir haben keine Sünde, so verführen wir uns selbst ...» Das war Luthers Überzeugung und der Ausgangspunkt seiner Theologie: Der Mensch ist ein Sünder, nichts kann ihn auf dieser Welt wirklich bessern. Kein gutes Werk, keine noch so große Anstrengung. Nur die Gnade wird ihn am Jüngsten Tag vor dem ewigen Feuer retten – wenn er bedingungslos an sie glaubt.

Ein solches pessimistisches Bild vom Menschen und der Welt hatten weder Philipp Jakob Spener noch August Hermann Francke. Spener veröffentlichte 1675 eine kleine Schrift über die «Hoffnung zukünftig besserer Zeiten», mit denen keineswegs das Jenseits gemeint ist. Dieser lutherische Pfarrer war überzeugt, daß die Apokalypse keineswegs vor der Tür stand, wie Luther felsenfest geglaubt hatte. Bevor Gott käme und ein Ende mit der Welt mache, würde es auf ihr erst einmal besser werden. Ein solcher Glaube motivierte auch Francke. Und er wurde zur Antriebskraft für viele Laien, Bürger und Adlige, die an der Verbesserung dieser Welt mitarbeiten wollten. Zumal in einer Epoche, in der die Suche nach neuen Erkenntnissen in Wissenschaft und Forschung den Menschen umtrieb wie nie zuvor und bahnbrechende Entdeckungen, vor allem in den Naturwissenschaften, gemacht wurden. Wo der absolutistische Staat seinen Untertanen mehr Wohlstand, mehr Fürsorge und Verbesserungen auf allen Gebieten versprach. Wo die Philosophen als neues Ziel die Glückseligkeit für möglichst viele Menschen schon in diesem Leben proklamierten.

Alle Aktivitäten, alle noch so diffusen Gefühle dieser Menschen in einer Zeit des Umbruchs lassen sich zusammenfassen in einem Satz, der uns nur zu vertraut ist: Es ist der Glaube an den Fortschritt. Christlich interpretiert: die Hoffnung auf bessere Zeiten. Der Pietismus hat – im Gegensatz zum streng orthodoxen Luthertum – seinen festen Platz in dieser Entwicklung. Auch wenn er das Gegenteil von Verweltlichung erstrebte und ebenfalls heftig gegen den vermeintlichen Atheismus der neuen Zeit ankämpfte. Die geheime Übereinstimmung mit dem Zeitgeist ist unübersehbar. Wie weit der Pietismus ihn förderte und wie weit er sich von ihm anstecken ließ – niemand kann das Knäuel von Ursache und Wirkung entwirren.

Die pietistischen Theologen und Laien ließen sich mit der Welt ein und entgingen ihren Widersprüchen nicht. Der Pietismus kämpfte gegen die Bevormundung der Laien durch den lutherischen Klerus und nahm den Kampf auf mit der Obrigkeit, wo sie den orthodoxen Glauben stützte. Aber er zögerte nicht, den Schutz des preußischen Staates in Anspruch zu nehmen, um sich gegen die erdrückende Mehrheit der traditionellen Geistlichkeit im Land behaupten zu können. Bald waren im preußischen Heer nur noch pietistische Feldprediger zugelassen. Der Soldatenkönig wußte, wie sehr deren Pflichtbewußtsein und rigorose Moralvorstellungen seinen Soldaten nützten. Der Pietismus erzog für Preußen sozial engagierte und obrigkeitstreue Bürger.

Ein Pietist brauchte sich seiner weltlichen Erfolge nicht zu schämen, solange er ein tugendhaftes Leben führte. Dieses äußerlich einwandfreie Leben wurde zum Ausweis christlicher Frömmigkeit, und an ihr ließ sich die Intensität des Glaubens messen. Spener postulierte: «Es gilt der Satz: Wo Frömmigkeit und Tugend ist, da ist echter Christenglaube.» Martin Luther hatte eine solche Gleichung nie aufgestellt, im Gegenteil. Er trennte scharf zwischen Glaube, Frömmigkeit und Moral. Fromm sein, tugendhaft sein, das konnten auch die Heiden. Darin lag nicht das spezifisch Christliche. Diese Verknüpfung förderte nur ein unberechtigtes Vertrauen in die eigenen Fähigkeiten und in die Kraft guter Werke. Da kannte Luther keine Kompromisse. Radikal hatte er es seinen Anhängern immer wieder eingehämmert: Nur der Glaube zählt, die Frömmigkeit blieb zweitrangig. Am Glauben hing für ihn das Christentum, «mochte die Welt darüber zugrunde gehen». Natürlich sollte man seinem Nächsten helfen – nur den Himmel verdiente man sich damit nicht. Zweifellos eine Versuchung, sich mit den gegebenen Umständen abzufinden.

Die «Hoffnung auf bessere Zeiten» machte hellhörig für Mißstände in dieser Welt, die allzu leicht als gottgewollt hingenommen worden waren. Auch August Hermann Francke sah es als Teil seiner geistlichen Aufgabe, die Benachteiligten zu fördern, auf ihre Lage aufmerksam zu machen und den Reichen ins Gewissen zu reden. Als der Soldatenkönig 1713 mit hohen Beamten und Militärs in die Berliner Garnisonskirche kam, predigte ihnen der Mann aus Halle: «Was kann es euch helfen, wenn ihr großen Reichtum zusammengeschaffet habet, und nun auf eurem Sterbebette lieget, möget ihr davon auch das geringste Labsal haben? Zu eurer Prüfung ist der Reichtum nur in euren Händen, ob ihr den armen Jesum in seinen Gliedern damit speisen und tränket wollet. Wendet ihr ihn anders an – wehe euch!» Ein Aufruf zur Revolution war das sicher nicht, aber doch ein Hinweis auf verantwortliches soziales Handeln.

Die Pietisten unterschieden sich von den Orthodoxen noch in einem anderen, wesentlichen Punkt. Der orthodoxe Glaube war stolz darauf, eindeutig zu sein und Irrlehren zu verdammen, um die Christen keinen Widersprüchen auszusetzen. Die pietistischen Theologen weigerten sich, Ketzerhüte zu verteilen und alles, was nicht in die herkömmlichen und institutionalisierten Formen paßte, als Werk des Teufels zu verurteilen. Sie hatten keine Angst vor dem Neuen, weil sie aus eigener Erfahrung wußten, wie blutleer und eng das traditionelle Luthertum sein konnte. August Hermann Francke, der nach rationalen, geschäftsmäßigen Prinzipien seine Institute in Halle aufzog und ausweitete, war als Theologe überzeugt, daß nicht so sehr ein kühler Kopf, sondern ein warmes Herz Gott erleben kann. Im Gemüt und im Gefühl vor allem saßen die Antennen, mit denen ein Christ die Botschaft des Glaubens empfing. Damit half der Pietismus endgültig einer Frömmigkeit im Luthertum zum Durchbruch, deren Wurzeln schon zu Beginn des 17. Jahrhunderts sichtbar waren.

Johann Arndt hatte in seinen Büchern «Vom wahren Christentum» den Theologen vorgeworfen, sie seien zwar gelehrt, aber nicht fromm. Nichts anderes erlebte Francke in seiner Glaubenskrise. Francke und Spener haben Arndts Schriften in jugendlichem Alter gelesen und ihn immer wieder als ihren geistlichen Vater gerühmt. Die Visionen des Görlitzer Schusters Jakob Böhme regten das ganze Jahrhundert hindurch radikale Außenseiter an, das Christentum nicht bei den etablierten Gottesmännern zu suchen. Man versenkte sich in die eigene Seele und ließ sich vom Geist überwältigen. Geistlichkeit und Obrigkeit erließen das ganze 17. Jahrhundert hindurch Dekrete gegen die «Schwärmer», «Enthusiasten» und «neuen Propheten». Hatte doch Martin Luther in seinem Kampf gegen die Zwickauer Propheten, denen Melanchthon beinahe erlegen war, wie im Streit mit Thomas Müntzer und den Wiedertäufern solch ein gefühlsmäßiges Christentum, das sich auf einen direkten Kontakt mit Gott berief, unerbittlich bekämpft. Weil sie keinerlei Rückhalt bei den orthodoxen Theologen hatten, blieben die evangelischen Außenseiter isoliert – bis die lutherischen Pietisten kamen.

Francke kämpfte in Halle für seine Theologie, als in Erfurt, Quedlinburg, Halberstadt und Gotha einfache Frauen, Mägde, in Verzückung fielen, in Trance Gott priesen und damit eine Religiosität praktizierten, die bisher im Luthertum kein Heimatrecht hatte. Die orthodoxe Geistlichkeit verurteilte auch sofort solche christlichen Extravaganzen. Der lutherische Pastor Francke hingegen reiste nach Erfurt, um persönlich ein Bild zu gewinnen. Und er kam nicht als Inquisitor. Francke betete zusammen mit der Magd Anna Maria Schuckhardt, als die Frau plötzlich in eine «ecstasin» fiel. Sie «redete in solchem Zustande viele liebliche Verse, strophenweise, mit der außerordentlichen scansion [Betonung], und recht zierlicher action mit den Händen, welches mich dann mehr bewegt, als alles so ich bisshero davon gehöret.»

Es war keineswegs Franckes erste Berührung mit religiös begeisterten Frauen, die nicht in das traditionelle Schema paßten. Seine Jugendfreundin aus Lübecker Tagen war Adelheid Sibylle Schwartz, die er in einem regen Briefwechsel nach der Seherin und Richterin im Alten Testament seine «Debora» nannte. Wie auf Speners Initiative in Frankfurt kamen auch in Lübeck Laien zu privaten Erbauungsstunden zusammen, in denen seit 1691 Adelheid Schwartz als Prophetin verehrt wurde. Sie verkündete den baldigen Anbruch des Tausendjährigen Reiches und klagte vor allem die Geistlichen an, keine wahren Christen zu sein. Dem Lübecker Superintendenten August Pfeiffer gab sie es schriftlich: «Du, an welchem meine Seele einen Ekel hat, siehe, ich werfe dich in ein Bett, das mit Pech und Schwefel brennt, so du nicht umkehrest und wahre Buße tust.» Die selbsternannte Anklägerin wurde aus Lübeck ausgewiesen. Sie fand Zuflucht bei Francke in Halle, der über sie und andere Frauen, die auf ebenso ungewöhnliche Weise fromm waren, schrieb: «Es mag solches dem Teufel oder der bloßen Natur zuschreiben, wer da will. Ich halte, daß Gott auf solche Weise anfange, seine Wunder kund zu tun ...»

Philipp Jakob Spener hatte ebenfalls seine Prophetin, mit der er Briefe wechselte und die er vor den Anschuldigungen der Orthodoxen in Schutz nahm. Es war Eleonore Petersen, geb. von Merlau. Spener hatte sie selbst 1680 mit dem Superintendenten Petersen von Lüneburg getraut und sagte von ihr, daß sie «in der Schule der Frömmigkeit heimisch war». Auch sie erwartete das Tausendjährige Reich, hatte Gesichte und überzeugte ihren Mann von ihren göttlichen Eingebungen. Petersen wurde daraufhin aus seinem Amt entlassen und reiste mit seiner Frau durch das Land, um Gleichgesinnte zu stärken. Eleonore Petersen sammelte unterwegs eigene religiöse Zirkel um sich.

Die Petersens und Adelheid Schwartz drängten nicht um jeden Preis aus der Kirche, und Männer wie Francke und Spener, die keineswegs alle Äußerungen dieser radikalen Christen guthießen, wollten ihnen einen Platz innerhalb der Institution zugestehen. Doch schon regten sich in nie gekannter Zahl evangelische Gläubige, die – von der pietistischen Theologie beeinflußt – in ihrem Mißtrauen gegen ein äußerliches Christentum weitergingen: Sie lehnten jede Art von Kirche und jedes Dogma ab. Als kleine, auserwählte Schar wollten sie fern von der bösen Welt ein heiligmäßiges Leben führen, um Christus immer ähnlicher zu werden. Ihr Paradies lag zwischen Sauerland und Westerwald: Es war das Wittgensteiner Land, wo die beiden regierenden Linien des Hauses Wittgenstein wirkliche Gewissens- und Religionsfreiheit für alle Untertanen praktizierten. Einige der dortigen Adligen wurden zu glühenden Anhängern jener Außenseiter, die sich in ihrem Herrschaftsgebiet vor allem um die Städtchen Berleburg und Schwarzenau niederließen.

Wer am Ende des 17. Jahrhunderts und darüber hinaus die Wälder dieser schönen Mittelgebirgslandschaft durchwanderte, konnte glauben, die Zeit der frühchristlichen Eremiten und Mönchskommunen sei wiedergekommen – nur daß dieses Mal das weibliche Geschlecht wesentlich beteiligt war. Protestantische Männer und Frauen hatten sich dort in einsam gelegene Hütten und kleinen Wohnkommunen zusammengetan. Manche gingen einem Handwerk nach, um das Nötigste zum Leben zu verdienen. Die Gräfin Luise Philippine von Sayn-Wittgenstein, die sich mit mehreren adligen Damen in die Einsamkeit zurückgezogen hatte und keinerlei fürstliche Apanage erhielt, strickte unentwegt Strümpfe. Prinzipiell jedoch war die Arbeit nur eine Nebenbeschäftigung. Man fastete, betete und las viele Stunden am Tag in Erbauungsbüchern. Französische Mystikerinnen und die Schriften des ägyptischen Eremiten Makarios aus dem 4. Jahrhundert waren besonders beliebt. Keiner der Einsiedler ging zum reformierten oder lutherischen Gottesdienst, keiner zum Abendmahl. Adligen Besuchern, die in nicht geringer Zahl in die abgeschiedenen Wälder kamen, erklärte die Gräfin Juliane Elisabeth von Leiningen-Westerburg, geb. von der Lippe-Biesterfeld, was das Ziel solcher Lebensführung war: «Sie hätte alles verleugnet, alles, was sie gehabt, den Armen gegeben und lebte miserabel, wollte zunichte werden, damit sie zur Vollkommenheit in Christo gelangen möchte.» Die Anrede «Ihro Gnaden» hatte sie sich verbeten. Standesunterschiede gab es nicht mehr in diesen Gemeinschaften. Die Gräfin Sophie von Wittgenstein heiratete einen Barbier, mit dem sie zurückgezogen in einer Hütte lebte und zwei Kinder hatte.

Die Einsiedler, die keine «Maulchristen» sein wollten, feierten Gott auf ihre Weise. Was wir heute als typisch amerikanische Christlichkeit auf den Fernsehschirmen erleben, wenn eine schwarze Gemeinde in Harlem in Verzückung gerät oder wenn ein weißer Erweckungsprediger seine Gemeinde zu spontanen Bekehrungen antreibt – vor knapp dreihundert Jahren haben sich ähnliche Szenen im Wittgensteiner Land abgespielt. Eine der führenden geistlichen Persönlichkeiten bei den radikalen Außenseitern in Berleburg und wenig später in Schwarzenau war Ernst Christoph Hochmann von Hochenau. Ein Wanderprediger, der als göttlicher Bote von Ort zu Ort zog und die Menschen faszinierte. Von Beamten in der Pfalz bei einem Verhör befragt, zu welcher Religion er sich zähle, antwortete Hochmann: «Der christlichen Religion. Sein Heiland wisse nur von einer Religion.»

In der Osterzeit 1700 kamen die Einsiedler über eine Woche täglich mehrmals zusammen – wahrscheinlich im Schloß zu Berleburg –, um sich vom Geist Gottes entzünden zu lassen. Einmal begann Hochmann während einer solchen unkonventionellen Andacht laut um die Seele eines anwesenden Arztes aus Berleburg zu ringen, damit Gott ihn segne. Der Mann fühlte sich so getroffen, «daß er erstarrte, nicht aufstehen konnte, bald weinete, bald lachte». Plötzlich rief er dem betenden Hochmann zu: «Müßtestu der Vater seyn, der mir zur Geburth und zum Durchbruch hellfen möchte!» Bei der Gebetsstunde am Abend fiel einer der Anwesenden wie vom Blitz gefällt zu Boden und begann laut zu beten, «worauf er unter dem Gesang zu einem Heiligen Lachen getrieben wurde und von dieser Krafft des Geistes also übernommen, daß er alß ein trunckner nach der Versammlung in eine Stube hat müßen geleitet werden und den andern tag nicht gewußt, wie er auff seine Stube gekommen». Anderntags war die Seele eines Dieners namens Elias an der Reihe. Er fiel in Ekstase, was wiederum den anwesenden Rudolf Ferdinand von der Lippe so erschütterte, daß er diesen Diener «mit herzinniger Affection und heiliger Liebes Neigung umbfaßet, geküßet und geherzet».

Obwohl die exzentrischen Christen von Berleburg und Schwarzenau jede Hierarchie innerhalb ihrer Gemeinschaften verwarfen, da allein Christus über sie herrschte, akzeptieren sie Hochmanns Vorstellungen von einem herausgehobenem Priestertum, an dessen Spitze er stand und dessen Mitglieder er auswählte und einsegnete. Frauen waren nicht ausgeschlossen. Das Fräulein Anna Gertrud von Dalwig wurde von Hochmann zur «Mit-Priesterin in diesem ewigen Priester-Orden eingeweiht und eingekleidet». Sein Auftrag an sie: Sich aus allen irdischen Beziehungen zu lösen, ein jungfräuliches Leben zu führen und vor allem für die Juden zu beten.

Mann und Frau als Partner im Reiche Gottes und beide von den Versuchungen sexueller Lüste befreit: um dieses Ideal zu verwirklichen, wurde in Schwarzenau eine ungewöhnliche Ehe praktiziert. Einer, der sie durchhielt, hat in seiner Autobiographie darüber berichtet: «Das Leben des Herrn Charles Hector Marquis St. George de Marsay, von ihm selber beschrieben nebst dem Leben der mit ihm vermelten Fräulein Clara Elisabeth von Callenberg.» Als Motto stellte der Marquis, ein französischer Hugenotte, der im Wittgensteiner Land Asyl gefunden hatte, seinem Leben ein Zitat aus dem Matthäusevangelium voran: «Selig ist, der sich nicht an mir ärgert und sich hütet zu lästern, was er nicht versteht.» Gelästert worden ist sicher über das, was die beiden Vermählten eine «geistliche Ehe» nannten und von Hector de Marsay so beschrieben wurde: «Beide sollten daher ohne fleischliche Vereinigung in Enthaltung leben, wie sie auch wirklich, wenn auch nicht ohne die schwersten Anfechtungen und Versuchungen, zeitlebens in dem jungfräulichen Stande ausgeharret haben.»

Der Marquis und seine dreizehn Jahre ältere Frau lebten in einer einsamen Hütte außerhalb von Schwarzenau: «Dennoch kam es ihnen vor, als lebten sie im Paradies, weil sie so hohen innern Frieden genossen. Den ganzen Tag wurden sie zu der Gegenwart Gottes gezogen, und zwar meistens so stark, daß sie nur das zur Haushaltung Notwendigste arbeiten konnten. Sie nahmen sich daher keine Zeit, sich ihre Suppe zu kochen und versuchten eine Zeitlang, bloß von Butter, Brod und Wasser zu leben, bis die stets kränkliche Frau von Marsay dies nicht mehr aushalten konnte.»

Etwas abseits von Schwarzenau, in Saßmannshausen, wurde weder Askese noch Gleichberechtigung als Weg zum Himmel gepriesen. Hier funktionierte ein geistliches Matriarchat, dem sich eine Gruppe von siebzig Personen um Eva von Buttlar willig unterwarf. Die Rolle der Frau als Prophetin und Priesterin brach die Dämme traditioneller Moral und kippte um in totale sexuelle Freizügigkeit, die – wie ihr Gegenteil – theologisch überhöht wurde. Wer mit Eva von Buttlar Geschlechtsverkehr hatte, wurde angeblich auf mystische Weise mit Jesus selbst vereinigt und von allen Sünden befreit. Ganz im Gegensatz zur ersten Eva, die Adam in Versuchung führte und damit alles Böse in die Welt brachte, wurde jene neue Eva zur Pforte, durch die der Mann ins Paradies kam. Hochmann von Hohenau hat solche «viehischen ja gantz sodomitischen» Bräuche strengstens verurteilt. Aber diese Ideen, die die Vormachtstellung des Mannes in der christlichen Theologie aufbrechen, sind keineswegs vom Himmel gefallen. Sie lassen sich bei den frühen religiösen Außenseitern des 17. Jahrhunderts aufspüren, bis sie schließlich in die pietistische Theologie münden.

Wieder einmal ist Jakob Böhme der Ausgangspunkt. Er stützte sich auf die Schöpfung des ersten Menschen, wie sie im ersten Buch Mose im Alten Testament beschrieben wird: «Gott schuf den Menschen in seinem Bilde ... männlich, weiblich schuf er sie.» Das bedeutete für den Schuster aus Görlitz: «Adam war ein Mann und auch ein Weib.» Diese androgyne und so gar nicht männliche Vorstellung vom Urmenschen kam denen entgegen, die wie die Pietisten betonten, daß der Glaube nicht über den Verstand, sondern über das Gefühl in den Menschen transportiert werde. Davon besaß anerkanntermaßen die Frau sehr viel mehr als der Mann. Das hatte erstaunliche Konsequenzen für die Person Jesu Christi: Nicht nur, daß er als der «neue Adam» wie der alte ein androgynes Wesen sein mußte. Das weibliche Element in Christus erhielt nach dieser

Theologie sogar das Übergewicht, da es den besseren Kontakt zu Gott hatte. Aus dem «Bräutigam», der sich mit seiner Kirche vermählte, wurde eine Braut, ein Christus, den man vor allem in den geistlichen Liedern ohne Scheu mit weiblichen Attributen versah. Angelus Silesius, der zum Katholizismus konvertierte schlesische Lutheraner, dichtete in der ersten Hälfte des 17. Jahrhunderts über diesen Jesus: «Ach, wie süß ist dein Geschmack, / wohl dem, der ihn kosten mag! / Ach, wie lauter, rein und helle / ist dein Ausfluß, deine Quelle, / ach, wie voller Trost und Lust / spritzet deine milde Brust.»

In der pietistisch beeinflußten Theologie fanden solche Töne und Spekulationen ein offenes Ohr. Die orthodoxen Lutheraner sahen darin, was sie auch tatsächlich waren: revolutionäre Anzeichen, um kirchliche Institutionen und Lehren umzukrempeln, die seit anderthalb Jahrtausenden von Männern beherrscht und gemacht wurden. Spener wie Francke warf man vor, sie würden «von einem ganzen Haufen Weiber gefangen geführt». Und eine Leipziger Flugschrift gegen die Pietisten entrüstete sich, daß bei deren Versammlungen «Mannes- und Weibes-Volck vertrauter miteinander umgehen sollen als ihnen wohl ansteht, und auch zu solcher Zeit, da solcher Personen Zusammenkünfte billiger unterlassen würden». Ausgerechnet eine kluge Frau war es, die sich über die selbstbewußte Stellung der Frau im Pietismus lustig machte. Von Luise Gottsched, die für ihren Mann Johann, einem der führenden Köpfe der neuen, aufgeklärten Zeit, ihre eigene literarische Begabung verkümmern ließ, erschien 1736 in Rostock das Lustspiel: «Die Pietisterey im Fischbein-Rocke; Oder Die Doctormäßige Frau». Die Heldin, das tugendhafte Luischen, empfiehlt den Frauen, statt Theologie lieber den Haushalt zu studieren und verachtet solche, «welche sich bemühen, über Dinge zu vernünfteln, die sie nicht verstehen».

Aus Hamburg und Lübeck wurden Pietisten, die sich für treue Lutheraner hielten, vertrieben. In vielen deutschen Ländchen versuchten antipietistische Edikte die neue Frömmigkeit im Keim zu ersticken. Was in Halle gelehrt und gepredigt wurde, nannten orthodoxe Geistliche Ketzerei. Ganz zu schweigen von dem, was im Wittgensteiner Land geschah. Die Väter des Pietismus, Francke und Spener, haben stets vor Trennung und Absplitterung gewarnt und doch nie die Möglichkeit ausgeschlossen, daß Gott auch außerhalb kirchlicher Institutionen am Werk ist. Über die Gräfin Hedwig Sophie von Wittgenstein und ihre Schützlinge, die Eremiten, schrieb Francke, daß er «die teure Gnade rühmen könnte, welche Gott der Allmächtige ihr und den anderen ihres Ortes und ihrer Gegend erwiesen hatte». Das war mehr als die zähneknirschende Duldung abweichender Meinungen. Es war eine Stimme der Toleranz und das Eingeständnis, daß es innerhalb des christlichen Glaubens mehrere Wahrheiten geben kann.

Nein, Martin Luther hätte das weder gesagt noch gebilligt. Er bestand eisern darauf, daß es nur eine Wahrheit gibt, und schleuderte seine ganze Verachtung dem Humanisten Erasmus von Rotterdam entgegen, diesem Skeptiker im Glauben. Zu Lebzeiten Luthers hatte sich die weltliche Obrigkeit milder gezeigt als die Theologen und längst nicht alle Abweichler dem Henker ausgeliefert. Anderthalb Jahrhunderte später fanden die Fürsten und städtischen Räte in den pietistischen Theologen Bundesgenossen, die ihre Toleranzpolitik unterstützten und förderten.

Als das 18. Jahrhundert begann, war die religiöse Landschaft sehr verändert im Vergleich zu jenem Oktobermorgen 1601, als der Doktor Nikolaus Krell auf dem Blutgerüst in Dresden sein Leben lassen mußte – zum abschreckenden Exempel für alle Untertanen, die heimlich die reformierte Theologie favorisierten. 1697 war der Kurfürst von Sachsen, Hüter des lutherischen Erbes, katholisch geworden, um sich zum König von Polen krönen zu lassen.

1703 fanden die Lübecker in ihrem Gesangbuch ein «Gebeth umb Erhaltung der reinen Lehre», das sich gegen die Neuerungen im eigenen Lager wandte: «Ach Gott! wie schnöde ist doch der Undanck gegen dein Evangelium? Wie gräulich die Verachtung deiner Wahrheit? Wie ärgerlich die Leichtsinnigkeit in der Religion? Und wie so sehr gemein sind diese Laster geworden? ... Die undanckbaren Menschen sind der alten Prophetischen und Apostolischen Lehre müde; und die Ohren jücken ihnen nach was neuen.» Doch zur gleichen Zeit lebten zwischen Sauerland und Westerwald unter dem Schutz und der Zustimmung der Obrigkeit evangelische Einsiedler, die in Visionen und Entrückungen ihren Gott auf neue und ungewohnte Weise erlebten.

Die lutherische Geistlichkeit in Hamburg hatte erfolgreich die Pietisten verjagt. Doch 1721 brachte ein Senator der Freien und Hansestadt den ersten Teil eines Buches auf den Markt mit dem erstaunlichen Titel: «Das irdische Vergnügen in Gott». Was für eine Provokation. Denn die Erde war für den strengen Lutheraner immer noch ein Jammertal und der Mensch ein unverbesserlicher Sünder. Das war ja gerade der Irrtum der Pietisten, die auf diesseitige, bessere Zeiten hinarbeiteten. Und nun dichtete Barthold Hinrich Brockes, Senator und angesehener Bürger, daß ein Blick in die Natur genüge, um vom Menschen und seinen Fähigkeiten ein positives Bild zu bekommen: «So aber sehen wir, daß nichts umsonst geschieht; / Daß alles auf der Welt, was lebt und was nicht lebe, / Nach Vollkommenheit und steter Beßrung strebet ...»

Am Ende des 17. Jahrhunderts war in den lutherischen Universitäten die Planetenkonstellation des Kopernikus immer noch tabu. Doch 1700 akzeptierten die protestantischen Länder endlich die dringend notwendige Kalenderreform des Papstes Gregor, nach der man in katholischen Gebieten seit 1582 den Kalender führte und die bis heute gültig ist.

Die Welt war komplizierter geworden, der Glaube auch. Welche Antworten würde er auf die Fragen eines Jahrhunderts finden, das unübersehbar die Zeichen einer neuen Zeit trug?

# Die Aufklärung:
# Religion macht glücklich

Die allermeisten Zeitgenossen haben es so erlebt: Bitterer Hunger immer wieder, weil die Ernte verdarb, die Vorräte nicht reichten und die Preise für Brot unerschwinglich wurden. Seuchen und Krankheiten, die mit den geschwächten Menschen leichtes Spiel hatten. Kriege stets aufs neue, die das Land verwüsteten, Männer zu Krüppeln, Frauen zu verarmten Witwen, Kinder zu Waisen machten. Den Nachgeborenen dagegen verklärt ein Schlüsselwort dieses 18. Jahrhunderts. Es heißt Aufklärung und scheint über alle nationalen Grenzen hinweg das westliche und mittlere Europa so eindeutig wie zu keiner anderen Epoche zu charakterisieren. Eindeutig scheint auch, worüber die Menschen aufgeklärt wurden, von welchen Fesseln sie sich befreiten. Und wiederum genügt ein Name und ein Satz: Voltaire und sein «Écrasez l'infâme» – Rottet den niederträchtigen [Aberglauben] aus. Denn darum ging es: sich zu befreien aus den Fesseln der Theologie und der Dogmen. Aufklärung bedeutet bis heute: intellektueller Kampf gegen die christlichen Kirchen und für die Vernunft.

So war es im katholischen Frankreich, dem Land Voltaires. In Deutschland, dem konfessionell gespaltenen Land, sah Aufklärung ganz anders aus. Nicht gegen, sondern mit der Kirche kämpften die Aufklärer für eine bessere Zeit. Gotthold Ephraim Lessing, einer ihrer überzeugendsten Vertreter, wurde 1729 in einem sächsischen Pfarrhaus geboren und hat Theologie nicht nur pro forma studiert. Der Schriftsteller verwandte einen großen Teil seiner Zeit und seiner kritischen Intelligenz auf theologische Forschungen, Probleme und Auseinandersetzungen. Er besaß Kompetenz und Fachwissen.

Bloßer Aberglaube wäre diesem Mann ein solches Engagement nicht wert gewesen. Lessing ging hart mit den christlichen Kirchen und ihren Theologen ins Gericht. Aber die christliche Religion in der Geschichte der Menschheit wollte er nicht missen. Gleichgültig, ob Jesus wirklich Gottes Sohn war, und unabhängig davon, was seine Nachfolger aus seiner Lehre gemacht haben, hat das Christentum nach Lessing die Menschen «auf nähere und bessere Begriffe vom göttlichen Wesen, von unserer Natur, von unsern Verhältnissen zu Gott, geleitet ..., auf welche die menschliche Vernunft von selber nimmermehr gekommen wäre». Und im «Nathan», Lessings Auseinandersetzung mit den drei großen Religionen der Juden, Christen und Moslems, 1779 geschrieben, läßt er den weisen Richter sagen, was eine Religion glaubwürdig macht: Sanftmut, herzliche Verträglichkeit, Wohltun und – innigste Ergebenheit in Gott.

1788 unterzeichnete Friedrich Wilhelm II. von Preußen einen Erlaß, um die Aufklärung – «dieses Unwesen» – innerhalb der protestantischen Kirchen zu stoppen, «damit die arme Volksmenge nicht den Vorspiegelungen der Modelehrer preiss gegeben ... werde». Die führenden evangelischen Geistlichen des Landes waren schockiert. Der Propst von St. Nikolai, Johann Joachim Spalding, Berlins oberster lutherischer Pfarrer, legte aus Protest gegen diese rückschrittliche königliche Religionspolitik sein Predigeramt nieder.

Knapp hundert Jahre zuvor hatten die orthodoxen Pfarrer in Hamburg ihren pietistischen Kollegen vorgeworfen, sie hätten so gefühlvoll gepredigt, «daß alle Zuhörer bitterlich geweinet». 1774 verschlang das literarisch interessierte Deutschland den Roman «Die Leiden des jungen Werthers» und las mit bewegtem Herzen, wie der Held sein erstes Alleinsein mit Lotte erlebt: «Sie stand auf ihren Ellbogen gestützt; ihr Blick durchdrang die Gegend, sie sah gen Himmel und auf mich; ich sah ihr Auge tränenvoll, sie legte ihre Hand auf die meinige und sagte – Klopstock! – Ich erinnerte mich sogleich der herrlichen Ode, die ihr in Gedanken lag, und versank in dem Strome von Empfindungen, den sie in dieser Losung über mich ausgoß. Ich ertrug's nicht, neigte mich auf ihre Hand und küßte sie unter den wonnevollsten Tränen.» Das Lebensgefühl, das Goethe im «Werther» ausdrückte, hat viele in diesem aufgeklärten

Jahrhundert ergriffen, und an seinem Ursprung stand die pietistische Theologie, die zuerst das Herz ansprechen wollte.

Glaube und Frömmigkeit waren auch in der Aufklärung ein Teil der Welt, so bunt und widersprüchlich wie das ganze Zeitalter. Doch am Ende erfuhren beide Veränderungen, die einschneidender waren als alles, was Martin Luther seiner Kirche zugemutet hatte. Die lutherischen Kirchen des 20. Jahrhunderts – in ihren liberalen wie in ihren konservativen Vertretern – sind die Erben dieses 18. Jahrhunderts.

Johann Christoph Gottsched trug eine stattliche weiße Perücke, wenn er in seine Vorlesungen ging. Doch der außerordentliche Professor für Poesie war seit 1730 in Leipzig angetreten, viele verstaubte Zöpfe abzuschneiden. Klarheit hieß seine Devise für die Literatur. Gottsched gehört zu denen, die in der intellektuellen Elite Deutschlands die Aufklärung durchsetzten. Zur gleichen Zeit galt das kirchliche Leben in der Messestadt als ein Muster orthodoxer lutherischer Frömmigkeit. Sonntags früh um fünf wurde in St. Nikolai zur ersten Andacht geläutet, bei der Studenten Gebete der alten römischen Liturgie auf lateinisch sangen. Eine Stunde später begann in der Johanniskirche der erste Gottesdienst. Die beiden Hauptkirchen St. Nikolai und St. Thomas folgten um sieben Uhr mit dem Hauptgottesdienst, der regelmäßig drei bis vier Stunden dauerte. Um elf Uhr dreißig wurde schon wieder geläutet – zum mittäglichen Gottesdienst. Um ein Uhr fünfzehn begann die nachmittägliche Vesper.

Alle Gottesdienste waren gut besucht und in der ersten Hälfte des 18. Jahrhunderts von einer römischen Messe kaum zu unterscheiden. Den Hauptgottesdienst hielten stets drei Geistliche, in farbige Meßgewänder und weiße Chorhemden gekleidet. Aus den Notizen des Thomas-Küsters wissen wir, daß der Pfarrer am Gründonnerstag «das grüne Meßgewand angeleget». Am Dreikönigstag wurde «das Meßgewand mit dem Mohr gebraucht». Auch am Altar wechselten mit dem Kirchenjahr die Farben. Am Fest Mariä Reinigung – das man noch in fast allen lutherischen Landeskirchen feierte – wurde «das grüne Cantzeltuch auffgehängt, auch Altar und Pult grün angekleidet». In der Advents- und Passionszeit hielt man strenges Fasten. Hochzeiten und sonstige Feste waren verboten.

Was ein Reisender für das Jahr 1799 aus Leipzig meldet, gilt selbstverständlich für das ganze zurückliegende Jahrhundert: «Während des Gottesdienstes werden die Zugänge zu den Kirchen an den Straßen und Gäßchen für alles Fuhrwerk mit eisernen Ketten, zur Vermeidung aller Stöhrung, verschlossen, und die inneren Stadtthore sind ebenfalls nur für Fußgänger offen, indem man die großen Thore nur auf vorhergegangene Erlaubniß des Magistrats während des Gottesdienstes öffnen darf.»

In Leipzig veröffentlichte 1725 der Superintendent Valentin Ernst Löscher eine Schrift, die energisch bestritt, daß der Kreislauf der Erde um die Sonne die einzig mögliche Wahrheit sei. Diese Meinung des Kopernikus könne nur als eine Hypothese unter anderen gelten. Löscher war nicht nur ein unermüdlicher orthodoxer Kämpfer gegen den Pietismus, sondern auch ein umfassend gebildeter Mann. Doch selbst in Sachsen, das bislang eisern jede Fortentwicklung der lutherischen Theologie abgelehnt hatte, war die große Zeit der Orthodoxie vorüber. Als 1724 die Stelle des Oberhofpredigers neu besetzt werden mußte, die nach Ansehen und Gewicht Löscher zugestanden hätte, bestellte der Hof einen Geistlichen, der bei August Hermann Francke in Halle studiert hatte und kein Hehl aus seinen pietistischen Neigungen machte.

Noch ganz mit alter Strenge ging es in Lübeck zu. Als obersten Pfarrer berief man 1730 einen Nachfahren aus der berühmten Leipziger Theologenfamilie Carpzov, dem das Glaubensleben in seiner Vaterstadt zu lasch war. Zu seinem Amtsantritt predigte er den Lübeckern: «Ich hasse, die da halten auf lose Lehre, ich hasse die Flatter-Geister ..., hoffe auch durch Gottes Gnade eher meinen Geist aufzugeben, als der Wahrheit unsers allerheiligsten Glaubens im geringsten Abbruch zu thun, oder geschehen zu lassen, daß durch meine Connivenz oder Nachläßigkeit ihr zu nahe getreten werde.» Als der Lübecker Schuster Ernst Fischer sich auf Visionen berief und Menschen zu privaten Erbauungsstunden zu ihm kamen, setzte Carpzov sogleich eine Ratskommission in Gang. Der Rat verbot schließlich alle religiösen Versammlungen, an denen mehr als die Familienmitglieder teilnahmen und versprach 1740, «die durch Gottes Gnade diesem Ort bis her gegönnete reine Lehre fernerweit unverfälscht beizubehalten, und allen ärgerlichen Ausschweifun-

gen der abtrünnigen Sonderlinge zu steuern». Die lübischen Stadt-
väter hätten einmal an den Neckar fahren sollen!

1694 war mit Billigung der Geistlichkeit in Württemberg ein
Edikt «Über die Pietisterey» erschienen, das erste in einer langen
Reihe, mit denen die immer zahlreicher werdenden eigenwilligen
Formen privater Frömmigkeit in die lutherische Landeskirche inte-
griert und ein Bruch mit der Mehrzahl der religiösen Außenseiter
vermieden wurde. Immer mehr Handwerker und Bauern auf dem
Land kehrten mit Beginn des Jahrhunderts der Institution Kirche
den Rücken und kamen zu privaten Erbauungsstunden zusammen.
Die «Stundenleute» hießen sie deshalb. Provoziert wurde diese
Protest-Frömmigkeit durch den Krieg, mit dem die Franzosen das
Land überzogen, und durch einen Hof, dessen Bälle, Jagden,
Schlittenfahrten und Moral den pietistischen Christen ein Skandal
waren. 1718 predigten die Stuttgarter Geistlichen von der Kanzel
gegen den Karneval, den das Herrscherhaus eingeführt hatte. Wütend befahl der Herzog im Jahr darauf seinen Hof- und Kanzleibe-
diensteten und allen Bürgern der Stadt, am Karnevalstreiben teilzunehmen.

Die Stundenleute in Württemberg – wenn sie nicht von sich aus
jede Bindung an die Institution Kirche ablehnten – fanden Verständnis, weil die oberste lutherische Geistlichkeit durch persönliche Beziehungen zu Jakob Philipp Spener für den Pietismus gewonnen war und die Vergnügungssucht der neuen absolutistischen
Herren ebenso ablehnte. Aus dieser Gesinnungsgemeinschaft entwickelte sich in Württemberg eine pietistische Frömmigkeit eigener
Art, die sich wesentlich von dem unterschied, was in Preußen entstand. Dort gingen Geistliche und Politiker ein Bündnis ein, das die
neue Theologie ebenso förderte wie das Wohlergehen des Staates.
Zupacken hieß die gemeinsame Devise. Am Neckar nutzte der
Staat zwar den Fleiß seiner pietistischen Untertanen. Ein wirkliches
Interesse an geistlichen Fragen hatte er nicht, und die Pietisten standen der Politik voller Mißtrauen gegenüber. Sie wollten nur in Ruhe ihrer Seligkeit nachgehen. Dort Verbrüderung, hier Kompromiß. Noch ein Unterschied: Bei den württembergischen «Stunden»
waren Frauen – im Gegensatz zu dem Pietismus, den Spener und
Francke vertraten – nicht zugelassen.

Die lutherischen Geistlichen Württembergs befahlen ihren Pfarrern immer wieder, religiöse Außenseiter nicht als «Pietisten, Ketzer, Schwärmer, Fanatici» zu brandmarken. Die Obrigkeit ordnete an, daß man «diese Leute auch auff Seiten der weltlichen Beamten liberal tractiret, sie um ihrer Singularitäten willen nicht verfolgt, oder härter hält, als andere, sondern sie, solang sie der Obrigkeit gehorsam seynd, sich keinen Anhang machen, und still dahinleben ... in Ruhe läßt». Es war diese württembergische Liberalität, die einen Mann Karriere machen ließ, der anderswo nicht einmal am Rande der Kirche geduldet worden wäre. Denn als Johann Albrecht Bengel 1740 evangelischer Propst von Herbrechtingen wurde und neun Jahre später Prälat von Alpirsbach, war seine unorthodoxe Theologie in Staat und Kirche längst bekannt. Bengel, der unter anderem in Halle Theologie studiert hatte, brachte in seinem Christentum den neuen optimistischen und wissenschaftlichen Zeitgeist mit dem uralten apokalyptischen Erbe der Kirche zusammen. Er fühlte sich von Gott berufen, die dunklen Bilder in der Offenbarung des Johannes aufzulösen, zu enträtseln; die Vergangenheit zu deuten und Gottes zukünftige Absichten mit der Welt offenzulegen. Die Bibel wurde für Bengel zum göttlichen «Lagerbuch», aus dem er die «göttliche Ökonomie» ablesen, ja berechnen konnte. Denn auch davon war der hohe evangelische Geistliche auf Grund seiner Zahlenkunststücke überzeugt: die Welt würde am 18. Juni 1836 an ihr Ende kommen.

Den Propst von Herbrechtingen verband viel mit den Stundenleuten: die Überzeugung, daß die Welt von Grund auf böse und nicht mehr zu retten ist; daß deshalb jeder aktive weltliche Einsatz für den Christen sinnlos ist. Ihm bleibt nur, seine Pflicht zu tun, sich selber vor dem Bösen zu bewahren und auf den Jüngsten Tag zu warten. Eine «Hoffnung auf zukünftig bessere Zeiten» gab es für diese Pietisten nicht. Das war Bengels Credo: «Ich war niemalen darauf bedacht, daß ich mir gute, bequeme, vergnügte Tage und Stunden mache, viel zeitliche Güter sammeln und erübrigen, und hohe Ehrenstellungen verlangen möchte: mein Fleiß ging nur dahin, das, was mir vor die Hand kam, es möchte wichtig oder gering, ansehnlich oder unscheinbar seyn, nach dem Vermögen, das von Gott dargereicht ward, treulich zu verrichten.» So hielten es die strengen Pietisten im Land nun schon ein halbes Jahrhundert, und Johann Bengel hat mitgeholfen, daß diese Überzeugung einen festen Platz im württembergischen Protestantismus bekam und typisch für den Pietismus in diesem Land wurde.

Wer davon geprägt war, wußte: Die Zeit ist knapp, nutze sie. Am letzten Tag des Jahres 1777 schrieb ein Schüler Bengels, Waisenhauslehrer in Ludwigsburg, in sein Tagebuch: «O Gott, nun sind sie dahin, die 365 Tage dieses Jahres, ach, daß ich solche nützlicher hingelebt hätte! Ach, daß gute Handlungen von jedem hätten können bemerkt werden!» Bengels Lebensweisheit hieß «Treue im Kleinen». Nicht Drängeln, wenn es um Ämter und Karriere geht – aber auch nicht ablehnen, wenn sie einem Christen aufgedrängt werden. Aktiv wurde man bei dieser Distanz nicht, auch wenn Mißstände offen zutage lagen. Man trennte einfach zwischen den strengen persönlichen Ansprüchen und dem öffentlichen Bereich, wo man sich nicht weiter einmischte.

Die Bengelsche Sicht der Welt und der Zukunft faszinierte Württembergs junge Theologen. Sie pilgerten zu ihm, ließen sich beeinflussen. Nicht alle brachten jedoch die Widersprüche so glatt in ihrem Glauben unter wie der Meister. 1744 wurde einer von Bengels Schülern Seelsorger bei Hofe und predigte, getreu seiner Überzeugung, gegen den höfischen Karneval. Der oberste Stuttgarter Geistliche, ein liberaler Mann, mahnte ihn, in Zukunft etwas milder zu sein, um den Herzog nicht zu verprellen. In seiner Gewissensnot bat der Kritisierte Bengel um Rat. Der gab seinem liberalen Kollegen recht und tröstete den jungen Eiferer mit dem Hinweis, «wenn die Welt ungestraft» sein wolle, so lasse «man es seyn». Oft sei «das Stillschweigen, wenn man weiß, daß es nicht aus Furcht kommt, kräftiger als beständiges Bestrafen».

Ob pietistisch oder gut orthodox: ein paar Veränderungen hielten sich schon in der ersten Hälfte des 18. Jahrhunderts an keine theologischen Grenzen. Immer mehr Eltern erkannten, wie schädlich – sogar tödlich – es für ihre Kinder war, wenige Stunden nach der Geburt in der kalten Kirche mit kaltem Wasser getauft zu werden. Die Taufen fanden zusehends später und immer häufiger auch zu Hause statt. Das prächtige barocke Leichenbegängnis mit Geläut und Prozession, mit Gesang und feierlicher Predigt kam ebenfalls aus der Mode. «Nachtleichen» nannte man den neuen Brauch, die Toten in aller Stille und ohne Zeremoniell im Dunkeln auf den Friedhof zu tragen. In der württembergischen Trauerordnung von 1720 wurden sie offiziell erlaubt. Und etwas ganz Neues fand überall Verbreitung: die Konfirmation. Eine typisch pietistische Erfindung, die den einzelnen ansprechen und seinen Glauben aktivieren sollte.

Die Pietisten – ob in Preußen oder Württemberg – verkörperten im Gegensatz zu den orthodoxen Lutheranern die neue, moderne Frömmigkeit. Ihre Forderung, den Glauben im Gefühl des einzelnen anzusiedeln, war so überzeugend, daß sie sich selbständig machte, verweltlichte und mithalf, das Zeitalter der Empfindsamkeit auszulösen. Standen die Pietisten auch dem Zeitgeist freundlich gegenüber, der – gegen die vehemente Kritik der Orthodoxen – die Vernunft zum Maßstab aller Dinge machen wollte? Historische Entwicklungen folgen nicht den Gesetzen der Logik. Im Kampf gegen die Aufklärer kämpften Pietisten und Orthodoxe gemeinsam auf der gleichen Seite.

August Hermann Francke hatte ja gerade bei seiner Bekehrung in Lüneburg erlebt, daß ihm sein Theologiestudium, sein ganzes vernünftiges Wissen, seine Klugheit nichts halfen, als er in eine Glaubenskrise kam. Erbittert bekämpfte er in Halle den Professor der Philosophie Christian Wolff, der alle Fächer an der Universität nach vernünftigen Richtlinien reformieren wollte. Wolff hat mehr als eine Generation deutscher Wissenschaftler und Theologen im Sinn der Aufklärung beeinflußt. Doch erst einmal nützte es ihm nichts, daß er kein Feind des Christentums und überzeugt war, die Existenz Gottes mit vernünftigen Gründen beweisen zu können. Es gelang den Pietisten, den berühmten Philosophen 1723 von der Universität Halle zu vertreiben. Friedrich der Große rief Wolff 1740 in Ehren zurück.

Auch bei den Orthodoxen war die Lage so eindeutig nicht. Valentin Ernst Löscher wollte zwar nicht anerkennen, daß die Erde sich um die Sonne drehte, und haßte die Wolffsche Philosophie ebenso wie sein theologischer Widersacher Francke. Doch der Leipziger Superintendent und Herausgeber der Zeitschrift «Unschuldige Nachrichten von alten und neuen theologischen Sachen» predigte keineswegs nur über die reine orthodoxe Lehre, wenn er auf der Kanzel stand. Er gab seinen Zuhörern Ratschläge über so weltliche Themen wie «Wohlergehen und Wachstum der Kinder», «das Auge» oder «die Geburt des Menschen».

Die Anstöße von Wolff und Gottsched gingen nicht spurlos an den Theologen vorüber, die in der ersten Hälfte des 18. Jahrhunderts studierten. Eine neue Generation lutherischer Geistlicher, die die Herausforderung der Aufklärung annahm und sich positiv mit ihr auseinandersetzte, hatte erst einmal die Pietisten wie die Orthodoxen gegen sich. Und nahm doch zugleich in ihr theologisches Programm an Anregungen auf, was in beiden Traditionssträngen – vor allem dem pietistischen – ihrem Sinn für ein verständliches Christentum entgegenkam. Die Literaten spürten, wie so oft, die Entwicklung schon auf, noch bevor sie richtig begonnen hatte. Der Pfarrerssohn Johann Gottfried Schnabel entwarf 1731 in seinem Roman die «Insel Felsenburg» die Utopie einer zukünftigen idealen Gesellschaft, wo die Menschen ihre Güter miteinander teilen, keinerlei Wert auf äußeren Luxus legen und in «Gottesfurcht, Gerechtigkeit, Friede, Liebe, Treue, Redlichkeit, Aufrichtigkeit» zusammen leben. Zweifellos ein pietistisches Bilderbuch-Ideal. Doch in dieser vielgelesenen Robinsonade hat auch die Vernunft ihren Platz. Die Moral des Autors: «Man sage mir, welcher vernünfftiger Mensch Schau tragen und nicht vielmehr hertzlich wünschen sollte, seine gantze Lebens-Zeit an dergleichen ergötzlichen Orte zu zu bringen.»

Diese Aufgabe schien auch immer mehr Theologen alle Anstrengungen wert: die Zeitgenossen davon zu überzeugen, daß Vernunft und christlicher Glaube sich nicht feindlich gegenüberstehen. Daß sie sich nicht ausschließen, sondern ergänzen, um das Los des Menschen schon in dieser Welt zu bessern und glücklicher zu machen. Wer Ohren hatte zu hören, dem konnte nicht entgehen, daß selbst im Herzland des Pietismus sich innerhalb kürzester Zeit ein erstaunlicher Umschwung ankündigte. Im April 1736, das Kesseltreiben gegen den Philosophen Wolff war auf dem Höhepunkt, erließ der Preußenkönig, als Landesherr oberste geistliche Autorität seiner Untertanen, auf Drängen seiner pietistischen Schützlinge und Berater eine Kabinettsordre. Darin tadelte er, daß die Theologiestudenten in Halle «sich nicht mehr so fleißig wie vordem auf die Theologie als auf den Grund der heiligen Schrift legen, sondern sich vielmehr auf die Philosophie und unnütze Subtilitäten und Fratzen applizieren». Und Friedrich Wilhelm I. befahl, «daß die Jugend mehr zum studio theologico und zwar zur wahren Erkenntnis der Heiligen Schrift angeführt werde als zu unnützen philosophischen Sachen». Nur drei Jahre später, ein Jahr vor seinem Tod, gab derselbe König Ordre an alle Geistlichen seines Landes, nicht nur erbaulich, sondern auch «deutlich und ordentlich» zu predigen. Genau das war das Ziel der aufgeklärten Wolffschen Philosophie, ob es sich nun um Naturwissenschaft oder Theologie handelte – logisch mußte es sein.

Der Mann, der im Frühjahr 1749 in Lassahn in Schwedisch-Pommern mit 35 Jahren seine erste Pfarrstelle antrat, hatte die typische Laufbahn eines angehenden lutherischen Geistlichen hinter sich. Johann Joachim Spalding, Sohn eines pommerschen Pfarrers, schottischer Herkunft, studierte Theologie in Rostock. Die Ausbildung war streng orthodox und für einen engagierten jungen Mann nicht gerade anfeuernd. Spaldings Rückblick ist vernichtend: «Wir lernten... die Pietisten verabscheuen... Alles war ein trockenes Werk des Verstandes und noch mehr des Gedächtnisses... Die Predigerkunst sich lehren zu lassen war ein wichtiges Geschäft; und wie sie gelehrt ward, diente sie gerade dazu, die wahre christliche Beredsamkeit zu verderben, und die Erbauung zu verhindern.» Am Ende des Studiums gab es wegen der Theologenschwemme auch für Spalding keine Stelle. Nichts Besonderes. Als 1756 ein Trierer Geistlicher lutherischer Konfession sich in der Markgrafschaft Baden-Durlach bewarb, erhielt er einen negativen Bescheid, «weil dermalen nicht nur die geringste Gelegenheit, ihn mit einem Pfarr- oder Schuldienst zu beauftragen, nicht gegeben sei, sondern auch die Zahl der hiesigen Landskinder als dermaligen wirklichen candidatorum ministerii so stark angewachsen sei, daß man dieselben noch in geraumer Zeit nicht versorgen könne».

Spalding tat, was viele angehende Pfarrer versuchten, um den Eltern nicht weiter zur Last zu fallen: Er wurde Hauslehrer bei einem kleinen Adligen auf dem Land. Kein angenehmer Zeitvertreib: «Ich ward schlecht gehalten an einem Ort, wo die Umstände schlecht waren; und mein Gemüth ward dadurch so niedergeschlagen, daß ich mich für einen großen Kreuzträger hielt.» Nach einem halben Jahr war er es leid und ging für ein paar Monate nach Hause. Dann folgte wieder eine Hauslehrerstelle, diesmal für ein Jahr in Greifswald bei einem Professor, dessen Bibliothek voll neuer philosophischer Bücher der Theologe Spalding ausgiebig nutzt. Anschließend verbrachte er ein Jahr bei den Eltern «mit einem unruhigen Gemüth, wovon der Grund theils in meinen äußerlichen verlegenen Umständen, theils aber auch in den Unordnungen meiner innerlichen Verfassung lag ... Ich predigte fleißig für meinen sel. Vater, und ich meinte das aufrichtig, was ich predigte ... Ich konnte es mir indessen doch auch nicht aus dem Sinn bringen, daß es schön sey, ein Philosoph, und noch dazu ein Wolffianer zu seyn.» Alle Versuche, eine Pfarrstelle zu bekommen, schlugen fehl. Spalding lernte Englisch und las vor allem die modischen «Journale», die – nach englischem Vorbild – in Deutschland auf den Markt kamen.

Noch einmal folgen drei Jahre als Hauslehrer. Von 1745 bis 1747 ist Spalding Sekretär der schwedischen Gesandtschaft in Berlin. Entscheidend wird für ihn die Bekanntschaft mit dem reformierten Hofprediger August Friedrich Wilhelm Sack. Der junge Theologe ist fasziniert von Sacks «Freyheit zu denken». In seinen Erinnerungen wird Spalding sehr viel später schreiben: «Ich muß überhaupt gestehen, daß ich durch seinen Umgang unterrichtet und gebessert worden bin.» Das Ergebnis dieses Einflusses erscheint schon 1748. Spalding publiziert ein Buch über «Die Bestimmung des Menschen». Als er ein Jahr darauf endlich eine Pfarrstelle in Lassahn bekommt, ist Spalding für die theologisch Interessierten unter den Gebildeten kein Unbekannter mehr. Das Buch wurde ein Bestseller und erlebte bis 1793 dreizehn Auflagen. Es machte den unbekannten Theologen aus Pommern zu einem Wegbereiter der Aufklärung in den lutherischen Kirchen Deutschlands.

Spalding versucht in dieser Schrift nachzuweisen, daß es keinen Widerspruch gibt zwischen einer «natürlichen Religion», die allgemein anerkannte Werte verbreitet, ohne sich auf Christus zu berufen, und dem Christentum, dessen wichtigste Urkunde die von Gott inspirierte Bibel ist. Beide Religionen haben dasselbe Ziel, wenn man das Evangelium nur richtig auslegt: «Endlich lasse man auch den eigentlichen Lehren des Christentums Gerechtigkeit widerfahren. Sie gehen, wenn man sie recht kennt, durchgehends und augenscheinlich auf den größten und letzten Zweck aller Religionen, nämlich, den Menschen gut und glücklich zu machen, und sind ohne Zweifel in dem jetzigen Zustande des Verfalls unentbehrlich.»

Im Jahre 1764 wird der Pfarrer aus Pommern als Oberkonsistorialrat und erster Pfarrer der Nikolai- und Marienkirche nach Berlin gerufen. Von der Provinz ins Zentrum der Macht: Das Stirnrunzeln der Berliner blieb anfangs nicht aus. Doch Spalding füllt sein hohes Amt sehr schnell kraft seiner Persönlichkeit, seiner Kenntnisse, seiner Glaubwürdigkeit und seiner Toleranz aus. Die neue, einflußreiche Position hilft ihm, seine Überzeugungen noch weiter zu verbreiten.

Die Nabelschnur der aufgeklärten Theologie zum Pietismus ist unübersehbar. Wie bei Spener und Francke sehen Spalding und gleichgesinnte Kollegen im Christentum keinen Debattierclub für scharfzüngige Theologen. Es ist vor allem eine Anleitung für die Praxis. Nicht ein bedingungsloser Glaube steht im Zentrum. Dieses Christentum sagt dem Menschen vor allem, wie er gut und tugendhaft wird. Der Pfarrer macht mit seinem «Unterricht die Religion zu einer Führerin des gewöhnlichen Lebens». Er bringt sie «gleichsam in die Häuser, in den Umgang, in das tägliche Gewerbe des Menschen herab» und lehrt sie, «ihr Christentum mit den Pflichten ihres Berufs und ihrer verschiedenen Verbindungen auf Erden zusammenzuknüpfen». Die aufgeklärten Theologen predigen ein Christentum der Tat, das im Menschen nicht den Sünder sieht, nicht den «stinkenden Madensack», der von sich aus keine Kraft zum Guten hat und nur auf Gottes Gnade hoffen darf. Nein, diese Pfarrer sind Optimisten. Sie glauben fest an eine «Hoffnung auf zukünftig bessere Zeiten» und an das Gute im Menschen. Man muß dem Menschen nur Mut machen, seine schlummernden Fähigkeiten aufspüren, ihm eine Moral bieten, und eine neue bessere Welt wird entstehen.

Am Ende des 18. Jahrhunderts predigte in Dresden der Oberhofprediger Franz Volkmar Reinhard, ganz und gar kein radikaler Theologe, seinen Zuhörern: «So lang ihr unwissend und roh, so lang ihr ungebildet und ungeübt, so lang ihr verdorben und lasterhaft seyd, kann euch Gott nicht einmal Gutes erzeigen und euch seiner Wohltaten teilhaftig machen; es fehlt euch eben, weil eure Fähigkeiten noch unentwickelt sind, an Sinn und Empfänglichkeit für die besten Güter, die er uns schenken will... Aber wohl euch, wenn ihr mit demüthigem Fleiß an eurer Besserung arbeitet ... euer Sinn, Gutes aller Art zu genießen wird immer vielseitiger und zarter.» Die Kirche war für Reinhard «eine Besserungsanstalt für den ganzen Erdkreis, für alle Völker und Jahrhunderte». Und in Jena lehrte der Theologe Marezoll, alles sei christlich, «was auf die wahre Weisheit, auf die Moralität und Tugend, auf die Beruhigung und Glückseligkeit der Menschen wirklich Bezug und Einfluß hat. Denn diese auf alle Art zu befördern, ist und bleibt der Zweck des Christentums.»

Marezoll ging sogar noch einen gewagten Schritt weiter, um das Evangelium seiner Zeit anzupassen: «Christlich heißt auch dasjenige, was Jesus und seine Gesandten ihren Absichten und Grundsätzen gemäß ganz gewiß lehren und vortragen, befehlen oder vertreten würden, wenn sie unter uns lebten, wenn sie unsere Sinnes- und Denkart beobachten und unsere Lebensweise sähen.» Wenn das Christentum in der Praxis aufgeht und identisch ist mit einem tugendhaften Leben, wer bestimmt, was tugendhaft ist? Was gut ist und was böse? Was Christus gelehrt hätte, wäre er im 18. Jahrhundert geboren worden?

Die lutherischen Pfarrer, Kinder ihrer Zeit und einer bürgerlichen Elite, machten ohne Skrupel den bürgerlichen Tugendkatalog zum Maßstab christlichen Handelns und setzten ihn gleich mit den ewigen Gesetzen der Natur. Wer sie nicht befolgt, wird sichtbar gestraft. Noch einmal der Oberhofprediger Reinhard, dem jeden Sonntag dreitausend bis viertausend Menschen zuhörten: «Und wie gezeichnet von dem rächenden Arm der Natur, wie gedemütigt und gestraft nach ihren unwandelbaren Gesetzen, findet ihr überall Menschen, die ihre Pflicht verletzen. Ihr sehet elende Weichlinge entnervt, wollüstige Schwelger von schrecklichen Krankheiten gezeichnet, gemartert, leichtsinnige Verschwender mit Armuth und Mangel belastet ... Und dagegen belohnt ihre milde segnende Hand den Mäßigen mit Gesundheit, den Fleißigen mit Überfluß, den Klugen mit Erfolg ...»

Das ist die Grundlage. Reinhard vergißt keineswegs, die theologischen Konsequenzen zu ziehen. Die deutschen Aufklärer haben ein Jenseits weder geleugnet noch verschämt verschwiegen. Es besteht vielmehr ein enger Zusammenhang zwischen dem tugendhaften Leben in dieser und seiner Fortsetzung in jener Welt. Was den Christen in Dresden klargemacht wurde, erscholl von vielen Kanzeln: «Die Seligkeit des Himmels ist nicht eine Sache, die Gott uns nach Belieben und ohne Rücksicht auf unser Verhalten schenken kann; die sich durch bloßes Bitten, durch müßiges Glauben, durch abergläubische Mittel erschleichen läßt ... die Einsichten, die wir uns hier erworben, die Gesinnungen, die wir angenommen, die Tugenden, die wir geübt, der Eifer für das Gute, den wir bewiesen, die ganze Bildung, die wir unserm Geiste gegeben haben, diese Dinge allein können den Grad der Glückseligkeit bestimmen, welchen Gott uns zuerkennen wird ... Alles wird streng, genau, gerecht und ewig vergolten.» Wie weit lag Wittenberg zurück ...

Der Oberhofprediger Reinhard hat nicht nur die Pietisten auf seiner Seite, wenn er von einem Christen sichtbare Werke seines Glaubens verlangt. Gleiches hatte Johannes Calvin 250 Jahre zuvor zum Bestandteil seiner Theologie gemacht. Und die radikalen Außenseiter im Jahrhundert der Reformation – Thomas Müntzer, der Laienprediger und Kürschnergeselle Melchior Hoffmann, die Wiedertäufer – hatten Luther gerade vorgeworfen, er mache es sich zu billig, nur auf Gottes Gnade zu hoffen. Die Humanisten befürchteten ebenfalls, alle Moral werde zum Teufel gehen, wenn die Menschen glaubten, daß man sich durch kein einziges gutes Werk den Eintritt in den Himmel erkaufen oder wenigstens leichtermachen könne. Melanchthon hatte gerade in diesem Punkt an seinem Freund und Lehrer Kritik geübt und Johannes Agricola darüber den ersten Streit innerhalb der neuen evangelischen Lehre entfacht. Gegen Luthers radikale Theologie revoltierte immer schon die Meinung der «Vernünftigen».

Am Ausgangspunkt steht immer dieselbe entscheidende Frage: Was für ein Bild vom Menschen macht man sich? Ist man wie Luther überzeugt, daß er von Natur aus schlecht ist, oder weist man darauf hin, daß der Mensch doch von Gott geschaffen ist und deshalb eigene Fähigkeiten zum Guten haben muß? Und das ist die zweite Frage: Was für ein Bild von Gott macht man sich? Friedrich

Schiller dichtete im Sinne seiner Zeit: «Brüder, überm Sternenzelt muß ein liebend Vater wohnen.» Die aufgeklärten Menschen des 18. Jahrhunderts konnten sich diesen Gott nicht so vorstellen, wie ihn der Mönch Martin Luther erlebt hatte: zornig, willkürlich, unberechenbar. In einem Vorschlag zur Verbesserung des Katechismus in der Markgrafschaft Baden heißt es: «Der Ausdruck: Zorn Gottes ist unschicklich und Gott entehrend.» Und in Braunschweig predigte der berühmte Theologe Friedrich Wilhelm Jerusalem, daß selbst «die fürchterlichsten Eigenschaften Gottes in der Lehre Jesu angenehm und liebenswürdig werden».

Für Martin Luther war es vermessen anzunehmen, der Mensch könne diesem Gott auch nur einen Millimeter näherkommen oder ihm ähnlich werden. In einem «kleinen Unterricht, was man in den Evangelien suchen und erwarten solle», schrieb er 1522: «Danach ist es eine noch ärgere Gewohnheit, daß man die Evangelien und Briefe gleichsam wie Gesetzbücher ansieht, darinnen man lernen soll, was wir tun sollen, und darin die Werke Christi uns nicht anders als Vorbilder vor Augen gestellt werden ... Denn aufs kürzeste umschrieben ist das Evangelium eine Rede von Christus, daß er Gottes Sohn und Mensch für uns geworden, gestorben und auferstanden, ein Herr über alle Dinge gesetzt sei.» In den Predigten der aufgeklärten Theologen stand nicht «der Herr über alle Dinge» im Mittelpunkt, sondern der Mensch Jesus als Vorbild für andere Menschen – nicht sein Tod, nicht seine Auferstehung. Unter dem Thema «Jesus, der Mensch, und für den Menschen» predigte der Pfarrer Johann Ludwig Ewald im letzten Drittel des 18. Jahrhunderts: «Es war niemand anders als der ungelehrte Jesus von Nazareth, in einer unaufgeklärten Provinz eines verrufenen Landes geboren, der Werkstätte eines Zimmermanns, ferne von allen Gelehrten erzogen, der vor 1800 Jahren diese Aufklärung über so viele Millionen Menschen gebracht hat ... Ja, er war's, der große Welterleuchter, der zuerst lehrte, daß Gott Vater aller Menschen sei und alle Menschen Brüder und Schwestern seien ... Er offenbarte uns zuerst die wahre Bestimmung der Menschheit, teilzuhaben am Reichtum und an der Kraft Gottes und wie das ganze Erdenleben Erziehung sei zu diesem großen Zweck, und er lehrte es so, daß jeder Menschen Sinn es faßte und jedes Menschenherz es fühlte.»

Jesus, der erste Aufklärer. Wer sich hier, lustig macht, sollte im Nachdenken seinen Spott prüfen. Denn was haben die höchsten und besten Repräsentanten der Kirchen 1800 Jahre lang getan? Auf welche Weise ist das Christentum zum Erfolg gekommen? Sobald die Christen die Katakomben verlassen hatten, wurden sie ein Teil dieser Welt. Sie predigten den gebildeten Römern Christus als den guten Hirten, als den weisen Lenker der Welt und nicht als den blutenden Mann am Kreuz, der in die Vorstellungen der heidnischen Antike von Göttlichkeit so wenig paßte. Sie predigten den Germanen zuerst den himmlischen König und nicht den Gekreuzigten, um missionieren und bekehren zu können. Die mittelalterliche Theologie übernahm mit dem Segen der Kirche die vernünftige Philosophie des heidnischen Aristoteles, um die Welt zu erklären.

Jahrhundertelang waren Europas beste Köpfe, die Mönche an den Universitäten zu Oxford und Paris, damit beschäftigt, Glaube und Vernunft in einem komplizierten System harmonisch miteinander zu verbinden. Wie hat Luther sie deshalb gehaßt, jene Scholastiker mit ihrem verfluchten Aristoteles. Das aufgeklärte 18. Jahrhundert mitsamt seinen lutherischen Theologen stand in bester mittelalterlicher Tradition. Und sie alle konnten sich auf einen berufen, der Luthers größtes Vorbild war und zugleich denen eine Rechtfertigung gab, die keine Angst vor der Anpassung des Christentums an den Zeitgeist hatten: «Wenn Paulus einst den Juden ein Jude und den Heiden ein Heide ward, um sie beide zu gewinnen, sollen wir nicht, zumal in unserem Zeitalter, den Vernünftigen vernünftig werden, um die Vernünftigen zu gewinnen, damit sie nicht ... auf immer gegen das Christentum, als vertrüge es die Beleuchtung des Prüfers nicht, eingenommen werden und vielleicht geneigt werden, alle Religionen für Aberglauben zu halten?»

Steht es heute anders mit dem Versuch vor allem evangelischer Christen, Christentum und Alltag zu verbinden und die Politik am Evangelium zu messen? Es sind nicht Dogmen und die reine Lehre, die uns heute bewegen, und wer setzt seine Hoffnung am Ende des 20. Jahrhunderts allein auf Gottes rettende Gnade? Es ist vor allem ein Christentum der Tat, das dem Menschen noch etwas zu sagen hat. Eines, das verändern und bessern will. Würde Christus heute in Südamerika leben, so heißt es, er stünde auf seiten der Unterdrückten und würde sich wehren, wenn nötig mit Gewalt. Ein Blick in das 18. Jahrhundert zeigt, wo die Stärken und die Gefahren eines solchen aktiven und der Zeit «angepaßten» Christentums liegen.

Viele Theologen in der zweiten Hälfte des 18. Jahrhunderts predigten nicht den fernen, majestätischen Gott, sondern Jesus, den Menschen, weil in ihm der Glaube verstehbar und nachvollziehbar wurde. Ein Glaube, dessen Ziel es war, den Menschen anzusprechen. Wilhelm Abraham Teller, der 1767 als Propst an die Berliner St. Petrikirche berufen wurde, einer der radikalsten Theologen der Aufklärung und von Spalding «einer meiner schätzbarsten Freunde» genannt, erklärte provozierend, Religion ist «nicht um Gottes willen da, daß ihm damit gedient, und das ist genützt werde; sondern um des Menschen willen, daß dem dadurch geholfen werde». Vorbei war die Zeit, als lutherische Geistliche von den Kanzeln und in Schmähschriften ihren Gemeinden predigten, daß die Seligkeit daran hing, ob man der lutherischen oder reformierten Theologie vom Abendmahl anhing; ob der Altar aus Holz oder aus Stein war; ob in der Kirche Bilder hingen oder keine. Als es Hochverrat war, im lutherischen Sachsen die refomierte Theologie zu begünstigen.

Das alles war nun zweitrangig geworden. Kaum einer bestritt die alten Dogmen oder die neue reine Lehre. Aber vielen Geistlichen war die Zeit zu schade, über solche theologischen Konstruktionen, oft dunkel und unverständlich, nachzudenken. Das «Magazin für Prediger» aus Züllichau riet 1782 den Geistlichen: «Alles, was bloß für den Verstand, was schwer zu fassen, was nicht geradezu auf Trost und Besserung anzuwenden ist, müsset ihr – nicht gerade als Irrtum verwerfen – aber auch nicht für wichtige Wahrheit annehmen, die irgendeines Menschen Wert und Seligkeit entscheiden mag ... Lernet einsehen ..., daß nicht Bekenntnis gewisser Glaubensformeln, nicht Beten, Fasten, Kirchengehen, Beichte, Kommunion selig mache. Saget Euren Kindern, ... daß der eifrigste Menschenfreund der beste Christ ist; daß alle Mitmenschen lieben und Gutes und Freude über sie verbreiten nur allein Religion, Tugend, Frömmigkeit heißen, nur allein gottgefällig und glücklich mache.» Die Predigthilfe aus der Provinz gab keine anderen Ratschläge als der angesehene Propst Teller in Berlin: «Freund, das Dogma gehört eigentlich nicht auf die Kanzel ... Also berühre es bei Gelegenheit und erinnere die Gemeinde daran; mildre die rohen Begriffe, die sich mancher davon macht ... Dann gehe gleich zu dem über, was wahre christliche Gesinnung ist. Predige so durchs ganze Jahr praktisches Christentum, tätige Religion.»

Ähnliches hörte man aus der gebildeten Laienwelt. Im «Lippischen Intelligenzblatt», das 1773 in Lemgo erschien, war zu lesen: «Das kahle, unverdaute Geschwätz über die Glaubenslehren, das ewige Predigen, daß müßt ihr tun, so müßt ihr leben, wenn ihr selig werden wollt, ohne alle Beweise, die aus der Sphäre des gemeinen Mannes genommen sind und also allein Eindruck auf ihn machen und Überzeugung in ihm wirken können, wird man doch nicht einen Unterricht nennen können.» Statt dessen sollten die Pfarrer «die Natur der ihnen anvertrauten Seelen genauer studieren, ihr Freund werden, sich ihr Zutrauen gewinnen, oft mit ihnen umgehen und sich über ihre Angelegenheiten mit ihnen unterhalten ...»

Die Angelegenheiten der Menschen: Der Generalsuperintendent Ewald veröffentlichte 1793 im Lippischen ein «Hand- und Hausbuch für Bürger und Landleute, welches lehrt, wie sie alles um sich her kennenlernen, wie sie ihr Land bebauen, ihre Gärten bestellen, gutes Obst ziehen, Bienen mit Nutzen halten und wie Hausfrauen ihre Wirtschaft ordentlich führen sollen, nebst noch vielerlei Ratschlägen». Ewalds Nachfolger, Pfarrer von Cölln, schrieb an die Regierung in Detmold: «Ich selbst werde zur Verbesserung der Baumzucht und des Gartenbaues alles mögliche beitragen und dazu selbst einen Garten und eine Baumschule anlegen.» Nicht mehr Pastor – Hirte – waren solche aufgeklärten Pfarrer, sondern «Lehrer des Volkes», «Religionslehrer», «bestellte Lehrer der Sittlichkeit». Die Gemeinde wurde zum «Publicum», und am Sonntag gab es statt der Predigt einen «Canzelvortrag». Zum Stundenplan der Pfarrseminare gehörten nun auch «ökonomische Wissenschaften». In Baden-Durlach verpflichtete 1769 eine Instruktion die Geistlichen «zur unaufdringlichen Beförderung ökonomischer Anstalten». Sie sollten sich zum Beispiel um die in jenen Jahren beliebte und ertragreiche Seidenraupenzucht kümmern.

Schon die ersten christlichen Volksprediger, die Bettelmönche des Mittelalters, hatten die Alltagsprobleme ihrer Zuhörer aufgegriffen. Sie gaben Rat in Kindererziehung und Ernährung, in Familien- und Rechtsfragen. Es wäre töricht, dem 19. Jahrhundert zu folgen, das sich über die verweltlichten Prediger der Aufklärung lustig machte. Im Jahre 1982 bittet der Geistliche seine Gemeinde, Pakete nach Polen zu schicken oder für die Schiffbrüchigen in Südostasien zu spenden. 1781 war es ein Verdienst, «Kanzelvorträge über die Blattereinimpfung» zu halten. Und in einer Zeit der Hungersnöte und Mißernten «Ackerbaupredigten» zu halten, war auch keine Schande. Wirtschaftlicher Fortschritt im Mittelalter – ob beim Weinanbau oder beim Kupferabbau – ging ausschließlich von den Mönchen aus. Fragwürdig wurde es allerdings, wenn der Pfarrer Joachim Christian Grot versuchte, die «Rechtmäßigkeit der Blattereinimpfung in Rücksicht auf den Inhalt der Heiligen Schrift» zu begründen. Wenn Ochs und Esel neben der Krippe dazu herhalten mußten, am Weihnachtstag über «Methoden der Stallfütterung» zu predigen, oder der Gang der Jünger nach Emmaus am zweiten Ostertag eine «Predigt vom Nutzen des Spazierengehens» auslöste.

Es gilt, die Extreme nicht zur Richtschnur zu machen, um eine Theologie zu verurteilen, die den Menschen den christlichen Glauben in der Sprache ihrer Zeit und in Übereinstimmung mit ihrem Lebensgefühl nahebringen wollte. Kritische Fragen müssen deshalb nicht unterdrückt werden. Was ist noch christlich an einer Religion, die darin aufgeht, Moral, Tugend und Vernunft zu predigen? Das kann ebensogut von einer humanen Philosophie übernommen werden. Wo bleibt das spezifisch Christliche, wenn die Botschaft des Evangeliums von Christi Tod und Auferstehung völlig in den Hintergrund tritt? Was ist noch lutherisch an einer Theologie, die – voller Optimismus – das Böse im Menschen herunterspielt und der die Rettung des Menschen allein durch Gottes Gnade unverständlich, weil unvernünftig erscheint? Ging es bei einer solchen praktischen und vernünftigen Religion wirklich nur um das Wohl des einzelnen Menschen, oder stand sie nicht zu sehr im Dienst der Mächtigen, denen solche tugendhaften und pflichtbewußten christlichen Untertanen nur recht sein konnten? Ging der Blick des Pfarrers, der nichts als die Glückseligkeit seiner Zuhörer im Sinn hatte, über den privaten Bereich hinaus? Rief er dazu auf, soziale und politische Verhältnisse zu ändern, um Besserung und Fortschritt zu erreichen?

Die aufgeklärten Zeitgenossen waren selbst kritisch genug, um zu erkennen, daß ein Pfarrer mehr ist als ein Sachverständiger für Obst- und Bienenzucht. Derselbe Pfarrer von Cölln, der für eine aufgeklärte Theologie stritt, schrieb 1791 über manche seiner Amtsbrüder: «Kaum fing man an, sei's nun aus Eitelkeit oder geläuterten Grundsätzen – die Sache bleibt nötig und gut –, sich endlich des Volks anzunehmen, das bisher wie das Vieh des Feldes angesehen ward, da verbreitete sich überall ein Volksaufklärungsfieber ... Man fing hin und wieder an zu predigen, wie man in Klubs und Tagesgesellschaften über Neuigkeiten des Tages oder der Zeitungen schwatzt ... man predigte über Landbau, Obstbau, und Bienenzucht, über Selbstsäugen der Kinder und über die Diät beim Säugen. Mir ist sogar ein Beispiel bekannt, daß ein Kandidat – natürlich unverheiratet – über die Pflicht der Mütter vor der Geburt ihrer Kinder predigte. Mir gefällt dabei das unverdorbene Gefühl des Landmannes, der zu solchen Predigten den Kopf schüttelt, weil es ihm zu ‹weltlich› gepredigt sei.»

Mit solchen ironischen Worten stand dieser Geistliche nicht allein. Sehr viel weniger kritisch war man, wo es um das Verhältnis zwischen Staat und Kirche, zwischen Pfarrer und Obrigkeit ging: «Es ist das heilige Band zwischen Fürst und Religionslehrer [Pfarrer], wodurch allein das Gebäude des Staates fest stehen kann ... Waren die Volkslehrer [Pfarrer] ungebildet und roh, sittenlos, so wurde auch das Volk roher, sittenloser, also auch der Staat weniger wert ... Nur da ging's gut, wo der Volkslehrer wirklich aufklärte, auf die Jugend wirkte, sich entgegenstemmte des Lasters Strom; wo er sich selbst den Gesetzen unterwarf und das Volk zu ihrer Befolgung ermunterte.» Der lippische Generalsuperintendent Johann Ewald sah das 1791 sehr klar und hatte an dieser Verzahnung nichts auszusetzen. Auch der berühmte Theologe und Prediger Friedrich Wilhelm Jerusalem schrieb in seinen viel gelesenen «Betrachtungen über die vornehmsten Wahrheiten der Religion», daß eine Religion «die heiligsten Bande des gesellschaftlichen Lebens trennt», wenn sie die Menschen «nicht gegen die Obrigkeit gehorsam macht».

Zu eng waren von Anfang an die Beziehungen zwischen der neuen evangelischen Bewegung und den Obrigkeiten, die sich schützend auf ihre Seite stellten, gewesen. Der Landesherr als oberster protestantischer Bischof entzog jeder Kritik an einem zu engen Bündnis zwischen Staat und Kirche den Boden. Das Luthertum führte verstärkt die mittelalterliche Tradition fort, die die Kirche zu einer festen Säule der staatlichen Ordnung gemacht hatte. Hinzu kam Luthers Überzeugung: Eine Theologie, die sich mit politischen oder sozialen Aufrührern einläßt, geht unter. Es brauchte schon einen ungewöhnlichen Anlaß, um Mut vor Fürstenthronen zu zeigen. Es gab ihn dann tatsächlich 1788, als der preußische König die aufgeklärte Theologie mit einem Edikt mundtot machen wollte und Spalding aus Protest sein Predigeramt niederlegte. Damals erschien – wenngleich anonym – eine Schrift des reformierten Predigers und Professors Peter Villaume am berühmten Joachimsthaler Gymnasium in Berlin. In ihr wurden drei Fragen gestellt: «Kann das Dogmatische in der Religion jemals ein Gegenstand von Verordnungen sein? Hat der Staat das Recht, über Religion zu gebieten? Kann man einem schwankenden Religionssystem durch Edikte und Verordnungen mit gutem Erfolg zu Hilfe kommen?» Die Antwort lautete jedesmal: Nein.

Anlaß wie Reaktion von 1788 blieben eine Ausnahme. Der Alltag im 18. Jahrhundert machte die Pfarrer in nie gekanntem Maße zu Dienern der Obrigkeit. Der Staat, der im Zeitalter des Absolutismus immer mächtiger und fordernder wurde, dehnte seine Kontrolle widerstandslos auf alle seine Untertanen aus. Die Pfarrer waren nicht ausgenommen. Sie mußten sogar mehr als andere ihr Können und ihre Autorität den staatlichen Gewalten zur Verfügung stellen. Die kleine Schicht der Beamten reichte nicht aus, um sämtliche Verwaltungsarbeiten und Unangenehmeres zu erledigen. Der Pfarrer, der mit allen Bürgern zusammenkam und ihr Vertrauen genoß, eignete sich besonders gut als Aufsichts- und Polizeibeamter. Der Markgraf von Baden-Durlach erließ 1720 eine Verordnung, «daß die Geistlichen die in Erfahrung bringenden unbilligen Sachen fideliter anzeigen sollen». Es war nichts Ungewöhnliches, daß der Pfarrer nach der Predigt amtliche Verlautbarungen von der Kanzel verlas und zum Beispiel den entlaufenen Soldaten im Namen der Obrigkeit harte Strafen androhte. Bei solchen Gelegenheiten konnte es vorkommen, daß die Gläubigen «haufenweise» demonstrativ die Kirche verließen.

In Hessen war «höchsten Orts gnädigst gut befunden worden», daß die Prediger alle drei Monate «durch zu wählende schickliche Texte von dem seit einiger Zeit überall so sehr einreißenden Laster der Dieberey abmahnen» sollten. Im gleichen Jahr 1789, als in Frankreich eine blutige Revolution ausbrach, befahl das Konsistorium den hessischen Pfarrern, «insofern etwa eine Unruhe bey den dortigen Unterthanen zu verspüren wäre, selbige ... in dem schuldigen Gehorsam gegen die Obrigkeit zu befestigen und sie zu ermahnen, es sich ernstlich angelegen seyn zu lassen, durch ein ruhiges und stilles Benehmen sich der Fortsetzung der bisher genossenen göttlichen Wohltaten fähig zu machen und sich derselben nicht durch ein unruhiges und widerspenstiges Verhalten zu berauben».

Da alle Untertanen nur in den Kirchenbüchern und auf keiner Behörde schriftlich erfaßt wurden, mußten die Pfarrer in diesem Jahrhundert auf Befehl von oben auch als die ersten Statistiker herhalten. Sie hatten die unterschiedlichsten Tabellen anzufertigen, alle Geburten, Sterbefälle, Eheschließungen und Pockenfälle in Listen an das Kreisamt weiterzuleiten. Sie mußten die Wahlen von Bürgermeistern und Hebammen überwachen und den Schulunterricht kontrollieren. Auf einer Synode im Badischen mahnte 1770 ein Superintendent: «Die Herren Amtsbrüder möchten sich nicht so viel um das Äußere, sonderlich um Polizeisachen kümmern, als welches dem Zweck unseres Beisammenseins nicht gemäß sei, sondern daß sie mehr in den Schranken des Predigtamts bleiben und die innere Ausbesserung der Zuhörer mehr zu ihrem Augenmerk machen.» Zehn Jahre später hieß es, das Ansehen des Pfarrers leide, weil er «Aufseher über alle möglichen bürgerlichen Geschäfte sei».

Der Staat sprang nicht zimperlich mit seinen geistlichen Beamten um, und mochten sie noch so hohe Positionen einnehmen. Als der angesehene Valentin Ernst Löscher in Leipzig kritische Worte über die katholische Konfession seines sächsischen Landesherrn fallenließ, bekam er eine Rüge vom Geheimratskollegium in Dresden: «Daß ein Geistlicher ein Diener Gottes sei, ist ihm ceteris paribus gerne zu lassen. Er ist aber auch ein Diener der Gemeinde und des

Herren, der ihn besoldet.» Und ein Graf Seebach machte diesen Aktenvermerk dazu: «Der Herr Superintendent entschuldigt sich mit seinem Gewissen. Das pflegt auch sonst mehrenteils die Ausflucht zu sein, wenn man der hohen Obrigkeit nicht parieren will.»

Löscher hätte sich solches nicht bieten lassen müssen. Doch die Mehrheit der Geistlichen war froh, wenn sie endlich eine Anstellung gefunden hatte, mochte die Bezahlung – zum Teil in Naturalien – auch noch so schlecht sein. Übrigens kam inzwischen fast der gesamte theologische Nachwuchs aus den Pfarrhäusern. Von den neuen Geistlichen des Sprengels Karlsruhe-Land stammten 1757 fünf aus Pfarrfamilien, zwei hatten Chirurgen zum Vater, einer jeweils einen Kaufmann und einen Lehrer. Die Berufe der Väter der lutherischen Geistlichen in Badenweiler 1754: neun Pfarrer, ein Förster, ein Lehrer, ein Amtmann und ein Bauer. Bei der Amtseinführung war eine besondere Verpflichtung gegenüber dem Landesherrn selbstverständlich. In Baden-Durlach mußte jeder Pfarrer schwören, «dem durchlauchtigsten Herrn Markgrafen getreu und hold, auch gehorsam und gewärtig zu sein».

Sie waren es nicht nur selbst, sie predigten solchen Gehorsam auch ihren Zuhörern: «Unser Urteil über das, was die Obrigkeit anordnet und verlangt, falle aus wie es wolle: Nie ist es uns erlaubt, ihr den Gehorsam zu verweigern, den wir ihr schuldig sind. Eine Verordnung scheine uns immerhin hart und schädlich, sie enthalte Dinge, die unsern Einsichten, unsern Neigungen, unsern Vortheilen widersprechen: behält sie die Kraft eines Gesetzes, ist sie in keiner Rücksicht wider das Gewissen: so steht es uns zwar frey unser Urtheil beyzubehalten, aber alles verbindet uns Gehorsam zu leisten.» Damit hat der Dresdner Oberhofprediger Franz Volkmar Reinhard zwar Kritik erlaubt – solange sie zu keinen Konsequenzen führt. Er war damit in bester Gesellschaft. Immanuel Kant, Kronzeuge deutscher Aufklärung, schrieb 1784 nicht nur: «Sapere aude! Habe Mut, dich deines eigenen Verstandes zu bedienen! ist also der Wahlspruch der Aufklärung.» Zwei Abschnitte weiter erklärt der Philosoph aus Königsberg, daß solche Freiheit des Verstands eingeschränkt werden könne, wenn jemand einen Posten oder ein bestimmtes Amt innehat. Und er zitiert bewundernd die Maxime Friedrich des Großen: «Räsonniert, so viel ihr wollt, und worüber ihr wollt; aber gehorcht!»

Die Geistlichen sprachen keiner Tyrannei, keiner Willkürherrschaft das Wort. Wenn sie die Fürsten mahnten, «die Menschenwürde zu schützen und die Angelegenheiten der Menschheit desto leichter und glücklicher zu besorgen», so redeten sie der Obrigkeit in bester lutherischer Tradition ins Gewissen. Als Friedrich Wilhelm Jerusalem eine Predigt hielt über das Thema «Daß die christliche Religion den Verfassungen der bürgerlichen Gesellschaften nicht allein nicht zuwider sei, sondern vielmehr ihre Vollkommenheit auf die möglichste Weise befördere», sparte er nicht mit Kritik an den Herrschenden: «Ihr seid nichts als Menschen, und ihr wollt mit den Gütern, mit der Ruhe, mit der Freiheit, mit dem Blute, mit dem Leben anderer Menschen spielen, als wenn sie nur für euch erschaffen wären?»

Auch an Stimmen, die den Krieg verurteilten, fehlte es nicht: «Fürsten dürfen nicht andere diebisch überfallen und mutwillig einen Krieg vom Zaun brechen. Eine christliche Nation muß ihren Regenten dies Gesetz des Christentums vor Augen halten, oder sie hört auf, eine christliche Nation zu sein. Und christliche Regenten müssen es billigen, oder sie müssen aufhören, Regenten zu sein.» Aber wenn der Pfarrer seiner Gemeinde sagt «kein Mensch soll also der Tyrann oder Unterdrücker seiner Mitmenschen sein», wollte er damit die bestehende Ordnung sowenig umstürzen wie der große Kant in Königsberg.

Den Widerspruch, daß vor Gott alle Menschen gleich sind, aber auf Erden ganz und gar nicht, erklärten die aufgeklärten Theologen mit dem gleichen Argument wie alle ihre Kollegen seit 1800 Jahren: «Gleichheit ist nicht die Abschaffung aller Stände, ist nicht Gleichheit der Güter und des Vermögens aller Bürger.» Beide Seiten, Regierende wie Regierte, sollten sich vernünftig verhalten, die traditionellen Herrschaftsmuster anerkennen, aber nicht ausnutzen. Das predigte der Pfarrer Johann Samuel Bail 1793 seinen Zuhörern in Glogau: «Daher finden wir auch, soweit wir in der Geschichte zurücksehen können, zu allen Zeiten Gebietende und Gehorchende, Regenten und Untertanen, Hohe und Niedrige ... Ordnung muß nun in jeder kleineren oder größeren Gesellschaft herrschen, wenn sie bestehen und blühen soll. Die Oberen müssen gute und weise Gesetze machen; Untertanen haben dagegen die heilige Verbindlichkeit auf sich, ihrem rechtmäßigen Oberherrn die größte Ehrerbietung sowohl gegen seine erhabene Person als gegen die landesherrlichen Gesetze zu beweisen.»

Auch im 18. Jahrhundert fehlen nicht die Klagen über den Verfall der Frömmigkeit und die Zunahme der Gottesverächter. Aber immer noch gingen die Menschen auf dem Land brav in ihre Gottesdienste. In den Städten drängten sich Tausende, wenn berühmte Prediger auf die Kanzel stiegen. Bei Johann Lorenz von Mosheim, seit 1723 Theologieprofessor in Helmstedt, mußte Militär in der Kirche den Andrang regeln, damit er sich überhaupt zur Kanzel vorkämpfen konnte. Sein Ziel war es, mit seiner Predigt «den Verstand kräftig zu überzeugen, das Herz gewaltig zu rühren, und diesen gedoppelten Endzweck immer vor Augen» zu haben. Mit unzähligen Schriften warben die aufgeklärten Theologen für ihre Sicht des Christentums. Selbst Lübeck, die mächtige orthodoxe Bastion im Norden, öffnete schließlich dem Zeitgeist seine Tore. Der Nachfolger des unerbittlichen Carpzov im Superintendentenamt setzte 1774 einen neuen Katechismus durch. Und da konnten die Lübecker lesen: «Das Wesen, das alles gemacht hat, muß ein verständiges Wesen seyn; denn alles in der Welt ist gut und ordentlich eingerichtet: ohne Verstand aber kann nichts gut und ordentlich eingerichtet werden ... Gott ist ein Geist; das heißt: Gott ist ein Wesen, das Verstand und Willen hat; denn die ordentliche und nützliche Einrichtung der Welt beweist, daß sie von keinem andern als von dem größten und vollkommensten Verstand gemacht werden konnte.» War der Tod Christi am Kreuz eine «ordentliche und nützliche Einrichtung»? Läßt sich die Auferstehung mit dem Verstand erklären?

Predigten, Katechismus, Erlasse von der Kanzel: Man konnte zuhören oder ein Nickerchen machen. Dann ging man nach Hause zum Mittagessen, las am Nachmittag in der Bibel oder einem erbaulichen Buch und redete zur Nacht mit Gott auf seine Weise. Wie tief ging die aufgeklärte Theologie in die Herzen? Wie viele Christen überzeugte sie? Die Probe aufs Exempel kam erst, als der neue Geist den lutherischen Kirchen Veränderungen brachte, die die traditionellen Formen der Frömmigkeit radikal umkrempelte und liebgewordene Gewohnheiten des einzelnen in Frage stellte.

Unter dem Blickwinkel der Vernunft wurde vor allem eine christliche Tradition ständige Quelle «schädlichen Müßiggangs, der Schwelgerei und anderer Üppigkeiten». So jedenfalls lautete 1753 das Urteil der Regierung in der Markgrafschaft Baden-Durlach über die vielen kirchlichen Feiertage, an denen die Menschen zum Gottesdienst und nicht zur Arbeit gingen. Zu den selbstverständlichen Feiertagen überall in evangelischen Landen gehörten um diese Zeit noch die Namenstage der zwölf Apostel. Mit ihnen begann man in Baden das Experiment: Den Gottesdienst wollte man nicht verbieten, arbeitsfrei sollte der Tag jedoch nicht mehr sein. Der halbherzige Versuch war schlecht zu kontrollieren, und deshalb schaffte man drei Jahre später auf Befehl des Markgrafen die meisten Feiertage einfach ab. Weihnachten, Ostern und Pfingsten wurden auf zwei Tage gekürzt. Pfarrer wie Gemeinden waren empört. Droh- und Bittbriefe gingen beim Konsistorium ein. Doch die badische Obrigkeit blieb hart – und stand bald nicht mehr allein.

Preußen, Hannover und Hessen-Darmstadt zogen nach. Als man 1772 in Hessen-Kassel nachrechnete, daß die Lutheraner an 109 Tagen im Jahr nicht arbeiteten, wurden auch dort die meisten Feiertage zu Arbeitstagen erklärt. Noch ein Jahr später mußten widerspenstige Bürger in Marburg Polizeistrafen zahlen, weil sie an den einstigen Festtagen weiterhin ihre Läden geschlossen hielten. Solcher Protest war allerdings noch gar nichts gegen die Empörung, die überall ausbrach, als in der zweiten Hälfte des Jahrhunderts aufgeklärte Theologen dem Volk neue Gesangbücher verschrieben, die alten, vertrauten Lieder modernisiert oder einfach gestrichen wurden.

In Berlin wurde 1765, zwei Jahre nach Spaldings Amtsantritt, das erste neue Gesangbuch eingeführt. Die Vorrede erläuterte der Gemeinde, warum man solche Neuerungen und Veränderungen für nötig hielt. Einige der alten Lieder, so konnte man lesen, «waren bloß in einem lehrenden Ton abgefaßt; und die sind in die Form des Gebets oder doch der Selbstermunterung eingekleidet worden, weil solches in der Tat erbaulicher und für die Kirchengesänge schicklicher ist. Bey manchen ältern Liedern hat wegen der Art des

Ausdrucks ... verschiedenes geändert werden müssen, um, so viel wie möglich, alles hinwegzuräumen, was etwa anstößig seyn und die Erbauung hindern könnte. Bey allen diesen Veränderungen hat man sich angelegen seyn lassen, alles aufs gewissenhafteste so einzurichten, daß der vernünftigen Andacht dadurch zu reinen und der Religion Jesus würdigen Gedanken und Empfindungen Anlaß verschafft werden möchte.» Etwas umständlich, aber eindeutig wird hier dargelegt, was die Reformer im Sinn hatten. Sie vergaßen, daß die alten Lieder vertraute Freunde waren. Daß sie in ihrem Eifer den Menschen ein Stück Heimat, eine Erinnerung an die Kindheit nahmen.

Auch mit der Elle des guten Geschmacks gemessen war das moderne Liedgut keineswegs makellos. Mit Gewalt versuchten die Texter «fromme Empfindungen zu wecken durch reichlichen Gebrauch von Worten wie bangen, beben, rühren, entzücken, es rinnen alle Arten von Tränen». Der Stein des Anstoßes wäre wesentlich kleiner gewesen, hätten neben den neuen die alten Lieder ihren Platz behalten. Vor allem die Lieder Martin Luthers waren dem Übereifer der Reformer und ihrem vernünftigen Geschmack zum Opfer gefallen, weshalb ein Marburger Pfarrer zu Protokoll gab: «Das von den Casseler Predigern zusammengestoppelte Gesangbuch wird so eingerichtet sein, daß man mit der Zeit nur das Titelblatt herausreißen und ein anderes dafür drucken lassen kann: Allgemeines hessisches christliches Gesangbuch für alle Religionen.» Weil man im 18. Jahrhundert nicht mehr auf Burgen lebte, durfte die Gemeinde nicht mehr singen: «Ein feste Burg ist unser Gott.» Nun hieß es etwas vornehmer: «Ein fester Schutz ist unser Gott.» Als besonders unsinnig empfanden die Veränderer die poetische Zeile: «Nun ruhen alle Wälder». Sie dichteten statt dessen: «Nun ruhet in den Wäldern, in Städten, auf den Feldern ein Theil der müden Welt.» Oder: «Nun schläft die müde Welt ....» Anstoß nahm man auch an Paul Gerhardts «O Haupt voll Blut und Wunden». Nun sang man: «Du, der voll Blut und Wunden» und auch nur die ersten drei Strophen. So drastisch genau wollte man es gar nicht wissen.

Das neue Berliner Gesangbuch von 1765 ließ das alte noch gelten – Pfarrer und Gemeinden benutzten es stur weiter. Als 1780 eine

409

Kabinettsordre das nächste neue Gesangbuch zwangsweise einführen wollte, kam es zu öffentlichen Tumulten. In der Mark Brandenburg brachten die Kirchgänger weiterhin ihre alten Bücher in den Gottesdienst mit, und wenn der Pfarrer ein neumodisches Lied anstimmte, überschrien sie ihn mit der vertrauten Weise: «Halte, was du hast empfangen» aus dem Jahre 1697. Durch solche Auftritte gewarnt, ließ man in Braunschweig die alten Gesangbücher polizeilich beschlagnahmen. Andernorts heftete man Schmähschriften an die Häuser der Pfarrer, die sich auf den Kanzeln für die neuen Bücher einsetzten. Meist vergeblich. Nur in einer Gegend konnten sich die Traditionalisten am Ende durchsetzen.

Auch in Nürnberg wollten aufgeklärte Geistliche Schluß machen mit den «unbiblischen, süßen ... Tändeleien, dem leeren Wortgeklingel, den Spielwerken und der oft bis nahe an den Unsinn grenzenden Phantasie» der alten Kirchenlieder. Das Nürnberger Gesangbuch sei «das schlechteste von allen». Zusammen mit den Professoren der Universität im benachbarten Altdorf bastelte man ein Buch, das – nach der Mahnung des städtischen Rates – «alte, mitteljährige und junge Personen» zufriedenstellen sollte. Es erschien 1791 «zur öffentlichen Erbauung und Privatandacht auf Befehl eines hochlöblichen Rats unter Aufsicht und Prüfung der vordersten Theologen Nürnbergs den Reichsstadt-Nürnbergischen Gemeinden in der Stadt und auf dem Lande gewidmet». Das Werk enthielt 731 Lieder – darunter elf von Luther, von denen nur vier nicht umgedichtet waren. «Die alten unbrauchbaren Lieder habe man ausgelassen», erklärten die Verfasser. Die neuen würden die christliche Wahrheit den Gemeinden «verständlich und rührend» nahebringen.

Die Gemeinden aber wollten nicht. Lieber gingen die Nürnberger nun zu den Katholiken in die Karthäuserkirche, weil man dort wenigstens die alten Lieder sang. Oder sie betraten ihre Gotteshäuser erst, wenn die Predigt begann, und waren nach deren Ende sofort wieder draußen. Den entschiedensten Widerstand leisteten die Bauern der Umgebung. Sie stellten sogar ihre Zahlungen an den Pfarrer ein und hielten im Schulhaus eigene Gottesdienste. Natürlich mit den alten Liedern. Die Geistlichen meldeten «bedenkliche Gährung in vielen Gemütern» und «offene Widersetzlichkeiten».

Schließlich verzichtete der Rat auf jeden Zwang und erhob keinen Einspruch, wo die «alten Tröster» wieder offiziell im Gottesdienst benutzt wurden. Dafür dichtete die Landbevölkerung nun ein neues Lied: «Die Bauern sangen froh, / ‹In dulci jubilo›, / als man die alten Lieder / hat vorgezogen wieder, / und lächelten nur so.» Damals wurden Kirchenlieder nicht nur beim Gottesdienst gesungen. Sie begleiteten den Tag des Menschen, solange er denken konnte. Andere Veränderungen, die nicht weniger radikal waren, aber auf den Kirchenraum beschränkt blieben, wurden ohne viel Aufhebens hingenommen. In so orthodoxen Hochburgen des Luthertums wie Nürnberg, Leipzig oder Lübeck erhob sich kein Widerstand, als am Ende des 18. Jahrhunderts die Gottesdienste nicht wiederzuerkennen waren.

Zu Beginn der achtziger Jahre besuchte Friedrich Nicolai, einer der Kritiker-Päpste deutscher Literatur im aufgeklärten Berlin, das traditionsreiche Nürnberg und berichtete anschließend der Öffentlichkeit mit gerümpfter Nase: «Daß die Prediger bei der Predigt und beim heiligen Abendmahl Chorröcke, Meßgewänder und der gleichen tragen, möchte man noch hingehen lassen, weil im Grunde es gleichgültig ist, ob derjenige, der den Gottesdienst verrichtet, weiß, bunt oder schwarz gekleidet ist; und wenn man am hellen Tag Lichter ansteckt, so ist dies zwar ungereimt, aber wenigstens der Lichterzieher und der Küster haben Vorteil davon. Aber daß man Zeremonien beibehält, welche Zeit verderben und gar keine, nicht einmal den kleinsten zufälligen Nutzen haben, ist unverzeihlich. Dahin gehört, daß noch täglich alle Morgen in allen Kirchen von den Predigern auf katholische Art Chor und nachmittags Vesper gehalten werden muß.»

Keine zwanzig Jahre später hätten die Nürnberger das Wohlwollen des vernünftigen Nicolai gefunden: Vorbei war es mit den Frühmessen in der Woche. Die Teufelsaustreibung bei der Taufe – «Fahre hin du unreiner Geist» – verschwand, allerdings auf Anraten der lutherischen Geistlichen «ganz in der Stille und ohne vorher gegen die Pfarrkinder öffentlich oder privatim davon zu reden». Es fielen die alten Feiertage aus katholischen Zeiten. Es verschwanden die bunten Meßgewänder und auch das weiße Chorhemd über dem schwarzen Rock. Es mache bei den Pfarrern – so der Theologieprofessor Seiler – «den Schein seiner Arme etwas kürzer» und «hindere ihn auch zuweilen in seinen Leibesbewegungen». Nürnberg war kein Einzelfall.

In Lübeck wurden die traditionellen Meßgewänder 1791 eingemottet, die Feiertage von neunzehn auf zwölf jährlich reduziert, die Gottesdienste an den Wochentagen eingestellt. Außerhalb der Kirche trug der Geistliche von nun an bürgerliche Kleidung, durch nichts mehr von seinen Schäflein zu unterscheiden. Ähnliches geschah in Hamburg. Die Zeit, bisher von den Übungen kirchlicher Frömmigkeit geprägt, wurde ein weltliches Phänomen, vom Stundenschlag der Uhren eingeteilt – auch wenn die noch an den Kirchtürmen hingen.

Seit in Leipzig der Superintendent Georg Rosenmüller 1785 sein Amt angetreten hatte, notierte der Küster der Thomaskirche immer häufiger «neue Liturgie». Die lateinischen Lieder durften nicht mehr gesungen werden, da es «gewiß nicht in Luthers Geist ist, wenn in manchen evangelischen Gemeinden noch lateinisch gesungen und gebetet wird, zu einer Zeit, da auch Katholiken anfangen deutsche Gesänge und Gebete bey ihrem Gottesdienst einzuführen». Die farbigen Meßgewänder und der Exorzismus wurden hier 1795 abgeschafft. Die Gottesdienste begannen später und wurden zusehends kürzer. Im April 1787 hielt Rosenmüller für das Infanterieregiment von Reitzenstein «zum ersten Male vor dem Altare der Thomaskirche allgemeine Beichte oder Vorbereitung zum heil. Abendmahl». Das war der Anfang vom Ende der lutherischen Privatbeichte in Leipzig. Und nicht nur dort.

Es ist noch keine zweihundert Jahre her, daß ein Lutheraner, der am Sonntag das Abendmahl empfing, am Samstagnachmittag zur Beichte ging. Er kniete in der Sakristei vor dem offenen Beichtstuhl, schnurrte unter den Augen der anderen Beichtkinder die Formel herunter – «Ich armer, elender, sündiger Mensch . . .» – und erhielt unter Handauflegen die Absolution. Dafür zahlte er anschließend sein Beichtgeld, auf das die Pfarrer bei ihrem geringen Einkommen angewiesen waren. In Leipzig ging der Superintendent bei der Abschaffung des Beichtzwangs voran. In anderen Städten wehrten sich die Pfarrer, diese sichere Einnahmequelle zu verlieren. In Nürnberg wunderten sich aufgeklärte Laien: «Das ist drollig.

Man bezahlt, wenn man in die Komödie geht, und man muß auch bezahlen, wenn man Buße tut.» Am Ende des Jahrhunderts gab es in den meisten lutherischen Kirchen keine Privatbeichte mehr.

Mit Geld konnte man sich im Laufe des 18. Jahrhunderts von dem befreien, was in der Sprache der Tradition Kirchenzucht hieß. Immer noch durfte sie öffentlich verhängt werden. Immer noch wurde dem armen Sünder vor versammelter Gemeinde eine Strafpredigt gehalten und er vom Abendmahl ausgeschlossen. Bräute, die bei der Heirat keine Jungfrauen mehr waren, wurden mit einem Strohkranz auf dem Kopf verheiratet. Doch die Obrigkeit wollte in rein seelsorgerischen Belangen nicht mehr der verlängerte Arm der Kirche sein. In Lübeck entschied der Rat der Stadt 1765, daß ein «Gewißens-Zwang bedenklich» sei und niemand mit Hilfe der Polizei in die Gottesdienste getrieben werden dürfe.

Eine Zeit, die Dogmen als zweitrangig einstufte und in der die Pfarrer Moral und Tugend als Kern des Evangeliums predigten, machte sich ihren eigenen Luther. Der Mönch aus Wittenberg wurde zum derben, lebenslustigen Charakter, und man unterschob ihm den Studentenvers: «Wer nicht liebt Wein, Weib und Gesang, der bleibt ein Narr sein Leben lang.» Er ist nicht mehr der Prophet, der das reine Evangelium brachte. Luther erscheint als ein Mann des Fortschritts, der nach dem dunklen Mittelalter die Welt heller machte.

Voller Stolz schrieb der aufgeklärte Kirchenhistoriker Johann Matthies Schröckh 1766 über den Reformator: «Er predigte eine Lehre, die recht für die Erhaltung des obrigkeitlichen Ansehens und für die innere Ruhe des Staates gemacht zu sein schien. Nach einer Erfahrung von zwey Jahrhunderten solte man nunmehro in ganz Europa erkennen, daß die protestantische Religion der rechtmäßigen Gewalt und den wahren Vortheilen der Fürsten allein gemäß sey ... Daß die Obrigkeit dasjenige wieder erlangt hat, was ihr die Tyrannen der Kirche so lange entrissen hatten: daß die Religion weiter mit keinem Samen von Aufruhr befleckt wird; und daß die Regierung unserer Fürsten frey von den Befehlen und Drohungen, von dem Bann und anderen unverschämten Gewalttätigkeiten eines italiänischen Bischofs, zur ungestörten Wohltat für die Unterthanen werden kann: dieß alles ist ohne Zweifel Luthers Werk.»

# Mit dem deutschen Gott
# gegen Napoleon

Das neue Jahrhundert sah auf einen Mann – mit Abscheu und mit Faszination. Die alten Fürstentümer und Königreiche Europas hatten nichts, womit sie den Siegeszug des Emporkömmlings aufhalten konnten. 1806 zog Napoleon in Berlin ein. Preußen, der Staat Friedrich des Großen, war zusammengebrochen. Ein kläglicher Rest durfte von Napoleons Gnaden überleben. Der größte Teil Deutschlands stand unter fremder Herrschaft. In den alten freien Hansestädten von Bremen bis Lübeck lagerten französische Soldaten. Zwar setzte sich Napoleon die Kaiserkrone selbst aufs Haupt – der Papst durfte nur zusehen –, doch auf die Gebete seiner fremden Untertanen wollte er nicht verzichten. Alle Konfessionen, die der Kontinent hervorgebracht hatte, wurden für den katholischen Imperator aus Frankreich dienstverpflichtet. Und sie folgten gehorsam auch dieser Obrigkeit. Als Napoleon 1812 mit 500 000 Soldaten gen Rußland zog, mußten auch die Deutschen mit festlichen Gottesdiensten, Glockengeläut und Fürbitten den Sieg ihrer Besatzer erflehen.

Es gab jedoch vereinzelt auch Widerspruch und offene Verweigerung. In Halle appellierte der Theologieprofessor Friedrich Ernst Daniel Schleiermacher zwischen 1804 und 1806 mehr oder weniger offen an die nationalen Gefühle der Deutschen. In Lübeck weigerte sich der reformierte Pfarrer Johannes Geibel, für Napoleon öffentlich zu beten. In Bremen hatte schon in den neunziger Jahren des 18. Jahrhunderts nach der erfolgreichen Französischen Revolution Gottfried Menken über «Glück und Sieg der Gottlosen» gepredigt. Entschieden bekämpfte dieser Geistliche die Meinung, daß Gott es mit den Franzosen halte. Hatten doch die aufgeklärten Theologen ihren Gemeinden eingeschärft, daß äußere Erfolge ein sichtbarer Beweis für göttliches Wohlwollen sind. Bei den aufmüpfigen Franzosen durfte diese Gleichung allerdings nicht aufgehen, denn das hätte eine Rechtfertigung der Revolution, das Ende aller Ordnungen und aller Religion bedeutet. Pfarrer Menken sah das so: «Ein Volk steht auf und zeigt durch unzählige widernatürliche Greuel und Schandtaten, daß es alle Menschheit verloren hat. Es begeht einen Königsmord, der so unnatürlich ist wie ein Vatermord; es düngt den Boden seines Landes mit dem Blute der Eingeborenen des Landes; kein Stand, kein Geschlecht, kein Alter, keine Unschuld, nichts schützt gegen die allgemeine Mord- und Blutlust. Es erzieht seine unmündigen Kinder zum Mord, gewöhnt sie durch neuersonnene Spiele an Blut, raffiniert also darauf, wie es die Menschheit in ihrem zartesten Keim ersticken möge. Es bratet Menschen und frißt Menschenfleisch; es mordet en gros bei Hunderten, bei tausenden; und was mehr ist als das alles, laut und öffentlich sagt sich dieses Volk von allem Gott und aller Gottesverehrung los, hebt allen Gottesdienst auf, entweiht oder zerstört die Kirchen ...»

Wie ein Prophet des Alten Testaments schleudert Menken die Greueltaten hinaus, um desto schärfer zu urteilen: «Wo ist denn dieses Volk glücklich? Bei diesen Guillotinaden, Ersäufungen, Kanonaden glücklich? ... O, frage nur das Land dieses Volkes, das verheerte, verwüstete, überall mit Blut befleckte Land, und es wird dir sagen: Hier ist der Herr nicht! So sieht es in keinem Lande aus, worüber Gott waltet, so unter keinem Volke, dem der Herr sein Gott ist ... Das Glück dieses Volkes ist sein Unglück.»

Ob Menken, Schleiermacher oder Geibel: Sie alle sind reformierte Theologen und halten politische Predigten in der Tradition des Johann Calvin. Und sie stellen sich mit ihrem Glauben bewußt gegen die vernünftige Theologie des zurückliegenden aufgeklärten Jahrhunderts. Schleiermacher, ein kleiner, leicht verwachsener Mann, war vor seiner Tätigkeit in Halle Krankenhauspfarrer an der Berliner Charité. Der junge Theologe, der in den geistreichen jüdischen Salons und den Kreisen der Berliner Romantiker zu Hause war, veröffentlichte 1799 eine kleine Schrift, die Aufsehen erregte:

«Reden über die Religion. Für die Gebildeten unter ihren Verächtern».

Für Schleiermacher war es eine Verirrung, wenn die Religion in der Moral völlig aufging und nur gepredigt wurde, um mit ihrer Hilfe die Menschen zu tugendhaften Untertanen zu machen. Nein, die Religion hatte ihr eigenes Lebensrecht, ihren eigenen, unvergleichlichen Charakter. Für diesen Theologen stand fest, «daß sie aus dem Innern jeder bessern Seele notwendig von selbst entspringt, daß ihr eine eigene Provinz im Gemüte angehört, in welcher sie unumschränkt herrscht, daß sie es würdig ist, durch ihre innerste Kraft die Edelsten und Vortrefflichsten zu bewegen und von ihnen ihrem innersten Wesen nach gekannt zu werden: das ist es, was ich behaupte ... Darum ist es Zeit, die Sache einmal beim andern Ende zu ergreifen und mit dem schneidenden Gegensatz anzuheben, in welchem sich die Religion gegen Moral und Metaphysik befindet ... Ihr Wesen ist weder Denken noch Handeln, sondern Anschauung und Gefühl.» Das waren unerwartete theologische Töne für diese Zeit. Sie stimmten zusammen mit dem neuen Lebensgefühl jener jugendlichen Romantiker-Elite, die sich auf die Suche nach der blauen Blume gemacht hatte, und erinnerten zugleich an die Glaubenserfahrung der frühen Pietisten.

Der Lübecker Prediger Johannes Geibel kaufte und studierte mit Begeisterung jede Schrift, die Gottfried Menken veröffentlichte. Seiner kleinen Gemeinde rief Geibel zu: «Was da immer gesprochen werden mag von Besserung, von Veredelung, von Tugend ohne Gott – leere Worte sind es ... Alle Veredelung, die nicht Blüte des Glaubens ist, bloß Verfeinerung, Aenderung der Gestalt ... Was ist Tugend, wenn nicht das Leben und Wirken in Gott? ... Was ist Glück, wenn nicht das Gefühl in Gott?» Das Pendel bewegte sich langsam wieder in die andere Richtung. Dem neuen Jahrhundert und dem alten vernünftigen Christentum hielt der reformierte Geibel in bester pietistischer Tradition die Mahnung entgegen: «Zum Glauben muß unser Geschlecht zurück!»

Die Suche nach den Schuldigen, die zuerst die Vernunft zum Maßstab für Gott und Menschen gemacht hatten, dauerte nicht lange: Zu offensichtlich führte die Spur nach Frankreich, in das Land der Gottlosigkeit und der Revolution. Es war kein Zufall, daß sich in Deutschland zu Beginn des 19. Jahrhunderts der neue gefühlsbetonte Glaube mit einem maßlosen Nationalismus verband. Der Nationalismus hatte erst einmal den Vortritt, denn es galt, Napoleon aus dem Land zu treiben. Als seine geschlagene Armee im Winter 1812/13 von Moskau westwärts floh, verbündete sich Preußen mit Rußland und rief im Februar 1813 alle Männer zu den Waffen. Es gab keine einflußreicheren und besseren Propagandisten der nationalen Erhebung gegen Frankreich als die Pastoren. Nicht nur die reformierten. Auch die lutherischen Geistlichen wollten nicht mehr zurückstehen. Die Regimenter der Freiwilligen kamen mit ihren Fahnen zur Weihe in die Kirchen, bevor sie in Kampf und Tod zogen. Wenn die Soldaten ihren Eid leisteten, hörten sie die anfeuernden Worte eines Geistlichen. Der Prediger Johann David Nicolai gab zwei Kompagnien des Züllichauischen Landsturms diese Aufmunterung mit in die Schlacht: «Auf denn ein jeder, dem noch ein Funke edlen Sinnes, deutschen Blutes in seinen Adern wallt.»

Pazifisten wurden schlimme Folgen für das Jenseits angedroht. Wer nicht zu den Waffen greifen wollte, für den hatte der Pastor das passende Jesus-Wort parat: «Er ruft ihnen zu: Wer nicht sein Kreuz auf sich nimmt, und mir nachfolgt, der ist meiner nicht wert.» Oder: «Den Feigen und Mutlosen, der in der Stunde des Kampfes seinen Eid bricht, den er dem Vaterland geschworen hat, verdammt das Kreuz, womit er bezeichnet ist. Es verdammt ihn vor seinem Gewissen, vor seinen Mitkämpfern, vor dem Vaterlande und einst vor dem Richterstuhl Gottes.» Mit grellen Farben wurde von den Gottesmännern auf der Kanzel das Feindbild ausgemalt. Napoleon war ein «Geist der Finsternis mit höllischen weltverwüstenden Grundsätzen»; ein «Sohn des Verderbens» oder ein «entmenschter Nebukadnezar»; ein «Ungethüm der Hölle» und der «leibhaftige Antichrist». Nicht ohne Genugtuung stellten die Pfarrer fest, daß ihre Kirchen, die mit der Zeit leerer geworden waren, sich wieder füllten: «Wie drängten sich die ausziehenden Krieger, besonders die jungen Streiter fürs Vaterland, zu den heiligen Stätten, um sich betend zuerst zu versöhnen mit Gott, feiernd erst das Abendmahl zu halten, kniend vor Gott erst den Segen der Religion zu empfangen, ehe sie die Heimath verließen und Gefahren und Todeskämpfen entgegengingen.»

Gottfried Menken hatte gepredigt, daß Gott nicht auf seiten der Franzosen sein konnte. Daß ihre äußeren Erfolge täuschten. Nun, wo die Deutschen siegten, war das anders. Ohne Skrupel wurde Gott für die deutsche Sache in Beschlag genommen. Mehr noch: Die evangelischen Pfarrer machten aus dem Christengott, dessen Sohn sich für alle Menschen hatte ans Kreuz nageln lassen, einen «deutschen Gott». Als ließe er sich aufteilen oder als gäbe es mehrere: einen für die Franzosen, einen für die Engländer, einen für die Deutschen, je nach Bedarf. Es war 1813, als ein Theologe dichtete: «Deutsche Freiheit, deutscher Gott, / Deutscher Glaube ohne Spott, / Deutsches Herz und Deutscher Stahl / Sind nun Helden allzumal.»

Die Umkehrung dieser seltsamen Theologie ließ nicht auf sich warten: Das deutsche Volk hatte eine ganz besondere Beziehung zu Gott. Es war auserwählt und von Gott mit einer Sonderaufgabe betraut: «Es hat sich Gott in der Brust unseres Volkes, in der Brust des deutschen Volkes einen Feuerherd gezündet, womit er die Welt erwärmen und erleuchten wollte ... Wir sind das Volk, das nach Gott und den göttlichen Dingen fragt, das die höchsten und idealistischen Aufgaben der Welt und Geschichte zu lösen berufen ist, wir sind ein gottsuchendes, geistiges, frommes Volk.»

Ernst Moritz Arndt hat im Kampf gegen Napoleon diese Bewertung des deutschen Nationalcharakters gegeben. Arndt war nicht nur der populärste Dichter des Befreiungskriegs. Der Bauernsohn von der Insel Rügen hatte ein Studium der evangelischen Theologie hinter sich, war aber zur Enttäuschung seiner Eltern vor dem Eintritt ins Pfarramt zurückgeschreckt. Da schrieb also kein unwissender Laie, der die Dinge im Überschwang der Gefühle durcheinanderbrachte. So wie die Theologen wenige Jahrzehnte zuvor die Religion mit der Moral gleichgesetzt hatten, ging nun das Christentum im Nationalismus auf. Hier liegt der Ursprung für jenen fatalen Satz, daß am deutschen Wesen die Welt genesen soll. Eines der populärsten Lieder dieser Jahre, in dem Gottes Wille mit den Interessen des deutschen Volkes identisch ist, stammt von Ernst Moritz Arndt: «Der Gott, der Eisen wachsen ließ, / der wollte keine Knechte. / Drum gab er Säbel, Schwert und Spieß / dem Mann in seine Rechte / ... So wollen wir, was Gott gewollt / mit rechter

Treue halten / ... Laß klingen, was nur klingen kann, / die Trommeln und die Flöten! / Wir wollen heute Mann für Mann / Mit Blut das Eisen röten, / mit Henkersblut, Franzosenblut – / O süßer Tag der Rache! / Das klingt allen Deutschen gut, / das ist die große Sache.»

Die aufgeklärte Elite des 18. Jahrhunderts in Deutschland verachtete die Ländergrenzen und die dumpfe Enge eines nationalen Gefühls: «Seid umschlungen, Millionen, diesen Kuß der ganzen Welt ...» Die Menschheit galt es, ins Licht zu führen. Ein Weltbürger wollte man sein, ob Dichter oder Theologe. Die französische Kultur war in vielem Vorbild, nicht nur am Hofe des großen Friedrich in Sanssouci. Jene Prediger, denen die aufgeklärte Theologie ein Werk des Teufels war, brauchten nicht lange nachzudenken, warum die Deutschen von den Franzosen erst einmal überrannt worden waren. Vor dem ersten königlich-sächsischen Landwehr-Regiment predigte der Feldpropst Korn: «Ach, die Deutschen hatten aufgehört zu sein; entartet und ihrer hohen Ahnherren unwürdig, äfften sie die fremden Sitten und Gebräuche eines benachbarten charakterlosen Volkes nach, schämten sich des deutschen Namens und der deutschen Sprache und anstatt die herrliche reiche kräftige Muttersprache vollkommener schreiben und sprechen zu lernen, hielt man für Ton, mitten unter Deutschen nicht mehr deutsch, sondern französisch zu reden.» Der Theologie-Professor Schleiermacher postulierte: «Jedes Volk, das sich zu einer gewissen Höhe entwickelt hat, wird entehrt, wenn es Fremdes in sich aufnimmt, sei dieses auch an sich gut.»

Am 16. Oktober 1813 kam es bei Leipzig zur Entscheidungsschlacht. Rund 70000 Franzosen starben und 50000 Soldaten in den Heeren der verbündeten Preußen, Russen und Österreicher. Leipzig bedeutete das Ende der napoleonischen Herrschaft. Den Gottesdienst der deutschen Soldaten nach diesem Gemetzel schildert der amtierende Feldgeistliche: «Auf einer Berglehne, im Angesichte von Wittenberg, stellte sich das Korps kolonnenweise auf. Rechts und links Kavallerie, in der Mitte Infanterie, in den Intervallen Offiziere. Ich stand auf einer natürlichen Anhöhe, rechts und links die Musik und Sänger, hinter mir der General in seinem Stabe. ‹Ich rief den Herrn in meiner Not› und die zwei folgenden Verse

419

sangen die Tausende und tausende Tränen der Freude und des Dankes flossen über die Wangen. Darauf predigte ich über Psalm 20. 7–9. Nach der Predigt kniete ich nieder und mit mir die Tausende, der General und alle Offiziere, mit entblößten Haupte sprachen sie das Gebet des Dankes und der Bitte für König und Vaterland, für die Verwundeten und Gebliebenen, und das Gebet des Herrn beschließt den gläubigen Dank. Darauf sang alles fröhlich und freudig ‹Nun danket alle Gott›.»

Die Stelle aus dem 20. Psalm hat Luther so übersetzt: «Nun merke ich, daß der Herr seinem Gesalbten hilft und erhört ihn in seinem heiligen Himmel; seine rechte Hand hilft mit Macht. Jene verlassen sich auf Wagen und Rosse; wir aber denken an den Namen des Herrn, unsers Gottes. Sie sind niedergestürzt und gefallen; wir aber stehen aufgerichtet.»

Die aufgewühlte national-religiöse Begeisterung fand 1817 einen letzten Kristallisationspunkt, als das dreihundertjährige Jubiläum der Reformation zusammen mit dem vierten Jahrestag der Völkerschlacht bei Leipzig gefeiert wurde. Sie ging zusammen mit dem ehrlichen Wunsch nach mehr Freiheit und mehr Gleichheit, mit dem vor allem die studentische Jugend aus dem Krieg zurückgekehrt war. Ihre landsmannschaftlichen Zusammenschlüsse, die Burschenschaften, trafen sich im Oktober 1817 zum ersten gesamtdeutschen Fest auf der Wartburg. Als Student war der spätere Berliner Hofprediger Friedrich Wilhelm Krummbacher dabei: «Ich gestehe, daß ich heute noch mit reiner Freude an diese Feier zurückdenke. Die Studentenschaft der Wartburg erschien, wenigstens in ihrem Kern, als der würdige Pendant derjenigen, welche im Jahre 1517 zu Wittenberg um Luther sich scharte. Eine germanisch-christliche Wiedergeburt in Staat, Kirche und Haus war das Ideal, das uns den Busen schwellte ... Wir schwärmten für ein einiges, freies Deutschland.» Mit dem Schwärmen war es zwei Jahre später vorbei, als der evangelische Theologiestudent Sand den Lustspieldichter Kotzebue ermordete: Für die Obrigkeiten überall im Land ein hochwillkommener Vorwand, alle freiheitlichen Regungen schärfstens zu unterdrücken und keinerlei Reformen durchzuführen. Die Angst ging um im Land. Man hielt den Mund oder sang als Student: «Und Gott hat es gelitten, wer weiß, was er gewollt.»

In diesem Lutherjahr 1817 wurde der Mönch aus Wittenberg zum deutschen Nationalhelden – für Protestanten und Katholiken. Die «Allgemeine Chronik der dritten Jubelfeier der evangelischen Kirche im Jahre 1817» schrieb, die Begeisterung der Menschen sei reiner gewesen «als jene an den beiden früheren Säcular-Festen, weil keine Bitterkeit gegen die Glieder der katholischen Kirche und keine ängstlichen Besorgnisse sich in diese Jubel-Feier mengten.» Karl August Varnhagen von Ense war ein zweitklassiger Schriftsteller, preußischer Diplomat und seit 1814 mit Rahel Levin, der Tochter eines jüdischen Kaufmanns, verheiratet, die von 1790 bis 1806 in ihrer Dachstube in der Jägerstraße den bedeutendsten und anregendsten Berliner Salon unterhalten hatte. In seinen «Denkwürdigkeiten» urteilt Varnhagen über das Reformationsfest von 1817:

«Die Theilnahme war groß und allgemein, das Volk verstand dieses Fest; die religiöse Stimmung des gemeinen Mannes verlangte Vorstellungen des Muthes, der Tapferkeit, hier fand sie solche in dem Helden des Tages, dem gepriesenen Doktor Luther, der aus der alten Zeit wie von selbst an die Seite Blücher's [General im Kampf gegen Napoleon] trat ...» Varnhagen betont, das Jubiläum konnte «ein allgemeines heißen, weil auch Katholiken frohen Herzens an ihm theil nahmen, – wie denn ein protestantisches Fräulein, dem an diesem Tage zur Kirche zu gehen unerläßlich dünkte, an den Thüren der schon überfüllten protestantischen Kirchen abgewiesen, in der Verzweiflung zur katholischen flüchtete und in der fast leeren einen guten Platz fand, und dort eine Rede voll Anerkennung Luther's mit anhörte».

In nicht wenigen Orten läuteten 1817 die katholischen Glocken zum evangelischen Jubelfest. In Mergentheim trafen sich beide Konfessionen zu einer gemeinsamen Feier in der Schloßkirche. Die Festmusik wurde von den Katholiken gemacht. Das gleiche geschah in Leutkirch im Allgäu, «um die Gottheit gemeinschaftlich anzubeten». Es war die Aufklärung, die Gräben zwischen den Konfessionen zugeschüttet und das Gemeinsame betont hatte, statt das Trennende lebendig zu halten. Wenn am Dogma nicht mehr die Seligkeit hängt, ist es leichter, aufeinander zuzugehen. Nach den Feiern im Herzogtum Nassau, an denen sich ebenfalls Katholiken beteiligt hatten, berichtete die Regierung erfreut, «daß ein Glaube, eine Liebe und eine Hoffnung der Geist des Christentums sey, und bei verschiedenen Meinungen und äussern Formen die Einigkeit im Geiste durch das Band des Friedens wohl bestehen kann».

Die überkonfessionelle Harmonie hatte übrigens auch einen sehr irdischen Anlaß. In Europa war wieder einmal das Hauptnahrungsmittel knapp geworden. Im Frühling und Sommer 1816 wollte der Regen einfach nicht aufhören. Im Juli allein gab es nur sieben trokkene Tage. Die Preise stiegen, und im Frühjahr 1817 erreichte die Not ihren Höhepunkt. Aber dann kam ein heißer Sommer. Die Ernte war gut, und so mischte sich in die Jubelfeier im Herbst auch der gemeinsame Dank aller Christen über das ausreichende tägliche Brot.

Einer, der im Mittelpunkt der nationalen Begeisterung stand, wußte damit wenig anzufangen. Der Tod seiner Frau Luise erschütterte Friedrich Wilhelm III. mehr als die Niederlagen gegen Napoleon. Der Krieg gegen Frankreich kam 1813 nur zustande, weil Minister und Generale ihren König vor vollendete Tatsachen stellten. Vom Kampf mit dem Schwert hielt dieser Preuße persönlich gar nichts: «Alle Welt weiß, daß ich den Krieg verabscheue und daß ich kein größeres Gut auf Erden kenne als die Erhaltung von Frieden und Ruhe als das einzige Glück für das des Menschengeschlechtes geeignete Mittel.» Ruhe und Ordnung wollte er haben, auch in der Religion. Der alte reformierte Hofprediger Sack hatte Friedrich Wilhelm einen nüchternen, aufgeklärten Glauben vermittelt. Der König war fromm ohne Schwärmerei, fest überzeugt, daß «mein ganzes Schicksal in den Händen meines allmächtigen und allgütigen Vater ist». Religion war für ihn «das beste Beförderungsmittel der Ruhe und Wohlfahrt der bürgerlichen Gesellschaft».

Wie die aufgeklärten Theologen, die er um sich hatte, und wie seine reformierten Vorgänger, sah dieser Hohenzollernfürst nicht ein, daß sich die Evangelischen in Lutheraner und Reformierte spalteten. Gleich nach seinem Antritt ließ sich Friedrich Wilhelm III. Vorschläge für eine Vereinigung der beiden Konfessionen machen. Kommissionen wurden eingesetzt, Papiere verabschiedet. Doch praktisch geschah nichts. Dann kam der Krieg. Der König ließ nicht von seiner Lieblingsidee. Hocherfreut las er, was sein theologischer Lehrer Sack 1812 in einer Denkschrift «Über die Vereinigung der beiden protestantischen Kirchenparteien in der preußischen Monarchie» feststellte: «Der Geist des Zeitalters wünscht die Union ... Seit einem halben Jahrhundert hat zwischen beiden Kirchen in der preußischen Landeskirche Einigkeit geherrscht ... Die Mehrzahl der reformierten Theologen hat der Präsidestinationslehre Calvins entsagt, die meisten Lutheraner haben die Zwinglische Abendmahlslehre angenommen ... Die Pfarrer öffnen sich gegenseitig die Kanzeln, vertreten sich bei gegenseitigen Amtshandlungen ... Unter den Laien gibt es nur wenige, die Unterschiede kennen. Wo sie einer Union entgegen sind, handelt es sich um Überbleibsel ungelehrten Sektengeistes oder um persönliche Interessen.» Gerade für Preußen schien es sinnvoll, mit den alten Trennungen ein Ende zu machen: hatte sich doch August Hermann Franckes aktives pietistisches Luthertum erfolgreich mit der reformierten Führungsschicht verbunden.

Als der König die allgemeine Hochstimmung im Lutherjahr 1817 nutzte und im September der Hoffnung auf eine Union per Kabinettsordre Ausdruck gab, konnte er breiter Zustimmung sicher sein: «Schon meine in Gott ruhenden erleuchteten Vorfahren ... haben, wie die Geschichte Ihrer Regierung und Ihres Lebens beweiset, mit frommem Ernst es sich angelegen sein lassen, die beiden getrennten protestantischen Kirchen, die reformierte und lutherische, zu einer evangelisch-christlichen in Ihrem Lande zu vereinigen. Ihr Andenken und Ihre heilsame Absicht ehrend, schließe ich mich gerne an Sie an ... Eine solche wahrhaft religiöse Vereinigung der beiden, nur noch durch äußere Unterschiede getrennten protestantischen Kirchen, ist dem großen Zwecke des Christentums gemäß; sie entspricht den ersten Absichten der Reformatoren; sie liegt im Geiste des Protestantismus; sie befördert den kirchlichen Sinn; sie ist heilsam der häuslichen Frömmigkeit; sie wird die Quelle vieler nützlichen, oft nur durch den Unterschied der Konfession bisher gehemmten Verbesserungen in Kirchen und Schulen.» Ausdrücklich hieß es, der König sei «weit davon entfernt», diese Union durch Druck oder Zwang von oben «verfügen und bestimmen zu wollen». Sie habe nur Sinn, «wenn sie aus der Freiheit eigener Überzeugung rein hervorgeht».

Am 30. Oktober 1817, einen Tag vor dem Reformationsfest, trafen sich alle 65 lutherischen und reformierten Pfarrer Berlins im Rathaus am Molkenmarkt. Es erschienen die Stadtverordneten, das Konsistorium, die Gymnasiallehrer, die Theologieprofessoren. An der Spitze der Oberbürgermeister und ein Minister, so ging dann der feierliche Zug vom Rathaus zur lutherischen Nikolaikirche, in der 150 Jahre zuvor Paul Gerhardt den Reformierten hartnäckig das Christsein abgesprochen hatte. Wenig später kam der König mit seiner Familie. Es gab einen gemeinsamen Gottesdienst mit gemeinsamem Abendmahl. Der König nahm stehend an der Zeremonie teil, ohne zu kommunizieren. Das tat er am nächsten Morgen in der Garnisonskirche zu Potsdam und fuhr anschließend nach Wittenberg, um der Grundsteinlegung für ein Lutherdenkmal die Ehre zu geben.

Nicht nur in Berlin waren am Reformationstag 1817 die Kirchen voll, trafen sich die unterschiedlichen protestantischen Konfessionen zu gemeinsamen Gottesdiensten. Vor allem im Süden Deutschlands, wo es größere reformierte Gemeinden gab, fand der preußische König Zustimmung. In den nächsten Jahren kamen in Hessen, Baden, Waldeck und der bayrischen Rheinpfalz Unionen zustande. In Nassau hatten sich die Christen schon im September 1817 zusammengetan. Skeptisch blieb man in rein lutherischen Städten wie Hamburg, Kiel oder Lübeck, wo die Reformierten nicht ins Gewicht fielen. Aus Kiel kam sogar donnernder Widerspruch.

Der lutherische Geistliche Claus Harms brachte 1817 Luthers Thesen neu heraus und ergänzte sie um 95 eigene Thesen. Seine Stoßrichtung: gegen die vernünftige Religion der Aufklärung, gegen eine Verwischung der innerprotestantischen Gegensätze und für eine Rückbesinnung auf die reine orthodoxe lutherische Lehre. Harms' 43. These lautete: «Wenn die Vernunft die Religion antastet, wirft sie die Perlen hinaus und spielt mit den Schalen, den hohlen Worten ...» These 64: «Man soll die Christen lehren, daß sie das Recht haben, Unchristliches und Unlutherisches auf den Kanzeln wie in Kirchen- und Schulbüchern nicht zu leiden ...» These 75 richtete sich gegen eine Union mit den Reformierten: «Als eine arme Magd möchte man die lutherische Kirche jetzt durch eine Kopulation reich machen. Vollzieht den Akt ja nicht per Luthers Gebein! Es wird lebendig davon und dann – Weh euch!» Der Rebell aus Kiel brachte Aufregung in die Harmonie der Vereinigungseuphorie. Insgesamt fand er mehr Ablehnung als Zustimmung. Dabei ist sicher, daß der Mönch aus Wittenberg die gleiche kräftige Sprache gebraucht und ebenso energisch gegen einen solchen harmonischen Glauben gekämpft hätte. Luthers Sache war es nicht, Trennendes zu verwischen um des lieben Friedens willen.

Einer der prominentesten Befürworter einer gemeinsamen evangelischen Kirche war Ernst Daniel Schleiermacher, einer der Mitbegründer und seit 1810 Professor an der Berliner Universität. Obgleich er wie der Pfarrer aus Kiel die Theologie der Aufklärung verurteilte, weil Religion «eine eigene Provinz im Gemüt» einnahm, fehlte ihm jeder Sinn für einen streitbaren Konfessionalismus. Für Schleiermacher war es an der Zeit, das Werk der Reformation fortzuführen und ihre zeitbedingten Fehler zu korrigieren. Ganz entschieden setzte sich dieser Theologe für eine zweite, revolutionäre Reform ein: die protestantische Kirche endlich vom Staat unabhängig zu machen. Schleiermacher betrachtete es als ein großes Übel, daß diese Kirche nach der Reformation «dem Staate zu sehr untergeordnet und die Ansicht, als ob sie nur ein Institut des Staates zu bestimmten Zwecken wäre, hat seitdem immer mehr überhand genommen». Der Staat müsse sich der «inneren Verwaltung der Kirche gänzlich entschlagen und diese ihr selbst mit einem solchen Grade von Unabhängigkeit zurückgeben, dass sie als ein sich selbst regierendes lebendiges Ganze dastehe».

Konkret würde das bedeuten: Jeder protestantische Landesherr, jede evangelische Obrigkeit, der König von Preußen allen voran, verzichtete auf seine Macht als oberster geistlicher Herr der jeweiligen Landeskirchen. Er ordnete nicht mehr an, worüber gepredigt werden sollte; mischte sich nicht mehr ein, wenn es um das Theologiestudium oder die Form des Gottesdienstes ging. Der Pfarrer hörte auf, ein verlängerter Arm der Obrigkeit zu sein. Gegen die 300 Jahre alte Tradition der Protestanten, gegen die uralte christlich-katholische Verquickung von geistlicher und weltlicher Macht in Europa forderte Schleiermacher eine Trennung von Staat und Kirche. Wer hätte dafür empfänglicher sein können als Friedrich Wilhelm III. mit seiner milden, aufgeklärten Frömmigkeit?

Schleiermacher irrte sich und mit ihm viele andere, die den

Unionsvorschlag des Königs begeistert unterstützt hatten. Was sie nicht wollten, war eine Zwangsvereinigung, eine neue, strafforganisierte und reglementierte evangelische Kirche, die Lutheranern und Reformierten nicht ihre Unterschiede und Eigenheiten ließ. Die einführte, was dem Wesen des Protestantismus widersprach, sooft in der Vergangenheit auch dagegen gesündigt worden war: den Gewissenszwang. Sehr schnell jedoch zeigte sich, daß die Union für den König von Preußen ein Hebel war, seinen Einfluß auf die Kirche und seine Überzeugung von einer staatlich gelenkten Christenheit – auch und gerade in geistlichen Fragen – noch fester zu verankern, als es ohnehin der Fall war. Unter der aufgeklärten Frömmigkeit steckte ein harter, reaktionärer Kern, dem jede substantielle Veränderung – ob in Religion oder Politik – zutiefst zuwider war.

Friedrich Wilhelm III., der keinerlei Interesse und kein Gespür für dogmatische und theologische Unterschiede zwischen den Konfessionen hatte, ärgerte es schon lange, «daß jeder unverständige Priester seine ungewaschenen Einfälle zu Markte bringt, modeln und ändern will, was die unsterblichen Reformatoren Luther und Melanchthon gemacht und angeordnet haben». Außerdem störte ihn, daß «die Form des Gottesdienstes in den neuesten protestantischen Kirchen nicht das Erbauliche, Feierliche habe, was, die Gemüter erregend und ergreifend, sie zu religiösen Empfindungen und frommen Gesinnungen stimmen und erheben könnte». Ordnung mußte sein, und deshalb hatte der König schon 1811 für alle evangelischen Pfarrer in Preußen den schwarzen Luthertalar als einheitliche Amtstracht befohlen. Jetzt fühlte sich der oberste geistliche Leiter aller preußischen Protestanten persönlich berufen, Ordnung und Erbaulichkeit in die verworrene und kühle evangelische Liturgie zu bringen.

Der König studierte Luthers Entwürfe für eine gereinigte Messe und bastelte eine Gottesdienstform zusammen – «Agende» heißt der theologische Fachausdruck –, die er zuerst in seiner Potsdamer Garnisonskirche ausprobieren ließ. 1822 sollte sie auf seinen Befehl von der lutherischen Domgemeinde zu Berlin übernommen werden. Die gehorsamen Prediger bei Hofe hatten dem königlichen Dilettantismus keinerlei Widerstand entgegengesetzt. Die Domgeistlichen allerdings baten darum, diesen Entwurf erst von einer Synode auf seine lutherische Rechtgläubigkeit überprüfen zu lassen. Schließlich ging es beim Gottesdienst um mehr als Fragen des Protokolls oder der Ästhetik.

Die Antwort aus dem Schloß war eindeutig und öffnete allen die Augen, die unter diesem König auf Reformen und eine unabhängige Kirche gehofft hatten: «Dem evangelischen Landesherrn steht das Recht, die liturgischen Formen nach seinem Ermessen zu bestimmen, unbestritten zu ... in diesem Falle, wo von keiner neuen Form, sondern bloß von Herstellung der alten, vom Geist der Zeit willkürliche abgeänderten Ordnung die Rede ist, um so mehr.» Der königliche Eingriff bedeutete für die Protestanten ein Zurück zu alten katholischen Formen und Symbolen: wieder Kerzen, Blumen, Kruzifixe und Bilder auf den Altären. Außer gregorianischen Gesängen verschrieb der König den Gläubigen sentimentale Vertonungen des russischen Komponisten Bortnjansky. (Der auch den Choral «Ich bete an die Macht der Liebe», bis heute bei Zapfenstreichen geblasen, vertonte.)

Lutheraner wie Reformierte waren entsetzt, zumal Friedrich Wilhelm nun darauf bestand, daß diese neue Gottesdienstform im ganzen Land eingeführt wurde. Das Unerwartete geschah: Lutherische und reformierte Geistliche weigerten sich, nach dem neuen Formular den Gottesdienst abzuhalten. Vor allem östlich der Elbe blieb man hartnäckig. Allen Drohungen aus Berlin zum Trotz hatten bis Ende 1827 von 744 Geistlichen in Schlesien rund fünfhundert die Neuerungen abgelehnt. Dem König fehlte jede Kenntnis von der Geschichte der lutherischen Kirchen, die im erbitterten Kampf um solche «Äußerlichkeiten» geprägt waren. Es fehlte wohl auch jedes Verständnis für die Gewissensnöte von Menschen, für die äußere Formen ihres Glaubens mehr waren als bloße Äußerlichkeiten. In aller Naivität schrieb Friedrich Wilhelm: «Als Gewissenszwang kann es doch wahrlich nicht angesehen werden, wenn auch die Reformierten, um der lieben Einigkeit willen ein paar Chöre, Gebete und biblische Sprüche und einige biblische Abschnitte, Evangelien und Episteln genannt, in ihrer Sonn- und Feiertagsliturgie aufnehmen, die sie zuvor nicht gekannt.»

Der König hatte seine geistliche Macht über- und das Selbstbewußtsein der unterschiedlichen Konfessionen unterschätzt. Er lockte mit Titeln, Orden, Medaillen – und gab schließlich nach. Seine Liturgie wurde mehrmals umgearbeitet, und den Gemeinden wurde erlaubt, nebenher die alten Formen beizubehalten. Mitte 1830 waren von 4900 Pfarrern östlich der Elbe bis auf dreißig alle einverstanden. Wer jetzt nicht mehr mitmachte, war allerdings nicht mehr zu bekehren. In Breslau hatte sich unter Führung des Theologieprofessors Johann Gottfried Scheibel eine lutherische Gemeinde zusammengefunden, die kein Jota von den gewachsenen lutherischen Formen abweichen wollte und jede Vereinigung mit den Reformierten ablehnte. Scheibel wurde erst suspendiert und gab 1832 seine Ämter als Pfarrer und Professor auf. Doch damit begann der Ärger erst richtig.

Scheibels alte Gemeinde, die keinen Pfarrer anerkannte, der sich der Union angeschlossen hatte, hielt jetzt Gottesdienste in Privathäusern. Gleiches taten die strengen Lutheraner in ganz Schlesien, in Pommern, in Brandenburg und sogar in Potsdam und Berlin. Das war eindeutig gegen das Gesetz, das nur religiöse Zusammenkünfte von Familienangehörigen erlaubte und jedem Laien verbot, Tätigkeiten auszuüben, die an das Pfarramt gebunden waren. Die lutherische Kirche Preußens war Staatskirche und hatte sich inzwischen offiziell in einer Union mit den Reformierten zusammengeschlossen. Da konnte niemand mehr auftreten und behaupten, er bilde die wahre lutherische Kirche und die andern, die Mehrzahl, seien vom Glauben der Väter abgefallen. Die hartnäckigen Lutheraner konnten sich allerdings darauf berufen, daß sich Luther 1529 in seiner dramatischen Auseinandersetzung mit Zwingli in Marburg eindeutig von der Theologie des Schweizers distanziert hatte, die von den Reformierten übernommen worden war.

Als alle Drohungen aus Berlin nichts halfen, wurde in dem schlesischen Ort Hönigern ein Exempel an den widerspenstigen Lutheranern statuiert. Der Pfarrer, mit einer Nichte Scheibels verheiratet, wurde verhaftet und nach Breslau gebracht. Die Gemeinde hielt daraufhin die Kirche fest verschlossen und weigerte sich, der Obrigkeit die Kirchenschlüssel auszuliefern. Da erschien am Weihnachtstag 1834 der Breslauer Polizeipräsident mit einem gehorsamen Geistlichen und etlichen Soldaten, die die Kirchentür mit Gewehrkolben aufbrachen und einige Einwohner verhafteten. Fünfhundert Soldaten blieben zur Strafe in Hönigern einquartiert.

Damit hatte die Geschichte aber noch immer kein Ende gefunden, so widersprüchlich die Fronten auch verliefen: Hier ein König mit aufgeklärter Frömmigkeit, der am Tag seiner Konfirmation in einem persönlich verfaßten Glaubensbekenntnis erklärt hatte: «Ich erkenne allen Gewissenszwang für eine Sache, die sowohl der Gerechtigkeit und Klugheit als auch der Lehre und dem Verhalten Christi gänzlich entgegen ist.» Ein Monarch, der für theologische Spitzfindigkeiten und Auseinandersetzungen nichts übrig hatte. Dort überzeugte Lutheraner, denen Gehorsam gegenüber der Obrigkeit seit Kindertagen gepredigt worden war. Aber auch Gehorsam gegenüber dem Vermächtnis Luthers, der mit reformierten und anderen Abweichlern nichts gemein haben wollte. Zwar predigte man 1834 nicht mehr: «Behüt' uns Gott vor dem calvinistischen Gift» und ging auch menschlich miteinander um. Doch der Widerstand der schlesischen Dörfler gegen den König hatte Tradition: Aus ähnlichen Motiven hatte einst Paul Gerhardt dem Großen Kurfürsten unter Berufung auf sein Gewissen den Gehorsam verweigert.

Am Anfang der Entwicklung hatte die öffentliche Meinung die schlesischen Altlutheraner, wie man sie nun nannte, als obskure Sektierer verurteilt, die nicht erkannten, was die neue Zeit verlangte. Nach dem Gewaltakt von Hönigern drehte sich der Wind. Die eigensinnigen Christen wurden zu Märtyrern. War es nicht gerade ein Fortschritt, ein Erbe der Aufklärung, daß jeder nach seiner Überzeugung selig werden konnte? Um solche Dimensionen ging es für den König nicht. Seine Autorität als von Gott berufener Monarch stand auf dem Spiel. Als die Altlutheraner 1835 eine Genehmigung zur Auswanderung erbaten, wurde ihnen auch das verweigert. Der König schrieb in einer Ordre an sein Kabinett: «Dem Staat würde ihr Auswandern keinen Nachtheil bringen, aber für die Familienmitglieder, welche aus Unverstand der Familienväter in das in fernen Weltteilen ihrer wartende Elend unbezweifelt mit hineingezogen würden, müsse die landesväterliche Milde wachen und das Unglück von denen abwenden, die nicht selbständig handeln können und unschuldig genötigt werden sollten, das gefahrvolle Los ihrer Väter und Angehörigen zu teilen.»

Im September 1837 siegte endlich die Vernunft. Friedrich Wilhelm III. genehmigte den Antrag, «daß den Separatisten die Auswanderung unter Beobachtung der sonstigen gesetzlichen Bedingungen gestattet» und ihnen «unter nochmaliger Vorhaltung ihres Unrechtes von den Landräten bekannt gemacht werde». Offenbar kam späte Reue hinzu. Heimlich und ungenannt ließ der König den auswanderungswilligen Gemeinden Geld zukommen, mit dem sie die Kosten für ihre lange und beschwerliche Überfahrt nach Australien finanzieren konnten.

Die schlesischen Altlutheraner waren nicht die einzigen, die aufbegehrten. Es mehrte sich der Widerstand gegen eine Verwischung der evangelischen Unterschiede, wie sie die aufgeklärte Theologie seit Jahrzehnten predigte. Die neuen Theologen tauschten die Vernunftreligion gegen einen Glauben, der auf das Gefühl zielte, der wieder von Sünde und Vergebung sprach und dem menschlichen Fortschritt voller Abneigung gegenüberstand. Von dieser Frömmigkeit wurde vor allem Preußens adlige Elite angesprochen, die mit «Faust», «Wallenstein» und dem Neuen Testament in den Krieg gegen Napoleon gezogen war. Zurückgekommen, sagten ihnen die Klassiker nichts mehr. Im Berliner Haus des Baron Kottwitz fanden sie die geistliche Nahrung, die ihnen zusagte: einfach, direkt, gefühlvoll und ohne alle vernünftige Erklärungen. Vor allem eine Handvoll pommerscher Junker wurde hier zu einem entschiedenen Glauben bekehrt. Als begeisterte Propagandisten der neuen Frömmigkeit gingen sie auf ihre Güter zurück. Mittelpunkt dieser pommerschen Erweckungsbewegung wurde Adolf von Thadden auf seinem Gut Trieglaff. 1820 rief er zu den ersten Bibelstunden in sein Haus, da ihm die Pfarrer der Umgebung von Vernünftigkeit und Rationalismus verseucht schienen und den falschen Glauben predigten. Bald holte sich der Junker einen Geistlichen nach seinem Geschmack und veranstaltete am Ende der zwanziger Jahre in Trieglaff Konferenzen für Geistliche, die gleicher Gesinnung waren.

Von Thadden war bei allem Engagement kein Hitzkopf. Er versuchte, den Bruch mit der evangelischen Landeskirche zu vermeiden und das Gefühlserlebnis in der verschworenen Gemeinschaft nicht völlig ausufern zu lassen. Sehr viel weiter ging sein adliger Gesinnungsgenosse und Landsmann Gustav von Below, der eines Tages «den ganzen Quark von Philosophie», den er in Berlin in sich hineingeschlungen hatte, wieder abwarf und sein Leben bedingungslos Gott anvertraute. Below hielt auf seinem Gut Reddentin nicht nur Bibelstunden. Er machte seinen eigenen Gottesdienst und teilte selbst das Abendmahl aus. 1822 schrieb er seinem Bruder: «Bald nach Abgang meines letzten Briefes gab der Herr Gnade zu einer großen Bewegung und Erweckung in hiesiger Gegend, so daß in kurzer Zeit viele hundert Seelen ergriffen wurden. Eine Menge sind leider bei dem ersten Feuer der Prüfung zurückgewichen, viele wiederum bis jetzt bestanden, wie denn überhaupt nur im Streit und Feuer offenbar wird, was in Gott bestehet, oder in den Weltgeist zurückweicht; außerdem haben sich viele wunderliche Dinge zugetragen, Besitzungen, Entzückungen, Visionen, schnelle Gebetserhörungen, welche Dinge sämmtlich dazu durch die Barmherzigkeit Gottes uns haben dienen müssen, uns in einen tiefern Verstand der heiligen Schrift und in eine gründlichere Erkenntnis einzuleiten, als die orthodoxe Theologie und die lutherische Katheder-Weisheit sonst zu statuieren pflegt.» Da sind sie nun, von der pietistischen Frömmigkeit des 19. Jahrhunderts in eine gemeinsame gegnerische Front eingereiht: die alte orthodoxe Theologie und der vernünftige Glaube der lutherischen Aufklärer.

So schnell gab der herrschende Glaube allerdings nicht auf. Below schreibt weiter: «Wie heftig aber der Zorn Gottes sich über diese Erweckung in unsern Herrn Predigern entzündet hat und in Schmähen, Lästern und Gegenpredigen offenbar worden ist, kannst Du Dir wohl denken, haben auch alles möglich getan, und falsche Berichte, Ministerium, Consistorium, Regierung, Landräthe, Gendarmen, Husaren und Executoren in Bewegung gesetzt ...» Mehr als einen Taler Strafe mußte man wiederholt auf Trieglaff und Reddentin für die verbotenen Bibelstunden zahlen. Zum Äußersten kam es nicht. Trotz allem lagen die pommerschen Junker der Obrigkeit und dem königlichen Hause ein wenig näher am Herzen als die widerspenstigen altlutherischen Bauern in Schlesien.

Der Einfluß dieser Erweckten blieb keineswegs auf die jenseitige Welt beschränkt. Unter dem Motto, nur für Gott zu kämpfen, machten die Junker bald handfeste Politik. Schließlich war man nicht nur Pommer, sondern auch Preuße und fühlte sich verantwortlich und aufgerufen, das Vaterland vor Atheismus und Entchristlichung zu bewahren. Mit Hilfe der Brüder Otto und Heinrich von Gerlach, die ebenfalls zu den Gästen des Baron Kottwitz in Berlin gehörten, gründete der Berliner Theologieprofessor Ernst Wilhelm Hengstenberg 1827 die «Evangelische Kirchenzeitung». Bei aller Vorliebe für die alten Traditionen und Ordnungen spürten diese Herren doch, daß man in einer neuen Zeit zu ungewohnten Mitteln greifen mußte, um seine Meinung zu verbreiten. Neben die Predigt trat die Presse als ideales Mittel der Beeinflussung.

Es begann sehr zurückhaltend: «Die Evangelische Kirchenzeitung soll keiner Parthei angehören; sie will der Evangelischen Kirche als solcher dienen. Denen, welche zu dem lebendigen und entschiedenen Glauben an die Wahrheit der Evangelischen Lehre gelangt sind, will sie Gelegenheit geben zur weiteren Ausbildung und Durchbildung; sie will warnen vor den mannigfachen Abirrungen, die sich zu allen Zeiten einer großen religiösen Bewegung auch unter denen eingefunden haben, die in der Hauptsache die göttliche Wahrheit ergriffen hatten.» Nur um Millimeter lüftete Professor Hengstenberg das Visier, um es schnell wieder fallen zu lassen: «Obgleich der Hauptzweck der Evangelischen Kirchenzeitung ein positiver ist, obgleich sie mehr aufbauen als zerstören will, so kann sie doch, weil das Evangelium einmal seiner Natur nach das Entgegenstehende bekämpfen muß, die Polemik nicht ganz vermeiden. Aber um so sorgfältiger wird sie sich des Urtheils über Personen enthalten, um so mehr alle Persönlichkeiten vermeiden, und fern von aller Bitterkeit durch ihr Beispiel zeigen, daß Festigkeit der Ueberzeugung verträglich ist mit Liebe und Milde, welche das Evangelium von seinen Bekennern verlangt ...» Der Einfluß der «Evangelischen Kirchenzeitung» auf Generationen von Pfarrern, nicht nur in Preußen, kann gar nicht überschätzt werden. Und nicht bloß auf Pfarrer, denn um Theologie ging es bald nur noch am Rande.

Adolf von Thadden schrieb: «Wir glauben alles, was in der ‹Kirchenzeitung› steht.» Und was da stand, war handfeste Politik: Gegen die geringsten demokratischen Regungen, gegen eine Auflösung des Bündnisses von «Thron und Altar», gegen alle, die für einen Abbau der von Gott gewollten Unterschiede zwischen den

Menschen, zwischen Herrschern und Beherrschten plädierten. Armut und Schmutz, so konnten die Abonnenten 1844 lesen, seien zwar unerquicklich für empfindliche Naturen. Doch den unteren Klassen, «die Gott mit einer dicken, schwieligen Haut ausgestattet habe», machten sie gar nichts aus. Wer solche Überzeugungen nicht teilte, war für Professor Hengstenberg des Teufels und wurde entgegen allen Versprechungen, mit den übelsten persönlichen Beschimpfungen von der «Kirchenzeitung» verfolgt.

# Die «Mucker» im Wuppertale

Preußen: Das war nicht nur die sandige Mark Brandenburg und das weite Land östlich der Oder. Die neue Aufteilung der europäischen Landkarte nach der Niederlage Napoleons hatte dem Hohenzollernstaat unter anderem das Rheinland bis hinunter nach Koblenz gebracht. Und wer von Düsseldorf nur wenige Kilometer ostwärts wanderte, kam in das jetzt preußische Wuppertal, die Gegend um Elberfeld und Barmen. (Erst 1930 wurde aus beiden Orten die Stadt Wuppertal.) Über diesen Landstrich schrieb 1833 ein zeitgenössischer Theologe: «Alles ist Kirche und Handel, Mission und Eisenbahn, Bibel und Dampfmaschine.» Viele kleine Handwerker und Gewerbetreibende waren hier zu Hause, die Textilindustrie der größte und umsatzstärkste Wirtschaftsfaktor. Berühmt war das Bergische Land aber auch für ein anderes Phänomen: «Unsere Leser werden uns Dank wissen für diese authentische Schilderung der Gegend, welche das wahre Zion der häßlichsten Form des an manchen Orten in Deutschland grassierenden und das Mark des Volkes ausmergelnden Pietismus ist.» So beschrieb Friedrich Engels 1839 in seinen «Briefen aus dem Wuppertal» seine Heimat. Er nannte es mit Vorliebe das «Muckertal», in dem angeblich engstirnige Sekten die Menschen und Seelen unmündig und arrogant zugleich machten. Tatsächlich hatten die Menschen in den idyllischen Tälern mit den schwarz-weißen Kotten einen Hang zu ausgefallener intensiver Frömmigkeit und keine Angst vor Abweichungen. Im Laufe des 19. Jahrhunderts haben sich um die 40 eigenständige mehr oder weniger christliche Gruppen und Grüppchen im Wuppertal ausgebreitet.

434

Der Alltag dieser Christen sah für Engels so aus: «Aber wer dies Geschlecht wahrhaft kennen will, der muß in eine pietistische Schmiede- oder Schusterwerkstatt eintreten. Da sitzt der Meister, rechts neben ihm die Bibel, links, wenigstens sehr häufig – der Branntwein. Von Arbeiten ist da nicht viel zu sehen; der Meister liest fast immer in der Bibel, trinkt mitunter eins und stimmt zuweilen mit dem Chore der Gesellen ein geistlich Lied an; aber die Hauptsache ist immer das Verdammen des lieben Nächsten.» Pfarrer Krummacher, einer der beliebtesten Prediger im Bergischen, nannte das Wuppertal gegen alle Kritiker ein religiöses Musterland: «... es war etwas Gewöhnliches, daß man aus Werkstätten und Fabriksälen und Sonntags Nachmittags aus den Wäldern und von den Berghöhen vielstimmigen Choralgesang herüberschallen hörte.» Es haben wohl beide Zeitgenossen die Welt nach ihren Vorurteilen und Idealen gezeichnet.

Was der Freund und Förderer von Karl Marx unter «Pietismus» zusammenfaßte, ist eine ähnliche einfache Frömmigkeit, mißtrauisch gegenüber aller Vernunft, wie sie die pommerschen Junker erlebten. Sie ergriff in dieser Gegend vor allem kleine Leute und Handwerker, aber auch die Unternehmer und Fabrikbesitzer. Im Bergischen führte diese Entwicklung nicht fort von den etablierten Kirchen. Sie fand in den traditionellen Gemeinden ein weites Betätigungsfeld, weil dort genügend Geistliche eine sehr persönliche Bekehrung erlebten, die Abneigung ihrer Gläubigen gegen eine rationale Frömmigkeit teilten und den suchenden Seelen gaben, wonach sie verlangten. Die Erweckungsbewegung brach zwischen 1816 und 1818 zuerst bei den reformierten Christen auf, zu denen Pfarrer Krummacher zählte. Bald ließen sich die Lutheraner anstecken.

Bevor Pastor Karl August Döring 1816 von den Elberfelder Protestanten gerufen wurde, amtierte er als Pfarrer in der Lutherstadt Eisleben. Der junge fromme Theologe notierte damals in seinem Tagebuch: «Die Andachtslosigkeit in der Kirche ist groß. Kinder lärmen außerhalb der Kirche, plaudern und schäkern in der Kirche. Am Bußtage wird gekegelt; der vornehme Pöbel ist auch hier das größte Hindernis des Guten.» Wie erlöst war Döring, als er die Stadt verlassen konnte. Zwei Elberfelder Gemeindemitglieder waren nach Eisleben gereist und hatten nach einer Predigt zu Hause über diesen

Pfarrer berichtet: «Er dringt mit strengem Eifer auf Buße und Glauben und wacht über die Früchte dieses Glaubens.» Den Menschen im Wuppertal war solcher Eifer gerade recht. Sie strömten in Dörings Predigten, in denen keine differenzierte Theologie und wenig exakte Bibelauslegung geboten wurden. Im Mittelpunkt stand stets die eine Frage: «Was muß ich tun, daß ich selig werde?» Die Antwort darauf fiel Döring nicht schwer. Er dichtete: «Die schwerste Schuld / Tilgt Christi Huld; / Ja, das ist seine Herrlichkeit, / Daß er dem größten Sünder noch verzeiht.»

Es ist ein Kennzeichen der alten wie der neuen Pietisten, in sich zu gehen, sich ständig zu beobachten und zu prüfen, um ein besserer Mensch zu werden. Viele haben sich an jedem Abend im Tagebuch Rechenschaft über ihren Umgang mit der Zeit gegeben, andere nachträglich ihr Leben aufgeschrieben. Sie wollten den Nachgeborenen zeigen, wie sichtbar Gott alles lenkt und daß Entwicklungen, die dem Menschen fremd, ja widersinnig scheinen, sich am Ende sinnvoll ineinander fügen.

Von dem Dorf Langenberg, am nördlichen Rand des Bergischen Landes, meldete Friedrich Engels, es gehöre «seinem ganzen Wesen nach noch zum Wuppertal. Dieselbe Industrie wie dort, derselbe pietistische Geist.» Die Aufzeichnungen von zwei Langenberger Bewohnern sehr unterschiedlicher Herkunft haben sich erhalten: Arnold Volkenborn, 1807 als Sohn eines Bergmanns geboren, hat sein Leben und seine Bekehrung für seine Kinder aufgeschrieben. Mit allen Problemen, die die deutsche Sprache für ihn hatte. Eduard Colsman kannte solche Schwierigkeiten nicht. Er kam 1812 als Sohn eines Seidenfabrikanten auf die Welt. Während Volkenborn in einer Umgebung groß wurde, die der Religion gleichgültig gegenüberstand, ohne die äußeren Formen ganz zu vernachlässigen, wuchs Colsman in einer pietistischen Familie heran. Er wurde selbstverständlich und ohne ein blitzartiges Bekehrungserlebnis aktives Mitglied in der erweckten Gemeinde von Langenberg. Als Erwachsener hat er ein genaues Tagebuch geführt. Die Aufzeichnungen der beiden Männer aus dem Wuppertal sind keine objektiven Beobachtungen. Es sind Betroffene, die zu uns reden und unbefangen über ihren Glauben erzählen. Gerade darin liegt ihre Glaubwürdigkeit und Unmittelbarkeit.

Arnold Volkenborn sollte es einmal besser haben als sein Vater, der seinen Sohn das Geigenspiel lernen läßt. Als junger Mann zieht Arnold durch die Dörfer an der Ruhr und spielt zum Tanz auf. Nebenbei lernt er ein bißchen Schreinerei, um nicht ausschließlich auf die Musik angewiesen zu sein. Die dreijährige Militärzeit verbringt er beim 16. Infanterieregiment in Düsseldorf im Musikkorps als drittes Waldhorn. Pläne, im Orchester des Fürsten Waldeck Aufnahme zu finden, zerschlagen sich. Als ungelernter Schreiner, ohne einen Pfennig Geld, landet Arnold Volkenborn schließlich bei seinem Bruder, einem Schreinergesellen, in Langenberg. «Ich arbeite nun als Schreinergeselle und verdiente neben Kost 20 Silbergroschen per Woche. Des Sonntags ging ich nun spielen, die Langenberger Musicie hatten diß besonders gewünscht ...»

Das Leben läuft so dahin, dann änderte sich alles mit einem Schlag: «Ich war auch sogleich jeden Sonntag beschäftigt, jetzt kam Pfingsten, und der erste Feiertag war keine Musik, erst den zweiten, und so ging ich dann zur Kirche, was ich in letzter Zeit wohl mehr gethan hatte, doch mir wenig Trost gebracht hatte, doch jetzt solle es Pfingsten werden. Auch für mich! Es wurde gesungen, dann hielt der Pastor einen Eingang und Gebet, dann wieder gesungen. Nun verlaß der Pastor seinen Text, Apost. Geschichte Cap. 2 Vers 12. Schon beim Verlesen dieser Stelle überkam mir ein wunderliches Gefühl, ich wurde irre, nein! so etwas hatte ich noch nicht gehört ... Daß Herz wurde mir immer gepreßter, die Spannung wurde unerträglich, jetzt redete er einen jeden an, sich zu untersuchen, ob er je auch an sich irre geworden wäre und gefragt hätte, was will es mit dir werden? Ist diß nicht der Fall, ist diß in deinem Leben nicht geschehen, so ligst du noch im Tode und bist bis dahin verloren. Jetzt brach mir daß Herz, und durch Tränen bekam ich Luft ... Jetzt wurde gesungen und wir gingen nach Hause. Ich eilte so gleich in meine Schlafkammer, um mir recht satt weinen zu können.»

Volkenborn fühlte sich als Sünder und zugleich als jemand, der die Chance bekam, einen radikal neuen Anfang zu machen. Es bedeutete in seinen Augen, auf irdische Vergnügungen zu verzichten: «Ich fühlte, daß es auf die Musik abgesehen war, daß ich die Musik zuerst aufgeben mußte, wenn ich wieder zur Ruhe kommen wollte.» Über allen Tränen der Reue vergißt der Musikus jedoch nicht, daß er ohne sein Spiel kein Geld hat, um sein Leben zu ändern. «Ich … stellte Gott gleichsam die Aussicht, wenn ich neue Kleidung und die 9 Reichsthaler Schulden verdint hätte, ich die Musik würde aufhören, wenigstens des Sonntags nicht mehr spielen würde.» Volkenborn ging fleißig in die Bibelstunden von Pastor Krummacher und fand bei seiner Schwester ein «Büchelgen», ein Traktätchen über die Worte «Den Geist dämfet nicht»: «Ich fand die Wirkungen, die Gefühle bei mir mit dieser Beschreibung einstimmend, und so nach war denn Gott selbst in mein Herz eingezogen und liß mir keine Ruhe, mit der Bitte, ergib dich mir. Dieser Gedanke war überwältigend. Gott, der Himmel und Erde gemacht hatte, war der Bittende, und ich, Staub, Erde und Asche, trug Bedenken mir sich ihm zu ergeben, der meine Seele erretten wollte vom ewigen Verderben, und ich mochte ihm nicht meinen Leib, meine Lust übergeben.»

Der Musikus bekam weiter viele Aufträge, Geld floß in die Kasse, und am ersten Advent 1831 ging er nach einer Tanzerei spät in der Nacht zurück nach Langenberg: «Diese Nacht, diese Reise zu beschreiben, ist mir unmöglich, doch ein Stern ging in meiner Angst und Noth auf, der Entschluß, mir auf Gnade und Ungnade zu übergeben … ich war des Morgens sehr matt, aber gebeugt, ergeben bis in die unterste Tiefe; ich hatte bis 8 Uhr geschlafen. Nach dem Kaffee schlug die Stunde der Erlösung, der Wiederstand war gebrochen. Ich nahm meine Violine und hing sie feierlich an die Wand, ich konnte nicht mehr, ich mußte mir auf Gnade und Ungnade übergeben, mit dem Gefühl, Herr Jesu, hier hast Du alles, Nahrung und Kleidung hast du verheisen, ich bin nun mit allem zufrieden, sey mir gnädig und gib mir Ruhe und Frieden für meine Seele. Ich hielt einer feierliche Verlobung mit meinem Bräutigam … Ich gelobte ihm ewige Treue, und daß im völligen Ernst, ich gab ihm alles, meine Musik, ja mein ganzes bis dahin Erstrebtes, ich verlangte nur Essen und Trinken und Kleidung.»

Es kam anders. Volkenborn wurde «Mechanicus». Er schreinerte Webstühle, setzte Dampfmaschinen zusammen und konnte über Aufträge nicht klagen. Mit dem Erfolg kamen ein eigenes, wenn auch altes Haus und mehrere Gesellen: «Und die Fabrik stand. Gott hat viel mehr gethan als ich erbeten hatte. Nur drei Mann hatte ich erbeten, und Gott hatte jetz 10 mal drei gegeben und gut vundirt.» Immer wieder liest Volkenborn an äußeren Vorfällen ab, daß Gott auf seiner Seite ist: «Zwei mal hat er mir durch ein Wunder vom Tode errettet. Daß erste mal kam ich mit der Hand oder Fingerspitzen in eine Walze ... und wie die Finger vorne in die Walze kamen, stand mit einem Rück die ganze Mühle still; das andere mal viel ich in das Schwungrad meiner Dampfmaschine, quer dadurch, und ebenfalls stand die Maschine still; beide mal kam ich mit dem Schreken und etwa 8 Tage Schmerzen davon. Den Eindruk aber, den man von solcher augenblicklicher wunderbaren Rettung bekomt, ist nicht gut zu schreiben ...»

Damit war Arnold Volkenborn am Ende, und er sagte seinen Kindern: «Daß ist nun, was ihr aus diesem Büchlein lernen könnt und ich euch beweisen wollte, daß Gott Gott ist, und alles mit seiner Hand regirt und erhält, daß kein Haar von unserm Haupte fallen kann, ohne sein Wissen und Willen.» Daß Gott Gott ist: Von weit her kommt eine Erinnerung. Der Mechanicus aus dem Bergischen Land wird nicht gewußt haben, daß es der Mönch Martin Luther war, der gut dreihundert Jahre zuvor einem Freund genau diese bündige Definition über Gott geschrieben hatte – wider alle Vernunft und menschliches Begreifen.

In den Tagebüchern und Briefen des Seidenwarenfabrikanten Eduard Colsman findet sich nichts über eine ruckartige Bekehrung. Er gehörte kraft seiner Herkunft zum Langenberger «Mittwochskränzchen», in dem sich die führenden Geistlichen und Laien der örtlichen Erweckungsbewegung regelmäßig trafen. Als er nach Belgien ging, um seine geschäftlichen Erfahrungen zu erweitern, schrieb ihm sein Bruder: «Lieber Bruder, nur nicht vom lieben Gott gewichen ... Kindlein bleibe bei Ihm; die Welt vergeht mit Ihrer Lust, wer aber den Willen Gottes thut, der bleibet in Ewigkeit. Wir wollen füreinander beten ...» Zweifel oder Glaubenskämpfe gibt es bei Eduard Colsman nicht. Seine Braut bittet er 1836: «Laß uns auf Ihn vertrauen, Ihm ganz unser Leben weihen ...» Dazu gehörten auch regelmäßige äußere Frömmigkeitsübungen. Der Unternehmer stand morgens um sechs Uhr auf, las erst einmal in der Bibel und betete. Nach dem Frühstück leitete er eine Andacht für das ganze Haus.

Im Gegensatz zum Mechanicus Volkenborn hielt dieser fromme Christ die Musik nicht für ein Werk des Teufels und hatte insgesamt weniger Hemmungen, das Leben zu genießen. Vielleicht, weil ihn nicht so unvermittelt das Gefühl getroffen hatte, es ändern zu müssen. Colsman besuchte auf seinen Geschäftsreisen Theater- und Opernhäuser. Ferienreisen und Badekuren erlaubte er sich und seiner Familie ohne schlechtes Gewissen. Er liebte Schlittschuhlaufen, Billardspielen, Kegeln und Pferderennen. Mit 33 Jahren begann er noch das Klavierspiel zu lernen. Sogar aufs Tanzen verzichtete er nicht und genehmigte sich eine gute Zigarre, einen «edlen Rebensaft» und «ein feines Diner». Von Kasteiungen für solche Genüsse ist in seinen Notizen keine Rede. Allerdings mag ihn manchmal doch das Gewissen geplagt haben. Auf einem undatierten Zettel notierte der Unternehmer gute Vorsätze: «Sparsamer ... Tanz meiden, mäßig sein ... zeitig schlafen gehen ... mit Essen & Trinken vorsichtig sein.» Dabei ging es jedoch nicht nur um das geistliche Wohl. Sein Arzt hatte ihm ähnliche Ratschläge gegeben, denn Colsman litt unter Verdauungsstörungen.

Was den Mechanicus mit dem Fabrikanten verband, war die Überzeugung, daß irdischer Gewinn eine Bestätigung für göttlichen Beistand ist. Der gleiche Bruder, der Eduard gebeten hatte, nur nicht vom lieben Gott zu weichen, meinte später: «... der unerwartete Segen im Geschäft ... kann zur Ermunterung dienen u. zum Beweis, daß der Herr noch mit uns ist.» Eine Frage drängt sich auf: Gibt es einen kausalen Zusammenhang zwischen einem solchen Glauben und dem wirtschaftlichen Erfolg? Ist ein solcher Protestantismus der Grund, auf dem sich der Kapitalismus entwickeln konnte? Der Soziologe Max Weber hat diese Frage bejaht. Viele andere haben sie in der Zwischenzeit mit guten Gründen verneint. Am meisten spricht dagegen, daß schon das katholische Mittelalter eine sehr differenzierte und im Kern kapitalistische Wirtschaftsordnung besaß. Auf unsere zwei Zeugen bezogen: Hatte ihre Frömmigkeit Einfluß auf ihre Arbeit? Nachweisbar ist das nicht, so fleißig und pflichtbewußt diese Christen auch waren. Der umgekehrte Schluß ist eher erlaubt: Solche Tugenden können ebensogut Menschen an den Tag legen, die einer ganz andern Art von Frömmigkeit anhängen – oder gar keiner. Einen pietistischen Webstuhl wird der

Mechanicus Volkenborn nicht gebaut haben, und der Unternehmer Colsman hat seine Kalkulationen allein nach ökonomischen Maßstäben gemacht.

Nicht nur im Wuppertal, auch im Siegerland fand die Erweckungsbewegung überzeugte Anhänger und entfernte sich noch weiter von den etablierten Kirchen. Hier war es der Schuhmachergeselle Johann Heinrich Weißgerber, der durch das Land zog und Christen für einen neuen Glauben gewann, um «dem Leben und der Lehre Jesu und seiner Apostel soviel als möglich nachzukommen». Die Behörden waren beunruhigt über die spontanen Treffs, die dieser Laienprediger auslöste. Weißgerber wurde mehr als einmal zum Verhör bestellt. 1833 erklärte er in Weidenau: «Die Veranlassung, daß ich die Versammlungen halte, habe ich aus der Heiligen Schrift ... Eine weitere Veranlassung zur Haltung dergleichen Versammlungen ist der Wunsch der Brüder und Schwestern, welche Lust zu Gottes Gesetz haben und sich in der Liebe zu Gott und dem Nächsten gern üben wollen.» Den Bürgermeister von Weidenau ärgerte vor allem eins: «Denn die Weibspersonen, so größtentheils jung und unverheiratet waren, hatte er so weit gebracht, daß sie keinem Menschen die Zeit böten und mit gehängtem Kopfe feste auf die Erde sahen.»

Auch die Geistlichkeit fühlte sich herausgefordert. Es meldete sich das traditionelle lutherische Mißtrauen gegenüber den «Schwärmern». Der Pfarrer Schmidt aus Rödgen-Wilnsdorf meldete seinem Superintendenten, daß «die Mucker» in seiner Gemeinde sehr zugenommen hätten. Er war überzeugt, daß die Behörde «in unserem Lande dafür sorgen wird, daß nicht durch einzelne Finsterlinge ... das leibliche, vorzüglich aber geistige Wohl, und wäre es auch nur eines einzelnen, mutwillig auf eine empörende Weise gefährdet, verringert, zerstört werde». Auf die Idee, daß der Glaube nicht Sache der Behörden ist, kommt dieser Pfarrer so wenig wie viele seiner Kollegen. Die Aufgeschlossenheit der Geistlichen im Wuppertal für eine spontane Frömmigkeit bleibt eine Ausnahme.

Der Superintendent ist gleicher Meinung wie sein Pfarrer und läßt 1834 über den Landrat dem selbsternannten Apostel öffentliche Auftritte und Versammlungen verbieten. Die Angelegenheit schlägt Wellen, da Weißgerber sich zu wehren weiß. Die Bezirks-regierung in Arnsberg urteilt in einem Gutachten, daß «dieses Konventikelwesen auch durch die gleichgültige, herzlose, kalte Amtsführung mehrerer Pfarrer des Kreises befördert worden zu sein scheine, die wenig geeignet seien, das Bedürfnis nach wahrer religiöser Erbauung zu befriedigen». Bei Weißgerber zeige sich ein «gewöhnlicher Pietismus, in einer milden, nicht besonders ta-delnswürdigen Gestalt».

Das Konsistorium zu Münster bestätigte die schlechten Zensu-ren für die etablierte Geistlichkeit, verbat aber gleichzeitig «dem Schuster Weißgerber sein gesetzwidriges Halten von Privat-Er-bauungsstunden». Der Laienprediger machte erst unverdrossen weiter, gab aber schließlich auf und baute mit seinen Anhängern in Eisern bei Siegen ein eigenes Haus, in dem er als «Hausvater» Fa-milien-Gottesdienste halten konnte, ohne mit dem Gesetz in Kon-flikt zu kommen. Fünfzehn Jahre hielt diese christliche Kommu-ne, in der nur ledige Männer und Frauen wohnen durften. Dann löste sie sich wegen innerer Spannungen auf. Doch die geistliche Unruhe war von Amts wegen nicht zu löschen. Es blieben überall in den Tälern kleine Gruppen, die sich der herrschenden Kirch-lichkeit entzogen.

Auch im Mindener Land um den Teutoburger Wald gab es bald keinen Ort, wo nicht fromme Christen privat Versammlungen ab-hielten. Einige Pastoren stellten sich auf ihre Seite und öffneten sich und ihre Kirchen der neuen gefühlvollen Frömmigkeit. Die Mehrheit jedoch dachte so, wie das «Mindener Volksblatt» 1847 schrieb: «Das Koventikelwesen im hiesigen Kreise Lübbecke greift auf eine sehr beunruhigende Weise um sich. Die Menschen werden durch künstliche Mittel in religiöse Fieberschauer ver-setzt, mit jedem Tag treten die Führer der Konventikel rücksichts-loser auf, es steht das Schlimmste zu befürchten, wenn die Regie-rung nicht energisch einschreitet.» Der Ruf nach der Obrigkeit war auch hier das einzige, das den traditionellen Christen einfiel. Was für ein Widerspruch. Denn es waren dieselben Christen, de-ren Glaube sich auf Vernunft und Einsicht stützte, denen dogma-tische Unterscheidungen nichts bedeuteten und die für Toleranz zwischen den Konfessionen eintraten. So aufgeklärt sie waren:

Offenbar jagte es ihnen große Angst ein, als die äußerliche Ordnung der Kirche sich keineswegs auflöste, aber doch zunehmend Risse zeigte.

Die Herausforderung lag gar nicht auf theologischem Gebiet: Diese eigenwilligen «erweckten» Christen, die nicht im entferntesten an politische Rebellion dachten, denen die alten sozialen Ordnungen heilig waren, rührten unbewußt und ohne es zu wollen an einen Hauptpfeiler dieser Ordnung, wenn sie Selbstbestimmung in Sachen des Glaubens forderten. Gab die Obrigkeit hier nach, wie konnte sie in anderen Bereichen verweigert werden? Doch das Rad der Zeit ließ sich nicht mehr zurückdrehen. Die Entwicklung war paradox: Es war die aufgeklärte deutsche Theologie des 18. Jahrhunderts, die alle wichtigen Kanzeln und Universitäten erobert hatte; die bei allen theologischen Freizügigkeiten zwar stets unbedingten Gehorsam gegenüber den Herrschenden gepredigt, aber auch mitgeholfen hatte, die Emanzipation im Land voranzutreiben. Einst modern und angefeindet, kämpfte sie nun mit den beharrenden Kräften gegen den Zeitgeist, gegen ein Lebensgefühl, das sie selber mitgeprägt hatte.

Die Gedanken sind nicht nur frei, sie sind auch unberechenbar. Wie Friedrich Wilhelm III. von Preußen sich bei seiner Auseinandersetzung mit den Altlutheranern in seinen eigenen ursprünglichen Argumenten verfing – kein Gewissenszwang! –, genauso ging es der Aufklärungstheologie und ihren Vertretern jetzt mit den erweckten Gemeinden. Es waren zu viele, um sie auszuschalten, und zu viele Bürger – friedlich und ordnungsliebend – kamen zu der Überzeugung, daß es endlich an der Zeit sei, Religionsfreiheit zu gewähren.

Pietistischer Glaube in dieser ersten Hälfte des 19. Jahrhunderts ist nicht vollständig, ohne Württemberg zu erwähnen und an das Jahr 1836 zu erinnern. Erwarteten doch die Stillen im Land nach den Prophezeiungen ihres Meisters Bengel zu diesem Zeitpunkt das Ende der Welt und die Wiederkunft Christi. Es hatte sich einiges verändert bei den schwäbischen Pietisten, seit Johann Bengel 1752 gestorben war. Der Schwung der neuen Frömmigkeit hatte die Landeskirche insgesamt nicht mitreißen können. Die Bevölkerungszahl stieg, die Zahl der Pfarrer jedoch stagnierte, weil die meisten ihre Pfründe nicht teilen wollten. Sie predigten weiterhin den Christen von oben herab statt sich persönlich zu engagieren. Mit den Jahren zogen sich vor allem Christen aus den unteren Schichten immer zahlreicher zu erbaulichen Zusammenkünften – den «Stunden» – ohne Pfarrer und kirchliche Aufsicht zurück. Immer mehr «Stundenleute» waren kleine Handwerker, Bauern, Knechte, Weingärtner. «Ists denn nicht immer also gewesen, daß die edelsten Weisheitslehren den gemeinen Leuten von Gott sind anvertraut worden?» Das schrieb 1784 Michael Hahn. Da war er schon nicht mehr Bauernknecht in Altdorf, sondern reiste durch das Land und predigte in privaten Versammlungen, die mißtrauisch von den Pfarrern beobachtet wurden. Hahn hatte mit siebzehn ein Bekehrungserlebnis und drei Jahre später religiöse Visionen, seine «Zentralschau»: «Da sieht der neugeborene Geist in den Augen und durch die Augen seines Muttergeistes, was kein Aug' gesehen, kein Ohr gehört hat.» Der Mensch geht, «eins mit Jesu, ins Meer der Herrlichkeit». Glaube und Persönlichkeit des Michael Hahn faszinierten die Menschen.

1785 wurde Hahn vom Konsistorium vernommen und verwarnt. Doch er predigte weiter, oft vor Hunderten von Zuhörern. Der Oberamtmann von Herrenberg forderte endlich durchgreifende Maßnahmen, denn das «Michele», wie ihn seine Getreuen liebevoll nannten, sei «kein Apostel und auserwähltes Rüstzeug», sondern «ein verwirrter Kopf, der alle Grenzen der Ordnung und Mäßigung überschreite». Das wollte sich der fromme Mann nicht länger nachsagen lassen. Denn die Welt samt ihrer Ordnung hatte keinerlei Reiz für ihn. Hahn predigte Askese, hielt Geschlechtsverkehr in der Ehe nur für erlaubt, um Nachkommen zu zeugen, und glaubte, «daß die Zeit nahe ist, in welcher der Herr kommen wird». Der Oberamtmann irrte sich in seinem Urteil gewaltig. Dieser Apostel predigte unermüdlich Mäßigung und Gehorsam gegenüber aller bestehenden Ordnung. Für Hahn war es «ein töricht Ding, wenn ein Knecht, eine Magd, oder überhaupt ein armer Dienstbote, oder ums Brod arbeitender Mensch mit seinem Stande nicht zufrieden ist, und sich einen andern wünscht». Was zählen irdische Dinge, wenn der Jüngste Tag zum Greifen nahe ist. Das «Michele» trat nicht mehr auf und lebte bis zu seinem Tod 1819 zurückgezogen unter dem Schutz der Herzoginwitwe Franziska auf ihrem Gut in Sindlingen. Daß Unzählige zu ihm pilgerten, konnte er nicht verhindern. Und die Obrigkeit sah schließlich auch ein, daß dieser Mann alles andere als ein Umstürzler war.

Es sind die Wirtschaftskrisen und Hungersnöte von 1816 und 1817, die viele schwäbische Pietisten dazu brachten, auf noch mehr Distanz zu ihrer Umwelt zu gehen, zumal das Jahr 1836 immer näher rückte. Auswanderung hieß die Devise, um der irdischen und geistlichen Not zu entkommen. Palästina wurde erwogen, dann fuhren die ersten Familien zu Schiff die Donau abwärts ins russische Bessarabien und Kaukasien, wo die fleißigen Schwaben hochwillkommen waren. Von Steuern und dem Militärdienst wurden sie befreit und konnten in voller Freiheit nach den Überzeugungen ihres Glaubens leben.

Einer hatte sich in den Kopf gesetzt, eine solche christliche Mustergemeinde, die sich selbst verwaltete, in Württemberg anzusiedeln. Es war der Bürgermeister von Leonberg, Gottlieb Wilhelm Hoffmann, und er erreichte nach langen Verhandlungen sein Ziel. Hoffmann kaufte 1819 das heruntergekommene Gut Korntal, und der König unterschrieb ein Privileg, daß dort rund hundertfünfzig Personen nach ihren eigenen «sittlichen und religiösen Ordnung» leben durften. Die Gemeinde in Korntal wurde nicht von der evangelischen Landeskirche kontrolliert. In Korntal fuhr man schon im Herbst 1819 eine gute Ernte in die Scheuern und zimmerte an leichten Häusern für die weltabgewandte Gemeinde, die ja in wenigen Jahren einem neuen Himmel und einer neuen Erde Platz machen würden. Und man übte sich in eiserner Askese. Der Korntaler Pietist Johannes Kullen hatte schon 1812 einer Gemeinschaft in Metzingen geschrieben: «Weislich wäre es, wenn man Anfangs von weniger angenehmen Speisen einen Teller voll mehr äße, und wenn man zwischen zwei Gerichten wählen sollte, immer von dem nähme, das man weniger liebt. Wir müssen die Freß- und Sauflust in den Tod hineingeben, wenn der neue Mensch gedeihen soll.»

Württemberg, bis heute das Kernland der Pietisten, hing auch in der ersten Hälfte des vorigen Jahrhunderts mit überwältigender Mehrheit dem zeitgemäßen evangelischen Durchschnittsglauben an. Die Stundenleute zählten etwa 20000 Männer und Frauen zu ihren festen Anhängern. Sie waren vor allem in den Dörfern zu Hause und machten 1821 rund zwei Prozent der gesamten erwachsenen Bevölkerung aus. Ihr Bekanntheitsgrad und auch ihr Einfluß ging über die Zahlen hinaus. Dafür stehen die Karikaturen, die in diesen Jahrzehnten von denen gezeichnet wurden, die im Pietismus ein Hindernis auf dem Weg zu Fortschritt und einer offenen Gesellschaft sahen. Als «Pietismus-Geschädigter» ging 1838 der ehemalige Vikar Carl Theodor Griesinger mit «Silhouetten aus Schwaben» an die Öffentlichkeit. Wo andere von Frömmigkeit sprachen, sah Griesinger Heuchelei, christliche Arroganz und eine doppelte Moral. Sein Pietist sah so aus: «Er ist sehr fromm. Das Haar ist nach hinten gestrichen; der Blick zu Boden gesenkt; die Kleidung altmodisch; die Miene andächtig; der Mund Ach und Weh rufend über die Verderbtheit der Welt ...

Er war nicht immer fromm, der gute Mann. Einst war er lüderlich und frivol; er trank gern und spielte gern und spottete über das Heilige ... aber auf einmal ward sein Herz gerührt, es kam zum Durchbruch bei ihm, er ward fromm und gläubig und ein gemachter Mann. Denn die Zahl seiner Brüder ist gar groß und weitverzweigt, und wer sich ihnen anvertraut, dem kann es nimmer fehlen. Jetzt ist er sehr fromm. Zwar passiert es ihm manchmal, daß er ein Gelüste trägt in seinem Innern nach deiner Frau und deinem Ochsen und Eselein im Stalle, daß er einen redlichen Handel in Frömmigkeit mit dir abschließt und dich betrügt um dein Hab und Gut ... daß er ist ehrbar und züchtig und unantastbar äußerlich vor den Menschen und in seinen innern Gemächern schwelgt in Unzucht und Lüderlichkeit; aber was kann er dafür? Das war der Satan in ihm ...

Am weitesten hat er's gebracht, wenn er's bis zum Stundenhalter brachte. Jedes Dörfchen hat seinen Stundenhalter. Der ist der Höchste unter allen Frommen ... Der Fromme dutzt alle seine Brüder und Schwestern, heißt nicht gerne Pietist, sondern Mitglied der evangelischen Gemeinde des Herrn, und reist immer umsonst, weil er in jedem Dorfe Mitgenossen findet. Kornthal ist ihm, was dem Juden Jerusalem und den Katholiken Rom; der Kornthaler Hoffmann ist aber mehr fast als Papst. Ich sage dir o Mensch, werde fromm, auf daß du glücklich seyest, in dieser und in jeder Welt.»

446

1836: Als das magische Datum fast erreicht war, beteten die einfachen Leute immer inbrünstiger, und die studierten Pietisten versuchten mit aller Vorsicht von den Prophezeiungen der Väter abzurücken. Ein Pfarrer schrieb im Februar 1836 an Gottlieb Wilhelm Hoffmann in Korntal: «Eine wichtige Angelegenheit beschäftigt mich seit einiger Zeit, nämlich je näher die Zeit rückt, da Bengels Voraussagung nicht in Erfüllung zu gehen scheint, desto nachdenklicher werde ich über seine so schöne Erklärung und möchte gerne wissen, wo der Fehler seiner Rechnung steckt? ... Sollen wir seine ganze Rechnung fahren lassen oder welchen Pfeiler müssen wir verrücken? ... Sollte uns der Herr, der doch mit Bengel war, nicht einen neuen Zeigefinger erweken, das das Richtige vollends enträthselte?» Statt des Laien Hoffmann griff der Korntaler Geistliche Sixt Carl Kapff zur Feder und veröffentlichte am Himmelfahrtstag des gleichen Jahres sein Buch über «Die Zukunft des Herrn». Den Glauben an das nahe Ende wollte Kapff nicht fahrenlassen. Er vertröstete die gläubige Gemeinde jedoch mit dem Bibelwort auf die weitere Zukunft, daß allein der Herr den genauen Tag und die präzise Stunde wissen könne. Kein Grund, von pietistischen Überzeugungen zu lassen und weniger fest zu glauben. Im gleichen Buch teilte der Pastor als Orientierungshilfe für die Frommen die Welt in schwarz und weiß, in gut und böse: «Da ist nun offenbar, daß immer mehr zwei Hauptpartheien sich herausstellen, Christen und Antichristen. Halbirtes Wesen geht immer weniger. Man muß Parthei nehmen ... Entweder Glaube oder Unglaube, Pietist oder Rationalist ...»

Das waren die beiden Enden auf der protestantischen Skala: Pietisten und Rationalisten. Die Erweckten im Wuppertal und in Schwaben, in Pommern und im Siegerland lehnten einen vernünftigen Glauben, wie er seit der Aufklärung gepredigt wurde, ab. Rationalisten nannte man nun jene Christen, die den Weg der aufgeklärten Theologen entschlossen weitergingen. Die Mehrheit wählte den mittleren Weg und hatte keine Probleme, ihren aufgeklärten Glauben im Gehäuse der traditionellen kirchlichen Institutionen zu praktizieren und zu predigen. Die radikalen Rationalisten ließen in den vierziger Jahren des 19. Jahrhunderts diese schützenden Mauern hinter sich.

Am 13. Februar 1840 druckte die «Magdeburgische Zeitung» das Bild einer Bauernfamilie, die vor einem Kruzifix betete. Prompt erhielt sie eine Leserzuschrift des Pfarrers Wilhelm Franz Sintenis von der Heiligen-Geist-Kirche, der eine solche Andacht einen Götzendienst nannte. Für diesen rationalen Geistlichen war Christus ein vorbildlicher Mensch. Ihn anzubeten bedeutete Aberglaube. Das Konsistorium war anderer Meinung und belegte Sintenis 1841 mit einem Verweis wegen Abweichung vom überlieferten Glauben. Das brachte für viele gleichgesinnte Theologen das Faß zum Überlaufen. Sie beobachteten schon lange das Anwachsen der Erweckungsbewegung und einer orthodoxen Theologie in den Landeskirchen und an den Universitäten voller Sorge. Auf Initiative des sächsischen Pfarrers Leberecht Uhlich trafen sich noch im Sommer 1841 sechzehn Geistliche in der Nähe von Magdeburg, um eine Lobby für einen rationalen Glauben innerhalb der evangelischen Kirchen zu bilden. Sie waren überzeugt, daß ihm allein die Zukunft gehören würde, und wollten nicht abseits stehen: «Sollen wir Geistliche denn, geborgen im Lehnstuhl unserer Pfarrstelle, abwarten, daß Philosophen, Belletristen, Juristen, Mediciner und wer sonst noch, die Sache der Wahrheit führen und für die geistige Freiheit Siege erkämpfen? Nein! Wir sind Geistliche, also die, welche gegen Buchstaben und Satzung, Form und anderes Werk des Staubes, die Sache des Geistes zu führen haben. Dazu aber ist's gut, daß man nicht allein stehe.»

Das Echo war enorm. Im September kamen in Halle 56 Theologen aus Preußen, Anhalt und Sachsen zusammen, um den Kampf gegen «die Pietisten» zu organisieren. Für einen Christen, so erklärten sie, genüge der Glaube an Gott, die Unsterblichkeit und die menschliche Tugend: «Sonstige Stützen braucht das Christenthum nicht und will es nicht.» Sie sahen sich als die wahren Erben der Reformation und gaben sich den Namen «Protestantische Freunde». Wie ein solcher Glaube aussah, erfuhr Uhlichs Gemeinde in der Weihnachtspredigt von 1842 über «Das Himmelreich». Damit war nicht das Jenseits gemeint, sondern die Verwirklichung des Fortschritts in dieser Welt. Es würde keine Sklaverei mehr geben und keine unterdrückten Frauen. Dies war Uhlichs Traum: «Also einst alle Völker Christen, kein Krieg mehr auf Erden ... die Völker alle Brüder untereinander ... kein Betrug mehr auf den Märkten, Gerechtigkeit und Treue überall. Wol noch Obrigkeit in den Ländern, aber nicht mehr, um zu strafen, sondern um überall weisere, bessere Einrichtungen zu treffen.»

Im Frühjahr 1842 kamen rund 200 «Freunde» nach Leipzig. Etwas Wichtiges hatte sich geändert: Diesmal war die Hälfte der Anwesenden Laien und unter ihnen die Volksschullehrer in der Überzahl. Sie forderten: «Das Reich Jesu mit allen Mitteln der Bildung dieses Jahrhunderts weiter zu bauen.» Ihr Engagement war verständlich. Die Schulen wurden von den Kirchen kontrolliert, und die Lehrer befürchteten, daß in Zukunft wieder mehr nach Maßstäben des Glaubens als der Wissenschaftlichkeit unterrichtet werden sollte. In Proklamationen rief man dazu auf, «die schon von Luther errungene protestantische Glaubensfreiheit zu wahren» und gegen die «Anmaßungen der pietistischen Parthei» zu verteidigen. Die Pietisten standen für Finsternis und Fortschrittsfeindlichkeit, die «Protestantischen Freunde» auf der Seite des Lichts, weshalb sie in der Öffentlichkeit mit leichtem Spott nur noch «Lichtfreunde» genannt wurden.

Wer so eindeutig auf der Seite des Fortschritts stand, konnte sich nicht auf die Freiheit für Theologie und Religion beschränken. Aus der Frühjahrsversammlung der «Lichtfreunde» 1844 in Köthen – sechshundert Teilnehmer – erklärte der Pfarrer Gustav Adolf Wislicenus aus Halle: «Der Geist will Wahrheit in allen Dingen ... er will Gerechtigkeit im Leben, und nicht bloß Liebe im Munde. Er will nicht bloß hie und da ein Almosen hinwerfen, und etwa um der Seelen Seligkeit willen hie und da eine milde Stiftung gründen; er sucht nach gründlicher Abhilfe des Elends, und er hat noch niemals so ernstlich darauf gedacht, die Menschen wirklich zu einem Brudervolk zu machen.» Die Herrschenden erinnerte dieser Theologe daran, daß «die wahre Kraft eines Volkes und Staates nicht in einem todten sklavischen Regiment, sondern im Leben, in lebendiger Theilnahme der Angehörigen an den gemeinsamen Angelegenheiten besteht».

Die Parolen des Pfarrers aus Halle zündeten. Zur Versammlung im Mai 1845 erschienen rund dreitausend Menschen. In Mitteldeutschland und Ostpreußen bildeten sich Zweigvereine. Der Generalsuperintendent des preußischen Teils von Sachsen meldete, unter den «Lichtfreunden» befänden sich «Glieder des gesamten Lehrstandes, viele Geistliche miteingeschlossen, und hauptsächlich unter Kaufleuten, Gewerbetreibenden, Gutsbesitzern des Bürgerstandes und vielen Beamten, denen die Pflege ihrer Ideen Bedürfnis ist und der Widerstand gegen Kastengeist und Aristokratie (welche man überall als den natürlichen Bundesgenossen der kirchlichen Institutionen betrachtet) willkommen ist». Das waren nicht irgendwelche Außenseiter, die man ignorieren konnte. Es war die bürgerliche Elite, die wichtigste Stütze des modernen Staates.

Unterschriftensammlungen wurden in Gang gesetzt: «Wir protestieren gegen die Anmaßungen einer Parthei, die mit stets wachsender Zuversicht seit Jahren innerhalb der evangelischen Kirche hervorgetreten ist, klein an Zahl, bedeutend durch äußere Stützen, den freien, lebendigen Glauben an die starken Dogmen und Formen vergangener Jahrhunderte fesseln will.» In 52 Städten unterschrieben insgesamt 124 Geistliche, 300 Lehrer, 142 Juristen, 175 Ärzte, 700 Beamte, 600 Kaufleute, 400 Gutsbesitzer, 119 Offiziere und 2000 Industrielle diesen Protest. Aus Leipzig meldete ein Polizeiagent: «Alles, was folgerichtig gegen die übrigen Maßregeln des Königs verbittert ist, tritt zu der neuen Kirche über und die preußische Regierung hat einen Feind gegen sich ins Leben gerufen, der ihr sehr gefährlich werden kann ...» Das war im April 1845. Im August wurden die «Protestantischen Freunde» per Kabinettsordre aus Berlin verboten.

1846 wurde Pfarrer Wislicenus aus einem Amt entlassen, im August gründete er in Halle eine «Freie Gemeinde». Einen Monat später war Pfarrer Uhlich suspendiert. Im November 1847 verließ er die Landeskirche und bildete die «Freie Christliche Gemeinde». Ihr Credo: «Wir bleiben, was wir sind und waren: evangelische Christen ... Unser Bekenntnis lautet: Ich glaube an Gott und sein ewiges Reich, wie es Jesus Christus in die Welt eingeführt hat. Unsere Gottesverehrung bleibt, bei Freiheit und Mannigfaltigkeit der Form, die bisherige.»

Der gemäßigte Uhlich in Magdeburg hatte mehr Erfolg mit seinem Experiment als der radikale Wislicenus. Über die «Freie Christliche Gemeinde» meldete der Polizeidirektor 1848 an den Innenminister in Berlin: «Die Anzahl der evangelischen Dissidenten beläuft sich gegenwärtig auf 8000 bis 9000 Köpfe. Hiervon mögen 200 den gebildeten Klassen angehören, die übrigen sind Arbeiter und kleine Handwerker.» Die «Freie Gemeinde» in Halle kam auf knapp tausend Mitglieder. Ihr Ziel: «Wir wollen keine abgeschlossene kirchliche Confession, sondern eine freie menschliche Gesellschaft.» Für beide Zusammenschlüsse gilt, daß die Bürger für Kritik an den etablierten Kirchen zu haben waren, ohne radikale Konsequenzen ziehen zu wollen. Sie waren noch nicht bereit, mit einem demonstrativen Kirchenaustritt etwas hinter sich zu lassen, ohne das man nicht gesellschaftsfähig war. Da waren die Arbeiter und Handwerker mutiger, auch wenn Uhlich es ihnen leichtermachte, weil er sich nicht zu weit von den üblichen christlichen Grundsätzen entfernte.

Nicht nur unter den Protestanten machte sich ein radikaler Vernunftglaube breit. Auch in der katholischen Kirche gab es Theologen, die eine Gleichsetzung von Glaube und Vernunft verlangten und eine übernatürliche Dimension des Christentums ablehnten. Allein in Schlesien bildeten sich bis 1846 rund fünfzig «deutschkatholische» Separatgemeinden mit ungefähr 20000 Mitgliedern. Die Regierung in Berlin erkannte, daß mit drakonischen Maßnahmen, wie man einst gegen die Altlutheraner vorgegangen war, bei so vielen eigensinnigen Christen zwischen Elberfeld und Königsberg nichts mehr auszurichten war. Sie erließ am 30. März 1847 ein «Toleranzedikt». Nun war es erstmals möglich, aus einer Kirche auszutreten, keiner Konfession anzugehören oder eine neue Religionsgemeinschaft zu gründen.

Einen Haken hatte die staatliche Verbeugung vor dem Zeitgeist allerdings: Es gab in Zukunft Christen erster, zweiter und dritter Klasse. Privilegiert blieben weiterhin die lutherische, reformierte und katholische Konfession. Als «geduldete Religionsgemeinschaften» galten solche, die zwar eigenständig waren, aber doch an kirchlichen Ämtern festhielten. Wer auf alle Ordnung verzichtete, wie zum Beispiel die «Freie Gemeinde» von Pfarrer Wislicenus, war nur ein «Privatverein» und konnte jeder Zeit wieder verboten werden, wenn er dem Staat lästig wurde. Das Edikt brachte eine weitere, zukunftweisende Neuerung: Wer keine kirchliche Trauung wünschte, zu der es bisher keine Alternative gab, konnte sich nun vom Bürgermeister zivil trauen lassen.

Die Regierung versuchte sich mit diesen liberalen Zugeständnissen ein wenig Luft zu schaffen und in geordneten Grenzen zu halten, was nicht mehr zu übersehen war: Die Kluft zwischen christlicher Lehre und den kirchlichen Institutionen wurde immer größer. Drohungen und Nachteile verloren ihre Wirksamkeit. Das Wort des Pfarrers war nicht mehr ungeschriebenes Gesetz, dem die Gemeinde sich ohne Kritik und Nachdenken beugte. Religion, die stärkste Säule des Staates, immer noch von Staatskirchen verkörpert, war dabei, eine Privatsache zu werden, in die der Staat nicht hineinzureden hatte.

Im Frühjahr 1848 geschah Unvorstellbares: Revolution in Deutschland. Von Ereignissen in Frankreich ermutigt, gingen friedliche Bürger überall auf die Straße und forderten Pressefreiheit, ein gewähltes Parlament und ein deutsches Reich mit einer nationalen Volksvertretung. So überrumpelt waren die traditionellen Gewalten, daß freiwillig die alten Minister zurücktraten und liberalen Kollegen Platz machten. Verfassungen und ein deutsches Parlament wurden versprochen. Alles ging unglaublich schnell. Am 21. März 1848 erklärte der lutherische Gemeindevorstand der Paulskirche in Frankfurt, er gebe das Gotteshaus «mit Vergnügen» für die Zusammenkunft eines deutschen Vorparlaments frei. Zehn Tage später schon zogen die Männer in die Kirche ein, die die Wahl und Sitzungen einer Nationalversammlung vorbereiten sollten.

Am Sonntag, dem 2. April, predigt Pfarrer Gerhard Friedrich in der Paulskirche: «Wir haben binnen weniger Wochen geistig Jahrhunderte durchlebt. Und darüber sollten wir unsere Freude als Menschen, Staatsbürger und Christen nicht laut werden lassen? Allerdings können manche unter euch erwidern, aber nur nicht hier, in dem Hause des Herrn, dessen geheiligte Räume nur den hohen Angelegenheiten der Religion geweiht sein sollen! Allein ist denn nicht die Wiedergeburt des Volkes zum Bessern, nicht sein Erwachen zu Licht und gesetzlicher Freiheit, zu Wahrheit und Recht, und hauptsächlich zu gleicher Anerkennung aller religiösen Bekenntnisse, die höchste Angelegenheit des geistig und staatlich neugeborenen und dadurch auch sittlich und religiös veredelten Menschen, mit einem Worte des Christen?» Solchen Optimismus teilte der Frankfurter Pfarrer Konrad Kirchner allerdings nicht und sagte es seiner Gemeinde auch: «Freiheit ist das Losungswort der Zeit. Es wird umhergetragen, hier mit flüsternder Scheu, dort mit offener Bestimmtheit. Aber gerade da, wo alle Herzen entzündet sind von der Glut der Aufregung, ist um so mehr zu verhüten, daß ein verderbliches Feuer der heiligen Flamme sich beigeselle.»

Ein kurzer Einschub: Mit der «Anerkennung aller religiöser Bekenntnisse» meinte Pfarrer Friedrich vor allem die Gleichstellung der Juden, die in diesen Jahren heiß umstritten war. Prompt erschien dieses Flugblatt: «In Deutschland kann man ein außerordentlicher Götzendiener, ein Mohammedaner, ein Buddhist und doch ein deutscher Staatsbürger sein. Niemand kann aber zugleich Jude und deutscher Staatsbürger sein. Wenn der Jude seinen Matzen ißt, so feiert er ein nationales Befreiungsfest, er fühlt sich als Mitglied der jüdischen Nation.» Worauf der Frankfurter Rabbiner Leopold Stein erklärte: «Wir sind und wollen nur Deutsche sein und wünschen kein anderes Vaterland als das deutsche.»

Als am 18. Mai 1848 genau 830 Abgeordnete aus allen deutschen Ländern – davon 550 Akademiker – in festlicher Prozession in die Paulskirche einzogen, um eine deutsche Verfassung und einen deutschen Kaiser zu wählen, hatte man die Orgel durch ein Kolossalgemälde der Germania verdeckt. Wo sonst der Altar stand, befand sich der Stuhl des Präsidenten. Die Anregung, diese erste deutsche Nationalversammlung mit einem Gebet zu eröffnen, fand keine Mehrheit. Der Abgeordnete Raveau aus Köln vergaß offenbar, wo er sich befand, rief laut, Beten gehöre in eine Kirche und fügte noch hinzu: «Hilf dir selbst, so hilft dir Gott.» Die Welt hatte sich endgültig aufgemacht, ihre Angelegenheiten selbst zu erledigen, ohne auch nur mit einem Auge zum Himmel zu schielen. Es war nur folgerichtig, daß sich die Mehrheit der Versammlung für eine völlige Religions- und Glaubensfreiheit aussprach und in Paragraph 17 der geplanten Verfassung die Trennung von Staat und Kirche proklamierte: «Jede Religionsgemeinschaft ordnet und verwaltet ihre Angelegenheiten selbständig, bleibt aber den allgemeinen Staatsgesetzen unterworfen. Keine Religionsgesellschaft genießt vor anderen Vorrechte durch den Staat; es besteht fernerhin keine Staatskirche.»

Einige radikale Rationalisten machten sich für eine deutsche Nationalkirche stark, die Juden und sämtliche christlichen Konfessionen umfassen sollte. Man bastelte an einem eigenen Glaubensbekenntnis und sang: «Wir haben keine Heil'gen / Und keinen Gott im Dom; / Uns blühn die Martyrveilchen / An der Geschichte Strom, / Am Strom der jungen Ferne, / Deß blutgefärbte Bahn / Rauscht durch das Beet der Sterne / Zum Sonnenozean.» Auf Flugblättern erschienen in Frankfurt auch kirchenfeindliche Umdichtungen des Vaterunsers, und ein «Gottesurteil» zeigte Jehova, der Deutschland endlich vom«Fürsten- und Pfaffenübermut» befreien würde. Dann wieder sah man ein Transparent mit dem markigen Spruch: «O Luther, deutsche Eiche / O Gutenberg du Held, / Das Wort ist frei von Fesseln, / Wie schön ist nun die Welt.» Es waren aufregende Tage in Frankfurt voller Pläne und Träume.

Im ganzen Land arbeiteten derweil pietistische wie milde aufgeklärte Pfarrer mit aller Kraft daran, diese friedliche Revolution, die nicht Umsturz bringen, sondern den Weg zu gemäßigten bürgerlich-demokratischen Freiheiten öffnen sollte, zu Fall zu bringen. Der Bremer Pastor Friedrich Mallet schrieb 1848 in dem von ihm herausgegebenen «Bremer Schlüssel» über die politischen Reformer: «So haben sie denn auch dießmal statt der Güter, die sie verheißen, uns nur zwei Ungeheuer gebracht ... Das eine dieser Ungeheuer wird gewöhnlich die Volkssouveränität genannt. Dieses ist eigentlich ein Gespenst, von dem man gar nicht sagen kann, daß es irgendwo eine Existenz habe, sondern das unsichtbar umherspukt, alles aufregt, und verwirrt, jede menschliche Ordnung unmöglich macht und nothwendig zum Volksruin führen muß. Das andere Ungeheuer ist die Demokratie, das Kind der Volkssouveränität, dem man das Gespenstige der Mutter nicht ansieht, denn es hat einen dicken Kopf, eine gewaltige Zunge, derbe Fäuste und einen umfangreichen Leib, der aber ganz leer ist, und darum gern alles verschlingen möchte.»

In Schwaben predigte der ehemalige Korntaler Pfarrer Sixt Carl Kapff, inzwischen zum Dekan in Münsingen und Herrenberg aufgestiegen, den Christen: «Die ärgsten dieser Demokraten sind die gräßlichsten Blutmenschen, die an Mord und Brand eine teuflische Lust haben, deren Höllenpläne auf das Niederreißen des ganzen Gebäudes der gesellschaftlichen Ordnung gehen, denen Staat, Kirche, Eigenthum, Ehe, Bürgertugend und Bürgerglück eine Thorheit und ein Aergerniß sind, eine Herrschaft der zügellosen Leidenschaften errichten möchten, in der einer gegen alle und alle gegen einen stünden und die schöne Erde bald in eine blutgetränkte Schreckenswüste verwandelt wäre.»

Die Mehrzahl der treuen Kirchgänger brauchte nicht erst durch solche Horrorbilder davon überzeugt werden, daß jede Veränderung der bestehenden Ordnungen gegen Gottes Willen geschehe. In Langenberg war der Mechanicus Arnold Volkenborn im März 1848 gerade dabei, aus einem alten, viel zu engen Haus in eine neue kleine Fabrik zu ziehen. In seiner Autobiographie erinnert er sich: «Daß Haus war nicht halb fertig, die Gelder reichten nicht aus; nun kam die Revolution in die ganze Welt und leider auch hier ...» In Elberfeld gab es Straßenkämpfe, Barrikaden wurden gebaut, von denen man den «Pietisten und Muckern» zurief: «Jetzt hört das Beten auf.» Worauf es ungerührt zurückschallte: «Nein, jetzt fängt es erst richtig an.» Mancher Pastor bekam eine geballte Faust zu sehen.

Der Fabrikant Eduard Colsman geriet über den «Mord und Tumult» in so «gewaltige Aufregung», daß er im April 1848 aus Angst um seine Gesundheit beschloß, «in 8 Tagen keine Zeitung zu lesen». In dem Schwarzwaldstädtchen Calw legte der Notar Louis Widmann sein Amt als Gemeinderat nieder. Seinen Mitchristen gab der überzeugte Pietist im Oktober 1848 diesen Rat: «Gegenwärtig will alles wirken, eingreifen ... Rath geben, Gesetze machen, ordnen ... Bleiben wir nüchtern und ziehen wir uns immer mehr von außen hineinwärts ... Weisheit und Geduld ist vonnöthen. Warten und Stillesein, stark werden am inneren Menschen.» Es war der alte Trugschluß jener, die sich von den bösen Händeln der Welt fernhalten wollten und glaubten, durch politische Abstinenz nicht schuldig zu werden an den irdischen Entwicklungen.

Tatsächlich unterstützten diese Frommen – vor allem in Zeiten des Umbruchs – mit ihrem Nichtstun jene Kräfte, die mit aller

Macht die traditionellen Lebens- und Regierungsformen erhalten wollten.

Das Gesamtbild während der Revolution ist eindeutig: Das feste Bündnis zwischen «Thron und Altar», zwischen den aristokratischen Mächten und den protestantischen Kirchen, stemmte sich gegen Änderungen und Demokratie – und blieb Sieger. Aber es wäre ungerecht, darüber jene anderen Theologen zu vergessen, die diesseits der Barrikaden standen; die für mehr Freiheit eintraten und dabei mehr riskierten als ihre Amtsbrüder, die von den Kanzeln alles diffamierten, was nach Demokratie aussah. Als im Frühjahr 1849 das Frankfurter Parlament endgültig auseinandergejagt, Aufstände, vor allem in Baden, blutig niedergeschlagen waren und jeder, der ein offenes Wort gesagt hatte, es nun büßen mußte, fehlten auch die Pastoren unter den Angeklagten nicht.

Zwei Männer, die im Frühjahr 1849 in Baden versuchten, mit Gewalt die versprochenen Freiheiten zu retten und die Republik ausriefen, kamen von der evangelischen Theologie her. Georg Herwegh hatte eigentlich Pfarrer werden wollen, war aber schon als Theologiestudent einem anderen Gott gefolgt. 1841 hatte er, der zum Dichter der Revolution wurde, geschrieben: «Reißt die Kreuze aus der Erden, / alle sollen Schwerter werden, / Gott im Himmel wirds verzeihn. / Gen Tyrannen und Philister! / Auch das Schwert hat seine Priester, / und wir wollen Priester sein.» Kein Wunder, daß Herwegh bis zu seiner Rückkehr 1849 im Schweizer Exil lebte. Als Johann Gottfried Kinkel wegen Beteiligung am badischen Aufstand zum Tode verurteilt und dann zu lebenslänglichem Zuchthaus begnadigt wurde, war er Professor für Kunstgeschichte in Bonn. Der Sohn eines Pfarrers war studierter Theologe, der sich auf die christliche Kunstgeschichte spezialisiert hatte. 1850 wurde Kinkel auf abenteuerliche Weise von Karl Schurz aus dem Gefängnis befreit. Schurz floh anschließend in die USA, wo er Minister wurde, Kinkel nach England.

Insgesamt kam es in Baden zu 23 gerichtlichen Untersuchungen gegen evangelische Geistliche. Georg Heinrich Grohe aus Weingarten wurde zwangspensioniert. Von der Kanzel und vor dem Rathaus der Stadt hatte er erklärt: «Die Fürsten ziehen im Land herum wie Räuber und führen Krieg auf Kosten der armen Leute.»

Der Diakon Eisenlohr hatte in vollem Talar eine Fahne der Aufständischen geweiht. Dafür kam er ein Jahr ins Arbeitshaus. Drei Jahre Zuchthaus erhielt Johann Georg Stierle aus Neckargerach. Ein Denunziant meldete, der Pfarrer habe gesagt, «die deutschen Fürsten hätten dem Volk dasjenige nicht gehalten, was sie schon vor dreißig Jahren versprachen. Das Volk sei seither ausgesaugt worden ... Es wäre jetzt Zeit, daß man sich bewaffne.» Insgesamt vier Pfarrer wurden zu Zuchthausstrafen zwischen neun und zwölf Jahren verurteilt.

In Rostock wurde der Theologieprofessor Julius Wiggers, der 1848 für maßvolle Veränderungen eingetreten war, Anfang der fünfziger Jahre in einen Hochverratsprozeß verwickelt und fast vier Jahre lang unter härtesten Bedingungen in Untersuchungshaft gehalten. Als im März 1848 die Demonstranten in Magdeburg ihrer Unzufriedenheit Luft machten, riefen sie: «Es lebe Uhlich.» Der ehemalige Pfarrer, wie alle anderen Gesinnungskollegen von den «Lichtfreunden» und «Freien Gemeinden», trat in öffentlichen Versammlungen für Verfassung und Bürgerfreiheit ein. In Halle forderte Wislicenus die Republik. Die meisten «Lichtfreunde» wurden nach dem Zusammenbruch der demokratischen Hoffnungen mit Anklagen und Strafgeldern verfolgt. Uhlich stand bis 1852 sechzehnmal vor dem Richter.

Für jene Theologen, die sich für die Demokratie engagierten, war das Christentum nicht an eine bestimmte Regierungsform gebunden. Mehr noch: Es hatte da zu stehen, wo es um mehr Freiheit ging, weil für sie die Freiheit, von der in den Evangelien die Rede ist, auch den politischen Bereich mit einschloß. Sie hielten sich nicht mehr an Luther, der den aufständischen Bauern bestritten hatte, daß sie ihre politischen Forderungen im Namen Christi stellen durften. Mit politischem Hintersinn predigte Pfarrer Kuhlemann 1848 an der Lemgoer Marienkirche über ein Zitat aus dem zweiten Brief des Apostel Paulus an die Gemeinde in Korinth: «Der Herr ist der Geist; wo aber der Geist des Herrn ist, da ist Freiheit.»

Wer so predigte, stand im Gegensatz zur Mehrzahl seiner Amtsbrüder, die die Freiheit eines Christenmenschen nur auf geistliche Dinge beschränkt wissen wollten. Für die jeder, der auf Veränderungen der traditionellen weltlichen Ordnung hinarbeitete, ein

Gottesleugner war. Friedrich Heinrich Ranke, Konsistorialrat in Ansbach, setzte über seine Predigten des Jahres 1848 das Motto: «Ein Zeugnis gegen den Geist der Revolution und des Abfalls von Gott.» Ohne Gespür dafür, wie viele kritische Zeitgenossen, die keineswegs Umstürzler und Revoluzzer waren, die Kirche enttäuscht hatte; ohne Einsicht, wie sehr sich die Kirche mit ihrer einseitigen Parteinahme für die Herrschenden schadete, schrieb der Pastor Heinrich Alexander Seidel tief in der mecklenburgischen Provinz 1851 einem Freund: «Meine Gemeinde ist durch Gottes Gnade, zeitweise Verirrungen Einzelner abgerechnet, glücklich durch den Sturm der letzten Jahre hindurchgekommen, und es scheint, als hätte ich die Popularität, die ich bei einem Theil infolge meines entschiedenen Auftretens gegen demokratische Einflüße verloren zu haben schien, doppelt wiedergewonnen ... Dieses ist darum nicht ohne Werth, weil ich mit Recht annehme, daß die Wahrheit selbst sich Bahn gebrochen hat.»

Von den vorgegebenen Ordnungen abzuweichen, war für Martin Luther ein Zeichen des Aufruhrs. Er stand fest in der feudalen Welt des Mittelalters. Ihn mit Begriffen wie Demokratie oder politischer Freiheit im Sinn der Aufklärung zu konfrontieren ist eine unhistorische und unfruchtbare Perspektive. Luther fühlte sich als Prophet Gottes und ermunterte Politiker wie Juristen, die weltlichen Geschäfte in eigener Regie und Verantwortung zu betreiben. Der Theologieprofessor gab offen zu, in solchen Fragen keine Kompetenz zu haben – wenn nicht für seine Zeit, wieviel weniger für die Jahrhunderte nach ihm! Trotzdem hat Luther sich nicht gescheut, zu den Problemen des Tages Stellung zu nehmen wie im Bauernkrieg. Noch ehe das 18. Jahrhundert zu Ende ging, erkannten einsichtige Theologen, wie hoch der Preis war, den die lutherischen Kirchen für die Verweigerung gegenüber den Problemen ihrer Zeit zahlen mußten.

# Leere Kirchen
## und der Gott von 1871

Im Revolutionsherbst 1848 machten sich 500 führende Vertreter aus allen evangelischen Kirchen Deutschlands auf nach Wittenberg. Der Ruf nach einem geeinten Deutschland hatte sie angesteckt. Ein einheitlicher deutscher Kirchenbund sollte vorbereitet werden. Während man tagte, brachen in Frankfurt Unruhen aus, zwei Vertreter Preußens bei der Nationalversammlung wurden ermordet. Nichts paßte denen besser ins Konzept, die vom Kirchentag verlangten, die Revolution als eine Lästerung «irdischer und göttlicher Majestät» zu verurteilen. Dem Antrag wurde lebhaft applaudiert. Aber er kam dann doch nicht zur Abstimmung. Man hielt es am Ende für opportuner, nicht ganz so heftig Flagge zu zeigen. Noch wußte man ja nicht, wie die Revolution enden würde.

Die große Mehrheit dieser evangelischen Christen hatte nichts dazugelernt. Fixiert auf die Monarchie als einzige christliche Staatsform und den Gehorsam als höchste christliche Tugend, war sie wohl auch nicht lernfähig. Um so befremdlicher muß es ihr in den Ohren geklungen haben, als ein Pfarrer aus Hamburg am Grab Luthers dieser privilegierten und saturierten Versammlung die Leviten las: «Unerhörtes ist geschehen, und noch Unerhörteres wird vielleicht geschehen, aber wen, dem die zerrütteten Verhältnisse des Volkslebens auch nur einigermaßen bekannt waren, konnte und wird das überraschen? ... Die evangelischen Prediger müssen sich zuerst mit ihren Brüdern im Amte sammeln und in bezug auf das in diesem Gebiet Versäumte Buße tun und durch ihre Buße die Gesamtheit der Gemeinde zur Buße bewegen! ... Es ist hier eine gehäufte Schuld, nicht des einzelnen, sondern der Gesamtheit; eine

Schuld, nicht bloß dieses Geschlechtes, sondern eine ererbte und von Jahrhundert zu Jahrhundert vererbte Schuld, eine Schuld, die jetzt im neu aufbrechenden Zeitalter gesühnt werden soll.» Um die Verhältnisse zum Besseren zu wenden, und «die Staatsbürger wieder mit christlichem Geist zu erfüllen», forderte der Redner, die von ihm gegründete «Innere Mission» als offizielle Organisation des geplanten Kirchenbundes anzuerkennen.

Eine richtige Bußpredigt hat etwas Erfrischendes. Zumal wenn sie die Lösung eines schweren Problems verspricht. Die fünfhundert Mann, mitgerissen von einem engagierten und seiner Vision eines neuen christlichen Staates, erhoben sich spontan als Zeichen der Zustimmung. Am Abend schrieb der Gefeierte an seine Frau: «Damit hat Gott ein Werk getan, wie es in seiner evangelischen Kirche noch nicht geschehen ist. Die protestantische Kirche wird damit, was sie noch nicht gewesen ist, eine wahrhaftige Volkskirche.»

Es war Johann Hinrich Wichern, der im September 1848 in Wittenberg so überzeugend für seine Idee warb. Der gebürtige Hamburger hatte sich als angehender Pfarrer nicht auf die feinen Wohnviertel der Hafenstadt konzentriert. Er lernte ab 1831 aus eigener Anschauung das Elend der arbeitenden Klasse kennen, die in den schnell wachsenden Städten unter unmenschlichen Bedingungen lebte, mit einem Hungerlohn und ohne soziale Hilfen ihrem Schicksal überlassen war. Wichern hatte keine Berührungsangst vor verwahrlosten Kindern, Bettlern und Prostituierten. Als sich die frühen Vorläufer der industriellen Revolution zeigten, erkannte dieser Geistliche, daß die soziale Frage die größte Herausforderung an die Kirche sein würde. Und er wollte es nicht bei der Analyse belassen.

1833 zog Wichern in eine kleine Kate am Rand von Hamburg, seit alters das «Rauhe Haus» genannt und nahm zwölf Jungen im Alter von fünf bis achtzehn, die sich bisher mit Diebstahl und Bettelei durchs Leben schlugen, auf. Es war der Anfang einer christlichen Jugendfürsorge, die in familienähnlichen Gruppen Jugendliche, die keinerlei Rückhalt und Ausbildung hatten, wieder zu Menschen machen wollte, die sich in der Gesellschaft zurechtfinden und auf eigenen Füßen stehen konnten. Sie lernten im «Rauhen Haus» ein Handwerk und auch, wie man Feste feiert. Neu an dieser kirchlichen Pädagogik war Wicherns Grundregel, nach der man überall in Deutschland in solchen «Rettungshäusern» erziehen sollte: «Alle Einrichtungen müssen derart sein, und bleiben, daß sie Vertrauen ausdrücken und darum gibt es in einem Rettungshaus keine Mauer, keine Zäune, keine Schlösser und Riegel, keine Spionage.»

Wichern war nicht der einzige evangelische Christ, der in diesen Jahren in der Sozialarbeit aktiv wurde. In der Tradition des frühen Pietismus, als August Hermann Francke in Halle seine Erziehungsanstalt gründete, hat die Erweckungsbewegung in der ersten Hälfte des 19. Jahrhunderts den Sinn für soziale Mißstände geschärft. Im pietistischen Württemberg entstanden ebenfalls «Rettungshäuser» für elternlose Jugendliche. Im Bergischen Land gründete Graf Recke für die Armen eine Erziehungsanstalt. In Kaiserwerth bei Düsseldorf ließ der Pastor Theodor Fliedner 1836 zum erstenmal in Deutschland unverheiratete Frauen als Krankenpflegerinnen ausbilden und gab ihnen den Namen Diakonissen. Fliedner gründete allerdings keinen neuen weltlichen Berufsstand. Er beharrte darauf, daß in seiner «Bildungsanstalt für evangelische Pflegerinnen» nur «Mägde Christi» aufgenommen wurden. Frauen, die sich in ihrem zukünftigen Beruf immer auch als Missionarinnen verstanden. Die in klösterlicher Askese und strengstem Gehorsam ohne Mitverantwortung und ohne eigene Initiative sich im Dienst am Nächsten aufopferten.

Auch Wicherns Glaube war von der Erweckungsbewegung geprägt. Als Student der Theologie in Berlin hörte er Schleiermacher und kam, wie so viele andere, in das Haus des Barons von Kottwitz. Er sah jedoch weiter als andere engagierte Zeitgenosssen und Glaubende. Dieser Theologe wollte nicht bloß punktuell die Not lindern und erkannte, daß ein einzelner scheitern mußte, weil dieses Problem politische und soziale Dimensionen hatte. Die miserable Lage der unteren Schichten und ihre Entfremdung von der Kirche konnte nur durch eine umfassende und außergewöhnliche Anstrengung behoben werden. Andere Zeitgenossen außerhalb der Kirche hatten sich schon darangemacht, das Übel zu analysieren und ihre eigene Heilungsmethoden zu propagandieren. Wichern nahm die Herausforderung an.

Noch vor dem Wittenberger Kirchentag erschien im Sommer 1848 Wicherns Schrift «Der Kommunismus und die Hilfe gegen ihn». Sie beginnt so: «Kommunismus – der Name wirkt jetzt wie ein Medusenhaupt. Die Furcht geht vor ihm her und läßt das Blut in den Adern der bürgerlichen Gesellschaft erstarren.» Frappierend ist die Ähnlichkeit mit dem ersten Satz jener Schrift, die im Februar des gleichen Jahres erschienen war: «Ein Gespenst geht um in Europa – das Gespenst des Kommunismus.» Wichern ist bereit zuzugeben, daß im Kommunismus eine Wahrheit verborgen steckt, die die Kirche bis zu diesem Augenblick nicht erkannt hat, «wie Ungeheures, Maßloses die Kirche bis dahin unterlassen, versäumt und darum gesündigt hat». Es ist das Elend der Proletarier, aber für den Theologen Wichern nicht nur das materielle. Neben der konkreten Not herrscht «der weitverbreitete Abfall» von Gott. Beides hängt zusammen und muß deshalb gleichzeitig behoben werden. Staat und Kirche tragen die Verantwortung: «Wie der Staat mit dem Aufgebot ganz neuer Kräfte und der Anwendung so tief greifender Mittel, daß alle Staatsbürger sie empfinden und direkt oder indirekt dazu werden mitwirken müssen, den materiellen Pauperismus in allen seinen Gründen, Folgen und Wirkungen zu ergründen und zu bekämpfen hat, also auch die Kirche in ihrer Art den ihr angehörenden inneren Pauperismus, nämlich jene Erscheinungen der massenhaften sittlichen und christlichen Entartung im Volk.» Eine «innere Mission» mußte in Gang gesetzt werden. Der Pfarrer aus Hamburg wollte sie organisieren. Sie bedeutete nicht weniger als eine umfassende Reform der lutherischen Kirchen.

Wichern machte ganz konkrete Vorschläge: «Die Angelegenheiten des Proletariats müssen auf die Kanzel und so in die Gemeinden gebracht werden ... Kommen die Leute nicht in die Kirche, so muß die Kirche zu den Leuten kommen. So hat es auch der Herr Christus gemacht, der zu uns gekommen und nicht gewartet, bis wir zu ihm gekommen. Wir müssen Straßenprediger haben, vornehmlich in den großen Städten. Die Straßenecken müssen Kanzeln werden, und das Evangelium muß wieder zum Volk dringen.» Was dem Proletariat gepredigt werden sollte, darüber ließ Wichern keine Zweifel: «Die Familie, der Staat und die Kirche mit den ihr wesentlichen eingeborenen Ämtern sind die drei Zentren, um die sich alle derartige Tätigkeit sammelt. Alle drei gelten der inneren Mission unbedingt als göttliche, lebendig ineinander wirkende Stiftungen, welche von ihr heilig gehalten werden und denen sie sich einordnet ... denn an dem Umsturz dieser drei müht sich der Geist, um, wenn es möglich wäre, den Glauben, daß diese Stiftungen aus Gottes Hand sind, auszurotten und damit den Umsturz alles dessen, was teuer und heilig ist, zu vollenden.» Hier lag der Knoten, der Wicherns Programm zusammenhielt.

Der Hamburger Pfarrer koppelte sein Ziel, nämlich das Elend der Arbeiter grundsätzlich zu beseitigen, an die Erhaltung des Staates von vor der Revolution von 1848: protestantisch-christlich und streng autoritär regiert. Wer die Not bekämpfen wollte, aber sich nicht zu dieser Art Staat bekannte, konnte kein Bundesgenosse sein. Er war ein Gegner, weil er in Wicherns Augen den Umsturz plante, gegen die Kirche und gegen Gott kämpfte. Damit waren in der evangelischen Kirche für die Sozialreformer die Weichen gestellt: Der Feind stand links. Letzten Endes griff auch Wichern angesichts neuer Probleme nur auf das alte evangelische Mittel zurück. Er stürzte das traditionelle Bündnis zwischen Kirche und Staat in Nibelungentreue und erhoffte daraus das Heil: «Es gilt die Rettung der bürgerlichen Welt, um deswillen wir uns treu zu unserm Vaterlande halten ... die innere Mission ist ebenso wahrhaft patriotisch, als sie das Schwert führt gegen die, welche sich gegen die Kirche erheben. Vaterland und Kirche – sie können in diesen Stürmen untergehen, aber nur, um herrlicher wieder aufzustehen.» Konnte man so die Arbeiter gewinnen?

1849 wurde ein «Centralausschuß der Inneren Mission» gegründet, um der Umsetzung von Wicherns Projekt in die Praxis etwas näherzurücken. Da trafen sich stockkonservative preußische Adlige, hohe Beamte und Geistliche, um dem Elend des Proletariats abzuhelfen. Die Sache hatte keine Zukunft. Als der Centralausschuß 1851 ein Preisausschreiben zur sozialen Frage ausschrieb, wurde der erste Preis ausgerechnet an den pietistischen Prälaten Sixt Carl Kapff in Württemberg vergeben, der 1848 öffentlich Demokraten als «ärgste Bluthunde» diffamiert hatte, die «die schöne Erde bald in eine blutgetränkte Schreckenswüste» verwandeln wollten. Nicht viel anders las man es dann in seinem preisgekrönten Traktat «Die Revolution, ihre Ursachen, Folgen und Heilmittel».

Es war aber keineswegs Kapffs letztes Wort zu diesem Thema. 1856 erschien von ihm in Stuttgart «Der glückliche Fabrikarbeiter, seine Würde und Bürde, Recht und Pflichten, Sonntag und Werktag, Glaube, Hoffnung und Gebet». Zu einer Zeit, als die Kirche christlichen Fabrikbesitzern Kinderarbeit nicht ausreden konnte, schreibt Pfarrer Kapff: «Wie das Militär für viele rohe und ungebildete Menschen eine Bildungsanstalt seyn kann, in der sie vieles lernen, so könnten auch die Fabriken treffliche Schulen werden, in denen mehr Anstand, mehr Ordnung, Gehorsam und gute Sitten gelernt werden.» Um die Pflichten zu definieren, brauchte dieser Theologe dreißig Seiten, für die Rechte genügten zehn, und er zögerte nicht, sie sogleich wieder einzuschränken. Die Unternehmer könnten in «Nothfällen» Sonntagsarbeit anordnen, die Arbeiter dagegen dürften «nicht das Recht haben, sich zu verabreden oder zu verschwören, sie wollen nicht mehr arbeiten, bis daß ihr Lohn erhöht werde». Eine eindeutige Absage an das Streikrecht.

Wicherns Pläne scheitern. Nicht nur am inneren Widerstand. Die Idee von der Inneren Mission war auf einen selbstkritischen Staat angewiesen. Doch weder Preußen noch andere deutsche Staaten waren bereit, tiefgehende Reformen, die der Hamburger Theologe zweifellos forderte, durchzuführen. Die Christen, die an den Hebeln von Macht und Einfluß saßen, wollten auf Privilegien und Vorteile nicht verzichten. Die «innere Wiedergeburt», die Wichern vor allem verlangte, scheiterte schon bei seinen engsten Bundesgenossen, den hohen Herren im Centralausschuß. Ihre Devise blieb: Wer im Elend lebt, ist selber schuld. Ebenfalls vergebens kämpfte Wichern 1862 im preußischen Landtag für eine Gefängnisreform. Er schleudert den Abgeordneten entgegen, sie sollten sich einmal die menschenunwürdigen Zustände vor Ort besehen. Doch den Mächtigen ist dieser Mann mit seinem sensiblen Gewissen lästig geworden. Sie verziehen keine Miene – abgelehnt.

Konsequenzen hat Wichern aus der Verstocktheit seiner Mitmenschen nicht gezogen. Wieviel Angst muß in den Herrschenden vor noch so winzigen Veränderungen gesteckt haben, wenn selbst ein Mann wie Wichern sich davon nicht frei machen konnte. Sein Glaube an die besondere Verantwortung des christlichen deutschen Staates wankte nicht, seine Ablehnung kommunistischer und sozialistischer Gedanken wurde immer entschiedener. 1871 faßte der Dreiundsechzigjährige auf einer kirchlichen Konferenz noch einmal seine Überzeugungen zusammen. Das war der Ausgangspunkt: «Die soziale Frage gehört der ganzen Kulturwelt an, und der Staat ist dabei ebenso beteiligt wie theoretisch und praktisch die Kirche.» Beide – Staat und Kirche – stehen bei der Lösung dieses Problems einem gemeinsamen Feind gegenüber: «Die kommunistische Internationale ist eine Gesellschaft des Krieges und des Hasses, sie hat zur Grundlage den Atheismus und den Kommunismus, zum Ziel die Vernichtung des Kapitals und derjenigen, welche es besitzen, als Mittel die brutale Gewalt des großen Haufens, die alles zerdrücken soll, was zu widerstehen sucht. Ihre Verhaltensregeln sind die Negation aller Prinzipien, auf welchen die Zivilisation ruht.» Einem solchen theologischen Feindbild konnten alle konservativen Politiker applaudieren.

Wer nicht daran glaubte, daß Christentum und staatliche Ordnungen auf Gedeih und Verderb zusammengehörten, wer versuchte, diese unheilige Allianz aufzubrechen, der war auch freier in seinem Blick auf die sozialen Probleme. Der konnte die wirtschaftliche Dimension sehen, ohne gleich Atheismus zu wittern. Der wollte helfen, ohne gleichzeitig zu bekehren. Einer der wenigen Theologen mit solcher unverstellten revolutionären Sicht war Rudolph Dulon, Anhänger einer rationalistischen Theologie, Sympathisant der «Lichtfreunde», Pfarrer in Magdeburg und Bremen und in der Hansestadt 1848 einer der führenden Männer der demokratischen Bewegung. Dulon ließ 1853 eine Schrift «An meine Gemeinde in Nord und Süd» drucken: «Und wenn wir elenden, zerlumpten Schluckern begegnen, so sind wir traurig, nicht weil ihnen die himmlische Seligkeit abhanden kommen könnte, sondern weil ihnen Brod, Kleider und Schuhe fehlen, weil sie sich mit einem unsäglichen irdischen Elend herumschleppen müssen. Diesem möchten wir abhelfen. Ihren Kindern möchten wir gute Schulen verschaffen, nicht damit sie beten, sondern damit sie als Menschen leben, menschlich arbeiten und menschlich sich freuen lernen. Die Sorge für die himmlische Seligkeit überlassen wir gern dem lieben Gott, weil wir Nützlicheres zu thun haben.»

Nach solchen Aussagen muß man um diese Zeit mit der Lupe suchen. Die große Mehrzahl der evangelischen Pfarrer plagte sich – aus Überzeugung – damit ab, der Basis das zu vermitteln, was Wichern im großen angestrebt hatte. Sie predigten noch lange nach 1848 gegen das «Unwesen» der Revolution und mahnten die Gemeinde, ruhig ihrer Arbeit nachzugehen. Als in dem Leineweberdorf Waake im Göttinger Umland die Leineweber durch die immer stärker werdende Industrialisierung ihre Arbeit verloren, Hunger und Cholera hinzukamen, bekam der Pfarrer von den verarmten Bewohnern «Schmähungen und Drohungen» zu hören. Am nächsten Sonntag tadelte er von der Kanzel hart solches «anmaßende, öffentliche Unruhe erregende und die weltlichen Vorgesetzten verfolgende Unwesen». Gleichzeitig war der Gottesmann keineswegs blind für die «verzweifelte Lage» der Arbeiter und rief die Gemeinde zu tätiger Nächstenliebe auf. Das wiederum nahmen ihm die gut versorgten Christen übel. «Man zürnte mir schon darum, daß ich mich jener Leute annehm.»

Als der Landpfarrer Carl Büchsel, geboren 1803, in seinen Lebenserinnerungen seinen Dienst in Ostpreußen beschrieb, schilderte er die erbärmlichen Bedingungen, unter denen die Landarbeiter sich für ihre Herren zu Tode arbeiteten. Kein Verständnis brachte er jedoch dafür auf, daß diese geschundenen Menschen von der Kirche nichts mehr wissen wollten und für traditionelle Formen der Frömmigkeit nur Spott übrig hatten. Pfarrer Büchsel sah diese Abkehr nicht als Folge, sondern als Ursache des wirtschaftlichen Elends. Er forderte mehr Polizei und ein hartes Durchgreifen der adligen Gutsbesitzer, damit die Landarbeiter wieder das Fürchten lernten, denn «Freiheit ohne Gottesfurcht ist in der Tat nichts anderes als die Herrschaft Satans auf Erden». Eine Ausnahme war dieser Theologe nicht.

Wie reagiert man auf eine Krise? Die evangelische Geistlichkeit zögerte nicht mit der Antwort: Indem man sich fest an die alten Ordnungen und Formeln klammerte, seien sie weltlicher oder geistlicher Art. Denn daß es kriselte, war auch im kirchlichen Bereich nicht mehr zu übersehen. Als in Lübeck immer weniger Menschen in die Gottesdienste gingen, strich man das Angebot von 45 Gottesdiensten pro Woche in der ganzen Stadt auf sechzehn zusammen. Von dreizehn Kirchen waren in der zweiten Hälfte des 19. Jahrhunderts noch sechs in Betrieb. Das war bitter für die Lübecker Geistlichkeit, aber eine praktische Konsequenz, die nichts am Herkömmlichen änderte. Kritischer wurde es, als 1863 der Prediger an St. Jacobi mit dem Vorstand seiner Kirche dafür plädierte, statt der immer noch praktizierten Privatbeichte eine allgemeine öffentliche Beichtfeier einzuführen. Die private Beichte hatte längst ihren Sinn als persönliches Seelsorgegespräch verloren. Inzwischen kamen Familien geschlossen in die Kirche, stellten sich vor dem Beichtstuhl auf, sprachen ein Gebet, empfingen kollektiv die Absolution und zahlten ihr Beichtgeld.

Der Antrag wollte eine tote kirchliche Frömmigkeit abschaffen und den einzelnen wieder stärker in eine aktive Gemeindefrömmigkeit hineinziehen. Das geistliche Ministerium in Lübeck stimmte der Diagnose zwar zu, suchte das Heil aber in der entgegengesetzten Therapie: «In Zeiten religiösen Aufschwunges und überströmenden Lebens mag man jede neue Form einführen, sie wird Leben gewinnen. In einer Zeit dagegen, wie die gegenwärtige, in welcher die Massen dem kirchlichen Leben mehr abgewendet als zugewendet sind, ist große Gefahr vorhanden, daß mit dem Zerbrechen einer vielen noch ehrwürdigen Form von vornherein eine todte bleibt.» Jeder kann für sich selbst entscheiden, was er tut, wenn der Sturm aufkommt: Im Schiff bleiben und hoffen, daß alles vorübergeht, oder in die Rettungsboote steigen und versuchen, unter anderen neuen Bedingungen zu überleben. Eine Garantie gibt es in beiden Fällen nicht.

Die seltene Ausnahme, daß kirchliche Traditionen nicht erstarrten, sondern neu belebt wurden, war auf den Friedhöfen zu sehen. Beerdigungen waren im Laufe des 18. Jahrhunderts in der christlichen Gesellschaft zu einer rein privaten Zeremonie geworden, bei der der Pfarrer höchstens als stummer Zeuge am Grabe stand. Als Lübeck 1832 einen «Allgemeinen Gottesacker» anlegte – vor den Toren und ohne Kirche –, erließ der Rat sogar die Verordnung, daß es nur noch bei den Beerdigungen von Klasse eins bis drei für die Wohlhabenden – insgesamt gab es sechs – freistand, eine Trauerrede zu bestellen. Der Tod wurde benutzt, um die gesellschaftlichen Unterschiede gegen alle Aufweichungstendenzen sichtbar zu machen. Nun allerdings drängte das geistliche Ministerium auf Änderung. Doch der Rat weigerte sich. Daraufhin entschlossen sich die Pfarrer, auf eigene Initiative allen, die es wünschten, das letzte Geleit zu geben und in der Pfarrkirche eine Trauerfeier zu halten. Ein Begräbnisverein sammelte Spenden, und 1869 wurde eine Grabkapelle auf dem Friedhof vor dem Burgtor eingeweiht. Dort wurden zwischen 1880 und 1884 erst 36,5 Prozent aller Toten mit einem lutherischen Pfarrer zu Grabe getragen. Am Ende des Jahrzehnts waren es 48,7 Prozent, 1900 schon 63 Prozent und 1914 bei Kriegsausbruch 73 Prozent. Und das war eine positive Ausnahme. In Hamburg gab es noch 1899 so wenige kirchliche Beerdigungen, daß niemand eine Statistik anlegte.

Johann Hinrich Wichern hatte richtig gesehen: Die alles beherrschende Diskussion nach der Jahrhundertmitte war die Arbeiterfrage. Die Männer in den neuen Fabriken, die kleinen Handwerker, die von der Industrialisierung überflüssig gemacht wurden, sie alle meldeten ihre Rechte an. Sie wollten nicht mehr wie unmündige Kinder behandelt werden. Sie verlangten bessere Lebensbedingungen und politische Mitsprache. Langsam lernten sie, ihre Interessen zu organisieren, auch wenn es nicht ohne inneren Zwiespalt ging. Im Laufe der sechziger Jahre wurden zwei sich bekämpfende Arbeiterparteien gegründet. Dann jedoch trat etwas ein, das dieses Problem schlagartig in den Hintergrund drängte. Der gemeinsame Feind verwischte alle Klassenunterschiede, und es kam wieder die große Stunde der evangelischen Prediger: «Soll unser Volk die Schmach geduldig tragen, die ihm zugefügt ist? ... Ich durchblättere die Heilige Schrift ... und kann kein Ja auf diese Frage finden. Wohl gebietet der Herr, also mir jemand eine Streich gibt auf den rechten Backen, daß ich den anderen auch darbiete. Aber hier gilt es, meine Person und nicht die Gemeinschaft eines Volkes.» Wie einst zu Beginn des Jahrhunderts, ging es im Krieg von 1870 gegen Frankreich, und wieder hoffte die Mehrheit der Deutschen, daß am Ende mit dem militärischen Sieg die Einheit der Nation unter einem Kaiser zustande kommen möge.

Problemlos knüpften die Geistlichen an die national-religiöse

Begeisterung der Befreiungskriege an und setzten – wie einst gegen Napoleon – die Sache der Deutschen mit dem Willen Gottes gleich: «Es ist ein Krieg für Gottes Ehre und die Wahrung seines Reichs, ein heiliger Krieg, darin der heilige Gott auf unserer Seite steht, darin unsere Losung sein kann: Hie ist Immanuel! Hie Schwert des Herrn und Gideon.» Und wieder tönte es von den Kanzeln, daß der Tod auf dem Schlachtfeld zu Märtyrern im heiligen Krieg macht: «Auch die Schlachtfelder sollen Erntefelder des Herrn sein, auch die Lazarette der Verwundeten, auch die Gräber der Gefallenen Pflanzstätten seines Reiches.» Nachdem bei Sedan der Feind geschlagen war, zitierte der Hofprediger Emil Frommel den Dichter Emanuel Geibel: «Vom Rhein gefahren kam fromm und stark / Mit Deutschlands Scharen der Held von der Mark, / Die Banner folgen, und über ihm / In den Wolken zogen die Cherubim, / Ehre sei Gott in der Höhe.» Wer konnte da noch zweifeln, auf welcher Seite Gott stand?

Ganz einstimmig war der Jubel allerdings nicht. Manch einer sah voller Sorgen, daß Preußen in diesem Krieg die treibende Kraft war und am Ende ein preußischer König das Reich einigen würde. Und obwohl mit Preußen zum erstenmal eine protestantische Macht in Deutschland die höchsten Ehren übernehmen würde, gab es aus den Reihen der Evangelischen warnende Stimmen. Die in Leipzig und damit im Königreich Sachsen erscheinende «Zeitschrift für die gesamte lutherische Theologie und Kirche» schrieb 1871: «Und was wird die Frucht des jetzigen Kampfes sein? ... Ein Militärdespotismus, der nur für seine Zwecke Sinn, nur für seine Träger Geld hat und haben kann, der die Herrschaft des Mammonismus und des Materialismus, der Genußsucht und Frivolität begünstigen muß.» Die wenigen Pfarrer, die nach den deutschen Siegen nicht in nationales Hochgefühl ausbrachen, sondern Buße und Demut predigten, mußten ihre Haustüren fest verschließen und vor ihren Fenstern die Beschimpfungen ihrer Mitbürger anhören.

Die Außenseiter wurden ohnehin übertönt von Amtsbrüdern, die nicht lautstark genug Politik und Religion vermengen konnten. Auch wenn sie, wie der Pietisten-Pfarrer Sixt Carl Kapff doch eigentlich zu denen gehörten, die mit der Welt nichts gemein haben und fern von ihr selig werden wollten. Am Sonntag nach der

Kriegserklärung hatte Kapff gepredigt: «Ists möglich, fragen wir einander, ists möglich, daß unser friedliebendes Deutschland von seinem alten bösen Feind so mit Füßen getreten wird? ... Kann Gott solches Unrecht zulassen? Ein Schrei der Entrüstung, ja des Entsetzens über solchen Frevel geht durchs ganze deutsche Vaterland, jedes deutsche Herz wird kampfesfroh und todesmuthig ... Darum fühlen sich die Herzen höher gehoben und von flammender Begeisterung erfüllt, wie in den großen Tagen von 1813 ...» Der Sieg war dann die Bestätigung: Gott ließ es nicht zu!

Noch drastischer war der Stuttgarter Oberkonsistorialrat Karl Gerok, einer der einflußreichsten Geistlichen in Württemberg und einer der populärsten Erbauungsschriftsteller des 19. Jahrhunderts: «Wenn wir jetzt bis aufs Blut uns wehren vor der verlogenen ‹Civilisation›, welche die französischen Nachbarn uns an den Rhein herüber bringen wollen auf den Spitzen ihrer Bajonette, mit afrikanischen Barbarenhorden, die sie gegen unsere Söhne hetzen ... hätte es Gott nicht anders gewollt: sollten uns dann nicht auch die Augen aufgehen über all das Unheil, das im Frieden längst von dorther unser Vaterland überzogen hat, über den Schmutz der frivolen Literatur, der von dorther unser Volk vergiftet, über die Pest der leichtfertigen Sitten, die von dorther unsere Söhne ansteckt ... über die Narrheit ausländischer Moden, die von dorther unsre Frauen und Töchter bezogen haben, um sich zu entstellen von Scheitel bis zur Sohle? Herunter jetzt mit all diesem hohlen Flitter! ... Komm und werde wieder mein Volk, mein frommes, keusches, mäßiges, starkes, gesundes deutsches Volk.» Es ist die gleiche Koalition wie 1813: Eine Theologie, die gegen den Geist der Aufklärung in ihren Reihen kämpft, macht Gott zu einem deutschen Wesen und Frankreich, das Land der Aufklärung, zu einem Hort des Satans.

Noch einmal Pfarrer Kapff: «Weg mit all dem welschen Tand! Deutsch und christlich wollen wir sein in unsrem ganzen Leben! Gott hat unser Volk mit den edelsten Gaben ausgestattet. Diese unsere nationalen Gaben wollen wir schätzen und lieben und sie ferner nicht hingeben für das Flittergold der Aufklärung. Verflucht sei fürderhin jede Nachäfferei der Franzosen.» Und rückblickend auf das Jahr 1870 schreibt Pfarrer Gerok: «Wie Großes, wie Ungeheures hat Gott der Herr im verflossenen Jahr an uns, für uns, durch uns gethan!» Nur in Bad Boll predigt der fromme pietistische Pfarrer Johann Christoph Blumhardt: «Auf der Kanzel sollte man beim Evangelium bleiben. Der Geifer gegen Frankreich ist Sünde, und der Geifer für Frankreich nicht minder. Bleiben wir bei der Liebe nach beiden Seiten, und das andere walte Gott.»

Ganz im Gegensatz zur überkonfessionellen Begeisterung während der Freiheitskriege stand diesmal die Auseinandersetzung mit Frankreich im Zeichen einer antikatholischen Kampagne. Die protestantischen Zeitungen vergaßen nicht zu erwähnen, die «siegreich vordringenden deutschen Fahnen» seien «protestantische Fahnen». Man frohlockte, daß «mit Frankreich auch Rom besiegt» sei. Vielerlei kam zusammen: Zunehmende Spannungen zwischen den Konfessionen in der zweiten Hälfte des Jahrhunderts. Am Tag vor Kriegsausbruch war in Rom das Dogma der päpstlichen Unfehlbarkeit besiegelt worden. Nicht nur Protestanten sahen darin einen Rückfall in mittelalterliche Zustände und den Versuch des Papstes, sich wieder in die Politik einzuschalten. Andererseits wäre den Katholiken ein katholischer Österreicher an der Spitze des neuen Deutschen Reiches lieber gewesen als ein preußischer Protestant. Nicht ohne Grund fürchteten sie Benachteiligungen. Hatte doch der weltliche Präsident des geistlichen Konsistoriums in Berlin 1851 unverblümt über Preußen geäußert: «Kein Land kann existieren ohne eine herrschende Klasse, und diese Klasse sind bei uns nun einmal die Protestanten.»

Kaum war 1871 der Krieg beendet, brach überall in deutschen Ländern, vor allem aber in Preußen unter Bismarcks Führung, der Kulturkampf aus. Die Katholiken wurden zu «vaterlandslosen Römlingen». Was an der Oberfläche ein Kampf zwischen Katholizismus und protestantischem Staat war, bildete im Kern die uralte Auseinandersetzung um die Trennung von Kirche und Staat. Am Ende der siebziger Jahre, als Bismarck wieder einlenkte, war den Kirchen die wichtige geistliche Aufsicht über die Schulen entzogen und 1876 im ganzen Reich die zivile Trauung durchgesetzt.

Ähnlich wie in den Befreiungskriegen gegen Napoleon stellten die Pfarrer in diesem kurzen Krieg erfreut fest, «daß ein Zustrom

471

zur Kirche einsetzte». Und sie nutzten die Gelegenheit, die erschreckten Gewissen in ihren Dienst zu nehmen: «Der Ernst und die Not der Zeit sollen dazu dienen, die sicheren Herzen aufzurütteln aus dem Schlaf der Gleichgültigkeit und Gottentfremdung, in den Tausende unseres Volkes versunken waren.» Nach dem Krieg wurden in Württemberg in kirchlichem Auftrag die Lesebücher der Volksschulen umgearbeitet, um diese Wirkung festzuhalten. Nun lernten die Kinder, «Gott werde die Deutschen gegen ihren alten Erbfeind, die Franzosen, nur schützen, wenn sie einig und fromm seien». Wer sich den Blick vom Kriegsenthusiasmus nicht ganz trüben ließ, mußte bald feststellen, daß die national-religiöse Begeisterung nur ein Strohfeuer war und die wachsende Gleichgültigkeit von immer mehr Menschen gegenüber dem Glauben ihrer Kindheit nicht aufhalten konnte.

Der Tag, der den erfolgreichen Krieg in der Erinnerung der Deutschen halten sollte und vor allem das Gefühl, ein einiges, auserwähltes Volk zu sein, war der Sedanstag. Den einen brachte er den Schauer einer nationalen Gänsehaut, für die anderen wurde er zu einer protzigen Schau des preußisch-deutschen Militarismus. Die Idee zu diesem Festtag kam keineswegs von den Politikern oder Militärs. Ihr Urheber ist eine der eindrucksvollsten Persönlichkeiten der evangelischen Kirche im Kaiserreich, ein frommer und liebenswerter Mann, ohne Hang zu radikalem Überschwang – und doch nicht gefeit gegen die Gefahren, die das enge Bündnis zwischen Thron und Altar seiner Kirche brachte. Ohne Gespür dafür, wie begierig man seinen Vorschlag aufnehmen würde, um Gott weiterhin für die deutsche Sache in Beschlag zu nehmen, bis schließlich unter dem Schutz des religiösen Mäntelchens die Nation zum alles bestimmenden Götzen wurde. Der Mann, um den es geht, ist Friedrich von Bodelschwingh, berühmt geworden durch seine Gründung der Anstalten für körperlich und geistig behinderte Menschen in Bethel.

Der gebürtige Westfale arbeitete erst als erfolgreicher Landwirt, bis ihn «Gottes Hand berührte» und er ein erweckter Christ wurde. Er studierte Theologie und wurde Hilfsprediger bei der deutschen Gemeinde in Paris. Dann folgte Bodelschwingh einem Ruf an die westfälische Gemeinde Dellwig bei Unna. Dort starben 1866 seine vier Kinder an einer Keuchhustenepidemie. Ein Jahr darauf gründete er bei Bielefeld die «Heil- und Pflegeanstalt für Epileptische». Es ist der Beginn von Bethel, wo «Ausgestoßene der Gesellschaft» ein menschenwürdiges Leben führen sollen. Hier wurde keiner abgeschoben, begraben schon zu Lebzeiten, sondern durch individuelle Betreuung, durch Arbeit und Feste Mitglied in einer solidarischen Gemeinschaft.

Seit er in Dellwig amtierte, hatte Bodelschwingh die Idee, «ein allgemeines deutsches, von allen Konfessionen gleichmäßig zu feierndes Volks- und Kirchenfest» zu organisieren. Es sollte ein Mittel sein, die Menschen wieder gläubiger und sittsamer zu machen. Im Juni 1871 wurde in Dellwig von der Gemeinde ein großes Friedensfest organisiert. Es begann mit einem Dankgottesdienst. Dann wurde unter Trommelwirbeln und Fahnenschwenken eine Friedenseiche gepflanzt. Es gab ein festliches Essen im Freien und Spiele für die Kinder. Am Abend brannte Siegesfeuer, die Feiernden riefen dreimal «Hoch» auf den Kaiser und sangen zum Ausklang «Lobe den Herren». Als sich Ende des Monats in Bonn ein Ausschuß der Inneren Mission traf, propagierte Pastor Bodelschwingh, noch voller Begeisterung von seinem Dellwiger Experiment, den Tag der Sedanschlacht als nationalen Gedenktag.

Ein Flugblatt brachte seine Rede sofort unters Volk: «Es wäre nicht gut, wenn sich die Gedenkfeier auf vielerlei Tage zersplittert. Auf einen hervorragenden Tag muß sich die ganze Festfreude konzentrieren. Als ein solcher Tag scheint uns der zweite September dazustehen; es ist der Tag, an welchem die Kunde Deutschland durchtönte: Napoleon gefangen! Ganze Armee MacMahons hat kapituliert! ... Am 2. September hat die Hand des lebendigen Gottes so sichtbar und kräftig in die Geschichte eingegriffen, daß es dem Volke grade bei diesem Gedenktag am leichtesten in Erinnerung zu bringen sein wird, wie Großes der Herr an uns getan hat.» Es folgten genaue Vorschläge, die auf Ernst Moritz Arndt zurückgriffen, der ähnliches nach den Befreiungskriegen von 1813 geplant hatte.

Am Vorabend sollten unter Glockengeläut Freudenfeuer angezündet und patriotische Lieder gesungen werden. Am nächsten Morgen «weckt Kanonendonner und Glockengeläut zum frohen

Festtag. Des Vormittags sammeln sich die Krieger und ordnen sich zum festlichen Zuge ... Sie ziehen unter Vortritt ihrer Offiziere durch die mit Fahnen und Laubwerk geschmückten Straßen in die Kirche oder an einen dazu hergerichteten freien Platz, geleitet vor der Ortsobrigkeit, gefolgt von der Schuljugend, welche dazu bestimmt ist, in zukünftigen Tagen dem Vorbild der Väter nachzustreben. Mit Lobgesängen, abwechselnd von der ganzen Gemeinde und dem Kinderchore dargebracht, beginnt die Feier; die Rede des Geistlichen erinnert an die große Vergangenheit, ermahnt zur Demut vor dem Gott ...»

Die Idee zündete. Nur von Demut war bald nicht mehr die Rede. Bei Säbelrasseln und klingendem Spiel durften die Pfarrer Komparsen spielen. Bodelschwingh mußte erkennen, daß von seiner ursprünglichen Absicht nichts mehr geblieben war. «Statt Volkserziehung» gab es «leere Rhetorik». Einsichtig, aber vergeblich schrieb er 1895, es sei «hohe Zeit, daß einer weiteren Entartung dieser Feste Einhalt» geboten werde.

Es half alles nichts: weder der Krieg noch der Versuch, die religiöse Aufbruchstimmung in Friedenszeiten zu konservieren. Was jahrhundertelang unangefochten zum Leben gehörte wie die Luft, die man atmete, versickerte wie ein abgestorbenes Gewässer. Es war nicht mit Drohungen und nicht mit Bitten am Leben zu halten: Die Menschen gingen nicht mehr in die Kirchen und hielten sich immer weniger an die Mahnungen ihrer geistlichen Führer. Der Glaube verlor seine Bedeutung. Frömmigkeit wurde etwas für Dumme.

Es waren zuerst die gebildeten Kreise in der Stadt gewesen, die im 18. Jahrhundert begannen, Kirchlichkeit und Religion zu verachten. Jetzt, in der zweiten Hälfte des 19. Jahrhunderts, kam unmerklich die christliche Hauptstütze, die bäuerliche Bevölkerung auf dem Land, ins Wanken. Nicht daß man auf den Dörfern den Atheismus ausrief oder zu spektakulären Formen der Verweigerung und des Protestes griff. Doch die Pfarrer machten sich nichts vor: «Opposition gegen Kirche und Christentum ist nirgend wahrgenommen, die Gottesdienste werden nicht verachtet und das Abendmahl wird von allen gefeiert ... Aber im Ganzen ist das christliche Leben nicht sehr unterschieden vor der natürlichen

Rechtschaffenheit und Gutmütigkeit. Gewalt sich anzutun, um das Himmelreich an sich zu reißen, ist den meisten ohne Zweifel unbekannt.» Im Schutz äußerlicher Formeln vollzog sich der lautlose Auszug aus dem Glauben der Väter und Mütter.

Die Menschen, von denen der Pfarrer sprach, lebten im östlichen Umland von Göttingen und wurden vom dortigen Superintendenten betreut und inspiziert. Es waren rund 10000 Christen auf vierzehn Dörfer und elf Pfarreien verteilt. Auf tausend Seelen kam ein Pfarrer, und das war in der hannoverschen Landeskirche, zu der dieser Sprengel zählte, ein guter Durchschnitt. Die Geistlichen führten einen verzweifelten Kampf, die noch bestehenden wöchentlichen Bet- und Bibelstunden mit Menschen zu füllen. Von oben kam sogar der Befehl, neue einzurichten. Der Pfarrer in dem Leineweberdorf Waake versuchte es auch. Doch schließlich meldete er seinem Vorgesetzten, daß «immerfort außer an Festtagen und Abendmahlszeiten» die Kirche leer sei, und es entstehe «daraus für mich ein unüberwindliches Grauen, durch eine völlig leere Bibelstunde diese Zustände zu vermehren». Aus Ebergötzen schrieb der Pfarrer 1869, er habe im Einvernehmen mit dem Kirchenvorstand keinen Versuch gemacht, die Betstunden wieder einzuführen, weil «ein solches Mißlingen ... nicht ohne nachhaltigen Einfluß auf das kirchliche Leben» sein würde.

Gegen Ende des Jahrhunderts werden erstmals Statistiken angelegt, um konkrete Zahlen über das kirchliche Leben der Gemeinden zu erfahren. Auch wenn sie kein Beweis für Frömmigkeit oder Unglauben sind, so zeigt sich in ihnen doch die Veränderung traditioneller Lebensformen. Eine ausführliche Zählung gibt es aus der Gemeinde Gelliehausen für die Jahre 1893 und 1894. Aus ihnen läßt sich ablesen, daß an einem gewöhnlichen Sonntag rund 13 Prozent der evangelischen Bevölkerung den Hauptgottesdienst besuchten. An den Feiertagen wurde man bedeutend frommer. Weihnachten schnellte die Zahl auf 51 Prozent, Pfingsten auf 45 und Ostern waren es immerhin noch rund 37 Prozent.

Fast noch mehr als der schwindende Gottesdienstbesuch beunruhigten die Seelsorger im Göttinger Raum die zunehmenden «öffentlichen Lustbarkeiten» und das «unkeusche Wesen» der jungen Leute. Der Pfarrer von Waake kämpfte hartnäckig bei weltlichen und geistlichen Obrigkeiten dafür, daß in seiner Gemeinde nicht mehr als sechs Tanzveranstaltungen pro Jahr stattfanden und «außergewöhnliche nur in wirklich dringenden Fällen, wo ganz triftige Gründe vorliegen und dann auch nur, wenn seit der letzten Tanzmusik mindestens sechs Wochen verflossen sind ...» Besonders ärgerte die Geistlichen, daß die Bauern nicht mehr nur in ihren eigenen Dörfern solchen Vergnügungen nachgingen, sondern noch die der Nachbargemeinden besuchten, «denn wer bis in die Nacht hinein gezecht und getanzt hat, geht in der Regel am andern Morgen nicht zum Gottesdienst».

Das Vereinsleben ist eine Erfindung des 19. Jahrhunderts. Man fand sich zusammen zum Singen, Kegeln, Kartenspielen, Schießen oder Wandern und anschließend zu einem lustigen Abend. Die Vereinsfeste wurden immer pompöser mit Paraden, zu denen alle im schönsten Putz erschienen, mit Glockengeläut und feierlichem Einzug der Fahnenträger zum Festgottesdienst in die Kirche. Seltsam: Eine solche harmlose Verbindung zwischen weltlichem und geistlichem Vergnügen war den gleichen Pfarrern nicht recht, die den Sedansfeiern ohne Skrupel mit Geläute und Predigt dienten. Sie nahmen an den Gottesdiensten der Vereine Anstoß: «Nicht mische sich der weltliche Klang der Hörner mit dem feierlichen Ton der Glocken und nicht trage man den Ballstaat und die prangenden Festflitter an die heilige Stätte, noch den Sinnenrausch an den Ort der Anbetung. Die Kirche bedarf des Schmuckes der Vereinsabzeichen nicht, sie lehnt ihn ab, und die Vereinsfeste werden dadurch nicht geheiligt, daß sie mit solchem äußerlichen Gebahren gleichsam den Segen der Kirche holen.» So trieb man zugleich mit dem harmlosen Vergnügen die gutwilligen Christen aus der Kirche.

Den Sündenbock für den Niedergang christlicher Sitten suchte man außerhalb der eigenen Verantwortung und redete sich ein, daß die Dörfler durch «Göttinger Elemente» und «studentische Einflüße» vom Pfad der Tugend gebracht würden. Theologen verurteilten die Erfindung des Fahrrads, «weil es zu Touren in die Umgebung und Besuchen einlädt und unsere Dörfler bei jedem schönen Sonntagswetter ganze Scharen durchfahrender Radler zu Gesicht bekommen». Durch die zunehmende Vorliebe der Stadtmenschen,

Ausflüge aufs Land zu machen, würde die ländliche Bevölkerung «den Gefahren des modernen Weltgeistes» ausgesetzt. Die Pfarrer klagten: «Wenn doch die Fremden von solchen Festen auf dem Dorf wegbleiben wollten! Das ist ein schwerer Schaden, daß die Gemeinde nicht mehr allein und unter sich ihre Feiern hält.»

In den bäuerlichen Gemeinden des Göttinger Superintendenten wurde auch vor hundert Jahren noch Kirchenzucht geübt. Wer gegen das sechste Gebot verstoßen und sich «fleischlich vergangen» hatte, mußte dafür öffentlich büßen, bevor er wieder zum Abendmahl gehen durfte. In Kerstlingerode ging das so: «Wenn sie Reue zeigen, wird an einem zu verabredenden Sonntage... in Gegenwart der Büßenden vor der Kanzel herab der Gemeinde mitgetheilt, daß ein Mitglied der Kirchengemeinde wegen gröblicher Übertretung des 6ten Gebotes Kirchenbuße zu thun begehre ...» Der alte Brauch ging erst zurück, als 1873 ein Gesetz erlassen wurde, daß die kirchlichen «Straf- und Zuchtmittel» einschränkte. Auch bei den Geistlichen wuchs die Einsicht, daß Zwang keine überzeugten Christen macht, sondern die Menschen nur noch mehr von der Kirche entfernt. Viele verzichteten auf das Abendmahl, statt öffentlich bloßgestellt zu werden.

Der Pfarrer von Kerstlingerode bat 1888 den Superintendenten, auf die Verkündigung der Kirchenbuße von der Kanzel verzichten zu dürfen: «Ich glaube, daß ohne jede Abkündigung auch der Zuspruch des Pastors viel freundlicher aufgenommen und segensreicher wirken würde.» Der Superintendent war auf seiten des Pfarrers. Eine solche Art der Buße sei «peinlich für den Pastor, peinlich für den Betroffenen, peinlich für die unschuldigen Elemente der Gemeinde, behaglich aber für die, die sich in gleicher Verdammniß befinden. Und ihrer sind viele.» Das Konsistorium jedoch bestand auf der alten Bußübung.

Auch in Lübeck, immer noch eine rein lutherische Stadt, begann man im letzten Viertel des 19. Jahrhunderts, die Gottesdienstbesucher zu zählen. Man kam pro Woche in den sechs Stadtkirchen mit dreizehn Gottesdiensten auf durchschnittlich zweitausend Besucher. Das waren knapp vier Prozent der evangelischen Bevölkerung. Dramatisch war im Laufe des Jahrhunderts die Zahl der Christen gesunken, die zum Abendmahl gingen. 1830 waren es 10 206 pro Jahr, 1875 nur noch 6307, obwohl die Einwohnerzahl um 50 Prozent gestiegen war. Es waren Menschen aller Schichten, die auf den sonntäglichen Kirchgang verzichteten, die Dienstmädchen ebenso wie die ehrbaren Kaufleute. In bürgerlichen Kreisen wurde offen ausgesprochen, daß kirchliche Traditionen nicht mehr mit dem christlichen Glauben identisch waren. Von dem wohlhabenden Kaufmann Johann Christoph Fehling berichtet der Sohn, daß sein Vater «kein Kirchgänger», aber ein «frommer Mann» gewesen sei. Für den Sohn, der Senator und Bürgermeister wurde, gilt das gleiche.

Emanuel Geibel, der Sohn jenes reformierten Predigers in Lübeck, der geistlichen Widerstand gegen Napoleon geleistet hatte, war einer der populärsten Dichter des 19. Jahrhunderts. Geibel ging nicht zur Kirche. Er hielt nichts von Geistlichen, die auf ein orthodoxes, abgrenzendes Luthertum pochten. Aber er sah sich als frommen Mann, der mit seinem religiösen Gefühl, das sich nicht an eine Kirche binden wollte, dem Empfinden breiter bürgerlicher Schichten entsprach. Geibel dichtete: «Religion und Theologie / Sind grundverschiedene Dinge, / Eine künstliche Leiter zum Himmel die, / Jene die angebor'ne Schwinge.» Eine Kluft hatte sich aufgetan im Protestantismus, die der Mönch aus Wittenberg ja gerade hatte beseitigen wollen. Theologie als Kunstprodukt? Ein Menschenbild wurde besungen, das dem des Reformators diametral gegenüberstand: Religion als angeborener Teil der menschlichen Natur? Diesen Optimismus hatte Luther nie geteilt. Für ihn war der Mensch von Natur aus ein Atheist; einer, der mit Gott nichts zu schaffen haben wollte. Den engherzigen Theologen seiner Zeit schrieb Geibel noch ins Stammbuch: «Wollt ihr in der Kirche Schooß / Wieder die Zerstreuten sammeln, / Macht die Pforten breit und groß, / Statt sie selber zu verrammeln.»

Die lübische Geistlichkeit versuchte, einsichtig zu sein. Pastor Martin Funk gab zu: «Die Form der Gottesdienste ist fast durchgängig die denkbar einfachste und dürftigste. Von einer thätigen Teilnahme der Gemeinde an derselben kann kaum gesprochen werden.» Der Senat, immer noch in geistlichen Dingen die höchste Instanz der Stadt, erließ 1893 ein Dekret, «um durch reichere liturgische Ausgestaltung den Gemeinden die Möglichkeit größerer selbstthätiger Theilnahme an den Gottesdiensten zu gewähren und dadurch zur Förderung des Besuches der Gottesdienste beizutragen». Kinderchöre aus den Schulen wurden eingesetzt, um den Gemeindegesang zu kräftigen. Mehr Menschen brachte das Experiment nicht in die Kirchen.

# Im Kampf um die
# Seelen der Arbeiter

D ie Sorgen der Pfarrer von Kerstlingerode und Lübeck waren gar nichts gegen die schlaflosen Nächte, die sich ihre engagierten Berliner Kollegen machten: «Ein ganzes Jahrhundert hindurch hatten die geistreichsten Prediger, Männer des Gebets und des Glaubens, des Gewissens und der Gnade, auf den Berliner Kanzeln gestanden; und das Ergebnis ihrer Arbeit war der völlige kirchliche Bankrott.» So beurteilte der kaiserliche Hof- und Domprediger Adolf Stoecker die Situation in der Hauptstadt des Deutschen Reiches in dem Jahrzehnt, das dem glorreichen Krieg gegen Frankreich folgte. Stoecker wußte, wovon er sprach. Denn er predigte nicht nur den höchsten Kreisen. Seit er 1877 geistlicher Leiter der «Stadtmission» wurde, machte dieser Pfarrer fünf bis sechs Stunden täglich Hausbesuche in Hinterhöfen und Mietskasernen bei Familien, die der Kirche bisher keine Besuche wert waren.

Schon Johann Hinrich Wichern, als er 1849 zum erstenmal nach Berlin kam, war über die vernachlässigte Seelsorge in der Stadt an der Spree entsetzt. Nach seinem Urteil fehlten mindestens hundert Pfarrer, um die Gemeinden einigermaßen gut zu betreuen. Die Situation wurde katastrophal, als mit dem Boom der Gründerjahre gleich nach dem Krieg rund 100 000 Menschen nach Berlin strömten, um dort Arbeit und ein besseres Leben zu finden. Schon 1892 hatte die Stadt über zwei Millionen Einwohner. Zu einer Pfarrei gehörten im Durchschnitt hunderttausend Seelen, um die sich maximal vier Geistliche mühten. Manchmal kam es vor, daß sie an einem Tag über 200 Kinder taufen und dreißig Paare trauen mußten. Etwas weniger wurde der Andrang, als 1874 durch ein Gesetz der Zwang entfiel, sich taufen und kirchlich trauen zu lassen. Ende 1874 verzichteten 80 Prozent aller Hochzeitspaare in Berlin auf den Gang zur Kirche, und über 40 Prozent der Kinder blieben ungetauft. Wenig später schrieb eine fortschrittliche Zeitung: «Hurra! Die ersten tausend Heiden in Berlin.» Die erschreckte Geistlichkeit sprach von einem «Zivilstandsrausch».

Hofprediger Stoecker jammerte nicht, er handelte. Da es ein hoffnungsloses Unterfangen war, mit den vorhandenen Geistlichen eine befriedigende Seelsorge zu betreiben, bildete er Laien zu «Stadtmissionaren» aus. Seine Mitarbeiter kamen aus jenen unteren Schichten, die sie ansprechen sollten. Immerhin brachten 1886 nur noch rund 10 Prozent der Eltern ihre Kinder nicht zur Taufe. Was Stoecker bei seinen Besuchen in den Elendsvierteln der Stadt erlebte, ließ ihn nicht mehr los: Die Kirche war bei der Arbeiterschaft abgeschrieben. Sie hatte in der Sozialdemokratischen Partei eine neue Heimat gefunden. Geistliche hatten jeden Kredit verloren. Sie galten als verlängerter Arm der Obrigkeit und waren als «schwarze Polizei» gefürchtet.

1871 hatten die zwei sozialistischen Parteien einen Abgeordneten in den Reichstag gebracht. 1876 – ein Jahr, nachdem sich die zerstrittenen Gruppen unter August Bebel zur Sozialistischen deutschen Arbeiterpartei zusammengefunden hatten – waren es schon zwölf. Die Haltung der evangelischen Kirchen gegenüber der neuen politischen Kraft war eindeutig. Wicherns Innere Mission, einst gegründet, um die sozialen Übelstände der Industrialisierung grundlegend zu beseitigen, nannte sich 1875 einen «Verein zur Bekämpfung der Sozialdemokratie». Für den Pietistenpfarrer Sixt Carl Kapff in Württemberg war diese Partei eine «Entwürdigung des deutschen Volkes».

Es mußte so kommen: Eine Kirche, die seit ihrem Beginn ihr Heil fest an die bestehende Ordnung und damit an gesellschaftliche und politische Ungleichheit gebunden hatte, konnte zusammen mit den Herrschenden den Ruf nach gerechtem Verdienst, nach Gleichheit, Freiheit und politischer Mitsprache nur als Kampfansage verstehen. Nicht die Kirchen hatten nach dieser Logik versagt, sondern die Arbeiter waren schuld an ihrem Elend, weil sie nicht mehr an Gott glaubten.

Die kommunistische und sozialistische Bewegung hielt mit ihrer Meinung über Gott und die Kirche ebenfalls nicht hinter dem Berg. Karl Marx schrieb 1843 schon: «Für Deutschland ist die Kritik der Religion im wesentlichen beendigt, und die Kritik der Religion ist die Voraussetzung aller Kritik ...» Es war ebenfalls nicht verwunderlich: Wer die bestehenden Verhältnisse ändern wollte, mußte in der Kirche seinen Hauptfeind sehen. In einer Kirche, die die christliche Religion so auslegte, als sei Jesus ein pommerscher Junker gewesen und habe den Kapitalismus als göttliche Wirtschaftsordnung ausgerufen.

Für August Bebel, den SPD-Führer, gab es über die Funktion des Christentums keine Zweifel: «Es hat die Menschheit in der Knechtschaft und Unterdrückung gehalten und ist bis auf den heutigen Tag als vornehmstes Werkzeug politischer und sozialer Ausbeutung bemüht worden und hat dazu gedient.» Bebels Konsequenz: «Christentum und Sozialismus stehen sich gegenüber wie Feuer und Wasser. Der sogenannte gute Kern im Christentum ... ist nicht christlich, sondern allgemein menschlich, und was das Christentum eigentlich bildet, der Lehren- und Dogmenkram, ist der Menschheit feindlich.» In diesem Sinn schrieb der sozialistische «Vorwärts» über den Rückgang der Taufen und kirchlichen Hochzeiten: «Uns kann es daher nur lieb sein, wenn Berlins Bürger sich von den kirchlichen Fesseln lossagen und ihre Religion in dem freien Menschtum suchen, das die einzige Bürgschaft der Sittlichkeit und Wohlfahrt ist.»

Die Arbeiter wollten keine Almosen. Sie wollten nicht als Kinder behandelt werden – und sei es in noch so guter Absicht. Sie wollten als verantwortliche Menschen ernst genommen werden und in den Dingen, die sie als Arbeiter und als Bürger betrafen, mitreden. Die Theologen sahen darin einen Angriff auf die von Gott gewollte Ordnung. Sie hatte es ja auch lange genug gepredigt: Einer ist oben, der weiß, was für alle gut ist und darum muß man ihm gehorchen. Geschieht das nicht, bricht das Chaos aus. In seinem Buch «Der glückliche Fabrikarbeiter», schreibt Pastor Kapff: «Es dürfen in der Fabrik nicht vielerlei Meinungen herrschen, sondern ein Wille, Plan und Gedanken, dem alle Einzelnen sich unterwerfen müssen ...» Was sollten die Arbeiter von einer

Kirche erwarten, deren Vertreter, der Berliner Oberkonsistorialrat Johann Friedrich Bachmann, in einem Vortrag Fabrikanten, Gutsbesitzern und Kaufleuten als «christlichen Liebesdienst» empfahl, allen Arbeitern die Entlassung anzudrohen, die sich gegen Taufe und kirchliche Trauung entschieden. Da mußte Distanz zur Kirche, ja Verachtung, zum Kitt proletarischer Solidarität werden.

Hinzu kam, daß führende Naturwissenschaftler ihre Zweifel an der christlichen Schöpfungslehre in die Öffentlichkeit trugen und den Glauben an ein Leben nach dem Tod als unzumutbar für die menschliche Vernunft ablehnten. Die Sozialdemokraten nahmen solche Argumente begierig auf, sahen sie sich doch an der Spitze einer fortschrittlichen und optimistischen Menschheit marschieren, die das Paradies schon in dieser Welt schaffen würden. Die Einäscherung nach dem Tode – sauber, platzsparend, kurz: vernünftig – wurde zur Demonstration antikirchlicher Gesinnung in Arbeiterkreisen. Der «Crimmitschauer Bürger- und Bauernfreund» sah 1874 die Reaktion der Kirche richtig voraus: «Da das neue Verbrennungssystem eben nicht aus den veralteten Religionsanschauungen entspringt, vielmehr die notwendige Folge der fortschreitenden Erkenntnis der Natur und der damit verbundenen humanen Bestrebungen rücksichtlich der menschlichen Gesellschaft ist, so läßt sich mit Gewißheit daraus schließen, daß alle gläubigen Anhänger der Kirche, also die große Menge der Ignoranten in der Naturwissenschaft, nicht nur keine Neutralität beobachten, vielmehr die verbissensten Gegner sein werden.» Und so kam es denn auch.

Die gleichen Menschen, die SPD wählten und manchem Stadtmissionar die Tür vor der Nase zuschlugen, waren meist noch in den Formen traditioneller Frömmigkeit aufgewachsen; Bibelsprüche und Gesangbuchlieder saßen noch fest in den Köpfen und regten zu spöttischen oder pathetischen Umdichtungen an, mit denen man die eigene Wahrheit verkündete. Als die vom besiegten Frankreich erpreßten Milliarden die deutsche Wirtschaft aufblähten, schrieben die «Chemnitzer Raketen», eine Arbeiterzeitung, 1879 eine «neue Schöpfungsgeschichte»: «Am Anfang war die Kasse, aber die Kasse war wüst und leer, und der Geist des Gründers schwebte über derselben. Da sprach der Bankdirektor: Es geht mir ein Licht auf. Und siehe, es ging ihm ein Licht auf. Und er sprach: Es mögen sich alle Gelder versammeln an einem Ort ... und er nannte den Ort die Bank. Dann sprach er: Kommt, wir wollen Menschen machen! Und er nahm Menschen, blies ihnen Wind in die Ohren und Sand in die Augen, daß sie übergingen, und siehe, sie waren gemacht. Und er sah alles, was er gemacht hatte, und sah, daß es sehr gut für ihn sei.»

Besonders gern wurde die Hymne der Protestanten «Ein feste Burg ist unser Gott» umgedichtet. Die Eisenacher Arbeiter sangen: «Ein feste Burg ist unser Gott: / der ‹freie Geist der Wahrheit›! / Er bricht das schwere Joch der Not / und führt aus Nacht zur Klarheit. / Der alte böse Feind, / der unsern Gott vereint, / heißt rohe Tyrannei, / List, Pfaffenkleisei / und Götzentum des Mammon!» Oder nach der gleichen Melodie: «Was rings sich geil und lüstern spreizt / auf Kanzeln und auf Thronen, / nach Seelen und nach Ländern geizt / und schnöden Millionen, / 's ist alles Satansbrut! / Zu Boden! Schont nicht Leib und Blut! / Laßt's fahren dahin! / 's bringt keinen Gewinn! / Das Reich muß uns doch bleiben!» Das Wort Erlösung war nicht gestrichen, es wurde nur umgedeutet wie die ganze Weihnachtsgeschichte: «Nicht hoffe mehr nach alter Sitte, / Daß dir ein Wunderstern erscheint, / Dich führe zu des Heilands Hütte, / So ist die Sage nicht gemeint. / Blick auf, ein Stern im hellen Scheine, / Der Socialismus, winkt dir zu, / Und der Erlöser, der bist du, / Und jene Hütte ist die deine. / Auf Proletariat! / Auf, rüste dich zur That!» War die Feindschaft zwischen Sozialismus und Kirche – wie auf beiden Seiten behauptet – wirklich unversöhnlich und in der Sache begründet? Oder nur das Nebenprodukt einer Bewegung, die gegen eine Welt, mit der sich ausgerechnet die Kirche fest verschworen hatte, antreten mußte.

Die meisten Theologen machten sich keine Mühe zu differenzieren. Sie stellten sich keine selbstkritischen Fragen und weigerten sich, die wirtschaftliche Situation nüchtern und ohne die Brille einer vorgefaßten christlichen Moral zu betrachten. Um so größer war das Aufsehen, als 1877 der brandenburgische Landpfarrer Rudolf Todt sein Buch «Der radikale deutsche Sozialismus und die christliche Gesellschaft» veröffentlichte. Es beginnt mit einem Paukenschlag: «Wer die soziale Frage verstehen und zu ihrer Lösung beitragen will, muß in der Rechten die Nationalökonomie, in der Linken die wissenschaftliche Literatur der Sozialisten und vor sich aufgeschlagen das Neue Testament haben. Fehlt einer dieser drei Faktoren, so fällt die Lösung schief aus.» Kein Theologe hatte sich bisher mit solchen berufsfremden Faktoren beschäftigt, und noch etwas war neu: die Art und Weise, wie dieser Pfarrer die Bibel auslegte: «Es kommt eben darauf an, das Neue Testament endlich auch einmal mit anderen als grammatischen, exegetischen und dogmatischen Augen anzusehen oder es nur als Kodex der Privatmoral zu betrachten. Es gilt, den sozial geschärften, ja den sozialpolitischen Blick auf das Evangelium zu lenken und zu fragen, ob es nicht auch Licht werfe auf unsere wirtschaftlichen Zustände, nicht nur, sondern auch auf die sozialen.»

Nach Todt ist die sozialistische These von der Entfremdung des Menschen identisch mit der christlichen Überzeugung, daß der Mensch ein Sünder ist, der nicht in Harmonie mit sich und der Welt lebt. Der Kommunismus erkläre das menschliche Unglück mit der «Selbstsucht» und fordere eine «Solidarität der Interessen». Die aber ist für diesen Theologen «ein echt neutestamentlicher Begriff». Denn das Neue Testament «behandelt nicht bloß das Verhältnis des Menschen zu sich selbst oder zu Gott allein, sondern es umfaßt ebenso dasjenige des Menschen zum anderen Menschen, zu seinem Nächsten». Todt ist überzeugt, man könne «vom Standpunkt des Neues Testaments aus dem Sozialismus in seinem innersten Wesen die Berechtigung nicht versagen». Jeder Christ hat «eine sozialistische Ader in sich und jeder Sozialist . . . trägt ein unbewußtes Christentum in sich». Beide haben das gleiche Ziel: ein menschenwürdiges Dasein zu schaffen. Sie unterschieden sich für Rudolf Todt nur in ihrem Glauben an die Fähigkeiten des Menschen: Er ist grenzenlos bei den Sozialisten, gepaart mit einer grenzenlosen Fortschrittsgläubigkeit. Der Christ dagegen ist überzeugt, daß der Mensch zwar aktiv sein Schicksal gestalten und verändern kann, aber selbst erlösen kann er sich nicht, und vom materiellen Wohlstand allein wird er auch nicht satt.

Die Innere Mission distanzierte sich eilig von einer solchen christlichen Deutung der Welt. Die Mehrheit der Amtsbrüder lehnte Todts Vorschlag ab, daß die angehenden Pastoren außer der

Theologie auch Grundkenntnisse in den Sozialwissenschaften erlernen sollten. Als einzige Zeitschrift empfahl «Der westfälische Hausfreund», der Friedrich von Bodelschwingh nahestand, dieses Buch über Christentum und Sozialismus allen «Fabrikherren, Geistlichen, Zeitungsredakteuren und Verwaltungsbeamten» als «eine außerordentlich beachtenswerte Schrift». Bodelschwingh und der Hofprediger Adolf Stoecker waren befreundet, und Stoecker war es, der den Landpfarrer angeregt hatte, seine Überlegungen in einem Buch zusammenzufassen. Todts Buch erregte immerhin so viel Aufsehen, daß 1878 eine zweite Auflage gedruckt werden mußte.

Um den Verfasser wurde es bald wieder still. Er übernahm die Redaktion der Zeitschrift «Der Staatssozialist», die schon 1881 wieder einging. Ein treffender Titel, denn die politischen Konsequenzen, die Todt aus seinem sozialistischen Christentum zog, lagen in einem staatlichen Sozialismus – von Kaisers Gnaden. Nicht die Arbeiter sollten bestimmen, sondern die Obrigkeit durchgreifende Reformen anordnen: «Auf der hohenzollern'schen Interventionspolitik ruhte der Segen Gottes von jeher, und dadurch wurden sie das für unser deutsches Vaterland, was sie jetzt sind. Wir meinen: Das Heil kommt von Oben!» Der Landpfarrer, 1885 zum Superintendenten in Brandenburg ernannt, starb schon zwei Jahre später und wurde schnell vergessen. Nicht Adolf Stoecker. Seine Zeit hatte gerade erst begonnen.

Einer, der nach amerikanischem Vorbild und ohne kirchlichen Auftrag in diesen Jahren versucht, die Bevölkerung für den christlichen Glauben zurückzugewinnen, der Evangelist Samuel Keller, erzählt: «Ich komme viel durch Deutschland, ich reise viel von Nord nach Süd, von Ost nach West... Und da ist es mir begegnet, daß man in der Eisenbahn keinen besseren Unterhaltungsstoff mit Freund und Feind haben kann, als denjenigen: Stoecker. So wie ich das Wort hingeworfen habe, gleich habe ich die schönste Unterhaltung, bei dem einen in rasendem Haß, bei dem anderen in der größten Begeisterung...»

Es war ein Skandal für alle kaisertreuen Christen: Für den 3. Januar 1878 hatte der Hof- und Domprediger Stoecker Berlins Arbeiter in den Eiskeller, ein bekanntes Versammlungslokal in Moabit, gerufen, um eine «christlich-soziale Arbeiterpartei» zu gründen. Die Arbeiter, in ihrer großen Mehrzahl Sozialdemokraten, wollten sich diesen Gang eines Theologen in die Höhle des Löwen nicht entgehen lassen. Das Lokal war voller Menschen und Tabakqualm, als Adolf Stoecker vortrat und für seine Idee warb. «Meine Herren ... Ich bin ein Prediger und bitte Sie, mir das zugute zu halten. Mein Stand wird in Ihren Blättern, die ich allezeit mit großer Aufmerksamkeit gelesen habe, auf das heftigste angegriffen, geschmäht, beleidigt ... Sie sagen, wir seien die Bundesgenossen des Kapitals; das ist nicht wahr. Wir haben den ehrenwerten Arbeiterstand von Herzen lieb ... Sie sind mit dem jetzigen Wirtschaftssystem nicht zufrieden; ich auch nicht. Diese Herrschaft der schrankenlosen Konkurrenz und des krassesten Egoismus führt von Krisis zu Krisis ... Das darf natürlich nicht so bleiben. Die Existenz der Arbeiter muß gesichert werden.

Ebenso wie die Soldaten im Feuer des Schlachtfeldes, stehen die Arbeiter im Feuer der Essen; auch ihre Invaliden müssen versorgt sein, auch ihre Witwen und Waisen sollen Brot haben. Ich halte diese Sicherheit der Arbeiterexistenz für das Wichtigste und Notwendigste in ihrer Lage. Aber es sind noch außerdem genug Schäden zu heilen: Die Frauenarbeit ist zu beschränken, die Sonntagsarbeit zu verbieten, ein Arbeitsrecht zu schaffen, und was solche berechtigten Forderungen mehr sind.» Stoeckers Vorwurf an die SPD: Sie wolle statt Reformen eine «blutige Sozialrevolution, und sie predige «den Haß gegen das Vaterland und das Christentum».

Stoecker hatte sich auf sein Publikum eingestellt. Er sprach verständlich, ohne falsche Anbiederei, und seine konkreten Vorschläge waren beachtlich verglichen mit dem, was normalerweise Pastoren den Arbeitern ans Herz legten. Doch der Hofprediger fand in dem anwesenden Reichstagsabgeordneten Johannes Most, einem radikalen und hitzköpfigen Sozialisten, seinen Meister. Most rief den Männern im Eiskeller zu: «Selbst wenn das gesamte Pfaffentum die Sonne verfinstern und wie ein Heuschreckenschwarm heranstürmen sollte, so würden sich die sozialdemokratischen Arbeiter nicht von ihren Wegen und Zielen abbringen lassen ... Die Tage des Christentums sind gezählt. Macht eure Rechnung mit eurem Himmel, Pfaffen, eure Uhr ist abgelaufen.» Begeisterte Zustimmung.

Am Ende wurde keine Stoecker-Partei gegründet. Vielmehr verabschiedeten die Arbeiter diese Resolution: «In Erwägung, daß ein fast zweitausend Jahre währendes Christentum nicht imstande gewesen ist, das Elend, die äußerste Not der überwiegenden Mehrheit der Menschheit zu lindern, geschweige denn ihnen ein Ende zu machen; in ferner Erwägung, daß die heutigen Priester und Diener der Kirche keine Miene machen, das seither von ihnen beobachtete Verfahren zu ändern; in schließlicher Erwägung, daß selbst jede wirtschaftliche Errungenschaft, sei sie groß oder klein, völlig ohne den gleichzeitigen unbeschränkten Besitz von politischer Freiheit wertlos ist, und selbst bei Erfüllung des christlich-sozialen Programms alles beim Alten bleibt – dekretiert die Versammlung, daß sie lediglich und allein von der sozialdemokratischen Partei eine gründliche Beseitigung aller herrschenden politischen und wirtschaftlichen Unfreiheiten hofft, und daß es ihre Pflicht ist, mit allen Kräften für die Lehren dieser Partei einzutreten und dafür zu wirken.»

Stoecker gründete doch noch seine Arbeiterpartei, erhielt von der obersten Kirchenbehörde einen Verweis und konnte bei der Reichstagswahl am Ende des Jahres kein einziges Mandat erringen. Nun suchte er sich seine Anhänger bei den kleinen Handwerkern, strich das Wort «Arbeiter» aus seinem Parteinamen und fand eine neue Thematik, die ihm volle Säle und brausende Zustimmung brachte: «Wir haben unsere Schlacht geschlagen unter dem Feldgeschrei: Kampf gegen die Übermacht des Judentums... Wir werden abwarten, ob unsere jüdischen Mitbürger das rechte Maß von Bescheidenheit, Zucht, Ordnung finden werden. Wenn nicht, müssen wir den Kampf verschärfen.» Als Abgeordneter für Siegen wurde der kämpferische Prediger 1881 in den Reichstag gewählt. Den Erweckten im Siegerland gefiel diese Mischung aus Judenhaß und sozialem Engagement.

Adolf Stoecker, dessen Vater gelernter Schmied war, dann Wachtmeister in der Armee wurde, war eine schillernde Persönlichkeit. Sein Blick auf Welt und Kirche war kritisch und unverstellt, sein Interesse für die Arbeiter echt. Er wollte mehr als Almosen verteilen. Er wagte es, nicht nur auf alte lutherische Antworten zurückzugreifen und offen das jahrhundertealte Bündnis zwischen

Kirche und Staat in Frage zu stellen: «Das hergebrachte Staatskirchentum hat sich überlebt. Sein Zusammenbruch in näherer oder fernerer Zeit ist gewiß ... Eine Kirche, welche ihr Bekenntnis nicht genügend zu schützen, ihre Volkstümlichkeit kaum zu behaupten, dringende Aufgaben nicht zu lösen vermag, muß Formen suchen, die ihre Lebenserhaltung nicht hindern, sondern fördern.» Für einen Hofprediger war dieses Urteil über seine Kirche nicht die Regel: «Prinzipiell ist ihr Verhältnis zum Staat das der Unfreiheit; bis zur Ernennung jedes Superintendenten hinunter, bis auf Katechismus und Gesangbücher hinab steht jede Lebensäußerung der Kirche unter der Kontrolle des Ministers, ganz abgesehen davon, daß die Bildung ihrer Diener fast völlig in den Händen des Staates ist ...» Stoeckers Analyse war revolutionär, sein Bild einer staatsfreien Volkskirche trotzdem rückwärts gewandt: Keinen Zweifel gab es für ihn, daß sie bedingungslos zur Monarchie hielt. Politische Ungleichheit hatte Gott selbst etabliert. Bei allen Reformen mußte sicher bleiben, «daß die Nichtbesitzenden und Ungebildeten von Respekt und Ehrfurcht erfüllt sind gegen die oberen Klassen».

Daß ein Pfarrer mit Sozialdemokraten von gleich zu gleich diskutierte, schreckte diesen Theologen nicht. Er hielt es für das beste Mittel, die Menschen zu erreichen. Er war überzeugt, daß die Pfarrer sich über soziale Probleme Gedanken machen und vor Veränderungen nicht zurückschrecken durften. Der Evangelische Oberkirchenrat – das oberste geistliche Leitungsgremium – war 1879 ganz anderer Meinung: «Dem Herrn und den Aposteln hat es in ihrer, der unsrigen mehrfach verwandten Zeit, nicht an Anlässen gefehlt, mit religiösen Motiven eine Neugestaltung der sozialen Ordnungen zu unterstützen. Allein, davon hielten sie sich fern, sie haben die vorhandenen Einrichtungen in Staat und Gesellschaft unangefochten gelassen ... und arbeitsscheuen Müßiggang ... bestraft. So wenig mischten sie sich in die sozialen Verhältnisse, daß sie selbst auf die sofortige Abschaffung der Sklaverei zu dringen Bedenken trugen.»

Die Schlußfolgerungen der hohen evangelischen Räte stand fest: Ein Pfarrer hat sich von allen Parteidiskussionen fernzuhalten und «das Evangelium des Friedens allen ohne Unterschied nahe zu bringen». Bis auf eine Ausnahme, die aller politischen Neutralität

Hohn sprach: «Allerdings weder gleichgültig noch untätig darf die Kirche bleiben gegen die in der sozialistischen Bewegung hervorgetretene Verkehrung der einfachsten sittlichen Grundwahrheiten ...» Der Evangelische Oberkirchenrat war ein getreuer Diener seines Herrn, des preußischen Monarchen. Ein Jahr zuvor hatte Bismarck, nach zwei Attentaten auf den Kaiser, mit Hilfe der Sozialistengesetze die SPD aufgelöst und endgültig allem, was nur von Ferne nach Sozialismus aussah, den bedingungslosen Kampf angesagt.

Es kam ein neuer Kaiser und frischer Wind. Der junge Wilhelm II. wollte alles anders und besser machen. Die Arbeiterschaft sollte wieder Vertrauen in ihren Kaiser und den christlichen Glauben fassen. Im Februar 1890 versprach der Kaiser, daß der Staat die soziale Lage der Arbeiter verbessern werde. Der alte Bismarck mußte gehen, und Adolf Stoecker, der seit Jahren in Zeitungsartikeln und bei Hofe gegen den Kanzler zu Felde gezogen war, jubelte: «Die Welt ist über Nacht christlich-sozial geworden.»

Der Evangelische Oberkirchenrat schwenkte unverzüglich in die neue Marschrichtung ein. Was bisher tabu war, wurde nun dringend empfohlen, auch wenn zuerst einmal das alte Horrorbild und die traditionellen Fronten bestätigt werden: «Das sozialdemokratische Zukunftsbild des öffentlichen Gemeinwesens hat keinen Raum für eine Kirche ... An den Fundamenten eines christlichen Familienlebens wird gerüttelt. Das Verhältnis zwischen den Arbeitgebern und den Arbeitnehmern wird vergiftet ... Die Pietät stirbt dahin ... Der religiöse Autoritätsglaube ist aufgegeben ... Damit verbindet sich eine Zerbröckelung des Bürgertums, dessen untere Schichten teilweise bereits in das sozialdemokratische Lager überzugehen beginnen und den dortigen Einflüssen preisgegeben werden.» Zwischen Kirche und Sozialismus gab es weiterhin keinerlei Berührungspunkte. Aber die Arbeiter sah man nun in der obersten Kirchenetage mit anderen Augen. Es wurde gemahnt, daß man «dahin wirkt, daß den berechtigten Bedürfnissen der Arbeiter Befriedigung geschafft, der Ausbeutung ihrer Kraft und derjenigen der Ihren gewehrt ...» Da wird zugegeben: «Sollen aber die Entfremdeten wieder lernen, die Kirchen zu suchen, so muß zuvörderst die Kirche die Entfremdeten suchen, und zwar in dem heiligen Mitleiden, welches fremde Not, auch fremde Schuld mitfühlt, als ob es die eigene wäre.» Und dann folgt ein Rat, der die bisherige Vorsicht und Distanz aufgibt: «Wo irgend möglich, ist es auch in den Städten wie auf dem Lande zu versuchen, daß der Geistliche in freien Versammlungen, verbunden mit Rede und Gegenrede, den Arbeitern unter die Augen tritt und Vorurteile zerstreut.»

Alle Aufgeschlossenheit kann nicht darüber hinwegtäuschen, daß die evangelische Geistlichkeit im Kern nichts dazugelernt hat. Sie begriff immer noch nicht, wollte nicht wahrhaben, was die Arbeiter Pastor Stoecker in der Eiskellerversammlung schwarz auf weiß gegeben hatten: Es ging eben nicht nur um wirtschaftliche Verbesserungen. Politische Freiheit wurde gefordert. Immer noch sahen die Theologen in der SPD nicht eine politische Kraft, sondern ein Werk des Teufels und in den Arbeitern ungehorsame Kinder, die man auf den rechten Weg bringen müsse. Aufgabe der Kirche sei es, «mit Gottes Hilfe den Wühlereien und Verhetzungen zu begegnen, welche nur dazu dienen, die Selbstsucht zu steigern, die Leidenschaften zu entflammen, vaterlandslose Gesinnung zu verbreiten und die Arbeiter auf Bahnen zu drängen, welche ihnen selbst zum Unheil ausschlagen müssen». Die Taktik hatte sich geändert, das Ziel blieb das gleiche: Mit Gott und dem Kaiser gegen die Sozialdemokratie.

Der preußische Innenminister versandte im Frühjahr 1893 einen Erlaß an alle Regierungspräsidenten im Land. Alle sechs Monate wünschte er einen Bericht, wie vor Ort die Sozialdemokraten bekämpft wurden. Der gleiche Erlaß ging im September mit dem Stempel «geheim» an den Evangelischen Oberkirchenrat in Berlin. Er sollte überlegen, mit welchen kirchlichen Maßnahmen man die staatlichen Stellen in dieser Sache unterstützen könne. Das Bündnis zwischen Thron und Altar hatte viele Verästelungen.

Im Jahre 1887 hatte das Ministerium für Kirchen- und Schulwesen in Württemberg einen Brief an den Präsidenten des Evangelischen Konsistoriums geschickt, dessen Inhalt sogleich in Form eines Erlasses an die Superintendenten im Land weitergegeben wurde. Die Anforderung an die württembergischen Geistlichen war eindeutig. Sie sollten bei ihren Pfarrkindern dafür sorgen, «daß die bevorstehenden Reichstagswahlen in einem den Anschauungen

491

und Wünschen der verbündeten Regierungen günstigen Sinn ausfallen». Das Konsistorium schreckte nicht davor zurück, die Pfarrer unter Druck zu setzen. Würden die «öffentlichen Diener wider Erwarten in einer in die Öffentlichkeit hervortretenden agitatorischen Weise zu Gunsten der Wahl von Gegnern der Vorlage thätig sein, so ersuche ich Sie, mir geeignetenfalls behufs Einleitung Anzeige hievon zu erstatten».

Das soziale Engagement des Kaisers erlosch, sobald er merkte, daß die Arbeiter weiter zu ihrer Partei hielten. Er wandte sich von den undankbaren Proletariern ab und lieh sein Ohr jenen Industriellen, denen die ganze Richtung schon lange nicht gepaßt hatte. Stoecker, 1890 wegen antisemitischer Äußerungen als Hofprediger entlassen, fiel in Ungnade. Der Evangelische Oberkirchenrat beeilte sich, auch diesen kaiserlichen Schwenk vor aller Augen nachzuvollziehen. Ihm waren ohnehin die Entwicklungen, die der Erlaß von 1890 ausgelöst hatte, längst unheimlich geworden. Fünf Jahre später lasen die preußischen Pfarrer, «daß in geistlichen Kreisen die Neigungen sich mehren, insbesondere über die ihr befohlene Beteiligung an Werken der christlichen Liebestätigkeit hinaus an sozialen Bestrebungen zu beteiligen ... ihr Interesse rein wirtschaftlichen, dem pfarramtlichen Berufe fernliegenden Gegenständen zuzuwenden und sich in einem der treuen Berufserfüllung zum Schaden gereichenden Maße am politischen und sozialen Parteileben zu beteiligen». Der sozialistische Bazillus war ansteckend. Die Pfarrer sollten sich wieder in die Kirchen zurückziehen und nicht mehr auf Parteiveranstaltungen auftreten: «Die Geistlichen sind häufig nicht imstande gewesen, einer sich tumultuarisch geltend machenden Agitation Herr zu werden ...»

Den naßforschen Schlußpunkt unter eine zaghafte Annäherung an die Probleme der Zeit durch die Kirche setzte Wilhelm II. in einem Telegramm an seinen früheren Erzieher, das mit kaiserlicher Genehmigung veröffentlicht wurde: «Stoecker hat geendet, wie ich es vor Jahren vorausgesagt habe. Politische Pastoren sind ein Unding. Wer Christ ist, der ist auch sozial, christlich-sozial ist Unsinn und führt zur Selbstüberhebung und Unduldsamkeit, beides ist dem Christentum schnurstracks zuwiderlaufend. Die Herren Pastoren sollen sich um die Seelen ihrer Gemeinden kümmern, die

Nächstenliebe pflegen, aber die Politik aus dem Spiel lassen, dieweil sie das gar nichts angeht.»

Der Monarchist Stoecker, der die Arbeiter wieder zu kaisertreuen Untertanen machen wollte, hat vor der Obrigkeit seinen Rücken so schnell nicht gebeugt. Auf der preußischen Generalsynode seiner Kirche kritisierte er den Erlaß von 1895, machte den Rückschritt zu 1890 deutlich und sagte der eingeschüchterten Versammlung, daß die Kirche sich nicht aufs Predigen beschränken dürfe und sich endlich von staatlicher Bevormundung frei machen müsse. Er blieb sich treu, ein Außenseiter, und schrieb über seine geistlichen Brüder: «Die armen Tröpfe, die selbst ihr Todesurteil unterzeichnen und dabei noch die devotesten Reverenzen machen! Es ist doch schlimm um den Protestantismus bestellt. Er läßt sich durch Fürsten und ihre Diener zertreten und singt wie Goethes Veilchen: ‹und sterb ich denn, so sterb ich doch durch dich, zu deinen Füßen doch›.» Der Theologe Stoecker war ein Antisemit und ein Intrigant – das soll nicht verschleiert werden. Aber wer bei ihm nur die dunklen Flecken aufzeigt, macht es sich zu einfach.

Außenseiter waren natürlich die wenigen Theologen, die gegen den Willen ihrer Kirche wagten, Mitglied in der SPD zu werden. Theodor von Wächter war es schon zu Beginn der neunziger Jahre als Theologiestudent geworden, weil «die wirtschaftlichen und politischen Forderungen dieselben sind für sie [Christen] wie für die Atheisten». Paul Göhre, der im Gegensatz zu Wächter ein Pfarramt verwaltete, trat 1899 in die Partei ein. Als die Kirche deshalb ein Disziplinarverfahren gegen ihn anstrengte, trat Göhre aus der Kirche aus. Ebenfalls 1899 bekannte sich in Württemberg der pietistische Geistliche Christoph Blumhardt junior zu den Sozialdemokraten. Ihn forderte das Konsistorium umgehend auf, den Pfarrertitel abzulegen. Das tat Blumhardt auch, der ein Jahr später in den Württembergischen Landtag gewählt wurde. Für diesen Theologen hatte sich Christus vor allem den «Elenden und Unglücklichen» zugewandt. Wer ihm nachfolgen wollte, mußte das gleiche tun. Auf einer Parteiversammlung erklärte Blumhardt: «Ich bin Anhänger Christi, Christus war Sozialist, zwölf Proletarier hat er zu seinen Aposteln gemacht.» Die schwäbischen Pietisten distanzierten sich voller Abscheu von diesem schwarzen Schaf: «Nach unserer Überzeugung ist sein jetziger Standpunkt mit wahrem Christentum unvereinbar.» Blumhardt zog sich nach einer Legislaturperiode wieder aus der aktiven Politik zurück.

Abgrenzung hieß die protestantische Devise, auch gegenüber den katholischen Christen. Nichts ist mehr zu spüren von der Kompromißbereitschaft, mit der die Aufklärungstheologie den Streit vergangener Jahrhunderte überwinden wollte. Jetzt machten katholische Hausfrauen am Karfreitag, dem hohen evangelischen Feiertag, demonstrativ ihren Hausputz und klopften unermüdlich ihre Teppiche im Freien. Die Evangelischen revanchierten sich, indem sie an nationalen Feiertagen «lieber zwei Fahnen raushängen als eine». Luthers 400. Geburtstag wird 1883 längst nicht mehr so einträchtig begangen wie das Reformationsjubiläum zu Beginn des Jahrhunderts. Es ist im Gegenteil der Auslöser für konfessionelle Spannungen und offene Konflikte.

Zur Erinnerung an das Lutherjahr pflanzt die evangelische Gemeinde im schwäbischen Affaltrach im Frühjahr 1884 feierlich eine Lutherlinde – direkt vor das katholische Pfarrhaus. Am nächsten Morgen ragt nur noch ein Baumstumpf in den Himmel. Doch im Juni, kurz vor Fronleichnam, schlägt der Baumrest aus. In der Nacht stellen die Protestanten zum Schutz der zarten Triebe einen Zaun um den Stumpf. Prompt fordern die Katholiken die zuständige Behörde auf, «endlich das Herausnehmen des Stumpfes anzuordnen». Noch bevor die Verwaltung zu einer Meinung kommt, schildert das «Deutsche Volksblatt» in breiter Aufmachung «die schmachvolle Störung der Fronleichnamsprocession». In einem Bericht an seine Vorgesetzten schreibt der katholische Pastor über seinen evangelischen Kollegen: «Herr Pfarrer Krauß entblödete sich selbst sogar nicht, bei dem Vorbeizug der Procession unter das geöffnete Fenster seines Studierzimmers zu stehen und der Procession den Rücken zuzukehren.» Pfarrer Krauß hingegen sieht die Sache so: «Das Lutherfest des letzten Jahres hat der Gemeinde das Kleinod des evangelischen Glaubens wieder mehr zum Bewußtsein gebracht, aber auch den Gegensatz gegen die römische Kirche geschärft. Es ist ein unleugbarer Gewinn.» An den Rand dieses Berichts notiert der Dekan: «Die evangelische Gemeinde hat an evangelischem Bewußtsein gewonnen – hoffentlich nicht bloß vorübergehend.»

Es kam der Tag, da wurden aller Streit, alle Differenzen unwichtig. Katholiken und Protestanten, Liberale, Konservative und Sozialdemokraten fanden sich zusammen in nationaler Begeisterung und dem Gefühl, sich gegen eine Welt von Feinden behaupten zu müssen: Am 1. August 1914 hatte Deutschland dem Zarenreich den Krieg erklärt. Vier Tage später versammelten sich die Christen in ihren Kirchen zu einem Landesbetgottesdienst und hörten von den evangelischen Kanzeln, wie der Kaiser, ihr oberster geistlicher Herr, die Lage sah: «Ich bin gezwungen, zur Abwehr eines durch nichts gerechtfertigten Angriffs das Schwert zu ziehen und mit aller Deutlichkeit und zu Gebote stehender Macht den Kampf um den Bestand des Reiches und unsere nationale Ehre zu führen ... Reinen Gewissens über den Ursprung des Krieges bin Ich der Gerechtigkeit unserer Sache vor Gott gewiß ... Ich fordere Mein Volk auf, mit Mir in gemeinsamer Andacht sich zu vereinigen ... An allen gottesdienstlichen Stätten im Lande versammle sich an diesem Tag mein Volk in ernster Feier zur Anrufung Gottes, daß Er mit uns sei und unsre Waffen segne.» Der Kaiser rannte offene Türen ein. Wie 1813 und 1870 im Kampf gegen Frankreich funktionierten die evangelischen Kirchen die deutsche Sache um zu Gottes ureigenem Auftrag und erklärten, daß der Segen des Christengottes vor allen anderen auf den deutschen Waffen ruhe.

Die Pfarrer reagierten, als sei die Zeit stehengeblieben; als hätten sie nicht zweimal in den zurückliegenden hundert Jahren lernen müssen, daß der Glaube – im Krieg gewachsen – nicht von Dauer ist. Zehn Tage nach Kriegsausbruch schrieb der Evangelische Oberkirchenrat an Preußens Geistliche und Gemeinderäte: «Mit hoher Freude sehen alle, die unser Volk lieb haben, wie unter der Not des mit ungeheurem Frevelmut uns aufgezwungenen Krieges das religiöse Bedürfnis unsern Gemeinden erwacht. Gotteshäuser und Gottesdienst füllen sich. Scheinbar erstorbene Glaubensfunken leuchten wieder auf ... Man fühlt: Gott spricht in der Not der Schlachten zu unserm Volk. Und Gott sei Preis: Unser Volk findet seinen Gott wieder und spricht zu ihm als seinem Hort und seiner starken Zuflucht. Man kann sagen: Ein Feld weiß und reif zu einer

Geistesernte liegt vor uns.» Vor der «Geistesernte» allerdings kamen die Menschenopfer.

Was der Pfarrer eines kleinen Dorfes im Odenwald am 2. August 1914 erlebte, geschah überall im Land: «Um den Altar waren Bänke gestellt für 70 Mann; sie reichten aber nicht, so daß noch mehr Platz geschafft werden mußte ... Nach der kurzen Ansprache folgte ein Einsegnungsgebet, und während die Männer standen, wurden sie fürs Feld, fürs Kämpfen, Leiden und Siegen eingesegnet.» Auf ihrem Gürtelschloß stand: «Gott mit uns.»

Zwischen 1910 und 1913 hatten rund 60000 Menschen die Kirchen verlassen. Der Krieg bremste kurzfristig diese Fluchtbewegung. Die Kirche wurde wieder zum Zentrum – vor allem in den Dörfern und Kleinstädten. In den Großstädten war es mit dem religiösen Aufschwung schnell wieder vorbei. Schon Ende 1914 hieß es: «Es ist alles wie früher, der Strom hat sich verlaufen.» Dagegen Pfarrer Bergemann aus Himmelpfort in der Uckermark: «Der Besuch der Gottesdienste blieb während der ganzen Kriegsdauer ein erfreulicher. Pfarrer und Gemeinde haben sich gefunden. Der Krieg half dazu.»

Nicht zum erstenmal vermengten sich Nationalismus und Christentum auf unentwirrbare Weise. Das Deutschlandlied wurde zu Gottes eigener Nationalhymne. Die Zeitschrift «Die Dorfkirche» beschrieb es ahnungslos: «Nach der Predigt sangen wir: ‹Deutschland, Deutschland über alles›. Das nationale Lied ist zu einem innig frommen Choral geworden. Und zum Ausgang aus der Kirche sangen wir die ‹Wacht am Rhein›. Das Kirchentor öffnete sich, und der Gesang brauste in die sternenklare Nacht hinaus. ‹Lieb Vaterland, magst ruhig sein, fest steht und treu die Wacht am Rhein›. So war durch diesen Gottesdienst auch die schwerfällige Seele einer Gemeinde zu einer begeisterten Kundgebung ihrer Vaterlandsliebe geweckt worden.»

Zu den alten Ideen vom auserwählten Volk kamen neue Töne hinzu, wie in der Missionspredigt des Missionsinspektors Witte in Berlin im September 1914: «Liebe Gemeinde ... wir waren auf dem Wege, ein Weltvolk zu werden. Das wollten die andern Völker, die schon Länder über die Erde hin, Handel und Kolonien hatten, hindern; darum haben wir jetzt den Krieg ... Unsere 67 Millionen brauchen mehr Raum als die zu eng werdende Heimat. Und wir wissen, daß, wenn deutsches Wesen, deutsche Bildung, deutsches Wissen in die weite Welt getragen werden, das hohe Güter sind, die allen Völkern der Erde viel Segen bringen können.» Es ist unmöglich, solche Worte unbefangen zu lesen und zu verdrängen, wozu dieses «Volk ohne Raum» in einem zweiten Weltkrieg fähig war.

Die Frage nach dem Leid in der Welt und warum Gott es zuläßt, gehört zu den zentralen Herausforderungen an den christlichen Glauben in der modernen Zeit. Die Kirchen haben mitgeholfen, die Diskussionen darüber in die Irre zu führen. Zu selten wird bedacht, daß Not und Schmerzen, die wir auf das göttliche Konto schieben, in den Köpfen der Menschen ihren Ursprung haben. Daß wir es sind, die schuldig werden oder versagen. Die Kirche hat solche Verwechslungen selbst heraufbeschworen, wenn sie sogar den Tod auf dem Schlachtfeld als gottgewollt ausgegeben hat, um den Schmerz der Lebenden zu betäuben. So tröstete der Oberhofprediger Bruno Doehring im Ersten Weltkrieg die Witwe eines gefallenen Soldaten: «Die größte Stunde deines Lebens hat geschlagen. Es kommt darauf an, daß du ihr gewachsen bist ... Wer sich als Kind Gottes weiß, für den heißt sterben: zu Gott gehen. Und fürs Vaterland sterben heißt: von den vielen Wegen, auf denen Gott die Seinen zu sich rufen kann, den begnadetsten haben gehen dürfen. Fängst du an zu verstehen, warum wir dich glücklich preisen? Einmal, weil dein Mann zu Gott gegangen ist, und sodann, weil er auf dem schönsten aller Wege zu ihm zu gehen gewürdigt ist ... Gott und Vaterland! Sie forderten ihn von dir. Wem hättest du ihn wohl lieber gegeben?» Wer so getröstet wird, wagt nicht, weiter zu fragen. Er klammert sich an diese Illusion, oder er kehrt über solcher Gotteslästerung, die dem Moloch Nationalismus alles opfert, Gott, der Kirche und dem Christentum empört den Rücken.

Die allermeisten Pfarrer hatten keine Hemmungen, ihre Theologie auch ganz praktisch in den Dienst des Krieges zu stellen. Von den Kanzeln ermunterten sie ihre Gemeinden, ihr sauer verdientes Geld in Kriegsanleihen anzulegen. Nicht selten lagen im Kirchenraum die Unterlagen, mit denen man dem Wort des Pfarrers sofort Taten folgen lassen konnte. In den «Niederschönhausener Kirchlichen Nachrichten» stand zu lesen: «Was tust du für Deutschlands große Stunde? 1. Dein Gold gehört dem Vaterland! 2. Zeichne die 7. Kriegsanleihe! Und 3. Bist du schon Mitglied der ‹Deutschen Vaterlandspartei›? Nein – Nein – Nein? Wie willst du bestehen? Vor deinem Vaterland – deinem Gewissen – deinem Gott?»

Ein Pfarrer muß Vorbild sein. Viele hatten vor 1914 freiwillig den einjährigen Militärdienst mitgemacht, nicht wenige waren Reserveoffiziere. Nun drängten sie als aktive Soldaten an die Front. Die Kirchenleitungen kamen in Schwierigkeiten. Hatten sie doch, wie der Evangelische Oberkirchenrat in Berlin, wiederholt erklärt, «daß es dem Geistlichen nicht zu verstatten sei, heute den Talar und morgen den Waffenrock zu tragen». Doch der Meinungsumschwung ließ nicht auf sich warten und wurde schon im September 1914 publik gemacht. Nun las man, «daß den Gesuchen von Geistlichen in bezug auf den Dienst mit der Waffe – und zwar auch im Felde – stattgegeben werden kann ...» Der Frankfurter Pfarrer Johannes Kübel – politisch ein Liberaler, kirchlich ein Linker – hatte keinerlei Bedenken, sofort freiwillig ins Feld zu ziehen. Er nannte sich selbst einen, «der mit Leib und Seele Soldat war», ein «begeisterter Infanterist und Kompagniechef». Für ihn war der Krieg «das große, herrliche, geheimnisvolle Muß» und damit ein göttliches Gebot. Der Göttinger Pastor Saathoff gab eine «Kriegszeitschrift für unsere Soldaten im Felde» heraus mit dem Titel «Vorwärts zum Sieg».

Nicht wenige Pfarrer glaubten, mit solchem kriegerischen Eifer in den Fußstapfen Martin Luthers zu wandeln, als ob dieser an der Spitze eines Heeres den Papst vertrieben oder mit Lust seine Anhänger in bewaffnete Auseinandersetzungen verwickelt hätte. Luther kämpfte mit Worten, und da kannte er keine Schonung. Denen, die regierten, aber hat er als ihre wichtigste Aufgabe immerzu nur eines gepredigt: den Frieden zu halten. Das hinderte ihn nicht, den «gerechten Krieg» – wie seit Jahrhunderten in Europa zeitgemäß – zu verteidigen. Ja, er schrieb, daß in einem solchen Fall «Gott hängt, rädert, enthauptet, tötet und Krieg führt». Aber in seiner umfassenden Schrift von 1526 – «Ob Kriegsleute auch in seligem Stande sein können» – steht daneben unübersehbar: «Denn das will ich vor allen Dingen zuvor gesagt haben: Wer Krieg anfängt, der ist im Unrecht ... Denn weltliche Obrigkeit ist nicht von Gott eingesetzt, daß sie Frieden brechen und Kriege anfangen solle, sondern dazu, daß sie den Frieden handhabe und den Kriegen wehre...» Ausdrücklich verurteilt werden jene, die «mit Lust» in den Krieg ziehen. Und auch der gerechte Verteidigungskrieg ist für Luther «ein menschliches Unglück».

Der Sieg blieb aus, das kritische Nachdenken der Theologen ebenso. Zu Ostern 1916 richtete das bayerische Oberkonsistorium einen Hirtenbrief an seine «Pfarrer, Hilfsgeistlichen und exponierten Vikare». Es war ein Appell durchzuhalten, «da sich im Volk langsam Ermüdung» breitmachte: «Und dieses Gefühl konnte geradezu gefährlich werden, wenn es sich mit religiösen Vorstellungen verband, etwa derart, daß der christliche Sinn das Blutvergießen nicht länger gutheißen könne, daß die christliche Selbstlosigkeit es erlaube, wenn nicht fordere, auf eine volle Sühne des an uns verbrochenen Unrechts zu verzichten, und dergleichen... Unsere Geistlichen haben sich bis jetzt vielen Dank verdient. Sie verdienen sich noch größeren, wenn sie in Rücksicht auf den Einfluß, den sie besitzen, in Rücksicht auf die Tragweite ihres Wortes, sich peinlich hüten, den Stimmungen einer müden Verdrossenheit, einer wahrhaft leidigen Friedenssehnsucht, einer weichlichen Leidensscheu Raum zu geben; wenn sie mit aller Kraft das Beispiel der aushaltenden Geduld selbst geben und dazu ermuntern, daß unser Volk in seiner Passion tapfer aushalte, wie die Väter in ihren Nöten ausgehalten haben...» Ein Jahr später schrieb ein Feldgeistlicher, was die Soldaten über das Stichwort «Durchhalten» denken: «Ich weiß, daß die Leute beim Feldgottesdienst öfter einfach darauf warten, ob dieses Wort kommt, und kommt es, ist die Wirkung der Predigt für viele vorbei; dann heißt es nachher mit einem gewissen Hohn: Natürlich, ‹durchhalten und Maul halten›, was anderes hatte der Pastor auch nicht zu sagen! – Wer also die Predigt ohne Rücksicht auf diese seelische Verfassung zu einer ‹Durchhaltepredigt› gestaltete, war verloren.»

Die leisen Stimmen der Nachdenklichen drangen nicht durch in diesen Jahren; Einfluß haben sie nicht genommen. Doch das ist kein Grund, sie zu unterschlagen. Pfarrer Rudolf Schlunck schrieb nach der Beerdigung eines deutschen Soldaten in Antwerpen: «Hütet Euch in der Heimat vor dem Kriegsrausch! ... Der Kriegsrausch, der die Menschen ergriffen hat, muß von uns von den Gräbern fern gehalten werden.» Der Erlanger Professor Gustav Wohlenberg veröffentlichte «Winke und Warnungen über die Predigt in Kriegszeiten». Der Prediger «lasse den Donner der Kanonen, das Geknatter der Gewehre, kurz die ganze Atmosphäre des Krieges nicht zu stark hervortreten ... Der Prediger darf demgemäß nicht sein eigenes Volk ungebührlich preisen und loben und hat sich aufs fleißigste vor der prahlerischen Gesinnung und Sprechweise zu hüten: ich danke dir, Gott, daß ich Deutscher nicht bin wie die Engländer, Franzosen usw. ... Wer gibt uns denn das Recht, bedingungslos oder fast ohne Einschränkung zu verkündigen: wir werden, wir müssen siegen, Gott verläßt keinen Deutschen? Ich kann mir nicht helfen, ich habe den Eindruck, hier wird viel gesündigt; unsere Predigten sollten davon frei bleiben!»

Es kam 1917, ein Reformationsjahr, und für die Mehrheit ein Anlaß, sich im Sinn des Erlanger Professors kräftig zu versündigen. Die Evangelisch-Lutherische Landeskirche in Sachsen läßt den Gemeinden zu Beginn des vierten Kriegsjahres von den Kanzeln verkünden: «Das von Gott gefügte Zusammentreffen der entsagungsreichsten Zeit des Krieges mit dem Gedächtnisse der größten Gottestat deutscher Geschichte müsse uns anspornen, in Luthers Sinn und Geist alle Verzagtheit zu verbannen, nach dem Vorbild der Reformation unser Leben zu prüfen und zu heiligen, allem leichtsinnigen, in dieser Zeit doppelt sündigem Wesen zu wehren, die Jugend in christlicher Zucht zu halten, die Obrigkeit in schuldiger Treue mit christlicher Fürbitte zu stützen ...» Die Festansprache in Wittenberg hält Pfarrer Otto Dibelius: «Mit einer frohen Kunde darf ich Sie begrüßen. Unmittelbar vor meiner Abfahrt aus Berlin erfuhr ich den neuesten Bericht der Obersten Heeresleitung ... Mehr als 80 000 Gefangene sind eingebracht ... Ja, das ist eine herrliche Kunde für jedes deutsche Herz.» In Berlin predigt Pfarrer Paul Conrad zu Ehren Luthers, es gehe in diesem Krieg «um deutsche Art und um deutsche Sitte, um deutsche Wissenschaft und um deutsches Gewissen, um deutsche Kultur und um deutsche Freiheit, um Glauben und Heimat, um Evangelium und Deutschtum». Und den evangelischen Presseverband in Sachsen plagt diese Sorge: «Im Jubeljahr der Reformation ein katholischer Reichskanzler! ...

Wer will uns Evangelischen verdenken, wenn wir unsere Sorge aus diesem Anlaß nicht dämmen können?»

Aufsehen und noch mehr Abscheu erregte die Erklärung von fünf Berliner Pfarrern, denen sich sechzehn weitere anschlossen, zum Reformationsfest: «Wir deutschen Protestanten reichen im Bewußtsein der gemeinsamen christlichen Güter und Ziele allen Glaubensgenossen, auch denen in den feindlichen Staaten, von Herzen die Bruderhand. Wir erkennen die tiefsten Ursachen dieses Krieges in den widerchristlichen Mächten, die das Völkerleben beherrschen, in Mißtrauen, Gewaltvergötterung und Begehrlichkeit, und erblicken in einem Frieden der Verständigung und Versöhnung den erstrebenswerten Frieden.» Die Mehrzahl der Protestanten identifizierte sich mit einer Huldigungsadresse, die zweihundert deutsche Feldgeistliche und Theologieprofessoren 1917 von einer Kriegstagung in Brüssel an den Kaiser schickten. Sie brachten der «Majestät, als ihrem obersten Kriegsherrn und Landesbischof alleruntertänigst ihre Huldigung dar und gelobten, mit dem tapferen Westheere treulich auszuhalten bis zu einem siegreichen Ende. In treuer Fürbitte empfehlen wir Eure Majestät und das Vaterland in diesen Tagen tiefer Erregung und fester Hoffnung dem Schutz des allwaltenden Herrn.» Wenn diese Gleichung nicht aufgehen, wenn der Segen Gottes nicht den Sieg bringen würde, mußte die Welt jedes frommen Deutschen zusammenbrechen.

Am 9. November 1918 unterzeichnete Deutschland den Waffenstillstand. Der Krieg war verloren, achteinhalb Millionen Menschen auf allen Schlachtfeldern gestorben. Der Kaiser verließ sein Volk und fuhr ins Exil nach Holland. In Berlin wurde die Republik ausgerufen. Die Fürsten in unzähligen deutschen Ländern und Ländchen wurden arbeitslos. Die Protestanten verloren in der Person ihres weltlichen Herrschers zugleich ihr geistliches Oberhaupt. Eine Klammer, die seit Martin Luther die evangelische Bewegung und die weltlichen Obrigkeiten zusammengehalten hatte, war über Nacht fortgefallen. Das Bündnis von «Thron und Altar» vorbei.

Noch einmal wendet sich im November 1918 der Evangelische Oberkirchenrat an seine Christen: «Wir haben den Weltkrieg verloren. Unerhört grausame Waffenstillstandsbedingungen der übermütigen Feinde haben wir annehmen müssen. Kaiser und Reich, wie es in einer Geschichte ohnegleichen uns teuer und wert geworden war, ist dahin. Es ist uns nichts von Bitterkeit und Demütigung erspart worden. Unsere Herzen sind wie erstarrt und zerrissen in namenloser Trauer, in bängsten Sorgen ... Wo ist Rettung und Hilfe in dem furchtbaren Leid, das über uns zusammenschlägt, wo nehmen wir Kraft und Mut her, das unsagbare Elend zu ertragen?» Uneinsichtig über das Ende hinaus und dann ein unerwartetes Bekenntnis: «Wir halten Landesbuß- und -bettag. Wir wollen uns beugen unter die eigene Schuld und unter unsers Volkes Schuld an dem über uns verhängten Leid, damit Gott uns erhöhen kann.»

Doch sofort folgt der Rückfall in das alte Denken, der beliebige und fatale Austausch von religiösen und politischen Vokabeln. Unterschwellig klingt an, als ob das Deutsche Reich identisch sei mit dem Reich Gottes auf Erden: «Denen, die um ihre Toten trauern, soll gesagt werden, daß die heiligen Opfer mitwirken zur Auferstehung unseres Volkes ... Jede Epoche der Weltgeschichte soll auch eine Epoche in der Geschichte seines Reiches sein. Er lebt und herrscht, er wird siegen. Er läßt seine Sache nicht im Stich! Das Reich muß uns doch bleiben.» Die christliche Hypothek auf die Zukunft hätte nicht drückender sein können.

# Weimar:
## Die Sehnsucht nach Erlösung

Am Ende stand eine dreifache Katastrophe für den deutschen Protestantismus: Mit dem Zusammenbruch der feudalen Ordnung hatte sich die jahrhundertealte Struktur der lutherischen Kirchen aufgelöst. Adel und konservative Kräfte, die traditionellen Beschützer und Bundesgenossen des institutionalisierten Christentums, hatten ausgespielt. An der Macht waren die Sozialdemokraten, seit ihrem allerersten Auftreten von den meisten Geistlichen als Feinde des Christentums, der Moral und der Ordnung erbittert bekämpft. Und was vielleicht am schwersten wog: die Rechnung mit Gott war nicht aufgegangen. Mußte eine Kirche, die unbeirrbar den Sieg deutscher Waffen als Gottes Willen herbeigebetet hatte, nicht ihren Bankrott anmelden oder den ihres Glaubens, nachdem die Niederlage feststand?

Wer in diesem Dilemma die Schuld nicht bei sich selber suchte, dem blieb nur ein Angeklagter. Im Kirchlichen Jahrbuch von 1919 stellte der Herausgeber ohne zu zögern die Frage: «Wo bleibt Gottes Gerechtigkeit?» Ein lutherischer Theologe zog Gott zur Rechenschaft, weil dieser die Anstrengungen, die Leistungen, den Glaubenseifer seiner Getreuen nicht honoriert hatte. Um zu ermessen, wie unerhört dieser Vorwurf ist, muß der Bogen zurückgeschlagen werden zu dem Mönch in Wittenberg, der vierhundert Jahre zuvor den Menschen und die Welt ausschließlich von Gott her beleuchtet hatte. Das gerade war Luthers zentrale Erfahrung: Alle Anstrengungen, vor Gott als ein gerechter Mensch zu bestehen, führen geradewegs in die Verzweiflung. Erstens, weil der Mensch schlecht ist von Natur aus. Und zweitens, weil Gott Gott ist: unerreichbar, unerklärbar, mit keinem menschlichen Maß zu messen. Ein Gott, der dem frommen und gerechten Hiob alle Plagen schicken läßt und sich ihm erst wieder zuwendet, als der Gedemütigte alle Hoffnung aufgegeben hat.

Für den christlichen Glauben hatte Luther aus dieser Erfahrung zwei Konsequenzen gezogen: Der Mensch kann sich durch keinerlei Eigenleistung, durch kein einziges gutes Werk einen wohlgesonnenen, gnädigen Gott erzwingen. Es ist Gott allein, der alle Schuld, alle Schlechtigkeit ungeschehen macht – und zwar allein aus Gnade. Niemand kann sich den Himmel verdienen. Niemand kann bei Gott Gerechtigkeit einklagen. Und ein moralisch einwandfreies Leben ist deshalb noch lange kein Ausweis dafür, daß jemand ein guter Christ ist. Allein der Glaube an Gottes Gnade macht einen Menschen zum Christen.

Als der Theologe Johannes Schneider 1922 eine Analyse «Zur Zeitlage» schreibt, vertritt er einen Protestantismus, in dessen Mittelpunkt Sitte und Moral stehen: «Wir verelenden nicht nur materiell, wir verelenden auch moralisch. Es hat seit Hunderten von Jahren noch nie einen solchen Tiefstand der öffentlichen Moral gegeben als eben jetzt. Gewalttat und Mord, Raub und Totschlag, die sonst etwas Sensationelles waren, sind etwas derart Alltägliches, daß man kaum noch Notiz davon nimmt. Man kann kein Zeitungsblatt in die Hand nehmen, ohne Derartiges zu lesen, wo man auch sei. Das ist die ‹Freiheit›, die sich ausleben will. Sozialismus – ein schönes Wort von tiefer ethischer Bedeutung ... Aber was wir davon sehen in der Welt, ist nichts als ein jammervolles Zerrbild, der Egoismus in Reinkultur ... Egoismus ist Parole. Das war bei Minderwertigen schon immer so, jetzt aber hat sich's durchgearbeitet wie fressender Eiter auch in die Stände und Volksschichten, die früher noch auf Ehre und Gewissen hielten.» Es ist ein christlicher Theologe, der hier von «minderwertigen» Menschen spricht!

Wer so denkt, ist schon im voraus dem verfallen, der mit Entschlossenheit versprechen wird, Moral und Sitte wiederherzustellen und alles Kranke am deutschen Volkskörper «auszumerzen». Kein einzelner Theologe soll hier für viele an den Pranger gestellt werden. Doch Schneider steht für die Mehrheit in den evangelischen Kirchen. Sie konnte sich nicht vorstellen, was wenige Jahre später alles im Namen von Moral und Sitte durchgesetzt würde. Sie wollte das nicht. Aber wer als Nachgeborener weiß, was geschah, der kann bei solchem Mißtrauen in die Freiheit, bei dieser verräterischen Sprache nicht das Bild der Schienenstränge verdrängen, die in Auschwitz an der Rampe endeten. Der kann nicht die «Herrenmenschen» vergessen, die arbeitsfähige «Untermenschen» «selektierten», bevor auch diese – wie die Kranken und Alten – den Gang in die Gaskammern antraten.

Johannes Schneider hat 1922 allerdings auch Grund zur Freude und wünscht sich nicht nur die gute alte Zeit zurück: «Die Kirchengeschichte wird einst feststellen, daß mit den Jahren 1920 und 1921 eine neue Epoche begonnen hat ... Das spricht wuchtig und klar der erste Satz in Art. 137 der Deutschen Reichsverfassung aus: ‹Es besteht keine Staatskirche.› Wir hatten sie fast 300 Jahre lang. Sie war nicht ohne inneres Recht und äußeren Segen, aber sie brachte doch auch allerlei innere Lähmungen und äußere Hemmung, je länger desto mehr. Wir haben sie gehabt. Wir wollen an sie nicht ohne pietätvollen Dank denken, aber wir dürfen ihr getrost den Abschied geben.» Nach dem ersten Schock erkannten führende Kirchenmänner, was sie gewonnen hatten: eine noch nie dagewesene Unabhängigkeit und zugleich – so vollständig war die Trennung von Staat und Kirche denn doch nicht – eine feste Einnahmequelle durch das Kirchensteuersystem.

Einer sagte besonders laut und deutlich, wie gut dem Protestantismus das «befreiende Gewitter» der Revolution von 1918 getan hatte. Otto Dibelius, jüngster Generalsuperintendent der preußischen Kirche, veröffentlichte 1926 ein Buch mit dem programmatischen Titel «Das Jahrhundert der Kirche». In den nächsten zwei Jahren trugen fünf weitere Auflagen diese Botschaft ins Land: «Die Selbständigkeit der Kirche ist da. Nicht ohne Einschränkung! Aber aufs ganze gesehen, darf es gelten: sie ist da! Eine Kirche ist geworden! Eine selbständige evangelische Kirche! ... Wir haben eine Kirche. Wir stehen vor einer Wendung, die niemand hatte voraussehen können. Das Ziel ist erreicht! Gott wollte eine evangelische Kirche!» Damit hatte die verzweifelte Frage nach dem Sinn der Niederlage doch noch eine höchst befriedigende Antwort gefunden. Die evangelischen Christen mußten nicht mehr resigniert der Vergangenheit nachtrauern und sich fragen, ob Gott noch auf ihrer Seite war. Voller Selbstbewußtsein konnten sie die Zukunft mitgestalten.

Über die Hauptaufgaben der Kirche und über ihren Hauptgegner gab es für Dibelius keine Zweifel: «Die einheitlich christlich bestimmte Kultur des Abendlandes ist in der Auflösung begriffen. Überall scheiden sich die Geister. Eine diesseitig eingestellte Geistesrichtung ... schüttelt die Vormundschaft christlicher Gesittung von sich ab. Ihr Feind ist die Kirche als die Hüterin dieser christlichen Gesittung. Ihr gilt der Kampf. Der Kampf ist nicht erst seit heute und gestern da. In der Aufklärung hat er sich angekündigt... Das Neue und Unerhörte ist, daß er heute eine staatliche Macht hinter sich hat, die ihre ganzen geistigen und materiellen Kräfte in diesen Angriffskrieg hineinwirft. Diese Macht ist Rußland.» Die Front nach außen war klar. Und im Innern?

Der märkische Generalsuperintendent weist in die gleiche Richtung wie Johannes Schneider vier Jahre zuvor: «Wahrhaftig, es ist höchste Zeit, daß jemand mit starker Hand das Steuer ergreift, daß er an die neugewordenen Verhältnisse den Maßstab einer absoluten Sittlichkeit anlegt und den Menschen wieder zum Bewußtsein bringt, was gut und böse ist. Wer soll dies neue sittliche Urteil bilden? Wer kann es tun, wenn es nicht die Kirche tut?» Böses zu provozieren, zu sündigen, schuldig zu werden: Dibelius setzt es gleich mit sittlichen Verfehlungen, mit Verstößen gegen die Moral. Die Kirche als moralische Anstalt. Wo der Staat neutral ist und nicht mehr, wie bis 1918, sich als Hüter christlich-sittlicher Interessen und Normen sieht, muß die Kirche in eigener Regie diese Aufgabe übernehmen: «Unter diesen Lebenskräften ist die Religion entscheidend als die Trägerin alles sittlichen Lebens.»

Dann kommt Dibelius zu einem anderen Thema: «Wie stellt sich die evangelische Kirche zum Staat? Zunächst ist klar, daß eine evangelische Kirche dasjenige freudig bejaht, das die Grundlage jedes gesunden und einheitlichen Staatswesens ist. Das ist das Volkstum. Die evangelische Kirche will Gott anerkennen, wie und wo er sich offenbart. Niemand aber kann an der Tatsache vorbeisehen, daß nach Gottes Schöpferwillen alles gesunde Menschenleben, sobald es in das Stadium der Kultur eingetreten ist, auf dem Volkstum beruht. Der Mensch, der sich von seinem Volkstum löst, verliert die innere Sicherheit, die Harmonie dieses Lebens. Internationalität, die das eigene Volksleben überspringt, ist immer sittlich haltlos, äußerlich, oberflächlich ... Das Ideal der evangelischen Kirche kann nicht eine internationale Gesellschaft christlicher Art sein, sondern eine Menschheit, die sich aus Nationen aufbaut, in der jedes Volkstum den christlichen Glauben auf seine Art erfaßt und in seiner Art ausprägt ...» Nicht ohne Absicht ist dieser Absatz so ausführlich zitiert worden. Dibelius war kein Exzentriker, kein Außenseiter und kein versteinerter Reaktionär. Er hatte einen Blick für die Realitäten der modernen Gesellschaft. Er fürchtete sich nicht vor dem Neuen. Er war zugleich ein solider Theologe, der sich nicht eilfertig oder ängstlich veränderten Verhältnissen anpaßte. Er war ein selbstbewußter Kirchenmann, der in seinem Buch auch schrieb: «Einen omnipotenten Staat kann die Kirche nicht anerkennen.»

Um so schwerer wiegt das vorbehaltlose Bekenntnis, ja die theologische Rechtfertigung einer Sache, die unter den Trümmern des Zweiten Weltkrieges hoffentlich für immer begraben wurde. Es ist ein Begriff, der in den zwanziger Jahren die Hirne vernebelte und selbst die kühlsten Köpfe berauschte: das Volkstum. Volkstum, völkisch waren geläufige Schlagworte, von kaum einem auf ihren realen Inhalt hin befragt. Den deutschen Zeitgenossen, die sich gedemütigt fühlten durch einen verlorenen Krieg und ungeliebt, schien in diesen schwammigen Beschwörungen das Allheilmittel zu liegen, um sich am eigenen Schopf aus dem Sumpf der Niederlagen und des Niedergangs zu ziehen. Das deutsche Luthertum, im Gegensatz zum weltweiten Katholizismus eine nationale Religion, nahm die Ideologie von der Kraft des Völkischen auf wie eine göttliche Offenbarung. Lagen doch in ihrer eigenen Tradition die Wurzeln dieser Heilslehre.

Otto Dibelius hat es richtig beschrieben: Während der Aufklärung wurde der Grund für diesen Kampf gelegt. Aus der Reaktion auf diese Epoche, die Toleranz und Weltläufigkeit predigte, wurde der Kampf der protestantischen Theologie gegen nichtdeutsche, französische Einflüsse. Nicht Moden sah man darin, nicht Anstöße zur geistigen Auseinandersetzung, sondern das Werk des Teufels, den Untergang von Sitte und Moral. Es waren evangelische Pfarrer, die im Krieg gegen Napoleon die deutsche Nation als etwas ganz Besonderes darstellten: von Gott zu einer besonderen Mission auserwählt. Der vernünftige Weltbürger, das Ideal der deutschen Aufklärung, von führenden protestantischen Theologen mitgetragen, war nicht mehr gefragt. Mehr noch: Er wurde verachtet und abgelehnt.

Es waren gerade jüngere und moderne Theologen, die in den zwanziger Jahren der Weimarer Republik bewußt eine politische Theologie entwickelten, in deren Zentrum das Volk stand. Sie waren mit Dibelius überzeugt, sich der neuen völkischen Bewegung stellen zu müssen, damit die Kirche nicht noch einmal, wie gegenüber dem Sozialismus im 19. Jahrhundert, versagte. Ihr Ausgangspunkt war nicht Neutralität, nicht Kritik. Diese Theologen traten offen als Sympathisanten des Völkischen auf. Einer ihrer wichtigsten Vertreter, der Theologieprofessor Karl Althaus, hielt 1927 auf dem Königsberger Kirchentag vor Deutschlands protestantischer Prominenz einen Vortrag über «Kirche und Volkstum». Die Botschaft, die Althaus an seine Brüder im Pfarramt und die evangelischen Laien weitergab, lautete: «Gott will nicht nur die Einzelnen heiligen, sondern um die Familien und Völker als Ganzheiten ringen. Die Völker als ganze haben ihren Beruf in der Gottesgeschichte. Völker sündigen, Völker richtet Gott. So ist den deutschen Kirchen das ganze Volk anvertraut, und zwar nicht nur als Inbegriff einzelner Seelen, sondern als Volkstum ...»

Wie für Otto Dibelius gilt für Professor Althaus: er war kein Außenseiter. Er formulierte vorsichtig, nicht schwarzweiß. Er war kein Radikaler. Und wieder wiegt deshalb um so schwerer, was er sagte. War es um so überzeugender für die Zeitgenossen. Es gab in diesem Königsberger Vortrag auch eine Bemerkung, zu der niemand diesen evangelischen Professor im Jahre 1927 gezwungen hat. Althaus erklärte unter anderem, die Kirche müsse «ein Auge und ein Wort haben für die jüdische Bedrohung unseres Volkstums». Das war nicht mehr das theologische «Argument» gegen die Mörder Gottes, die die Botschaft Christi nicht annehmen wollten, wie es das Mittelalter und Martin Luther benutzt hatten. Nein, wo es um das «Volkstum» ging, war der Begriff «Rasse» nicht fern.

Gegen die Behauptung, daß der Glaube nicht nur den einzelnen betrifft, sondern ganze Völker, muß noch einmal der Mönch aus Wittenberg gestellt werden. Denn das war Luthers Credo: Vor Gott stand jeder letztlich allein. Da half kein Priester, keine Kirche, kein gutes Werk. Mit eindringlicher Deutlichkeit hatte er es seinen Wittenbergern 1522 in der Fastenzeit gepredigt: «Wir sind allesamt zu dem Tod gefordert und wird keiner für den andern sterben. Sondern ein jeglicher wird in eigener Person für sich mit dem Tode kämpfen. In die Ohren können wirs wohl schreien, aber ein jeglicher muß für sich selber bereit sein in der Zeit des Todes: Ich werde dann nicht bei dir sein noch du bei mir.» Wenn die einzelne Seele in der Todesstunde Gott gegenübersteht, zählt keine Unterscheidung mehr, wie sie die Welt anstellt. Ob reich oder arm, ob Deutscher oder Franzose – vorbei, gleichgültig. Ein Christ kann sich nur auf die Gnade Gottes verlassen. Sie kennt keine nationalen Besonderheiten, ist an keine Rasse gebunden.

Der Kirchentag 1927 in Königsberg schloß mit einer «Vaterländischen Kundgebung», die den evangelischen Gemeinden «ein Wort über Volk und Vaterland» mit auf den Weg gab: «Gott ist Gott aller Völker, Jesus Christus der Heiland der ganzen Welt. Man soll die Sache Gottes nicht gleichsetzen mit der Sache irgendeines Volkes. Es gibt eine Gemeinschaft des Glaubens und der Liebe, die über Völkergrenzen und Rassenunterschiede hinweg alle verbindet, die sich zum Christentum bekennen.» Den einsichtigen Worten jedoch folgte das große Aber, und das nahm den größeren Raum ein: «Wir sind Deutsche und wollen Deutsche sein. Unser Volkstum ist uns von Gott gegeben. Es hochzuhalten, ist Pflicht, zweifache Pflicht in einer Lage wie der gegenwärtigen. Ein Weltbürgertum, dem das eigene Volk gleichgültig ist, lehnen wir ab. Jesus unser Herr, auch Paulus und Luther, jeder von ihnen hat ein Herz für sein Volk gehabt, über seine Not und Sünde getrauert und um sein wahres Wohl gerungen ... Durch deutsche Art hat unser Christentum sein besonderes Gepräge erhalten und ist gerade dadurch auch für andere wertvoll ...» So ist man doch wieder bei jenem Satz gelandet, daß am deutschen Wesen die Welt genesen soll.

Am Schluß der Zusammenkunft stellt die Kirche den einzelnen evangelischen Christen drei Aufgaben. Es sind politische Forderungen, die sich ableiten aus einer völkischen Theologie und als

Gottesdienst ausgegeben werden: «Sie [die Kirche] will, daß jeder nach bestem Wissen und Gewissen dem Staatsganzen dient und für das Wohl der Gesamtheit Opfer bringt. Sie will, daß jedermann um des Wortes Gottes willen der staatlichen Ordnung untertan ist. Sie will, daß jeder sich seiner Mitverantwortung bewußt ist und sich für alles einsetzt, was Volk und Staat stärkt, bessert und fördert. Solcher Vaterlandsdienst ist auch Gottesdienst.» Der Politiker, den sich die lutherischen Kirchen – ja Gott selbst – für Deutschland wünschten, ist nach alldem nicht schwer zu beschreiben: ein strammer Anti-Kommunist, der die öffentliche Moral wieder hebt, Ordnung verspricht, das Volksganze über das Schicksal des einzelnen stellt. Und sollte er gegenüber den Juden repressive Maßnahmen ergreifen, so wäre im Prinzip dagegen nichts einzuwenden. Bei der Wahl zum Reichstag gewann die Nationalsozialistische Deutsche Arbeiterpartei unter ihrem Führer Adolf Hitler 1930 gerade 2,6 Prozent der Stimmen.

Ausgerechnet in dem Jahr, in dem Otto Dibelius «Das Jahrhundert der Kirche» proklamierte, zeigte die Austrittskurve wieder steil nach oben. Die Statistiken, die für Katholiken und Protestanten zusammengefaßt wurden, gehen fast ausschließlich zu Lasten der evangelischen Kirchen. Ohnehin war diese Konfession in der Überzahl. Von den 62,4 Millionen Deutschen waren 1925 genau 64 Prozent evangelisch, 32 Prozent katholisch und mindestens 2 Prozent konfessionslos. In Berlin waren die Austritte von 2402 im Jahre 1918 auf 41344 im Jahr darauf geschnellt. Im ganzen Reich waren es 224015. 1920 verließen sogar 48663 Berliner Christen ihre Kirche, im Reich insgesamt 305584. Dann fielen die Zahlen, bis sie 1925 in Berlin auf 23901 gesunken waren – im Reich auf 131739. Im Jahre 1926 sprangen sie wieder auf 38237, im Reich auf 180772. Insgesamt traten in Deutschland zwischen 1919 und 1932 rund 2,7 Millionen Menschen aus der Kirche aus. Dazu noch eine Zahl im kleinen, die leichter vorstellbar ist: Von 1908 bis 1917 verlor die hessische Landeskirche durch Austritt zehn Mitglieder. Zwischen 1919 und 1931 waren es dagegen 18582. Eines allerdings bestätigen alle Zahlen: Gemessen an denen, die in den Kirchen blieben, bildeten die Ausgezogenen eine winzige Minderheit, die den Charakter der Volkskirchen nicht bedrohten.

Das Zentrum der Austrittsbewegung lag in den Arbeitergegenden der Großstädte. Rund 75 Prozent der Berliner Sozialdemokraten waren konfessionslos. Was sie ablehnten, war nicht so sehr die Religion, als vielmehr die Institution Kirche. Man darf von den Zahlen deshalb nicht auf überzeugte Atheisten schließen, und daß viele Arbeiter bei der schlechten Wirtschaftslage – 1926 war ein miserables Jahr – die ohnehin gerade erhöhte Kirchensteuer sparen wollten, ist nur schwer zu verurteilen. Die gleichen Arbeiter, von denen gerade ein Prozent am Sonntag in die Kirche ging, schickten ihre Kinder in den Konfirmandenunterricht, «damit sie zu braven, sittlichen Menschen erzogen würden». Daß diese Kinder, von ihren Eltern in die Kirche gezwungen, keine begeisterten und überzeugten Christen wurden, kann nicht wundern.

Aus Untersuchungen in Arbeiter-Gemeinden im östlichen Berlin zwischen 1926 und 1929 geht hervor, daß auch die Arbeiter, die in der Kirche blieben, sich dort nicht zu Hause fühlten. Sie war ihnen fremd, weil zu bürgerlich und machte sie unsicher: «In die Kirche gehören die besseren Leute, und da werden so merkwürdige Dinge gemacht, daß man aufpassen muß, sich nicht vorbeizubenehmen.» Auf die Frage, warum sie am Sonntag nicht zum Gottesdienst gehe, antwortete eine Arbeiterfrau aus Friedrichshain: «Man schläft am Sonntag länger, und wenn man dann seinen Haushalt besorgen muß, hat man meistens keine Zeit mehr, sich ordentlich anzuziehen.» Machten sie sich tatsächlich einmal auf den Weg, konnten sie mit dem, was ihnen gepredigt wurde, meistens nichts anfangen. Sie hatten das Gefühl, der Pfarrer redete über ihre Köpfe hinweg zu den Etablierten. Auch auf die kirchliche Trauung verzichteten viele Arbeiter nicht aus prinzipiellen Gründen. Sie hatten einfach nicht genug Geld, um den finanziellen Aufwand für eine weiße Hochzeit – beides gehörte auch in ihrem Verständnis zusammen – bezahlen zu können.

Um so erstaunlicher, daß auch im proletarischen Berlin über 90 Prozent aller Neugeborenen getauft wurden. Ebenso häufig nahm man nun die Dienste der Kirche bei Beerdigungen in Anspruch. Wurden in Berlin Stadt 1919 rund 75 Prozent aller Beerdigungen von einem Pfarrer begleitet, stieg die Zahl bis 1926 auf 98 Pozent. Entscheidend war, daß 1925 die evangelische Kirche in Preußen –

als letzte im Reich – ihren Geistlichen die Mitwirkung bei Feuerbe-
stattungen erlaubte.

Ein durchschnittliches Bild vom christlichen Leben läßt sich auf
Grund städtischer Verhältnisse nicht zeichnen, und Berlin ist das
extremste Beispiel für Kirchenferne im ganzen Reich. Auf dem
Land war es auch in den zwanziger Jahren nichts Besonderes, sich
zu seinem Glauben zu bekennen und in den traditionellen Formen
der Frömmigkeit weiterzuleben. In Hessen, zum Beispiel, gingen
1919 immerhin rund 19 Prozent der Evangelischen zum Sonntags-
gottesdienst. 1930 waren es noch 15 Prozent. Im gleichen Jahr wurden – im Durchschnitt des ganzen Landes – 99,81 Prozent aller
Kinder aus rein evangelischen Ehen getauft. In der Großstadt
Frankfurt dagegen waren es nur 85 Prozent. Getraut wurden in
diesem Zeitraum etwa 90 Prozent aller rein evangelischen Ehen.

Sicher machte manch einer nur deshalb mit, weil es immer so war
oder weil – gerade auf dem Land – die Nachbarn sonst mit Fingern
auf ihn gezeigt hätten. Doch selbst die heftigsten Kirchenkritiker
erkannten, daß die Zeit nach 1918 keine atheistische Epoche war,
kein Jahrzehnt, in dem man der Religion die Totenglocke läuten
konnte. Tatsächlich war die Zeit von Weimar geprägt durch ein zu-
nehmendes Interesse an der Religion, eine inbrünstige Sehnsucht
nach Erlösung. Die «Jungsozialistischen Blätter» von 1925 sind ein
unverdächtiger Zeuge, daß es vorbei war mit einem platten Materialismus: «Heute sind diese atheistischen Gedanken nicht mehr
das Vorwärtsweisende, heute sind sie ausgesprochener Konservatismus ... Als flachsten Aufkläricht erkennen wir, was die Mehrzahl der proletarischen Freidenker- und ähnlicher Organisationen
noch immer mit Pathos vertritt. ‹Volksverdummung›, ‹Pfaffen-
schwindel›, ‹Ammenmärchen von Jenseits und ewigem Leben› ... –
all diese Krankheitssymptome zu bekämpfen, scheint uns gut und
recht. Aber nur Verblendeten kann dieser Kampf sich mit Kampf
gegen die Religion als solche in Eines verwirren. Das Gegenteil gerade wäre richtig. Die leer ausgegangenen Seelen der Menschen
strecken heute wieder hungrige Hände aus im tosenden Lärm der
modernen Zivilisation. Wenn Sozialismus mehr sein will als bloßes
Wirtschaftsprogramm, mehr als rein zivilisatorische Behebung unserer äußeren Nöte, wenn er Menschheitsidee sein will, muß er in

irgendeiner noch zu findenden Form den ganzen Menschen erfassen, vor allem diesen heimlichsten und tiefsten Teil des Menschen: sein religiöses Bewußtsein und seine religiöse Sehnsucht.»

Nirgendwo artikulierte sich diese religiöse Sehnsucht so laut und über alle konfessionellen Grenzen hinweg wie in der Jugendbewegung. Die chinesischen Philosophen wurden von ihren Anhängern verschlungen, der Inder Rabindranath Tagore 1930 auf die Burg Waldeck eingeladen, andere machten sich selbst auf den Weg nach Indien. Die Mehrheit der Jugendbewegten fand bei ihrer Suche schließlich die überzeugendste – faszinierendste – Antwort in einem Gemisch aus germanisch-völkisch-christlichen Gedanken. Sie entschied sich, wie der Wandervogel Otger Gräff, für ein «Gottum», das da anzutreffen ist, «wo sich deutscher Glaube mit rechtem deutschen Leben und Wirken bewährt, wo das Echte, das Gute, das Deutsche getan wird, nicht aus Hoffnung auf einstige Belohnung oder aus Furcht vor Strafe, sondern um seiner selbst willen». Nicht nur die Jungen wurden von einem solchen verschwommenen und zugleich rigorosen Mythos angesteckt. Es bildeten sich in den zwanziger Jahren immer mehr Gruppen und Grüppchen, deren Namen verrieten, worin ihre Hoffnung lag: Deutsch-Nordische Glaubensgemeinschaft, Germanische Glaubensgemeinschaft, Nordisch-religiöse Arbeitsgemeinschaft, Deutschgläubige Gemeinschaft. Der Protestantismus als nationale Religion war für diesen völkischen Bazillus besonders anfällig.

Der Bremer Hauptpastor Bode veröffentlichte 1920 ein Buch mit dem Titel «Wodan und Jesus». Für diesen Theologen stand fest: «Sie stimmen beide im Letzten und Besten überein: Wodan und Jesus. Beiden ist ein tief gewurzelter, weitschauender, großzügiger Glaube eigen. Beiden der Wille nach geistiger Freiheit ... Wollen wir wieder werden wie unsere Väter – und das wollen wir! –, so kann die Losung nur sein: Laßt uns trinken aus den kristallklaren Quellen. Die heißen: Wodan und Jesus.» Wilhelm Erbt schreibt ein Buch über «Jesus, der Heiland aus nordischem Blute und Mute». In den 95 Leitsätzen für ein «Deutschchristentum auf rein-evangelischer Grundlage» hatte der Flensburger Hauptpastor Friedrich Andersen schon im Lutherjahr 1917 anklingen lassen, daß ein solcher deutscher Glaube alles Fremde, sprich Jüdische, ausscheiden müsse: «Eine innigere Verbindung zwischen Deutschtum und Christentum ist nur zu erreichen, wenn dieses aus der unnatürlichen Verbindung gelöst wird, in der es nach bloßem Herkommen mit der jüdischen Religion steht.»

Das eine muß verschwinden, während Gott selbst etwas umgemodelt wird. Ein leidender Heiland am Kreuz paßt nicht zum germanischen Heldenglauben. Aber das läßt sich ändern. 1921 erscheint «Jahwe oder Jesus? Die Quelle unserer Entartung». Autor ist Kurd Niedlich, einer der wichtigsten Männer in der evangelischen Bewegung «Deutschkirche», und er schreibt: «Ist dieser Jesus deutsch bis zur letzten Faser, ist hier das Ideal gelebt, das die germanische Mythe gedichtet hat, ist hier deutscher Geist bis in den letzten Pulsschlag oder nicht? das heißt: Jesusreligion und Germanentum verschmelzen in einem deutschen Jesus! Das Leben eines Helden – der Tod eines Herzogs – das hohe Lied deutscher Treue zu sich und zur Sache – das ist das Leben Jesu!» Die Proportionen sollen nicht verwischt werden: Männer mit solchen extremen Meinungen repräsentierten nicht die Mehrheit in den evangelischen Kirchen. Sie existierten an den Rändern. Doch sie gehören zum Geist dieser Zeit, und sie prägen ihn mit. Sie demonstrieren die Anfälligkeit eines Glaubens, der sich über ein Jahrhundert kritiklos mit der Nation und nationalen Zielen, wie sie die Mächtigen verfolgten, identifizierte. Ohne die völkische Bewegung in Politik und Kirche der zwanziger Jahre kann nicht verstanden werden, was in den dreißigern folgte.

Nur eine evangelische Gruppe gab es, von der man sagen kann, daß sie entschieden und ohne Schwanken immun war gegen solche Phrasen und Versuchungen: die religiösen Sozialisten. Sofort nach dem Ende der Monarchie bildeten sich vor allem im Badischen und in Berlin kleine organisierte Gruppen von Theologen und Laien, die überzeugt waren, daß Christentum und sozialistische Politik zusammengehörten. In Pforzheim gründete der evangelische Vikar Erwin Eckert 1919 den «Bund evangelischer Proletarier». Eckert, 1839 geboren, war schon mit achtzehn Jahren in die SPD eingetreten, was ihn nicht hinderte, 1914 freiwillig und begeistert in den Krieg zu ziehen. Ernüchtert, aber nicht verbittert oder resigniert, kehrte er aus dem großen Morden zurück, entschlossen, sich politisch und links zu engagieren.

In Berlin begann 1919 unter dem Pastor Günther Dehn der «Bund sozialistischer Kirchenfreunde» seine Arbeit. Dort fand auch 1921 der erste gesamtdeutsche Kongreß der christlichen Sozialisten statt. Fünf Jahre später schlossen sich alle Gruppen im «Bund der religiösen Sozialisten Deutschlands» zusammen. Pastor Eckert redigierte das Verbandsblatt «Der religiöse Sozialist. Sonntagsblatt des arbeitenden Volkes». Es hatte rund zweitausend Leser. Das wird wohl ungefähr auch die Zahl der Mitglieder im «Bund» gewesen sein. Eine kleine Schar, ohne jeden Einfluß auf die große Institution Kirche. Das hinderte sie nicht, laut und deutlich zu den Fragen der Zeit Stellung zu nehmen. Sie war überzeugt, die Zukunft auf ihrer Seite zu haben.

Probleme mit der atheistischen Komponente des Marxismus hatten diese Sozialisten nicht. Für sie war er eine überzeugende historische Theorie, kein Religionsersatz. Pfarrer Eckert: «Über Klassenkampf und Marxismus werden wir auch nach und nach klar. Alles Gerede und alles Kritisieren daran machen uns nicht irre, daß der Klassenkampf eine Tatsache ist, die wir nicht wegschätzen können, und daß es keine bessere Methode gibt, das Geschehen in der menschlichen Gesellschaft zu erklären, und nach einer Gesetzmäßigkeit zu untersuchen, das ist die materialistische Geschichtsauffassung.» Weil Leid und Schuld, die Frage nach dem Sinn des Lebens auch in einer sozialistischen Gesellschaft nicht verschwinden würden, hatte Pfarrer Eckert keine Angst, daß sein Beruf überflüssig würde: «Religion haben heißt einen triebhaften Zwang in sich haben nach Wahrheit und Erkenntnis, nach einer Verankerung des Irdischen im Absoluten und Überzeitlichen, nach einer Heiligung des Lebens, das in jeder gewesenen und jeder kommenden Ordnung der Gesellschaft unfertig und schuldbeladen ist.»

Immerzu gegen den Strom in Welt und Kirche zu schwimmen, erfordert Mut und einen starken Glauben. 1928 gaben die christlichen Sozialisten einen Aufruf gegen die Aussperrung von fast einer Million Metallarbeiter heraus: «Der Bund der religiösen Sozialisten Deutschlands fordert alle gläubigen Christen auf, zu protestieren gegen diesen brutalen Akt des Klassenkampfes von seiten der Unternehmer. Er klagt die bestehende kapitalistische Ordnung an, die christliche Maßstäbe im Wirtschaftsleben unmöglich macht und um des Profits willen Leid und Seele von Millionen Brüdern und Schwestern, Kindern und Säuglingen verelendet und vernichtet ... Die religiösen Sozialisten verpflichten sich, soweit sie nicht selbst von der Aussperrung betroffen sind, während der Zeit der Aussperrung der Metallarbeiter in ihrer ganzen Lebenshaltung auf alles zu verzichten, was nicht zum Notwendigsten gehört, vor allem auf Alkohol und Tabak, auf Kino und alle Vergnügungen ... Christliche Männer und Frauen! Vergeßt nicht, daß ihr Nachfolger dessen sein wollt, der einst gesagt hat: ‹Ihr könnt nicht Gott dienen und dem Mammon!› Das aber ist rechter Gottesdienst: Den Unterdrückten helfen, in den Reihen der Mühseligen und Beladenen kämpfen und die Knechtschaft des Mammons brechen.» Es waren einsame Stimmen in der Wüste einer Kirche, für die der Kampf gegen die Sozialdemokratie zum festen Bestandteil der Tradition gehörte. Doch auch im offiziellen Protestantismus gab es neue, überraschende Entwicklungen.

Im Jahre 1930 erschien ein aufregendes Buch. Otto Dibelius, der Generalsuperintendent der Kurmark, konservativ, eigenwillig, aufgeschlossen, setzte sich mit dem Verhältnis der Kirchen zu Krieg und Frieden auseinander. «Friede auf Erden» hieß das Buch, und dort stand ohne Einschränkung: «Krieg soll nicht sein, weil Gott den Krieg nicht will.» Die Kirche müsse sich deshalb für Abrüstung und verbindliche internationale Verträge einsetzen. Dibelius nannte das einen «Pazifismus des Glaubens». Ein mutiges Wort von einem Mann, der 1914 wie die meisten seiner Kollegen Gott auf seiten der deutschen Waffen geglaubt hatte. Aber auch Dibelius war gespalten. Einen Pazifismus der Tat mochte er seiner Kirche nicht verschreiben. Im Kriegsfall muß sich die Kirche als Institution hinter die Obrigkeit stellen. Sie darf weder zur Sabotage noch zur Verweigerung aufrufen, auch «wenn sie den Krieg und sein Ziel für verwerflich hält». Aber wie sich die Kirche nach Meinung dieses evangelischen Theologen zu den Wehrdienstverweigerern stellen mußte, waren neue, revolutionäre Töne. 1813 und 1914 hatten Pfarrer Wehrunwilligen mit Bibelzitaten Gottes Gericht angedroht. 1930 sagte der Generalsuperintendent Dibelius: «Über diese christlichen Pazifisten wird die Kirche ihre Hände halten, auch wenn sie ihre Stellungnahme nicht billigt ... Die deutschen Generalsuperintendenten und Landesbischöfe werden für die Glieder ihrer Kirche eintreten, die nichts weiter wollen, als Gott gehorsam sein. Und Schande über sie, wenn sie es nicht tun.»

Für die Mehrzahl der Deutschen allerdings verblaßten solche theologischen Diskussionen hinter der Not des Tages und einer Politik, die immer undurchsichtiger wurde. Im Winter von 1929 auf 1930 stieg die Zahl der Arbeitslosen auf drei Millionen. Die Parteien im Reichstag brachten keine Regierungskoalition mehr zustande. Reichskanzler Brüning regierte kraft Notverordnung und versuchte durch eiserne Sparmaßnahmen, das Land aus der Krise zu führen. Die Reichstagswahlen vom September 1930 brachten den kometenhaften Aufstieg von Hitlers Nationalsozialisten. Die NSDAP kam von 12 auf 107 Sitze und wurde nach der SPD zweitstärkste Partei im Reich. Die meisten Stimmen hatte die NS-Partei eindeutig in streng protestantischen Regionen gewonnen. Hitler erkannte sofort, welche Chancen sich für ihn bei den bisher von der NSDAP vernachlässigten evangelischen Christen boten. Zugleich begann in der protestantischen Öffentlichkeit eine breite Diskussion über die neue politische Bewegung von rechts. Die evangelischen Kirchen sind keineswegs blind, stumm und ahnungslos in das Jahr 1933 hineingerutscht.

Schon in den drei folgenden Jahren klärten sich die Fronten: Es gab evangelische Christen, die überzeugte Nationalsozialisten waren und beides zu einer Synthese verschmelzen wollten. Dagegen standen entschiedene Gegner. Und dazwischen die vielen, die auf die Herausforderung der braunen Herren, auf den Rausch, der plötzlich breite Schichten erfaßte, auf die Aufmärsche, Trommelwirbel und pseudoreligiösen Zeremonien mit einem «Ja – Aber» antworteten. Sie wollten nicht abseits stehen, wo alles begeistert in eine Richtung marschierte, und trotzdem ihren kritischen Verstand und ihre theologischen Grundsätze nicht aufgeben. Wie viele Politiker waren auch diese Kirchenmänner überzeugt, die radikalen Auswüchse würden sich schon mit der Zeit geben, und schließlich wollten die Nationalsozialisten doch das beste für Deutschland.

Im «Deutschen Pfarrerblatt» vom November 1930 schrieb Friedrich Wieneke, Pastor in der Neumark, über die neue Entwicklung: «Hakenkreuz und Christuskreuz sind keine Gegensätze ... Beides in einer Harmonie zu vereinigen, wäre der Sinn wahrhafter deutscher Politik.» Schon im Dezember antwortete ihm der Schriftsteller Georg Sinn mit einer Frage an den Nationalsozialismus: «Wie er das Gebot christlicher Nächstenliebe vereinbaren will mit Judenhaß und Rassenhader, mit dem ‹Juda verrecke›, mit dem die Mehrheit der nationalsozialistischen Kundgebungen eingeleitet wird ...» Im November klebten in Königsberg NSDAP-Plakate für eine Kundgebung mit der Überschrift «Hakenkreuz! Christenkreuz?» an den Litfaßsäulen. Das Hauptreferat hielt Pfarrer Kuptsch-Riesenburg. Sein Thema: «Die alten Vorurteile fallen, eine neue Zeit bricht an». Im gleichen Monat erschien das «Sonntagsblatt des arbeitenden Volkes» auf seiner ersten Seite mit der Schlagzeile: «Christentum und Faschismus sind unvereinbar!» Die religiösen Sozialisten in Deutschland hatten zusammen mit der «Religiös-sozialistischen Internationale» einen Appell an Europas Christen verfaßt:

«Was uns aber besonders beunruhigt, ist der unerträgliche Widerspruch, worin die Bewegung mit all jenen Mächten gerät, die wir meinen, wenn wir Christus sagen. Dies tritt besonders an ihrem Nationalismus zutage. Dieser wird bei ihr zuletzt zu einer fanatischen Religion völkischer und rassenhafter Selbstvergottung, die nicht nur aller geschichtlichen Wahrheit und ernsthaften Wissenschaft widerspricht, sondern auch in ihrem Wesen mit Christus wahrhaftig nichts mehr zu tun hat ... Wie kann sich ein Jünger Christi zu einem Rassenhochmut bekennen, der die Mitmenschen anderer Völker und Rassen von aller höheren Kultur ausschließt, im besonderen zu der geistverlassenen Roheit des üblichen Antisemitismus ...» Das waren klare Worte. Die Sozialisten erkannten auch, wie listig die braunen Herren die Sehnsucht vieler Christen für ihre Ziele ausnutzten: «Man darf sich nicht durch den christlichen Schein der Bewegung über ihren wahren Charakter täuschen lassen. Abgesehen davon, daß das christliche Bekenntnis in ihrem Munde zugestandenermaßen oft bloß wieder Demagogie ist, also schlimmster Mißbrauch des Heiligen zu fremden Zwecken, so liegt doch offen zutage, daß sie das Kreuz Christi unter der Hand in das Hakenkreuz verwandeln, das Sinnbild der vergebenden und rettenden Liebe Gottes für alle in das Zeichen selbstgerechter und hochmütiger Ausschließlichkeit, ja sogar des Hasses und der Gewalt.»

Eine kleine Schar sah, was kommen würde – «Chaos und Untergang» –, und beschwor die Mehrheit, nüchtern zu bleiben. Nicht mit marxistischen Parolen, sondern mit einer Theologie, in deren Zentrum der leidende Christus stand: «Erwachet, die ihr euch durch den nationalsozialistischen und faschistischen Trug und Rausch habt verblenden lassen, werdet des Abgrunds gewahr, vor dem ihr steht; erwacht zur Wahrheit Christi; kehret von Cäsar und Wotan und vom Hakenkreuz zum wirklichen Kreuz zurück, dem allein der Sieg über die Welt verheißen ist.» Doch die Kirche sah nicht zuerst auf das Kreuz. Sie fühlte sich verpflichtet, dem politischen Sog zu folgen. Ja, sie hoffte, ihn für eine Belebung des Christentums nutzen zu können.

Die neue Taktik der Partei hatte Erfolg: SA-Formationen marschierten zu Gottesdiensten in die Kirche, die Hakenkreuzfahne voran. 1931 hielt in Braunschweig Pfarrer Wilhelm Beye in SA-Uniform einen Gottesdienst im Freien für den Gauparteitag der NSDAP. Parteigenosse Joseph Goebbels, katholischer Rheinländer, ließ sich in Hitlers Gegenwart evangelisch trauen. Im gleichen Jahr berichtete ein Berliner Pfarrer seiner Kirchenbehörde: «Meine besten früheren und jetzigen Konfirmanden sind alle Nazis ... Die Selbstdisziplin der jugendlichen Nazis ist geradezu vorbildlich und hebt sie ganz von selbst über die anderen hinaus, gibt ihnen die unwillkürlich führende Stellung. Vom kirchlichen Standpunkt aus begrüße ich diese Bewegung. Die evangelische Kirche hat Vorsorge zu treffen.» Hier klingt schon an, was in den nächsten Monaten und Jahren viele Kritiker verstummen ließ. Eine Suggestivfrage, deren Antwort für jeden von vornherein festzusetzen schien: Wer bin ich, daß ich mich bei soviel Begeisterung abseits stellen dürfte? Was eine Mehrheit anspricht, anfeuert, aufrichtet, kann doch nichts Schlechtes sein! Kritiklos wurde die Parole der Nazis als Richtschnur übernommen, die den einzelnen bewußt klein hielt, auslöschte: Du bist nichts, dein Volk ist alles!

Immer noch 1931: Es bildet sich eine Arbeitsgemeinschaft nationalsozialistischer evangelischer Pfarrer. Der Theologe Günther Dehn, der gleich nach dem Ersten Weltkrieg in Berlin mit Gewerkschaftern die «sozialistischen Kirchenfreunde» organisiert hatte, erhält einen Ruf nach Halle. Die «Deutsche Studentenschaft» fordert daraufhin zu einem Boykott der Universität auf, «weil jeder deutschdenkende und deutschfühlende Volksgenosse einem Manne, der dem Opfertod unserer gefallenen Kommilitonen und Frontkämpfer mit Zweifeln begegnet, glühenden Haß und tiefste Verachtung entgegensetzen müsse». Der junge Berliner Pfarrer Dietrich Bonhoeffer engagiert sich als einer der ganz wenigen deutschen Theologen in der internationalen ökumenischen Bewegung, in der sich alle Konfessionen – außer der römisch-katholischen – zusammengefunden haben. Als Bonhoeffer 1931 zu einer Konferenz nach Cambridge fährt, distanzieren sich die beiden renommierten Theologieprofessoren Paul Althaus und Emanuel Hirsch in den «Hamburger Nachrichten» von solcher übergreifenden christlichen Zusammenarbeit. Sie «bekennen, daß eine christliche und kirchliche Verständigung unmöglich ist, solange die anderen eine für unser Volk mörderische Politik gegen uns treiben. Wer da glaubt, der Verständigung heute anders dienen zu können als so, der verleugnet das deutsche Schicksal und verwirrt die Gewissen im Inlande und Auslande.» Bonhoeffer ist für die beiden einflußreichen Vertreter der evangelischen Kirchen ein Verräter. Die Theologie als Magd einer Politik, die Haß und Kampf predigt.

1932: In Königsberg trifft sich der 14. deutsche Studententag. Man beschließt, die demokratische Selbstverwaltung abzuschaffen und sich nach dem «Führerprinzip» zu organisieren. Unter dem Berliner Pfarrer Joachim Hossenfelder formieren sich die überzeugten nationalsozialistischen Protestanten, um im Herbst konzentriert an den Wahlen für die Gemeindevertretungen in der Preußischen Landeskirche teilzunehmen. Hitler selbst ändert die für sie vorgesehene Bezeichnung «Evangelische Nationalsozialisten» um in «Deutsche Christen». Der Wolf versteht sich bestens darauf, in die jeweiligen Schafspelze zu schlüpfen. Unterstützt von der NSDAP und gut organisiert, gewinnen die Deutschen Christen ein Drittel aller Sitze.

Im gleichen Jahr zitiert Hermann Sasse im «Evangelischen Jahrbuch» den Artikel 24 aus dem Parteiprogramm der Nationalsozialisten – um sich als Christ von ihnen zu distanzieren: «Wir fordern die Freiheit aller religiösen Bekenntnisse im Staat, soweit sie nicht dessen Bestand gefährden oder gegen das Sittlichkeits- und Moralgefühl der germanischen Rasse verstoßen ...» Sasse erklärt, eine solche Aussage sei unvereinbar mit der christlichen Überzeugung, daß jeder Mensch von Natur aus ein Sünder ist und «das neugeborene Kind edelster germanischer Abstammung mit den besten Rasseneigenschaften geistiger und leiblicher Art der ewigen Verdammnis ebenso verfalle, wie ein erblich schwer belasteter Mischling verschiedener Rassen. Der Artikel 24 macht jede Diskussion mit einer Kirche unmöglich.»

Und in Berlin predigt Dietrich Bonhoeffer: «Wir müssen uns nicht wundern, wenn auch für unsere Kirche wieder Zeiten kommen werden, wo Märtyrerblut gefordert wird. Aber dieses Blut, wenn wir denn wirklich noch den Mut und die Treue haben, es zu vergießen, wird nicht so unschuldig und leuchtend sein wie jenes der ersten Zeugen. Auf unserem Blute läge große Schuld ...» Prophetische Worte, doch sie bewegen die wenigsten. 1932 erscheint ein zweibändiges Werk über «Die Kirchen und das Dritte Reich. Fragen und Forderungen deutscher Theologen». Aus den 43 Meinungen lassen sich 12 Befürworter, 19 Gegner des Nationalsozialismus herausschälen und 19, die unentschieden waren.

# Schuld und Widerstand unter dem Hakenkreuz

Am 30. Januar 1933 machte wieder einmal die Realität allen Diskussionen ein vorläufiges Ende. Der Feldmarschall und protestantische Reichspräsident von Hindenburg ernannte den katholischen Gefreiten aus Österreich zum deutschen Reichskanzler. Überall in Deutschland saßen die Menschen an den Radiogeräten, verfolgten die von den Nazis in Berlin perfekt organisierte Polit-Inszenierung der «Machtübernahme» und empfanden diesen Tag als historische Wende zum Besseren. Der spätere Hamburger Landesbischof Franz Tügel steht für viele: «Mit klopfendem Herzen erlebte ich den Einzug der Männerbataillone durch das Brandenburger Tor und den Vorbeimarsch an dem greisen Reichspräsidenten und seinem jungen Kanzler unter dem endlosen Jubel der Menschenmassen ... Ein unbeschreibliches Hochgefühl, verbunden mit dem tiefsten Dank gegen den allmächtigen Herrn der Geschichte, erfüllte mein Herz, wie es wohl bei jedem nationalen deutschen Menschen gewesen ist.»

Zwei Tage später hörten die Deutschen ihren Kanzler im Radio: «So wird es die nationale Regierung als ihre oberste und erste Aufgabe ansehen, die geistige und willensmäßige Einheit unseres Volkes wiederherzustellen. Sie wird die Fundamente wahren und verteidigen, auf denen die Kraft unserer Nation beruht. Sie wird das Christentum als Basis unserer gesamten Moral, die Familie als Keimzelle unseres Volks- und Staatskörpers in ihren festen Schutz nehmen.» Vier Jahre Zeit forderte dieser Mann vom deutschen Volk und nutzte in genialer Weise die religiösen Formeln des Christentums, um seiner Mission eine christliche Tarnfarbe zu geben:

«Möge der allmächtige Gott unsere Arbeit in seine Gnade nehmen, unseren Willen recht gestalten, unsere Einsicht segnen und uns mit dem Vertrauen unseres Volkes beglücken. Denn wir wollen kämpfen nicht für uns, sondern für Deutschland.»

Auch die letzte Kundgebung vor der Wahl zum Reichstag am 4. März 1933 funktionierte Hitler zu einem nationalen Gottesdienst um. Seine Rede in Königsberg, die im Radio direkt übertragen wurde, schloß: «Herrgott, laß uns niemals wankend werden und feige sein, laß uns niemals die Pflicht vergessen, die wir übernommen haben ... Wir sind alle stolz, daß wir durch Gottes gnädige Hilfe wieder zu wahrhaften Deutschen geworden sind.» Dann legte man im Studio das «Niederländische Dankgebet» auf, ein Standardchoral bei allen patriotischen Feiern im Kaiserreich: «Wir treten zum Beten vor Gott den Gerechten ... Im Streite zur Seite ist Gott uns gestanden; / Er wollte, es sollte das Recht siegreich sein. / Da ward, kaum begonnen, die Schlacht schon gewonnen. / Du Gott warst ja mit uns; der Sieg, er war dein.» Anschließend noch eine Studioeinlage: das dröhnende Geläut des Königsberger Domes. Die ahnungslosen Zuhörer mußten diese Zugaben als Live-Aufnahme empfinden, und so beschrieb es auch die «Allgemeine Evangelische Lutherische Kirchenzeitung»: «... Millionen deutscher Christen hörten mit und sangen das Lied ‹Wir treten zum Beten› mit, und als die Königsberger Glocken läuteten, stiegen in gleicher Stunde weithin Gebete zum Himmel auf, wie es wohl nie in der Geschichte Deutschlands geschah.» Die Nationalsozialisten bekamen bei der Wahl nur 44 Prozent der Stimmen. Aber zusammen mit den 8 Prozent der rechtsradikalen Kampffront Schwarz-Weiß-Rot reichte es zur Mehrheit.

Hitler ließ sofort die Maske fallen und zeigte ungeniert allen, was er vorhatte. Der dröhnende Gleichschritt der SA, die Straßenkämpfe, auch die Wahlreden hatten es ohnehin schon angedeutet: Gewalt und Einschüchterung waren die Mittel seiner Politik. Jetzt, legal an die Macht gekommen, erst recht. Bedroht waren alle, die nicht im Einheitsschritt mitmarschierten, und alle, die – aus «rassischen» Gründen – nicht zur Volksgemeinschaft zählten. Schon am 8. März 1933 notiert Jochen Klepper, studierter evangelischer Theologe, Redakteur in Berlin und mit einer Jüdin verheiratet, in seinem Tagebuch: «Was uns schon jetzt an Antisemitismus zugemutet wird, ist furchtbar ... Wir im Funk können unsere Situation gegenseitig verstehen, aber die Achtung voreinander ist hin. Müde, dreißigjährige, vierzigjährige Kompromißler, durch primitive Existenzkämpfe verängstigt. Wie wir es drehen und wenden – das sind wir.» Das Billet zum Eintritt in die Gesellschaft schien für Juden seit Jahrhunderten die Taufe. Eine Illusion, wie viele hinterher bitter feststellen mußten. Klepper und seine Familie klammerten sich 1933 auch daran. Eintragung vom 14. März: «Hanni und die Kinder werden zur Evangelischen Kirche übertreten. Über die Gründe sind wir uns im klaren ...»

Auf die Kirche wartet eine Bewährungsprobe wie noch nie in ihrer Geschichte. Am 12. März 1933 stand in der «Frankfurter Zeitung»: «In Breslau ist heute mittag ein starker Trupp SA-Leute in das Amts- und Landgericht eingedrungen. Unter den Rufen ‹Juden raus!› wurden sämtliche Dienst- und Sitzungszimmer geöffnet und die jüdischen Rechtsanwälte, Richter und Staatsanwälte wurden gezwungen, sofort das Gebäude zu verlassen.» Auf das Konto der Terrorjustiz gehen allein für 1933 mindestens fünfhundert Tote. Rund 100000 Menschen kamen für Tage oder Monate in Haft. Machte sich niemand in der Kirche darüber Gedanken? Oder wagte schon keiner mehr, sie auszusprechen?

Am 8. März 1933 hatte der Generalsuperintendent Otto Dibelius ein vertrauliches Schreiben an seine Pfarrer in der Kurmark gerichtet. Er analysierte die Wahl und beschreibt die Rolle der Kirche unter der neuen Regierung. Dibelius setzte voraus, daß die meisten Pfarrer Hitler gewählt hatten oder ihm mindestens positiv gegenüberstanden: «Es werden unter uns nur wenige sein, die sich dieser Wendung nicht von ganzem Herzen freuen.» Doch dann kommt der Theologe, der seinen Amtsbrüdern beschwörend zuruft: «Wir werden darin einig sein, daß das Evangelium im Gegensatz zu jeder menschlichen Ideologie steht, sie mag nationalsozialistisch oder sozialistisch, liberal oder konservativ sein, daß das Evangelium den Menschen in seinen selbstischen Wünschen nicht bestätigt, sondern richtet ... Dies Evangelium sollen wir predigen! Dies und kein anderes!» Die Kirche, das ist die eindeutige Botschaft dieses Schreibens, darf nicht zum verlängerten Arm der Politik werden, schon gar nicht einer Politik, die Dibelius sehr unverhohlen beschreibt und kritisiert: «Mag die Politik Gräben ziehen, mögen Staatsmänner von Vernichten, Ausrotten und Niederschlagen reden, mögen Haßbotschaften bei Massenaufmärschen einen Beifall finden, ‹der nicht enden will›, wir haben einen anderen Geist empfangen ... Wo Haß gepredigt wird, und nun gar der Haß gegen Glieder des eigenen Volkes, da ist der Geist Jesu Christi nicht.» Dibelius bezog sich damit vor allem auf die verfolgten Sozialdemokraten.

Ein langes, ein wichtiges Zitat. Auch wenn es die Entwicklung, die sehr bald folgt, nicht verständlicher macht, sondern auf den ersten Blick verwirrender. Dibelius steht für viele in der evangelischen Kirche, die in diesen und den nächsten Monaten nicht taktiert haben, ihr Mäntelchen nicht nach dem Wind hängten. Sie folgten ihren Überzeugungen. Sie wollten das beste für ihre Kirche. Sie mühten sich mit allem Ernst, den wir nicht mehr nachvollziehen können, gute Deutsche und gute Christen zu sein. Sie waren gebunden durch eine Tradition, die Religion und Nationalismus auf das engste verquickte. Erst nach dem Zusammenbruch von 1945 lag diese verhängnisvolle Entwicklung klar vor Augen.

Die Kirche kam in Bedrängnis, als der NS-Staat seinen Terror immer erdrückender entfaltete. Sie lud Schuld auf sich, weil sie dem, was im Dibelius-Brief als Maßstab gesetzt wurde, als Institution nicht folgte. Es waren einzelne, die keine Kompromisse mit dem Bösen machten, die ihr Leben wagten. Was jedoch niemand, der zurückblickt, vergessen darf: die Ereignisse überstürzten sich in jenen Jahren und waren oft für die Beteiligten nicht mehr zu überblicken.

Es kam der Tag von Postdam, und alle Kritik verstummte mit einem Schlag. Alle Träume, alle Hoffnungen schienen Wahrheit geworden zu sein. Am 20. März 1933 standen Hitler und Hindenburg an den Gräbern der Preußenkönige in der historischen Garnisonskirche von Potsdam. Feierliche Gottesdienste am Morgen, die Kirchen voller Uniformen und Hakenkreuzfahnen, und immer noch spielte das Potsdamer Glockenspiel: «Üb immer Treu und Redlichkeit bis an dein kühles Grab, und weiche keinen Finger breit von Gottes Wegen ab.» Wieder ging ein nationaler Schauer durch Deutschland. Drei Tage später sagte Hitler in seiner Regierungserklärung: «Indem die Regierung entschlossen ist, die politische und moralische Entgiftung unseres öffentlichen Lebens durchzuführen, schafft und sichert sie die Voraussetzungen für eine wirkliche, tiefe innere Religiosität ... Der Kampf gegen eine materialistische Volksgemeinschaft dient ebenso sehr den Interessen der deutschen Nation wie denen unseres christlichen Glaubens ...» Mit nachtwandlerischer Sicherheit hat der Katholik Hitler, der nichts wußte von der evangelischen Kirche, ihrer Theologie, ihrer Geschichte, die Änderung jener Zustände in Aussicht gestellt, die die Geistlichen seit den zwanziger Jahren so oft beklagten und in der sie die Ursache der zunehmenden Glaubensferne sahen. Vom «Eiter» hatte Johannes Schneider 1922 geschrieben, nun sprach Hitler von «Entgiftung». Das war die gleiche Wellenlänge.

Als traditioneller Protestant mußte man in einem solchen Mann und einer solchen Politik die Erfüllung aller Wünsche sehen. Wieder drängte sich die Interpretation auf: Gott selber hatte eingegriffen. So wie einst im Kampf gegen Napoleon 1813, und wie es der preußische König 1871 aus dem eroberten Paris telegrafiert hatte: Welch eine Wendung durch Gottes Führung! Schon drei Tage später sagte Hitler im Reichstag der SPD, die als einzige seinem Ermächtigungsgesetz nicht zustimmte, drohend: «Und verwechseln Sie uns nicht mit einer bürgerlichen Welt.» Ein Schlüsselsatz – die Kirche hielt sich die Ohren zu.

Das ganze Jahr 1933 ist ein einziger Taumel in begeisterter Zustimmung. Die evangelischen Kirchen wollen nicht abseits stehen. Sie wollen mitarbeiten am neuen Staat – aus tiefster Überzeugung. Der Gnadauer Verband, in dem Pietisten und Erweckte zusammengeschlossen sind, erklärt im Juni: «Gottes hohe Hand hat durch den nationalen Aufbruch gewaltig in unser Volk eingegriffen. Durch den Sturmwind der nationalen Bewegung hat er es von den glaubens- und vaterlandslosen Strömungen losgerissen und zurückgeführt zu den gottgegebenen Grundlagen in Ehe, Familie, Volk und Staat ... Wir erwarten, daß alle Glieder der Gemeinschaftsbewegung eine heilige Verantwortung in dieser Zeitenwende erkennen.» Die Hahnsche Gemeinschaft, die in frommer pietistischer Tradition des «Michele» abseits von der Welt lebte, schreibt 1933 in ihrem Rundbrief: «Wir sind dankbar für die gnädige Wendung, die uns der treue Gott durch unsere nunmehrige Regierung herbeigeführt hat. Die kommunistische und marxistische Gefahr ist soviel als beseitigt, auch die der abgrundmäßigen Gottlosenbewegung ist eingedämmt.»

Der Gustav-Adolf-Verein, zuständig für die deutschen Protestanten im Ausland, erklärt im August: «Nun ist dem deutschen Volk beschieden, einen Aufbruch zu erleben, der dem größten seiner Geschichte, dem des 16. Jahrhunderts, vergleichbar ist ... Wie nun? Dürfen wir auch Deutschland und Gott in einem Namen nennen? ... Wir dürfen es mit um so besserem Gewissen, als wir den Fuß Gottes durch die deutschen Tage schreiten hören ... Das aber war das Wunder, in dem Gott sich geheimnisvoll offenbarte: Ein Mann trat auf und ein Volk folgte ihm. Es hörte und gehorchte ihm, es wachte auf und stand auf.» Die Verknüpfung, von höchster kirchlicher Warte abgesegnet, ist unübersehbar: Hitler wird für die Mehrheit der Protestanten zu einem Führer, den Gott gesandt hat. Einer, auf dessen Wort man sich deshalb verlassen kann; der über allen Parteien und allen Auswüchsen steht, nicht verantwortlich für vieles, was man in den folgenden Jahren mißbilligen wird. Diesem Mann muß man folgen und glauben. Alles andere wäre Verrat, auch und gerade für den überzeugten Christen. Die «Allgemeine Evangelische-Lutherische Kirchenzeitung», das wichtigste Blatt des Luthertums, hat es richtig gesehen: «Von Millionen Menschen wird der staatsmännischen Kraft ein schier unbegrenztes Vertrauen entgegengebracht.»

Nach Beweisen für den erneuten Fingerzeig Gottes in der deutschen Geschichte brauchte man nicht lange zu suchen. Wieder einmal schien von der nationalen Begeisterung die kirchlich gebundene Religiosität zu profitieren. Nicht nur, daß die Austrittswelle zurückging. Die Menschen strömten zurück in die Kirchen: 1933 waren es 324000, 1934 immerhin noch rund 150000 Menschen, die wieder evangelisch wurden. In der Arbeiterpfarrei Neu-Kölln in Berlin ließen sich 117 Kinder taufen. In der Berliner Lazaruskirche schritten über vierzig Parteigenossen in brauner Uniform zum Altar, um ihre kirchliche Trauung nachzuholen. In Pankow waren es sogar 147 Paare. Nur wenige dachten darüber so wie der Hamburger Pastor Windfuhr im September 1933: «Im und am Nationalsozialismus hat das evangelische Kirchentum Pleite gemacht ... In dem Augenblick, als die SA durch das Turmportal einzog, um die Kirche zu ‹erobern›, floh Gott hinten aus der Sakristeitür.» Viele Parteigenossen, die Hitlers fromme Worte glaubten, waren dagegen überzeugt, daß nur ein Christ ein guter Nationalsozialist sein könne.

Gleichzeitig öffnete sich die Kirche – noch ohne Zwang – immer mehr jenen völkischen Ideen, die für Protestanten schon in den Jahren zuvor so großen Reiz hatten und die zur Grundlage der NS-Politik gehörten. Die theologische Fakultät der Universität Gießen lud im Juni 1933 die hessischen Pfarrer zu einem Lehrgang über «theologische Besinnung auf Volkstum und Staat». Der Andrang übertraf alle Erwartungen. Professor Heinrich Bornkamm hielt einen Vortrag über «Volk und Rasse bei Martin Luther». Andere sprachen über «Volk und Staat im Alten und Neuen Testament». Auch kritische Töne waren zu hören. Aber war das Volk wirklich ein zentrales Thema der Theologen?

Nicht nur die lutherischen Kirchen waren überzeugt, eine neue, gute Zeit sei angebrochen. Selbst jene christlichen Außenseiter, die jeder staatlichen Macht von ihrem Ursprung her feindlich gegenüberstanden, die nach dem Glauben ihrer Väter und Mütter Eid und Kriegsdienst verweigerten, begrüßten die braunen Machthaber mit einem Vertrauensvorschuß, opferten ihnen geheiligte Prinzipien und telegrafierten Hitler im September 1933: «Die heute zu Tiegenhagen im Freistaate Danzig tagende Konferenz der Ost- und Westpreußischen Mennoniten empfindet mit tiefer Dankbarkeit die gewaltige Erhebung, die Gott durch Ihre Tatkraft unserm Volk geschenkt hat, und gelobt auch ihrerseits freudige Mitarbeit am Aufbau unseres Vaterlandes aus den Kräften des Evangeliums heraus, getreu dem Wahlspruch unserer Väter: Einen andern Grund kann niemand legen außer dem, der gelegt ist, welcher ist Jesus Christus.» Unsere Väter: Das ist eine lange Kette von Wiedertäufern, gemartert, gefoltert, getötet, weil sie dem Anspruch des Staates widerstanden. Weil sie fern von allem weltlichen Getriebe als kleine auserwählte Schar ihrem Gott dienen wollten. 1933 sahen die zeitgenössischen Wiedertäufer, die Mennoniten – Erben des Menno Simons –, wie ihre evangelischen und pietistischen Glaubensgenossen im «staatsvernichtenden gottlosen Kommunismus» das Böse schlechthin. So wurde ihnen der Nationalsozialismus ein selbstverständlicher Bundesgenosse – den sie schließlich über den Wahlspruch ihrer Väter stellten.

In Hamburg veranstalteten die Mennoniten eine musikalische Feierstunde für die SA. In anderen Orten wurden Gottesdienste zur feierlichen Eröffnung des neuen Reichstages, dem Tag von Potsdam, gehalten. Auf der Danziger Konferenz plädierte der Landrat Andres-Tiegenhof, Mennonit, Parteigenosse und später stellvertretender Gauleiter, dafür, den wichtigsten Grundsatz der Väter aufzugeben: «In der Frage der Wehrlosigkeit, wie sie noch von einem Teil der Mitglieder vertreten wird, wird man bei den Nationalsozialisten nicht mehr auf Verständnis rechnen können.» Dieser Mennonit ging noch weiter: «Unsere mennonitische Jugend selbst, die von der nationalsozialistischen Bewegung tiefinnerlich ergriffen ist, hat dafür heute kein Verständnis mehr. Sie hat sich in großer Zahl unseren nationalen Verbänden angeschlossen und trägt mit Stolz das braune Kleid als Symbol ihrer Verbundenheit mit der Scholle. Für diese heimische Scholle mit Gut und Blut einzustehen und sie auch gegebenenfalls mit der Waffe zu verteidigen, ist ihr eine selbstverständliche Ehrenpflicht.» Auch die Eidesverweigerung gab man auf. Als ihnen das Kriegsministerium zubilligte, beim Fahneneid statt «Ich schwöre» zu sagen «Ich gelobe», gingen die Mennoniten freudig auf diesen faulen Kompromiß ein. Als Hitlers Soldaten Europa eroberten, gab es in den «Mennonitischen Blättern» jubelnde Berichterstattung. Der Täufer spaltete sich in eine öffentliche Person, die dem NS-Staat ohne Abstriche diente, und in ein frommes privates Wesen, das seinem Gott im stillen Kämmerlein gehorsam war.

Nachdem ihre politischen Ziehväter an der Macht waren, schien in den evangelischen Kirchen endgültig die Stunde der Deutschen Christen gekommen. Unverzüglich machten sie sich daran, ihre Vorstellungen von einer protestantischen Reichskirche, eingeschworen auf die NS-Politik, in die Tat umzusetzen. Wie die braunen Machthaber ließen auch die braunen Christen niemanden über ihre Absichten im Zweifel: «Die Kirche ist für einen Deutschen Christen die Gemeinschaft von Gläubigen, die zum Kampf für ein christliches Deutschland verpflichtet ist. Das Ziel der Glaubensbewegung ‹Deutsche Christen› ist eine evangelische deutsche Reichskirche. Der Staat Adolf Hitlers ruft nach der Kirche, die Kirche hat den Ruf zu hören.»

Vierhundert Jahre zuvor hatten 1530 in Augsburg unter Federführung des Philipp Melanchthon die Anhänger der evangelischen Bewegung gegenüber dem Kaiser in der Confessio Augustana – dem grundlegenden Augsburger Bekenntnis aller lutherischen Kirchen – definiert, was Kirche ist: «Die Versammlung aller Gläubigen, bei welchen das Evangelium rein gepredigt und die heiligen Sakramente gemäß dem Evangelium gereicht werden.» Hinzugekommen war in den folgenden Jahrhunderten das Bewußtsein, für die sittliche Erneuerung des Menschen eintreten zu müssen. Protestantische Kirche als Vermittlerin des Glaubens und als Hüterin der Moral. Nun aber machten sich 1933 in Deutschland Christen zu Dienern einer politischen Partei, die die menschenverachtende Ideologie von der Auserwähltheit der germanischen Rasse ihrer Politik zugrunde legte.

Auch diese Voraussetzung wurde im April 1933 von den Deutschen Christen ohne Widerspruch übernommen: «Ein kirchliches Ehrenamt kann nur bekleiden, wer kein artfremdes Blut in sich hat ... Zum Pfarramt ist nur zugelassen, wer rein deutsches Blut ist.» Das war die konsequente Fortführung der Richtlinien von 1932: «Wie sehen in Rasse, Volkstum und Nation uns von Gott geschenkte und anvertraute Lebensordnungen ... Insbesondere ist die Eheschließung zwischen Deutschen und Juden zu verbieten ... Wir fordern aber auch Schutz des Volkes vor den Untüchtigen und Minderwertigen.»

Der Königsberger Wehrkreispfarrer Ludwig Müller, ein überzeugter Parteigenosse, wurde Hitlers «Bevollmächtigter für die Angelegenheit der evangelischen Kirchen», weil er keinen anderen evangelischen Pfarrer kannte. Müller ließ im Juni 1933 das Gebäude des Kirchenbundes in Berlin durch SA besetzen und machte sich selbst zum Leiter des Bundes. Im Juli wählte die überwältigende Mehrheit der Protestanten bei den Kirchenwahlen im Reich die Deutschen Christen. Im September trafen sich die Vertreter aus allen Landeskirchen zu einer Nationalsynode in Wittenberg. Die

Festpredigt in der alten Schloßkirche hielt Theophil Wurm, Kirchenpräsident, später Landesbischof von Württemberg. Dann wurde Ludwig Müller einstimmig zum ersten evangelischen Reichsbischof gewählt. Als er aus der Kirche trat, eingerahmt von SA-Männern, die am Portal Spalier standen, hob der neue oberste Bischof aller Protestanten den rechten Arm zum deutschen Gruß.

Mit Brachialgewalt wurden nun die einzelnen Landeskirchen «gleichgeschaltet», wie die Vokabel der Zeitgenossen hieß. Vertreter der Deutschen Christen beriefen sich selbst an die wichtigsten Stellen der Kirchenleitungen, setzten ihre Vorgänger ab und schickten sie in Zwangspensionierung. Kleinere Einzelkirchen mußten sich zusammenschließen, um besser zentral regiert und kontrolliert zu werden. Wo der Widerstand zu stark war, erschienen Staatskommissare, die widerspenstige Versammlungen einfach auflösten. Schriftliche Proteste und empörte Amtsniederlegungen integrer Theologen änderten nichts. Einen einheitlichen Widerstand gegen die Machtergreifung der Deutschen Christen in der evangelischen Kirche gab es nicht. Auch wer als Theologe nicht zu den NS-Christen übertrat, paßte sich dem Stil der neuen Zeit an. Wie es nun zuging in der evangelischen Kirche, läßt sich am Beispiel Hessens erzählen.

Im November 1933 schlossen sich die bisher getrennten Landeskirchen von Hessen, Nassau und Frankfurt am Main auf einer Synode zusammen. Der Synodenpräsident Berck, ein Theologe, folgte in seinem Schlußwort jener Illusion, der so viele evangelische Christen anhingen: Als ob Evangelium und nationalsozialistische Weltanschauung zusammen gehen könnten; als ob auf die Worte Adolf Hitlers Verlaß sei. Der Präsident, der nicht zu den Deutschen Christen zählte, predigte der Versammlung: «Unsere Religion heißt Christus – dieses Glaubensbekenntnis eines nationalsozialistischen Führers Deutschlands lassen wir uns nicht nehmen. Doch nicht der Christus, der einstmals lebte im orientalischen Lande oder jetzt uns fern ist in einem abgeschlossenen Himmel; vielmehr der Herr und Meister, der in deutscher Zunge zu uns redet und in deutsches Fleisch und Blut verwandelt mit uns geht und kämpft, wie Gebhardt, Thoma und andere Meister ihn uns gemalt haben. Verdeutschtes, eingedeutschtes Christentum, wie Martin Luther uns lehrt – das ist das Heiltum, dem wir die Kirche bauen.» Es folgten Gebet, Choral – «Erhalt uns Herr bei deinem Wort» –, und dann kam ein weiterer Tribut an die neue Zeit.

Präsident Bercks Rede war noch nicht am Ende: «Volksgenossen, Volksgenossinnen! Unsere Gedanken gehen in dieser historischen Stunde von der Stätte, wo deutscher Geist ein glänzendes Kulturwerk schuf, zu ... unseres Volkes Haupt, zu unserem Führer, zu unseres Reiches Bischof. Ich sende Ihnen in Ihrem Namen die folgenden Drahtgrüße.» Erst der Präsident, dann der Reichskanzler: «Mein Führer! Vom freien deutschen Rhein, der soeben Zeuge war einer Deutschen Evangelischen Kirche, einig geworden aus drei Landeskirchen Hessen, Nassau und Frankfurt am Main, grüße ich namens der Synode mit dem Gelübde: ‹Die Fahne hoch, die Reihen fest geschlossen.› Vorwärts mit Gott! Mainz, am 28. Nebelung 1933.»

Und zum Abschluß hieß es: «Unserem Reichsbischof, Unserem Reichsoberhaupt, Unserem Reichskanzler: Sieg Heil! Sieg Heil! Sieg Heil!» Danach sangen die Vertreter der evangelischen Christen stehend mit Hitlergruß das Deutschland- und das Horst-Wessel-Lied.

Die neuen braunen Herren schienen auch in der evangelischen Kirche auf der ganzen Linie gesiegt zu haben. Ohne spürbaren Widerstand waren in wenigen Monaten die traditionellen Strukturen der Kirche zerschlagen worden. NS-treue Deutsche Christen saßen an den Schalthebeln der kirchlichen Macht. Nur Hannover, Württemberg und Bayern hatten sich dieser Entwicklung widersetzen können. Doch während die Deutschen Christen sich ihrer Blitzsiege freuten, hatte der Widerstand schon einen Kristallisationskern gefunden: die Forderung der Deutschen Christen, die neue staatliche Gesetzgebung in der Kirche zu übernehmen und evangelische Pfarrer jüdischer Herkunft aus den Pfarrämtern zu entfernen. Als erste verabschiedete die preußische Landeskirche im September 1933 diesen «Arierparagraphen».

Jetzt formierten sich zum erstenmal die Gegner. Pastor Martin Niemöller aus Berlin-Dahlem gründete den Pfarrernotbund. Bis Anfang 1934 unterschrieben rund siebentausend Pfarrer die Verpflichtung, ihr Amt «als Diener des Wortes auszurichten allein in der Bindung an die Hl. Schrift und an die Bekenntnisse der Reformation als die rechte Auslegung der Hl. Schrift ... In solcher Verpflichtung bezeuge ich, daß eine Verletzung des Bekenntnisstandes mit der Anwendung des Arierparagraphen im Raum der Kirche Christi geschaffen ist.» Eine eindeutige Erklärung. Allerdings darf nicht verschwiegen werden, daß auch diese engagierten Theologen streng zwischen weltlichem und geistlichem Bereich trennten. Sie protestierten nicht gegen den Antisemitismus überhaupt. Sie hatten nichts dagegen, daß Juden in der Berufswelt diskriminiert wurden. Es ging nicht um die Menschenwürde, sondern um die richtige Theologie. Das Kapitel Juden und Christen im Dritten Reich ist von allen das schmerzlichste.

Beide christlichen Kirchen – evangelisch wie katholisch – hatten geschwiegen, als die Nazis am 1. April 1933 zu einem Boykott jüdischer Geschäfte aufriefen. An der Basis gab es Unruhe. Nicht wenige Gemeindemitglieder schämten sich für ihren Glauben. Beim Evangelischen Oberkirchenrat in Berlin – und bei der katholischen Bischofskonferenz – ging dieses Telegramm ein: «Die deutschen Juden erhoffen gegenüber den gegen sie gerichteten Bedrohungen ein baldiges Wort, das im Namen der Religion von der evangelischen Kirche in Deutschland gesprochen wird.» Für die Protestanten war besonders unangenehm, daß das evangelische Ausland – Skandinavien, England, die USA – von ihren deutschen Glaubensbrüdern Solidarität mit den Juden und lauten Protest erwarteten.

Otto Dibelius, der noch Anfang März seinen Pfarrern geschrieben hatte, daß die Kirche sich keiner Ideologie beugen darf, hielt am 4. April 1933 eine Rede über Kurzwelle, die besonders für Amerikas Protestanten gedacht war. Der Generalsuperintendent versicherte erstens, daß «an den Schauernachrichten über grausame und blutige Behandlung der Kommunisten in Deutschland» kein wahres Wort sei. Dann stellte er sich hinter den Boykott an den Juden. Es sei alles «in Ruhe und Ordnung» verlaufen. Die Kirche «kann und darf den Staat nicht daran hindern, mit harten Maßregeln Ordnung zu schaffen». Man solle Vertrauen haben, so blind, wie es dieser Theologe seinen Zuhörern zumutete: «Sie werden es erleben, daß das, was jetzt in Deutschland vor sich geht, zu einem Ziele führen wird, für das jeder dankbar sein kann, der deutsches Wesen liebt und ehrt.» Die gleichen beruhigenden Worte gingen von deutschen Methodisten an ihre amerikanischen Brüder und Schwestern.

Aus dem Pfarrernotbund, der im Protest gegen die Arierparagraphen in der Kirche entstand, entwickelte sich die Bekennende Kirche. Martin Niemöller wurde ihr führender Kopf. Keiner hat so wie er im Ausland den kirchlichen Widerstand gegen das NS-System symbolisiert. Sein Mut, seine radikale Theologie hat vielen geholfen. Er ist keiner, der sich einer Rückschau verschließt, die Legenden beiseite schiebt. Niemöller hat – wie Dibelius – die politische Diskriminierung der Juden prinzipiell gebilligt. In seinen «Sätzen zur Arierfrage in der Kirche» argumentiert er nur gegen die Übertragung der staatlichen Gesetzgebung – die Juden von bestimmten Berufen ausschließt – auf den kirchlichen Bereich. Wer getauft ist, gehört zur christlichen Gemeinschaft der Heiligen, «die über natürliche Zusammenhänge hinausweist». Aber daß getaufte Juden zu dieser Gemeinschaft gehören und daß man als Christ mit ihnen solidarisch ist, empfindet Niemöller keineswegs als selbstverständlich. Er versteht, daß es dagegen Protest gibt, weil die Deutschen «als Volk unter dem Einfluß des jüdischen Volkes schwer zu tragen gehabt haben ..., so daß der Wunsch, von dieser Forderung dispensiert zu werden, begreiflich ist». Wer als Jude in der Kirche ein Amt habe, solle sich deshalb zurückhalten und keineswegs nach einer hervorgehobenen Position in der Kirche streben. Er gebe sonst den anderen Christen ein Ärgernis.

Im Jahre 1933, als durch Gesetz Juden von der Beamtenlaufbahn ausgesperrt wurden, äußerte sich der Vorsitzende des Gnadauer Verbandes, Pastor Walter Michaelis, in der Zeitschrift dieser pietistischen Gemeinschaft positiv zu solchen Diskriminierungen und lieferte gleich die theologische Begründung: «Wenn ein Volk den Israeliten als Israeliten in seinen Rechten vom Deutschen unterscheidet, so haben wir von der Bibel aus keinen Einwand dagegen zu erheben. Ich finde viel mehr, es entspricht den Gedanken Gottes über dies Volk.» Einzige Bitte des Theologen an die Machthaber: Sie sollen bei der Eindämmung des jüdischen Einflusses «menschlich vorgehen».

Juden durften als Staatsbürger zu Menschen zweiter Klasse gemacht werden, darüber bestand unter Protestanten Einigkeit. Wie man sie als Christen behandeln sollte, brachte fundamentale Meinungsunterschiede zutage. Die theologische Fakultät der Universität Marburg stellte im September 1933 ein Gutachten ohne Wenn und Aber: «Die Glieder der Kirche sind untereinander Brüder. Der Begriff des Bruders schließt jede Rechtsungleichheit ebenso wie überhaupt jede in irdischen Verhältnissen unvermeidbare Geschiedenheit aus ... Der erste Artikel der Verfassung der Deutschen Evangelischen Kirche ... lautet: ‹Die unantastbare Grundlage der Deutschen Evangelischen Kirche ist das Evangelium von Jesus Christus› ... Wenn mit diesen Sätzen theologisch Ernst gemacht werden soll, so ist eine politische oder kirchenpolitische Fesselung kirchlicher Verkündigung ebenso wie eine Beschränkung der Rechte nicht arischer Christen in der Kirche damit unvereinbar.» Das Gutachten für die Erlanger Universität erarbeiteten die bekannten Theologieprofessoren Paul Althaus und Werner Elert. Sie argumentierten, daß die Taufe biologische Unterschiede nicht aufhebe. Zwar könne man den Juden-Christen «die volle Gliedschaft in der Deutschen Evangelischen Kirche nicht bestreiten oder einschränken». Trotzdem lehnten sie prinzipiell die Anwendung des Arierparagraphen in der Kirche nicht ab, denn im Augenblick müsse sich die Kirche darauf besinnen, «Volkskirche der Deutschen zu sein». Diese Überlegung hatte für die beiden Theologen absoluten Vorrang: «Für die Stellung der Kirche im Volksleben und für die Erfüllung ihrer Aufgabe würde in der jetzigen Lage die Besetzung ihrer Ämter mit Judenstämmigen im allgemeinen eine schwere Hemmung und Belastung bedeuten.»

Völlig bedenkenlos bezeichnete der Göttinger Theologieprofessor Georg Wobbermin den Arierparagraphen als «berechtigt» und die Gutachten aus Marburg und Erlangen als «irreführend». An manchen Universitäten sei über die Hälfte der Privatdozenten Juden. Es gehe für den Staat darum, eine Notlage zu beseitigen. Wobbermin war als einziger konsequent: Wer Juden-Christen als Pfarrer akzeptiere, müsse auch gegen Beschränkung der Juden im staatlichen Bereich kämpfen. Hier traf sich der Antisemitit aus Göttingen mit dem einzigen Theologen, der sich in dieser Frage nicht auf den kirchlichen Raum zurückzog und versuchte, seiner Kirche die Augen zu öffnen für das, wozu die Kirche nach dem Maßstab des

Evangeliums verpflichtet war. Dietrich Bonhoeffer, als engagierter Vertreter der ökumenischen Sache 1931 als Verräter gebrandmarkt, hatte sofort nach dem Boykott jüdischer Geschäfte eine Stellungnahme zur Judenfrage verfaßt.

Auch er ging theoretisch davon aus, daß der Staat Sondergesetze für die jüdischen Bürger erlassen kann. Aber die Kirche dürfte kein staatliches Gesetz schweigend als gottgewollt oder von sich aus richtig übernehmen. Sie müßte kritisch fragen, ob ein Gesetz legitim ist oder ob jemand auf Grund dieses Gesetzes zum «Opfer» wird. In einem solchen Fall gilt für Bonhoeffer: «Die Kirche ist den Opfern jeder Gesellschaftsordnung in unbedingter Weise verpflichtet, auch wenn sie nicht der christlichen Gemeinde angehören.» Hier liegt der Unterschied zu jenen Christen, die nur gegen die Anwendung des Arierparagraphen in der Kirche protestierten. Für den Theologen Bonhoeffer, inzwischen Privatdozent in Berlin, steht die Kirche prinzipiell auf seiten der Menschen, deren Würde und deren Rechte eingeschränkt werden, die leiden müssen – seien sie Juden, Christen oder Atheisten. Ausdrücklich erklärt er, daß für die Kirche im Frühjahr 1933 eine solche Verpflichtung gegenüber den Juden besteht, weil sie ein Opfer staatlichen Unrechts geworden sind.

Prophetisch sieht Dietrich Bonhoeffer noch weiter: «Die dritte Möglichkeit besteht darin, nicht nur die Opfer unter dem Rad zu verbinden, sondern dem Rad stelbst in die Speichen zu greifen.» Das würde für die Kirche bedeuten: Nicht nur mit Worten gegen das Böse kämpfen, sondern handeln. Sich aktiv gegen die Maschinerie des Staates stemmen. Den Lauf der weltlichen Dinge ändern. Nicht nur 1933 wird der Lutheraner Bonhoeffer mit dieser Theologie allein stehen. Er kommt übrigens nicht – wie so viele seiner Amtsbrüder – aus einem typischen protestantischen Pfarrhaus. Sein Vater ist Professor für Psychiatrie und Neurologie in Berlin. Die Brüder sind Naturwissenschaftler geworden, eine Schwester Biologin, eine andere Bildhauerin. Durch seine ökumenischen Auslandskontakte und ein Studienjahr in den USA hat Bonhoeffer die Provinzialität eines auf Deutschland konzentrierten Luthertums hinter sich gelassen. In Amerika hat ihn der engagierte Pazifismus christlicher Gruppen tief beeindruckt.

Einen gleichgesinnten Streiter findet der Berliner Privatdozent im Land: Karl Barth, Landpfarrer aus der Schweiz, seit 1930 Theologieprofessor in Bonn. Barth kennt keinen Kompromiß mit einer Theologie, die Gott nicht radikal ins Zentrum aller ihrer Überlegungen setzt. Hart verurteilt er eine Kirche, die sich um anderes bemüht, sei es Sitte und Moral oder die völkische Idee. Mit dem ausdrücklichen Hinweis auf Luther stellt Barth der evangelischen Kirche im Sommer 1933 – wie zu allen Zeiten – nur eine einzige Aufgabe. «Uns ist aber aufgetragen, in diesem Volk dem Worte Gottes zu dienen ... Und dieser Auftrag will durchgeführt sein, gleichviel ob das Volk selbst wünscht oder nicht wünscht, versteht oder nicht versteht, gutheißt oder nicht gutheißt. Wir dürfen dabei weder Dank noch Ehre erwarten ... Wir müssen es unter Umständen auf uns nehmen, sehr einsam zu werden ...»

Dietrich Bonhoeffer fühlte sich im Herbst 1933 sehr einsam. Er hatte zusammen mit Martin Niemöller die «Verpflichtung» auf den Pfarrernotbund formuliert und während der Nationalsynode in Wittenberg Plakate gegen die Deutschen Christen an die Bäume geklebt. Im Herbst 1933 stellte er an die Theologen im Pfarrernotbund die Forderung, aus dieser neuen, gleichgeschalteten Kirche, die nicht mehr die Kirche des Evangeliums war, auszutreten. Einen solchen Schritt wollten Niemöller und seine Freunde nicht tun. Sie verstanden Bonhoeffers radikalen Widerstand nicht.

Im Oktober 1933 erhielt Karl Barth einen Brief aus London. Bonhoeffer hatte sich bei der dortigen deutschen Gemeinde als Pastor anwerben lassen und schrieb als Erklärung für den plötzlichen Rückzug: «Ich fühlte, daß ich mich unbegreiflicherweise gegen all meine Freunde in einer radikalen Opposition befände, ich geriet mit meinen Ansichten über die Sache immer mehr in die Isolierung ... und so dachte ich, es wäre wohl Zeit, für eine Weile in die Wüste zu gehen ...» Fremd und unverständlich war den deutschen Freunden eine politische Opposition gegen den NS-Staat, die sich in Bonhoeffers Solidarität mit den Juden angedeutet hatte. Als Mitte Oktober 1933 Deutschland demonstrativ aus dem Völkerbund austrat, erhielt Hitler unter vielen anderen auch dieses Telegramm: «Wir danken für die mannhafte Tat und das klare Wort, die Deutschlands Ehre wahren. Im Namen von mehr als 2500 evangelischen Pfarrern, die nicht der Glaubensbewegung Deutsche Christen angehören, geloben wir treue Gefolgschaft und fürbittendes Gedenken. Gezeichnet Martin Niemöller und andere führende Männer des Pfarrernotbundes.» Einen Monat später bestätigte der gleiche Kreis noch einmal ohne jede Abstriche, daß er überzeugt war, den Glauben von der politischen Überzeugung trennen zu können: «Die Mitglieder des Pfarrernotbundes stehen unbedingt zu dem Führer des Volkes Adolf Hitler. Sie schämen sich, daß sie durch kirchliche Gegner genötigt werden, diese Selbstverständlichkeit überhaupt auszusprechen ... Zum ersten und letztenmal erklären wir hiermit, daß diese Arbeit mit irgendwelcher Reaktion nichts zu tun hat.»

Verfangen in einer unkritischen kirchlichen Tradition gegenüber Staat und Obrigkeit? Auch das. Aber auch geblendet von einem Schein, dem sich kaum jemand in Deutschland entziehen konnte. Hitler hatte offenbar das Unmögliche geschafft: einem ganzen Volk – resigniert, verbittert, in tiefster wirtschaftlicher und geistiger Krise – fast von einem Tag auf den andern Hoffnung, Aufschwung, Begeisterung zu vermitteln. Nicht nur die Theologen folgten willig diesem Rattenfänger, nicht nur die Erzkonservativen, die Jugendbewegung, die Studenten, Intellektuelle, die sich auf ihren kühlen Verstand, ihre Unbestechlichkeit, ihre nüchterne Analyse etwas einbildeten, schwammen – wenn auch noch so kurz – in diesem Jahr 1933 willig mit im Strom der nationalen Euphorie. Im Mai hatte Klaus Mann, der Sohn des großen Dichters, aus dem Ausland an Gottfried Benn einen öffentlichen Brief geschrieben. Der Berliner Arzt, Sohn eines Landpfarrers, war mit seinen Gedichten zu einer Kultfigur in den wilden Zwanzigern des literarischen Deutschland geworden. Ihm schrieb Klaus Mann: «Was konnte Sie dazu bringen, Ihren Namen, der uns der Inbegriff höchsten Niveaus und einer geradezu fanatischen Reinheit ist, denen zur Verfügung zu stellen, deren Niveaulosigkeit absolut beispiellos in der europäischen Geschichte ist und von deren moralischer Unreinheit sich die Welt mit Abscheu wendet?»

Und Gottfried Benn antwortete: «... ich erkläre mich ganz persönlich für den neuen Staat, weil es mein Volk ist, das sich hier seinen Weg bahnt. Wer wäre ich, mich auszuschließen, weiß ich denn etwas Besseres – nein! … Volk ist viel! … Großstadt, Industrialismus, Intellektualismus, alle Schatten, die das Zeitalter über meine Gedanken warf, alle Mächte des Jahrhunderts, denen ich mich in meiner Produktion stellte – es gibt Augenblicke, wo dies ganze gequälte Leben versinkt, und nichts ist da als die Ebene, weite Jahreszeiten, Erde, einfache Worte –: Volk. So kommt es, daß ich mich denen zur Verfügung stelle, denen Europa, wie Sie schreiben, jeden Rang abspricht.»

Alle wollten sich zur Verfügung stellen, die Atheisten wie die Christen. Der Arzt wie der Pastor. Für die Kirchen, auch die evangelische, lag die Zeit der Katakomben und Märtyrer zu weit zurück. Sie war Liturgie geworden und fromme Legende. Zu lange hatten die Pfarrer an den Tischen der Mächtigen gesessen. Vergessen war, was der Mönch aus Wittenberg den Christen als zentrale evangelische Botschaft eingehämmert hatte: Kreuz, Kreuz, Leid, Leid. Luther hatte darin ein Motto für den ganzen Menschen, für das ganze Leben gesehen.

Am 12. November 1933 ließ Hitler die Deutschen über seine Politik und den Austritt aus dem Völkerbund abstimmen. In Thüringen verlasen Pfarrer an diesem Sonntag zum Gottesdienst eine Erklärung ihres Bischofs, seit 1921 im Amt, von den Kanzeln: «Soll die Welt nicht zugrunde gehen an Lug und Trug, so muß sich ein Volk als Bannerträger der Botschaft Christi erheben, im Glauben an Gott und sein lichtes Reich. Im politischen Bekenntnis des deutschen Volkes zu seinem ihm von Gott gesandten Führer soll sich triumphierend der Glaube an die Siegkraft des Heilands der Völker erheben.» In der Abstimmung erklärten sich 95 Prozent aller Wahlberechtigten einig mit ihrem Führer. Die Hochstimmung im Land schien den radikalen Vertretern der Deutschen Christen der geeignete Augenblick, in aller Öffentlichkeit anzukündigen, wie Kirche im NS-Staat ihrer Meinung nach auszusehen habe.

Am 13. November 1933 war der Berliner Sportpalast mit 20 000 Menschen bis auf den letzten Platz gefüllt. Hakenkreuzfahnen schmückten die Emporen, SA-Kapellen spielten. Die Deutschen Christen aus dem Gau Groß-Berlin hatten sich zu einer Kundgebung versammelt, anwesend war die gesamte geistliche Prominenz der preußischen Landeskirche. Das Hauptreferat hielt Dr. Reinhold Krause, Führer der Deutschen Christen in Berlin, Mitglied in den wichtigsten Gremien der Landeskirche. Krause forderte eine «Vollendung der deutschen Reformation im Dritten Reich» und rief drohend in das weite Rund: «Die ‹Führer der Deutschen Christen in den hohen Kirchenämtern› müssen sich entscheiden, auf welche Seite sie gehören: auf die Seite der alten autoritären Pastorenkirche mit ihren bekenntnismäßigen Bindungen oder auf die Seite der neuen deutschen Volkskirche.» Unter tosendem Beifall beschrieb der Redner, was nicht zu dieser neuen Kirche gehören würde: «Wenn wir Nationalsozialisten uns schämen, eine Krawatte vom Juden zu kaufen, dann müßten wir uns erst recht schämen, irgend etwas, das zu unserer Seele spricht, das innerste Religiöse, vom Juden anzunehmen.»

Und so sah dieser evangelische Christ Krause seinen Glauben: «Wenn wir aus den Evangelien das herausnehmen, was zu unseren deutschen Herzen spricht, dann tritt das Wesentliche der Jesuslehre klar und leuchtend zutage, das sich – und darauf dürfen wir stolz sein – restlos deckt mit den Forderungen des Nationalsozialismus.» Am Ende stimmte die Versammlung – bei einer Gegenstimme – dieser Erklärung zu: «Wir fordern, daß eine deutsche Volkskirche ernst macht mit der Verkündigung der von aller orientalischen Entstellung gereinigten schlichten Frohbotschaft und einer heldischen Jesus-Gestalt als Grundlage eines artgemäßen Christentums ... Wir bekennen, daß der einzige wirkliche Gottesdienst für uns der Dienst an unseren Volksgenossen ist ...»

Das war zuviel. Nicht nur der Pfarrernotbund forderte, daß der Reichsbischof sich unverzüglich von den Deutschen Christen distanzieren müsse. Die Berliner Kirchenleitung wurde mit Protesttelegrammen aus dem ganzen Land überschüttet. Die Gemeinden versammelten sich spontan, um sich von einem solchen Christentum zu distanzieren. Vielen, die bisher besten Glaubens mit den Deutschen Christen marschiert waren, gingen die Augen auf. Ludwig Müller, der Reichsbischof, geriet zwischen alle Stühle. Er kam den Protestlern entgegen und trennte sich von Dr. Krause. Doch Müller wußte nur zu gut, daß er verloren war, wenn die NS-Machthaber ihre Hand von ihm ziehen würden. Im Dezember gliederte der Reichsbischof eigenmächtig und gegen den Widerstand der Betroffenen die organisierte evangelische Jugend – rund 800000 junge Menschen – in die Hitlerjugend ein.

Es kam ein unruhiges Jahr für die evangelische Kirche. Die Geister teilten sich, auch wenn die Gewichte weiterhin zugunsten der NS-treuen Kirchenführer verteilt blieben. Sie besetzten in den meisten Landeskirchen die wichtigsten Ämter, sie verwalteten die Finanzen. Sie konnten unbequeme Pfarrer in die Wüste schicken und sonnten sich in ihrer Macht, die doch nur von den braunen Herren verliehen war. Und schämten sich nicht, dies allen zu zeigen. Dem braunschweigischen Landesbischof machte Friedrich Höse, der ein Geschäft für Beleuchtungskörper, Installationen und Gürtlerei betrieb, im Februar 1934 auf Anfrage dieses Angebot für die bischöflichen Insignien: «1 Kreuzkette bestehend aus einem Stahlkreuz mit mattschwarzem Felde und geschliffenem Rand, 12–8 cm, an 80 cm langer Kette mit großem Hakenkreuz in glattem Kreis und kleinen Hakenkreuzen im Kreis wechselnd mit je 3 Ovalkettengliedern, Hakenkreuze echt Silber poliert ...» Handschriftlicher Vermerk: «Bestellung mündlich durch Boten erfolgt.»

Hitler hatte den Deutschen Christen seine Unterstützung gegeben, damit sie ihm eine evangelische Reichskirche präsentierten, die einig und geeigt war im Dienst am Nationalsozialismus. Am Ende des Jahres 1933 war offenkundig, daß sie dieses Ziel nicht erreicht hatten. Zwar war die evangelische Kirche nicht gespalten. Doch mit dem neuen Jahr teilten sich die Gemeinden. Sie saßen nicht mehr einmütig unter demselben Kreuz, unter derselben Kanzel. Am 18. März 1934 trafen sich in der Dortmunder Westfalenhalle rund 25000 Menschen zum Gemeindetag «Unter dem Wort», um gegen den völkischen Glauben und für das Evangelium, wie es in den Kirchen überliefert war, einzutreten. Am gleichen Tag hatten die Deutschen Christen zu einer Großkundgebung in die Stadthalle von Wuppertal-Elberfeld gerufen, um gegen die «Lügenkampagnen» zu demonstrieren. Auch hier war es brechend voll. Propst Dr. Forst forderte in seinem Wuppertaler Vortrag für alle Theologen Schulungskurse, damit sie echte Nationalsozialisten würden: «Der Staat hat ein Sanatorium eingerichtet für seine Gegner, nämlich das Konzentrationslager. Ich möchte gerne für meine Amtsbrüder auch so eine Einrichtung schaffen als ‹Freizeit›, wo sie zunächst einmal rechtzeitig aufstehen lernen müßten; denn die Kirche kommt immer zu spät, wieviel wäre sie weiter, wenn sie von Anfang an bei der Revolution mitgemacht hätte. Sodann müßten die Pfarrer das Horst-Wessel-Lied singen. Sie müssen lernen, was wahrer Nationalsozialismus ist ...» Landespfarrer Dr. Oberheid kritisierte die «Wühlereien und Unterminierungen» mancher Geistlicher gegen ihre eigene Kirche: «Das Kirchenregiment muß hart durchgreifen, besonders in Elberfeld.» Zum Schluß sang man «Die Sach ist dein, Herr Jesus Christ», das Deutschland- und das Horst-Wessel-Lied.

In Württemberg hatte sich Kirchenpräsident Theophil Wurm, anfänglich ein treuer Anhänger des Reichsbischofs, dazu durchgerungen, seine Kirche nicht dem totalen Anspruch des Staates auszuliefern. Er stand hinter den pietistischen Gemeinden, deren Bruderrat ihm in einem vertraulichen Brief mitteilte, «daß die bis zum 30. März 1934 verlangte Gleichschaltung der Gemeinschaften für uns untragbar ist». Sie könnten – wie von den Deutschen Christen gefordert – «weder das politische Führerprinzip noch den Arierparagraphen noch die Bestimmungen annehmen, daß 75 % der leitenden Stellen ... Deutsche Christen sein müssen». Im Mai 1934 trafen sich in Wuppertal-Barmen 138 «Vertreter lutherischer, reformierter und unierter Kirchen, freier Synoden, Kirchentage und Gemeindekreise» zu einer «Bekenntnissynode»: «Wir erklären vor der Öffentlichkeit aller evangelischen Kirchen Deutschlands, daß ... die Einheit der Deutschen Evangelischen Kirche aufs schwerste gefährdet ist. Sie ist bedroht durch die ... mehr und mehr sichtbar gewordene Lehr- und Handlungsweise der herrschenden Kirchenpartei der Deutschen Christen und des von ihr getragenen Kirchenregiments.» Die Synode erklärte sich zur wahren evangelischen Kirche, da die Deutschen Christen theologische Irrlehren verkündeten: «Wir verwerfen die falsche Lehre, als solle und könne der Staat über seinen besonderen Auftrag hinaus die einzige und totale Ordnung menschlichen Lebens werden und also auch die Bestimmung der Kirche erfüllen.»

Damit war die evangelische Kirche Deutschlands faktisch gespalten. Im Oktober 1934 kam man in Berlin-Dahlem zur zweiten «Bekenntnissynode» zusammen und bildete als «Bekennende Kirche» eigene Gemeinden und Kirchenleitungen. Die institutionelle Macht der Deutschen Christen wurde dadurch nicht erschüttert. Die «Bekennende Kirche» blieb eine kleine Minderheit, und sie beharrte wie der Pfarrernotbund darauf, keinen politischen Widerstand zu betreiben. Der Theologe Hans Asmussen, der in Barmen unermüdlich für ein radikales theologisches Bekenntnis stritt, sagte den dort Versammelten ebenso nachdrücklich: «... wir protestieren nicht als Volksglieder gegen die jüngste Geschichte des Volkes, nicht als Staatsbürger gegen den neuen Staat, nicht als Untertanen gegen die Obrigkeit.» Asmussen traf sich mit der Schuldzuweisung am gleichen Ausgangspunkt wie jene nationalistischen Theologen, die er bekämpfte. Er predigte gegen die Aufklärung, «die seit mehr als 200 Jahren die Verwüstung der Kirche schon langsam vorbereitet hat». Es war offenbar sehr schwer, für einen Lutheraner zu erkennen, daß es kein Zurück in die unpolitische, obrigkeitshörige Welt des Mittelalters geben konnte. Dietrich Bonhoeffer war im gleichen Jahr hellsichtiger: «Obwohl ich mit vollen Kräften in der kirchlichen Opposition mitarbeite, ist es mir doch ganz klar, daß diese Opposition nur ein ganz vorläufiges Durchgangsstadium zu einer ganz anderen Opposition ist...»

Typisch für die Mehrheitsverhältnisse in der evangelischen Kirche ist die Wahl eines Pastors für den Bezirk Hombüchel im Juni 1934 in der Gemeinde Wuppertal-Elberfeld, mit 63 000 Mitgliedern die größte lutherische Gemeinde im Reich. Kandidat der Deutschen Christen war Pastor Fritz Beckmann. Dieser Theologe hatte 1933 eine «Deutsche Christenfibel» verfaßt, die immer neue Auflagen erlebte. Beckmann schrieb darin: «Deutscher Christ! ... über dir leuchtet das Sonnenzeichen: das Hakenkreuz! Es mahnt dich: sei Bruder und Volksgenosse! Dein Volk sei deine Welt! Hinter dir ragt das rettende Christuskreuz ... Vor dir liegt Neuland, bereit, die Stätte deiner tapferen Taten zu werden. Nun, deutscher Christ, wandle würdig seiner Berufung und deines Auftrags: Christi Reich in deutschen Landen! Evangelium im Dritten Reich! Kämpfe und setze dein Leben ein, nicht als Weltbürger, sondern als Deutscher.» Beckmann wurde mit 68 Stimmen neuer Pastor in Elberfeld, der Vertreter der Bekennenden Kirche erhielt 19. Im Oktober 1934 gab

es zwei Lutherfeiern in Elberfeld, eine der «Größeren Gemeinde-
vertretung», wie sich die Deutschen Christen nannten, und eine der
Bekennenden Kirche.

Der Führer sah sich diese verworrenen Verhältnisse nicht lange an.
In Hitlers Augen war der Reichsbischof ein Versager – und damit
abgemeldet. Hanns Kerrl wurde zum «Minister für kirchliche Angelegenheiten» ernannt und im September 1935 per Gesetz ermächtigt,
«zur Wiederherstellung geordneter Zustände in der Deutschen
Evangelischen Kirche und in den evangelischen Landeskirchen»
Verordnungen «mit rechtsverbindlicher Kraft zu erlassen». Der
neue Minister war überzeugt, mit kompromißwilligen Kirchenmän-
nern aus allen Lagern doch noch eine einheitliche evangelische Kirche organisieren zu können, die politisch und theologisch treu dem
NS-Staat diente. Kerrl ging mit gutem Beispiel voran und setzte neue
Kirchenausschüsse ein, für die er außer den Deutschen Christen und
Vertretern eines mittleren Kurses auch Mitglieder der Bekennenden
Kirche gewinnen konnte. Welche Rolle sie spielen sollten, machte
ein Vertreter des Kirchenministers 1935 auf einer Synode der preußischen Landeskirche unverblümt klar, indem er Jesus Sirach aus dem
Alten Testament zitierte: «Liebe Kinder, lernet das Maul halten;
denn wer es hält, der wird sich mit Worten nicht vergreifen.» Wie
sehr sich der Wind gedreht hatte, bewies auch die Anordnung zur
Kirchenbeflaggung im gleichen Jahr. Nicht nur, daß der Staat vorschrieb, wann die Pfarrer ihre Fahnen aus dem Kirchenturm zu
hängen hatten – Führers Geburtstag zählte dazu. Der Staat diktierte
auch, daß an diesen verordneten Festtagen am Hause Gottes nur die
Hakenkreuzfahne wehen durfte. Zuwiderhandlung wurde mit
Geld- oder Gefängnisstrafen geahndet.

1936 trafen sich die Führer der Bekennenden Kirche zu ihrer
vierten Reichsbekenntnissynode in Bad Oeynhausen. Es war zugleich ihre letzte. Die Bekennende Kirche spaltete sich über der
Frage, ob man in den neuen Kirchenausschüssen mitarbeiten solle.
Eine Mehrheit war dafür, um im Interesse der Kirche zu retten, was
noch zu retten war. Eine Minderheit unter Pfarrer Martin Niemöller lehnte jedoch Mitarbeit ab. Damit war auch Kerrls Aufgabe gescheitert. Rückblickend schrieb er 1939: «Der Führer hält seine Bemühungen, die Evangelische Kirche zur Vernunft zu bringen, für

mißlungen und die Evanglische Kirche mit Rücksicht auf ihren Zustand mit Recht für einen nutzlosen Sektenhaufen.» 1937 löste der Staat die bestehenden Kirchenausschüsse auf. Von nun an regierten bis Kriegsende in vielen Landeskirchen staatlich eingesetzte Kirchenpräsidenten. Es gab für die evangelische Kirche in Deutschland keine einheitliche, vom gesamten Kirchenvolk anerkannte oberste Kirchenleitung.

Die Erkenntnis, daß die evangelische Kirche insgesamt unbrauchbar war, um am nationalsozialistischen Staat mitzubauen, rief sofort die Gegner des Christentums in der Partei auf den Plan, denen die taktische Verbeugung des Führers vor den christlichen Kirchen nie gepaßt hatte. Nun konnten sie endlich zum offenen Kampf antreten. Nicht mehr Eintritt, Kirchenaustritt hieß die Parole. Zwischen 1935 und 1939 stiegen in der hessischen Landeskirche die Austrittszahlen von zweitausend, auf dreitausend, auf neuntausend, auf zwölftausend und schließlich im Kriegsjahr auf rund achtzehntausend. Das waren immerhin 10,6 Prozent der evangelischen Bevölkerung. Eine «Deutsche Glaubensbewegung» warb offen für das «Neuheidentum», eine germanische Religion, von allem christlichen Anstrich gereinigt. Allerdings machte man Anleihen bei der christlichen Liturgie, um auch das Leben des NS-Menschen von der Wiege bis zur Bahre mit weihevollen Handlungen zu begleiten.

In den Privatpapieren des Reichsführers SS Heinrich Himmler fanden sich Unterlagen für die «Taufe» eines Kindes, dessen Vater SS-Mann war. Die Anweisungen lassen keine Einzelheiten aus: Unter den Klängen von Griegs «Morgenstimmung» wird das Neugeborene in einen «weihevollen» Raum getragen, wo der «Weihende» die Taufformel spricht: «Wir glauben an den Gott im All und an die Sendung unseres deutschen Blutes, das ewig jung aus deutscher Erde wächst. Wir glauben an das Volk, des Blutes Träger, und an den Führer, den uns Gott bestimmt.» Weiter steht im Formular: «Frage des Weihenden an die Eltern: Wollt Ihr die in Eurem Kind schlafenden Gaben wecken, hüten und pflegen ... Die Antwort der Eltern: Wir geloben es. Der Weihende: So entzünde das Feuer, auf daß es als Teil des Ganzen entbrenne. Der Vater entzündet das Feuer ... Der SS-Führer tritt vor: Wir nehmen dich auf in unsere Gemeinschaft als Glied unseres Leibes, du sollst aufwachsen in unserem

Schutz und deinem Namen Ehre, deiner Sippe Stolz und deinem Volk unauslöschlichen Ruhm bringen. Gemeinsamer Gesang des SS-Treueliedes. Die Eltern verlassen mit dem Kind, unter Musikbegleitung, den Weiheraum, die Teilnehmer grüßen stehend mit erhobenem Arm.»

Im Kampf gegen dieses «Neuheidentum» fanden sich Bekennende Kirche und Deutsche Christen unversehens in einer Front. Die Bekennende Kirche ließ 1935 durch ihre Pfarrer von den Kanzeln verlesen: «Laßt euch nicht verführen! Es gibt keinen Frieden zwischen der christlichen Lehre und dieser neuen Religion!» Der Landesbischof von Hessen, ein Deutscher Christ, gab diese Erklärung heraus: «Wenn aber der christliche Glaube angegriffen wird ... so müssen wir dagegen unsere Stimme erheben ... Die Deutsche Glaubensbewegung hat keinen Gott, der regiert, keinen Vater, der hilft, keinen Heiland, der erlöst.»

Im Mai 1936 tat der radikale Flügel der Bekennenden Kirche einen Schritt, der über eine bloße Verteidigung des christlichen Besitzstandes hinausging. Er verfaßte eine Denkschrift an Hitler, die nicht nur Gefahr vom eigenen Glauben abwenden wollte, sondern den totalen Anspruch des NS-Staates auf den Menschen ablehnte und sich zum Fürsprecher aller machte, die unter Terror und Rechtlosigkeit zu leiden hatten: «Wenn den Christen im Rahmen der nationalsozialistischen Weltanschauung ein Antisemitismus aufgedrängt wird, der zum Judenhaß verpflichtet, so steht für ihn dagegen das christliche Gebot der Nächstenliebe ... Die evangelischen Christen sind auf Grund der Heiligen Schrift davon überzeugt, daß Gott der Schützer des Rechts und der Rechtlosen ist; darum empfinden wir es als Abkehr von ihm, wenn Willkür in Rechtsdingen einzieht und Dinge geschehen, die nicht recht sind vor dem Herrn ... Das evangelische Gewissen, das sich für Volk und Regierung mitverantwortlich weiß, wird aufs härteste belastet durch die Tatsache, daß es in Deutschland, das sich selbst als Rechtsstaat bezeichnet, immer noch Konzentrationslager gibt und daß Maßnahmen der Geheimen Staatspolizei jeder richterlichen Nachprüfung entzogen sind.»

Die Denkschrift wurde vor ihrer Veröffentlichung im Ausland bekannt. Die Verfasser mußten handeln. Sie ließen das Dokument von den Kanzeln verlesen – ohne die zitierten Anklagen über allgemeine Rechtsverletzungen und antisemitische Hetze. Eine öffentliche Solidarisierung mit den «Staatsfeinden» hätte das Ende auch der Bekennenden Kirche bedeuten können. Über die Brutalität des Staates, in dem man lebte, gab es keinen Zweifel mehr. Als ein Urheber der Denkschrift wurde der Jurist Friedrich Weißler, jüdischer Abstammung, verhaftet, in das KZ Sachsenhausen verlegt und dort wenig später umgebracht. Martin Niemöller kam 1937 in Haft und blieb auch nach dem Absitzen seiner Strafe bis Kriegsende im KZ.

Die Juden: Wer zu ihnen hielt, mußte damit rechnen, hineingezogen zu werden in ihren Untergang. Eine lange christliche Tradition erleichterte es den einen, diesem Volk die Menschenwürde abzusprechen, und machte es den anderen schwer, in ihnen ihre Brüder und Schwestern zu sehen; Menschen im gemeinsamen Kampf gegen ein unmenschliches Regime. Die Nürnberger Gesetze vom September 1935 schlossen deutsche Juden endgültig aus der staatlichen Gemeinschaft aus. Kurz darauf verfaßte die Synode der Bekennenden Kirche in Preußen eine «Denkschrift über die Lage der Nichtarier». Es ging um die Frage, ob man Juden, die es wünschten, auch in Zukunft taufen solle? Sie wurde bejaht. Über die staatliche Diskriminierung findet sich in der Denkschrift kein Wort.

Blind war man trotzdem nicht und auch nicht mehr ganz stumm: «Aber wenigstens die Kinder haben doch im ganz elementaren Empfinden der Menschen einen Anspruch auf Schutz. Und hier? ... In einer kleinen Stadt werden den jüdischen Kindern von anderen immer wieder die Hefte zerrissen, wird ihnen das Frühstücksbrot weggenommen und in den Schmutz getreten! Es sind christliche Eltern, Lehrer und Pfarrer, die es geschehen lassen! ... Ein Kind, das eine jüdische Mutter hat, bittet seine Freundin immer wieder angstvoll: ‹Komm bald wieder, meine Mutti ist sehr nett.› – Ein anderes bittet die Mutter fortzugehen, damit die Freundinnen sie nicht sehen ... Was soll aus den Seelen dieser Kinder werden, und aus einem Volk, das solche Kindermartyrien duldet? Und was aus der Jugend dieses Volkes, die in solcher Luft aufwächst und mißbraucht wird? Was soll man antworten auf all die verzweifelten, bitteren Fragen und Anklagen: Warum tut die Kirche nichts? Warum läßt sie namenloses Unrecht geschehen? Und wenn die Kirche um ihrer völligen Zerstörung willen in vielen Fällen nichts tun kann … warum betet sie dann nicht für die, die dies unverschuldete Leid und die Verfolgung trifft? Warum gibt es nicht Fürbittegottesdienste, wie es sie gab für die gefangenen Pfarrer?»

Für die Verfasser sind das keine rhetorischen Fragen. Sie weichen der Antwort nicht aus: «Menschlich geredet bleibt die Schuld, daß alles dies geschehen konnte, vor den Augen der Christen, für alle Zeiten und vor allen Völkern und nicht zuletzt vor den eigenen künftigen Generationen, auf den Christen Deutschlands liegen … Und wir wissen, daß Gott uns zurückruft in dem Gericht, das über Kirche und Volk ergeht. Daß es aber in der Bekennenden Kirche Menschen geben kann, die zu glauben wagen, sie seien berechtigt oder gar aufgerufen, dem Judentum in dem heutigen historischen Geschehen und dem von uns verschuldeten Leiden Gericht und Gnade Gottes zu verkündigen, ist eine Tatsache, angesichts derer uns eine kalte Angst ergreift. Seit wann hat der Übeltäter das Recht, seine Übeltat als den Willen Gottes auszugeben? Seit wann ist es etwas anderes als Gotteslästerung zu behaupten, es sei der Wille Gottes, daß wir Unrecht tun?» Den Lauf der Dinge hat diese Denkschrift von 1935 nicht aufgehalten. Sie hat jene herrschende kirchliche Theologie als gotteslästerlich verurteilt, die seit den Befreiungskriegen gegen Napoleon willig dem Götzen Nationalismus opferte und nachträglich in deutsche Siege und Gemetzel Gottes eigenes Wirken hineindeutete. Die immer so genau wußte, was Gottes Wille war, und damit alles reinwusch, was Deutsche taten. Für die Opfer allerdings war diese theologische Einsicht kein Trost.

Im Februar 1937 schrieb die Gauleitung Westfalen-Süd der NSDAP an das Evangelische Konsistorium in Münster: «Hierdurch bitte ich Sie, die Amtsenthebung des in Bochum ansässigen Pfarrers Ehrenberg umgehend in die Wege zu leiten …» Zwölf Jahre war Hans Ehrenberg zur Zufriedenheit seiner Kirche Pfarrer gewesen. Jetzt konnte ihm das nicht helfen. Ehrenberg war Jude. Er beantragte resigniert seine Versetzung in den Ruhestand; der Bitte wurde stattgegeben. Die Bekennende Kirchengemeinde in Bochum schrieb an ihre Mitglieder: «Wenn Pfarrer Ehrenberg jetzt aus seinem Gemeindepfarramt scheidet, so geschieht das, weil die Kirche keine Möglichkeit hat, für ihn und für seinen Bezirk so einzutreten, wie es die Sache erfordert.» Es waren einzelne, die nicht mehr taktieren wollten und einen radikalen Trennungsstrich zogen. Pfarrer Paul Schneider aus Dickenschied im Hunsrück weigerte sich, NS-Funktionären das Abendmahl auszuteilen. Er wurde 1937 in Schutzhaft genommen und starb an Folterungen im KZ Buchenwald. 1938 hatten achtzehn evangelische Pfarrer Redeverbot, acht waren in Schutzhaft, 61 durften sich nicht mehr am Ort ihrer Gemeinde aufhalten.

Ende 1938 veröffentlichte der Landesbischof von Thüringen eine Schrift über Martin Luther und die Juden: «Am 10. November 1938, an Luthers Geburtstag, brennen in Deutschland die Synagogen ... In dieser Stunde muß die Stimme des Mannes gehört werden, der ... der größte Antisemit seiner Zeit geworden ist, der Warner seines Volkes wider die Juden.» In der sogenannten Kristallnacht wurde mehr zerstört als steinerne Gebäude. Alle Kirchen schwiegen, auch die radikale Bekennende Gemeinde. Nur einzelne wagten, den Mund aufzumachen. Im württembergischen Oberlenningen predigte der pietistische Pfarrer Julius von Jan am 16. November 1938 über die Klage des Jeremias: «O Land, Land, höre des Herren Wort.» Den Menschen unter der Kanzel muß der Atem gestockt haben, als sie ihren Pfarrer hörten: «O Land, liebes Heimatland, höre des Herren Wort! In diesen Tagen geht durch unser Volk ein Fragen: Wo ist in Deutschland der Prophet, der in des Königs Haus geschickt wird, um des Herren Wort zu sagen? ... Gott hat uns solche Männer gesandt: Sie sind heute entweder im Konzentrationslager oder mundtot gemacht. Die aber, die in der Fürsten Häuser kommen und dort noch heilige Handlungen vollziehen können, sind Lügenprediger, wie die nationalen Schwärmer zu Jeremias Zeiten und können nur Heil und Sieg rufen, aber nicht des Herrn Wort verkünden.» Das war schon deutlich genug, aber Pfarrer Jan sah über den Rand seiner Kirche hinaus:

«Die Leidenschaften sind entfesselt, die Gebote Gottes mißachtet, Gotteshäuser, die andern heilig waren, sind ungestraft niedergebrannt worden, das Eigentum der Fremden geraubt oder zerstört, Männer, die unserm deutschen Volk treu gedient haben und ihre Pflicht gewissenhaft erfüllt haben, wurden ins KZ geworfen, bloß weil sie einer anderen Rasse angehörten!» Wenige Tage später wurde Pfarrer Jan auf offener Straße von der SA halb tot geprügelt, und am Pfarrhaus klebte das Plakat «Judenknecht». Die Kirchenleitung distanzierte sich von ihm. Die Predigt sei eine politische Entgleisung. Ein Sondergericht verurteilte Jan zu einem Jahr und vier Monaten Gefängnis. Vor dem Konzentrationslager bewahrte ihn der Einsatz von Bischof Wurm hinter den Kulissen. Insgesamt versuchten auch die Pietisten, mit möglichst heiler Haut davonzukommen. Als 1937 in Korntal die christlichen Schulen und Internate verstaatlicht wurden, gab es keinen Widerstand.

Aber auch das muß erwähnt werden: Seit 1935 hatte die Bekennende Kirche Büros eingerichtet, um den verfolgten Juden in aller Legalität bei der Auswanderung zu helfen, ihre wirtschaftliche Not zu lindern und – je weiter die Jahre gingen – auch außerhalb der Legalität so viele wie möglich aus dem für sie tödlichen Land zu bringen. Am bekanntesten wurde das Büro von Propst Grüber in Berlin, das 21 Nebenstellen im Reich hatte. Heinrich Grüber kam 1940 in das KZ Dachau und überlebte den Krieg. Sein Stellvertreter, Pfarrer Werner Sylten, kurz nach ihm eingeliefert, wurde umgebracht.

Keiner weiß, wie viele in diesen Jahren erkannten, daß sie schuldig wurden. Wer will jene verurteilen, die an ihre Frau, ihre Kinder dachten? Die mutlos wurden, weil sie als einzelne nichts ausrichten konnten? Die ihre Gemeinde nicht verlassen wollten? Der schwarze Talar macht noch keine Märtyrer, keine Helden. Bei allem Verständnis bleibt die Pflicht, die Wirklichkeit nicht zu vergolden. Als Hitler 1935 wieder die allgemeine Wehrpflicht einführt, wollen sich junge Theologiestudenten, die die Bekennende Kirche in einem eigenen Predigerseminar ausbildet, voller Begeisterung dem Vaterland andienen, um endlich ihren Patriotismus unter Beweis zu stellen. Als der Direktor des Seminars seinen Studenten klarzumachen versucht, daß es Christenpflicht sein kann, den Wehrdienst zu verweigern, stößt er auf Unverständnis. Es ist Dietrich Bonhoeffer, inzwischen von seinem Londoner Pfarramt zurückgekehrt und im Dienst der Bekennenden Kirche. Wieder einmal steht er sehr allein. Doch er ist entschlossen auszuhalten und nicht mehr auszuweichen.

1938 kamen die Deutschen Christen in Thüringen auf die Idee,

Hitler «ein Geburtstagsgeschenk eigener Art» zu machen. Der Evangelische Oberkirchenrat in Berlin nahm die Idee auf. Die meisten Landeskirchen stimmten zu. Und so leisteten fast alle evangelischen Pfarrer im Frühjahr 1938 einen besonderen Eid, «dem Führer des Deutschen Reiches und Volkes, Adolf Hitler, treu und gehorsam» zu sein. Auch die Bekennende Kirche hatte keine grundsätzlichen Bedenken. Doch die Zeiten waren vorbei, wo man sich durch solche Gesten noch Wohlwollen erkaufen konnte. Martin Bormann, Hitlers Graue Eminenz und ein besonderer Kirchenhasser, verkleidete seine schallende Ohrfeige in einen Brief an alle Gauleiter: «Die Kirchen haben diese Anordnung von sich aus erlassen, ohne vorher die Entscheidung des Führers herbeizuführen. Dem Eid auf den Führer kommt also lediglich eine innerkirchliche Bedeutung zu.» Der Kommentar eines NS-Funktionärs aus Darmstadt steht für viele in diesen Jahren: Er pfeife auf den Eid der Pfarrer.

Am 1. September 1939 verkündete Adolf Hitler im Reichstag: «Ab 5 Uhr 45 wird zurückgeschossen.» Deutschland hatte Polen überfallen und damit den Zweiten Weltkrieg ausgelöst. Die Reaktionen der evangelischen Kirche reichen von unkritischem Patriotismus bis zu ernster Nachdenklichkeit und vorsichtiger Warnung. Im Vordergrund aber steht das Gefühl, in dieser Stunde die politische Führung des Vaterlandes stützen zu müssen. Soviel Unrecht auch im Namen dieses Volkes geschehen war, die Ehre der Nation nahm in der christlichen Wertskala immer noch den ersten Platz ein. Es waren auch in den folgenden sechs Jahren wiederum nur einzelne, die sich verpflichtet fühlten, Gott mehr zu gehorchen als den Menschen. Der allergrößte Teil der lutherischen Christen – und die Bekennende Kirche ist keine Ausnahme – fühlten sich weiterhin an das Wort des Apostels Paulus in seinem Brief an die Römer gebunden: Seid untertan der Obrigkeit. Die Forderung Dietrich Bonhoeffers, daß ein Christ sich fragen müsse, ob dieser Staat recht oder unrecht tue, blieb ungehört.

Am 3. September 1939 veröffentlichte die gespaltene Gemeinde Wuppertal-Elberfeld einen gemeinsamen Aufruf der Mehrheit und der bekennenden Minderheit: «Die Würfel sind gefallen: unser Volk hat zu den Waffen greifen müssen! ... Wir sind alle zum

Dienst in Heer und Heimat aufgerufen! Keiner von uns hat den Krieg herbeigewünscht; am wenigsten unser Führer! ... Mit heißem Flehen erheben wir am Anfange des Kampfes die Hände zu unserem Gott und bitten ihn um seine Gnade. Er schütze Adolf Hitler ... Christenpflicht ist es jetzt, besonders zuversichtlich und besonders zuverlässig zu sein. Wer jetzt versagt, jetzt, wo die Probe aufs Exempel gemacht wird, wer sich an kleinmütigen Gedanken und Quängeleien beteiligt, der verrät als Deutscher nicht nur sein Volk, sondern als Christ auch seinen Herrn.» Da ist sie wieder, die fatale Gleichung: als ob nationale und christliche Pflichten immer nahtlos ineinandergehen.

In Berlin erschien im Gesetzblatt der Deutschen Evangelischen Kirche ein Aufruf, unter den auch Landesbischof August Marahrens aus Hannover, der zum gemäßigten Flügel der Bekennenden Kirche gehörte, seinen Namen gesetzt hatte: «Sei dem gestrigen Tag steht unser deutsches Volk im Kampf für das Land seiner Väter, damit deutsches Blut zu deutschem Blut heimkehren darf. Die deutsche evangelische Kirche stand immer in treuer Verbundenheit zum Schicksal des deutschen Volkes. Zu den Waffen aus Stahl hat sie unüberwindliche Kräfte aus dem Wort Gottes gereicht ...» Ein Sohn des Bischofs war zu diesem Zeitpunkt schon im Polen-Feldzug gefallen. Im Unterschied zu 1914 und 1933 verzichtete der NS-Staat auf eine religiöse Verbrämung des Kriegsbeginns durch Gottesdienste und Geläute. Die Menschen strömten nicht in die Kirchen. Sie hätten manches Nachdenkliche hören können.

Am ersten Kriegssonntag predigte in der Kasseler Garnisonskirche Pfarrer Erich Stange: «Es kann sich nicht darum handeln, hier unter der Maske der Religion politische Erörterungen anzustellen. Die Predigt ist etwas anderes als der Leitartikel einer Zeitung ...» In Berlin-Dahlem, der Gemeinde von Martin Niemöller, predigte am gleichen Tag Helmut Gollwitzer: «Es wird viel billiges Gottesvertrauen ausgeboten in diesen Tagen, viel heidnisches Gottvertrauen auch in den christlichen Kirchen. Wahrhaft Gott vertrauen kann nur, wer sich vor Gott beugt ... Wir alle müssen uns anklagen, daß wir unbewegten Herzens viel Not um uns haben geschehen lassen, die uns jetzt selbst droht ... Wir sind feige gewesen und haben unser eigenes Leben retten wollen ... Wir waren bereit, Unrecht mit Unrecht zu vergelten, und sahen nur auf das eigene Recht und die eigenen Vorzüge, während uns Recht und Ehre des anderen gleichgültig waren ... Wehe, wenn die Not des Krieges den Völkern nicht ein Anlaß zur Selbstbesinnung und Schulderkenntnis wird.» Aus dem KZ Oranienburg meldete sich Martin Niemöller freiwillig, um – wie schon im Ersten Weltkrieg – ein U-Boot-Kommando zu übernehmen. Der NS-Staat verzichtete auf solche Unterstützung.

Viele junge Pfarrer der Bekennenden Kirche folgten keineswegs widerwillig den Einberufungsbefehlen oder meldeten sich freiwillig zur kämpfenden Truppe. Noch immer wollten sie beweisen, daß sie treue Diener auch dieses Staates waren. Die Bekennende Kirche verteilte eine Ermunterung an ihre Mitglieder in Kasernen und Schützengräben. Man solle mit gutem Gewissen in den Krieg ziehen. Im Laufe des Krieges wurde die Hälfte aller evangelischen Pfarrer für die Wehrmacht abgestellt. Bis 1943 waren 1271 Theologen und 229 Theologiestudenten gefallen. Hellsichtig sagte Joseph Goebbels im gleichen Jahr seinem Führer, daß junge kämpfende Pfarrer mit dem Eisernen Kreuz für den Nationalsozialismus gefährlicher seien als alte Kardinäle. Nach dem Putschversuch am 20. Juli 1944 wurde kein Theologe mehr zum Offizier befördert. Schon seit 1937 wurde keiner mehr in die Partei aufgenommen.

Hitler war klug genug, sich bei seinem äußeren Kampf nicht auch noch im Innern in Auseinandersetzungen zu verstricken. Die Kirchen, das hatten die vergangenen Jahre bei aller Zerrissenheit gezeigt, waren so leicht nicht zu schleifen. Im Juli 1940 meldete der Reichsminister des Innern an die Herren Reichsstatthalter und Oberpräsidenten, «daß der Führer alle nicht unbedingt notwendigen Maßnahmen zu vermeiden wünscht, die das Verhältnis des Staates und der Partei zur Kirche verschlechtern können». Hitler selbst spielte wieder die alte Komödie, mit der er am Beginn seiner Herrschaft die Kirchen so erfolgreich getäuscht hatte: «Im vergangenen Jahr hat unser deutsches Volkreich dank der Gnade der Vorsehung geschichtlich Wunderbares und Einzigartiges geleistet! Wir können am Beginn des Jahres 1940 den Herrgott nur bitten, daß er uns weiterhin segnen möge im Kampf um die Freiheit, die Unabhängigkeit und damit um das Leben und die Zukunft unseres Volkes.» Nach allem, was geschehen war: immer noch glaubte man diesem Mann und seinen frommen Worten.

Im Evangelischen Feldgesangbuch stand ein Lied auf «Führer und Volk»: «Verwirf, Gott unser Flehen nicht, / laß auf des Führers Wegen / dein huldvoll heilig Angesicht / ihm leuchten uns zum Segen, / und salbe ihn mit deinem Geist, / daß er sich kräftig stets erweist / zu deines Namen Ehre.» Die Kirchenzeitung «Friede und Freude» schrieb 1940 zu Hitlers Geburtstag: «Derjenige Christ, der in diesen Tagen nicht mit fürbittendem Herzen hinter dem Führer stünde, müßte bar jeder Ahnung sein von der ungeheuren Last der Verantwortung, die Adolf Hitler für Deutschland trägt ... Gott, der Herr der Heerscharen, hat uns den schnellen Sieg über Polen gewinnen lassen ... Wer wollte abseits stehen, wenn wir das neue Lebensjahr des Führers beginnen mit dem Gebet: ‹Hilf Herr, hilf, laß wohl gelingen.› Herr, unser Gott, segne den Führer!» Auch auf dieser Seite immer noch die alten Formeln: Wer wollte abseits stehen! Ebenfalls zu Hitlers Geburtstag wurde in den evangelischen Kirchen gebetet: «Vor Deinem Angesicht, Herr Gott, himmlischer Vater, gedenken wir unseres Führers und Reichskanzlers, der am gestrigen Tage mitten im Kriege seinen Geburtstag beging. Wir danken Dir, daß Du in dieser entscheidenden Zeit die Geschicke unseres Volkes in die starken Hände des Führers gelegt hast ... Uns allen aber hilf, daß wir unter seiner Führung freudig zu jedem Einsatz und jedem Opfer bereit sind und im Gehorsam gegen deinen Willen unsere Pflicht an der Stelle tun, an die wir gestellt sind.»

Dem NS-Staat auch in Kriegszeiten zu dienen war also Christenpflicht. Es gehörte viel Mut dazu, sich der Mehrheitsmeinung zu entziehen, sich öffentlich gegen sie zu stellen. In Wuppertal hatte Pfarrer Hesse nach dem Sieg gegen Polen sein Pfarrhaus nicht mit Fahnen geschmückt. Nicht nur die Gestapo ließ ihn deshalb zum Verhör kommen. Der Gemeindeausschuß seiner Kirche erstattete Anzeige beim Konsistorium. Hesse entschuldigte sich mit Abwesenheit. Das Konsistorium zeigte sich unbeeindruckt: «Die Beflaggung eines Pfarrhauses ist Ehrenpflicht jedes Pfarrers ... Wir müssen Ihnen deshalb unsere schärfste Mißbilligung darüber aussprechen, daß Sie so wenig Taktgefühl dafür besaßen und für Ihr Pfarrhaus nicht dasjenige angeordnet hatten, was man von Ihnen als Glied der Volksgemeinschaft und erst recht als evangelischer Pfarrer erwarten mußte.» Der Pfarrer bekam eine scharfe Rüge, und der Gemeindeausschuß distanzierte sich nochmals in einem Schreiben an die Gestapo ausdrücklich von ihrem Pastor als einem Mann, der dem «gewaltigen Erleben in unserem Volk und Vaterland» verständnislos gegenüberstehe.

Zu den wenigen evangelischen Christen, die mit Berufung auf ihren Glauben den Wehrdienst verweigerten, gehörte Hermann Stöhr, der Sekretär des deutschen Zweigs des Internationalen Versöhnungsbundes. Das Reichskriegsgericht verurteilte ihn im März 1940 «wegen Zersetzung der Wehrkraft zum Tode». Hermann Stöhr wurde drei Monate später in Berlin-Plötzensee hingerichtet. Schon im Sommer 1939 hatte Dietrich Bonhoeffer, der immer noch für die Bekennende Kirche arbeitete, an einen Freund in Amerika geschrieben: «Die Christen in Deutschland stehen vor der fürchterlichen Alternative, entweder in die Niederlage ihrer Nation einzuwilligen, damit die christliche Zivilisation weiterleben könne, oder in den Sieg und dabei unsere Zivilisation zu zerstören.»

Für die Kirchen, denen im siegreichen NS-Staat kein Platz mehr zugedacht war, bedeutete der Krieg eine Atempause. Andere, Wehrlose brachte er um so schneller und gnadenloser ihrem Ende entgegen. Den Lärm der Waffen nutzten die braunen Machthaber, um in aller Stille die Vernichtung der europäischen Juden ins Werk zu setzen und in Deutschland «unwertes Leben» – geistig und körperlich Behinderte – ohne Aufsehen aus der Welt zu schaffen. Der öffentliche Protest der Kirchen blieb in beiden Fällen aus, von einigen Predigten gegen die Euthanasie abgesehen. Die Kirchenmänner erhofften sich mehr Erfolg von Aktionen hinter den Kulissen.

Zum Wortführer der evangelischen Kirche wurde Württembergs Bischof Theophil Wurm. Er versuchte, die Nazis mit ihren eigenen Argumenten von ihren blutigen Aktionen abzubringen. Im Juli 1940 protestierte Wurm beim Innenminister gegen die Vernichtung «lebensunwerten» Lebens: «Ich kann nur mit Grausen daran denken, daß so, wie begonnen wurde, fortgefahren wird ... Auf dieser schiefen Ebene gibt es kein Halten mehr. Gott läßt sich nicht spotten. Er kann das, was wir auf der einen Seite als Vorteil begonnen zu haben glauben, auf der anderen Seite als Schaden und Fluch werden lassen.» Immer wieder hatten die Nazis versprochen, dem Verfall der Sitten Einhalt zu gebieten: «Entweder erkennt auch der NS-Staat die Grenzen an, die ihm von Gott gesetzt sind, oder der begünstigt einen Sittenzerfall, der auch den Verfall des Staates nach sich ziehen müßte ...» Zugleich versicherte der Bischof dem Staat die Loyalität der evangelischen Christen und bittet die Reichsregierung, «die vorhandene Mißstimmung nicht als eine Mißachtung nationaler und politischer Notwendigkeiten» anzusehen. Im Sommer 1941 gab Hitler Befehl, das Euthanasie-Programm einzustellen. Mindestens 70 000 alte, kranke und behinderte Menschen waren bis dahin ermordet worden.

Am 14. Juli 1940 war der erste Transport im Lager Auschwitz angekommen, rund siebenhundert polnische Häftlinge. Im Oktober 1941 begann der Ausbau des KZs für 200 000 Menschen. Tag und Nacht fuhren aus ganz Europa die verschlossenen Waggons in Richtung Osten. Tag und Nacht rauchten in immer mehr Lagern die Schornsteine der Verbrennungsöfen. Im Juli 1943 schrieb Bischof Wurm nach Berlin: «Für die lebenden wie für die gefallenen Christen Deutschlands wende ich mich als ältester evangelischer Bischof, des Einverständnisses weiter Kreise in der evangelischen Kirche gewiß, an den Führer und die Regierung des Deutschen Reiches. Im Namen Gottes und um des deutschen Volkes willen, sprechen wir die dringende Bitte aus, die verantwortliche Führung des Reiches wolle der Verfolgung und Vernichtung wehren, der viele Männer und Frauen im deutschen Machtbereich ohne gerichtliches Urteil unterworfen sind. Nachdem die dem deutschen Zugriff unterliegenden Nichtarier in größtem Umfang beseitigt worden sind, muß auf Grund von Einzelvorgängen befürchtet werden, daß nunmehr auch die bisher noch verschont gebliebenen sogenannten privilegierten Nichtarier erneut in Gefahr sind, in gleicher Weise behandelt zu werden ... Diese Absichten stehen, ebenso wie die gegen die anderen Nichtarier ergriffenen Vernichtungsmaßnahmen, im schärfsten Widerspruch zu dem Gebot Gottes und verletzen das Fundament alles abendländischen Denkens und Lebens: Das gottgegebene Urrecht menschlichen Daseins und menschlicher Würde überhaupt.» Diesmal gab es keine positive Reaktion wie beim Euthanasieprogramm. Die Nazis kalkulierten richtig, daß den meisten Christen ein Jude – auch ein getaufter – nicht die gleiche Empörung, nicht das gleiche Risiko wert war wie ein behinderter Christ.

Im März 1933 hatte der evangelische Theologe und Schriftsteller Jochen Klepper in seinem Tagebuch schon die tödliche Bedrohung durch den Antisemitismus notiert und keinen Zweifel gelassen, warum seine jüdische Frau mit ihren zwei Kindern evangelische Christen geworden waren. Neun Jahre später bot auch die Taufe keinen Schutz mehr. Am 10. Dezember 1942 hatte Klepper keine Kraft zum Kämpfen und keine Hoffnung mehr. Für Frau und Kind war die Deportation ins Lager nicht mehr abzuwenden. Dies ist die letzte Eintragung im Tagebuch: «Wir sterben nun – ach, auch das steht bei Gott. – Wir gehen heute nacht gemeinsam in den Tod.»

Kurt Scharf gehörte in diesen Jahren zum radikalen Flügel der Bekennenden Kirche. Im Rückblick auf die Judenvernichtung hat der spätere Bischof von Berlin eine mögliche Alternative für seine Kirche aufgezeigt: «Wir haben nicht tapfer und klar genug widerstanden, nicht offen und rückhaltlos genug widersprochen. Die Kirche hätte wahrscheinlich einen Umschwung herbeiführen können, wenn wir damals gemeinsam auf die Straße gegangen wären. Wir hätten auch den Davidstern anlegen müssen an unsern Rock.»

Für die Minderheit, die als bewußte Christen gegen den Unrechtsstaat kämpfte, fielen alle konfessionellen Schranken. Im Namen des deutschen Volkes wurden 1943 in Lübeck drei katholische Geistliche und ein evangelischer Pastor «wegen Zersetzung der Wehrkraft und Vorbereitung zum Hochverrat» zum Tode verurteilt und hingerichtet. Der Pastor Karl Friedrich Stellbrink und die Kapläne Johannes Prassek, Eduard Müller und Hermann Lange hatten verbotene Schriften und Predigten ausgetauscht und verbreitet und ausländische Rundfunksendungen gehört. Im schlesischen Kreisau trafen sich auf dem Gutshof von Helmuth James Graf von Moltke Katholiken und Protestanten, Menschen, die überzeugt waren, daß der Staat, in dem sie lebten, im Namen des Volkes Unrecht ausübte. Daß die Würde des Menschen nichts galt, weil die Machthaber sich an keinen Gott gebunden fühlten.

Im Kreisauer Kreis plante man für ein anderes Deutschland. Ob man den Tyrannen gewaltsam beseitigen sollte, darüber gingen die Meinungen auseinander.

Moltke war aus christlicher Überzeugung dagegen und stolz darauf, als Christ vor dem berüchtigten Roland Freisler zu stehen und wegen seines Glaubens dem Henker ausgeliefert zu werden. Im Januar 1945 schrieb er aus dem Gefängnis an seine Frau: «Letzten Endes entspricht diese Zuspitzung auf das kirchliche Gebiet dem inneren Sachverhalt ... Und dann bleibt ein Gedanke übrig: Womit kann im Chaos das Christentum ein Rettungsanker sein? Dieser einzige Gedanke fordert morgen wahrscheinlich fünf Köpfe ... Ich habe nur eines zu meiner Verteidigung anzuführen: Nehmen sie den Leib, Gut, Kind und Weib, laß fahren dahin, sie haben's kein Gewinn, das Reich muß uns doch bleiben ...»

Während Moltke im Gefängnis Tegel auf sein Urteil wartete – er wurde am 23. Januar 1945 in Berlin-Plötzensee hingerichtet –, saß Dietrich Bonhoeffer im Gestapo-Gefängnis in der Prinz-Albrecht-Straße und bereitete sich auf den Tod vor. Sein Weg zu den Verschwörern war die logische Konsequenz dessen, was er seit seiner Stellungnahme zur Judenfrage 1933 gesagt und geschrieben hatte. Schon 1934 hatte sich Bonhoeffer von der traditionellen Theologie seiner Kirche gegenüber der Obrigkeit abgesetzt: «Es muß endlich mit der theologisch begründeten Zurückhaltung gegenüber dem Tun des Staates gebrochen werden – es ist ja doch alles nur Angst.» Seit 1938 wußte er über die Pläne der Militärs und Diplomaten, Hitler zu beseitigen. Im Herbst 1940 entschloß er sich, aktiv im Widerstand mitzuarbeiten. Er war überzeugt, daß ein Christ seine Hände nicht in Unschuld waschen könne. Bonhoeffer reiste mit einem Sonderpaß der Abwehr durch Europa, gab den kirchlichen Stellen im Ausland Informationen über den deutschen Widerstand und informierte zu Hause den deutschen Abwehrdienst, dessen Chef, Admiral Wilhelm Canaris, an der Verschwörung beteiligt war.

Neben den politischen Aktivitäten war Dietrich Bonhoeffer in diesen Monaten damit beschäftigt, eine «Ethik» für die moderne Welt zu schreiben. Am Anfang stand eine schonungslose Analyse über den Zustand der evangelischen Kirche seit 1933: «Die Kirche

... war stumm, wo sie hätte schreien müssen, weil das Blut der Unschuldigen zum Himmel schrie ... Die Kirche bekennt, die willkürliche Anwendung brutaler Gewalt, das leibliche und seelische Leiden unzähliger Unschuldiger, Unterdrückung, Haß und Mord gesehen zu haben, ohne Wege gefunden zu haben, ihnen zu Hilfe zu eilen. Sie ist schuldig geworden am Leben der schwächsten und wehrlosesten Brüder Jesu Christi.» Das waren die Juden. Die Standard-Verteidigung gegen solche Anklagen wurde mit einem gewichtigen Kronzeugen geführt. Hatte doch Martin Luther mit dem Hinweis auf den Apostel Paulus gelehrt, man müsse der Obrigkeit untertan sein. Seit dem 19. Jahrhundert vor allem waren lutherische Theologen auf diese Aussage fixiert, als sei sie das Herzstück der Theologie, die der Mönch aus Wittenberg gepredigt hatte. Das eigene Leid müsse man erdulden, das hatte er gesagt. Was aber war mit dem Leid der andern? Mußte man dazu wirklich schweigen?

Kaum einer stellte sich diese Frage. Vielleicht weil Luthers Antwort darauf zu eindeutig und zu unbequem ist. In seiner Schrift «Von den guten Werken» sagte er 1520: «Hier müssen wir zum ersten allem Unrecht widerstreben, wo die Wahrheit oder Gerechtigkeit Gewalt und Not leidet, und dürfen dabei keinen Unterschied der Person machen, wie etliche tun, die gar fleißig und emsig für das Unrecht fechten, das den reichen, gewaltigen Freunden geschieht, aber wo es den Armen oder Verachteten oder Feinden geschieht, sind sie ganz still und geduldig ... Das sind Heuchler durch und durch und haben nicht mehr als den Schein, die Wahrheit zu schützen ... So spricht Gott Psalm 82,2 ff: ‹Wie lange richtet ihr so ungerecht und seht auf die Person des Ungerechten? Schaffet den Armen und Weisen Recht und fördert dem Elenden und Dürftigen sein Recht. Errettet den Armen und den Verlassenen, helft von der Gewalt des Ungerechten› ... Siehe, da wären wohl viele gute Werke vorhanden, denn der größte Teil der Gewaltigen, Reichen und Freunde tut Unrecht und handelt mit Gewalt wider die Armen, Geringen und Gegner. Und je größer, desto ärger.» Worte, die an die Substanz der evangelischen Kirche gingen. Hatte sie nicht oft genug seit 1933 das Unrecht ihrer mächtigen Freunde verkleinert und den Terror gegenüber den Verlassenen verschwiegen?

Aber selbst, wo man die Widersprüche erkannt hatte, hieß die

Parole: Taktisch vorgehen, im stillen wirken. Auf Luther jedoch konnte man sich auch dabei nicht berufen: «Und wo man nicht mit Gewalt wehren und der Wahrheit helfen kann, sollte man doch das bekennen und mit Worten helfen, den Ungerechten nicht zufallen, ihnen nicht recht geben, sondern die Wahrheit frei heraussagen.» Mit seiner Schrift «Von den guten Werken» wollte der Mönch frühzeitig alle Kritiker zum Schweigen bringen, die ihm vorwarfen, daß sein totales Vertrauen in die Gnade Gottes den Menschen von einem engagierten, aktiven Leben abhalte. Der Vorwurf war immer derselbe: Warum sollte der Mensch gute Werke tun, wenn sie ihm für seine Seligkeit von gar keinem Nutzen waren?

In seinem «Großen Katechismus» hat Martin Luther 1529 noch einmal allen klargemacht, daß der bedingungslose Glaube an die göttliche Gnade ganz und gar kein Ruhekissen für faule Christen ist. Gerade ein solcher Glaube fordert radikale Konsequenzen schon in dieser Welt. Der Christ nimmt das Kreuz auf sich – für andere: «Denn wo Gottes Wort gepredigt, angenommen oder geglaubt wird und Frucht schafft, da soll das liebe, heilige Kreuz nicht ausbleiben. Und denke nur niemand, daß er Frieden haben werde, sondern daß er opfern müsse, was er auf Erden hat: Gut, Ehre, Haus und Hof, Weib und Kind, Leib und Leben.»

Die Verantwortung für den Nächsten ist keine christliche Erfindung. Als Kain den Abel erschlagen hatte und Gott trotzig fragte: «Bin ich denn der Hüter meines Bruders?», konnte es keinen Zweifel an der Antwort geben. Martin Luther bekräftigte nur diese jüdisch-christliche Ethik, als er im «Großen Katechismus» schrieb, «daß ein jeglicher seinem Nächsten zu seinem Recht helfe und es nicht hindern noch beugen lasse, sondern fördere und genau darüber wache, gleichviel ob als Richter oder Zeuge und betreffe es, was es wolle ... ohne Rücksicht auf Geld, Gut, Ehre oder Herrschaft». Und weiter: «Darum heißet auch Gott billig die alle Mörder, die in Nöten und Gefahr Leibes und Lebens nicht raten noch helfen, und wird gar ein schrecklich Urteil über sie ergehen lassen am Jüngsten Tag ...» Es kann die Ehre kosten, Weib und Kind, Leib und Leben. Nein, an den Tischen der Mächtigen ist christlicher Glaube, wie Luther ihn versteht, nicht anzutreffen. Nach Gott muß sich der Mensch ausrichten, wo es um den Nächsten geht, um die Armen und Verlassenen. Nicht nach der Obrigkeit, nicht nach den Interessen einer Partei, wenn der Christ sich entscheiden muß. Das ist der Kern der lutherischen Theologie.

Martin Luther hat nicht für den theologischen Elfenbeinturm gedacht. Es gab für ihn keine Kluft zwischen Theologie, Glaube und Leben. Was so akademisch klingt – der Grund-Satz von der Gnade –, ist ein sehr konkreter Wegweiser für den Alltag und die Krise. Dietrich Bonhoeffer, der ebenfalls eine Theologie für die Welt predigen wollte, entdecke diesen Martin Luther, noch bevor er sich politisch engagierte. Er wog seine Kirche mit dem Maß der radikalen Gnade und fand, daß sie es sich zu leichtgemacht hatte: «Ein Volk war christlich, war lutherisch geworden, aber auf Kosten der Nachfolge, zu einem allzu billigen Preis. Die billige Gnade hatte gesiegt ... Das Wort von der billigen Gnade hat mehr Christen zugrunde gerichtet als irgendein Gebot der Werke ... Überall Luthers Worte, und doch aus der Wahrheit in Selbstbetrug verkehrt.» Bonhoeffer legte den Finger genau auf die Wunde, die Luther schon aufgezeigt hatte, als er seinen Anhängern überdeutlich sagte, daß Glaube und Leben zusammengehören.

Bonhoeffer schonte seine Kirche nicht: «Wenn Luther von der Gnade sprach, so meinte er sein eigenes Leben immer mit, das durch die Gnade erst in den vollen Gehorsam Christi gestellt worden war ... Daß die Gnade allein alles tut, hatte Luther gesagt, und wörtlich so wiederholten es seine Schüler, mit dem einzigen Unterschied, daß sie sehr bald das ausließen und nicht mitdachten und sagten, was Luther immer selbstverständlich mitgedacht hatte, nämlich Nachfolge, ja, was er nicht mehr zu sagen brauchte, weil er ja immer selbst als einer redete, den die Gnade in die schwerste Nachfolge Jesu geführt hatte. Die Lehre der Schüler war also unanfechtbar von der Lehre Luthers her, und doch wurde diese Lehre das Ende und die Vernichtung der Reformation.» Luthers Zeitgenossen schon waren dem gleichen Mißverständnis aufgesessen, das Bonhoeffer seiner Kirche vorhielt: «Weil Gnade doch alles allein tut, darum kann alles beim alten bleiben ... Billige Gnade ist die Gnade, die wir mit uns selber haben ... Billige Gnade ist Gnade ohne Nachfolge, Gnade ohne Kreuz, Gnade ohne den lebendigen, menschgewordenen Jesus Christus.» Dieser

Jesus am Kreuz hat den Christen ein für allemal gezeigt, wo ihr Platz ist.

Dietrich Bonhoeffer hat nicht nur Luther wiederholt, sondern ihn in das Lebensgefühl seiner Zeit umgesetzt: «Der Mensch wird aufgerufen, das Leiden Gottes an der gottlosen Welt mitzuleiden.» Nicht im stillen Kämmerlein, nicht um sich selbst aus allem Bösen herauszuhalten. Für solche Christen hat Bonhoeffer das gleiche Wort parat wie Luther: Heuchler. Bonhoeffer hat nicht nur zurückgefunden zu Luthers theologischem Glaubensbekenntnis. Er zögerte nicht, über ihn hinauszudenken. Dieser Theologe wollte nicht wie so viele seiner Kollegen hinter die Zeit der Aufklärung zurück, die dem europäischen Menschen eine neue, politische Dimension brachte. Der Mönch in Wittenberg konnte zu Beginn des 16. Jahrhunderts Freiheit und Gleichheit nicht politisch deuten. Der Christ, der es im 20. Jahrhundert nicht tut, ist nach Bonhoeffer «in seine Pubertät» zurückversetzt. Theologie darf sich nicht nur bei Luther ausruhen. Ihre neue Aufgabe heißt: «Christus und die mündige Welt.»

Auf einer Reise nach Norwegen im April 1942 erlebte Dietrich Bonhoeffer, daß es Lutheraner gab, die die Gnade nicht billig verschleuderten und keine Angst hatten, politisch zu handeln. In diesem Monat legten Norwegens lutherische Bischöfe, 93 Prozent der Pfarrer, zwei theologische Fakultäten und die meisten Gemeinderäte ihre Ämter nieder. Sie weigerten sich, den Anordnungen des Kirchenministeriums zu folgen, das im Sinne der deutschen Besatzungsmacht handelte. Die Norweger beriefen sich bei ihrem Widerstand auf Luther: «Wenn die weltlichen Behörden in das geistliche Regiment eingreifen wollen und das Gewissen gefangennehmen, wo Gott allein sitzen und regieren will, dann soll man ihnen nicht gehorchen.» Im November 1942 protestierten die norwegischen Lutheraner öffentlich gegen die Judenverfolgung im Land.

Ähnlich entschieden reagierte die lutherische Kirche in Dänemark auf die Verfolgung ihrer jüdischen Mitbrüder durch die Besatzer. Im September 1943 wurde von den dänischen Kanzeln ein Hirtenbrief verlesen: «Überall in der Welt, wo Judenverfolgungen aus rassischen oder religiösen Gründen stattfinden, ist es die Verpflichtung der christlichen Kirchen, dagegen zu protestieren ... Die dänischen Kirchenführer sind sich ihrer Verpflichtung bewußt, loyale Bürger zu sein, die sich nicht ungebührlich gegen jene auflehnen, die die Herrschaft über sie ausüben; gleichzeitig verlangt unser Gewissen von uns, die Gerechtigkeit aufrechtzuerhalten und gegen jede Verletzung der Gerechtigkeit zu protestieren. Deshalb werden wir, sollte dies nötig sein, unzweideutig das Gebot befolgen, Gott mehr zu gehorchen als den Menschen.» Das hatte Luther gefordert: gegen das Unrecht zu kämpfen, egal, wen es trifft, oder es mindestens hinaus in die Welt zu schreien. Die Bischöfe hatten auch Vorsorge getroffen: Als in der Nacht zum 3. Oktober 1943 die Deutschen die dänischen Juden verhaften wollten, fielen ihnen «nur» fünfhundert in die Hände. 6500 konnten, auch dank kirchlicher Hilfe, nach Schweden entkommen.

Dietrich Bonhoeffer war kein weltfremder Asket, er fühlte sich nicht zum Märtyrer geboren. Im Januar 1943 verlobte sich der Siebenunddreißigjährige mit der achtzehnjährigen Maria von Wedemeyer. Am 5. April wurde er in Berlin verhaftet. In den folgenden zwei Jahren erschien er den Mitgefangenen als ein souveräner Mann, der sie aufrichtete und keine Angst vor dem nächsten Tag hatte. Im Sommer 1944 beschrieb Bonhoeffer in einem Gedicht, wie ihn die anderen sahen: «Sie sagen mir auch, ich trüge die Tage des Unglücks gleichmütig, lächelnd und stolz, wie einer, der Siegen gewohnt ist.» Doch er selbst erlebte sich ganz anders: «Unruhig, sehnsüchtig, krank, wie ein Vogel im Käfig, ringend nach Lebensatem, als würgte mir einer die Kehle, hungernd nach Farben und Blumen, nach Vogelstimmen, dürstend nach guten Worten, nach menschlicher Nähe, zitternd vor Zorn über Willkür und kleinliche Kränkung, umgetrieben vom Warten auf große Dinge, ohnmächtig bangend um Freunde in endloser Ferne, müde und leer zum Beten, zum Denken, zum Schaffen, matt und bereit, von allem Abschied zu nehmen.» Er hatte Freunde, jedoch von seiner Kirche mußte er sich allein gelassen fühlen wie schon zu Beginn des Kampfes. Die Bekennende Kirche erkannte nicht, daß Bonhoeffers politische Aktivitäten die Frucht lutherischer Theologie waren. Sie setzte ihn nicht auf ihre Fürbittenliste, nach der am Sonntag in den Kirchen für die verhafteten Mitglieder der Bekennenden Kirche gebetet wurde.

Bei den endlosen Verhören kämpfte Bonhoeffer um sein Leben,

auch wenn ihm durch die Erfahrungen im Gefängnis die Welt manchmal «zum Ekel und zur Last» wurde. Er wollte es den Mördern nicht zu leicht, nicht zu billig machen. Erst die Untersuchungen, die dem Putschversuch vom 20. Juli 1944 folgten, deckten auf, wie tief und wie lange dieser Theologe schon in die Verschwörung verwickelt war. Am Morgen des 9. April 1945 wurde Dietrich Bonhoeffer zusammen mit Admiral Canaris, General Oster und drei weiteren Freunden im KZ Flossenbürg am Böhmerwald erhängt.

Weihnachten 1942 hatte Bonhoeffer für seine engsten Freunde, mit denen er den Sturz des Unrechtssystems plante, einen Essay geschrieben. Darin dachte er nach über die Einsamkeit, in der sie handelten, und über die Schuld, der sie sich nicht entziehen konnten. Selbst für die wenigen, die am Ende nicht mehr bloß das Unrecht erdulden wollten, gab es keinen selbstgerechten Weg in die Zukunft: «Wir sind stumme Zeugen böser Taten gewesen, wir sind mit vielen Wassern gewaschen, wir haben die Künste der Verstellung und der mehrdeutigen Rede gelernt, wir sind durch Erfahrung mißtrauisch gegen die Menschen geworden und mußten ihnen die Wahrheit und das freie Wort oft schuldig bleiben, wir sind durch unerträgliche Konfklikte mürbe oder vielleicht sogar zynisch geworden – sind wir noch brauchbar?»

# Störenfriede

Am 24. Juni 1982 steht ein alter Mann am Rednerpult im Glaspalast der Vereinten Nationen. Wenige Wochen zuvor war ganz New York gesperrt für die Demonstrationen der amerikanischen Friedensbewegungen. Zu den Vertretern aus aller Welt, die eine Sondersitzung über Abrüstung abhalten, sagt der Achtzigjährige: «Friede sei mit euch und Gnade von dem Gott, an den ich glaube! Ich spreche zu Ihnen als Christ. Ich spreche zu Ihnen als Deutscher. Ich komme aus dem Land, das in diesem Jahrhundert in zwei Weltkriegen große Schuld auf sich geladen hat ... Ich weiß, was Rassenwahn, sogenanntes Herrenmenschentum und Stereotypen von Feindbildern in der Geschichte meines Volkes und auch in der Geschichte der christlichen Kirchen angerichtet haben ... Wir wollen die – teuer bezahlte – Lektion von Auschwitz lernen und sie unsere Kinder und Kindeskinder lehren ... Und: Wir wollen – auch – die Lektionen von Hiroshima und Nagasaki lernen, damit sie eine einmalige Verfehlung des Menschen bleiben ... Im Gehorsam gegenüber Gott und im Hören auf sein Wort wage ich zu sagen: Die atomaren Waffen sind keine Mittel der Politik. Auch ihr Gebrauch allein zur Drohung ist Lästerung Gottes.»

Der ehemalige Berliner Bischof Kurt Scharf ist als Vorsitzender der «Aktion Sühnezeichen/Friedensdienste» von der UNO zur Sondersitzung eingeladen worden und als Repräsentant einer Bewegung, die sich zwischen Rhein und Elbe radikal und ohne Kompromisse mit der Tagespolitik nur ein Wort auf die Fahnen geschrieben hat: Frieden. Es ist kein Zufall, aber auch nicht selbstverständlich, daß 37 Jahre nach dem Zusammenbruch als Vertreter der Bundesrepublik Deutschland ein protestantischer Theologe der Welt sagt, wo ihr größtes Defizit liegt – im Frieden – und dazu aufruft, an jenem Bild einer gerechten Welt zu arbeiten, wie es im Neuen Testament in der Offenbarung des Johannes vorgezeichnet ist: «Und ich sah einen neuen Himmel und eine neue Erde ... und Gott wird abwischen alle Tränen von ihren Augen, und der Tod wird nicht mehr sein, noch Leid noch Geschrei noch Schmerz wird mehr sein.»

Pfarrer an der Spitze riesiger Demonstrationen für den Frieden oder gegen die Kernkraft; erregte politische Debatten auf den evangelischen Kirchentagen; ein Bischof in Berlin, der seine Gemeinde bittet, Verständnis für die Motive der Hausbesetzer zu haben und nicht vorschnell zu verurteilen – es sind nicht wenige Protestanten, die darüber den Kopf schütteln und sich fragen, was aus ihrer Kirche geworden ist. Dabei genügt ein kurzer Blick zurück in die junge Geschichte dieser Republik: Wann immer es um grundlegende Entscheidungen ging, haben Protestanten die Diskussion entscheidend mitgeprägt; waren sie «Unruhestifter» und «Störenfriede», die sich mit bequemen Antworten nicht zufriedengeben wollten.

Dabei war die Ausgangslage denkbar schlecht, denn nach der politischen Teilung lagen die protestantischen Kernlande im östlichen Machtbereich. Die westdeutsche Republik begann als ein katholisches Land, zwanzig Jahre lang regiert von einem rheinisch-katholischen Kanzler und einer Partei, die sich zwar christlich nannte, aber so katholisch war, daß die Protestanten in ihr einen eigenen «evangelischen Arbeitskreis» gründeten, um mit ihren Interessen nicht ganz unterzugehen. Es waren die katholischen Bischöfe, die in den fünfziger Jahren mit Hirtenworten dieser Machtkonstellation offen ihre Unterstützung liehen. Dort, wo die Protestanten ins politische Zeitbild paßten, waren sie willkommen. Die gesamtdeutschen evangelischen Kirchentage – ob in Hamburg 1951 oder in Leipzig 1954 – wurden zu Demonstrationen für eine Wiedervereinigungspolitik, die im Tagesgeschäft schon ad acta gelegt worden war. Von der evangelischen Kirche in der DDR verlangte man vom sicheren westdeutschen Hort aus politische Oppostion, während man hinter den Nebelphrasen eines strammen Antikommunismus das Wirtschaftswunder zum politischen Ziel Nummer eins gemacht hatte.

Die ersten Stimmen aus dem evangelischen Lager gegen eine allzu konservative Politik regten sich schon 1947. Es waren Protestanten vom radikalen Flügel der Bekennenden Kirche, die die Chance zu einem neuen Anfang gefährdet sahen und ihre Kirche davor warnten, wieder mit den Herrschenden auf breiten, ausgetretenen Pfaden zu gehen, wo doch Christus seinen Nachfolgern einen schmalen und steinigen Weg vorausgesagt hatte. Das «Wort des Bruderrates der Evangelischen Kirche in Deutschland zum politischen Weg unseres Volkes» zählte erst einmal die Sünder der Vergangenheit auf: «Wir sind in die Irre gegangen, als wir begannen, den Traum einer besonderen deutschen Sendung zu träumen, als ob am deutschen Wesen die Welt genesen könne ... Das Bündnis der Kirche mit den das Alte und Herkömmliche konservierenden Mächten hat sich schwer an uns gerächt. Wir haben die christliche Freiheit verraten, die uns erlaubt und gebietet, Lebensformen abzuändern, wo das Zusammenleben der Menschen solche Wandlungen erfordert. Wir haben das Recht zur Revolution verneint, aber die Entwicklung zur absoluten Diktatur geduldet und gutgeheißen.»

Der Bruderrat zog daraus Konsequenzen, die sich am Evangelium orientierten und zugleich hochpolitisch waren: «Indem wir das erkennen und bekennen, wissen wir uns als Gemeine Jesu Christi freigesprochen zu einem neuen, besseren Dienst zur Ehre Gottes und zum ewigen und zeitlichen Heil der Menschen. Nicht die Parole: Christentum und abendländische Kultur, sondern Umkehr zu Gott und Hinkehr zum Nächsten in der Kraft des Todes und der Auferstehung Jesu Christi ist das, was unserem Volk und inmitten unseres Volkes vor allem uns Christen selbst nottut ... laßt Euch nicht verführen durch Träume von einer besseren Vergangenheit oder durch Spekulationen um einen kommenden Krieg, sondern werdet Euch in dieser Freiheit und in großer Nüchternheit der Verantwortung bewußt, die alle und jeder einzelne von uns für den Aufbau eines besseren deutschen Staatswesens tragen, das dem Recht, der Wohlfahrt und dem inneren Frieden und der Versöhnung der Völker dient.»

Unter diesem Dokument steht ein Name, der im folgenden Jahrzehnt immer wieder auftauchte, wenn Widerspruch eingelegt wurde gegen den Weg der Mehrheit. Es war Pastor Martin Niemöller, der Mann, der im Ausland den deutschen Widerstand gegen den Nationalsozialismus verkörperte. Er marschierte an der Spitze der Demonstrationen gegen eine neue deutsche Armee und gehörte zu den Initiatoren der Ostermärsche 1957, mit denen gegen das beginnende atomare Wettrüsten protestiert wurde. Was heute auf Kirchentagen – und darüber hinaus – die Protestanten bewegt, stand schon vor über zwanzig Jahren im Zentrum engagierter Diskussionen auf den kirchlichen Synoden – und wurde zum Teil sehr eindeutig entschieden. Aus einem Synodenbeschluß von 1957 in Berlin-Weißensee: «Durch die Massenvernichtungsmittel wird in jedem Fall verraten, was man retten will, und seien es Freiheit und Frieden.»

Kaum eine Stellungnahme der EKD (Evangelischen Kirche in Deutschland) hat die Gemüter so erhitzt wie ihre Denkschrift aus dem Jahre 1965 über «Vertreibung und Versöhnung». Einseitigkeit hat man ihr vorgeworfen, obwohl sie zuerst den Blick auf das deutsche Elend lenkt: «In Millionen von Einzelschicksalen wiederholte sich mit dem Verlust der Heimat der Verlust beinahe jeglichen äußeren Besitzes und in den meisten Fällen auch der Verlust von nahen Angehörigen. Millionenfach wiederholte sich mit den Strapazen der Vertreibung und mit dem Kampf um die nackte Selbsterhaltung eine totale Lebenskrise ...» Allerdings nahm diese Denkschrift auch die andere Seite ernst: «Die Vorgänge wären unangemessen verkürzt dargestellt, würde nicht von Anfang an auch das menschliche und geschichtliche Schicksal der östlichen Nachbarn Deutschlands mit ins Auge gefaßt. Sie haben den Krieg und den Kriegsausgang ebenfalls als menschliche und nationale Katastrophe erfahren. Dabei hatte das deutsche Volk schwere politische und moralische Schuld gegenüber seinen Nachbarn auf sich geladen. Die den Deutschen angetanen Unrechtstaten können nicht aus dem Zusammenhang mit der politischen und moralischen Verirrung herausgelöst werden, in die sich das deutsche Volk vom Nationalsozialismus hat führen lassen.»

Es waren die deutschen Protestanten, die mit dieser Erklärung gegenüber Polen das erlösende Wort sprachen. Ein Wort, auf das die katholischen Bischöfe Polens von ihren deutschen Brüdern im Bischofsamt in dieser Klarheit bis dahin vergeblich gewartet hatten. Das Wort zur «Vertreibung und Versöhnung» war ein entscheidender Schritt auf dem Weg zu einer langsamen Annäherung zwischen Polen und der Bundesrepublik. Es wurde zur Voraussetzung einer neuen Ostpolitik, wie sie nach 1969 die Regierung Brandt/Scheel einleitete.

Am Ende der sechziger Jahre erhob sich der Protest der Studenten gegen Vietnam und gegen die Wohlstandsmentalität. Als 1967 in Berlin während der Demonstrationen gegen den Schahbesuch der Student Benno Ohnesorg von einem Polizisten erschossen wurde, als am Karfreitag 1968 ein Mordanschlag auf Rudi Dutschke verübt wurde, war es jedesmal Kurt Scharf, seit 1966 Bischof von Berlin, der mit den erregten Studenten diskutierte, sie zur Besonnenheit mahnte, öffentlich viele ihrer Motive und Ziele unterstützte und von der Schuld sprach, die alle Verantwortlichen auf sich geladen hatten. Scharf nannte Kirchenaustritte, die ihm daraufhin von konservativen Protestanten angedroht wurden, einen Erpressungsversuch, dem er sich nicht beugen würde. Als der Bischof im November 1974 Ulrike Meinhof in einer Berliner Haftanstalt besuchte und wenig später eine kirchliche Mitarbeiterin verhaftet wurde, weil sie angeblich Kassiber der Baader-Meinhof-Gefangenen geschmuggelt habe, war der Teufel los. «Pfarrer, die dem Terror dienen» oder «Handgranaten im Talar» meldeten die Zeitungen. Ein Jahr später war der ehemalige Berliner Bürgermeister und protestantische Pfarrer Heinrich Albertz die Vertrauensperson, die mit freigelassenen Häftlingen ins arabische Aden flog, damit der entführte Berliner Politiker Peter Lorenz wieder freigelassen wurde.

Unter den evangelischen Christen, die damals und heute protestieren, verschaffte sich erstmals eine Frau vom Fach Gehör, die Theologin Dorothee Sölle. Das «Politische Nachtgebet», das sie 1968 in Köln mit organisiert, bedeutet ein Programm: Die Botschaft des Evangeliums ist eine politische Botschaft. Für Dorothee Sölle und andere führt eine solche Theologie unweigerlich zu der Gleichung: Ein Christ kann heute nur noch Sozialist sein. Auferstehung und Befreiung von politischer Unterdrückung – vor allem in der Dritten Welt – sind nicht voneinander zu trennen. Ein Christ muß einseitig sein, weil Gott es ihm vorgemacht hat: «Aber der Gott, von dem die Bibel spricht, ist parteiisch, er hat die Partei des Lebens ergriffen, er hat gegen den Tod Partei ergriffen, gegen den Napalmtod und gegen den Hungertod ... Jesus hat sich radikal auf die Seite des Lebens gestellt und den Tod bekämpft, wo er ihn antraf: den Tod der Aussätzigen, mit denen niemand sprach und die niemand berührte, den sozialen Tod der Zöllner, die wie die Gastarbeiter bei uns nichts galten ...»

Das waren radikale Forderungen, und der Widerspruch blieb nicht aus. 1967 gründeten Protestanten, die mit dieser Entwicklung nicht einverstanden waren, die Bewegung «Kein anderes Evangelium». Ob Bischof Scharf oder Dorothee Sölle, ob Ostermärsche oder Ostdenkschrift – diese «Evangelikalen», wie sie sich selber nennen, sahen darin das Ende eines lutherischen Christentums, wie sie es sich vorstellten. Sie warfen ihrer Kirche vor, von der buchstabengetreuen Auslegung der Bibel abzuweichen, sich in die Politik einzumischen, statt Seelsorgern «Sozialingenieure» auszubilden und die Theologie durch Soziologie und Psychoanalyse zu ersetzen. Sie organisierten ihre eigenen Kirchentage, und schließlich behaupteten sie, daß alle diese «Anpassungen an den Zeitgeist» die Menschen aus der Kirche trieben.

Man kann es sich kaum noch vorstellen: Zwischen 1956 und 1963 hatte es in der EKD mehr Kircheneintritte als -austritte gegeben. Dann ging die Kurve der Austritte langsam nach oben. 1964 waren es 44000, 1969 rund 112000, und 1970 kam der Höhepunkt mit 203 000 Protestanten, die ihre Kirche verließen. Auch diese Statistiken muß man im Zusammenhang beurteilen: Es waren – so dramatisch die Zahlen auf den ersten Blick aussehen – selbst 1970 nur 0,75 Prozent aller evangelischen Christen. Bis 1980 hat sich die Zahl auf 0,5 Prozent – 119814 – eingependelt. Es gibt bisher keine Umfragen, die mit wissenschaftlicher Genauigkeit und Anspruch auf allgemeingültige Aussagen die Motive der Kirchenflüchtigen untersucht haben. Eine Umfrage zwischen 1963 und 1973, die einen kleinen Kreis von Befragten betraf, kam zu diesen Ergebnissen: Rund 40 Prozent gingen, weil sie keine Kirchensteuer mehr zahlen wollten. 8 Prozent verließen die Kirche, weil sie ihnen zu konservativ und nur 0,3 Prozent, weil sie ihnen zu modern war.

Noch ist die Evangelische Kirche in der Bundesrepublik eine Volkskirche, auch wenn sonntags im Durchschnitt nur 5 Prozent ihrer Mitglieder die Gottesdienste besuchen. Weihnachten 1980 stiegen die Besucherzahlen immerhin auf 26 Prozent. Von den Kirchgängern gehen immer mehr zum Abendmahl. Noch lassen von hundert evangelischen Eltern 66 ihr Kind taufen. Aber wie lange noch? Daß man zu einer kleinen Schar schrumpfen kann, ohne in Resignation und Untergangsstimmung zu verfallen, haben die evangelischen Kirchen in der DDR vorgemacht.

Einst ein protestantisches Land, ist heute der Prozentsatz der evangelischen Christen an der Gesamtbevölkerung der DDR auf unter 50 Prozent gesunken. Es gibt Neubaugebiete, wo fast 90 Prozent der Bewohner keiner Kirche mehr angehören. Das einträgliche Kirchensteuersystem ist von freiwilligen Spenden abgelöst. Und wer sich zum christlichen Glauben bekennt, steht damit im Gegensatz zur staatlichen Doktrin, die im Sinne des Karl Marx das Paradies schon hier auf Erden schaffen möchte und in der Religion nur billige Vertröstungen auf das Jenseits sieht. Er muß mit Nachteilen rechnen. Daß eine solche Konstellation zwar das Ende des traditionellen Christentums, aber auch die Chance für einen ganz neuen Anfang sein kann, hat im Februar 1981 der damalige Vorsitzende des evangelischen Kirchenbunds in der DDR, Bischof Albrecht Schönherr, in der Evangelischen Akademie Tutzing seinen westdeutschen Zuhörern klarzumachen versucht: «Die Chance besteht darin, daß in der sozialistischen Gesellschaft viel Ballast weggefallen ist, daß uns viele Stützen genommen und daß viele Privilegien abgebaut wurden. Die Aufforderung unseres Herrn, allein seinem Wort zu vertrauen, uns zu ihm zu bekennen, ist unverstellter und kommt deutlicher auf den einzelnen zu als in früheren Verhältnissen. Wir Christen sind unausweichlicher gefragt, warum und was wir glauben, wozu wir leben.»

Als sich 1969 die evangelischen Kirchen in der DDR organisatorisch von der bis dahin gesamtdeutschen EKD trennten und einen eigenen Kirchenbund gründeten, war das auch ein Politikum. Die deutschen Protestanten hatten damit die Richtung gewiesen, die eine Normalisierung zwischen den beiden deutschen Staaten in den Grundlagenverträgen Anfang der siebziger Jahre erst möglich machte. Wie die DDR-Kirchen ihre Rolle in einem atheistischen Staat sehen, haben sie 1971 auf einer Synode in Eisenach formuliert: «Wir wollen Kirche nicht neben, nicht gegen, sondern wir wollen Kirche im Sozialismus sein.» Acht Jahre später warnte eine Synode vor zwei Gefahren: «Die Gefahr der totalen Anpassung und die Gefahr der totalen Verweigerung. Die Gefahr der Anpassung ist darum so groß, weil die Macht gerade eine machtlos gewordene Kirche verlocken könnte, die Freiheit und die Fülle ihrer Verkündigung für das Linsengericht einer größeren Überlebenschance preiszugeben. Die Gefahr der Verweigerung beruht auf der falschen Überzeugung, daß ein im Kern atheistisches und totalitäres Regime überall und immer nur Falsches hervorbringen könne.»

Der 6. März 1978 wurde zum historischen Datum, nicht nur für die Kirche in der DDR: SED-Generalsekretär Erich Honecker empfing eine Delegation der evangelischen Kirchen, an ihrer Spitze die Bischöfe Albrecht Schönherr und Werner Krusche. Es war ein Zeichen, daß aus langer Feindschaft kritische Partnerschaft werden sollte. Die Kirchenführer der DDR sind mit diesem Mut zum Risiko im Westen auf Mißtrauen gestoßen. Aber sehr bald haben sie bewiesen, daß diese Kirche sich den Mund nicht verbieten läßt und Konflikten nicht aus dem Weg geht. DDR-Jugendliche, die der zunehmenden Militarisierung ihrer Gesellschaft entgegentreten und Abrüstung auch im eigenen Lager fordern, haben in der Kirche einen Partner gefunden, mit dem sie offen reden können und der ihre Ängste in die Öffentlichkeit bringt. Dabei ist die Kirche bemüht, nicht als politische Opposition aufzutreten. Eine Rolle, in die sie vor allem jene Kreise in der Bundesrepublik drängen, die der Kirche im eigenen Land jede politische Aktivität absprechen.

Der Aufnäher mit den Worten des Propheten Micha aus dem Alten Testament, daß eines Tages «Schwerter zur Pflugscharen» umgeschmiedet werden, ist zum Symbol der DDR-Friedensbewegung geworden. Die Idee dazu kam aus der Evangelischen Jugend. Der Staat hat das Tragen dieses Abzeichens inzwischen verboten. Die Kirche bittet die Jugendlichen, «um des inneren Friedens willen» keine Provokationen heraufzubeschwören. Sie hat sich aber zugleich im März 1982 hinter diese Losung gestellt: «Dieses Wort drückt unsere christlichen Hoffnungen aus, daß Gott einmal eine Welt schaffen wird, in der wir Menschen keine Waffen mehr brauchen, um uns zu schützen. Es drückt zugleich, als Folge einer solchen Hoffnung, unsere christliche Weltverantwortung aus, schon jetzt das mögliche zu tun, damit Menschen und Völker ihre Konflikte ohne Waffen bewältigen. Die Atomwaffen unserer Zeit werden, falls sie zur Anwendung kommen, keine Sieger mehr hinterlassen.» Die kirchlichen Friedenswochen der Evangelischen Jugend in der DDR stehen im Herbst 1982 wie im Jahr zuvor unter dem Leitwort «Schwerter zu Pflugscharen».

Westlich der Elbe haben sich die kirchlichen Veranstaltungen in Sachen Frieden innerhalb eines Jahres von wenig beachteten Einzelveranstaltungen zu eindrucksvoller Basisarbeit gemausert, hinter denen die offiziellen Kirchenleitungen stehen. Im Jahre 1980 wurden im ganzen Land ungefähr zwischen 100 und 350 Friedenswochen abgehalten. 1981 haben von den 10635 evangelischen Gemeinden rund viertausend eigene Friedenswochen durchgeführt. Haben jene vielleicht doch recht, die der evangelischen Kirche vorwerfen, daß sie nur noch von weltlichen Dingen rede und Gott darüber völlig vergesse?

Wer die Jugendlichen, die sich auf Kirchentagen und Friedenswochen engagieren und zu Wort melden, als kirchentreue Protestanten oder überzeugte Christen reklamieren möchte, macht eine falsche Rechnung auf. Mit dem traditionellen Glauben können sicher die wenigsten von ihnen etwas anfangen. Für sie bietet die Kirche einen Freiraum, in dem man ohne Zwänge diskutieren kann und wirklich jeder gehört wird. Das hindert die Jugend nicht, den meisten Vertretern dieser Kirche voller Skepsis gegenüberzustehen. Doch etwas anderes gehört auch zum Bild. Ebenso überfüllt wie die politischen Podien sind auf den Kirchentagen die morgendlichen Bibelauslegungen und die Räume der Stille, ein Angebot zur Meditation, können die jugendlichen Besucher kaum fassen. Die politischen Theologen haben erkannt, daß man sich für diese Welt engagieren kann, ohne aufzuhören, über Gott zu sprechen; daß gerade sie die religiöse Dimension im Menschen vernachlässigt haben.

Dorothee Sölle: «Die Theologie hat es lange Zeit versäumt, Religion ernst zu nehmen, das religiöse Bedürfnis auszusprechen und aufzufangen. Gerade die aufgeklärten Theologen, die kritisch zu ihren Kirchen und Überlieferungen standen, haben versäumt, dieses Bedürfnis verständlich zu machen ... Viele dachten, daß es in der Wohlstandsgesellschaft Elend, Hoffnungslosigkeit und Auferstehungssehnsucht nur noch bei den sozialen Randgruppen gebe. Ich vermute, daß sich diese Meinung bereits als irrig herausgestellt hat ... Das religiöse Bedürfnis ist das Bedürfnis, Sinn zu erfahren und Sinn zu stiften. Es gibt keine Existenz ohne die Suche nach Sinn.»

Für den Mönch im Augustinerkloster zu Wittenberg gab es keinen Riß zwischen Theologie und Religion. Er hat keine Ruhe gegeben, bis er auf die radikalen Fragen über Gott und den Menschen zu radikalen Antworten vorgestoßen war. Er hat seinen Glauben allen mitgeteilt, er hat ihn immerzu gepredigt und doch Nachsicht mit den Mittelmäßigen, den Durchschnittschristen gehabt. Martin Luther hat Unruhe gestiftet und das Harmoniebedürfnis der Humanisten als faulen Kompromiß angeprangert. Er war ein Kämpfer für die Wahrheit, wie er sie gefunden hatte – ohne Scheiterhaufen für seine Gegner zu fordern. Gegen die Autorität des Papstes und die Erklärungen der Konzilien berief er sich allein auf das Wort Gottes – und konnte sich trotzdem nicht vorstellen, daß jemand Christ ist, ohne einer Kirche anzugehören. Ausgangspunkt aller seiner Überlegungen war die tiefe Überzeugung, daß der Mensch aus eigener Kraft nichts vermag und immer schuldig wird. Er muß sich bedingungslos der Gnade Gottes überlassen – und ist zugleich als einzelner verantwortlich. Am Ende steht er allein vor Gott. Da helfen ihm kein Pfarrer und kein Papst.

Wenn es etwas gibt, das typisch protestantisch ist, dann vielleicht die Überzeugung, daß jeder selbst für das eintreten muß, was er als Wahrheit erkannt hat. Ob es um Kernkraft, Raketen oder die Bergpredigt geht. Da rügt ein lutherischer Bundeskanzler seine Kirche, weil sie sich zu sehr in die Politik einmischt, und erklärt, daß die Bergpredigt kein Maßstab für politisches Handeln sein kann. Da begründet der Protestant Carl Friedrich von Weizsäcker, warum die Alternative zum Ethos der Bergpredigt nur der Untergang der Menschheit sein kann. Da schreibt der protestantische Theologieprofessor Wolfgang Schrage: «Die Alternative Jesu heißt einfach und schlicht: Leben retten oder töten (Markus 3, 4), und wer nicht dem Leben dient, der dient dem Tod. Daran werden wir gemessen.» Und der Bochumer Theologieprofessor Günter Brakelmann, SPD-Mitglied, für den die Friedensbewegung die «stärkste notwendige und heilsame Provokation für unsere Demokratie und ihr Politikverständnis» ist, scheut sich nicht, diese Bewegung zu kritisieren: «Die Gefahr vieler Pfarrer ist es, nicht mehr so sehr die theologischen und sozialethischen Dimensionen des Friedensthemas zu reflektieren und zu artikulieren, sondern ganz handfeste Politik gegen bestimmte Parteien und gegen die Regierung zu betreiben.»

Martin Luther, der sich auf Gottes Gnade allein verließ, war überzeugt, daß in seiner Zeit das Ende der Welt nahe bevorstand. Und er nahm das Jüngste Gericht sehr ernst. Nicht weil er den eigenen strafenden Vater an den Himmel projizierte, sondern weil an diesem Endpunkt menschlicher Geschichte die Verantwortung jedes einzelnen für den anderen offen zutage tritt. So hat er es 1520 in seiner Schrift «Von den guten Werken» allen deutlich gemacht: «Denn Christus wird am Jüngsten Tag nicht fragen, wieviel du für dich gebetet, gefastet, gewallfahrtet, dies oder das getan hast, sondern wieviel du den anderen, den Allergeringsten wohlgetan hast.»

Am Ende eines langen Weges durch die Geschichte der deutschen Protestanten sollten keine Noten verteilt und Martin Luther nicht für die eine oder andere Richtung im heutigen Protestantismus reklamiert werden. Über den «wahren Luther» wird man weiterhin streiten, eben weil er so voller Widersprüche war. Einen harmlosen, einen widerspruchslosen Glauben hat dieser Mensch nicht gelebt und nicht gepredigt. Deshalb ist Martin Luther auch heute noch lebendig, fast ein halbes Jahrtausend nach seinem Tod. Sein Erbe ist noch lange nicht aufgebraucht.

# Bibliographie

Dies kann nur eine Auswahl aus der Fülle der Darstellungen und Untersuchungen sein. Nicht einzeln aufgeführt werden Aufsätze aus den «Luther-Jahrbüchern», der Zeitschrift «Luther» und aus anderen kirchengeschichtlichen, historischen und theologischen Zeitschriften und Jahrbüchern, auch keine theologischen Handbücher und nur wenige Bücher aus dem Bereich der akademischen Theologie. In dieser Zusammenstellung soll sich der interessierte Laie noch zurechtfinden.

*L. Abramowski, J. F. G. Goeters:* Studien zur Geschichte und Theologie der Reformation, Neukirchen 1969
*K. Aland:* Der Weg zur Reformation, München 1965
–: Martin Luther in der modernen Literatur, Witten 1973
– (Hg.): Luther deutsch, 12 Bde., Stuttgart 1957–74
– (Hg.): Pietismus und moderne Welt, Witten 1974
*H. Albertz:* Blumen für Stuckenbrock. Biographisches, Stuttgart 1981
*H. Albertz, H. Böll, H. Gollwitzer u. a.:* «Pfarrer, die dem Terror dienen»? Bischof Scharf und der Berliner Kirchenstreit 1974, Reinbek 1975
*H. Albertz, J. Thomsen (Hg.):* Christen in der Demokratie, Wuppertal 1978
*P. Althaus:* Die Theologie Martin Luthers, Gütersloh 1962
–: Paulus und Luther, Gütersloh ⁴1963
Festschrift P. Althaus, Gütersloh 1958
*E. Altmann:* Christian Friedrich Richter (1676–1711), Witten 1972
*W. Andreas:* Deutschland vor der Reformation, Stuttgart ⁶1959
*U. Asendorf:* Eschatologie bei Luther, Göttingen 1967
*R. H. Bainton:* Erasmus, Göttingen 1972
–: Martin Luther, Göttingen ⁷1980
*E. Bammel:* Die Reichsgründung und der deutsche Protestantismus, Erlangen 1973
*P. F. Barton:* Um Luthers Erbe. Studien und Texte zur Spätreformation, Witten 1972
*H.-M. Barth:* Atheismus und Orthodoxie, Göttingen 1971

*D. J. Bauer:* Die Union 1821, Heidelberg 1921

*A. Beck:* Ernst der Fromme, Weimar 1865

*B. Becker-Cantarino (Hg.):* Die Frau von der Reformation zur Romantik, Bonn 1980

*W. Bender:* Johann Konrad Dippel. Der Freigeist aus dem Pietismus, Bonn 1882

*E. Benz:* Die protestantische Thebais, Wiesbaden 1963

*E. Bethge:* Bonhoeffer, Reinbek 1977

–: Dietrich Bonhoeffer, München 1978

*W. Betzendörfer:* Glauben und Wissen bei den großen Denkern des Mittelalters, Gotha 1931

*B. Beuys:* Der Große Kurfürst, Reinbek 1979

–: Familienleben in Deutschland, Reinbek 1980

*E. Beyreuther:* August Hermann Francke, Hamburg 1957

–: Geschichte der Diakonie und Inneren Mission in der Neuzeit, Berlin ²1962

–: Kirche in Bewegung, Berlin 1968

–: Geschichte des Pietismus, Stuttgart 1978

*M. Bishop:* Petrarch and his World, London 1964

Festschrift *E. Bizer:* Studien zur Geschichte und Theologie der Reformation, Neukirchen 1969

*K. Blaschke:* Sachsen im Zeitalter der Reformation, Gütersloh 1970

*H. Boehmer:* Luthers Romfahrt, Leipzig 1914

–: Der junge Luther, Gotha 1925

*H. Bornkamm:* Eckhart und Luther 1936

–: Luthers geistige Welt, Gütersloh 1953

–: Luther im Spiegel der deutschen Geistesgeschichte, Heidelberg 1955

–: Luther, Gestalt und Wirkung, Gütersloh 1975

–: Der Pietismus in Gestalt und Wirkung, Bielefeld 1975

–: Martin Luther in der Mitte seines Lebens, Göttingen 1979

*G. Brakelmann:* Kirche und Sozialismus im 19. Jahrhundert, Witten 1966

–: Der deutsche Protestantismus im Epochenjahr 1917, Witten 1974

–: Kirche und soziale Frage, Gütersloh 1977

– (Hg.): Kirche im Krieg, München 1979

*A. Brandenburg:* Martin Luther Gegenwärtig, München 1969

–: Die Zukunft des Martin Luther, Münster 1977

*K. Brandi:* Reformation und Gegenreformation, Stuttgart ⁵1979

–: Kaiser Karl V., Stuttgart ⁷1979

*F. Braun:* Orthodoxie und Pietismus in Memmingen, München 1935

*M. Brecht:* Kirchenordnung und Kirchenzucht in Württemberg vom 16. zum 18. Jahrhundert, Stuttgart 1967

–: Martin Luther, Stuttgart 1981

*J. Brederlow:* «Lichtfreunde» und «Freie Gemeinden», München 1976

*J. Brosseder:* Luthers Stellung zu den Juden im Spiegel seiner Interpreten, München 1972

P. *Brunner:* Nikolaus von Amsdorf als Bischof von Naumburg, Gütersloh 1961

H. *Brunotte:* Die Evangelische Kirche in Deutschland, Gütersloh 1976

E. *Buchner:* Religion und Kirche, München 1925

F. *Bülau:* Die lutherische Geistlichkeit Sachsens vom 16. bis ins 18. Jahrhundert, Leipzig 1874

H. O. *Burger:* Renaissance, Humanismus, Reformation, Berlin 1969

Th. *Buske:* Thron und Altar, Neustadt a. d. Aisch 1970

R. *Calinich:* Aus dem 16. Jahrhundert, Hamburg 1876

H. *Cancik (Hg.):* Religions- und Geistesgeschichte der Weimarer Republik, Düsseldorf 1982

B. *Caspar:* Das Erzbistum Trier im Zeitalter der Glaubensspaltung, Münster i. W. 1966

Das christliche Gebetbuch im Mittelalter, Staatsbibliothek Preuß. Kulturbesitz, Berlin 1980

U. *Dannemann:* Theologie und Politik im Denken Karl Barths, München 1977

G. *Daur:* Von Predigern und Bürgern. Eine hamburgische Kirchengeschichte von der Reformation bis zur Gegenwart, Hamburg 1970

H. *Dechent:* Kirchengeschichte von Frankfurt am Main seit der Reformation, 2 Bde., Frankfurt a. M. 1913–1921

G. *Denzler:* Das Papsttum, 2 Bde., Stuttgart 1973–1976

K. *Deppermann:* Melchior Hoffmann, Göttingen 1979

W. *Dresch:* Der Glaube der religiösen Sozialisten, Hamburg 1972

O. *Dibelius:* Ein Christ ist immer im Dienst, Stuttgart ²1963

H. *Dörries:* Geist und Geschichte bei Gottfried Arnold, Göttingen 1963

–: Wort und Stunde, Bd. 2–3, Göttingen 1969–70

E. v. *Dryander:* Erinnerungen aus meinem Leben, Leipzig 1922

H. *Düfel:* Luthers Stellung zur Marienverehrung, Göttingen 1968

U. *Duchrow, W. Huber:* Umdeutung der Zweireichelehre Luthers im 19. Jahrhundert, Gütersloh 1975

– (Hg.): Zwei Reiche und Regimente. Ideologie oder evangelische Orientierung? Gütersloh 1977

R. v. *Dülmen:* Reformation als Revolution, München 1977

K. *Ebeling:* Luther, Tübingen 1964

W. *Elert:* Morphologie des Luthertums, 2 Bde., München 1931–1953

K. *Ehring, M. Dallwitz:* Schwerter zu Pflugscharen. Friedensbewegung in der DDR, Reinbek 1982

W. *Elliger:* Thomas Müntzer, Göttingen 1975

– (Hg.): Philipp Melanchthon, Göttingen 1961

– (Hg.): Die Evangelische Kirche der Union, Witten 1967

Festschrift W. *Elliger:* Theologie in Geschichte und Kunst, Witten 1968

K. *Elm, P. Joerißen, H. J. Roth (Hg.):* Die Zisterzienser, Bonn 1980

H. W. *Eppelsheimer (Hg.):* Petrarca, Frankfurt a. Main 1980

*E. H. Erikson:* Der junge Mann Luther, München 1958

*W. Ernst:* Gott und Mensch am Vorabend der Reformation, Leipzig 1972

*A. Esch:* Pietismus und Frühindustrialisierung, Göttingen 1978

*A. Feige:* Kirchenaustritte, Berlin 1976

*Ch. Ferber:* Die Seidels, Stuttgart 1979

*L. Fevre:* Martin Luther, Berlin 1976

*H. R. Flachsmeier:* Geschichte der evangelischen Weltmission, Gießen 1963

*E. Foerster:* Die Entstehung der preußischen Landeskirche, Tübingen 1905

*K. Forster (Hg.):* Wandlungen des Lutherbildes, Würzburg 1966

*A. Franzen:* Die Kelchbewegung am Niederrhein im 16. Jahrhundert, Münster i. W. 1955

–: Zölibat und Priesterehe, Münster i. W. 1969

–: Bischof und Reformation. Erzbischof Hermann von Wied in Köln, Münster i. W. 1971

*R. Friedenthal:* Luther. Sein Leben und seine Zeit, München 1967

*M. Geiger:* Aufklärung und Erweckung, Zürich 1963

*H. A. E. v. Gelder:* The Two Reformations in the 16th Century, Den Haag 1961

*H. J. Genthe:* Kleine Geschichte der neutestamentlichen Wissenschaft, Göttingen 1977

*W. Gerlach, M. List:* Johannes Kepler, München ²1980

*H. Glaser (Hg.):* Wittelsbach und Bayern, Bd. 1, München 1980

*H. J. Goertz:* Umstrittenes Täufertum, Göttingen 1975

–: Die Täufer, München 1980

– (Hg.): Radikale Reformatoren, München 1978

*J. B. Goetz:* Religiöse Wirren in der Oberpfalz von 1576–1620, München 1937

*F. Gogarten:* Luthers Theologie, Tübingen 1967

*L. Grane, B. Lohse (Hg.):* Luther und die Theologie der Gegenwart, Göttingen 1980

*M. Greschat:* Zwischen Tradition und neuem Anfang, Valentin Ernst Löscher, Witten 1971

–: Der deutsche Protestantismus im Revolutionsjahr 1918/19, Witten 1974

*M. Greschat, J. F. Goeters:* Reformation und Humanismus, Witten 1969

*H. Grote:* Sozialdemokratie und Religion, Tübingen 1968

*M. Haas:* Huldrych Zwingli und seine Zeit, Zürich ²1976

*H. G. Haile:* Luther, New York 1980

*K. Hammer:* Deutsche Kriegstheologie (1870–1918), München 1971

Festschrift *E. Hassinger:* Historia integra, Berlin 1977

*W.-D. Hauschild:* Kirchengeschichte Lübecks, Lübeck 1981

*E. Hegel, R. Stupperich, B. Brilling:* Kirchen und Religionsgemeinschaften in der Provinz Westfalen, Münster i. W. 1978

*A. Heger:* Evangelische Verkündigung und deutsches Nationalbewußtsein, Berlin 1939

*L. Hein (Hg.):* Festschrift Peter Meinhold, Wiesbaden 1977

*M. Heinsius:* Das unüberwindliche Wort. Frauen der Reformationszeit, München 1951

*M. Hennig:* Die Einführung der Konfirmation im Gebiet der Hamburgischen Landeskirche, Hamburg 1974

*K. Herbert (Hg.):* Um evangelische Einheit, Herborn 1967

*R. Herrmann:* Studien zur Theologie Luthers und der Reformation, Göttingen 1960

*H.-W. Heßler (Hg.):* Protestanten und ihre Kirche, München 1976

*N. C. Heutger:* Die evangelisch-theologische Arbeit der Westfalen in der Barockzeit, Hildesheim 1969

*H. Hild (Hg.):* Wie stabil ist die Kirche?, Berlin ²1975

*C. Hinrichs:* Preußentum und Pietismus, Göttingen 1971

*E. Hirsch:* Geschichte der neuen evangelischen Theologie, 5 Bde., Gütersloh 1949–54

–: Lutherstudien, 2 Bde., Gütersloh 1954

*J. H. Höck:* Das kirchliche Leben in Hamburg vor und nach den Freiheitskriegen, Hamburg 1900

*J. Höss:* Georg Spalatin, Weimar 1956

*E. R. Huber, W. Huber:* Staat und Kirche im 19. und 20. Jahrhundert, 2 Bde., Berlin 1973–76

*W. Huber, J. Schwerdtfeger (Hg.):* Kirche zwischen Krieg und Frieden, Stuttgart 1976

*Th. Heuß:* Friedrich Naumann, München ³1968

*B. Heyne, K. Schulz (Hg.):* Vom kirchlichen Leben Bremens im 19. Jahrhundert, Bremen 1961

*E. Iserloh, K. Repgen (Hg.):* Reformata Reformanda, Festgabe H. Jedin, 2 Bde., Münster Westr. 1965

*H. J. Iwand:* Rechtfertigungslehre und Christusglaube, München 1966

–: Nachgelassene Werke, Bd. 5, München 1974

*E. Jäckh:* Christoph Blumhardt, Stuttgart 1950

*J. Janssen:* Geschichte des deutschen Volkes, 5 Bde., Freiburg ¹⁵1889–1890

*B. Jaspert, R. Mohr:* Traditio-Krisis-Renovatio aus theologischer Sicht, Marburg 1976

*H. Jedin:* Die Erforschung der kirchlichen Reformationsgeschichte seit 1876, Darmstadt 1975

– (Hg.): Handbuch der Kirchengeschichte, Bd. 4, Freiburg 1967

– (Hg.): Ekklesiologie um Luther, Berlin 1968

*W. Johnson:* Pro Ara. Streiflichter zur kirchlichen Bewegung der Gegenwart, Göttingen 1888

*E. Jüngel (Hg.):* Müssen Christen Sozialisten sein?, Hamburg 1976

*H. Junghans:* Ockham im Lichte der neueren Forschung, Berlin 1968

–: Wittenberg als Lutherstadt, Göttingen 1979

*B. Kaff:* Volksreligion und Landeskirche. Die evangelische Bewegung im bayerischen Teil der Diözese Passau, München 1977

*F. W. Kantzenbach:* Zwischen Erweckung und Restauration, Gladbeck 1968.
–: Gestalten und Typen des Neuluthertums, Gütersloh 1968
–: Schleiermacher, Reinbek 1974
–: Die Erweckungsbewegung, Neuendettelsau 1957
–: Protestantisches Christentum im Zeitalter der Aufklärung, Gütersloh 1965
*W. Kawerau:* Kulturbilder aus der Zeit der Aufklärung, 2 Bde., Halle 1888
–: Martin Luther, Stuttgart ⁵1903
*M. Kazmaier:* Die deutsche Grabrede im 19. Jahrhundert, Stuttgart 1977
*R. Kießling:* Bürgerliche Gesellschaft und Kirche in Augsburg im Spätmittelalter, Augsburg 1971
*J. B. Kißling:* Der deutsche Protestantismus 1817–1917, 2 Bde., Münster/Westf. 1918
*K. H. Kirchhoff:* Die Täufer in Münster 1534/35, Münster i. W. 1973
Kirche und Staat im 19. und 20. Jahrhundert, Neustadt a. d. Aisch 1968
*J. Klepper:* Unter dem Schatten deiner Flügel, Stuttgart 1976
*J. Kniffkat:* Das kirchliche Leben in Berlin-Ost in der Mitte der zwanziger Jahre, Münster 1971
*Ch. Köhle-Hezinger:* Evangelisch – Katholisch. Untersuchungen zu konfessionellem Vorurteil und Konflikt im 19. und 20. Jahrhundert, Tübingen 1976
*B. Könneker:* Die deutsche Literatur der Reformationszeit, München 1975
*J. Köstlin:* Luthers Leben, Leipzig ²1883
*B. Kötting (Hg.):* Kleine deutsche Kirchengeschichte, Freiburg 1980
*C. Kramer-Schlette:* Vier Augsburger Chronisten der Reformationszeit, Lübeck 1970
*R. Krause:* Die Predigt der späten deutschen Aufklärung, Stuttgart 1965
*W. Kreck:* Tradition und Verantwortung, Neukirchen 1974
*G. Krüger:* Die Religion der Goethezeit, Tübingen 1931
*H.-W. Krumwiede:* Zur Entstehung des landesherrlichen Kirchenregiments, Göttingen 1967
*A. Künzli:* Die Angst als abendländische Krankheit, Zürich 1947
*K. Kupisch:* Zwischen Idealismus und Massendemokratie, Berlin 1955
– (Hg.): Quellen zur Geschichte des deutschen Protestantismus 1871 bis 1945, München 1965
*E. Lange:* Die ökumenische Utopie, Stuttgart 1972
*F. Lau (Hg.):* Der Glaube der Reformatoren, Bremen 1964
Festschrift F. Lau: Vierhundertfünfzig Jahre lutherische Reformation, Göttingen 1967
*K. Leese:* Der Protestantismus im Wandel der neueren Zeit, Stuttgart 1941
*H. Lehmann:* Pietismus und weltliche Ordnung in Württemberg vom 17. bis zum 20. Jahrhundert, Stuttgart 1969
*H. Leube:* Kalvinismus und Luthertum im Zeitalter der Orthodoxie, Leipzig 1928
–: Orthodoxie und Pietismus, Bielefeld 1975

A. *Lindt, K. Deppermann (Hg.):* Pietismus und Neuzeit, Bd. 1–6, Bielefeld 1974–1978

F. H. *Littell:* Reformation Studies, Richmond 1962

H. *Loewen:* Luther and the Radicals, 1974

G. W. *Locher:* Die Zwinglische Reformation, Göttingen 1979

W. *Lohff, B. Lohse (Hg.):* Christentum und Gesellschaft, Göttingen 1969

B. *Lohse:* Mönchtum und Reformation, Göttingen 1963

–: Martin Luther, München 1981

J. *Lortz:* Die Reformation in Deutschland, 2 Bde., Freiburg ³1949

A. *Ludwig:* Die evangelischen Pfarrer des badischen Oberlands im 16. und 17. Jahrhundert, Lahr/Baden 1934

H. *Lutz (Hg.):* Zur Geschichte der Toleranz und Religionsfreiheit, Darmstadt 1977

–: Reformation und Gegenreformation, Darmstadt 1977

W. *Mahrholz:* Der deutsche Pietismus, Berlin 1921

R. *Marbach:* Säkularisierung und sozialer Wandel im 19. Jahrhundert, Göttingen 1978

U. *Mauser:* Der junge Luther und die Häresie, Gütersloh 1968

W. *Maurer:* Aufklärung, Idealismus und Restauration, Gießen 1930

–: Luthers Lehre von den drei Hierarchien und ihr mittelalterlicher Hintergrund, München 1970

–: Kirche und Geschichte, 2 Bde., Göttingen 1976–77

–: Die Kirche und ihr Recht, Tübingen 1976

Festschrift W. Maurer, Reformatio und Confessio, Berlin 1965

G. *May:* Interkonfessionalismus in der ersten Hälfte des 19. Jahrhunderts, Paderborn 1969

K. *Meier:* Der evangelische Kirchenkampf, 2 Bde., Göttingen 1976

P. *Meinhold:* Luther heute, Berlin 1967

–: Die gesamtchristliche Bedeutung der Theologie Martin Luthers, Wiesbaden 1976

G. *Mehnert:* Programme evangelischer Kirchenzeitungen im 19. Jahrhundert, Witten 1972

F. *Merkel:* Geschichte des Evangelischen Bekenntnisses in Baden, Karlsruhe 1960

J. B. *Metz:* Glaube in Geschichte und Gesellschaft, Mainz 1977

E. *Meuthen:* Das fünfzehnte Jahrhundert, Oldenburg 1980

B. *Moeller:* Johannes Zwick und die Reformation in Konstanz, Gütersloh 1961

–: Deutschland im Zeitalter der Reformation, Göttingen 1977

–: Geschichte des Christentums in Grundzügen, Göttingen ²1979

–: G. Ruhbach (Hg.): Bleibendes im Wandel der Kirchengeschichte, Tübingen 1973

J. *Moltmann:* Christoph Pezel (1539–1604) und der Calvinismus in Bremen, Bremen 1958

*K.-H. zur Mühlen:* Nos extra nos. Luthers Theologie zwischen Mystik und Scholastik, Tübingen 1972

*G. Müller:* Die Rechtfertigungslehre, Gütersloh 1977

Festschrift *E. F. K. Müller:* Aus Theologie und Geschichte, Neukirchen 1933

*E. Nase, J. Scharfenberg (Hg.):* Psychoanalyse und Religion, Darmstadt 1977

*H. Neumaier:* Reformation und Gegenreformation im Bauland, Würzburg 1978

*W. Niemöller:* Die Evangelische Kirche im Dritten Reich, Handbuch des Kirchenkampfes, Bielefeld 1956

*W. Nigg:* Heimliche Weisheit. Mystiker des 16.–19. Jhs., Freiburg 1975

*Th. Nipperdey:* Reformation, Revolution, Utopie, Göttingen 1975

*K. Nowak:* Evangelische Kirche und Weimarer Republik, Göttingen 1981

*H. A. Oberman:* Spätscholastik und Reformation, Zürich 1965

–: Werden und Wertung der Reformation, Tübingen ²1979

– (Hg.): Luther and the Dawn of the Modern Era, Leiden 1974

–: Wurzeln des Antisemitismus, Berlin 1981

*H. A. Oberman, A. M. Ritter, H. W. Krumwiede (Hg.):* Kirchen- und Theologiegeschichte in Quellen, Neukirchen 1977–1980

*H. Obst:* Der Berliner Beichtstuhlstreit, Witten 1972

*F. W. Oediger:* Über die Bildung der Geistlichen im späten Mittelalter, Köln 1953

*G. Ott:* Ernst Moritz Arndt, Bonn 1966

*St. E. Ozment:* Homo Spiritualis, Leiden 1969

*W.-E. Peuckert:* Die große Wende, Hamburg 1948

*W. Philipp:* Der Protestantismus im 19. und 20. Jahrhundert, Bremen 1965

–: Das Werden der Aufklärung in theologiegeschichtlicher Sicht, Göttingen 1967

*R. R. Post:* The modern Devotion, Leiden 1968

*O. Rammstedt:* Sekte und soziale Bewegung, Köln 1966

*L. v. Ranke:* Deutsche Geschichte im Zeitalter der Reformation, Wiesbaden o. J.

*H. Rankl:* Das vorreformatorische landesherrliche Kirchenregiment in Bayern, München 1971

*J. Rathje:* Die Welt des freien Protestantismus, Stuttgart 1952

*K. H. Rengstorf, S. v. Kortzfleisch (Hg.):* Kirche und Synagoge, 2 Bde., Stuttgart 1968–1970

*H. Renkewitz:* Hochmann von Hochenau, Breslau 1935

*P. A. Reuter (Hg.):* Summa Pontificia, Lehren und Weisungen der Päpste durch zwei Jahrtausende, 2 Bde., Abensberg 1978

*M. Richter:* Der Missionsgedanke im evangelischen Deutschland des 18. Jahrhunderts, Leipzig 1928

*G. Ritter:* Die Weltwirkung der Reformation, München ²1959

*J. Röbbelen:* Theologie und Frömmigkeit im deutschen evangelisch-lutherischen Gesangbuch des 17. und frühen 18. Jahrhunderts, Göttingen 1957

*E. Röhm, J. Thierfelder:* Evangelische Kirche zwischen Kreuz und Hakenkreuz, Stuttgart 1981

*C.-J. Roepke:* Die Protestanten in Bayern, München 1972

*H.-Ch. Rublack:* Die Einführung der Reformation in Konstanz, Gütersloh 1971

–: Die gescheiterte Reformation, Stuttgart 1978

*H. Rückert:* Vorträge und Aufsätze zur historischen Theologie, Tübingen 1972

Festschrift H. Rückert: Geist und Geschichte der Reformation, Berlin 1966

*E. Schall:* Die Socialdemokratie in ihren Wahrheiten und Irrtümern und die Stellung der protestantischen Kirche, Berlin 1893

*K. Scharf:* Für ein politisches Gewissen der Kirche, Reden und Schriften 1932–1972, Stuttgart 1972

*M. Scharfe:* Die Religion des Volkes, Kleine Kultur- und Sozialgeschichte des Pietismus, Gütersloh 1980

*M. Schian:* Die evangelischen Kirchengemeinden in der Kriegszeit, Leipzig 1918

*J. Schildhauer:* Soziale, politische und religiöse Auseinandersetzungen in den Hansestädten Stralsund, Rostock und Wismar im ersten Drittel des 16. Jahrhunderts, Weimar 1959

*A. Schleiff:* Selbstkritik der lutherischen Kirchen im 17. Jahrhundert, Berlin 1937

*A. Schilson:* Lessings Christentum, Göttingen 1980

*G. Schimansky:* Christ ohne Kirche: Sebastian Franck, Stuttgart 1980

*F. D. E. Schleiermacher:* Reden über Religion. An die Gebildeten unter ihren Verächtern, Stuttgart 1923

*A. Schlingensiepen-Pogge:* Das Sozialethos der lutherischen Aufklärungstheologie am Vorabend der Industriellen Revolution, Göttingen 1967

*M. Schloemann, S. J. Baumgarten:* System und Geschichte in der Theologie des Überganges zum Neuprotestantismus, Göttingen 1974

*H. Schmidt:* Als Christ in der politischen Entscheidung, Gütersloh 1976

*J. Schmitt:* Die Gnade bricht durch, Gießen ³1958

*E. Schneider:* Die Theologie und Feuerbachs Religionskritik, Göttingen 1972

*J. Schneider:* Die evangelischen Pfarrer der Martkgrafschaft Baden-Durlach in der zweiten Hälfte des achtzehnten Jahrhunderts, Lahr in Baden 1936

*H. Schöffler:* Deutsches Geistesleben zwischen Reformation und Aufklärung, Frankfurt a. M. ²1956

*A. Schöne:* Säkularisation als sprachbildende Kraft, Göttingen ²1968

*K. Scholder:* Ursprünge und Probleme der Bibelkritik im 17. Jahrhundert, München 1966

–: Die Kirchen und das Dritte Reich, Bd. 1, Berlin 1977

*J. Schollmeier:* Johann Joachim Spalding, Gütersloh 1967

*Ch.-E. Schott:* Möglichkeiten und Grenzen der Aufklärungspredigt, Göttingen 1978

G. *Schröttel:* Johann Michael Dilherr und die vorpietistische Kirchenreform in Nürnberg, Nürnberg 1962

Ch. *Schubart:* Die Berichte über Luthers Tod und Begräbnis, Weimar 1917

R. *Seeberg:* Die Kirche Deutschlands im 19. Jahrhundert, Leipzig ²1904

M. *Seidel:* Die Anfänge der katholischen und protestantischen sozialen Bewegung im Vormärz, Hamburg 1970

W. *Seidel-Höppner:* Wilhelm Weitling, Berlin 1961

W. O. *Shanahan:* Der deutsche Protestantismus vor der sozialen Frage 1815–1871, München 1962

M. *Smid:* Ostfriesische Kirchengeschichte, Emden 1974

D. *Sölle:* Die Hinreise. Zur religiösen Erfahrung, Stuttgart ⁶1981

D. *Sölle, K. Schmidt (Hg.):* Christentum und Sozialismus, Stuttgart 1974

R. *Sorg:* Marxismus und Protestantismus in Deutschland, Köln 1974

K. G. *Steck:* Lehre und Kirche bei Luther, München 1963

H. *Steitz:* Geschichte der Evangelischen Kirche in Hessen und Nassau, 5 Bde., Marburg/L. 1961–1971

H. *Stephan:* Luther in den Wandlungen seiner Kirche, Berlin ²1951

L. *Stern, M. Steinmetz (Hg.):* 450 Jahre Reformation, Berlin 1967

G. *Stiller:* Johann Sebastian Bach und das Leipziger gottesdienstliche Leben seiner Zeit, Kassel 1970

M. *Stirm:* Die Bilderfrage in der Reformation, Gütersloh 1977

H. *Stratenwerth:* Die Reformation in der Stadt Osnabrück, Wiesbaden 1971

H.-W. *Struck:* Der Bauernkrieg am Mittelrhein und in Hessen, Wiesbaden 1975

R. *Stupperich:* Der unbekannte Melanchthon, Stuttgart 1961

–: Das Fraterhaus in Herford, Münster 1975

–: Die Reformation in Deutschland, Gütersloh ²1980

D. A. *Tholuck:* Das kirchliche Leben des 17. Jahrhunderts, 2 Bde., Berlin 1861–1862

L. *Tiesmeyer:* Die Erweckungsbewegung in Deutschland während des XIX. Jahrhunderts, Kassel 1901–1904

P. *Tillich:* Der Protestantismus, Stuttgart 1950

J. *Trautwein:* Die Theosophie Michael Hahns und ihre Quellen, Stuttgart 1969

W. *Trillhaas:* Perspektiven und Gestalten des neuzeitlichen Christentums, Göttingen 1975

P. *Tschackert:* Die Entstehung der lutherischen und der reformierten Kirchenlehre, Neudruck Göttingen 1979

V. *Vajta:* Luther und Melanchthon, Göttingen 1961

J. *Vogel:* Kirche und Wiederbewaffnung, Göttingen 1978

H. *Volz:* Die Lutherpredigten des Johannes Mathesius, Leipzig 1930

H. *Vonschott:* Geistiges Leben im Augustinerorden am Ende des Mittelalters und zu Beginn der Neuzeit, Berlin 1915

H. *Vorländer:* Aufbruch und Krise. Ein Beitrag zur Geschichte der deutschen Reformierten vor dem Kirchenkampf, Neukirchen 1974

–: Kirchenkampf in Elberfeld 1933–1945, Göttingen 1968

*J. Wallmann:* Philipp Jakob Spener und die Anfänge des Pietismus, Tübingen 1970

–: Deutsche Kirchengeschichte, Berlin 1973

*Wangemann:* Geistliches Regen und Ringen am Ostseestrande, Berlin 1861

*H. E. Weber:* Reformation, Orthodoxie und Rationalismus, 3 Bde., Gütersloh 1937–1951

*H.-U. Wehler (Hg.):* Der deutsche Bauernkrieg, Göttingen 1975

*G. Wehr:* Jakob Böhme, Reinbek 1975

–: Paul Tillich, Reinbek 1979

*V. Wehrmann:* Die Aufklärung in Lippe, Detmold 1972

*A. M. Weiß:* Lutherpsychologie, Mainz 1906

*O. Wenig:* Rationalismus und Erweckungsbewegung in Bremen, Bonn 1966

*E. Winkler:* Die Leichenpredigt im deutschen Luthertum bis Spener, München 1967

*E. Wolf:* Peregrinatio, München 1954

*K. Wolfart:* Die Augsburger Reformation in den Jahren 1533/34, Leipzig 1901

*W. Zeller (Hg.):* Der Protestantismus des 17. Jahrhunderts, Bremen 1962

*A. Zahn:* Abriß einer Geschichte der evangelischen Kirche auf dem Festlande im 19. Jahrhundert, Stuttgart 1893

*E. W. Zeeden:* Martin Luther und die Reformation im Urteil des deutschen Luthertums, 2 Bde., Freiburg 1950–1952

–: Katholische Überlieferungen in den lutherischen Kirchenordnungen des 16. Jahrhunderts, Münster i. W. 1959

–: Die Entstehung der Konfessionen, München 1965

–: Das Zeitalter der Gegenreformation, Freiburg 1967

*H. Zahrnt:* Die Sache mit Gott, München 1966

–: Warum ich glaube, München 1980

# Register

Das Register enthält die Personennamen, die Orts- und Gebietsnamen des ehemaligen Deutschen Reiches und ausgewählte historische und theologische Begriffe.

Martin Luther wird im ersten Teil des Buches (bis Seite 292) fast auf jeder Seite genannt. Da dieser erste Teil chronologisch erzählt wird, sind die gesuchten Stellen zum Stichwort «Luther» leicht zu finden. Die Eintragungen zu Luther beginnen mit dem Kapitel «Der Streit bricht los» (Seite 293) und reichen bis zum Ende des Buches. Luthers Werke, soweit sie im Text erwähnt sind, wurden unter «Luther, Martin» aufgeführt.

Stichwörter wie «Bibel», «Evangelium», «Schrift», «Wort», «Rom», «Christus», «Gott» u.ä. wurden nicht aufgenommen, weil sie praktisch auf jeder Seite direkt oder indirekt der Darstellung zugrunde liegen.

Bulle 125f., 140, 141, 142
Bund der religiösen Sozialisten Deutschlands 515
Bund evangelischer Proletarier 514
Bund sozialistischer Kirchenfreunde 515
Büren, Daniel von 312f., 314
Burschenschaften 420
Buttlar, Eva von 379
Butzer, Martin 262, 270, 277, 289
Buße 132, 204, 221, 275, 459, 477

Cajetan (= Thomas de Vio) 106, 107, 109, 111–116, 119, 121, 197
Callenberg, Clara Elisabeth von 378f.
Calvin, Johannes (= Jean Cauvin) 210, 297, 298–300, 301, 305, 306, 311, 315, 316, 319, 362, 396, 415, 423
Calvinismus 311, 321ff., 330, 336, 340, 367
Calw 455
Campeggi, Lorenzo 202f.
Canaris, Wilhelm 558, 564
Capistrano siehe Johannes von Capistrano 62
Capito, Wolfgang 199
Carpzov, Johann Benedict 344f.; Nachfahre 386, 407
Cartesius siehe Descartes
Castellio, Sebastian 299
Celle 231, 337
Cham 322
Christoph von Stadion 86
Cicero 290
Clemens VI., Papst 112, 113
Coburg, Veste 256, 260
Collegia pietatis 365
Cölln 400, 402
Colsman, Eduard 436, 439–441, 455
Confessio Augustana 257ff., 270, 296f., 530
Confutatio 259
Conrad, Paul 500
Contarini, Gasparo 139f., 280, 282
Cracow, Georg 323, 324, 334

Cruciger, Caspar 282
«Cuius regio, eius religio» 297, 343

Dachau, KZ 550
Dantiscus, Johannes 188–189, 192
Danzig 528
Darmstadt 353, 551
DDR 571–573
Dehn, Günther 515, 519
Dellwig 472, 473
Demokraten, Demokratie 454, 456, 457, 458, 463, 465
Den Bosch 46
Derendingen 348
Descartes, René 356, 358
Detmold 400
Deutsch 149, 156f., 173, 203, 212, 217, 226, 257, 270, 271, 290, 291, 326, 363, 412
Deutsche Christen 520, 529ff., 538, 546
Deutsche Glaubensbewegung 545
Deutschkirche 514
Devotio moderna 60, 250, 311
Diakonissen 461
Dibelius, Otto 500, 505–510, 516f., 524f., 533, 534
Dichtl, Bernhard 199f.
Dickenschied im Hunsrück 549
Dietwar, Bartholomaeus 340
Dilherr, Johann Michael 346
Dinkelsbühl 331
Dionigi, Francesco 73, 74
Dithmarschen 192
Doehring, Bruno 497
Domherren 55
Dominikaner 26, 97, 101, 104, 197
Dominikus, hl. 33
Döring, Karl August 435f.
Dorsch, Johann Georg 341
Dortmund 59, 541
Dreißigjähriger Krieg 339–342
Dresden 312, 326, 334, 364, 394, 396, 405
Duisburg 312, 328
Dulon, Rudolph 465

Durchhaltepredigt 499
Düren 42
Dürer, Albrecht 43, 63, 65, 67, 68, 144f.;
 194, 213
Düsseldorf 434, 437, 461
Dutschke, Rudi 19, 569

Ebergötzen 475
Eck, Johannes 118, 126, 256, 259, 260,
 280
Eckehart *siehe* Meister Eckehart
Eckert, Erwin 514f.
Edzard I., der Große, Graf von Ostfries-
 land 195
Ehrenberg, Hans 548f.
Einäscherung 483, 511f.
Einsiedler 32, 376–382
Eisenach 144, 214, 270, 484, 572
Eisenlohr, Diakon 457
Eisern bei Siegen 442
Eiskellerversammlung 486f., 491
Eisleben 66, 179, 183, 275, 289, 290, 305,
 435
EKD 568, 570, 571
Elberfeld 434, 455
Elert, Werner 535
Emden 53, 60, 195, 265, 266, 296,
 312
Emendation 314
Empfindsamkeit, Zeitalter der 390
Engelberti, Ulrich 57
Engelhard, Andreas 274
Engels, Friedrich 172, 434, 435, 436
Enno I., Graf von Ostfriesland 53
Enthusiasten 339, 353, 374
Erasmus von Rotterdam 55, 77, 84, 86,
 87, 104, 120, 121, 194f., 199, 201, 217,
 219–225, 249, 279, 300, 303, 311, 327,
 381
Erbauungsbücher 49, 337, 350, 351, 365,
 369, 376
Erbauungsstunden 362, 364, 365, 375,
 386, 442, 444
Erbt, Wilhelm 513

Erfurt 44, 61, 66, 67, 68, 70, 71, 75, 96,
 103, 366, 374
Ermächtigungsgesetz 526
Ermland 189
Ernst, Herzog von Sachsen-Gotha, ge-
 nannt der Fromme 354f.
Ervenius 353
Erweckung 361, 431, 443, 448 (E.sbewe-
 gung), 461, 526
«Euthanasie»-Programm 555–557
Evangelikalen, die 570
«Evangelische Kirchenzeitung» 432f.
Ewald, Johann Ludwig 397, 400, 402
Ewich, Johann von 313
Exkommunikation 233, 307f.
Exorzismus 313, 314, 411, 412

Fabri, Felix 59
Fehling, Johann Christoph 478
Feiertage, kirchliche 408, 411f.
Feige, Johann 240
Feller, Johann 363
Ferdinand I., Bruder Karls V., König von
 Böhmen und Ungarn, seit 1558 deut-
 scher Kaiser 237, 256, 297
Ferdinand II., dt. Kaiser seit 1619 340
Feuerbach, Ludwig 20
Feuerbestattung 483, 511f.
Fischer, Ernst 386
Fischer, Friedrich 199
Flacianer 302, 305, 325
Flacius, Matthias 301, 304, 305
Fleisch und Blut *siehe* Brot und Wein
Flensburg 249, 513
Fliedner, Theodor 461
Flossenbürg, KZ 564
Formula Reformationis 294
Forst, Propst 541
Fortschrittsglaube 372ff., 413, 430, 448,
 483, 485
Franck, Sebastian 277, 278–279, 300
Francke, August Hermann 360–381, 386,
 390, 394, 423, 461
Frankenhausen 177

# Barbara Beuys
# Der Große Kurfürst

## Der Mann, der Preußen schuf
### Biographie

420 S. mit 31 Abb. auf 16 Tafeln. Gebunden

«Er war ein Barockfürst wie andere, ein Kind seiner Zeit, und auch ein Mann zwischen den Zeiten, und als solchen bringt ihn seine Biographin mit vielen deutlich gesehenen und kräftig hingemalten Details zum Leben ... Wie es sich in der Generation nach dem Dreißigjährigen Krieg lebte, das weiß man, wenn man dieses Buch gelesen hat, als wäre man dabeigewesen.»

Sebastian Haffner im *«Stern»*

«Wer diesen Herrscher und seine Aufbauleistung für Preußen kennenlernen möchte, findet derzeit kein besseres Buch ... als diese Biographie, die sorgfältige Recherchen und unterhaltsame Darstellung aufs angenehmste verbindet ...»

Eckart Kleßmann in *«Die Zeit»*

Rowohlt

# Barbara Beuys
# Familienleben in Deutschland

Neue Bilder
aus der Deutschen Vergangenheit

520 Seiten. Gebunden

«Ein Meisterstück jener Art von Historie, an der es hierzulande weithin fehlt: Unterhaltend und doch auf der Höhe der wissenschaftlichen Erkenntnis, ein Beitrag zur Gegenwartsanalyse und doch ohne oppositionelle Aufgeregtheit, ohne besserwisserische Arroganz der Vergangenheit gegenüber. Die Toten, so ein Satz von Frau Beuys, können sich nicht wehren. Es gilt, ihnen gerecht zu werden – was am Ende auch bedeutet, uns selbst und unseren historischen Ort besser zu begreifen aus der alten Geschichte von Vater, Mutter und Kind.»
Prof. Dr. Michael Stürmer, Universität Erlangen

«Barbara Beuys bietet keine unverdauliche Datensammlung an, sondern sie bereitet ihr Material gut lesbar und sogar mit Humor auf.» Maria Frisé, *Frankfurter Allgemeine Zeitung*

«Der Verdienst dieses Buches ist, daß es nicht in Geschichtslehrer-Manier doziert, sondern an Hand von Familienschicksalen mit authentischen Texten aus alten Archiven miterleben läßt. Die Leute von damals kommen selbst zu Wort, ob die Kaufmannsfamilie Runtinger in Regensburg oder die des Ziegelarbeiters Bronner aus Höchstadt/Donau.» Friedhelm Fiedler, *Stuttgarter Nachrichten*

«Ganze Bibliotheken des schönen Scheins zerfallen da zu Staub.»
Horst Stern, *Die Welt*

Rowohlt

«Und wenn die Welt voll Teufel wär,
Und wollt uns gar verschlingen,
So fürchten wir uns nicht so sehr,
Es sollt uns doch gelingen.»

Mit dieser dritten Strophe aus dem Kampflied der Protestanten – «Ein feste Burg ist unser Gott» – ermutigte Martin Luther 1528 seine Anhänger. Schon waren in Brüssel zwei Mönche, die sich zu dem neuen evangelischen Glauben bekannten, verbrannt worden. Es stand nicht gut um die Reformation, denn sie hat Deutschland keineswegs im Sturm erobert. Doch Luthers Glaube, der in diesem Lied steckt, hat tatsächlich Berge versetzt. Die deutsche Geschichte, und nicht nur sie, wurde von der geistigen Kraft dieses Menschen in andere Bahnen gelenkt. Wir alle sind seine Erben.

Keiner würde sich nach 500 Jahren an diesen Theologieprofessor aus der Provinz erinnern, wenn dessen Theologie es nicht in sich gehabt hätte. Die äußeren Stationen seines Lebens sind Legenden geworden. Die Historiker haben Luthers Theologie ausgespart, sogar die Pfarrer sie zum großen Teil vergessen. Doch wofür einst Menschen vertrieben und getötet wurden, ist keine historische Antiquität, keine Wissenschaft nur für Eingeweihte. Es ist ein geistiges Potential, das alle angeht, die über den Tag hinaus denken. Denen zusammen mit dem Mönch aus Wittenberg die Frage nicht aus dem Sinn geht: Was ist der Mensch?

Barbara Beuys hat theologische Schlagworte und längst unverständlich gewordene Formeln aufgebrochen und dahinter einen neuen unbekannten Luther entdeckt. Faszi-